le Guide du routard

Directeur de collection et auteur
Philippe GLOAGUEN

Cofondateurs
Philippe GLOAGUEN et Michel DUVAL

Rédacteur en chef
Pierre JOSSE

Rédacteurs en chef adjoints
Amanda KERAVEL et Benoît LUCCHINI

Directrice de la coordination
Florence CHARMETANT

Rédaction
Olivier PAGE, Véronique de CHARDON,
Isabelle AL SUBAIHI, Anne-Caroline DUMAS,
Carole BORDES, André PONCELET,
Marie BURIN des ROZIERS, Thierry BROUARD,
Géraldine LEMAUF-BEAUVOIS,
Anne POINSOT, Mathilde de BOISGROLLIER,
Alain PALLIER, Gavin's CLEMENTE-RUÏZ
et Fiona DEBRABANDER

LANGUEDOC-ROUSSILLON

2008

Hachette

Avis aux hôteliers et aux restaurateurs

Les enquêteurs du *Guide du routard* travaillent dans le plus strict anonymat. Aucune réduction, aucun avantage quelconque, aucune rétribution n'est jamais demandé en contrepartie. Face aux aigrefins, la loi autorise les hôteliers et restaurateurs à porter plainte.

Hors-d'œuvre

Le *Guide du routard,* ce n'est pas comme le bon vin, il vieillit mal. On ne veut pas pousser à la consommation, mais évitez de partir avec une édition ancienne. Les modifications sont souvent importantes.

ON EN EST FIERS : www.routard.com

• ***routard.com*** • Vous avez votre *Routard* en poche, mais vous êtes un inconditionnel de la petite souris. Sur routard.com, vous trouverez tout pour préparer votre voyage : fiches pratiques sur les régions françaises, itinéraires, météo, agenda culturel... Mais aussi des services comme la réservation d'hôtels et de campings, et la possibilité de trouver sa location, de partager ses photos et de découvrir des milliers de clichés, d'échanger ses bons plans dans les forums... Le site indispensable pour bien voyager.

Petits restos des grands chefs

Ce qui est bon n'est pas forcément cher ! Partout en France, nous avons dégoté de bonnes petites tables de grands chefs aux prix aussi raisonnables que la cuisine est fameuse. Évidemment, tous les grands chefs n'ont pas été retenus : certains font payer cher leur nom pour une petite table qu'ils ne fréquentent guère. Au total, plus de 700 adresses réactualisées, retenues pour le plaisir des papilles sans pour autant ruiner votre portefeuille. À proximité des restaurants sélectionnés, 280 hôtels de charme pour prolonger la fête.

Nos meilleurs campings en France

Se réveiller au milieu des prés, dormir au bord de l'eau ou dans une hutte, voici nos 1 700 meilleures adresses en pleine nature. Du camping à la ferme aux équipements les plus sophistiqués, nous avons sélectionné les plus beaux emplacements : mer, montagne, campagne ou lac. Sans oublier les balades à proximité, les jeux pour enfants... Des centaines de réductions pour nos lecteurs.

Avis aux lecteurs

Les réductions accordées à nos lecteurs ne sont jamais demandées par nos rédacteurs afin de préserver leur indépendance. Les hôteliers et restaurateurs sont sollicités par une société de mailing, totalement indépendante de la rédaction, qui reste donc libre de ses choix. De même pour les autocollants et plaques émaillées.

Le contenu des annonces publicitaires insérées dans ce guide n'engage en rien la responsabilité de l'éditeur.

Mille excuses, on ne peut plus répondre individuellement aux centaines de CV reçus chaque année.

TABLE DES MATIÈRES

COMMENT Y ALLER ?

LANGUEDOC-ROUSSILLON UTILE

HOMMES, CULTURE ET ENVIRONNEMENT

LES PYRÉNÉES-ORIENTALES

LA CÔTE SABLEUSE DE PORT-BARCARÈS À ARGELÈS-SUR-MER

LA CÔTE VERMEILLE

LES ALBÈRES

LE VALLESPIR

LES ASPRES

LE CONFLENT

LE PAYS LAURAGAIS

LA HAUTE VALLÉE DE L'AUDE

Le Razès

Les Pyrénées Audoises

LE PAYS CORBIÈRES-MINERVOIS

Les Citadelles des Corbières

Entre canal du Midi et Minervois

LE PAYS DE LA NARBONNAISE

L'HÉRAULT

DE MONTPELLIER À LA MER

De Montpellier à Palavas

De Palavas à la Petite Camargue

LES GARRIGUES MONTPELLIÉRAINES

De Montpellier au pic Saint-Loup

Du pic Saint-Loup aux gorges de l'Hérault

De Saint-Guilhem-le-Désert à Sète

SÈTE ET L'ÉTANG DE THAU

LA BASSE VALLÉE DE L'HÉRAULT

BÉZIERS ET SES ENVIRONS

LE MINERVOIS

LE PARC NATUREL RÉGIONAL DU HAUT-LANGUEDOC

ENTRE SALAGOU ET LARZAC

LA HAUTE VALLÉE DE L'HÉRAULT

LE GARD

LA PETITE CAMARGUE

L'UZÈGE

LA CÔTE DU RHÔNE

LE VAL DE CÈZE

LES CÉVENNES

LES CÉVENNES GARDOISES

LA LOZÈRE (LE GÉVAUDAN)

LA ROUTE RÉGORDANE EN LOZÈRE

LA MARGERIDE

ENTRE MARGERIDE ET AUBRAC

L'AUBRAC

LE CAUSSE DE SAUVETERRE

LES GORGES DU TARN

Recommandation à nos lecteurs qui souhaitent profiter des réductions et avantages proposés dans le *Guide du routard* par les hôteliers et les restaurateurs : à l'hôtel, prenez la précaution de les réclamer **à l'arrivée** et au restaurant, **au moment** de la commande (pour les apéritifs) et surtout **avant** l'établissement de l'addition. Poser votre *Guide du routard* sur la table ne suffit pas : le personnel de salle n'est pas toujours au courant et une fois le ticket de caisse imprimé, il est difficile pour votre hôte d'en modifier le contenu. En cas de doute, montrez la notice relative à l'établissement dans le guide et ne manquez pas de nous faire part de toute difficulté rencontrée.

Nous tenons à remercier tout particulièrement Loup-Maëlle Besançon, Thierry Bessou, Gérard Bouchu, Grégory Dalex, Fabrice de Lestang, Cédric Fischer, Carole Fouque, Michelle Georget, David Giason, Lucien Jedwab, Emmanuel Juste, Jean-Sébastien Petitdemange, Thomas Rivallain, Claudio Tombari et Solange Vivier pour leur collaboration régulière.

Et pour cette nouvelle collection, nous remercions aussi :

David Alon et Andréa Valouchova
Bénédicte Bazaille
Jean-Jacques Bordier-Chêne
Nathalie Capiez
Louise Carcopino
Florence Cavé
Raymond Chabaud
Alain Chaplais
Bénédicte Charmetant
François Chauvin
Cécile Chavent
Stéphanie Condis
Agnès de Couesnongle
Agnès Debiage
Tovi et Ahmet Diler
Fabrice Doumergue et Pierre Mitrano
Céline Druon
Nicolas Dubost
Clélie Dudon
Aurélie Dugelay
Sophie Duval
Alain Fisch
Aurélie Galliot
Lucie Galouzeau
Alice Gissinger
Adrien et Clément Gloaguen
Angela Gosmann
Romuald Goujon
Stéphane Gourmelen
Claudine de Gubernatis
Xavier Haudiquet
Claude Hervé-Bazin
Bernard Hilaire
Sébastien Jauffret
François et Sylvie Jouffa
Hélène Labriet
Lionel Lambert
Francis Lecompte
Jacques Lemoine
Sacha Lenormand
Valérie Loth
Béatrice Marchand
Philippe Martineau
Philippe Melul
Delphine Ménage
Kristell Menez
Delphine Meudic
Éric Milet
Jacques Muller
Alain Nierga et Cécile Fischer
Hélène Odoux
Caroline Ollion
Nicolas Pallier
Martine Partrat
Odile Paugam et Didier Jehanno
Laurence Pinsard
Xavier Ramon
Dominique Roland et Stéphanie Déro
Déborah Rudetzki
Corinne Russo
Caroline Sabljak
Prakit Saiporn
Jean-Luc et Antigone Schilling
Laurent Villate
Julien Vitry
Fabian Zegowitz

Direction : Nathalie Pujo
Contrôle de gestion : Joséphine Veyres, Céline Déléris et Vincent Leav
Responsable éditoriale : Catherine Julhe
Édition : Matthieu Devaux, Magali Vidal, Marine Barbier-Blin, Géraldine Péron, Jean Tiffon, Olga Krokhina, Virginie Decosta, Caroline Lepeu, Delphine Ménage et Émilie Guerrier
Secrétariat : Catherine Maîtrepierre
Préparation-lecture : Muriel Lucas
Cartographie : Frédéric Clémençon et Aurélie Huot
Fabrication : Nathalie Lautout et Audrey Detournay
Couverture : Seenk
Direction marketing : Dominique Nouvel, Lydie Firmin et Juliette Caillaud
Responsable partenariats : André Magniez
Édition partenariats : Juliette Neveux et Raphaële Wauquiez
Informatique éditoriale : Lionel Barth
Relations presse France : COM'PROD, Fred Papet ☎ 01-56-43-36-38 • info@comprod.fr •
Relations presse : Martine Levens (Belgique) et Maureen Browne (Suisse)
Régie publicitaire : Florence Brunel

LES GUIDES DU ROUTARD 2008-2009

(dates de parution sur **www.routard.com**)

France

Nationaux

- Nos meilleures chambres d'hôtes en France
- Nos meilleurs campings en France
- Nos meilleurs hôtels et restos en France
- Petits restos des grands chefs
- Tables à la ferme et boutiques du terroir

Régions françaises

- Alpes
- Alsace
- Aquitaine
- Ardèche, Drôme
- Auvergne, Limousin
- Bourgogne
- Bretagne Nord
- Bretagne Sud
- Châteaux de la Loire
- Corse
- Côte d'Azur
- Environs de Paris
- Franche-Comté
- Languedoc-Roussillon
- Lorraine
- Lot, Aveyron, Tarn
- Nord-Pas-de-Calais
- Normandie
- Pays basque (France, Espagne), Béarn
- Pays de la Loire
- Poitou-Charentes
- Provence
- Pyrénées, Gascogne

Villes françaises

- Bordeaux
- Lille
- Lyon
- Marseille
- Montpellier
- Nice
- Strasbourg
- Toulouse

Paris

- Environs de Paris
- Junior à Paris et ses environs
- Paris
- Paris balades
- Paris exotique
- Paris la nuit
- **Paris, ouvert le dimanche (avril 2008)**
- Paris sportif
- **Paris à vélo (nouvelle éd. ; avril 2008)**
- Paris zen
- Restos et bistrots de Paris
- Le Routard des amoureux à Paris
- Week-ends autour de Paris

Europe

Pays européens

- Allemagne
- Andalousie
- Angleterre, pays de Galles
- Autriche
- Baléares
- Belgique
- Castille, Madrid (Aragon et Estrémadure)
- Catalogne, Andorre
- Crète
- Croatie
- Écosse
- Espagne du Nord-Ouest (Galice, Asturies, Cantabrie)
- Finlande
- Grèce continentale
- Hongrie, République tchèque, Slovaquie
- Îles grecques et Athènes
- Irlande
- Islande
- Italie du Nord
- Italie du Sud
- Lacs italiens
- Malte
- **Norvège (avril 2008)**
- Pologne et capitales baltes
- Portugal
- Roumanie, Bulgarie
- Sicile
- **Suède, Danemark (avril 2008)**
- Suisse
- Toscane, Ombrie

LES GUIDES DU ROUTARD 2008-2009 (suite)

(dates de parution sur **www.routard.com**)

Villes européennes

- Amsterdam
- Barcelone
- Berlin
- Florence
- Lisbonne
- Londres
- Moscou, Saint-Pétersbourg
- Prague
- Rome
- Venise

Amériques

- Argentine
- Brésil
- Californie
- Canada Ouest et Ontario
- Chili et île de Pâques
- Cuba
- Équateur
- États-Unis côte Est
- **Floride (nouveauté)**
- Guadeloupe, Saint-Martin, Saint-Barth
- Guatemala, Yucatán et Chiapas
- **Louisiane et les villes du Sud (nouveauté)**
- Martinique
- Mexique
- New York
- Parcs nationaux de l'Ouest américain et Las Vegas
- Pérou, Bolivie
- Québec et Provinces maritimes
- République dominicaine (Saint-Domingue)

Asie

- **Bali, Lombok (mai 2008)**
- Birmanie (Myanmar)
- Cambodge, Laos
- Chine (Sud, Pékin, Yunnan)
- Inde du Nord
- Inde du Sud
- Indonésie (voir Bali, Lombok)
- Istanbul
- Jordanie, Syrie
- Malaisie, Singapour
- Népal, Tibet
- Sri Lanka (Ceylan)
- Thaïlande
- **Tokyo-Kyoto (mai 2008)**
- Turquie
- Vietnam

Afrique

- Afrique de l'Ouest
- Afrique du Sud
- Égypte
- Île Maurice, Rodrigues
- Kenya, Tanzanie et Zanzibar
- Madagascar
- Maroc
- Marrakech
- Réunion
- Sénégal, Gambie
- Tunisie

Guides de conversation

- Allemand
- Anglais
- Arabe du Maghreb
- Arabe du Proche-Orient
- Chinois
- Croate
- Espagnol
- Grec
- Italien
- **Japonais (mars 2008)**
- Portugais
- Russe

Et aussi...

- Le Guide de l'humanitaire
- **G'palémo (nouveauté)**

NOS NOUVEAUTÉS

G'PALÉMO (paru)

Un dictionnaire visuel universel qui permet de se faire comprendre aux 4 coins de la planète et DANS TOUTES LES LANGUES (y compris le langage des signes), il suffisait d'y penser !... Que vous partiez trekker dans les Andes, visiter les temples d'Angkor ou faire du shopping à Saint-Pétersbourg, ce petit guide vous permettra d'entrer en contact avec n'importe qui. Compagnon de route indispensable, véritable tour de Babel... Drôle et amusant, *G'palémo* vous fera dépasser toutes les frontières linguistiques. Pointez simplement le dessin voulu et montrez-le à votre interlocuteur... Vous verrez, il comprendra ! Tout le vocabulaire utile et indispensable en voyage y figure : de la boîte de pansements au gel douche, du train-couchettes au pousse-pousse, du dentiste au distributeur de billets, de la carafe d'eau à l'arrêt de bus, du lit *king size* à l'œuf sur le plat... Plus de 200 dessins, déclinés en 5 grands thèmes (transports, hébergement, restauration, pratique, loisirs) pour se faire comprendre DANS TOUTES LES LANGUES. Et parce que le *Guide du routard* pense à tout, et pour que les langues se délient, plusieurs pages pour faire de vous un(e) séducteur(trice)...

SUÈDE, DANEMARK (avril 2008)

Depuis qu'un gigantesque pont relie Copenhague et la Suède, les cousins Scandinaves n'ont jamais été aussi proches. Les Suédois vont faire la fête le week-end à Copenhague et les Danois vont se balader dans la petite cité médiévale de Lund. À Copenhague et à Stockholm, c'est la découverte d'un art de vivre qui privilégie l'écologie, la culture, la tolérance et le respect d'autrui. Les plus curieux partiront à vélo randonner dans un pays paisible qui se targue depuis les Vikings d'être le plus ancien royaume du monde mais qui ne néglige ni le design ni l'art contemporain. Les plus sportifs partiront en trekking vers le Grand Nord, où migrent les rennes et où le soleil ne se couche pas en été.

SPÉCIAL DÉFENSE DU CONSOMMATEUR

Un routard informé en vaut dix ! Pour éviter les arnaques en tout genre, il est bon de les connaître. Voici un petit vade-mecum destiné à parer aux coûts et aux coups les plus redoutables.

Affichage des prix : les hôtels et les restos sont tenus d'informer les clients de leurs prix, à l'aide d'une affichette, d'un panneau extérieur ou de tout autre moyen. Vous ne pouvez donc contester des prix exorbitants que s'ils ne sont pas clairement affichés.

HÔTELS

1 - Arrhes ou acompte ? : au moment de réserver votre chambre par téléphone – par précaution, toujours confirmer par écrit – ou directement par écrit, il n'est pas rare que l'hôtelier vous demande de verser à l'avance une certaine somme, celle-ci faisant office de garantie. Il est d'usage de parler d'arrhes et non d'acompte (en fait, la loi dispose que « sauf stipulation contraire du contrat, les sommes versées d'avance sont des arrhes »). Légalement, aucune règle n'en précise le montant. Toutefois, ne versez que des arrhes raisonnables : 25 à 30 % du prix total, sachant qu'il s'agit d'un engagement définitif sur la réservation de la chambre. Cette somme ne pourra donc être remboursée en cas d'annulation de la réservation, sauf cas de force majeure (maladie ou accident) ou en accord avec l'hôtelier si l'annulation est faite dans des délais raisonnables. Si, au contraire, l'annulation est le fait de l'hôtelier, il doit vous rembourser le double des arrhes versées. À l'inverse, l'acompte engage définitivement client et hôtelier.

2 - Subordination de vente : comme les restaurateurs, les hôteliers ont interdiction de pratiquer la subordination de vente. C'est-à-dire qu'ils ne peuvent pas vous obliger à réserver plusieurs nuits d'hôtel si vous n'en souhaitez qu'une. Dans le même ordre d'idée, on ne peut vous obliger à prendre votre petit déjeuner ou vos repas dans l'hôtel ; ce principe, illégal, est néanmoins répandu dans la profession, toléré en pratique... Bien se renseigner avant de prendre la chambre dans les hôtels-restaurants. Si vous dormez en compagnie de votre enfant, il peut vous être demandé un supplément.

3 - Responsabilité en cas de vol : un hôtelier ne peut en aucun cas dégager sa responsabilité pour des objets qui auraient été volés dans la chambre d'un de ses clients, même si ces objets n'ont pas été mis au coffre. En d'autres termes, les éventuels panonceaux dégageant la responsabilité de l'hôtelier n'ont aucun fondement juridique.

RESTOS

1 - Menus : très souvent, les premiers menus (les moins chers) ne sont servis qu'en semaine et avant certaines heures (12h30 et 20h30 généralement). Cela doit être clairement indiqué sur le panneau extérieur : à vous de vérifier.

2 - Commande insuffisante : il arrive que certains restos refusent de servir une commande jugée insuffisante. Sachez, toutefois, qu'il est illégal de pousser le client à la consommation.

3 - Eau : une banale carafe d'eau du robinet est gratuite – à condition qu'elle accompagne un repas – sauf si son prix est affiché. La bouteille d'eau minérale quant à elle doit, comme le vin, être ouverte devant vous.

4 - Vins : les cartes des vins ne sont pas toujours très claires. Exemple : vous commandez un bourgogne à 16 € la bouteille. On vous la facture 32 €. En vérifiant sur la carte, vous découvrez que 16 € correspondent au prix d'une demi-bouteille. Mais c'était écrit en petits caractères illisibles.

Par ailleurs, la bouteille doit être obligatoirement débouchée devant le client.

5 - Couvert enfant : le restaurateur peut tout à fait compter un couvert par enfant, même s'il ne consomme pas, à condition que ce soit spécifié sur la carte.

6 - Repas pour une personne seule : le restaurateur ne peut vous refuser l'accès à son établissement, même si celui-ci est bondé ; vous devrez en revanche vous satisfaire de la table qui vous est proposée.

7 - Sous-marin : après le coup de bambou et le coup de fusil, celui du sous-marin. Le procédé consiste à rendre la monnaie en plaçant dans la soucoupe (de bas en haut) : les pièces, l'addition puis les billets. Si l'on est pressé, on récupère les billets en oubliant les pièces cachées sous l'addition.

NOS NOUVEAUTÉS

BALI, LOMBOK (mai 2008)

Bali et Lombok possèdent des attraits différents et complémentaires. Bali, l'« île des dieux », respire toujours charme et beauté. Un petit paradis qui rassemble tout ce qui est indispensable à des vacances réussies : de belles plages dans le Sud, des montagnes extraordinaires couvertes de temples, des collines riantes sur lesquelles les rizières étagées forment de jolies courbes dessinées par l'homme, une culture vivante et authentique, et surtout, l'essentiel, une population d'une étonnante gentillesse, d'une douceur presque mystique.
Et puis voici Lombok, à quelques encablures, dont le nom signifie « piment » en javanais et qui appartient à l'archipel des îles de la Sonde. La vie y est plus rustique, le développement touristique plus lent. Tant mieux. Les plages, au sud, sont absolument magnifiques et les Gili Islands, à deux pas de Lombok, attirent de plus en plus les amateurs de plongée. Paysages remarquables, pureté des eaux, simplicité et force du moment vécu... Bali et Lombok, deux aspects d'un même paradis.

TOKYO-KYOTO (mai 2008)

On en avait marre de se faire malmener par nos chers lecteurs ! Enfin un *Guide du routard* sur le Japon ! Voilà l'empire du Soleil-Levant accessible aux voyageurs à petit budget. On disait l'archipel nippon trop loin, trop cher, trop incompréhensible. Voici notre constat : avec quelques astuces, on peut y voyager agréablement et sans se ruiner. Dormir dans une auberge de jeunesse ou sur le tatami d'un *ryokan* (chambres chez l'habitant), manger sur le pouce des sushis ou une soupe *ramen,* prendre des bus ou acheter un *pass* ferroviaire pour circuler à bord du *shinkansen* (le TGV nippon)... ainsi sommes-nous allés à la découverte d'un Japon accueillant, authentique mais à prix sages ! Du mythique mont Fuji aux temples millénaires de Kyoto, de la splendeur de Nara à la modernité d'Osaka, des volcans majestueux aux cerisiers en fleur, de la tradition à l'innovation, le Japon surprend. Les Japonais étonnent par leur raffinement et leur courtoisie. Tous à Tokyo ! Cette mégapole électrique et fascinante est le symbole du Japon du IIIe millénaire, le rendez-vous exaltant de la haute technologie, de la mode et du design. Et que dire des nuits passées dans les bars et les discothèques de Shinjuku et de Roppонggi, les plus folles d'Asie ?

Remerciements

Pour ce guide, nous remercions tout particulièrement :

– Patricia de Pouzilhac, du CRT Languedoc-Roussillon.

Pour l'Aude

– Myriam Silloquier et toute l'équipe du CDT de l'Aude.

– Lucie Defarge, de l'OT de Narbonne.

– L'équipe des OT de Gruissan, Sigean, Limoux, Leucate, Alet-les-Bains et Rennes-le-Château.

Pour le Gard

– Claude Rezza et Lysianne Boissy d'Anglas, du CDT du Gard.

– L'équipe des l'OT d'Uzès, d'Alès, de Nîmes et de Pont-Saint-Esprit

Pour l'Hérault

– Pascal Schmid et « l'incontournable » Mathilde Bavoillot, du CDT de l'Hérault.

– L'équipe de l'OT de Montpellier et plus particulièrement Caroline Berland.

– La mairie de Montpellier.

– Patricia Evrat, de l'OT de Palavas-les-Flots.

– Christian Bèze, de l'OT du Cap-d'Agde.

– Maryline Gomez, de l'OT de Sète.

– L'OT de Béziers.

Pour la Lozère

– Brigitte Donnadieu, du CDT de Lozère.

– Cyril Duclot de l'OT de Mende.

– Philippe Chambon, de l'OT de Meyrueis.

– Les OT de La Malène, du Rozier et de Sainte-Énimie.

Pour les Pyrénées-Orientales

– Pascale Gimenez, du CDT des Pyrénées-Orientales.

– Jean-Pierre Wagenfuhr, directeur, et Françoise Estève, de l'OT de Perpignan, pour leur accueil enthousiaste et chaleureux.

– Claire Muchir, directrice du musée Hyacinthe Rigaud à Perpignan, pour ses talents de conteuse.

– Jean-Philippe Alazet, guide passionné au Palais des Rois de Majorque.

– Jacques Deloncle, de la Casa Pairal, intarissable et fervent défenseur de l'identité catalane.

– Jean-Paul Réchaud, de l'OT d'Argelès-sur-Mer.

– Anne Delespine, de l'OT de Thuir.

– Et tous les offices de tourisme de la région, pour leur aide précieuse et leur collaboration active.

LES COUPS DE CŒUR DU ROUTARD

- Se poster en haut de la tour de l'Hommage de la citadelle ou sur le donjon du Castillet à Perpignan pour découvrir un fantastique panorama sur la plaine du Roussillon, les Pyrénées, l'emblématique Canigou et, au pied, la vieille ville.
- Flâner sur le port de Collioure pour admirer son église-phare et ses petits bateaux de pêche.
- Visiter les vignobles des Pyrénées-Orientales et goûter les fruits de leur récolte : vins jeunes ou vieux, doux ou charpentés, muscats ou corsés.
- Arpenter les montagnes avec leur nature presque vierge, du pic du Canigou aux vallées perdues du haut Conflent et des hauts plateaux de Cerdagne aux confins du Vallespir.
- Visiter le musée Fabre à Montpellier, dès l'ouverture, avant d'aller déjeuner à *l'Insensé,* côté jardin.
- Prendre du bon temps en terrasse sur les petites places du centre ancien de Montpellier.
- Explorer l'incroyable musée Dubout, à Palavas-les-Flots, bien à l'abri dans sa tour et hors du temps.
- Se dorer au soleil sur la plage de Villeneuve-lès-Maguelone, avant d'aller retrouver la fraîcheur de l'abbaye.
- Flâner dans les rues de Saint-Guilhem-le-Désert, hors saison touristique.
- Explorer le *Miam* à Sète, fabuleux musée des arts dits mineurs, et reprendre des forces en dévorant une tielle sétoise sur le marché animé.
- Déguster les vins du Faugerois entre Sète et Faugères et grimper jusqu'à Magalas pour s'offrir un moment de folie gastronomique chez un des meilleurs chefs actuels.
- Passer un week-end hors du temps en assistant à l'unique festival d'opérettes, à Lamalou-les-Bains : « Heure exquise, qui nous grise... »
- Se revigorer tout en se remplissant la panse en suivant la route du cassoulet de Castelnaudary pour découvrir fermes, caves viticoles et restaurateurs de choix.
- S'en mettre plein la vue, le 14 juillet, bien posté sur les abords de l'Aude lors du spectacle grandiose de l'embrasement de la cité de Carcassonne.
- Assister au carnaval le plus long du monde, à Limoux, et danser au rythme de la fanfare Les Limouxins, déguisés en pierrots.
- Jouer l'éclusier en louant un bateau pour naviguer, à son rythme, le long du canal du Midi.
- Passer un moment rafraîchissant dans le décor paradisiaque des gorges de Galamus.
- Visiter les galeries souterraines de la mine à Alès et revivre le quotidien des mineurs extracteurs de pierres.
- Admirer, tôt le matin ou en début de soirée, l'architecture majestueuse du pont du Gard, aqueduc romain vieux de 2 000 ans, classé au Patrimoine mondial de l'Unesco.
- Randonner au cœur du parc national des Cévennes et revivre le périple de Stevenson accompagné d'un âne, en suivant le fameux sentier qui traverse de superbes paysages.
- S'offrir un gueuleton digne de ce nom sur les plateaux de l'Aubrac, dans une prairie balayée par le vent cinglant ou dans un buron traditionnel, autour d'un plat de viande savoureuse et d'aligot.
- Descendre les gorges du Tarn en canoë-kayac, hors saison estivale, et admirer au passage les petits villages enclavés de Sainte-Énimie, Saint-Chély-du-Tarn et La Malène.
- Remonter le temps en embarquant sur les vieux sièges du petit train à vapeur des Cévennes et admirer la campagne alentour au son du « tchou-tchou » !

COMMENT Y ALLER ?

PAR LA ROUTE

➢ ***Autoroute A 6 :*** la fameuse autoroute du Soleil. Sortir de Paris par la porte d'Orléans. Renommée A 7 à partir de Lyon, elle se divise en deux à la hauteur d'Orange. Prenez l'A 9, qui dessert Nîmes (710 km de Paris), Montpellier (760 km), Béziers (822 km), Narbonne (847 km) et Perpignan (909 km). Près de Narbonne, la bretelle A 61 part vers l'ouest pour desservir Carcassonne et Toulouse.
➢ ***Autoroute A 20 :*** depuis Vierzon (80 km au sud d'Orléans), l'A 20 descend directement vers Toulouse (Montauban) via Limoges, Brive et Cahors. À Toulouse, A 61 vers Carcassonne et Narbonne.
➢ ***Autoroute A 71, puis autoroute A 75 :*** depuis Clermont-Ferrand, l'A 75 vous dépose en Lozère ; sorties La Canourgue, Marvejols... L'air de la Lozère vous donnera un avant-goût de ce beau département, mais on pourra aussi continuer et retrouver l'Hérault au Caylar et, plus loin, à Lodève.
➢ ***Par la nationale :*** prendre la N 6 ou la N 7 jusqu'à Lyon, puis la N 7, qui descend la vallée du Rhône jusqu'à Avignon. Ensuite suivre la N 86, qui conduit à Nîmes. Les moins pressés peuvent prendre la N 7 jusqu'à Moulins puis emprunter la N 9, qui passe par Clermont-Ferrand et dessert, plus au sud, Narbonne et Perpignan.
➢ ***Le covoiturage :*** le principe est simple, économique et écologique. Il s'agit de mettre en relation un chauffeur et des passagers afin de partager le trajet et les frais, que ce soit de manière régulière ou de manière exceptionnelle (pour les vacances par exemple). • covoiturage.fr •

EN TRAIN

Au départ de Paris

TGV au départ de la ***gare de Lyon,*** de la ***gare-aéroport Charles-de-Gaulle – TGV*** ou de la ***gare de Marne-la-Vallée – Chessy.***
➢ ***Paris-Montpellier :*** 12 TGV directs/j. en moyenne. Temps de trajet moyen : 3h20.
➢ ***Paris-Nîmes :*** 11 TGV directs/j. en moyenne. Temps de trajet moyen : 3h.
➢ ***Paris-Béziers :*** 8 TGV directs/j. en moyenne. Temps de trajet moyen : 4h.
➢ ***Paris-Narbonne :*** 3 TGV directs/j. en moyenne. Temps de trajet moyen : 4h30.
➢ ***Paris-Perpignan :*** 4 TGV directs/j. en moyenne au départ de la gare de Lyon. Temps de trajet moyen : 5h.
➢ ***Paris-Carcassonne :*** au départ de la gare Montparnasse, 4 TGV/j. en moyenne avec un changement à Toulouse ou à Bordeaux (6h30 de trajet env). Au départ de la gare de Lyon, 7 TGV/j. en moyenne avec un changement à Montpellier, Lyon ou Narbonne (5h10 de trajet). Un train de nuit au départ de la gare d'Austerlitz.
➢ ***Paris-Agde :*** 4 TGV directs/j. en moyenne. Temps de trajet moyen : 4h52.
➢ ***Paris-Sète :*** 5 TGV directs/j. en moyenne. Temps de trajet moyen : 3h45.

Au départ de la province

➢ Des TGV directs relient ***Lille*** à Agde (temps de trajet moyen : 5h30), Béziers (5h30), Montpellier (4h45), Nîmes (4h30) et Sète (5h), et cela sans passer par Paris.
➢ Vous pouvez aussi rejoindre directement Montpellier au départ de ***Marseille*** (en 1h30), ***Lyon*** (en 1h45), ***Bordeaux*** (en 4h20), et, via Lyon, de ***Strasbourg*** (7h20) ou ***Nantes*** (6h15). Pour ces 2 dernières villes, il existe aussi des trains de nuit.

Pour préparer votre voyage

– ***Billet à domicile :*** commandez et payez votre billet par téléphone au ☎ 36-35 (0,34 € TTC/mn) ou sur Internet, la SNCF vous l'envoie gratuitement à domicile.
– ***Service bagages à domicile :*** appelez le ☎ 36-35 (0,34 € TTC/mn), la SNCF prend en charge vos bagages où vous le souhaitez et vous les livre là où vous allez en 24h porte à porte.

Pour voyager au meilleur prix

La SNCF propose de nombreuses réductions. Pour en profiter au maximum, il faut réserver à l'avance. Les billets sont en vente 3 mois avant la date de départ. Toutes ces offres sont soumises à conditions.

➢ ***Prem's : plus vous anticipez, plus vous voyagez au meilleur prix***

Découvrez les prix *Prem's* à partir de 22 €[1] l'aller en 2de classe TGV, 17 €[1] en 2de classe Téoz et 35 €[1] en 2de classe Lunéa couchettes.

➢ ***Les cartes : réduction garantie***

– La Carte *12-25* est destinée aux voyageurs âgés de 12 à 25 ans. Elle est valable 1 an et offre jusqu'à 60 % de réduction sur le train (- 25 % garantis même au dernier moment) dans la limite des places disponibles à ce tarif.
– Avec les Cartes *Enfant +* et *Senior* (destinée aux voyageurs de 60 ans et plus), vous avez jusqu'à 50 % de réduction (- 25 % garantis sur tous les trains) sur un nombre illimité de voyages, pendant 1 an.
– La Carte *Escapades* s'adresse aux voyageurs de 26 à 59 ans. Elle offre jusqu'à 40 % de réduction (- 25 % garantis), sur tous les trains, pour des allers-retours de plus de 200 km effectués sur la journée du samedi ou du dimanche, ou comprenant la nuit de samedi au dimanche sur place.

➢ ***Les Tarifs Loisir***

Les tarifs *Loisir* sont proposés en 2de et 1re classe. Ils sont valables pour tous sans distinction d'âge. Plus vous anticipez votre voyage, plus vous obtenez des prix intéressants.
Vous pouvez également bénéficier de prix avantageux « week-end », en réservant vos billets dans les jours précédant votre départ si vous effectuez un aller-retour comprenant une nuit du samedi au dimanche sur place ou un aller-retour sur la journée du samedi ou du dimanche.
Les billets Loisir sont échangeables et remboursables gratuitement jusqu'à la veille du départ. Le jour du départ, ils sont échangeables et remboursables moyennant une retenue de 10 € (3 € pour les porteurs d'une carte de réduction).

➢ ***Les Bons Plans du Net***

Les « Bons Plans du Net » sont proposés sur Internet. Ils offrent en permanence des prix réduits toute l'année et jusqu'à - 60 % sur une sélection de trains (TGV, Téoz ou Lunéa) sur lesquels des « déstockages » de places invendues sont effectués.

[1] Prix Prem's pour un aller simple en 2de classe (période normale pour TGV), dans la limite des places disponibles. Billet non échangeable, non remboursable.

Pour obtenir plus d'informations sur les conditions pour réserver et acheter vos billets

– ***Internet :*** • *voyages-sncf.com* • *tgv.com* • *corailteoz.com* • *coraillunea.fr* •
– ***Téléphone :*** *☎ 36-35 (0,34 € TTC/mn).*
– *Également dans les gares, les boutiques SNCF et les agences de voyages agréées SNCF.*

Voyages-sncf.com

Voyages-sncf.com, première agence de voyages sur Internet, propose des billets de train, d'avion, des chambres d'hôtel, des locations de voitures et des séjours clés en main ou Alacarte® sur plus de 600 destinations et à des tarifs avantageux.

Le site • voyages-sncf.com • permet d'accéder tous les jours 24h/24 à plusieurs services : envoi gratuit des billets à domicile, Alerte Résa pour être informé de l'ouverture des réservations et profiter du plus grand choix, calendrier des meilleurs prix (TTC), mais aussi des offres de dernière minute et des promotions...
Et grâce à l'Éco-comparateur, en exclusivité sur • voyages-sncf.com •, possibilité de comparer le prix, le temps de trajet et l'indice de pollution pour un même trajet en train, en avion ou en voiture.

EN AVION

▲ AIR FRANCE

Infos et résas : ☎ 36-54 (0,34 €/mn ; tlj 24h/24), sur • airfrance.fr •, dans les agences Air France (fermées dim) et dans ttes les agences de voyages.
➢ Air France dessert ***Montpellier*** au départ d'Orly-Ouest 5 à 8 fois/j. Également des liaisons directes de Montpellier vers Rennes, Nantes, Nice et Clermont-Ferrand.
➢ Air France dessert ***Perpignan*** 3 à 4 fois/j. au départ d'Orly-Ouest, également 4 vols/j. au départ d'Orly-Sud pour Béziers (opérés par Airlinair).
Air France propose une gamme de tarifs accessibles à tous :
– « Évasion » : en France et vers l'Europe, Air France offre des réductions. « Plus vous achetez tôt, moins c'est cher. »
– « Semaine » : pour un voyage aller-retour pendant toute la semaine.
– « Week-end » : pour des voyages autour du week-end avec des réservations jusqu'à la veille du départ.
Air France propose également, sur la France, des réductions jeunes, seniors, couples ou famille. Pour les moins de 25 ans, Air France remet une carte de fidélité gratuite et nominative, « Fréquence Jeune », qui leur permet de cumuler des *miles* sur Air France ou sur les compagnies membres de Skyteam et de bénéficier de billets gratuits et d'avantages chez de nombreux partenaires.
Tous les mercredis dès 0h, sur • airfrance.fr •, Air France propose les tarifs « Coups de cœur », une sélection de destinations en France pour des départs de dernière minute.
Sur Internet, possibilité de consulter les meilleurs tarifs du moment, rubrique « Offres spéciales », « Promotions ».

LANGUEDOC-ROUSSILLON UTILE

Pour la carte générale du Languedoc-Roussillon, se reporter au cahier couleur.

ABC DU LANGUEDOC-ROUSSILLON

- *Superficie :* 27 376 km² (5 % de la France métropolitaine).
- *Population (estimée au 1er janvier 2004) :* 2 402 000 hab. (3,9 % de la population de la France métropolitaine), soit plus de 1 million de personnes en 40 ans !
- *Densité :* 84 hab./km².
- *Préfecture régionale :* Montpellier.
- *Préfectures départementales :* Carcassonne (Aude), Mende (Lozère), Montpellier (Hérault), Nîmes (Gard), Perpignan (Pyrénées-Orientales).
- *Principales industries :* nombreuses industries fabriquant du matériel médical, des logiciels *(IBM, Dell Computer)*.

AVANT LE DÉPART

Adresses utiles

■ ***Comité régional du tourisme Languedoc-Roussillon :*** *L'Acropole, 954, av. Jean-Mermoz, CS 79507, 34960 Montpellier Cedex 2. ☎ 04-67-200-220. ● sunfrance.com ●* Le centre névralgique du tourisme dans toute la région. On y trouve beaucoup de brochures sur la région entière. Cependant, il vaut mieux s'adresser aux comités départementaux pour les brochures et les adresses concernant l'hébergement (coordonnées en introduction de chaque département traité dans ce guide).

■ ***Gîtes de France :*** *pour commander des brochures, s'adresser au 59, rue Saint-Lazare, 75009 Paris. ☎ 01-49-70-75-75. ● gites-de-france.fr ● Ⓜ Saint-Lazare.* Les réservations se font auprès des relais départementaux des *Gîtes de France* (indiqués dans ce guide en introduction de chaque département).

Carte internationale des auberges de jeunesse (FUAJ)

Cette carte, valable dans plus de 80 pays, permet de bénéficier des 4 000 auberges de jeunesse du réseau *Hostelling International* réparties dans le monde entier.

Les périodes d'ouverture varient selon les pays et les AJ. À noter, la carte AJ est surtout intéressante en Europe, aux États-Unis, au Canada, au Moyen-Orient et en Extrême-Orient (Japon...).

Pour tout renseignement et réservation en France

Sur place

■ ***Fédération unie des auberges de jeunesse (FUAJ) :*** *27, rue Pajol, 75018 Paris.* ☎ *01-44-89-87-27.* • *fuaj.org* • Ⓜ *Marx-Dormoy ou La Chapelle. Lun 10h-17h, mar-ven 10h-18h.* Montant de l'adhésion : 11 € pour la carte moins de 26 ans et 16 € pour les autres (tarifs 2007). Munissez-vous de votre pièce d'identité lors de l'inscription. Une autorisation des parents est nécessaire pour les moins de 18 ans (une photocopie de la carte d'identité du parent qui autorise le mineur est obligatoire).
– Inscription possible également dans toutes les auberges de jeunesse, points d'information et de réservation FUAJ en France.

Par correspondance

Envoyez une photocopie recto verso d'une pièce d'identité et un chèque correspondant au montant de l'adhésion. Ajoutez 2 € pour les frais d'envoi de la FUAJ. Vous recevrez votre carte sous quinze jours.

– La FUAJ propose aussi une ***carte d'adhésion « Famille »,*** valable pour un ou deux adultes ayant un ou plusieurs enfants âgés de moins de 14 ans. Fournir une copie du livret de famille. Coût : 23 €.
– La carte donne également droit à des réductions sur les transports, les musées et les attractions touristiques de plus de 80 pays. Ces avantages varient d'un pays à l'autre, ce qui n'empêche pas de la présenter à chaque occasion. Liste des réductions en France disponible sur • fuaj.org •

En Belgique

Son prix varie selon l'âge : entre 3 et 15 ans, 3 € ; entre 16 et 25 ans, 9 € ; après 25 ans, 15 €.

Renseignements et inscriptions

■ ***LAJ :*** *rue de la Sablonnière, 28, Bruxelles 1000.* ☎ *02-219-56-76.* • *info@laj.be* • *laj.be* •
■ ***Vlaamse Jeugdherbergcentrale (VJH) :*** *Van Stralenstraat, 40, B-2060 Antwerpen.* ☎ *03-232-72-18.* • *info@vjh.be* • *vjh.be* •

– Votre carte de membre vous permet d'obtenir un bon de réduction de 5 à 9 € sur votre première nuit dans les réseaux *LAJ, VJH* et *CAJL* (Luxembourg), ainsi que des réductions auprès de nombreux partenaires en Belgique.

En Suisse (SJH)

Le prix de la carte dépend de l'âge : 22 Fs pour les moins de 18 ans, 33 Fs pour les adultes et 44 Fs pour une famille avec des enfants de moins de 18 ans.

Renseignements et inscriptions

■ ***Schweizer Jugendherbergen (SJH) :*** *service des membres, Schaffhauserstr. 14, Postfach 161, 8042 Zurich.* ☎ *01-360-14-14.* • *bookingoffice@youthhostel.ch* • *youthhostel.ch* •

En avion Simone
En avion
Simone

Au Canada et au Québec

Elle coûte 35 $Ca pour une durée de 16 à 26 mois (tarif 2008) et 175 $Ca à vie. Gratuit pour les enfants de moins de 18 ans, qui accompagnent leurs parents. Pour les juniors voyageant seuls, la carte est gratuite mais la nuitée est payante (moindre coût). Ajouter systématiquement les taxes.

Renseignements et inscriptions

■ ***Auberges de jeunesse du Saint-Laurent / St-Laurent Youth Hostels :***
– À Montréal : 3 514, av. Lacombe, Montréal (Québec) H3T-1M1. ☎ (514) 731-10-15. N° gratuit (au Canada) : ☎ 1-866-754-10-15.
– À Québec : 94, bd René-Lévesque Ouest, Québec (Québec) G1R-2A4. ☎ (418) 522-2552.

■ ***Canadian Hostelling Association :*** *205, Catherine Street, bureau 400, Ottawa (Ontario) K2P-1C3. ☎ (613) 237-78-84. • info@hihostels.ca • hihostels.ca •*

– Il n'y a pas de limite d'âge pour séjourner en AJ. Il faut simplement être adhérent.
– La FUAJ propose deux guides répertoriant toutes les AJ du monde : un pour la France et un pour le reste du monde (ce dernier est payant).
– La FUAJ offre à ses adhérents la possibilité de réserver en ligne depuis la France, grâce à son système de réservation international *(• hihostels.com •)*, 6 nuits maximum et jusqu'à 6 mois à l'avance, dans certaines auberges de jeunesse situées en France et à l'étranger (le réseau *Hostelling International* couvre plus de 80 pays). Gros avantage, les AJ étant souvent complètes, votre lit (en dortoir, pas de réservation en chambre individuelle) est réservé à la date souhaitée. Vous réglez à l'avance, plus des frais de réservation (environ 6,15 €). Vous recevrez en échange un reçu de réservation que vous présenterez à l'AJ une fois sur place. Ce service permet aussi d'annuler et d'être remboursé. Le délai d'annulation varie d'une AJ à l'autre. Le système de réservation international, accessible sur le site • hihostels.com •, permet d'obtenir toutes informations utiles sur les auberges reliées au système, de vérifier les disponibilités, de réserver et de payer en ligne.

Carte internationale d'étudiant (carte ISIC)

Elle prouve le statut d'étudiant dans le monde entier et permet de bénéficier de tous les avantages, services, réductions étudiants du monde, soit plus de 37 000 avantages, dont plus de 8 000 en France, concernant les transports, les hébergements, la culture, les loisirs... C'est la clé de la mobilité étudiante !
La carte ISIC donne aussi accès à des avantages exclusifs sur le voyage (billets d'avion spéciaux, assurances de voyage, carte de téléphone internationale, cartes SIM, location de voitures, navette aéroport...).
Pour plus d'informations sur la carte ISIC et pour la commander en ligne, rendez-vous sur les sites internet propres à chaque pays.

Pour l'obtenir en France

Se présenter au point de vente avec :
– une preuve du statut d'étudiant (carte d'étudiant, certificat de scolarité...) ;
– une photo d'identité ;
– 12 €, ou 13 € par correspondance incluant les frais d'envoi des documents d'information sur la carte.
Émission immédiate.

Pour localiser un point de vente proche de chez vous : • *isic.fr* • *ou* ☎ *01-49-96-96-49.*

Photo : © J.B. GUITON/STUDIO 29

En Belgique

Elle coûte 9 € et s'obtient sur présentation de la carte d'identité, de la carte d'étudiant et d'une photo auprès de :

■ ***Connections :*** *☎ 02-550-01-00. • isic.be •*

En Suisse

Dans toutes les agences *STA Travel* (☎ 058-450-40-00), sur présentation de la carte d'étudiant, d'une photo et de 20 Fs. Commande de la carte en ligne : • *isic.ch* • *statravel.ch* •

Cartes de paiement

Quelle que soit la carte que vous possédez, chaque banque gère elle-même le processus d'opposition et le numéro de téléphone correspondant ! Avant de partir, notez donc bien le numéro d'opposition propre à votre banque (il figure souvent au dos des tickets de retrait, sur votre contrat ou à côté des distributeurs de billets), ainsi que le numéro à seize chiffres de votre carte. Bien entendu, conserver ces informations en lieu sûr, et séparément de votre carte. Par ailleurs, l'assistance médicale se limite aux 90 premiers jours du voyage.

*– **Carte Mastercard :** numéro d'urgence assistance médicale : ☎ 01-45-16-65-65. En cas de perte ou de vol, composez le numéro communiqué par votre banque ou à défaut le numéro général : ☎ 0892-69-92-92, pour faire opposition 24h/24.*

*– **Carte Bleue Visa :** numéro d'urgence assistance médicale (Europ Assistance) : ☎ 01-45-85-88-81. • carte-bleue.fr • Pour faire opposition, contactez le numéro communiqué par votre banque.*

*– Pour la carte **American Express,** téléphoner en cas de pépin au : ☎ 01-47-77-72-00. Numéro accessible tlj 24h/24 ; PCV accepté en cas de perte ou de vol. • americanexpress.fr •*

*– Pour ttes les cartes émises par **La Banque postale,** composer le : ☎ 0825-809-803 (0,15 €/mn).*

– Également un numéro d'appel valable quelle que soit votre carte de paiement : ☎ 0892-705-705 (serveur vocal à 0,34 €/mn). Ne fonctionne pas en PCV.

Monuments nationaux à la carte

Le Centre des monuments nationaux accueille le public dans tous les monuments français, propriétés de l'État, pour des visites, libres ou guidées, des expositions et des spectacles historiques, ou encore lors de manifestations événementielles.
Pour la région Languedoc-Roussillon sont concernés les monuments suivants : le château comtal et les remparts de la cité de Carcassonne (Aude), la chartreuse et le fort Saint-André de Villeneuve-lès-Avignon (Gard), les tours et les remparts d'Aigues-Mortes (Gard), le site archéologique et le musée d'Ensérune (Hérault) et la forteresse de Salses (Pyrénées-Orientales).

■ ***Centre des monuments nationaux :*** *centre d'information, 62, rue Saint-Antoine, 75186 Paris Cedex 04. ☎ 01-44-61-21-50. • monuments-nationaux.fr • Ⓜ Saint-Paul.*

Travail bénévole

■ ***Concordia :*** *17-19, rue Etex, 75018 Paris. ☎ 01-45-23-00-23. • concordia@wanadoo.fr • concordia-association.org • Ⓜ Guy-Môquet.* Envoi gratuit de brochure sur demande par téléphone ou e-mail. Logé, nourri. Chantiers très variés : restauration du patrimoine, valorisation de l'environnement, travail d'animation... Places limitées. Également des stages de formation à l'animation et des activités en France. Sachez toutefois que les frais d'inscription coûtent entre 126 et 180 € selon la destination et que le voyage, l'assurance et les formalités d'entrée sont à la charge du participant.

BUDGET

Nous vous indiquons ci-dessous l'échelle des tarifs auxquels nous nous référons pour le classement de nos adresses en France.

Hébergement

– Les tarifs des ***campings*** sont calculés sur la base d'un emplacement pour deux avec voiture et tente en haute saison. Ils sont classés en tête de rubrique « Où dormir ? ».
– Les ***auberges de jeunesse*** et ***gîtes d'étape*** pratiquent en règle générale des tarifs « bon marché » pour une nuitée en dortoir (avec ou sans les draps). Le tarif indiqué est celui du lit en dortoir et/ou parfois de la chambre double, quand il y en a.
– En ***chambres d'hôtes,*** les prix sont donnés sur la base d'une chambre double. Ils incluent toujours le petit déjeuner.
– Concernant les ***hôtels,*** la base reste celle d'une nuit en chambre double (sans petit déjeuner), sauf exception, notamment pour les chambres familiales.
D'une manière générale, nous indiquons des fourchettes de prix allant de la chambre double la moins chère en basse saison à celle la plus chère en haute saison. Ce qui implique parfois d'importantes fourchettes de prix, pas toujours en adéquation avec la rubrique dans laquelle l'établissement est cité. Le classement retenu est donc celui du prix de la majorité des chambres et de leur rapport qualité-prix.
– ***Campings.***
– ***Bon marché :*** de 20 à 40 €.
– ***Prix moyens :*** de 40 à 65 €.
– ***Plus chic :*** de 65 à 100 €.
– ***Beaucoup plus chic :*** de 100 à 180 €.

Restos

Au restaurant, notre critère de classement est le prix du premier menu servi le soir (hors boissons). Les notions de « prix moyens » ou « plus chic » n'engagent donc que les prix. Autrement dit, certains restos chic proposant parfois d'intéressantes formules, notamment au déjeuner, pourront malgré tout être classés dans la rubrique « plus chic ».
– ***Très bon marché :*** moins de 12 €.
– ***Bon marché :*** de 12 à 20 €.
– ***Prix moyens :*** de 20 à 35 €.
– ***Plus chic :*** de 35 à 50 €.
– ***Beaucoup plus chic :*** plus de 50 €.

CANAL DU MIDI

Location de *house-boats* et balades sur le canal

Si, depuis 1988, l'activité commerciale a totalement cessé, de nombreuses compagnies proposent des croisières de 2 à 7 jours entre Trèbes et Marseillan. Départs possibles de Castelnaudary et Port-Cassafière. Bon à savoir : les tarifs de location (de 2 à 12 personnes) sont 2 fois moins élevés en basse saison.

■ ***Paris Canal :*** *bassin de la Villette, 19-21, quai de Loire, 75019 Paris. ☎ 01-42-40-81-60.* On embarque à bord d'un confortable bateau de *Crown Blue Line* (de 2 à 12 personnes) au départ de Castelnaudary ou de Port-Cassafière, pour une aventure fluviale de 6 km/h. À vous la vie itinérante des mariniers au rythme des écluses et ponctuée d'escales touristiques : Carcassonne, Puichéric et le château de Saint-Annay, Homps, Argens, Argeliers, Nissan-lez-Ensérune. Puis on franchit le tunnel de Malpas et on navigue jusqu'à Béziers, que l'on découvre du haut de l'impressionnante échelle de 7 écluses de Fonsérannes. Enfin, c'est l'arrivée à l'étang de Thau. Et vogue le navire...

■ ***Crown Blue Line :*** *Port-Cassafière, 34420 Portiragnes. ☎ 04-67-90-91-70. Le Grand Bassin, 11400 Castelnaudary. ☎ 04-68-94-52-72.*

■ ***Connoisseurs Cruisers :*** *île Sauzay, 70100 Gray. ☎ 03-84-64-95-20. Central de réservation sur le canal : Le Grand Bassin, BP 1201, 11492 Castelnaudary Cedex. ☎ 04-68-94-09-75. • connoisseur.fr •*

■ ***Croisières sur Midi Luc Lines et Croisières Handy :*** *35, quai des Tonneliers (capitainerie), Port-Minervois, BP 2, 11200 Homps. ☎ 04-68-91-33-00. • croisieres-du-midi.com • croisieres-handy.com •* ♿ Balades de 2h. Location de vélos et de bateaux sans permis (de 1 jour à 1 semaine).

■ ***Béziers Croisières :*** *port Neuf, BP 4052, 34545 Béziers Cedex. ☎ 04-67-49-08-23.* Croisières à la journée ou à la demi-journée.

Juin ou septembre sont les meilleurs mois. Partir si possible à quatre : il y en a toujours un sur la berge qui fait son jogging (il va plus vite que le bateau !), deux aux manœuvres pour passer les écluses, et le dernier à la barre. C'est tout de même jouable à deux, les éclusiers et les voisins donnent souvent un coup de main. Conduite très facile, sans permis. On découvre dans le calme, à travers les voûtes de platanes, un paysage superbe.
• canalmidi.com • Pédagogique et bien documenté.
Pour plus d'infos, voir la rubrique dans « Hommes, culture et environnement ».

LIVRES DE ROUTE

– ***Contes et légendes de Languedoc-Roussillon,*** de Nicole Lazzarini (éd. Ouest France, 2007). Des récits ancrés dans un univers mythique, puisés au fin fond de l'imaginaire populaire, des légendes locales aux souvenirs personnels de l'auteur.
– ***En nos vertes années,*** de Robert Merle (LGF, Le Livre de Poche, 1994). Un grand roman historique qui brosse une fresque colorée et vivante de ce XVIe siècle, en grande partie dans le Montpellier si cher à Rabelais.
– ***Montpellier, métropole du Sud,*** de Francis Zamponi (Fayard, 2001). Par un ancien journaliste de *Libération,* auteur de livres sur des sujets aussi variés que la vendetta corse, la police, les renseignements généraux et Jean Moulin. Bref, un observateur tout-terrain qui a bien vu Montpellier.
– ***L'Histoire de Montpellier en B.D.,*** de Mireille Lacave et Richard Mithouard (Privat, 1995). Clio, muse très contemporaine de l'Histoire, Benjamin de Tudelle, véritable « routard » du Moyen Âge, et Rabelais : les trois héros de cette B.D. deviennent nos guides spirituels l'espace d'un millénaire, de la fondation de la ville en 985 à la construction du Corum en 1987.
– ***La Religion cathare. Le Bien, le Mal et le Salut dans l'hérésie médiévale,*** de Michel Roquebert (éd. Perrin, 2001). Auteur de *L'Épopée cathare,* une histoire du catharisme en cinq tomes, Michel Roquebert se penche cette fois-ci plus précisément sur les composantes d'une religion qui a enflammé tout le Sud-Ouest entre le XIIe et le XIVe siècle.
– ***Connaître les cathares,*** de Lucien Bély (éd. du Sud-Ouest, 2006). Les sites, l'histoire et les secrets des cathares racontés par cet illustre professeur à la Sorbonne.

– ***Le Canal du Midi et les Voies navigables de l'Atlantique à la Méditerranée,*** de René Gast (éd. du Sud-Ouest, 2000). Promenade le long des écluses et des sites qui jalonnent le canal du Midi, de Pierre-Paul de Riquet. Un itinéraire charmant sur un « chemin d'eau » qui court de Toulouse à Sète.
– ***1907, les mutins de la République – la révolte du Midi viticole,*** Rémy Pech et Jules Maurin, préface de Maurice Agulhon (éd. Privat, 2007). Pour le centenaire d'un épisode ancré à jamais dans la mémoire collective, mise à l'honneur ici du témoignage des mutins pour comprendre un mouvement populaire qui fit tressaillir la IIIe République.
– ***Voyage avec un âne dans les Cévennes,*** de Robert Louis Stevenson (Flammarion, 1993). Si Stevenson est l'auteur de cet écrit, c'est bien Modestine qui a décidé des chemins à parcourir. Car une ânesse est lente, têtue et curieuse de tout ce qui désintéresse son maître... De quoi faire naître un terrible agacement, mais aussi un regard neuf, contraint d'admirer ce qu'il n'aurait pas même daigné regarder. Un voyage de douze jours, en 1878, aux contours initiatiques. Un tronçon du GR 70, « le chemin Stevenson », reprend l'itinéraire de cet inépuisable découvreur.
– ***Des femmes et des toros : petite anthologie bigarrée,*** d'Annie Maïllis (éd. Cairn, 2003). Née en Camargue, l'auteure présente des extraits de textes français du XIXe siècle de la littérature tauromachique illustrant la place réservée aux femmes dans le monde des toreros.
– ***Mes recettes de Languedoc-Cévennes,*** de Marie-Agnès Favand (éd. C. Bonneton, 2005). Un cahier calligraphié avec soin comme ceux dans lesquels nos grands-mères consignaient leurs recettes. Pour concoter en un tour de main et déguster brandade, bourride, seiches farcies, feuilleté au pélardon, petit pâté de Pézenas, etc.
– ***L'Hérault à pied, du Haut-Languedoc à la Méditerranée*** (FFRP, 2007). Les topoguides livrent un cru enrichi d'une vingtaine de balades qui garantissent une meilleure répartition des circuits sur l'ensemble du territoire. Au total, 54 balades répertoriées avec, pour chacune, un extrait de la carte IGN, une description du parcours avec toutes les infos pratiques, les principales curiosités et quelques commentaires sur la flore et la faune. Certaines sorties sont par ailleurs tout à fait indiquées pour des promenades en famille.

PERSONNES HANDICAPÉES

Le label Tourisme et Handicap

Ce label national, créé par le secrétariat d'État à la consommation et au tourisme en partenariat avec les professionnels du tourisme et les associations représentant les personnes handicapées, permet d'identifier les lieux de vacances (hôtels, campings, sites naturels, etc.), de loisirs (parcs d'attractions, etc.) ou de culture (musées, monuments, etc.) accessibles aux personnes handicapées. Il apporte aux touristes en situation de handicap une information fiable sur l'accessibilité des lieux. Cette accessibilité, visualisée par un pictogramme correspondant aux quatre types de handicaps (moteur, visuel, auditif et mental), garantit un accueil et une utilisation des services proposés avec un maximum d'autonomie dans un environnement sécurisant.

Pour connaître la liste des sites labellisés : • francequide.com • (rubrique tourisme et handicaps).

Par ailleurs, dans notre guide, nous indiquons par le logo ♿ les établissements qui possèdent un accès ou des chambres pouvant accueillir des personnes handicapées. Certaines adresses sont parfaitement équipées selon les critères les plus modernes. D'autres, plus simples, plus anciennes aussi, sans répondre aux normes les plus récentes, favorisent l'accueil des personnes handicapées en facilitant l'accès à leur établissement, tant sur le plan matériel que sur le plan humain. Évidemment, les handicaps étant très divers, des lieux accessibles à certaines personnes ne le seront pas pour d'autres. Appelez donc auparavant pour savoir si l'équipement de l'hôtel ou du resto est compatible avec votre niveau de mobilité. Malgré les combats menés par les nombreuses associations, l'intégration des personnes handicapées à la vie de tous les jours est encore balbutiante en France. Il tient à chacun de nous de faire changer les choses. Une prise de conscience est nécessaire, nous sommes tous concernés.

SITES INTERNET

• ***routard.com*** • Tout pour préparer votre périple. Des fiches pratiques sur plus de 180 destinations, de nombreuses informations et des services : photos, cartes, météo, dossiers, agenda, itinéraires, billets d'avion, réservation d'hôtels, location de voitures, visas... Et aussi un espace communautaire pour échanger ses bons plans, partager ses photos ou trouver son compagnon de voyage. Sans oublier *routard mag,* ses reportages, ses carnets de route et ses infos pour bien voyager. La boîte à outils indispensable du routard.
• ***fraclr.org*** • La région vue au travers de l'art contemporain. Vous informe des expos à venir et passées, propose également des extraits d'œuvres originales.
• ***http://languedocroussillon.free.fr/*** • Site très bien fait qui permet de découvrir chaque département de la région, des Pyrénées-Orientales au Gard, à travers les photos – dont des vues aériennes – des sites les plus connus et des grandes villes. Donne également une sélection de campings.
• ***tautavel.culture.gouv.fr*** • Un site consacré à la grande découverte de l'ancêtre européen (fouilles et reconstitutions), mais également une remarquable illustration de la préhistoire dans la région Pyrénées-Orientales (habitat, faune, flore, etc.). À la fois ludique et didactique.
• ***cathares.org*** • Le portail du magazine *Cathares.* Pour découvrir toute l'histoire du catharisme et de ses vestiges (ah ! les châteaux cathares...).
• ***http://123lozere.com*** • La gastronomie et l'artisanat en Lozère : de nombreux produits du terroir (charcuteries, confitures, bouffadous...) qu'on peut voir et acheter en ligne.
• ***http://eric.m.free.fr*** • Une petite page perso sur l'un des monuments sétois, nous avons nommé Georges Brassens. Une série de photos et une publication de l'ensemble de l'œuvre illustrent la vie de l'irremplaçable auteur-compositeur.
• ***canalmidi.com*** • Ce site, fait par un instituteur, est consacré au... canal du Midi. Pédagogique et bien documenté.

VILLES ET VILLAGES FLEURIS

Un panneau jaune et fleuri marque l'entrée de plus de 3 000 communes de France. Ce label de une à quatre fleurs est décerné par le Conseil national des villes et villages fleuris (CNVVF). Il est attribué suivant la qualité du fleurissement et contribue à l'amélioration de l'environnement de la commune. L'occasion pour nos lecteurs de découvrir de coquettes communes !

■ ***Conseil national des villes et villages fleuris (CNVVF) :*** *23, pl. de Catalogne, 75014 Paris.* • *villes-et-villages-fleuris.com* •

Pour la région Languedoc-Roussillon est concernée la commune 4 fleurs suivante : Fraïsse-sur-Agout.

HOMMES, CULTURE ET ENVIRONNEMENT

Le vrai Midi, c'était l'autre. Avant que Gruissan, La Grande-Motte, Port-Leucate et Port-Barcarès n'y imposent l'idée d'une Floride franchouillarde, le Languedoc-Roussillon se contentait d'être la voie royale du soleil d'Espagne. Les bouchons de Béziers et les sens interdits de Montpellier tenaient souvent lieu de visite aux arènes de Nîmes et aux remparts de Carcassonne. Derrière les rambardes de l'autoroute se profilait une sorte de Midi à demi grillé par le soleil, peuplé de rugbymen et de baladins, où les raisins avaient le goût de la colère et les montagnes un parfum d'hérésie. On ne se trompait guère. Le Languedoc est une route qui s'emprunte, mais ne se donne pas. Sous ses airs de mauvais élève au piquet contre les Pyrénées, c'est un pays ouvert que ses malheurs ont fermé sur lui-même.
Le Languedoc-Roussillon a cette grâce fonctionnelle des architectures. C'est le pan oriental de l'arc roman par lequel l'Hexagone enjambe la Méditerranée. Une portion de rivage qui s'arc-boute sur deux obstacles naturels, le Rhône et les Pyrénées, et visse tout un réseau de petites vallées dans les montagnes environnantes pour dessiner, finalement, une sorte d'amphithéâtre en gradins ouvert sur le large. Bien sûr il y a Languedoc, il y a Roussillon, et les deux coteaux du Vivarais n'ont pas grand-chose à voir avec les hauteurs pelées de Cerdagne. Possible aussi que le Languedoc-Roussillon ait un cœur : les Corbières ; une tête : Montpellier ; une main pour le travail : Sète ; et une autre pour l'art : le Roussillon, son âme errant quelque part entre Cévennes et Montagne noire. Ce n'est pas une forteresse, comme l'Auvergne et la Bretagne, mais un hamac entre deux montagnes inspirées, le mont Lozère et le Canigou.
Bref, un ensemble naturel vérifié par l'histoire, où des peuples cousins ont appris à se confondre. Toulouse a déteint sur Carcassonne, la Catalogne campe sur le rebord pyrénéen, l'air de Nîmes sent la Provence. D'où cette mixture inédite de boulistes et de cassoulet, de cloîtres mozarabes et de corridas espagnoles, cimentée par deux langues cousines, le catalan et l'occitan. Du port de Narbonne à la foire de Beaucaire, le Languedoc-Roussillon fut un fameux brasseur d'horizons, qui brilla sur l'échiquier européen jusqu'aux jours de l'annexion française. Dans cette région qui fut une seconde Rome, la tête de pont du savoir judéo-arabe hors d'Espagne et l'une des créatrices de l'art roman, chaque pierre a quelque chose à raconter.
Vous connaissez Nîmes, Carcassonne, Collioure et les châteaux cathares... Mais des émotions aussi riches vous attendent à Perpignan, Pézenas, Uzès, Sommières dans les nids d'aigle du Minervois, les hauts pâturages de Cerdagne ou les roselières de Camargue, car partout opère un charme altier et franc. C'est une fontaine ronde sous les platanes, un village fantôme sous l'échine calcinée du causse, l'accent souriant d'une étudiante de Montpellier, la bouleversante âpreté des Corbières et le retable endormi dans la petite église au parfum de garrigue... Ici, le soleil dore et découpe toute chose au scalpel. Sa franchise ombrageuse donne le ton, celui d'un pays auquel on s'accroche parce qu'il est beau.

ARCHITECTURE

Le marathon des églises vous ennuie ? Forcez-vous un peu, la région fut l'un des grands creusets de l'art roman. Il y a les cathédrales fortifiées, comme à Béziers,

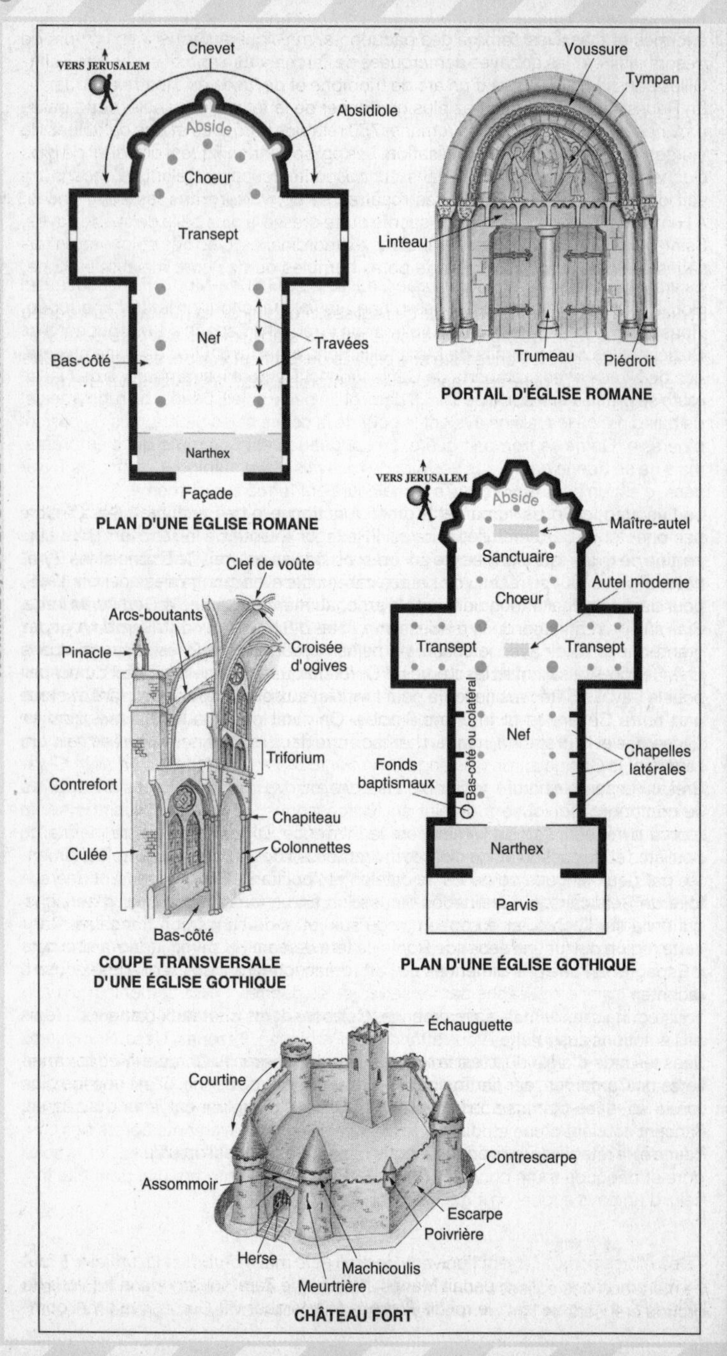
Chevet
VERS JERUSALEM
Absidiole
Abside
Choeur
Transept
Nef
Travées
Bas-côté
Narthex
Façade
PLAN D'UNE ÉGLISE ROMANE
Voussure
Tympan
Linteau
Trumeau
Piédroit
PORTAIL D'ÉGLISE ROMANE
VERS JERUSALEM
Abside
Maître-autel
Sanctuaire
Autel moderne
Choeur
Transept
Transept
Bas-côté ou colatéral
Nef
Chapelles
latérales
Fonds
baptismaux
Narthex
Parvis
PLAN D'UNE ÉGLISE GOTHIQUE
Clef de voûte
Arcs-boutants
Pinacle
Croisée
d'ogives
Triforium
Contrefort
Chapiteau
Colonnettes
Culée
Bas-côté
COUPE TRANSVERSALE
D'UNE ÉGLISE GOTHIQUE
Échauguette
Courtine
Contrescarpe
Assommoir
Escarpe
Poivrière
Herse
Machicoulis
Meurtrière
CHÂTEAU FORT

énormes et massives comme des paquebots, mais qui renferment un univers de trésors raffinés ; les abbayes démarquées de l'architecture romaine, comme Saint-Gilles dans le Gard, dotée d'un arc de triomphe et de frises de théâtre antique.
En Roussillon, vous ne saurez plus où donner de la tête. À elle seule, cette petite province compte 220 édifices romans, 750 retables baroques et des centaines de Vierges romanes. Une autre civilisation. Les églises, magnifiques, dressent de gros clochers carrés à toits plats et, dans leur obscurité douce aux relents d'encens, on voit des saints blêmes aux joues rosâtres se convulser dans les souffrances. À l'ombre du Canigou, montagne sacrée où se dresse la plus belle de ses abbayes, Saint-Martin, vous trouverez des cloîtres extraordinaires avec des colonnes en torsades et des chapiteaux ornés de bêtes horribles ou de fleurs maléfiques (Elne, Saint-Michel-de-Cuxa, Serrabone).
Et puis, outre l'architecture romane des églises, n'oublions pas que la frontière entre France et Espagne a longtemps fluctué pour se stabiliser lors du traité des Pyrénées, sous Louis XIV. Il en résulte une pléiade de fortifications qui espagnoles (Salses en tête), qui françaises. Dans des lieux improbables et superbes (Villefranche-de-Conflert, Prats-de-Mollo...).

CANAL DU MIDI

Le plus grandiose des monuments du Midi se trouve-t-il à Toulouse, à Sète, à Carcassonne ou à Béziers ? Réponse : partout. De Toulouse à l'étang de Thau serpente une voie verte coupée de 64 écluses, 55 aqueducs, 7 ponts-canaux (!) et 126 ponts en dos d'âne. Un ouvrage si remarquable et unique qu'il est, depuis 1996, classé au Patrimoine mondial par l'Unesco, au même titre que la Grande Muraille de Chine ou le château de Versailles ! Imaginez 240 km d'une route liquide sous un frais tunnel de platanes, paressant parmi les vergers et les vignes, traversant des cités 3 étoiles, enjambant les fleuves d'un jet d'aqueduc et se haussant du col par des accolades d'écluses (jusqu'à neuf à la fois) aux ovales gracieux... Détail : tout le canal du Midi est dessiné Grand Siècle. « On y voit le pays autant et mieux qu'en diligence », s'exclamait Stendhal dans son coche d'eau, tiré par trois chevaux. Un demi-siècle avant, l'agronome anglais Arthur Young en était resté éberlué : « C'est là le plus beau spectacle qu'il m'ait été donné de voir en France. Louis XIV, tu es vraiment un grand roi ! »
Lorsque Pierre-Paul de Riquet, surintendant des gabelles, vient présenter le projet, c'est tout juste si Colbert ne le traite pas de farfelu. En revanche, le Roi-Soleil, qu'aucun travail colossal ne fait sourciller, trouve l'idée séduisante ; 12 000 hommes sont engagés pour creuser à la pelle le canal, pendant 14 ans. Ils capteront les ruisseaux de la Montagne noire (idée géniale et pari de Riquet qui, en enfant du pays, avait remarqué le débit constant de ces ruisseaux, et pensé, envers et contre tous, qu'ils suffiraient à alimenter le canal), et bichonneront des ouvrages de Titan. Le Trésor royal est asséché par Versailles et les guerres ? Riquet met la main à la poche, puis dans celle de sa femme : leurs descendants mettront 40 années à rembourser les créanciers.
Dès l'ouverture, en 1681, c'est la ruée. La première liaison Atlantique-Méditerranée va transformer la région. De Toulouse à Sète (ville née du canal), on ne voyage plus qu'en bateau. Relais, chapelles et maisons closes s'agglutinent le long du canal. Riquet avait vu grand.
Pour plus d'infos voir la rubrique dans « Languedoc-Roussilon utile ».

CATHARES

« Deux forces se partagent l'univers : le bien et le mal, l'ombre et la lumière. Il faut choisir son camp. » Ainsi parlait Manès, disciple de Zarathoustra dans la Perse du IIIe siècle. Il fut entendu : le roi de Perse le fit écorcher vif. Ce qui avait mal com-

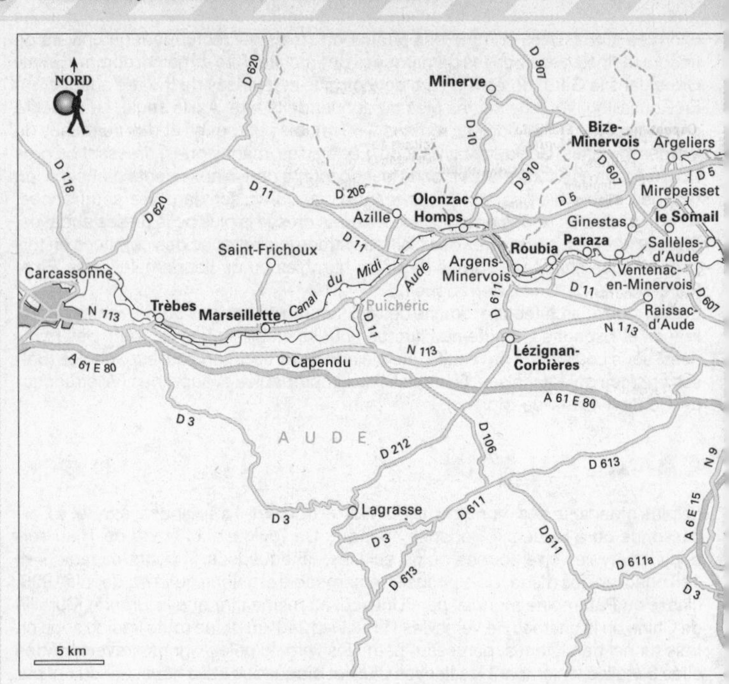

mencé ne finira pas mieux. 1 000 ans plus tard et 6 000 km plus loin, ses adeptes (les manichéens) sont toujours là. On crée pour eux l'Inquisition et les bûchers. Entre-temps, nos manichéens ont pris le nom de pauliciens pour s'installer en Anatolie. Les empereurs byzantins les persécutent, puis les expédient dans les Balkans. Et là, tout va très vite. En Bosnie, leur secte – dite alors « des Bogomiles » – devient quasiment religion officielle, avec un antipape qui envoie ses messagers jusqu'à Toulouse. Bogomiles, vaudois, cathares, albigeois... D'Allemagne en Italie, des Flandres au Languedoc, l'hérésie a ses saints (les parfaits), son au-delà (la réincarnation), son sacrement (le *consolamentum,* accordé aux mourants) et des exigences d'égalité, de chasteté et de pureté totale (interdiction de manger de la viande) que ne devait guère incarner la société de l'époque. Partout, évêques et princes répriment.

Partout sauf dans le Languedoc. Là-bas, beaucoup d'entre eux ont rejoint la cause. Les cathares y ont des châteaux, des hommes d'armes, leurs évêques tiennent des conciles internationaux. Les missions envoyées par le pape s'y heurtent aux plus grands seigneurs. En 1207, son légat est assassiné. À Rome, on tremble. Si l'hérésie gagne les centres du pouvoir, c'est la fin des haricots. Innocent III n'hésite plus à proclamer la croisade. Les seigneurs hérétiques sont déchus, leurs biens déclarés « proie ». Le premier qui passe n'a qu'à se servir.

En France du Nord, le message est reçu 5 sur 5. Les bonnes âmes s'arment. En 1209, première proie : Béziers. Il faut donner le ton. Les habitants refusent de dénoncer les cathares ? « Tuez-les tous ! », conseille aimablement le légat du pape, « Dieu reconnaîtra les siens ». Terrorisée par ce massacre, Carcassonne tombe à son tour ainsi que les forteresses hérétiques voisines (voir également l'introduction au chapitre « L'Aude, pays cathare »). Pour remplacer son seigneur, les croisés choi-

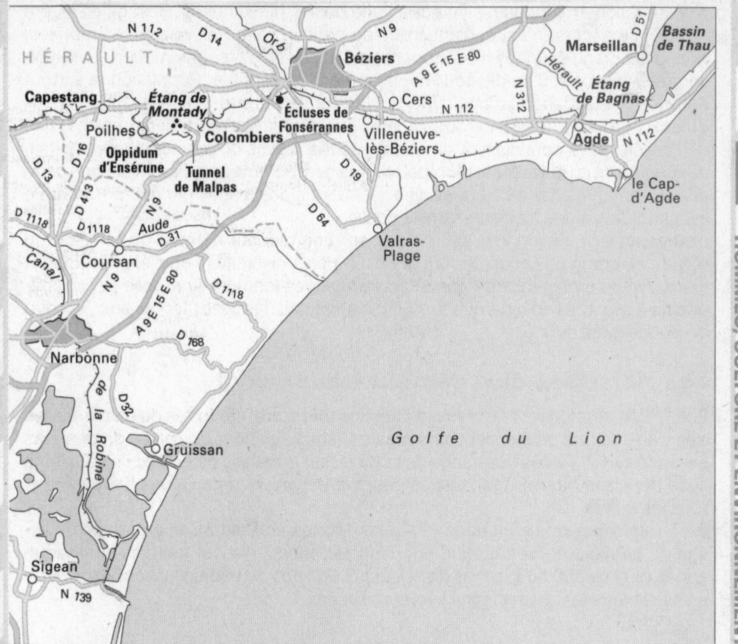

LE CANAL DU MIDI

sissent un chevalier sans peur et sans scrupules, Simon de Montfort. En 1213, le Languedoc est conquis par l'orthodoxie. Mais pas soumis car, sans cesse, des révoltes éclatent. Le roi de France devra venir en personne rafler la mise en confisquant tout le Midi.

Les cathares ? Ceux qui n'ont pas été brûlés ont pris la route des Corbières. Là-haut, de petits seigneurs mènent toujours la guérilla. Les croisés devront réduire un à un leurs nids d'aigle. Puylaurens, Peyrepertuse et surtout Montségur, la « Synagogue de Satan » où les cathares tenaient leurs conciles. Pour fêter sa prise en 1244, on allume un grand bûcher. Nobles, bourgeois et gens d'armes confondus, 315 cathares s'y jettent plutôt que de se renier. Onze ans plus tard, Quéribus est pris. Tout est fini, le pape est content. Il a tort : plus de 700 ans après, on en parle encore...

ÉCONOMIE

L'agriculture est une pièce maîtresse du puzzle économique. Elle repose sur un vignoble – le plus étendu de France – en bonne partie replanté de cépages de qualité, même si cultures maraîchères et fruitières (pêches, nectarines et abricots) ont, elles aussi, droit de cité. Les industries agroalimentaires, bien que peu représentées, sont également source de dynamisme. Quant au tourisme, il taille la plus grosse part de l'économie (le Languedoc-Roussillon siège au « top 5 » des régions les plus touristiques de France).

La pauvreté du tissu industriel

Quelques ombres tout de même au tableau. La région détient le triste record du taux de chômage le plus élevé de l'Hexagone (plus de quatre points au-dessus du

niveau national). L'industrie est aussi l'une de ses bêtes noires. Bien qu'en légère reprise, ce secteur n'est constitué que de petites, voire très petites, entreprises, quand les grandes unités n'échappent pas aux élans de reconstruction. La région souffre également d'un déséquilibre largement perceptible. Population et surtout activités ont tendance à s'agglutiner sur le littoral et au sud-est de la région, tandis qu'au « nord » la Lozère a perdu la moitié de sa population en un siècle. Les bassins de l'arrière-pays connaissent un certain déclin, tandis qu'a émergé une capitale régionale tout en puissance, Montpellier. Agissant comme un puissant aimant, cette cité dynamique profite des nouvelles aspirations des jeunes générations et attire les candidats à une meilleure qualité de vie.
Heureusement, l'économie peut miser sur une récente montée du tertiaire, un réseau de communication performant et un pôle universitaire en plein développement. Avec l'émergence de parcs technologiques (comme Agropolis et Euromédecine à Montpellier) ainsi que la multiplication des dessertes ferroviaires, le coup de pouce a été donné.

Les richesses d'un secteur traditionnel

Enfin, il y a ces richesses qui valent plus que tout autre, car fortes du passé. Celles que transmettent artisans et commerçants régionaux pour que ne se perdent pas les traditions. Il y a ces tisserands de Lodève (sur le causse du Larzac on travaille la laine depuis le Moyen Âge), ces cardeurs et peigneurs de soie des Cévennes, et tous les autres.
Bref, des salins du Languedoc (d'Aigues-Mortes en Petite Camargue, de Gruissan...), héritiers d'une tradition économique ancestrale qui fournissent chaque année plus de 500 000 tonnes de sel, aux 2 000 ans de tradition viticole que porte en elle la terre languedocienne : vous voilà servi !

ENVIRONNEMENT

En matière d'environnement, il y a malheureusement plus à plaindre que les habitants du Languedoc-Roussillon. Entre un littoral riche d'espèces protégées et un arrière-pays propice à l'écotourisme, ses habitants sont plutôt bien lotis et conscients de leur qualité de vie. Les visiteurs n'ont plus qu'à bien se tenir !

Un littoral transformé

À partir de 1963, le littoral est aménagé. Nombre de villes et villages s'en trouveront revigorés... on passera sur les petits ratés ! La Grande-Motte, pour ne citer qu'elle, en essuie encore les plâtres. Port-Barcarès par-ci, Saint-Cyprien par-là, adieu plages désertiques, bonjour stations balnéaires surchargées en haute saison. Toutefois, des efforts sont faits pour intégrer ces constructions dans la vie régionale, et c'est tant mieux. Car à l'heure où l'on annonce 400 000 habitants de plus d'ici 2015, impliquant constructions et rénovations en nombre, il serait de bon ton de prendre ce train de la construction environnementale en marche !
Avant que les accros de la bronzette y passent leur été, le Languedoc-Roussillon était une importante voie de passage et un carrefour, particulièrement avec l'Espagne. De Sète par exemple, des cargos exportent aliments et matériel dans le monde entier, entraînant un trafic de grands pétroliers (pas de quoi faire frétiller les poissons !). Quand Montpellier, en blouse blanche, se retranche dans ses usines et ses laboratoires pharmaceutiques, trente kilomètres plus loin, Sète, en bleu de travail, hume les vapeurs lourdes de la chimie industrielle.

Un arrière-pays préservé

Dans les vallées, c'est une autre histoire. La châtaigneraie cévenole, cultivée depuis un millénaire, est longtemps laissée à l'abandon. Ces grands arbres malades, les

mûriers disparus, seuls les pins pointent leurs cimes quand les genêts envahissent les friches, avant que s'amorce le renouveau.
Une balade dans le parc national des Cévennes, les réserves pyrénéennes du Capcir ou de Mantet suffira à vous convaincre de l'extrême richesse de la flore et de la faune. Loin des traitements chimiques et de l'agriculture intensive, ces sites privilégiés vous invitent à suivre les traces de quelques animaux parfois rares et qui se méritent : mouflons et autres grands tétras. Une nature bien pure où fleurs, animaux et insectes sont rois. Ne laissez rien derrière vous, même ce qui est biodégradable. Une peau de banane égarée, c'est, à court terme, un risque de chute et, à long terme, l'équilibre alimentaire des animaux sauvages perturbé.

L'AME se creuse la « Têt »

Apprendre à concilier protection des milieux, activités humaines et afflux d'un public exigeant représente un lourd défi pour la région. Aujourd'hui encore, le nombre de personnes qualifiées est souvent insuffisant. Et pourtant le travail ne manque pas ! Depuis la crue dévastatrice de 1940, la Têt attend d'être nettoyée. Depuis plusieurs années, les milliers d'arbres détruits attendent que l'on s'occupe d'eux. Surfréquentation touristique, déprise agricole, les espaces naturels du Languedoc requièrent une gestion de plus en plus pointue. Heureusement, l'Agence méditerranéenne de l'environnement (AME) est d'un grand secours. Créée à l'instigation de la Région il y a plus de dix ans, cette association multiplie les initiatives intelligentes et les débats porteurs. La nature a ainsi échappé à 120 t de déchets toxiques provenant de laboratoires de physique-chimie et à 470 t d'huiles alimentaires récupérées dans les établissements d'enseignement secondaire de la région. Des coups de pouce comme ceux-là, la planète en redemande !

Des énergies propres ?

Éoliennes, fours solaires ? Le Languedoc-Roussillon est moteur de l'énergie propre. On y capte la puissance motrice des vents, non polluants, sans rejets de déchets. Sous les assauts de la tramontane à l'ouest et du mistral à l'est (fréquents, forts, d'orientation bien définie), nombre d'éoliennes, ces moulins des temps modernes, ont fleuri dans l'Aude ces dernières années. Des projets d'équipement ont aussi le vent en poupe dans les Pyrénées-Orientales, l'Hérault et le Gard. À petite échelle, une centrale éolienne a son charme avec ses grands bonshommes blancs hauts de 80 m qui agitent les bras au gré des zéphyrs. Faible bise, pas de production. Bourrasques trop fortes, on ralentit les pales pour éviter l'emballement. En revanche, les grosses concentrations ont des effets décriés : certains dénoncent des pertes d'oiseaux en masse (constatées en Navarre par exemple), d'autres les effets sur le paysage (faut dire que la ligne bleue des Vosges peuplée d'éoliennes, c'est plus trop ça !). Alors ces tonnes de kilowattheures produites par les centrales éoliennes : énergie propre ou futur vent de discorde ?
Quant à exploiter l'énergie solaire dans les Pyrénées-Orientales où mûrissent les premières cerises de l'année : évidence ou utopie ? À Mont-Louis comme à Odeillo, on sait capter par des miroirs l'énergie thermique du soleil vers un four. Un peu comme celui de grand-mère mais en plus grand ! Côté centrale électrique, pas de production par panneaux solaires (ou photovoltaïques) à grande échelle, mais le projet *Thémis* à Targassonne ambitionne de concentrer la chaleur solaire pour actionner des turbines, selon le phénomène de l'héliothermodynamique (pas facile à placer au Scrabble !). Le soleil semble donc une source d'idées, voire d'énergie inépuisable (à quelques millions d'années près, ne chipotons pas) et certainement propre pour les générations futures.

GÉOGRAPHIE

Si les visiteurs n'ont longtemps vu dans le Languedoc-Roussillon que ses stations balnéaires, ils ont maintenant découvert ses montagnes – qui occupent environ la moitié du territoire – et ses garrigues. Et pourquoi se priver, puisque la région s'efforce de protéger sa nature – deux vastes parcs naturels, aucune construction sur 60 % de son littoral ?

Au-delà des frontières administratives délimitant ses cinq départements se dessine une autre unité, celle-là d'ordre géographique. La région tout entière est orientée vers la mer Méditerranée et constitue ainsi un gigantesque amphithéâtre à trois niveaux : les montagnes, les garrigues et la plaine.

Caractéristiques de la zone montagnarde, les massifs des Pyrénées-Orientales s'étendent, au sud du département, jusqu'à la mer formant ainsi des falaises. Plus au nord apparaissent des plages de sable fin et des criques.

Le Gard détient également une grande diversité de paysages. S'y trouve, tout comme en Lozère, une partie du massif des Cévennes – apparu il y a 200 millions d'années –, succession de crêtes dénudées et de ravins creusés par les torrents. Au sud, on découvre la Camargue et sa faune unique et variée.

La Lozère est également le territoire d'espèces rares, mais celles-là sont bien éloignées des flamants roses. Ses moyennes montagnes et ses vastes forêts sont l'habitat des loups, bisons et vautours réintroduits par l'homme. Quant au sud de ce département, il est composé du parc national des Cévennes et des gorges du Tarn, où les amoureux de sports extrêmes peuvent parcourir les eaux bleutées (ou moirées) serpentant entre des parois hautes de 400 à 600 m.

Difficile d'évoquer l'Aude et surtout l'Hérault sans penser aux vignobles qui s'étendent à perte de vue, pour le plus grand plaisir des amateurs de vin. Mais ce ne sont pas leurs seules richesses : au nord se trouve la Montagne noire – haute de 800 m – et ses profonds canyons et lacs aux rives ocre et rouges. Leur littoral est bordé de plages de sable fin... et de stations balnéaires.

HABITAT

Difficile de le qualifier. Il n'existe pas de modèle type de maison du Languedoc ou du Roussillon. Un seul mot d'ordre : s'adapter au milieu. Architecture robuste des zones montagneuses, maisons basses du littoral : à chacun son chez-soi. Les matériaux de construction sont divers, même si l'élément de prédilection reste la pierre.

En plaine et dans les collines

Parce que dans la région le vin coule à foison, les maisons de vignerons sont presque légion. Au « pays des toits de lauzes », ces habitations aux murs ocre ou roses présentent la singularité d'avoir des toits de tuiles. Même sort pour le mazet, voisin des maisons vigneronnes, sorte de remise ou d'abri aux murs de pierre de forme rectangulaire, qui ne comporte qu'une pièce.

Sur les causses et dans la garrigue

L'habitat des causses est presque entièrement dédié à l'élevage ovin. La bergerie est la première à avoir sa place au cœur de la bâtisse. Ennemi numéro un, le vent : tout est pensé pour s'en protéger, notamment la silhouette compacte du bâtiment. En l'absence de bois, la pierre règne en maître. Ici, pas de villages mais des habitations dispersées.

Sur le littoral

Il n'y a guère qu'une partie de la Camargue qui peut se vanter d'avoir conservé son habitat traditionnel : maisons pas très hautes, tout en longueur, couvertes de roseaux du marais. Les authentiques cabanes de pêcheurs se font rares et laissent place à des bungalows souvent sans charme. Parfois, ils s'organisent harmonieusement en véritables petits villages sur pilotis comme à Gruissan.

Et dans les montagnes

Traditionnellement en pierre, avec toit de schiste ou de lauzes, les habitations sont regroupées en hameaux, dispersées dans la nature, accrochées aux versants des montagnes ou nichées au fond des vallons. On en trouve de beaux exemples sur les contreforts du plateau de Cerdagne et au fond de quelques vallées perdues du haut Vallespir ou du haut Conflent.
Dans les Cévennes, la maison d'habitation est entourée d'une série de bâtiments en schiste : bergerie, porcherie, grange, four, pressoir à vin, magnanerie où l'on élève les vers à soie, et la *clède,* maisonnette où l'on fait sécher les châtaignes. À moins que le rez-de-chaussée aussi ne serve d'étable ou de grange ; rien de bien original. Dans un genre moins commun, typique des fermes cévenoles, vous croiserez peut-être autour des habitations quelques lauzes plantées dans la terre : chut ! vous êtes dans le cimetière familial.

La lauze de Lozère

Outre le granit, très présent dans les constructions jalonnant les pentes du mont Lozère, la lauze a bonne réputation. Ne se fendant ni n'éclatant, elle est l'adversaire de choc des hivers longs et rudes, des étés chauds et secs. Cette feuille de schiste, de calcaire ou de grès couvre depuis des siècles fermes et bergeries de tout le sud-ouest de la France, même si ses teintes diffèrent d'un terroir à l'autre. Seul inconvénient de ce matériau, il est très lourd. On lui préfère aujourd'hui des ersatz moins contraignants. Les carrières ferment à vue d'œil !

HISTOIRE

– ***450000 av. J.-C. :*** à Tautavel, dans le Roussillon, il y avait un homme qui chassait le renne et le rhinocéros avec des pierres. Gros sourcils, front fuyant, œil enfoncé : une vraie tête de gangster. C'est l'un des plus vieux Européens.
– ***2000 av. J.-C. :*** bourgs de bergers dans les Cévennes. Hommes et bêtes s'entassent dans de gigantesques chaumières.
– ***Vers 600 av. J.-C. :*** les Grecs de Marseille fondent Agde (*Agathè* : « la Belle »). Bons rapports avec les indigènes, sans qu'on sache trop si ceux-ci étaient ligures (italo-provençaux) ou ibères (espagnols). Le Languedoc n'a pas fini de se chercher entre les deux péninsules !
– ***De 700 av. J.-C. à 300 av. J.-C. :*** les Gaulois s'installent dans le pays.
– ***Vers 120 av. J.-C. :*** à l'appel des Marseillais, les Romains annexent la Provence gauloise et son allié, le Languedoc. Fondation de Lugdunum (Saint-Bertrand-de-Comminges), Béziers et surtout Narbo Martius (Narbonne) qui régit, de Toulouse à Grenoble, la plus ancienne et plus grosse province des Gaules : la Narbonnaise.
– ***413 :*** les Vandales et les Alamans n'avaient fait que passer. Plus éduqués, les Wisigoths s'installent à Narbonne. Leur royaume, qui couvre toute l'Espagne et la France du Sud, laissera de bons souvenirs. Ce sont les Wisigoths qui arrêtent Attila. On ne saurait leur en vouloir.
– ***720 :*** l'émir al-Samh, conquérant de l'Espagne, s'empare de Narbonne. Les Wisigoths continuent d'administrer le pays.
– ***759 :*** les Francs prennent Narbonne.
– ***778 :*** Roncevaux. Les Carolingiens font de la Catalogne *(Gothalunia)* un avant-poste anti-musulman : la marche d'Espagne. Afflux de réfugiés chrétiens en Languedoc.
– ***1002 :*** premier acte rédigé en langue d'oc. La culture hispano-musulmane enrichit la province, qui participera activement à la *Reconquista* et aux Croisades.
– ***XIe-XIIe siècle :*** le Languedoc est satellisé par un cousin de langue et de culture identiques, le comté de Barcelone.

– ***1209-1255 :*** croisade contre les cathares. Le Languedoc échappe à l'orbite catalane pour tomber dans le domaine royal.
– ***1276-1344 :*** naissance et mort du royaume de Majorque. La Catalogne reste rattachée au comté de Barcelone ; la frontière passe à Salses.
– ***XIVe siècle :*** malgré les corsaires arabes, le Languedoc donne au roi ses grands ports méditerranéens. En 1481, le rattachement de Marseille porte un coup fatal à sa prospérité.
– ***1464 :*** création de la foire de Beaucaire.
– ***XVIe siècle :*** le Languedoc oriental passe au calvinisme. Un choix qui pèsera lourd dans les guerres de Religion.
– ***1566 :*** fondation du port de Sète.
– ***1659 :*** le traité des Pyrénées donne le Roussillon et la Catalogne à la France.
– ***1685 :*** la révocation de l'édit de Nantes interdit aux protestants de célébrer leur culte. Envoyés aux galères, les prédicateurs des Cévennes passent le flambeau aux « prophètes ». La révolte des camisards tiendra deux ans en échec l'élite des troupes royales.
– ***1790 :*** les protestants passent à la Révolution, les catholiques demeurent fidèles au roi.
– ***1851 :*** insurrection contre le coup d'État de Napoléon III.
– ***1907 :*** insurrection des vignerons contre le gouvernement Clemenceau.
– ***1971-1981 :*** manifestations contre l'extension du camp militaire du Larzac. Une cause symbole où se retrouveront, pêle-mêle, les Lip et Lanza del Vasto, François Mitterrand et le général de Bollardière.
– ***Septembre 2002 :*** inondations dévastatrices dans les départements du Gard et de l'Hérault ; 85 % du territoire du Gard fut englouti et de nombreuses victimes furent à déplorer. Aujourd'hui, grâce aux efforts fournis par leurs habitants, les départements touchés par les inondations ont heureusement retrouvé leur beauté d'autrefois.
– ***Décembre 2004 :*** le majestueux viaduc de Millau, le plus haut du monde (la pile la plus élevée mesure 240 m), s'ouvre à la circulation.

IDENTITÉS OCCITANE ET CATALANE

« Occitania ! » Pendant la guerre du Larzac, le bruit courut qu'une nouvelle nation d'opprimés se révoltait contre le centralisme jacobin. On chercha sur les cartes si quelque province à moitié étrangère au bout de l'Hexagone, comme le Pays basque, l'Alsace, la Corse ou la Bretagne, n'avait pas été annexée par mégarde. Et lorsqu'on découvrit qu'il s'agissait de quinze départements – vingt-trois avec la Provence ! –, cette cause éveilla moins de sympathie que les précédentes. Il y en eut pour dire que l'Occitanie n'existait pas et que, en tout état de cause, sa diversité n'était pas moins grande que celle de l'Hexagone.
Et pourtant, l'Occitanie n'a manqué que d'un Bismarck pour exister. Sœur de la Catalogne, elle n'a épousé la France que par force. Chaînon manquant entre l'Espagne et l'Italie, c'est l'une de ces nations du soleil ombrageuses et volubiles, où l'on produit des fruits, des vins lourds, des taureaux, des platanes et des peintres. Sa langue est un trésor. Portée par les chefs-d'œuvre des troubadours, elle régna sur les cours lettrées d'Europe et, aujourd'hui encore, près de 10 millions d'Occitans la comprennent. Littérature, solidarité urbaine, tolérance : l'Occitanie du XIe siècle était très en avance sur son temps. Trop, puisque sa complaisance envers les cathares signa sa perte.
Francisé de force, l'Occitan libéral devient un Occitan turbulent. Guerres de Religion, camisards, Révolution, 1848, 1870, 1907 : chaque occasion lui fut bonne pour se révolter contre le mépris exprimé par ceux du Nord. Si la décentralisation a mis de l'huile dans les rouages, elle est loin d'avoir tout réglé, puisque l'essentiel des ressources occitanes – hier les mines, aujourd'hui l'aéronautique, l'immobilier touristique et certains vignobles – se trouve encore aux mains des « colons ».

Peu avant Perpignan, l'autoroute frôle une place forte réputée indestructible. Ce rêve de pierre ocre, tapi dans la plaine, c'est le fort de Salses : la frontière avec la Catalogne. La frontière a reculé il y a trois siècles. La Catalogne, elle, est restée. Et cela saute aux yeux : comme en Alsace, on est ailleurs.

C'est ici, entre la plaine du Roussillon, les coteaux des Aspres et du Conflent, les hautes vallées du Vallespir, de Cerdagne et du Capcir, qu'est née la puissance la plus dynamique de la péninsule. Ces petits royaumes pyrénéens, où l'on parlait une langue ayant des traits caractéristiques communs aux langues ibéro-romaine et gallo-romaine – le catalan –, ont conquis sur les Sarrasins le comté de Barcelone, puis le royaume de Valence et l'Aragon. Leur zone d'influence englobait Toulouse et Nîmes et, sans la guerre albigeoise, il est probable que le Languedoc-Roussillon serait aujourd'hui espagnol. Mais les Catalans étaient avant tout des marins. Concurrents de Venise, ils annexèrent les Baléares et tout le Sud de l'Italie. Perpignan vécut dans l'ombre de Barcelone jusqu'au jour où le roi d'Aragon en fit la capitale d'un petit État, le royaume de Majorque, taillé sur mesure pour l'un de ses fils. Il en reste un merveilleux palais et des souvenirs d'opulence, que Perpignan, jamais, ne parvint à oublier. Et puis, en 1659, le traité des Pyrénées fait du Roussillon la talonnette de la France. Malgré trois siècles de francisation forcée, jamais le cordon ombilical ne sera coupé.

De Gaudí à Tàpies en passant par Miró, la renaissance de l'art catalan ignore les frontières, Dalí et Picasso arpentent le Roussillon, et lorsque Pau Casals s'installe à Prades pour fuir le franquisme – à l'exemple de milliers de ses compatriotes –, il est chez lui. Autant dire que ce n'est pas pour le folklore qu'un tiers des Roussillonnais parle le catalan. La prospérité retrouvée de Barcelone fait de leur langue un passeport précieux. Un lien supplémentaire entre « Catalans du Nord » (côté français) et « Catalans du Sud » (côté espagnol)...

LANGUES RÉGIONALES

À force de servir de l'« oc » à toutes les sauces, on en a oublié la signification. Le rapprochement est facile avec les vins du pays d'Oc, évident avec la région Languedoc, un peu moins flagrant avec l'occitan. Petit cours d'histoire donc !

Descendue tout droit du bas latin, la langue d'oc appartient à l'ensemble des langues romanes et voit le jour dès le XIIe siècle. Au cours de l'histoire, la latinisation s'est opérée peu à peu. En Gaule, elle se heurta aux tribus germaniques, dont faisaient partie les Francs, qui imposèrent peu à peu leur parler dans toute la moitié nord. C'est ainsi que la version gauloise du latin populaire a, au fil du temps, évolué en moult dialectes répartis grossièrement en « dialectes du Nord » et « dialectes du Sud ». Le nom de ces deux groupes de dialectes fut ensuite donné en fonction de la manière dont les gens prononçaient « oui » – on fait avec ce qu'on a ! Or, il s'avéra que dans le Nord le mot latin *hoc ille,* signifiant « c'est ça », avait tourné en *o-il* et donna la langue d'oïl, et en *oc* pour le Sud, pour donner la langue d'oc.

Pour en revenir à nos moutons, l'*oc-citan* désigne donc l'ensemble des parlers de langue d'oc (on distingue les parlers du Nord, limousin, auvergnat... des parlers méridionaux, le languedocien – particulièrement fidèle à la langue d'oc telle qu'elle était parlée au Moyen Âge –, le provençal...). Ce n'est guère qu'une autre manière d'appeler la langue d'oc, parlée jadis dans tout ce que l'on appelle aujourd'hui le Midi de la France. Et les troubadours ne sont plus les seuls à parler cette belle langue. On estime qu'à l'heure actuelle l'occitan est compris par un tiers des habitants du Languedoc, soit environ un million et demi de personnes.

Concrètement, on parle aujourd'hui, en Languedoc-Roussillon, trois langues : le français – vous l'auriez deviné ! –, l'occitan et, dans une moindre mesure, le catalan. Toutes trois sont des langues vivantes, parlées mais aussi enseignées (les écoles occitanes accueillent 10 % de la population scolarisée). Elles constituent des véhicules de communication remarquables : sur les ondes radio chante encore l'occitan, tout comme à la télévision ; alors, à vos dicos !

MERVEILLES DE GUEULE

Comme chacun l'ignore, cette grande région disparate est un second Sud-Ouest gourmand. À chaque province, son roi. Dans le Vivarais, c'est l'agneau. Dans les Cévennes, charcuteries et fromages. Pendant que le cassoulet règne sur l'arrière-pays, la côte se délecte de cigales de mer, d'huîtres de Thau, d'anchois de Collioure et de poissons de partout.

Justement, le poisson, parlons-en. On a le sentiment que les restos de la côte servent plus de poisson qu'il n'y en a dans toute la Méditerranée. Alors, un peu de bon sens. La région ne produit pas de poissons plats (soles, turbots), pas de coquillages non plus à l'exception des huîtres et des moules des étangs, et les saisons ne sont pas les mêmes qu'en Atlantique. Le bon poisson, sauvage, frais et pêché à la ligne, est cher. Méfiez-vous des prix d'appel. Sachez qu'un poisson sauvage a des filets dorsaux plus importants que les filets ventraux (en élevage, ils se développent à l'identique, vu que le poisson nage peu et se muscle peu), que la peau du turbot sauvage est verruqueuse et non lisse, qu'il n'y a de petites seiches qu'au printemps et au tout début de l'été, que les anchois migrent à l'automne (c'est même pour ça qu'on les sale, pour en avoir en hiver) et, bien entendu, qu'il n'y a pas de morue en Méditerranée malgré ce que nous a affirmé un restaurateur de Collioure !

Dans le Languedoc, les plats sentent bon la garrigue et les légumes rouges, les desserts ont la délicatesse des nuages. En Roussillon, l'Espagne est là, un peu lourde certes, mais noble et réjouissante. Les plus beaux vergers du monde y ont fait du sucré-salé (canard aux pêches) l'un des maîtres mots de la cuisine catalane. Partout, enfin, les petits vins relèvent la tête à l'ombre d'un grand seigneur méconnu, le banyuls. Bon appétit !

– ***Aïoli :*** en Roussillon, cette émulsion d'huile d'olive, de jaunes d'œufs et d'ail agrémente soupes et *cargolades*.

– ***Aligot :*** c'est le plat traditionnel des bergers et il est copieux. Il s'agit d'une grosse purée de pommes de terre mélangée à du lait, du beurre, de la crème et du lard fondu. On ajoute, bien sûr, de la tomme fraîche qui fait « filer » cette épaisse pâte blanche sans qu'elle se rompe.

– ***Anchois :*** au large de Collioure, la mer est aussi étoilée que le ciel. Ce sont des barques multicolores qui, chaque nuit d'été, s'en vont par dizaines attirer, puis pêcher les anchois grâce à un puissant fanal (le *lamparo*). Après trois mois de saumure, ils iront farcir les olives ou voyager en bocal. Malgré le déclin des conserveries de Collioure – il en reste deux –, aucun Catalan ne commence un repas sans émulsionner cette friandise onctueuse et délicate avec un trait d'huile d'olive. En Languedoc aussi, on est très « anchois ». Broyés avec ail, oignon, basilic et huile, ils donnent une pâte à tartiner, apéritive et très corsée, l'*anchoïade.* En grillade, la saison de l'anchois, c'est l'été.

– ***Blanc-manger :*** gelée de blanc de poulet à l'émulsion d'amandes, doucement épicée. Remis à la mode par les grands chefs, ce régal passait pour guérir les inflammations.

– ***Blanquette de Limoux :*** cette aïeule de tous les mousseux, champagne compris, a fait un bond en finesse qui éberlue les gastronomes. Produite par méthode traditionnelle à quelques pas de Carcassonne, ses cépages sont ceux du gaillac blanc (le mauzac) et du champagne (le chardonnay), plus un peu de chenin.

– ***Bleu des Causses :*** fromage persillé, plus sec et plus amer que son cousin de Bresse.

– ***Boles de Picolat :*** boulettes de viande mijotées dans une sauce épaisse et parfumée. En guère plus léger, la version catalane des *Knödel* germaniques.

– ***Bouillabaisse :*** la languedocienne ajoute jambon cru, saindoux et poireaux aux traditionnels poissons de roche, liés avec une purée de petits poissons.

– ***Bouillinade :*** sorte de bouillabaisse sans liant ni aïoli, accompagnée de pommes de terre.

– ***Bourboulhade :*** cette soupe de morue à l'ail fait partie du quotidien des pêcheurs. La soupe sert à humecter le pain, et la morue à le garnir.

– ***Bourride :*** gloire de Sète, elle utilise indifféremment lotte, seiche ou baudroie. On la cuit en 10 mn à l'eau de mer puis on la lie avec un aïoli.
– ***Brandade :*** cette purée de morue émulsionnée à l'huile est encore meilleure avec de l'ail. Une très belle spécialité de Nîmes.
– ***Brochettes :*** moules ou petits poulpes au gril, c'est le Paris-beurre des Sétois qui les achètent aux buvettes par cinq, glissées dans un bout de baguette.
– ***Cabassols :*** pour amateurs de têtes d'agneau, ici dorées au four avec du saindoux.
– ***Cassoulet :*** il n'est de cassoulet que de Toulouse, sauf s'il est de Castelnaudary, de Narbonne... Le fond reste le même – de beaux « lingots » de l'Ariège –, chaque ville faisant valoir ses accompagnements : porc, ail, confits, saucisses, parfois même, comme à Carcassonne, mouton et perdreau. Il faut de 4 à 6h pour les mijoter, en couches dans leur *cassole* (cocotte) en argile. Et autant pour les digérer, mais quand le démon du cassoulet vous tient... Oubliez le cassoulet en conserve ; le vrai cassoulet, fondant et parfumé, c'est aussi beau que du Mozart.
– ***Crème catalane :*** sous la carapace de caramel, une onctuosité aux parfums d'anis et de cannelle. Un aller simple pour le paradis.
– ***Escargots :*** en fricassée, en aillade, en soupe et même en bouillabaisse, les escargots sont partout. À Sommières, ils mijotent entre épinards, blettes et jambon cru. À Nîmes, ils se parfument aux anchois. À Pieusse, ils prennent le goût du foie de porc et des herbes de garrigue. Et si vous passez en Roussillon pendant les vendanges, sacrifiez au culte de la *cargolade* où les escargots, cuits sur des braises de sarments, sont flambés au lard dans une pluie d'étincelles.
– ***Fuet :*** fine saucisse sèche catalane, à croquer comme un sucre d'orge.
– ***Gambas « a la planxa » :*** c'est-à-dire cuites sur une planche de fonte.
– ***Millas :*** gâteau de farine de maïs et de saindoux, présenté en dessert.
– ***Mourtayrol :*** délicieux pot-au-feu de poule grasse au safran.
– ***Navet de Pardailhan :*** lorsque vous connaîtrez le navet de Pardailhan (village situé à une quinzaine de kilomètres au sud-est de Saint-Pons, dans l'Hérault), plus jamais vous ne direz d'un mauvais film : c'est un navet. Les chefs-d'œuvre, au contraire, seront des navets, de Pardailhan précisément. Racine tendre au goût subtil, roi des crucifères et merveille de bouche, c'est tout simplement le meilleur navet du monde. Il fallait le dire.
– ***Pélardons :*** excellents petits chèvres des Cévennes.
– ***Petits pâtés de Pézenas :*** du rôti de mouton et de la cassonade enrobés de pâte au saindoux. Une excellente, quoique curieuse, recette, originaire des Indes.
– ***Roussillonnade :*** champignons grillés avec de la saucisse sur un feu de pommes de pin.
– ***Rousquille :*** petit gâteau en forme de roue recouvert d'une fine couche blanche, sucrée et légèrement anisée. C'est une spécialité du Vallespir.
– ***Rouzole :*** crêpe au lard et au jambon, liée avec des œufs et de la mie de pain.
– ***Saupiquet :*** sauce à gibier intégrant le foie de l'animal.
– ***Seiches farcies :*** lourde spécialité sétoise, associant la chair à saucisse aux tentacules hachés pour farcir le corps de l'animal.
– ***Tielles sétoises :*** chaussons fourrés de morceaux de seiches (sépia dans le Sud) et fruits de mer en sauce rouge pimentée juste ce qu'il faut.
– ***Touron :*** nougat mou, sandwich entre deux hosties, pâte d'amande piquée de pignons, un nom générique pour toutes sortes de préparation d'amandes. Ne manquez pas ceux de Perpignan.

PERSONNAGES

– ***Saint Benoît d'Aniane*** (750-821) ***:*** de son petit nom Wittiza, fils d'Aigolf, ce brave Wisigoth commença par étriper les Lombards pour le compte de Charlemagne. Revenu fonder un couvent sur ses terres, à Aniane (Hérault), il y réforma la règle bénédictine.

– ***Aymery de Narbonne :*** bouté hors d'Espagne, Charlemagne va-t-il revenir les mains vides ? Non, car voici une belle cité sarrasine : Narbonne. Hélas, après Roncevaux, les héros sont fatigués. Tous, sauf un certain Aymery : « J'ai vingt ans, deux liards couvriraient fort bien toutes mes terres, mais tout le grand ciel bleu n'emplirait pas mon cœur. » Le lendemain, poursuit *La Légende des siècles,* « Aymery prit la ville ». Victor Hugo s'est inspiré d'une célèbre chanson de geste : *Aymery de Narbonne.* Mais les historiens rigolent : à l'époque, Narbonne était déjà franque.

– ***Trencavel*** (XIIe-XIIIe siècle) ***:*** rivale des comtes de Toulouse, la dynastie symbole du Languedoc de l'âge d'or. Les Trencavel possédaient Nîmes, Albi, Agde, Béziers, Razès et surtout Carcassonne, siège d'une cour brillante. Après les troubadours, ils protégèrent activement les cathares. Le dernier Trencavel fut emprisonné, puis dépossédé par Simon de Montfort.

– ***Saint Dominique*** (1170-1221) ***:*** Dominique mena une croisade *soft.* Il sermonnait les cathares en prêchant « à pied, sans or ni argent ». Il y eut de grands débats et quelques miracles. Installés à Fanjeaux, près de Limoux, les convertis formèrent les premiers dominicains.

– ***Arnaud de Villeneuve*** (1240-1311) ***:*** au XIIIe siècle, ce médecin-chimiste de Rivesaltes, prof à la fac de Montpellier, inventa le moyen d'arrêter la fermentation naturelle des vins par un ajout d'alcool qui empêche tout le sucre de se transformer. Les vins doux naturels venaient de naître : rivesaltes, banyuls, maury, muscats de toutes origines ont fait la gloire de la région. Merci docteur !

– ***Urbain V*** (1310-1370) ***:*** le seul pape du Languedoc fut un noble du Gévaudan, de son vrai nom Guillaume de Grimoard. On lui doit l'extraordinaire cathédrale de Mende.

– ***Molière*** (1622-1673) ***:*** principal agent de tourisme de la ville de Pézenas, qui fut longtemps son port d'attache. Molière y avait trouvé un public brillant (les notables des états généraux du Languedoc) et la protection d'un fastueux voisin, le prince de Conti.

– ***Rigaud*** (*Hyacinthe Rigau y Ros, dit* ; 1659-1743) ***:*** on lui doit les portraits officiels de Louis XIV, Louis XV, Vauban, La Fontaine... Né à Perpignan où l'on peut visiter son musée, cet admirateur de Van Dyck produisait quelque cinquante portraits par an.

– ***Jean Chaptal*** (1751-1832) ***:*** ce natif de Mende a causé la ruine de ses compatriotes vignerons (voir la rubrique « La révolte des vignerons », plus loin). Accessoirement, ce Monsieur Plus de la piquette fut aussi l'un des grands chimistes du XVIIIe siècle.

– ***Aristide Maillol*** (1861-1944) ***:*** Aristide aimait les femmes girondes. De celles qui allient la solidité de la terre et la maternité de la mer. Il en a doté presque tous les villages du Roussillon, à commencer par le sien, Banyuls. Pour leur mémorial aux morts de l'Aviation, les Toulousains étaient venus le supplier : « S'il vous plaît, monsieur Maillol, pas de femme nue... » Il leur répondit de ne pas s'inquiéter. Et ils eurent leur femme nue.

– ***Paul Valéry*** (1871-1945) ***:*** *Le Cimetière marin,* « ce toit tranquille où marchent les colombes », c'est celui de Sète – sa ville natale – où il repose désormais (Jean Vilar l'y a rejoint). Le plus intellectuel de nos poètes a largement mis en littérature la ville et la mer.

– ***Jean Jaurès*** (1859-1914) ***:*** éloquence et radicalisme, Jaurès l'indomptable, né à Castres, est un Languedocien grand teint.

– ***Joseph Jacques Césaire Joffre*** (1852-1931) ***:*** son titre de vainqueur de la Marne est plus contesté que ses moustaches, les plus célèbres de la guerre de 1914-1918. Fils d'un tonnelier de Rivesaltes, il dirigea les armées du Nord et du Nord-Est (bataille de la Somme) et finit maréchal.

– ***Joë Bousquet*** (1897-1950) ***:*** la guerre de 1914-1918 le rendit paraplégique, Carcassonne le retint prisonnier à vie, dans une chambre aux volets clos. Ce qui n'empêcha pas Joë Bousquet de cultiver les amitiés littéraires (Eluard, Paulhan, Ernst, Valéry) et de laisser une œuvre aussi foisonnante que mélancolique.

– ***Georges Brassens*** (1921-1981) **:** fils d'un maçon de Sète, il a donné son nom à une rue de la ville, et l'on vient chantonner sur sa tombe... Faut-il encore présenter Georges ? Monument de la chanson française, tous les chanteurs à texte et même d'assez nombreux musiciens de jazz (car il savait swinguer) lui rendent hommage. Irremplaçable et non remplacé.
– ***Pierre Richard*** (né en 1934) **:** nouveau rôle pour ce comédien né à Valenciennes et tombé fou amoureux de l'Aude et des plaisirs du vin. Installé depuis 1984 au sud de Gruissan, il possède le domaine de Château Bel Evêque, un vignoble de haute tradition situé sur un des meilleurs terroirs des Corbières. Au domaine, Pierre ne fait pas du cinéma !
– ***Claude Simon*** (1913-2005) **:** gourou du « Nouveau Roman », le Nobel de 1985 est un Catalan pure souche qui vécut des années à l'ombre du grand fort de Salses.
– ***Et aussi :*** François Arago, Fabre d'Églantine, André Chénier, Armand Barbès, Charles Cros, Alphonse Daudet, Jean Moulin, André Chamson, Rivarol, Joseph Delteil, André Gide, Arthur Conte, Jean-Pierre Chabrol, Jean Carrière, Jacques Séguéla, Charles Trenet...

LA RÉVOLTE DES VIGNERONS

« Les représentants du Nord, dignes descendants de Simon de Montfort, viennent de décider la destruction économique du Midi. » Cité par Gérard de Sède (*700 Ans de révoltes occitanes,* éd. Plon), cet appel de *La Dépêche de Toulouse* donne le ton de ce qui fut, en 1907, une crise sociale majeure : la révolte des vignerons. Ici, la vigne existait avant les Romains. Mais le XIXe siècle en fit la monoculture des régions pauvres. Traduisez : en cas de pépin, c'est toute la province qui trinque. Privée de vin par le phylloxéra, la France avait pris des habitudes de chaptalisation et d'importation massives. Elle ne les abandonna pas quand le vignoble fut remis sur pied. Le plus logiquement du monde, la surproduction fit s'effondrer les prix, jetant les vignerons dans la misère. Dans les Corbières, dans les Aspres ou dans le Minervois, le vin ne rapporte plus, il coûte. On s'en sert pour éteindre les feux.
Las de manger des glands, les ouvriers agricoles écrivent au gouvernement. « Cela n'a pas plus d'importance que s'ils dansaient la farandole », répond-on. La farandole ? Elle commence le 5 mai à Narbonne : 100 000 manifestants. Le mois d'après, ils sont 800 000 à Montpellier. Tout le Midi est là. On chante « Debout, les forçats de la faim ! », on brandit des pancartes en occitan, on parle séparatisme et grève de l'impôt. Par solidarité, les élus démissionnent. Frédéric Mistral se proclame solidaire. Au gouvernement, Clemenceau réagit enfin : le Tigre va montrer ses dents ; 180 000 hommes prennent d'assaut la région. Devant l'émeute, ils chargent. L'ordre règne à Narbonne – 6 morts – comme à Montpellier – 50 blessés. Clemenceau peut enfin donner satisfaction aux vignerons : une loi contre la chaptalisation est promulguée. Soixante-dix ans plus tard, CRS et viticulteurs s'entretueront à Montredon. Le Midi est toujours malade de son vin.

SITES INSCRITS AU PATRIMOINE MONDIAL DE L'UNESCO

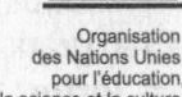

En coopération avec
le centre du patrimoine mondial de l'UNESCO

Pour figurer sur la Liste du patrimoine mondial, les sites doivent avoir une valeur universelle exceptionnelle et satisfaire à au moins un des dix critères de sélection. La protection, la gestion, l'authenticité et l'intégrité des biens sont également des considérations importantes.
Le patrimoine est l'héritage du passé dont nous profitons aujourd'hui et que nous transmettons aux générations à venir. Nos patrimoines culturel et naturel sont deux

HOMMES, CULTURE ET ENVIRONNEMENT

sources irremplaçables de vie et d'inspiration. Ces sites appartiennent à tous les peuples du monde, sans tenir compte du territoire sur lequel ils sont situés. Pour plus d'informations : ● http://whc.unesco.org ●
Pour le Languedoc-Roussillon sont concernés le pont du Gard (1985), la ville fortifiée historique de Carcassonne (1997) et le canal du Midi (2000).

VINS ET ALCOOLS

– ***Banyuls :*** sombre, dense, corsé, un vrai catalan que ce « porto français ». On le boit à tout propos – avec du jambon de montagne, pour la sieste, avant la sardane – car c'est le meilleur vin français du genre. Ne le dites à personne, les vieux millésimes restent des affaires. Pourtant, le banyuls est un nectar rare, issu de coteaux abrupts et radins. Son passage en fût dure de deux ans et demi à... plusieurs siècles (système de la *solera*), évoluant du rouge cerise (arôme de fruits rouges) au tuilé (arôme de prune, café, banane, cacao), topaze (arômes d'épices). Découvrez-le sur des fromages persillés, foie gras escalopé, pigeon aux épices, gâteau au chocolat, etc.
– ***Byrrh :*** apéro de Thuir (Roussillon), obtenu par macérations diverses (quinquina, écorces d'orange, etc.) dans du vin doux. Le Byrrh revient à la mode : les vieux flacons peuvent être grandioses.
– ***Cabrières :*** bon rosé fruité et nerveux de l'Hérault.
– ***Clairette du Languedoc :*** vin blanc « tranquille » de l'Hérault, de cépage clairette.
– ***Clape :*** un cru de Corbières très recommandable pour ses rouges épicés, puissants mais fins.
– ***Collioure :*** vins de soleil issus principalement de grenache noir. Leur terroir est celui du banyuls, un voisinage dont les meilleurs se rendent tout à fait dignes.
– ***Corbières :*** depuis que le carignan cède la place au mourvèdre et à la syrah, leur rapport qualité-prix est encore meilleur. Dans ce gros massif à garrigue, aride et caniculaire, la vigne est omniprésente mais elle donne peu. D'où ces vins de soleil, assez « bordeaux » pour la structure, un peu « côtes-du-rhône » au goût et en définitive tout à fait corbières. Mais le quatrième vignoble français d'appellation contrôlée est un monde à lui seul. Les hautes Corbières donnent les vins les plus corsés, souvent élevés en barriques. En montagne d'Alaric, ils sont plus frais, acides et parfumés. Les Corbières maritimes font dans le goût primeur, assez velouté. Et les Corbières centrales mixent ces influences. Un conseil ? La cave. Même les bouteilles modestes se sentent mieux après un coup de vieux.
– ***Costières-de-nîmes :*** bon équilibre fruit-structure ; assez légers pour être bus au quotidien, ces vins du Nîmois ressemblent fort aux côtes-du-rhône de la rive droite (lirac, saint-gervais), mais en bien moins chers.
– ***Coteaux-du-languedoc :*** nom générique d'un vaste puzzle de vignobles, où chaque producteur est un cas particulier.
– ***Côtes-du-rhône :*** la rive languedocienne du Rhône produit des rouges plus légers, fruités et rafraîchissants qu'en face. Deux crus, tavel et lirac, plus trois « villages », laudun, chusclan et saint-gervais.
– ***Côtes-du-roussillon :*** au moins six cépages et une infinité de microzones. Les côtes-du-roussillon sont plus souvent bons que mauvais. Et quand ils sont bons – ne vous fiez pas à l'appellation « villages » –, c'est pour leur onctuosité et leur goût de raisin, allant jusqu'à des arômes complexes de réglisse et de viande rôtie, genre porto. Également de bons blancs à base de macabeo pour accompagner les charcuteries catalanes.
– ***Faugères :*** du carignan, oui, mais du « carignan de schiste », qui vous fait presque des grands vins. Tanin fin, fruit élégant... Les autres faugères sont à peine moins intéressants, et toujours bon marché. Craquez sans hésiter.
– ***Fitou :*** ce splendide carignan de schiste (voir « Faugères ») a son appellation propre au cœur des Corbières. Puissance, robustesse, finesse, tout y est. Du coup, certains vignerons ne se foulent pas trop...

– ***Lirac :*** ce très ancien cru des côtes-du-rhône ne facture pas cher ses vins pourtant plaisants, très droits et de haute qualité.
– ***Maury :*** en lisière des Corbières, un concurrent sérieux du banyuls. Avec les années, ses arômes de fruits rouges virent à la prune *(vintages)*, puis aux épices pour finir sur le cuir, si la garde s'est effectuée en fût. Extraordinaire rapport qualité-prix.
– ***Minervois :*** 18 000 ha de vignes ! Plus le paysage est beau, meilleur y est le vin. C'est donc dans la Montagne noire, notamment autour de Minerve, qu'on rencontre les rouges les plus distingués, parfumés mais solides et moins « expansifs » que leurs cousins des Corbières.
– ***Muscats :*** à Frontignan, Lunel, Mireval, Saint-Jean-de-Minervois, quoique les plus réputés viennent de Rivesaltes, en Roussillon. À boire jeune, pour leurs arômes de miel, de rose et de citron. Certains propriétaires font de vrais nectars.
– ***Picpoul :*** blanc sec et souple de la commune de Pinet, dans l'Hérault.
– ***Quatourze :*** le vin de Narbonne roule les mécaniques mais manque de caractère.
– ***Saint-chinian :*** deux types de vins produits au nord-ouest de Béziers. Des carignans de schiste (voir « Faugères ») et des rouges durs, épais, qu'il faut garder en cave. Le saint-chinian courant est un mélange des deux.
– ***Saint-saturnin :*** un rouge cévenol de caractère, agréable et bien équilibré.
– ***Tavel :*** arômes de grenadine, bouquet délicieusement floral, amertume élégante, le tavel est le seul rosé « de race » au monde. Mais trop de propriétaires tirent sur la ficelle...

LES PYRÉNÉES-ORIENTALES

Ici des artistes sont nés, d'autres sont restés. Dans cet ancien royaume catalan (Corbières-Fenouillèdes exclues, le département correspond très exactement à la partie française de la Catalogne), tout est plus net, plus intense. Car le soleil brille 300 jours par an ! Et c'est un inépuisable manteau d'Arlequin. Déjà, la côte est double. Après les plages à bronzette d'Argelès et de Canet, elle se hachure de calanques roses où nichent des petits ports de rêve comme Collioure. Derrière, c'est la plaine brodée d'arbres fruitiers, puis les mailles serrées des vignes qui partent à l'assaut des coteaux brûlés par le soleil – dans les Aspres et la vallée des Corbières-Fenouillèdes – pour se dissoudre en garrigues impénétrables. De chaque côté du Canigou, deux grandes vallées pyrénéennes – le Conflent au nord et le Vallespir au sud. Plus à l'ouest, ce sont les hautes terres de la Cerdagne et du Capcir, microroyaumes des temps anciens, aux portes de l'Espagne et de l'Andorre. D'ailleurs, en plein territoire français, vous trouverez une enclave espagnole, Llívia.

ROUSSILLON OU CATALOGNE ?

Ne vous trompez pas : le Roussillon, c'est la Catalogne française plus la vallée de l'Agly et les Fenouillèdes. Les deux mots ne sont pas interchangeables. On vous le dira aisément : au nord de Sournia ou de Salses, c'est le pays des « gavatches », les non-Catalans.

Cela dit, au quotidien, le terme « Roussillon » est surtout utilisé pour désigner l'immense plaine viticole et arboricole qui entoure Perpignan, la côte exclue.

En deux mots, le comté de Roussillon apparaît dès le Xe siècle, avant d'être conquis par les rois d'Aragon et de passer dans la mouvance catalane. Sauf que les Catalans ne conquièrent pas tout. La nouvelle limite passe un peu plus au sud. Les rois de France conserveront le nom de Roussillon, moins frappé d'hispanité, pour désigner l'ensemble. Pour les Catalans, aujourd'hui encore, le mot est tabou. Il évoque Montpellier, la rivale du Nord, alors qu'eux, épris de culture et d'identité catalanes, regardent vers Barcelone, la sœur du Sud. De nombreux Catalans ne disent jamais « l'Espagne » mais la « Catalogne du Sud » ou, plus simplement « l'autre côté ». Pour vous, le signe le plus tangible de cette situation, ce sont les plaques de rues, en catalan. Mais on s'y fait vite.

ABC DES PYRÉNÉES-ORIENTALES

- *Superficie :* 4 116 km^2.
- *Population :* 422 000 hab.
- *Préfecture :* Perpignan.
- *Sous-préfectures :* Prades, Céret.
- *Quelques chiffres :* au 1er rang pour les cultures maraîchères en France (1er pour le persil, 3e pour l'artichaut), le département est aussi celui qui possède la vigne la plus haute d'Europe, à Sainte-Léocadie !

Adresses utiles

Comité départemental du tourisme : *16, av. des Palmiers, BP 540, 66005 Perpignan Cedex. ☎ 04-68-51-52-53. • cdt-66.com • Pas de bureau d'accueil, slt par téléphone.* Central de réservation pour campings, hôtels, chambres d'hôtes, gîtes et séjours à thèmes. Le CDT fournit tous les renseignements sur simple demande : disponibilités des campings et hôtels, brochures touristiques, itinéraires, etc.

Relais départemental des Gîtes de France : *3, bd de Clairfont, Naturopôle Bâtiment D, 66350 Toulouges. ☎ 04-68-68-42-88. • gites-de-france-66.com • Également un service de résa de chambres d'hôtes, « Allô chambres d'hôtes ». ☎ 0891-16-22-22 (0,22 €/mn).*

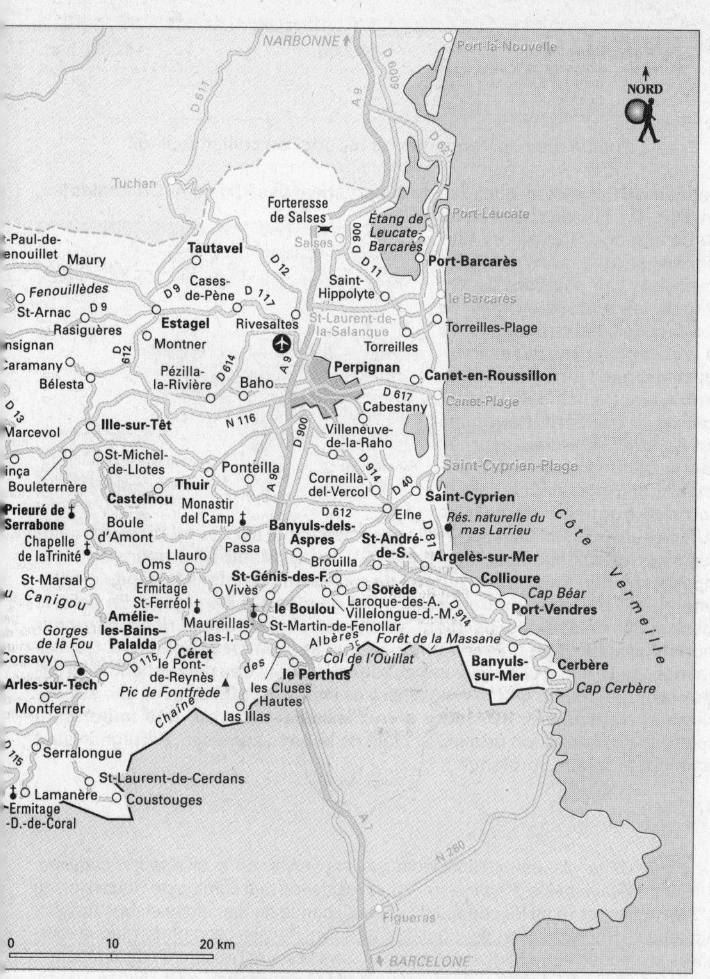

LES PYRÉNÉES-ORIENTALES

i ***Association Réseau culturel Terre catalane*** *(plan couleur Perpignan B2, **3**) : 16, av. des Palmiers, BP 60244, 66002 Perpignan ; déménagement prévu rue du Théâtre.* ☎ *04-68-51-52-90. Ouv en sem aux horaires de bureau.* L'association regroupe plus de 40 sites d'intérêt culturel (palais des rois de Majorque, forteresse de Salses, château royal de Collioure, abbaye de Saint-Martin-du-Canigou, etc.) et propose un « Pass Inter-sites », gratuit, qui offre le tarif réduit à compter de la 2e visite (à retirer dans les offices de tourisme ou les monuments). Propose également des « visites contées » avec un guide : une manière non conventionnelle et adaptée aux enfants pour découvrir le patrimoine. On pourra aussi consulter ou acheter (8 €) le livre *Le Grand Voyage de Patouffet' en terre catalane*. Charmant ouvrage, très jolies photos.

PERPIGNAN

(66000) 117 000 hab.

Pour le plan de Perpignan, se reporter au cahier couleur.

Capitale du Roussillon, chef-lieu du département des Pyrénées-Orientales (ici, on dit P.-O.), l'un des plus beaux du Languedoc-Roussillon, Perpignan est catalane avant d'être française. Les palmiers de ses places, les enduits colorés de ses façades, l'accent ensoleillé et le caractère fier de ses habitants le rappellent à chaque instant. À une trentaine de kilomètres de la frontière, Perpignan est en effet largement tournée vers la Catalogne du Sud (Espagne), encore plus depuis l'abolition des frontières au sein de l'Union européenne. Depuis, la ville mise beaucoup sur ses relations barcelonaises et le prolongement de la ligne TGV depuis Montpellier pour son développement. Elle a ouvert un bureau de représentation dans la capitale catalane et la Generalitat de Barcelone a fait de même à Perpignan. En cela, le tourisme l'aide avantageusement, tant la ville, lumineuse et riche, carrefour incontournable entre mer et montagne, sait se montrer hospitalière. Conséquence, cette place charnière lui vaut de capter bien des populations migrantes ; la communauté gitane y est ainsi très importante. Bref, avec une atmosphère si particulière, 320 jours d'ensoleillement par an, une importante politique de rénovation urbaine et plein de bonnes adresses, Perpignan vaut vraiment le séjour... prolongé !

LA CATALOGNE RALLIE LA CATALOGNE

Perpignan, délaissée par le réseau TGV français, est désormais relié à Figueras (plus tard à Barcelone) par une nouvelle ligne de train à grande vitesse. Cet axe ferroviaire rattache un peu plus la Catalogne du Nord à celle du Sud. Belle balafre dans le paysage qui entaille aussi le traité des Pyrénées. Et sacré pied de nez à l'Histoire.

UN PEU D'HISTOIRE

Le passé de la ville est indissociable de l'expansion de la civilisation catalane. Ancienne villa romaine *(Perpinianum)* puis résidence des comtes de Roussillon au Xe siècle, Perpenyà fut léguée au XIIe siècle au comte de Barcelone et roi d'Aragon, Alphonse. Une expansion économique va suivre, la ville servant de plaque tournante au négoce entre Midi de la France et pays bordant l'ensemble de la Méditerranée. Le statut de capitale du royaume de Majorque échoit à Perpignan lors de l'édification du château destiné au fils de Jacques le Conquérant. Le palais des rois de Majorque reste le symbole de cette époque prospère, ainsi que les églises construites à la même période pour abriter des fidèles de plus en plus nombreux. Passant ensuite dans les mains du roi d'Aragon Pierre IV, qui y crée une université au XIVe siècle, Perpignan traverse les siècles qui vont suivre au milieu des troubles et des traités, enjeu à la fois des Français et des Catalans.

Des habitants pugnaces

Ayant eu la mauvaise idée de demander l'aide militaire de Louis XI pour mater une insurrection en Espagne, Jean II d'Aragon se voit dessaisi des comtés de Cerdagne et du Roussillon. Révoltés, les Perpignanais se battent alors contre les troupes françaises pendant un an. Jean II leur demande personnellement de se rendre, accordant à leur ville le titre de « fidélissime » – et le mot est resté, devise de Perpignan. Les habitants, résistant farouchement malgré la famine, en étaient venus à

se nourrir de rats ! Les misères ne sont pas finies pour autant : restituée à Ferdinand le Catholique à la fin du XVe siècle, la ville est ensuite assiégée par les armées de François Ier.
Un siècle plus tard, les Catalans de Barcelone se dressent contre le pouvoir absolu de la cour madrilène : Richelieu en profite, signant avec eux un traité d'alliance proclamant Louis XIII comte de Barcelone. Ainsi isolée de ses alliés habituels, la ville de Perpignan subit un nouveau siège, commandé par Louis XIII en personne. Annexé officiellement par le traité des Pyrénées en 1659, le Roussillon est définitivement français. Perpignan devient naturellement la capitale de cette nouvelle province, transformée en département des Pyrénées-Orientales en 1790. D'où la rancœur légitime des Catalans français, encore perceptible à ce jour, séparés de leurs cousins espagnols par une frontière restée jusqu'à il y a peu inébranlable.

Adresses et info utiles

Office municipal de tourisme *(plan couleur D1, **1**) : pl. Armand-Lanoux, BP 40215. ☎ 04-68-66-30-30. • perpignantourisme.com • Dans le palais des congrès. De mi-juin à mi-sept, lun-sam 9h-19h, dim et j. fériés 10h-16h ; de mi-sept à mi-juin, lun-sam 9h-18h, dim et j. fériés 10h-13h.* L'office organise des visites guidées de la ville en été surtout depuis que Perpignan fait partie du club fermé des *Villes d'art et d'histoire*. Grand choix de documentations et plans de ville.

Point Information Tourisme *(plan couleur B2, **2**) : au Palmarium (pl. Arago). De mi-juin à mi-sept, tlj sf dim 10h-19h ; de mi-sept à mi-juin, lun-sam 10h-18h, fermé dim et j. fériés.* Annexe de l'office de tourisme. Fait aussi central de résa pour les spectacles.

Gare SNCF *(hors plan couleur par A2-3) : ☎ 36-35 (0,34 €/mn).* Se procurer à l'office de tourisme ou à la gare le *Guide régional des transports TER* ; tous les horaires vers le Conflent, la Cerdagne ou la Côte Vermeille y figurent. Trois à quatre TGV/j. de et vers Paris. Compter 5h à 5h30 de voyage. Également des trains vers Barcelone et, à partir de 2009, le TGV qui reliera les 2 villes en 45 mn.

Gare routière *(plan couleur B1) : av. du Général-Leclerc. Rens : ☎ 04-68-35-29-02.* Bus pour le Vallespir (Céret, Prats de Mollo...) et les Fenouillèdes (régions non desservies par le train), le Conflent, la Cerdagne, les stations de la côte, l'aéroport...

Aéroport de Perpignan-Rivesaltes *(hors plan couleur par A1 ou B1) : à 6 km au nord de la ville. ☎ 04-68-52-60-70.* Vers la métropole, uniquement des vols de et vers Paris, avec *Air France*. Sur place : bureau d'infos touristiques et loueurs de voitures. Liaison vers le centre-ville par bus (arrêts gare SNCF et gare routière). L'hiver, navettes payantes vers les stations de ski de Cerdagne et du Capcir.

■ ***Accueil Perpignan Taxis :*** *☎ 04-68-35-15-15.*

■ ***Véloland :*** *chemin de la Fauceille. ☎ 04-68-08-19-99.* Location de vélos à la journée et plus.

– ***Marché :*** *tlj, pl. Cassanyes et de la République.*

Où dormir ?

Perpignan offre quelques adresses étonnamment peu chères et des hôtels de charme à prix encore modérés. Il est conseillé de réserver en été.

Camping

Le Catalan *(hors plan couleur par B1, **10**) : 32-52, av. de la Salanque, Polygone Nord. ☎ 04-68-63-16-92. • camping.catalan@free.fr • campingcatalan.fr •*

À l'entrée de Bompas, 5 km au nord-est de Perpignan par la D 1. Pas si facile à trouver ! Ouv de mi-mars à fin oct. Forfait emplacement pour 2 avec voiture et tente 13 € env. Loc de mobile homes 335 € (sans sanitaires)-500 € env/sem en été. Snack-bar l'été, machine à laver, piscine, jeux, etc. Commerces à 300 m. Terrain sec mais assez ombragé sur certaines parties.

Bon marché

■ ***Auberge de jeunesse*** *(plan couleur A1-2,* ***1****) : allée Marc-Pierre, parc de la Pépinière. ☎ 04-68-34-63-32. • perpignan@fuaj.org • fuaj.org • À mi-chemin entre la gare routière et la gare SNCF, derrière l'hôtel de police. Réception : 7h30-10h, 17h-23h. Fermé 15 nov-1er mars. Nuitée 11,20 €. Carte FUAJ obligatoire (en vente sur place). Café offert sur présentation de ce guide.* Dans une grande maison typique, avec en façade une bougainvillée géante. Une des plus anciennes AJ de France. Une chambre double, une triple et dortoirs de 4 à 8 lits superposés. Ensemble bien tenu, la moitié des chambres viennent tout juste d'être rénovées (celles côté rue). Cuisine à disposition, location de draps possible. Un seul défaut : la voie rapide passe juste derrière. Clim' et double vitrage partout.

■ ***Avenir Hôtel*** *(plan couleur A3,* ***2****) : 11, rue de l'Avenir. ☎ 04-68-34-20-30. • avenirhotel@cegetel.net • avenirhotel.com • Accueil 8h-23h (fermé 11h-18h dim et fêtes). Selon confort (lavabo-bidet ou douche et w-c), 24-35 €.* À deux pas de la gare, dans une rue tranquille, voilà un hôtel routard à souhait. Les chambres y sont simples, mais coquettes et très bien entretenues (sanitaires neufs)... C'est gentil, comme les prix. Un bon esprit vraiment : pour preuve, la bouteille d'eau minérale vendue... 0,60 € ! Ambiance familiale. Petite terrasse ensoleillée à l'étage, où l'on peut prendre son petit déj et flemmarder tout un après-midi au calme, en bouquinant. Une chambre (la n° 18) possède une petite terrasse et certaines peuvent recevoir jusqu'à 4 personnes (42 €). Petit plus intéressant, le garage privé (payant) dans une rue adjacente.

Prix moyens

■ ***Hôtel Mondial*** *(plan couleur B2,* ***5****) : 40, bd Clemenceau. ☎ 04-68-34-23-45. • mondial.hotel@wanadoo.fr • hotel-mondial-perpignan.com • Sur un boulevard assez animé, proche de la gare routière (préférer les chambres sur l'arrière). Ouv tte l'année. Selon saison, doubles 43-59 € avec douche et w-c, et 47-72 € avec bains et w-c.* Le Mondial, c'est un peu l'hôtel des artistes qui se produisent en ville (pas les stars, qui vont à la *Villa Duflot*...), visiblement ravis de la personnalisation étonnante des chambres. Déco indonésienne, jazzy, égyptienne ou chinoise... pensée par la patronne, fan d'aménagement intérieur. Agréable petite terrasse au 5e étage pour bronzer. Excellent accueil.

■ ***La Cigale*** *(plan couleur D2,* ***3****) : 78, bd Jean-Bourrat. ☎ 04-68-50-20-14. Fax : 04-68-66-90-40. Doubles 44 € (sans w-c)-58 € ; 3e pers : 9 €.* Des chambres fonctionnelles et modernes, confortables mais sans cachet, avec douche, w-c, téléphone et TV, dans un hôtel bien tenu. Celles sur l'arrière, calmes et reposantes, donnent sur l'église Saint-Jacques et de beaux jardins privés ; celles sur rue sont équipées d'un double vitrage. L'accueil est souriant, personnalisé et le service énergique. Pas de clim'. Également un resto, le *Grill La Cigale* (voir « Où manger ? »).

■ ***Hôtel de la Loge*** *(plan couleur C2,* ***7****) : 1, rue des Fabriques-d'en-Nabot. ☎ 04-68-34-41-02. • hoteldelaloge@wanadoo.fr • hoteldelaloge.fr • Fermé pdt les fêtes de fin d'année. Doubles 44-56 € selon saison et confort. Réduc de 10 % sur le prix de la chambre sur*

PERPIGNAN ET SES ENVIRONS

présentation de ce guide. En plein centre, une ancienne maison bourgeoise du XVIe siècle. Intérieur de style andalou-catalan. Chambres confortables et douillettes, malgré une déco vieillotte et assez fatiguée. La n° 106 vaut pour sa vue sur la place de la Loge. Celles avec bains sont équipées de la clim', toutes ont la TV. Inconvénient : pas de parking (laissez la voiture au parking Arago).

☗ ***Hôtel Paris-Barcelone*** *(hors plan couleur par A3,* ***6****) : 1, av. du Général-de-Gaulle.* ☎ *04-68-34-42-60. Face à la gare. Ouv tte l'année. Doubles (sans clim') 52-55 €. Attention, pas de paiement par chèque.* Parfait pour les oiseaux de passage toujours entre deux trains. La décoration rococo ajoute une note surannée à cet hôtel de gare dont la vie semble immuable tel un long fleuve tranquille. Les propriétaires, en tout cas, en prennent grand soin, les salles d'eau proprettes sont là pour le prouver. Accueil charmant et pro.

Plus chic

☗ ***Le Crocodile Rouge*** *(plan couleur C2,* ***4****) : 14, impasse des Cardeurs.* ☎ *08-71-29-77-59.* 📱 *06-08-66-44-72.* • *lecrocodilerouge@hotmail.com* • *Résa indispensable. Doubles 65-80 € selon saison, petit déj compris.* Deux chambres seulement, spacieuses, contemporaines et de très bon goût, nichées au fond d'une impasse. TV et accès Internet dans les chambres. Coup de cœur pour cette maison qui tient sont nom de la moquette rouge « façon crocodile » et qui reflète l'âme d'artiste de ses propriétaires. D'ailleurs, le père est architecte décorateur et la fille tient un atelier de *customisation* au rez-de-chaussée.

☗ ***Park Hôtel*** *(plan couleur D1,* ***8****) : 18, bd Jean-Bourrat.* ☎ *04-68-35-14-14.* • *accueil@parkhotel-fr.com* • *parkhotel-fr.com* • ♿ *Wi-fi. Face au square Bir-Hakeim, sur le grand boulevard menant à la route de Canet-Plage. À 5 mn du centre-ville. Ouv tte l'année. Doubles 75-105 €. Petit déj-buffet : 10 €.* Chambres tout confort, insonorisées, très bien équipées et très spacieuses pour certaines. Celles qui donnent sur l'arrière sont nettement plus agréables. Pour le reste, un accueil et un service vraiment 3 étoiles. Le *Park Hôtel* fait aussi resto.

Beaucoup plus chic

☗ ***Château La Tour Apollinaire*** *(hors plan couleur par B1,* ***11****) : 5, rue Guillaume-Apollinaire.* ☎ *04-68-92-13-02.* • *enquiries@latourapollinaire.com* • *latourapollinaire.com* • *Depuis le centre, traverser le Têt par le pont Joffre. Petite rue à gauche dans l'av. Joffre. Doubles 100-140 €.* Chambres, suites, appartements : les formules sont variées et modulables suivant le nombre d'occupants, et les prix serrés dans cette magnifique demeure de centre-ville, autrefois propriété du maire de Perpignan. Et, sur chaque palier, un salon, une cuisine au design recherché pour faire « comme chez soi ». Un concept typiquement anglo-saxon importé par les propriétaires, grands voyageurs devant l'Éternel. Petit déjeuner servi sur demande. Et, à volonté, jardin, piscine, farniente !

☗ ***La Villa Duflot*** *(hors plan couleur par B4,* ***9****) : rond-point Albert-Donnezan.* ☎ *04-68-56-67-67.* • *contact@villa-duflot.com* • *villa-duflot.com* • ♿ *Wi-fi. À 2 mn du péage de Perpignan, direction Argelès. Le seul 4-étoiles de Perpignan, hélas très mal indiqué et loin du centre-ville. Doubles avec bains et TV satellite 120-160 €.* Les chambres, confortables et meublées avec goût, enchantent, tout comme le petit déj, particulièrement soigné. Choisissez celles qui donnent sur la piscine, pour la vue plus agréable. Un bel établissement de charme, mais si vous comptez séjourner à Perpignan, préférez un hôtel du centre-ville car les alentours de la *Villa* ne sont guère trépidants (zone commerciale). Le resto est excellent (voir « Où manger ? Très chic »).

Où dormir dans les environs ?

Sur le littoral, voir nos adresses à Canet-Plage, Torreilles et Argelès.

Camping des Rives du Lac : *chemin de la Serre à Villeneuve-de-la-Raho (66180), au sud de Perpignan. ☎ 04-68-55-83-51. • camping.villeneuveraho@wanadoo.fr • Ouv début mars-fin nov. Forfait 13,30 € pour 2.* Camping municipal bien équipé (snack en été, cafétéria, laverie) et très bien tenu. En plus, il y a souvent des places libres, même en plein été, et c'est au bord d'un lac où l'on peut se baigner. Accueil sympa. Location de planches à voile juste à côté.

Domaine du Mas Boluix : *chemin du Pou-de-les-Colobres, à la limite de Cabestany. ☎ 04-68-08-17-70. • domaine-de-boluix.com • Situé à 4 km au sud-est de Perpignan. Du centre, prendre la direction d'Argelès. Au premier rond-point à la sortie de la ville, prendre à gauche la direction Cabestany. Puis, à droite au rond-point suivant (c'est fléché) et enfin à gauche et vous y êtes. Ouv tte l'année. Compter 82-91 € pour 2, petit déj compris, selon saison.* Le mas est situé au milieu des vergers et des vignobles, sur un mamelon. Vue sur le Roussillon et les faubourgs de Perpignan. Vieille et noble bâtisse du XVIIIe siècle, rénovée (climatisée !) et pleine de charme. Sept chambres de très bon confort (et une suite, 120-130 €), joliment décorées et spacieuses. Savoureux petit déj du terroir. En prime, bon accueil de Jean-Louis Ceilles, viticulteur et arboriculteur. Une super adresse.

Où manger ?

On mange fort bien à Perpignan, et à des prix tout à fait raisonnables. Ajoutez la gentillesse, la chaleur des Catalans et les nombreuses terrasses ensoleillées, et vous comprendrez pourquoi on peut rester plusieurs jours dans la ville en s'y sentant si bien !

Bon marché

Chez Imbernon *(plan couleur B2, **21**) : 41 bis, quai Sébastien-Vauban. ☎ 04-68-51-27-78. Formule déj complète 14 €.* « Le rugby, c'est l'histoire d'un ballon avec des copains autour, disait Jean-Pierre Rives, et quand il n'y a plus de ballon, il reste les copains ! » C'est toute l'histoire de ce lieu chaleureux tenu par un grand nom du rugby, qui étale ses tables le long du quai Vauban, sous de larges parasols. Cuisine simple et généreuse, belles salades, plats de marché. Une excellente adresse pour déjeuner... entre copains !

Restaurant Casa Sansa *(plan couleur C2, **36**) : 7, rue de Fabrique et 3, rue Fabrique-d'en-Nadal. ☎ 04-68-34-21-84. • dmddiffusion@wanadoo.fr • Dans une ruelle du quartier historique, face au Castillet. Ouv tlj. Formules 12 et 19 €, menu dégustation 39 €. Tapas individuelles à partir de 3 €.* Une institution locale. Étudiants, intellos, branchés de tout poil et Barcelonais de passage se bousculent dans cette grande salle typique, surchargée de tableaux colorés et d'affiches de corridas, de vieilles photos et de dessins de Ben. On y vient pour le décor et l'ambiance, et on en profite pour s'offrir une franche cuisine catalane, copieuse et sans artifice. Succès garanti et grande foule, surtout le week-end.

Grill La Cigale *(plan couleur D2, **3**) : 78, bd Jean-Bourrat. ☎ 04-68-50-20-14. Tlj sf lun hors saison (slt le soir le w-e). Congés : de mi-déc à mi-janv. Brochettes à partir de 7,60 €. Formules 10,80 et 12,80 €, couscous 14 €.* Un peu excentré, le grill de cet hôtel est réputé en ville. Dans un décor banal de troquet moderne, il y a foule pour dévorer brochettes, chipolatas, merguez et le fameux couscous maison à l'oranaise. Accueil aimable et dynamique.

|●| ***Rue Paratilla*** *(plan couleur C2) :* à trois pas de la place de la République, la petite rue animée dès le matin est l'endroit rêvé pour une grignote sur le pouce. On se presse devant l'étal du maraîcher, on achète épices, cidre de figues et pâte d'anchois *Aux Bonnes Olives*. À *La Maison du Jambon*, le *manchego*, la *pata negra*, le *bellota*, le serano sont servis au poids et à l'assiette. Les adeptes de poissons et crustacés se donnent plutôt rendez-vous *Chez Mireille* ou *Au Bar de la Marée*, pour avaler vite fait, bien fait une bonne douzaine d'huîtres. Enfin, *Chez Henri et Cie*, l'unique plat du jour, servi de 10h30 à 15h (également le soir les vendredi et samedi), est fonction du marché et de l'humeur. Une rue haute en couleur !

Prix moyens

|●| ***Bistrot Le Saint-Jean*** *(plan couleur C1-2,* ***20****) : 1, cité Bartissol. ☎ 04-68-51-22-25. Sur le côté gauche de la cathédrale Saint-Jean. Fermé dim et lun soir. Congés : 22 déc-15 janv. Formule midi 13 €, menus 19-21 €.* Spécialité de belles tartines de pain de campagne. Une bonne cuisine régionale à prix raisonnables : *boles de Picoulat*, morue pochée, lapin... Des plats qu'on accompagne de petits vins de pays sélectionnés par le patron, qui s'y connaît. En été, superbe terrasse (au sol, du marbre de la région) encadrée par la cathédrale et l'église Saint-Jean-le-Vieux. D'ailleurs, c'est le seul bistrot de Perpignan où l'on puisse boire du vin au calice. Alléluia ! Hors saison, un vigneron vient de temps en temps parler de son vin et le faire goûter : certaines soirées sont grandioses car les vignerons sont rarement tristes et se déplacent souvent avec quelques copains.

|●| ***Le Double Y*** *(plan couleur B2,* ***25****) : 8, pl. Jean-Payra – 1, rue Pierre-Curie. ☎ 04-68-34-51-16. Près de la* Fnac *et du nouveau quartier animé Les Dames de France. Lun-sam 12h-14h45 et jeu-sam 19h-22h45. Fermé dim. Résa conseillée. Formule déj 14 € ; menus 19,50 € (déj), puis 33-42 €.* Cadre chic contemporain, habillé de gris et de métal, agrémenté de touches de couleurs çà et là, qui reçoit une clientèle non moins chic et d'affaires, en particulier le midi. Mais que cela ne rebute personne : le service est dynamique et décontracté, et la cuisine fait la part belle aux produits de région et de saison. Tourte catalane aux petits violets et jambon Serano, brochette d'aiguillettes de canard aux cerises, gratin de gariguettes et crème glacée à la madeleine... Très belle carte de vins de région à prix doux et bon plan pour les propositions de vins au verre accompagnant chaque plat. Quelques tables en terrasse. Une bonne adresse.

|●| ***Casa Bonet*** *(plan couleur B2,* ***30****) : 2, rue du Chevalet. ☎ 04-68-34-19-45. • casa.bonet@wanadoo.fr • ♿ Menus midi 10-26 € avec tapas froides et chaudes, fruits de mer à volonté, puis grillades à l'épée (assortiment de viandes enfilées sur une vraie épée). Également un buffet de tapas catalanes à volonté, midi et soir en sem, 22 €.* Hyper-copieux, ce qui explique le succès du lieu. Tant que vous laissez l'étiquette *En vull mes* (« J'en veux encore », en catalan) posée près de votre assiette, bien en vue, on vous sert ! Tout cela fleure bon la bombance, et les morfalous des environs se sont passé le mot. Dommage toutefois qu'on nous pousse un peu à la consommation. L'été, essayez d'avoir une table en terrasse, car à l'intérieur il fait chaud.

|●| ***L'Ail i Oli*** *(hors plan couleur par A1,* ***37****) : allée des Chênes. ☎ 04-68-55-58-75. À 5 km à l'ouest de Perpignan, par la N 116 en direction de Prades (tourner à gauche à la hauteur de la station* Total*). Fermé dim-lun en été. Menu midi slt 20 €. Le soir, moins de 30 € à la carte. Apéritif maison offert sur présentation de ce guide.* L'auberge catalane dans toute sa splendeur ! Belle salle rustique (et climatisée) avec poutres apparentes, où trônent une grande cheminée et sa hotte en cuivre. Un peu partout, des ferronneries, des tourtes de pain, des jambons suspendus, des chapelets d'ail... Ça pourrait être touristique mais, vu l'emplacement plutôt excentré, ça ne l'est pas ! Le personnel, en tenue cata-

lane, sert une authentique cuisine régionale faite de grillades et de spécialités préparées sous vos yeux, comme la fameuse parillade ou la cargolade. Une adresse originale.

|●| ***La Route de Tanger*** *(plan couleur C2,* ***26****) : 1, rue du Four-Saint-Jean. ☎ 04-68-51-07-57. • rtdetanger@free.fr • ♿ Fermé dim-lun hors saison. Service midi et soir jusqu'à 23h. Menu midi 12 €, sinon compter env 25 €. Apéritif maison offert sur présentation de ce guide.* Une envie de couscous ou de tajine ? N'hésitez pas, la cuisinière marocaine les réussit fort bien. *Briouats, pastillas* et *tchouchouka* figurent aussi à la carte. Cadre chaleureux (avec une jolie collection d'affiches anciennes et authentiques), accueil à l'orientale. Une belle affaire qui roule... En face, bien agréable terrasse.

De plus chic à beaucoup plus chic

|●| ***Le Sud*** *(plan couleur D2,* ***24****) : 12, rue Louis-Bausil. ☎ 04-68-34-55-71. • alopeza@wanadoo.fr • ♿ Situé au cœur du quartier gitan de Perpignan, près de la place du Puig. Ouv slt le soir (jusqu'à minuit) sf lun hors saison et mar. Formule brunch dim (12h-16h). Fermé de janv à début avr. Pas de menu. À la carte, 30-35 €. Bon point pour les bambins, ts les plats de la carte sont à moitié prix. Café offert sur présentation de ce guide.* « On dirait le Sud / Le temps dure longtemps... » Dans une sorte d'hacienda, on entre dans un monde entre Provence, Mexique, Moyen-Orient, Grèce et Catalogne. Tables dans le patio, où trône un vieux figuier, regorge d'arbres aux senteurs variées, et la cuisine aussi est parfumée (cumin, menthe et coriandre). Service souriant. Certains soirs, les guitaristes du quartier viennent souffler le *duende* comme dans le quartier de Triana, à Séville.

|●| ***Al Très*** *(plan couleur B2,* ***35****) : 3, rue de la Poissonnerie. ☎ 04-68-34-88-39. En plein centre-ville, entre la place de la République et la place Arago. Fermé dim-lun (ouv lun soir en été). Service midi et soir jusqu'à 23h. Fermé la 2de quinzaine de sept. Formule midi en sem 13 €. À la carte, compter 40 €. Apéritif maison offert sur présentation de ce guide.* Superbe décor entre Provence et Catalogne et cuisine méditerranéenne, servie dans des assiettes colorées. D'une façon générale, bonnes spécialités à arroser d'un vin du Roussillon et de fort bons desserts. Quelques tables dehors en été, dans la ruelle très animée le soir. Une valeur sûre à Perpignan.

|●| ***Gaudi' Plaisir*** *(hors plan couleur par B4,* ***34****) : 948, chemin de la Fauceille – Les Jardins de Méditerranée. ☎ 04-68-88-21-93. • pascalborrell@wanadoo.fr • Excentré : depuis le centre-ville, suivre av. du Général-Guillaut, rond-point des Baléares, puis av. d'Espagne. Le chemin de la Fauceille se prend du rond-point des Arcades. Fermé dim. Menus 17-23 € (verre de vin et café compris) au déj, puis 35-55 €.* Fort d'une solide réputation acquise en ville, à l'époque du *Chapon Fin*, Pascal Borrell, après avoir travaillé dans les grandes maisons et parcouru un bout de chemin avec les compagnons du Tour de France, a enfin choisi l'indépendance. On peste à l'idée de se rendre au « Diable Vauvert », et pourtant le dépaysement vaut le déplacement. Le cadre aux teintes méditerranéennes, la déco proche de l'univers fantasmagorique de Gaudí et la terrasse, véritable bouffée d'oxygène, y contribuent largement. La carte porte l'emprunte d'un pro : courte, précise, inventive et forcément de saison. Les assiettes ne trichent pas. Les produits du moment minutieusement sélectionnés sont sublimés par des cuissons, jus et épices parfaitement maîtrisés : turbot en cocotte émulsion de champagne et gingembre, filet de bœuf juste saisi sauce au Maury et foie gras grillé au sel. Pas de doute, on est là chez un grand ! Attention, service parfois un peu long.

|●| ***La Galinette*** *(plan couleur B1,* ***38****) : 23, rue Jean-Payra. ☎ 04-68-35-00-90. ♿ Fermé dim-lun, ainsi que de mi-juil à mi-août et 15 j. pour les fêtes de fin d'année. Pensez à réserver, l'endroit est couru. Menu déj 17 € ; puis 42 €. À la carte, compter 55 €.* Le resto en vogue et bien noté dans les guides culinaires. C'est mérité. Grande salle aux couleurs pastel (étonnant vase aquarium à

l'entrée) qu'une grille en fer forgé protège d'une rue pas terrible. Mais, à l'intérieur, c'est la fête aux senteurs du Sud. Beaucoup de poisson (pas toujours local mais toujours frais), une utilisation intensive des herbes et épices, une carte courte et souvent renouvelée, bref tous les ingrédients pour une soirée réussie.

La Villa Duflot *(hors plan couleur par B4,* **9***) : rond-point Albert-Donnezan. ☎ 04-68-56-67-67. • contact@villa-duflot.com • ♿. À 2 mn du péage de Perpignan, direction Argelès. Ouv tte l'année. Service 12h-14h, 20h-23h. Menus déj en sem 25-31 € (vin compris), menu gourmand le w-e 30 € (plus grand choix le w-e, mais attention aux suppléments et boissons non comprises...). À la carte (obligatoire le soir en sem), compter 40 €.* Dans un agréable parc fleuri. Restaurant assez chic, très prisé par la bourgeoisie perpignanaise. La carte affiche une modernité de bon ton, sans pour cela oublier le terroir catalan et ses produits fétiches suivant la saison, des asperges de printemps aux cèpes d'automne. Belle sélection de vins du Roussillon. La salle, bien agréable, donne sur le jardin et la piscine.

Où manger une bonne glace ?

Espi *(plan couleur B2,* **39***) : 43 bis, quai Vauban. ☎ 04-68-35-19-91. Juste à côté de* Chez Imbernon. *Ouv tlj, tte l'année.* Bienvenue chez *Espi,* fabricant de glaces. Ici, on ne connaît pas les conservateurs ni les exhausteurs de goût, et la carte est longue comme le bras ! Parmi les basiques de la maison : crème catalane *(of course !),* touron et cannelle-citron. De pures merveilles à accompagner de la *manteca,* petit macaron d'Oran saupoudré de cannelle. Il y en a pour tous les goûts, à consommer sur place (malheureusement trop peu de parasols pour s'installer dehors en plein cagnard) ou à emporter. Service gentil comme tout et attentionné : le verre d'eau est apporté spontanément sur la table.

Où boire un verre ? Où sortir ?

Quelques endroits sympas autour de la place Gambetta et dans les ruelles autour du Castillet *(plan couleur C2)*, notamment au ***Habana Bodeguita*** (tapas 12 €, cocktails à partir de 7 € et choix de rhums cubains). Ambiance salsa et café *lounge*. Mobilier confortable en terrasse. C'est en effet dans ce secteur que la jeunesse perpignanaise se retrouve, le soir venu, dans quelques pubs et bars musicaux tendance un brin branchés. Autre adresse jeune dans la vieille ville, l'incontournable ***Républic' Café*** *(plan couleur C2,* **40***)*, dit communément le *Rép',* qui distille le soir une musique *lounge* et house. Conso à partir de 3,20 € et apéro offert sur présentation de ce guide. Tout près, le ***Zinc,*** plutôt branché, et le ***Rugby Bar*** sont aussi très animés. Le ***Market,*** au concept plus design, est ouvert jusqu'à 4h du mat (15, av. du Général-Leclerc). À côté de la gare, le ***Broquemont*** réunit de grands noms du métal et du rock. Enfin, le ***bar du Médiator,*** LA salle de spectacle de Perpignan, est particulièrement vivant en hiver. Ceux qui veulent côtoyer quelques Catalans pur jus iront s'attabler à la terrasse du ***Café de la Bourse*** ou du ***Café de France,*** deux institutions perpignanaises, face à la loge de Mer. Les autres iront prendre un verre au traditionnel *Café Vienne,* place Arago.
Mais attention, en juillet et août, calme plat partout : l'animation prend des vacances elle aussi, et se déplace à Canet-Plage, où les boîtes et le casino font le plein.

Où acheter de bons produits dans les environs ?

Domaine Sainte-Barbe : *chemin de Sainte-Barbe (route de Thuir, face à la prison). ☎ 04-68-54-61-22. Ouv en principe lun-sam 10h-12h, 16h-19h30* *(en fonction des travaux dans les vignes, alors mieux vaut appeler avt !).* Robert Tricoire est un vigneron vrai de vrai, haut en couleur, et son côtes-du-roussillon et son grenache (en vrac ou en bouteilles) sont bons. Ah ! quand le vin est pur, fort et sombre, profond, ce qu'on l'aime !

Danielle Batard : *19, rue de la Coutibe, à Baho (66540), à l'ouest de Perpignan. ☎ 04-68-92-99-53 📱 06-10-18-63-21. • viv-les-figues.fr • Sur rendez-vous.* Dans son verger de 3 ha, Danielle produit de superbes figues, juteuses et tendres. On peut en acheter en saison, de fin août à mi-octobre. Sinon, elle en fait des confitures, des chutneys, des compotes, du nectar, elle les mitonne aussi mi-confites ou en purée (sans sucres ajoutés, bien entendu). C'est tout bio et tout bon ! Un verger goûteux hors de la ville. Épicerie.

À voir

Perpignan est une jolie ville et, même s'il lui reste du pain sur la planche, de nombreuses et récentes rénovations ont réussi à mieux mettre en valeur son patrimoine, à la fois riche et singulier. Les musées sont riches et les monuments, sans être ostentatoires, témoignent d'une singularité catalane à travers l'architecture essentiellement gothique. De belles promenades en perspective dans une vieille ville octogonale, parfaitement délimitée par ses 8 boulevards périphériques. Et Perpignan ravira toujours les amateurs d'atmosphère...

Le Castillet et la Casa Pairal *(plan couleur C1-2,* ***50****) : pl. de Verdun. ☎ 04-68-35-42-05. Tlj sf mar : 2 mai-30 sept, 10h-18h30 ; le reste de l'année, 11h-17h. Entrée : 4 € ; réduc.* Excellente introduction à la visite de la vieille ville (voire du département), le Castillet lui sert en quelque sorte de porte. On y trouve la *Casa Pairal,* musée catalan des Arts et Traditions populaires. Belle porte fortifiée en brique du XIVe siècle, le Castillet (dit aussi Castellet) servait à défendre la ville grâce à ses deux hautes tours. Il fit ensuite office de prison sous Louis XIV, et ce jusqu'à la Révolution. Difficile de s'en échapper, vu l'épaisseur des murs et des barreaux des fenêtres...

À l'intérieur, la ***Casa Pairal*** (en français : « maison du père »), superbe avec ses poutres impressionnantes et ses portes en bois massif aux gros verrous, abrite un musée, dont une riche collection ethnographique, sur plusieurs étages.

Au 1er étage, nombreux objets rustiques se rapportant à l'agriculture, au pastoralisme, à l'artisanat et à l'équipement domestique. À commencer par les huiliers (huile sacrée, d'éclairage et de consommation), outils fondamentaux dans l'économie méditerranéenne. Belle présentation de chocolatières en cuivre encore utilisées à Majorque (où le chocolat est traditionnellement servi en guise de *five o'clock* des Anglais) qui nous rappelle que la divine fève fut rapportée d'Amérique, par Colomb, à Barcelone. Le *must,* cette étonnante transposition d'une cuisine découverte dans un mas des Aspres, cuisine dans laquelle a vécu la dernière descendante jusqu'en 1963 ! Chaque objet revêt une utilisation bien précise et parfois multiple. La table, par exemple, servait à la fois de plan de travail et de pétrin. Insolite *ari* sur la gauche (ancêtre du Youpala) : l'enfant était placé sur le siège et avançait ou reculait sur le rail...

Au 2e étage, différents objets mis en scène sur le thème des âges de la vie « du berceau à la tombe ». Étonnants chapeaux en osier que l'on mettait sur la tête des bambins, en guise de casque, au moment de leurs premiers pas. Également de belles pièces d'art populaire et quelques pièces rares : bijoux catalans, costumes, etc. Dans le prolongement, la salle d'art sacré et des fêtes calendaires. Des ex-voto, des roliers (ces roues à clochettes permettaient d'annoncer les célébrations en période de Semaine sainte lorsque les cérémonies officielles, et donc les cloches, étaient interrompues). Ne pas manquer l'incroyable crucifix de la célèbre procession de la Sanch, décoré d'un marteau, de clous, d'un glaive, d'une pince, d'un fouet, de couteaux qui matérialisent la passion du Christ. Un vrai catéchisme ambulant destiné à frapper les imaginations et qui prenait naturellement la tête de toutes

les processions, surtout celles de la Semaine sainte. On retrouve cette croix des injures (ou des outrages), typique de la Catalogne, dans quasiment toutes les églises du Roussillon.
Autre tradition très présente en Catalogne : les *goigs* (prononcer « gotch »), poèmes religieux, la plupart du temps, hagiographies de saints, toujours écrits en catalan et commandés tout spécialement pour guérir des douleurs morales ou physiques, ou pour fêter des événements. Certains remontent au XVIIe siècle.
Pour finir, le donjon... et ses 143 marches ! La plus belle vue est manifestement côté Pyrénées : on devine de part et d'autre les remparts qui couraient, du donjon au palais des rois de Majorque. Entre les deux, la cathédrale Saint-Jean, l'église Saint-Jacques, l'église Notre-Dame de la Réal (la tour carrée) et le vieux Perpignan. Au fond, la plaine du Roussillon, puis les Pyrénées, qui viennent mourir dans la Méditerranée et le Canigou.
La visite s'achève par le sous-sol : étonnante sculpture de la Cène (XVIIe siècle). Rare sous cette forme, grandeur nature façon art populaire.

La place de la Loge *(plan couleur C2,* ***51****)* **:** le cœur historique de la vieille ville. Toujours animée en été, malgré son étroitesse. À l'angle de la place, la *loge de Mer,* beau bâtiment gothique de la fin du XIVe siècle. Autrefois s'y dressaient le tribunal maritime (d'où son nom) et la Bourse du commerce, édifice d'influence florentine où se réunissaient les consuls de mer, de riches négociants qui géraient les affaires maritimes (commerce de drap et tissus de Perpignan, du fer du Canigou, des épices). Remarquer le petit bateau en fer forgé (celui-ci est une copie, l'original est exposé à l'intérieur de l'hôtel de ville), sorte de girouette placée à l'angle supérieur de l'édifice.
Juste à côté de la loge de Mer, l'*hôtel de ville,* date du XIIIe siècle. Les belles grilles en fer forgé du Canigou sont du XVe siècle. Un fer qui a la particularité de ne pas s'oxyder. On notera les amusants bras en bronze sortant de la façade extérieure, comme si des statues s'étaient laissé emmurer... Ils symbolisent les trois catégories qui formaient la société urbaine à partir du XIVe siècle. La main la plus longue est dédiée aux chevaliers – la noblesse ; au centre, les bourgeois, et, plus loin, la petite main représente les petits métiers et les corporations. Plus tard, une 4e main est apparue avec les marchands, mais elle n'a pas été représentée car, selon les ecclésiastiques, elle ne comptait pas : c'était la société civile. Ne pas hésiter à parcourir le patio pour admirer les poutres, superbes, sculptées avec tout un bestiaire imaginaire. Au centre de celui-ci trône un bronze du sculpteur Maillol, *La Méditerranée,* considéré comme l'un de ses chefs-d'œuvre. Et, au sol, du marbre rose de Villefranche et du marbre bleu de Baixas.
À côté de l'hôtel de ville, le *palais de la Députation,* du XVe siècle. Belle architecture catalane, portail et fenêtres remarquables.

La rue des Fabriques-d'en-Nabot *(plan couleur C2,* ***52****)* **:** face à l'hôtel de ville, ruelle typiquement perpignanaise, souvenir du défunt quartier des pareurs d'étoffe *(les paraires)* qui firent la fortune de la ville au Moyen Âge. Au n° 2, la *maison Julia,* élégant hôtel particulier du XIVe siècle, en cours de rénovation. Façade en brique et cailloux roulés. Un bel exemple de l'architecture du Moyen Âge dans le Roussillon.

La cathédrale Saint-Jean *(plan couleur C1-2,* ***54****)* **:** *pl. Gambetta, non loin de la place de la Loge. Ouv 7h30-12h, 15h-19h, parfois même entre 12h et 15h.*
Construite en plusieurs étapes entre le XIVe et le XVIIe siècle, elle est considérée comme l'un des meilleurs exemples du gothique méridional. Impressionnante nef unique, de 72 m de long. Outre le retable du XVIe siècle en albâtre du maître-autel, on admire ceux des nombreuses chapelles, dont les périodes d'exécution varient du XVe au XVIIIe siècle. Dans l'une d'elles également, belle cuve baptismale en marbre blanc, vieille de plus de 700 ans. On y a gravé une tirade en latin : « L'onde de la fontaine sacrée étouffe le sifflement du Serpent coupable » ! Parmi les plus beaux retables, celui de l'Immaculée Conception, dans la quatrième chapelle, œuvre baroque en bois sculpté et peint du XVIIIe siècle. Parmi les nombreux trésors

d'art religieux, citons encore le buffet d'orgue de la fin du XVe siècle : une tête de roi maure, autrefois articulée, s'y trouve suspendue. Le pauvre homme reste la bouche grande ouverte ! Reste que plus de 80 % des trésors liturgiques ont été dérobés lors de l'abominable pillage de la cathédrale, en septembre dernier.
Sur la droite de la nef, une porte recouverte de cuir (pas toujours ouverte, sinon contourner la cathédrale par la droite) mène à une ruelle d'où l'on accède à la *chapelle du Dévot-Christ,* gardienne exclusive d'un chef-d'œuvre de bois sculpté. On y trouve un saisissant crucifix du XIVe siècle : membres tordus par la douleur, visage cerné, cou crispé, flanc recouvert de sang... Des reliques étaient cachées dans l'entaille de son torse. Selon une belle légende, la tête penchée se rapproche inexorablement du buste au fil des ans. Lorsqu'elle l'aura touché, le monde s'autodétruira !
À gauche de la cathédrale en regardant la façade, remarquer *Saint-Jean-le-Vieux,* la plus vieille église de Perpignan (1re consécration en 1025) et son portail roman du début du XIIIe siècle.

Le Campo Santo *(plan couleur C2,* ***53****) : à l'arrière de la cathédrale Saint-Jean, en la contournant par la droite. Ouv 11h-17h. Congés : de juin à mi-sept (à cause du festival « Les Estivales »), ainsi que lun. Entrée gratuite.* Cloître-cimetière unique en France (il en existe un à Pise). Sa restauration en a fait une enclave paisible et harmonieuse, en plein centre-ville : vaste cour entourée d'arcades gothiques sous lesquelles les riches familles bourgeoises du Moyen Âge possédaient des enfeux. Aujourd'hui, la ville y organise concerts et autres manifestations culturelles.

Le quartier Saint-Jacques *(plan couleur D2,* ***55****)* **:** on le traverse pour se rendre à l'église du même nom depuis la cathédrale. C'est le quartier gitan de la ville, et aujourd'hui y cohabitent communautés gitanes et maghrébines. Atmosphère populo qui n'est pas pour nous déplaire : linge aux fenêtres, mamans méfiantes au milieu des odeurs de cuisine, maisons délabrées d'où s'échappent des airs de flamenco, gamins enjoués... Le soir venu (c'est parfois un peu chaud, vigilance...), les chaises débordent sur les rues, les gens s'installent ici et là. On passe par la grande *place du Puig,* cœur du quartier, occupée sur la gauche par une caserne construite sous Vauban et transformée en HLM « Grand Siècle ». En redescendant jusqu'à la place Cassanyes par la rue Llucia, on pénètre dans le quartier plus particulièrement maghrébin, récente ville dans la ville. Exotisme garanti ! On prend un thé à la menthe au resto *Agadir* ou au *Café Tanger,* typiques. Quelques échoppes pittoresques où s'écoulent les produits d'Afrique du Nord : robes brodées chatoyantes, K7 de raï, épices, etc.

L'église Saint-Jacques *(plan couleur D2,* ***56****)* **:** pur produit catalan du début du XIIIe siècle. On remarque, à droite du chœur, un curieux crucifix, la « croix des Improperis » (des outrages), ornée d'un sabre, d'une trompette, de clous, d'un fouet, d'une échelle, d'une tenaille, d'un coq, etc. ! À l'intérieur, la richesse de la décoration surprend. Nombreux retables dorés et peints, la plupart monumentaux. À l'opposé du chœur, donc à gauche en entrant, la *chapelle de la Sanch* est réservée à la confrérie du même nom, créée ici même au XVe siècle et dont l'activité principale aujourd'hui reste l'organisation de la traditionnelle procession du vendredi saint (voir plus loin « Manifestations »). La « croix des Improperis » ouvre chaque année cette procession. Pour les calés du Gaffiot, la messe est en latin (il y en a aussi une en français).

Le palais des rois de Majorque *(plan couleur C3-4,* ***57****) : entrée rue des Archers, face à la rue du Château.* ☎ *04-68-34-96-26. Ouv 10h-18h juin-sept ; 9h-17h oct-mai. Fermeture des caisses 30 mn avt. Fermé certains j. fériés. Entrée : 4 € (incluant la visite guidée, sur demande) ; réduc ; gratuit moins de 12 ans.*
Parfaitement conservée, l'imposante citadelle qui domine Perpignan offre une superbe vue sur la ville et sur le Canigou. Imaginons qu'en contrebas des remparts, jusqu'en 1930, aucune construction n'existait et il n'y avait que des fossés. Dans l'axe de l'avenue Brutus, un cercle en demi-lune descendait jusqu'au carrefour. Au-delà, la campagne. Au loin, le Canigou.

Pour info, les fossés abritaient la ménagerie du roi : lions, volières, autruches, porcs-épics présents autant pour le plaisir des yeux que pour leurs qualités gustatives.
On accède au palais par de grands escaliers de cavalerie entre d'épais remparts. Ces escaliers datent de la fin des années 1950, mais reprennent le tracé initial.
Construit à la fin du XIIIe siècle, le palais est l'une des plus vieilles résidences royales de France. Il fut édifié après que Jaume le Conquérant eut décidé de faire de Perpignan la capitale continentale du royaume de Majorque (englobant les Baléares, la seigneurie de Montpellier et les comtés catalans de Roussillon et de Cerdagne), légué à son fils Jaume II.

UNE RÉPUTATION USURPÉE

D'aucuns pourraient croire que les remparts du palais des rois de Majorque portent la signature de Vauban. Et pourtant, ces fortifications datent de Philippe II d'Espagne au XVIe siècle et, pour certains, dans la partie intérieure, des rois de Majorque. Lorsque Vauban arrive sur place pour faire un état des lieux, il ne peut que constater l'extrême solidité des remparts édifiés un siècle plus tôt. Il ne consolide donc que deux bastions, non visibles car ils se trouvent actuellement dans la partie militaire de la citadelle. Histoire de dire qu'il n'était pas venu pour rien !

On accède à la *cour d'honneur* après avoir franchi les fossés (où se trouvaient les lions !) et la barbacane. Cette cour splendide témoigne de la richesse du défunt royaume : bel ensemble purement gothique avec escaliers monumentaux, galeries aux belles arcades, arcs en plein cintre taillés dans un beau marbre bleu. À l'époque tout était peint ! Enduit, fond beige-jaune, faux appareil de brique à joint blanc ou à joint noir et, dans les parties intérieures (galeries, salles) vastes programmes ornementaux à motifs géométriques, frises, calligraphies, drapés, etc. Autant dire que si Jacques Ier voyait cet ensemble aujourd'hui, il le considérerait totalement inachevé. En revanche, il ne se perdrait pas puisque tout a été retrouvé et conservé en l'état : portes, fenêtres, articulations du bâtiment. La dissymétrie entre les deux parties (d'un côté de simples piliers, de l'autre des arcades) s'explique par le bombardement du XVe siècle au moment de la guerre civile avec les Aragonais et la prise de Perpignan.
La partie la plus admirable du palais est sans conteste la *torre* Major, qui renferme deux chapelles superposées. Au rez-de-chaussée, la chapelle de Marie Madeleine, purement gothique. Un bâtiment au carrefour de la France et du monde musulman, d'un point de vue stylistique et artistique. Beau carrelage hispano-mauresque en partie refait. La chapelle supérieure conserve un ravissant portail de marbre rose et blanc veiné, gothique ; on y trouve un des éléments de décor les plus spectaculaires du château, tel qu'il existait au Moyen Âge : un décor de voûte céleste, les fameuses fausses briques qui recouvrent la grande façade et une superbe calligraphie hispano-mauresque de type coufique renfermant le nom de Dieu (Allah !) et la phrase suivante « Seul Dieu est Dieu ». Une écriture arabe dans une chapelle chrétienne qui ne s'explique que par le fait que le royaume de Majorque commerce alors avec l'ensemble de la Méditerranée, et a sous son autorité les îles Baléares à forte population musulmane. Deux chapelles, donc : les serviteurs en bas, la cour en haut.
Mais, avant d'y parvenir, le visiteur aura gravi les marches de la tour de l'Hommage (beau panorama sur la ville : les anciens remparts détruits au début du XXe siècle) et traversé les appartements royaux du 1er étage, ainsi que la grande salle de Majorque, où avaient lieu les banquets et parlements. Restent une large cheminée à deux foyers, un brasier au centre et un imposant plafond aux arcs brisés en pierre... Mais il n'y a jamais eu de meubles dans cette pièce volontairement dépouillée aujourd'hui. Les pièces ornementées différent suivant les manifestations qui s'y déroulaient. Après un climat politique instable et bien des vicissitudes, le palais a volontairement été abandonné. L'idée d'une citadelle militaire naît donc au XVIIe siècle. Une vocation qu'elle a conservée jusqu'à présent puisqu'elle abrite toujours un détachement militaire.

La visite s'achève par les jardins, bien entretenus et plantés d'essences présentes dès l'origine : jujubiers, arbousiers, pins, oliviers, figuiers. Cherchez l'erreur... Le palmier ! En l'absence de traces certifiant qu'il y avait bien des palmiers à Perpignan au XIIIe siècle, on a planté ce palmier afin de créer un lien visuel avec l'île de Majorque et sa capitale, Palma. Tout cela ne manque pas de charme et n'est pas sans rappeler les splendeurs de Grenade.

Le musée Hyacinthe-Rigaud *(plan couleur B2,* ***58****) : 16, rue de l'Ange (accessible de la place Arago). ☎ 04-68-35-43-40. Tlj sf mar et certains j. fériés : mai-sept 12h-19h ; oct-avr : 11h-17h30. Entrée : 4 € ; réduc ; gratuit moins de 18 ans et pour ts le 1er dim du mois.*

Situé dans un bel hôtel particulier du XVIIIe siècle, le musée des Beaux-Arts de Perpignan doit son nom au grand portraitiste de la cour de Louis XIV, natif du pays. Le musée recèle un certain nombre d'œuvres et chef-d'œuvres qu'il vous sera donné de découvrir à votre rythme. Néanmoins, certains ont retenu notre attention pour leur histoire ou leur intérêt artistique. La visite suit l'ordre des salles. Le rez-de-chaussée est consacré aux expos temporaires (œuvres du musée exposées par roulement parmi les 7 000 œuvres archivées).

Au 1er étage

➢ ***1re salle : les primitifs catalans***

Celle où se trouvent les pièces les plus anciennes de la collection, essentiellement des retables du XVe siècle. Parmi les œuvres les plus marquantes, la plus emblématique est ***le retable de la Trinité*** commandé en 1489 par les consuls qui dirigeaient le tribunal maritime pour commémorer les cent ans de la création de la loge de mer à Perpignan. Détail amusant : la caravelle en fer forgé sur le toit ne s'y trouvait pas à l'origine. C'est un rajout du XIXe siècle destiné à rappeler la vocation initiale du bâtiment, le passé marchand de la ville.

Sur le ***tryptique*** du XVIIe siècle est représenté saint Vincent Ferrier, peu connu du grand public mais très connu des Perpignanais pour être à l'origine de la confrérie de la Sanch qui organise la procession de la Sanch chaque vendredi saint. Il est entouré de deux *caperutxas* (pénitents cagoulés).

➢ ***2e salle : antichambre de la salle Rigaud***

Permet d'avoir un aperçu du 1er tableau de Rigaud : le Saint-Pierre. Pas mal de tableaux de personnes qui ont gravité autour de Rigaud, son frère (Gaspard Rigaud), et Nicolas d'Argilière, son concurrent, mais néanmoins ami. Rigaud était le peintre du réalisme pour le sens parfois cruel avec lequel il peignait ses modèles, alors que d'Argilière utilisait une palette nettement plus douce et feutrée. Voir le magnifique portrait de l'acteur Baron (qui jouait dans une pièce de Molière) avec sa belle chemise en dentelle fine, le revers du manteau rouge tout en fil d'or.

➢ ***3e salle : la salle Rigaud***

Dans ce qui était l'ancien salon. L'une des plus belles salles du musée, dotée d'un magnifique parquet. Toutes les œuvres ici sont de Rigaud avec trois très beaux autoportraits : au turban, au cordon noir et peignant M. de Castagney. Trois moments de sa vie.

Il a 40 ans quand il peint ***L'Autoportrait au turban*** et est au sommet de sa carrière. Il se représente en bonnet d'intérieur (le turban), une chemise froissée, négligée, une barbe qui repousse. Sa tenue est simple, limite bohême, et pourtant son regard pétillant confère une prestance extraordinaire à son personnage.

Il a déjà plus de 60 ans lorsqu'il peint ***L'Autoportrait au cordon noir.*** Il paraît encore jeune et fringant ! Observez les très beaux jeux de matières (le velours qui contraste avec le satin, le cordon en tissu moiré, la passementerie). Enfin, il a plus de 80 ans pour le 3e autoportrait : ***Rigaud peignant Monsieur de Castagney,*** autrement dit peu de temps avant sa mort. Là encore il se représente assez jeune. Il n'accuse pas le poids des ans si ce n'est la poudre de sa perruque qui tombe sur sa veste.

Il est beaucoup plus dur avec le ***cardinal de Bouillon*** en lui laissant son défaut physique (le cardinal louchait) ; il lui durcit les traits du visage avec son rictus sévère. Peu satisfait de ce portrait d'apparat, le cardinal n'aurait pas payé la commande. Mais Rigaud a conservé le marteau en or que tient le cardinal en guise de règlement et obtint paiement 30 ans plus tard de son neveu représenté sous la forme de l'ange avec le taffetas doré. L'autre enfant ne serait autre que le cardinal enfant. Ce tableau était considéré par Voltaire comme « un chef-d'œuvre égal aux plus beaux ouvrages de Rubens ».

➢ ***4e salle : la salle blanche***

Voir l'étonnant ***Portrait de la famille Le Juge*** : Jean le Juge, sa femme Élisabeth et leur petite fille Marie-Charlotte. Une composition assez étonnante car, à défaut d'un portrait de famille unie, on décèle deux zones bien séparées : d'un côté, Jean Le Juge, qui ne regarde ni sa femme ni sa fille, et, de l'autre, Élisabeth qui semble protéger Marie-Charlotte de son père. La raison est simple : Jean Le Juge décède peu de temps après la réalisation de ce tableau et sa femme épouse alors Rigaud. De là à dire que Marie-Charlotte était sa fille il n'y a qu'un pas... Rien ne le prouve si ce n'est qu'il a légué, à sa mort, une grosse partie de sa fortune à cette petite fille.

➢ ***5e salle : la salle jaune – Duffy***

Le musée s'enorgueillit également de posséder une belle collection de Raoul Dufy, dépôt du Centre Pompidou. Le peintre a passé 10 ans de sa vie à Perpignan (1940-1950) et habitait place Arago. Ses toiles sont de vraies peintures musicales. La musique est d'ailleurs primordiale dans ses thèmes (il s'est inspiré de musiciens de la région et s'était lié d'amitié avec Pau Casals). On le constate aisément sur cette ***Étude pour le dimanche*** : le spectateur écoute la musique, les chapeaux deviennent des notes de musique et les chaises des portées. Quel génie !

Au 2e étage

➢ ***1re salle : la salle grise – Maillol et Picasso***

Une des pièces majeures est le ***Portrait de jeune fille*** peint par Maillol. Une œuvre de jeunesse qui reflète toute la philosophie du mouvement nabi auquel il a brièvement appartenu. Un mouvement qui revalorise les Art décoratifs et refuse toute forme d'illusion : pas de profondeur, pas de perspective, pas de volume, tout est traité en aplat, comme un motif décoratif. Le tout d'une inspiration japonisante très forte. Toujours selon la tradition nabi, Maillol a peint le cadre pour que la jonction entre la peinture et le cadre se fasse le plus naturellement possible et qu'elle s'intègre au maximum dans le mur. Déjà on perçoit une recherche de la défragmentation de la couleur qui sera poussée à l'extrême par les pointillistes. On dénombre presque sept couleurs dans la robe. Cette petite fille est la nièce du sculpteur perpignanais Sarail, qui a réalisé la *Petite fille à l'escargot* exposée plus loin dans la salle (la sœur), et leur père n'était autre que le fondateur des usines Singer. Invité par deux fois (en 1953 et en 1954) dans cet hôtel particulier par ses amis, les Lazerne (comme quoi, si l'on a des amis peintres, ça peut servir un jour...), Picasso réalise 3 dessins selon 3 techniques différentes : un crayon, une sanguine, une gouache. On retrouve toujours le trait vif de Picasso, surtout dans le crayon, assez agressif mais avec un visage toujours épargné, doux, rêveur. Des dessins qui nous changent de la vision des femmes donnée habituellement par Picasso.

➢ ***La salle des Roussillonnais (au centre)***

Elle s'organise autour de l'hommage à Gauguin du peintre et marchand d'art Georges Daniel de Montfreid (le père d'Henry de Montfreid, l'explorateur). De Montfreid se chargera de commercialiser les œuvres de Gauguin après son départ dans les îles. Il est amusant de constater qu'il se représente dans son salon, avec trois tableaux de Gauguin accrochés aux murs et aujourd'hui exposés au musée d'Orsay, à Paris.

Également 5 petites toiles du paysagiste Étienne Terrus, un peintre local ami de Matisse, 3 œuvres fortes de Pierre Daura, artiste américano-catalan : ***Camp d'Argelès*** (2 tableaux) et ***Autoportrait d'un soldat de la retirade.*** Palette sombre, thème du corps crucifié, des œuvres dures qui témoignent de l'horreur vécue par ces exilés espagnols. Poignant !

Au fond des deux salles consacrées au peintre Pierre Daura, collection de petits formats de maître Rey, notaire. Il connaissait une foule de peintres dont il était devenu l'ami. Célèbre, moins connu ou pratiquant la peinture en amateur, il acheta à chacun une petite toile, en moyenne de 16 x 20 cm. On en compte plus de 200 dans la salle. Miró, Giacometti, Dorothea Tanning... Uniquement de l'art contemporain, mais de tous les styles et de tous les pays.

La Maison de la catalanité *(plan couleur C1-2,* ***61****) : 11, rue du Bastion-Saint-Dominique. ☎ 04-68-51-77-10. • cg66.fr/culture/maison_catalanite • Tlj sf dim-lun 10h-17h.* Un lieu ouvert par le conseil général, dont la vocation est de promouvoir la culture et le patrimoine catalans. Intéressant pour s'informer sur toutes les initiatives prises dans le département. Expositions temporaires fréquentes, accessibles au public (se renseigner : les horaires ne sont pas fixes).

La gare de Perpignan *(hors plan couleur par A2-3) :* joli petit bâtiment que Salvador Dalí considérait comme le centre de l'univers : « C'est toujours à la gare de Perpignan que me viennent les idées les plus géniales de ma vie... L'arrivée à la gare de Perpignan est l'occasion d'une véritable éjaculation mentale qui atteint alors sa plus grande hauteur spéculative. [...] Eh bien ce 19 septembre, j'ai eu à la gare de Perpignan une espèce d'extase cosmogonique plus forte que les précédentes : la constitution exacte de l'univers [...], semblable par sa structure à la gare de Perpignan, à la seule différence près que là où se trouve le guichet, il y aurait l'univers de cette sculpture énigmatique dont la reproduction gravée m'intriguait depuis plusieurs jours. » (*Journal d'un génie,* éd. de la Table Ronde). Le « nombril du monde » (Dalí) immortalisera les lieux et le wagon à bestiaux dans lequel il se rendit en « pèlerinage », dans l'un de ses tableaux les plus célèbres...

Le musée Puig *(plan couleur A2,* ***60****) : 42, av. de Grande-Bretagne. ☎ 04-68-62-37-64. Ouv mer et sam 9h30-18h ; les autres j. slt pour les groupes et sur résa. Entrée : 4 € ; réduc.* Petit musée dans une maison bourgeoise proposant une expo permanente de monnaies catalanes, une expo temporaire et un jardin à découvrir. Également, parfois, des expertises de monnaie. Uniquement pour les amateurs.

La casa Xanxo *(plan couleur C2) : rue de la Main-de-Fer.* Maison bourgeoise du XVIe siècle du nom de son propriétaire, Bernat Xanxo, un marchand de draps qui fit construire cette riche demeure. Vous y découvrirez une étonnante frise le long de la façade, représentant les sept péchés capitaux. En entrant, les visages de Bernat Xanxo et de son épouse, Élisabeth, vous accueillent, sculptés à l'entrée du bureau du marchand. À l'étage, une maquette de Perpignan cristallise la ville telle qu'elle était en 1686. Elle fut commandée par Louis XIV à Vauban lorsque Perpignan devint française en 1659. L'original est conservé aux Invalides. La maison accueille également des expositions.

Le Serrat d'en Vaquer : *à 4 km au sud de Perpignan. Prendre la route d'Espagne (N 9) ; au rond-point avt* Auchan, *prendre à droite, direction A 9, puis au rond-point suivant c'est indiqué sur la gauche. ☎ 04-68-54-54-17. Juin-sept, 10h-19h (18h30 dim) ; le reste de l'année, 8h-12h, 14h-17h. Fermé lun et j. fériés. Accès libre.* Un fort militaire construit en 1885 au sommet d'une colline, sur une surface de 6 ha. À demi enterré pour plus de discrétion, il est aujourd'hui aménagé en promenade arborée. Les principaux types de la flore méditerranéenne y ont été plantés, et l'on peut y pique-niquer. Mais peu d'ombre ! Belle vue sur la plaine et le Canigou.

Manifestations

– **Procession de la Sanch :** *le vendredi saint, 15h-18h.* À ne rater sous aucun prétexte.

– **Festa Major :** *pdt 1 sem autour de la Saint-Jean (vers le 24 juin).* Comme son nom l'indique, énorme fête populaire. Spectacles et concerts, et, à la Saint-Jean, départ de la flamme du Castillet vers les villages du Sud de la Catalogne. Cérémonie du partage du pain. Feux de joie.

– ***Les Estivales :*** *en juil. Rens au ☎ 0820-072-020 (0,12 €/mn). ● estivales.com* ● Réunit toutes les formes d'expression artistiques du Sud et de la Méditerranée. De grandes pointures : Cesaria Evora, Barbara Hendricks, Paolo Conte...
– ***Les Jeudis de Perpignan :*** *de mi-juil à mi-août. Programme à l'office de tourisme.* Soirées originales sur les principales places du centre-ville. Musique, concerts (jazz, rock, ethnique), théâtre de rue, jongleurs, mimes, fanfares burlesques, etc.
– ***Festival international du photojournalisme « Visa pour l'image » :*** *sur 15 j. en sept. Rens : ☎ 04-68-62-38-00. ● visapourlimage.com* ● Expos et soirées débats.
– ***Fête du Vin primeur :*** *mi-oct.*
– ***Festival de jazz : Jazzèbre,*** *en oct. Infos sur le site : ● jazzebre.com* ● Un festival créé il y a plus de quinze ans, qui prend peu à peu de l'importance.

LE « SANCH » DU CHRIST...

La confrérie de la Sanch, créée au XIIIe siècle par saint Vincent Ferrier, se donne deux missions essentielles : accompagner le condamné à mort de sa cellule jusqu'à son lieu d'exécution et lui donner une sépulture décente. Reste aujourd'hui cette procession du vendredi saint. Vêtus de tuniques et de cagoules pointues noires (les caperutxas), les pénitents de l'Archiconfrérie du Très Précieux Sang de Notre Seigneur Jésus-Christ défilent de l'église Saint-Jacques à la cathédrale en portant la croix des outrages et les mistéris (tableaux représentant la Passion) au pas lent du regidor, *tandis que retentissent le terrible* Miserere *et les* goigs *traditionnels.*

➤ DANS LES ENVIRONS DE PERPIGNAN

RIVESALTES (66600)

Grand village roussillonnais tranquillement posé au bord de l'Agly, dont on aperçoit, de loin, la tour de l'église et le campanile. La cité est surtout connue pour son vignoble, son muscat, certes, mais aussi pour de forts honorables AOC *côtes-du-roussillon*. Nombreuses caves où goûter et acheter des bouteilles aux alentours comme dans le village. L'occasion de déambuler à l'ombre des platanes des agréables allées Joffre, bordées de belles demeures de maîtres.

FAUX FRÈRES

Dans la famille rivesaltes, *le muscat, le benjamin, est un vin doux naturel. Conçu à base d'un unique cépage (muscat d'Alexandrie), il doit sa saveur au seul soleil catalan et se boit jeune, voire dès Noël. Le rivesaltes (tout court) est un vin liquoreux assemblant grenache, macabeu, malvoisie. Moins pressé que son jeune frère, il se donne le temps de prendre de la bouteille, développant des arômes plus puissants mêlant figue et cacao et se vêtant d'une robe dorée. Aux gourmands de choisir avec modération.*

Adresse utile

ℹ *Office d'animation et de tourisme :* *av. Ledru-Rollin. ☎ 04-68-64-04-04. ● office.tourisme.rivesaltes@wanadoo.fr ● De mi-juin à sept, tlj sf w-e 10h-12h, 15h-19h (18h le reste de l'année), et sam 10h-12h en juil-août slt.*

Où dormir ? Où manger ?

≘ *Hôtel-Restaurant La Tour de l'Horloge :* *11, rue Armand-Barbès. ☎ 04-68-64-05-88. ● h.r.latour@wanadoo.fr ● hotel-la-tour-horloge.com ● Wi-fi. Par-*

king payant (un gros plus à Rivesaltes). Fermé en janv ; dim soir et lun hors saison. Doubles 48-53 €. Au resto, menus 18,50-55 €. Apéritif offert sur présentation de ce guide. Un hôtel historique, des petites chambres calmes, joliment rénovées et bien tenues. Quelques-unes sont climatisées. Le patron a même réussi à convaincre la mairie de ne plus faire sonner le campanile à des heures indues, pour le confort de ses hôtes. Au grand dam des mamies du village, dont il rythmait les nuits !

Domaine de Rombeau : *av. de la Salanque, D 12B. ☎ 04-68-64-35-35. • domainederombeau@wanadoo.fr • Ouv tte l'année. Grand choix de menus 23-44 €. Apéritif maison offert sur présentation de ce guide.* Les La Fabrègue sont vignerons depuis 12 générations avec un succès jamais démenti. Alors, de la vente de vin à l'installation d'un resto, il n'y avait qu'un pas et, aujourd'hui, l'ensemble est loti dans leurs superbes chais du XVIIIe siècle. Terrasse agréable et déco intérieure à l'esprit très Ancien Régime. Cuisine bien locale aux portions généreuses arrosées des vins du cru. Tout contribue au succès de la maison jusqu'aux toilettes installées dans de grands foudres.

Achats

Difficile de quitter Rivesaltes sans rapporter une ou deux bouteilles de muscat...

Domaine du Vieux Chêne : *allées Joffre. ☎ 04-68-38-92-01. Tlj sf dim ap-m 10h-12h, 15h-19h.* Tous les types de muscat, en blanc et en rouge, et aussi des vins du coin sont vendus dans ce caveau. Production du domaine familial, situé à Espira de l'Agly. Bon accueil.

À voir

Musée Joffre : *rue du Maréchal-Joffre. Juin-sept, tlj sf dim-lun 9h30-12h30, 15h-19h.* Petit musée installé dans la maison natale du grand homme. Pour les nostalgiques de la Grande Guerre.

Camp Joffre : *sur la D 5 vers Opoul.*
Plus connu sous le nom de « camp de Rivesaltes », l'endroit servit à interner à partir de 1941 les étrangers jugés indésirables par Vichy. En août 1942, il devient centre national de rassemblement pour les Juifs de la zone non occupée, antichambre de la déportation.
Plus tard, on y hébergea nombre de harkis. Aujourd'hui, les baraquements délabrés trônent encore dans la plaine, terrible image de souffrance...

Manifestations

– ***Fête de l'Abricot :*** *début juil.*
– ***Fête du Babau et marché médiéval :*** *début août.* Cavalcades, jeux géants, spectacles du Moyen Âge... et pour finir embrasement du Babau, sorte de monstre du Loch Ness, mais Loch Al !
– ***Journées des saveurs authentiques :*** *début nov.* Le rendez-vous des toques blanches se terminant par un festin gastronomique à prix modique.

LA FORTERESSE DE SALSES (66600)

À 16 km au nord de Perpignan par la D 900 (N 9). ☎ 04-68-38-60-13. Grand parking, payant l'été (et conseillé), à proximité. Juin-sept, 9h30-19h ; oct-mai, 10h-12h15, 14h-17h. Fermé certains j. fériés. Entrée : 6,50 € ; réduc. Durée de la visite :

45 mn ; départ ttes les 30 mn (dernier 1h avt la fermeture). Visites-conférences de 1h30 sur résa (supplément 4 €). Visites contées (1,50 €) pdt les vac scol sur résa (adaptées aux enfants).
La forteresse de Salses est le monument le plus visité des Pyrénées-Orientales. Chef-d'œuvre d'architecture militaire unique en Europe, c'est le premier spécimen de fortification « rasante » (d'où l'on observe au loin sans être vu de loin – nuance importante !). Elle fut édifiée, à la demande des Rois catholiques, à la fin du XVe siècle pour la défense du royaume d'Aragon. Son génial architecte, un certain Francisco Ramiro Lopez, capitaine général d'artillerie, y engloutit 20 % du budget du Royaume ! Il n'hésita pas, face à la menace du boulet métallique, à faire dresser des murailles de 15 m d'épaisseur à leur base !
Réputée imprenable, à tout le moins indestructible, la forteresse de Salses verra la guerre de Trente Ans, puis la signature du traité des Pyrénées.
Entre 1639 et 1642, sa garnison fera plus de 35 000 victimes parmi les troupes de Louis XIII venues l'assiéger ! Quand elle fut abandonnée aux Français, Vauban demanda l'autorisation de la raser. Devant l'impossibilité de la tâche, le roi y renonça. La visite est tout à fait instructive. Une partie se fait librement : la place d'armes, les écuries (magnifiques), la chapelle (outils, comptes de construction, vie des hommes en temps de paix dans la forteresse) et les salles d'expos. L'autre partie est un circuit à découvrir avec un guide, des étangs en passant par la salle de bains du gouverneur et par une salle à manger (avec rince-doigts intégrés, s'il vous plaît !). Avec la visite-conférence, découverte encore plus détaillée évidemment. Côté purement militaire : des meurtrières dans chaque salle (visant aussi bien les genoux que le ventre !), et un machiavélique système de puits dans les fondations pour déceler les tunneliers ennemis (chargés de creuser sous la fortification et trahis par les rides à la surface de l'eau).

CABESTANY (66330)

À 5 km à l'est du centre de Perpignan.

***Centre de Sculpture Romane :** Parc Guilhem. ☎ 04-68-08-15-31. • cabestany.com • Suivre le fléchage du centre culturel, puis finir à pied. Tlj sf lun, 10h-12h30, 13h30-18h30 (18h oct-avr).* Ce lieu magique est bâti autour du mystérieux Maître de Cabestany. L'occasion de voir et de toucher véritablement du doigt de fascinantes et parfaites reproductions de chefs-d'œuvre de sculptures du XIIe siècle : les chapiteaux généralement trop haut perchés, les tympans habituellement inaccessibles. La mise en lumière des pièces présentées donne au lieu toute sa magie. Ateliers, conférences et stages peuvent compléter une visite passionnante.

PONTEILLA (66300)

À 12 km au sud-ouest de Perpignan.

***Le Jardin exotique :** route de Nyls. ☎ 04-68-53-22-44. Avr-sept, tlj 10h-18h. Fermé le reste de l'année. Entrée : 5 € ; tarif réduit : 4 € pour les enfants ou sur présentation de ce guide.* Une flore variée et odorante sur 3 ha et présentée de façon très pédagogique. Brumisateur à disposition pour ceux qui ont chaud ! Pour les enfants, jeu de piste accompagné sur des thèmes ludiques (changés régulièrement).

ELNE (66200)

À 18 km au sud-est de Perpignan. La ville était si prestigieuse et célèbre qu'Hannibal en route vers Rome décida d'y faire une petite halte en 218 av. J.-C. Au IVe siècle, la cité prit le nom de *Castrum Helenae* en l'honneur de l'impératrice Hélène, mère de l'empereur Constantin, dont le fils Constant fut assassiné ici. Après les grandes invasions, les Wisigoths y installèrent le siège de l'évêché. La ville connut toutes les vicissitudes qui frappèrent le Roussillon durant le Moyen Âge, Aragon, Majorque, Espagne et France se disputant âprement la région. Philippe III le Hardi incendia la ville en 1285. En 1344, elle subit le siège du roi d'Aragon, celui de Louis XI en 1474 et de Louis XIII en 1641. Une affaire qui dura, quoi ! En 1602, le siège épiscopal fut transféré à Perpignan. Il reste aujourd'hui quelques belles maisons dans le centre et, bien sûr, la cathédrale et son cloître à ne pas manquer.

Adresse et info utiles

Office de tourisme : *pl. Sant-Jordi. ☎ 04-68-22-05-07. • ot-elne.fr • Tlj 9h-19h en été. Sept-juin, lun-ven 9h-12h, 14h-18h ; sam 9h30-12h.*

– **Marché :** *le mat lun, mer et ven, pl. de la République.* Animé.

Où dormir ? Où manger ?

Chambres d'hôtes Can Oliba : *chez Florence Le Corre et Jean-Pierre Boisard, 24, rue de la Paix. ☎ 04-68-22-11-09. • elna@club-internet.fr • can-oliba.com • Dans la vieille ville. Doubles 60-70 €, petit déj inclus. Repas du soir 22 €. Réduc de 10 % sur le prix de la chambre (hors vac scol) et apéro offert sur présentation de ce guide.* À l'évidence, un bon plan pour séjourner à Elne, au cœur même de la petite cité. Le propriétaire expose ses propres moulages aux allures décalées sur fond de déco faite de matériaux de récup. Cadeau, le petit jardin derrière et sa piscine balnéo. Accueil sympa. Le bon plan, on vous dit !

Où dormir dans les environs ?

Chambres d'hôtes Jonquères d'Oriola : *9, rue des Cavaliers, 66200 Corneilla-del-Vercol. ☎ 04-68-22-12-67. • l.jonqueresdoriola@neuf.fr • bed-and-breakfast-corneilla.com • À 3 km au nord-ouest d'Elne. Doubles 62 €, petit déj compris. Une suite 4 pers 120 €.* Belle maison de maître en trois parties, à côté de l'église. C'est la demeure du célèbre cavalier, double champion olympique, qui habite « l'aile » droite, là où il y a la belle glycine. Sa fille, très avenante, entretient la flamme : les coupes et les photos de papa sont là. Et les chambres (grandes et joliment décorées) portent le nom des chevaux de celui qui fut le meilleur cavalier du monde. Accueil comme on aime : détendu et courtois. Le château voisin, domaine viticole, est occupé par le frère du champion.

Chambres d'hôtes L'Ancienne Gare : *Le Millery, 66620 Brouilla. ☎ 04-68-89-88-21. • anciennegare@yahoo.fr • anciennegare.net • À 8 km au sud-ouest d'Elne, par la D 40 (suivre les rails !). Doubles 65 €, petit déj inclus. Apéro et café offerts sur présentation de ce guide, ainsi qu'une remise de 10 % sur le prix de la chambre hors vac scol.* Une ancienne gare transformée en chambres d'hôtes ! Déjà, le cadre est peu commun, avec la pièce du petit déj aménagée dans l'ancienne salle d'attente avec guichet de vente conservé en l'état. Mais les chambres ! Cinq en tout, spacieuses et fraîches, décorées dans un style néorustique des plus réussi. On a un faible pour celles du deuxième étage, mansardées et au beau parquet, très romantiques. Accueil très cordial de Joaquina, la propriétaire. Qu'on rassure nos lecteurs, la ligne voyageurs étant fermée depuis 1940, il ne passe plus que quatre à cinq trains de marchandises par jour, qu'on entend à peine.

Voir aussi plus loin au Boulon « Où dormir ? Où manger dans les environs ? ».

PERPIGNAN ET SES ENVIRONS

À voir

Le cloître : *☎ 04-68-22-70-90. • cloitreelne@orange.fr • ♿ (mais prévenir). Avr-sept, 9h30-17h45 (18h45 juin-sept) ; oct, 9h30-12h15, 14h-17h45 ; nov-mars, 9h30-11h45, 14h-16h45. Entrée : 5 € ; réduc. Document de visite en braille remis pour les non-voyants. Également des visites guidées. Billet donnant aussi droit à la visite du musée Terrus (voir ci-dessous).* Sans doute l'un des plus beaux du Roussillon, et surtout le seul, avec celui d'Arles-sur-Tech, à être intact sans jamais avoir été restauré. Construit du XIIe au XIVe siècle, il résume dans une harmonie étonnante l'évolution de la sculpture de l'époque. Il est en marbre blanc veiné bleu de Céret. La galerie sud, la plus ancienne, est de style roman. Sur les chapiteaux, des motifs végétaux et animaliers mais aussi la création d'Adam et Ève. Les thèmes sont les mêmes dans la galerie ouest, mais d'une facture différente : on sent le début du gothique. Il s'affirme dans la galerie nord pour triompher dans la quatrième galerie décorée de superbes chapiteaux illustrant des épisodes évangéliques : Annonciation, Visitation, Naissance de Jésus, Fuite en Égypte, Dormition de la Vierge... Un petit musée installé dans deux salles présente des éléments retraçant l'histoire locale et expose une admirable armoire liturgique. Dans l'ancienne salle capitulaire, archives, manuscrits et mobilier du Moyen Âge à nos jours. Petit musée d'archéologie présentant le résultat des fouilles sur le territoire de la commune.

La cathédrale Sainte-Eulalie : *se visite en même temps que le cloître.* Consacrée au XIe siècle, elle se distingue par son clocher carré, son portail en marbre et son mobilier. Parmi celui-ci, un superbe retable en bois peint (XIVe siècle), un bénitier d'époque romaine, etc. Remarquer enfin, face à l'entrée latérale, la croix des outrages. Elle ne supporte pas le Christ crucifié mais les instruments de la Passion. Ce type de croix, très rare, ne se rencontre que dans le Roussillon.

Le musée Terrus : *3, rue Porte-Balaguer. ☎ 04-68-22-88-88. • ot-elne.fr • ♿ Mêmes horaires que le cloître. Entrée jumelée avec le cloître 5 € et tarif réduit 2 € ; entrée seule : 2,50 €.* Chouette petit musée de peinture régionale. Étienne Terrus (1857-1922), maître du paysage roussillonnais, a par ailleurs fréquenté Matisse. Quelques-unes de ses œuvres ici, belles, c'est vrai, et de ses amis : Violet, Bausil et Maillol. Expositions temporaires l'été.

Se promener ensuite dans le village pour admirer les vieux ***remparts*** qui contournent la colline et quelques belles maisons bourgeoises dans les faubourgs sud.

Maternité suisse (château d'En Bardou) *: route de Montescot (direction Bagès). ☎ 04-68-37-83-71. • ot-elne.fr • Visites libres mer et sam-dim (guidées sur résa mer ap-m). Confirmer à l'office de tourisme.* De 1939 à 1944, plusieurs centaines d'enfants de réfugiés espagnols, juifs ou tziganes naissent ici à l'abri de la menace des camps de concentration grâce à Elisabeth Eidenz (suissesse de son état) et aux organismes humanitaires de son pays. Dans le même esprit, la mairie d'Elne projette d'accueillir des mères et enfants victimes de conflits... À suivre.

Manifestations

– **Sardanes :** *ts les mer de juil-août, pl. de la République.*
– **Les Bacchus d'Helenae :** *vers la 1re sem d'août.* Grosse fête des danses du monde.
– **Festival Musique en Catalogne romane :** *les 3 premiers w-e de sept. ☎ 04-68-22-70-90.* Concerts à Elne (mi-septembre) et ailleurs dans le département.
– **Festival Elne piano fortissimo :** *le 3e w-e de juil.* Trois jours où la cathédrale vibre des sonorités de grands pianistes.
– **Fête des Vendanges :** *le 1er dim d'oct. ☎ 04-68-22-79-20.*
– **Salon des oiseaux :** *pdt les vac de la Toussaint. ☎ 04-68-22-10-93.*

LA CÔTE SABLEUSE DE PORT-BARCARÈS À ARGELÈS-SUR-MER

Souvent critiquée à cause des stations balnéaires pas toujours très belles qui s'y trouvent, cette côte propose néanmoins l'une des plus longues et larges plages qui soient, un ensoleillement record, et une baignade relativement sûre. De sérieux atouts en vérité, qui rassemblent bien des vacanciers, contents de se trouver là. Certes, rien de pittoresque à Port-Barcarès, trop bétonné, mais Canet-Plage ou Saint-Cyprien ne sont pas aussi vilains qu'on le dit. Il y règne d'ailleurs une ambiance plutôt débonnaire et sympa. Autre particularité de cette côte, le vent, la tramontane, qui fait le bonheur des véliplanchistes... mais aussi le malheur des autres, car, quand ça souffle, le sable cingle dur le visage et le reste. Difficile de rester sur la plage !

PORT-BARCARÈS (66420) 3 500 hab.

Station balnéaire née dans les années 1970, entre mer et étang. Des immeubles, des ensembles de bungalows en dur, un ou deux centres commerciaux... Bon, ce n'est absolument pas merveilleux. Pourtant, du côté de l'étang, le paysage est plus joli. Une seule curiosité, au milieu des 8 km de plage, et de taille : un paquebot ensablé ! Le *Lydia,* ancien navire grec de 90 m, fut remorqué jusqu'à son emplacement actuel le long d'un chenal creusé pour l'occasion, puis une dalle de béton fut coulée pour le maintenir. Premier « immeuble » de la nouvelle station, le *Lydia* devait en incarner le dynamisme et l'originalité. Dans ses cales : boîte de nuit et casino. On peut également visiter le pont supérieur.

Adresse utile

*ℹ **Office de tourisme :** pl. de la République. ☎ 04-68-86-16-56. • portbarcares.com • Tlj 9h-12h30, 14h-18h (non-stop 9h-20h en juil-août).*

➤ DANS LES ENVIRONS DE PORT-BARCARÈS

L'ÉTANG DE LEUCATE-BARCARÈS

Entre Pyrénées-Orientales et Aude, l'étang de Leucate-Barcarès est très prisé des véliplanchistes. Des records de vitesse y sont régulièrement battus, tramontane aidant. Notons aussi qu'on y trouve un *téléski nautique* (à l'est, parc des Dosses) et on y pratique les dernières techniques de glisse *(wakeboard, wakeskate, kneeboard...).* Côté Leucate, en bordure d'étang, des ostréiculteurs vendent leur production, qu'on peut déguster sur place.

CANET-EN-ROUSSILLON (66140) 10 200 hab.

Il y a le bourg, Canet-Village, et, juste à côté, Canet-Plage, qu'on pourrait appeler Perpignan-Plage, tant les 12 km qui les séparent sont vite et souvent parcourus. En effet, dès les premiers beaux jours, les Perpignanais filent à Canet-Plage, et ça ne date pas d'hier. Il y avait d'ailleurs, au début du XXe siècle, un

tramway Perpignan-Canet. C'est le type même de la station balnéaire de la seconde génération, venue après Deauville, Biarritz et Cie, mais avant Port-Barcarès ou Saint-Cyprien. En fin de compte, l'atmosphère y est bon enfant avec stands de bimbeloterie le long de la plage, « Ludo-Bulle » où jouent les gamins... Et puis l'architecture, sans charme certes, n'est pas catastrophique et la plage est belle.
Enfin, n'hésitez pas à faire un saut à Canet-Village, un peu à l'écart sur sa colline. C'est un joli patelin avec les ruines de son château vicomtal en pierre rousse, ses remparts en galets, ses ruelles étroites et une belle église du XIIIe surmontée d'un imposant clocher crénelé.

Adresse utile

ℹ ***Office de tourisme :*** *à Canet-Plage, espace Méditerranée. ☎ 04-68-86-72-00. Juil-août, tlj 9h-19h ; en dehors, 9h-12h, 14h-18h (17h dim).*

Où dormir ? Où manger ?

Bon marché

🍴 ***La Cigale Gourmande :*** *2, promenade Côte-Vermeille, Canet-Plage. ☎ 04-68-67-10-91. Fermé lun et dim soir. Menus 12,80-18,80 €.* Pour les grincheux qui pensent que côte rime avec arnaque et plats passés au four micro-ondes, la *Cigale Gourmande* les régalera de son oursinade ou de son mille-feuille de foie gras. Large choix de plats du jour et desserts maison, sans que le porte-monnaie soit pris au dépourvu. Et en plus, cette cigale de bord de mer chante même en hiver ! Rare par ici.

De prix moyens à plus chic

🍴 ***La Vigatane :*** *2, rue des Remparts, Canet-Village. ☎ 04-68-73-16-30. ♿ Fermé lun-mar midi hors saison. Juil-août, ouv ts les soirs et dim tte la journée. Réserver, même en hiver. Formule déj 10 €. Compter 30 € à la carte. Apéritif offert sur présentation de ce guide.* Quelle adresse ! Un lieu, vieille maison aux épais murs de pierre et sa terrasse. Un décor exubérant, à la limite de la folie, avec le petit train jaune miniature qui fait le tour des plafonds, la *torera* blonde au balcon, la sandale géante (fameuse *vigatane*). La bouffe, étonnante, grillée sous vos yeux dans l'immense cheminée aux côtés de laquelle trône la grille de boulanger et ses énormes miches à l'ancienne. Un patron, rabelaisien à souhait. L'ensemble, fabuleux, permet de créer une ambiance délirante dans ce qui se définit comme un « théâtre gastronomique ».

🍴 ***La Rascasse :*** *38, bd Tixador, Canet-plage. ☎ 04-68-80-20-79. Rue parallèle au front de mer. Avr-juin et sept, tlj sf mer midi et lun ; juil-août, mar-sam soir et dim, fermé lun. Congés : 1er oct-1er avr. Menus 20-35 €.* Bien des Perpignanais connaissent cette vieille adresse de Canet. Une salle à manger super-traditionnelle, vieille France, où se côtoient des fruits de mer d'une grande fraîcheur et du poisson bien travaillé. Au service, patronne et serveur sont chaleureux. On mange donc avec plaisir ; bon vin, pas trop cher. Et, pour conclure, excellente crème catalane. En somme, un bon repas pas trop ruineux.

🏠 ***Hôtel Saint-Georges :*** *45, promenade Côte-Vermeille, Canet-Plage. ☎ 04-68-80-33-77. • info@hotel-stgeorges.com • hotel-stgeorges.com • ♿ Doubles 55-85 € selon saison, petit déj inclus. Remise de 10 % sur le prix de la chambre sur présentation de ce guide.* Un hôtel fort bien situé puisque face à la mer (il y a juste la route à traverser). Chambres propres et claires, assez différentes les unes des autres :

celles sur la mer ont clim' et double vitrage, celles sur le patio ont un petit balcon et deux chambres à l'arrière disposent d'une petite terrasse. Le patron, sympa au possible, a sérieusement rafraîchi le bâtiment désormais propret. Piscine croquignolette. Salle de jeux et bibliothèque.

Beaucoup plus chic

Le Clos des Pins – Le Mas Fleuri : *34, av. du Roussillon, Canet-Plage. ☎ 04-68-80-32-63. • contact@closdespins.com • closdespins.com • Ouv avr-fin oct. Resto ouv dim et slt le soir en sem. Doubles à partir de 110 € selon taille et saison, petit déj compris. À la carte, compter 30 €. Réduc de 10 % sur présentation de ce guide avr-mai et oct.* Belle villa un peu en retrait de la rue, dans un agréable jardin où l'on peut dîner en amoureux sur les traces d'Henri Delcros (un élève de Bocuse). Jolies chambres climatisées, quelques-unes avec une petite terrasse. Piscine. Tout ça a un petit air délicieusement méridional. Belle adresse cossue pour qui en a les moyens.

À voir

L'aquarium : *bd de la Jetée (sur le port). ☎ 04-68-80-49-64. Ouv 10h-12h, 14h-18h. En juil-août et vac scol, tlj 10h-20h. Entrée : 5,70 € ; enfants : 3,70 €.* Pas très grand et plutôt sympa. Vous saurez tout sur la vie quotidienne des piranhas ou des poissons-chirurgiens (en cas de morsure des premiers !)... les poissons exotiques sont à l'honneur.

➤ DANS LES ENVIRONS DE CANET-EN-ROUSSILLON

TORREILLES (66440)

À 7 km au nord de Canet-en-Roussillon, un authentique village catalan de 2 000 âmes.

Où dormir ? Où manger à Toreilles et dans les environs ?

Chambres d'hôtes La Vieille Demeure : *4, rue de Llobet. ☎ 04-68-28-45-71. • christine.vignaud@tiscali.fr • la-vieille-demeure.com • Wi-fi. Congés : oct-Pâques. Doubles 75-120 €. Résa pour 2 nuits min. Apéritif maison offert sur présentation de ce guide.* Au cœur des vieilles rues du village, ça commence par une *love story* entre une vénérable demeure du XVIIe siècle en ruine et un couple amoureux des vieilles pierres, qui reconstruit avec goût des chambres de grand confort. Les suites ont une terrasse privative et le petit déj se prend dans un patio à l'andalouse sous les orangers, confitures maison sur la table. Si la rénovation est bien léchée, l'accueil, lui, ne l'est pas toujours. Une adresse qui vaut donc surtout pour le bâtiment.

Les Baraquettes : *sur la plage de Torreilles-Plage. Au bout de la rue principale, on en trouve deux au-delà du parking. Les autres sont essaimées à proximité d'une piste en terre qui débute à gauche du même parking. Ne cherchez pas une adresse postale, mais suivez les voitures de Perpignanais qui viennent en masse passer la soirée dans ces paillotes. En vrac, l'Ovalie Beach (06-03-78-80-22), la Casa Pardal (☎ 04-68-28-49-10), La Baraquette (☎ 04-68-28-25-27), Le Chiringito (06-08-13-06-85) ou le Zaza Club (☎ 04-68-59-21-45). Ouv juin-sept.* Il y en a pour tous les goûts à tous les prix (on paye quand même un peu le concept...). Bruit des vagues et ciel étoilé... le rêve.

|●| ***El Castell Embruixat :*** *av. Jeanne-d'Arc, 66510 Saint-Hippolyte. ☎ 04-68-28-49-73. À 3 km au nord de Torreilles. Fermé dim-lun. Formule déj 12,90 € (en sem slt), puis 22,50-32,50 €.* Salle au décor façon héroïque fantaisie ornée de moult détails. Diantre, on laisse épées et cheval à la grille pour se régaler le gosier de quelques spécialités du lieu. La ripaille y est belle et généreuse, le vin y coule volontiers pour faible bourse et les gentils hommes pourront mener leur mie sous les ombrages de la terrasse arborée.

À voir. À faire

La maison Secall, centre de Mosaïque catalane : *pl. du Maréchal-Joffre. ☎ 04-68-59-67-66. ● mosaiques-secall.com ● Tlj sf dim-lun 15h-19h. Entrée gratuite.* Installé dans une belle maison, ce centre fait découvrir la mosaïque catalane au travers d'expositions et de stages d'initiation ouverts à tous (externat ou pension).

La chapelle de Juhègues : *à 1,5 km de Torreilles, direction Saint-Laurent-de-la-Salanque. Mer-ven 15h-18h, w-e 15h-19h. Mer, visite gratuite en matinée.* Adorable et très harmonieuse chapelle qui marie les styles roman, gothique et catalan.

– ***Jazz à Juhègues :*** *☎ 04-68-28-41-10. ● jigmaprod.com ● Le 3e w-e de juil.* Des groupes de très bonne réputation viennent faire swinguer les vieilles pierres de la chapelle.

SAINT-CYPRIEN

(66750) 8 600 hab.

Station balnéaire pas si bétonnée, plutôt mieux aérée que Canet et Argelès, surtout dans sa partie sud (nombreuses résidences de plain-pied). Elle se distingue notamment par son port de plaisance, considéré comme le deuxième de la côte française méditerranéenne avec 2 200 anneaux (Seigneur !). Bel équipement sportif (golf, complexe sportif, équitation, toutes activités nautiques) et label *Station Kid,* car on s'occupe bien des enfants. Ambiance familiale et sportive donc, et puis 6 km de plage, ça vaut le coup !

Adresse utile

Office de tourisme : *quai Arthur-Rimbaud. ☎ 04-68-21-01-33. ● tourisme-saint-cyprien.com ● Juil-août, tlj 9h-20h ; juin et sept, lun-ven 9h-19h, w-e 9h-12h, 14h-18h ; le reste de l'année, tlj 9h-12h, 14h-18h.*

Où dormir ? Où manger ?

Camping

Cala Gogo : *av. Armand-Lanoux, plage de la Lagune. Les Capellans. ☎ 04-68-21-07-12. ● camping.calagogo@wanadoo.fr ● campmed.com ● Ouv de mi-mai à fin sept. Prix : 28,40 € en hte saison.* Un immense camping (un peu cher) de 14 ha, qui reçoit l'été jusqu'à 2 400 personnes ! Pourquoi on en parle ? Il est hyper-confortable, super-équipé et surtout accueille un resto extra (voir ci-dessous). Qui plus est, accès direct à la plage. Piscine.

LES PYRÉNÉES-ORIENTALES

De prix moyens à beaucoup plus chic

Le Cala Gogo : *le resto est situé dans le camping. ☎ 04-68-21-15-45 ou 04-68-83-94-18 (hors saison). Même période d'ouverture que le camping. Menus 17-58 €. Terrasse.* Voici peut-être l'adresse la plus originale de ce guide : un restaurant en plein milieu d'un camping de bord de mer, avec la meilleure cuisine de tous les campings que l'on connaisse. C'est aussi une belle histoire d'amour. Pascal Borrell (macaronisé *by* Michelin, lorsqu'il exerçait au *Chapon Fin*, à Perpignan) le tenait avec sa femme Marie-France (reine des desserts). Ignorant le machisme des cuisiniers, il lui a peu à peu laissé le piano. Ils y jouent désormais une partition à quatre mains sans faute. Ici, on propose les grands plats... à moindre coût. La tradition catalane y est respectée mais réinterprétée : tranche de morue fraîche gratinée avec aïoli doux, jus réduit de romarin de Calces, polenta et aubergine grillée. Tout un programme ! Un mélange magique des genres et des saveurs. Pour vous rafraîchir, la piscine est juste en face.

La Lagune : *28, av. A.-Lanoux. ☎ 04-68-21-24-24. • contact@hotel-lalagune.com • hotel-lalagune.com • Wi-fi. Tt au bout de la route, à Saint-Cyprien sud. Ouv d'avr à mi-oct. Doubles 75-116 € selon la saison. Sur présentation de ce guide, 10 % sur le prix de la chambre 10 sept-10 juil.* Établissement moderne de bord de plage avec piscines, tennis et tout (TV satellite). Atmosphère type hôtel-club, bien pour les séjours balnéaires. Chambres confortables mais pas immenses. On y trouve un restaurant, une pizzeria et un bar de plage. Ne confondez pas avec l'hôtel *Île de la Lagune*, beaucoup plus cher !

Le Belvédère : *rue Pierre-Benoît. ☎ 04-68-21-05-93. • hotelbelvedere@wanadoo.fr • hotellebelvedere.com • Au village, à 3 km de la plage (visez le château d'eau !). Navette municipale gratuite tlj en été pour la plage. Congés : de mi-oct à début nov et janv-avr. Doubles 42-67 € selon vue et saison. Remise de 10 % sur la chambre hors juil-août sur présentation de ce guide.* Hôtel des années 1970 bien entretenu, au calme. Chambres confortables et pas trop petites, avec vue sur la mer ou la montagne et disposant d'une terrasse. Petite piscine. Accueil sympa et efficace. Un bon rapport qualité-prix dans le coin.

À voir

Les Collections de Saint Cyprien : *rue Zola, Saint-Cyprien-Village. ☎ 04-68-21-06-96. • collectionsdesaintcyprien.com • Tlj 10h-12h, 14h-18h (15h-19h en été) ; fermé lun-mar en hiver. Entrée : 5 € ; réduc.* Deux musées proches consacrés aux arts contemporain et moderne. Ils hébergent l'impressionnante collection offerte par François-Desnoyer à la commune, complétée par des expos temporaires non moins intéressantes. Dali, Desnoyers (bien sûr), Matisse, Modigliani, Braque... s'y retrouvent donc épinglés aux murs à côté de sculptures d'art primitif.

ARGELÈS-SUR-MER

(66700) 9 870 hab.

L'une des stations balnéaires les plus importantes du golfe du Lion a deux visages : Argelès-sur-Mer, authentique vieux village catalan, avec son église gothique méridionale du XIVe siècle, Notre-Dame-del-Prats. À l'intérieur, beau mobilier et deux retables remarquables : celui du maître-autel (XVIIIe siècle) et celui consacré à saint Michel (XVe siècle). Tout autour, de vieilles maisons aux tons ocre. Et Argelès-Plage, qui voit déferler les amateurs de coups de soleil et de baignade. La plage, superbe là encore, la longue esplanade arborée ainsi qu'une assez grande pinède allègent la note salée du béton et des avenues façon ville nouvelle. À noter que la station dispose du label « handiplage », un secteur ayant été adapté pour l'accès des personnes handicapées moteurs. Grosse animation dans les petites rues piétonnes.

LES PYRÉNÉES-ORIENTALES

Adresses utiles

- ***Office de tourisme :*** *pl. de l'Europe, Argelès-Plage. ☎ 04-68-81-15-85. • argeles-sur-mer.com • En juil-août, tlj 8h30-20h ; juin et sept, tlj 9h-19h ; le reste de l'année, lun-ven 9h-12h, 14h-18h, sam mat 9h-12h.* Guide des randonnées dans l'arrière-pays d'Argelès : 3 €. Bonne brochure aussi pour occuper les marmousets. On vous laisse le choix cornélien des activités...
- ***Location de vélos : Vélocation,*** *galerie commerciale Central Beach, 187, av. du Tech, Argelès-Plage. ☎ 04-68-81-61-61. À deux pas de l'office de tourisme.*

Où dormir ? Où manger ?

Campings

Près de 60 campings ! La plus grosse offre d'Europe. Et, en été, ils sont complets (plus de 50 000 pers). Liste complète à l'office de tourisme. Rassurez-vous : à ce niveau de concurrence, si tous n'ont pas un charme fou ni des prix raisonnables, les responsables sont pros et la plupart des campings sont classés en 3 ou 4 étoiles.

De bon marché à prix moyens

The Flowers : *59, rue Victor-Hugo, Argelès-Village. ☎ 04-68-81-05-79. Tlj sf sam midi et dim hors saison (dim midi en été). Menu midi en sem 10 €, autres menus 15-30 €.* Petite adresse dynamique et pas chère à l'écart de l'activité touristique... cuisine française simple et efficace. Déco *British* dedans, ensoleillée dehors (terrasse à l'arrière). Un bon plan.

De prix moyens à beaucoup plus chic

Mas Seyniarich : *chemin du Roua. ☎ 04-68-95-93-63. • mas-seyniarich.com • À 1,8 km d'Argelès-Village. Prendre la direction de Sorède. Juste après le passage sous la voie ferrée, continuer tt droit et suivre le fléchage. Congés : de mi-nov à Noël. Doubles 65 €.* Dans un écrin de verdure, au bout d'un petit chemin boisé, superbe mas catalan dominant Argelès et la mer. Cinq chambres aussi charmantes les unes que les autres (beaux crépis et vieilles poutres), certaines avec vue sur une Méditerranée omniprésente. Grande bleue au petit déj, au bord de la piscine ou dans le grand parc. Une excellente adresse à deux pas des plages.

Villa Les Sirènes : *9, av. du Vallespir, Argelès-Plage. ☎ 04-68-81-01-26. • contact@villa-les-sirenes.com • villa-les-sirenes.com • Dans une petite rue tranquille, à 150 m de la plage. Congés : de mi-nov à mi-déc et 15 j. en fév. Fermé dim de mi-sept à mi-juin. Doubles 45-63 € selon confort et saison. Réduc de 10 % offerte sur le prix de la chambre 15 sept-15 juin sur présentation de ce guide.* Un petit établissement charmant, aux allures de pension de famille. Terrasse où prendre le petit déj et agréable salon-restaurant au sous-sol. Et, en prime, accueil avenant du couple, qui bichonne avec tendresse ce petit nid à l'écart des foules.

La Mariscada : *à Port-Argelès. ☎ 04-68-81-59-87. ♿ Fermé dim soir et lun hors saison, slt lun midi en saison. Formule déj 12 € (sf dim et j. fériés), boisson comprise. Sinon, 27-40 €. Café offert sur présentation de ce guide.* C'est une des adresses favorites des locaux. Poissons et crustacés vous attendent dans un vivier. La terrasse sur une marina (un peu béton) est bien agréable et l'accueil détendu. Bref, de quoi passer un bon moment. Vins un peu dispendieux.

L'Amadeüs : *av. des Platanes, Argelès-Plage. ☎ 04-68-81-12-38. À côté de l'office de tourisme. Fermé mer hors saison. Congés : de mi-nov au 2 fév. Menu midi en sem 16 €, quart de vin* *inclus, autres menus 24-35 €.* Le chef mitonne une cuisine inventive à la présentation soignée qui chante la Catalogne, sans couac. Fine comme le requiem... de Fauré.

Auberge du Roua : *chemin du Roua. ☎ 04-68-95-85-85. • magalie@aubergeduroua.com • aubergeduroua.com • Wi-fi. À 1,8 km d'Argelès-Village, direction Sorède. Juste après le passage sous la voie ferrée, continuer tt droit et suivre le fléchage. Ouv de mi-fév à fin nov. Hors saison, resto fermé mer et tlj à midi sf dim. En été, ouv tlj sf j. fériés. Selon saison et confort, doubles 60-95 €. Menus 38-80 €.* Bel hôtel situé dans une imposante bâtisse du XVIIIe siècle. Les chambres bien équipées sont sagement modernes. Terrasse. Piscine digne des lieux. Cuisine gastronomique dont le plus cher menu propose du homard à toutes les sauces.

À voir. À faire

Le musée d'Artisanat et de Traditions catalanes, Casa de les Alberes : *au village, 4, pl. des Castellans. ☎ 04-68-81-42-74. Lun-ven 9h-12h, 15h-18h ; sam 9h-12h. Juil-août, 9h-18h. Congés : fin déc. Entrée : 2 €. Visite commentée du musée seul : 3 €. Gratuit moins de 12 ans accompagnés d'un adulte. Sur présentation de ce guide, pour 2 entrées payantes, 3e gratuite.* Les quatre salles de ce musée du temps retrouvé transportent à l'époque des forges, rabots et autres varlopes pour découvrir les métiers anciens, les travaux des champs et de la vigne en terre catalane. Ici, bourrelier, cardeuse, fabricant d'espadrilles ou bouchonnier sont représentés au travers d'outils originaux bien exposés. On y apprend la tradition vestimentaire catalane, avec sa *cófia de punta* (coiffe traditionnelle) ou ses *vigatanes* (espadrilles à lacets). Et pourquoi ne pas compléter par un cours de catalan (d'octobre à mai uniquement) ?

– La Casa de les Alberes propose des ***visites guidées de la vieille ville,*** avec notamment le clocher, l'église et le musée. *Entrée : 4 €/pers. Durée : 2h. Tlj départs 10h et 15h30 du musée. Également des visites d'Argelès-plage mar et ven : 3 €. Rens et billets au musée.*

Les plages : il y a celle de la station elle-même, mais n'oublions pas celle du *Racou* entre Argelès et Collioure, grande et agréable (pas d'immeubles en front de mer, mais des petites villas).

➤ DANS LES ENVIRONS D'ARGELÈS-SUR-MER

La réserve naturelle du mas Larrieu : *au nord d'Argelès. Visites guidées 4 € (gratuit moins de 13 ans) depuis l'office de tourisme, le jeu avr-oct.* S'étend sur 145 ha de part et d'autre de l'embouchure du Tech. Quelques panneaux explicatifs. Côté plage, c'est une zone mixte, où « textiles » et « non-textiles » (comprendre naturistes ou pas) se côtoient pacifiquement.

La forêt de la Massane : *accessible slt à pied (3h de marche aller-retour). Topoguide de randonnée pédestre en vente à l'office de tourisme (3 €).* Sur 300 ha, dans la partie orientale du massif des Albères et occupant la partie supérieure du bassin versant de la rivière Massane entre 600 et 1 150 m d'altitude. Elle est constituée en majeure partie de hêtres qui ont une valeur de relique préglaciaire. Faune riche et variée, et tour dite « de la Massane », édifiée vers 1285 par Jacques Ier de Majorque, d'où l'on a une vue remarquable.

Spectacle de rapaces : *au* ***château de Valmy.*** *☎ 04-68-81-67-32. Début avr-oct, 14h-18h30, fermé lun sf juil-août et j. fériés. Séances « rapaces en vol libre » avr-oct, vers 14h30 ou 15h ; 17h (de juil à mi-sept). Entrée : 8,50 € adulte ; 6 € enfant.* On peut aussi visiter la fauconnerie et la miniferme, et assister à des spectacles de perroquets et de chiens de troupeau. Manque plus que le spectacle vivant d'anchois salés de Collioure !

LES PYRÉNÉES-ORIENTALES

➢ Nombreuses ***randonnées*** dans les environs : dolmen de la Cova-de-l'Alarb, chapelle Saint-Laurent-du-Mont (XIIe siècle), ermitage Notre-Dame-de-Vie (Xe siècle), vestiges du château Taxo d'Avall... *Brochure à l'office de tourisme.*

LA CÔTE VERMEILLE

Une merveille naturelle dont on aurait inversé deux lettres pour rendre hommage à la couleur de sa roche brûlée par le soleil... Région viticole s'étendant d'Argelès à la frontière espagnole via le cap Cerbère. Côte longtemps célébrée par les artistes installés à Collioure et, plus récemment, par les amateurs des bons vins de Banyuls.
Peu de plages mais de vieux ports de pêche, plutôt bien préservés. Ici, le charme méditerranéen a encore (presque) tous ses droits, malgré les hordes d'estivants. Ajoutez d'admirables panoramas côtiers et de belles randonnées dans l'arrière-pays, et vous comprendrez que cette Côte Vermeille est à voir.

Comment y aller ?

➢ ***En train :*** une dizaine de départs/j. de Perpignan vers Collioure. Compter 20-25 mn de trajet. Ensuite continuation vers l'Espagne via Port-Vendres, Banyuls, Cerbère. Il y a même quelques trains venant de Narbone ou de Paris.
➢ ***En bus :*** lun-ven, 12 bus/j. env de Perpignan à Collioure et 8 bus sam, tte l'année. Pas de bus dim sf juil-août (3 bus). Premier départ de la gare routière de Perpignan à 6h50 en sem, dernier départ à 18h30. Compter 45 mn de trajet. Rens : ☎ *04-68-35-29-02.*
➢ ***En voiture :*** Collioure est à 25 km au sud-est de Perpignan. Prendre la N 114 : voie express jusqu'à Port Vendres et petite route panoramique ensuite jusqu'à Cerbère.

COLLIOURE (66190) 2 800 hab.

Son site, dont la beauté égale la célébrité, lui a valu le titre de « joyau de la Côte Vermeille ». Le dôme rose de son curieux clocher, les plages de sa vieille ville, son château royal, son adorable port aux barques colorées et sa lumière séduisirent de nombreux peintres. Collioure fut à Picasso la muse que Cadaquès était à Dalí. Aujourd'hui, l'ancienne ville espagnole fait surtout les délices des touristes et de quelques pinceaux de plus ou moins bon goût qui croquent les rues dès l'arrivée des beaux jours. Mieux vaut éviter l'afflux saisonnier des vacanciers, pour être pleinement enchanté par ce site.

DES FAUVES EN LIBERTÉ

Tout débute un matin de 1905. Matisse, débarquant à Collioure un peu fauché, est ébloui par le ciel et l'extraordinaire éclairage de la ville. Il saisit vite qu'une nouvelle voie s'ouvre à lui. Car tout ici est couleur : maisons roses comme la terre, volets verts, carrés de mer et de ciel réunissant toutes les nuances de bleu. Avec ses amis qui le visitent à Collioure, Derain, Vlaminck ou Braque, il libère enfin cette couleur de ses conventions. Les fauves sont lâchés ! Au grand dam des académiciens et critiques parisiens.

Adresses utiles

Office de tourisme : *pl. du 18-Juin. ☎ 04-68-82-15-47. • collioure.com • Dans la vieille ville. Juil-août, tlj 9h-20h (10h-18h dim) ; mai-juin et sept, tlj sf dim 9h-12h, 14h-19h (18h le reste de l'année).* Services compétents.

Gare SNCF : *à env 500 m de la vieille ville. ☎ 36-35 (0,34 €/mn).*

En cas de pépin : **poste de secours** sur toutes les plages. ☎ *04-68-82-17-69 (slt en juil-août).*

Stationnement : grand parking payant près du vieux port mais plein en été ; parking de délestage au cap Dourats en haut de la ville. Les navettes (en juillet-août) sont gratuites.

Où dormir ?

Recherchée pour son charme, Collioure conserve quelques adresses bien situées à prix acceptables (fortes amplitudes selon la saison). Certains établissements font la course au profit en ouvrant des « annexes » à tours de bras.

Camping

La Girelle : *1, plage de l'Ouille. ☎ 04-68-81-25-56. Fax : 04-68-81-87-02. En venant de Perpignan par l'ancienne route, à gauche avt Collioure. Direction, plage de l'Ouille. Fléché. Ouv d'avr à mi-oct. Compter 24 € en hte saison. Apéritif offert sur présentation de ce guide.* Terrain en terrasses un peu caillouteux, c'est normal : on est sur la côte rocheuse... et pourtant la plage est à vos pieds ! Camping à taille humaine, bien équipé et isolé de la route. Ombre pour la sieste et bonne ambiance le soir (paella et grillades au resto).

De prix moyens à plus chic

Hôtel Boramar : *rue Jean-Bart ; sur la plage du Faubourg. ☎ 04-68-82-07-06. Ouv avr-oct. Selon exposition, arrière ou vue sur mer, doubles 57-72 €.* Un gentil hôtel aux chambres correctes, manquant un peu de charme mais claires et nettes. Celles avec balcon, s'il en reste, permettent d'apprécier pleinement le lever de soleil sur le port, la vieille ville et le château. Celles donnant sur l'arrière peuvent être bruyantes à cause de la route toute proche et n'offrent aucune vue. Bon accueil.

Hôtel Triton : *1, rue Jean-Bart. ☎ 04-68-98-39-39. • hoteltriton@wanadoo.fr • hotel-triton-collioure.com • Ouv tte l'année. Selon confort et situation, doubles 45-85 €.* Grosse maison rose bien située. Chambres assez petites dans l'ensemble. Certaines ont un balcon donnant sur le port, pour un petit déj romantique (courues donc réservez à l'avance). Celles de derrière ont vue sur la route (bonne isolation). Le prix reste correct. Bon accueil.

Les Caranques : *route de Port-Vendres. ☎ 04-68-82-06-68. • les-caranques@little-france.com • les-caranques.com • À 300 m du centre-ville et de la plage. Ouv d'avr à mi-oct. Doubles 45 € avec lavabo, 71-80 € avec douche et w-c ou bains.* Blotti sous les rochers directement au-dessus de la mer et dominant le port d'Avall, cet hôtel offre la meilleure vue possible sur Collioure. Une vingtaine de chambres très calmes, toutes avec vue sur la mer et (presque toutes) avec une loggia. Terrasses pour s'offrir des bains de soleil, et accès privé à la mer en contrebas. Pas de plage mais de gros rochers aménagés. Et quel plaisir de prendre le petit déj en admirant le château !

Hostellerie des Templiers : *12, quai de l'Amirauté. ☎ 04-68-98-31-10. • info@hotel-templiers.com • hotel-templiers.com • Face au château dans une rue piétonne. Hôtel fermé en janv et 2 sem en nov. Hors saison, resto fermé mer-jeu. Doubles 52-100 € selon saison* *et confort. Menu 21 € et carte*. René Pous, le grand-père de l'actuel patron, a reçu ici ses amis peintres et sculpteurs, qui le remerciaient pour le gîte et le couvert par une toile ou un dessin. Au nombre de ses hôtes, Matisse, Maillol, Dalí, Picasso et Dufy ! Le fils de René, amateur d'art lui aussi, a continué la collection. Résultat, des toiles partout, dans les couloirs, les chambres, la salle à manger. Mais avis aux cambrioleurs : les tableaux les plus chers ne sont plus ici. Les chambres (avec TV et AC) sont plutôt agréables. Celles de devant dominent les terrasses de restos et peuvent être bruyantes. Celles donnant sur l'arrière sont plus modernes. L'accueil est parfois survolté, notamment aux heures de service. On a trouvé le resto plutôt onéreux. Pour profiter pleinement des toiles et d'une ambiance authentique, on conseille de boire un coup dans la brasserie.

Hôtel L'Arapède : *route de Port-Vendres. ☎ 04-68-98-09-59. • hotelarapede@yahoo.fr • arapede.com • Fermé déc-janv. Selon saison et confort, doubles 53-108 € ; ½ pens suplément de 32 €/pers (obligatoire en juil-août). Formule 19 € (sf w-e) et menus jusqu'à 48 €.* Solidement accrochée à la roche, *L'Arapède* s'offre la Méditerranée comme toile de fond. On a connu pire ! Chambres agréables et de très bon confort (climatisées), aux tons chauds, la majorité avec terrasse côté mer. Chouette piscine affleurante en contrebas. Un peu éloigné du centre-ville, certes, mais au calme.

De plus chic à beaucoup plus chic

Hôtel Casa Païral : *impasse des Palmiers. ☎ 04-68-82-05-81. • contact@hotel-casa-pairal.com • hotel-casa-pairal.com • Ouv avr-nov. Réserver longtemps à l'avance, surtout pour la période estivale. Doubles avec douche 85-95 € selon saison, avec bains et suite 113-188 €. Remise de 10 % sur le prix de la chambre en avr et oct, hors w-e et j. fériés, sur présentation de ce guide.* Un petit palais dans une oasis de rêve : fontaine dans un patio noyé de verdure, piscine, salons douillets, calme total, et tilleul centenaire dans la salle du petit déj. Le grand luxe pour un coin de paradis ! Les chambres, pleines de charme, sont confortables, spacieuses et climatisées.

Où manger ?

Passé la mauvaise impression de certains restos-usines-saisonniers, on trouve quelques petites pépites au gré des rues.

De bon marché à prix moyens

Le 5e Péché : *18, rue de la Fraternité. ☎ 04-68-98-09-76. Dans la vieille ville. Résa recommandée. Menus midi sf dim 15-23 €. Carte 45 €.* Étonnante fusion que cette cuisine gastronomique française, avec des produits catalans et un léger accent d'Asie. Celui de Masashi Lijima. En plein centre du vieux Collioure, dans une petite salle chaleureuse, presque inespéré de s'offrir un aussi subtil mariage à bon marché. Madame vous expliquera avec simplicité chacun des ingrédients de chacun des plats. Indéniable que la crème catalane aux artichauts violets pousse au... 5e pêché !

Le Trémail : *1, rue Arago. ☎ 04-68-82-16-10. Proche de l'église. Ouv d'avr à mi-nov. Fermé lun. Menus 15,50 € midi en sem, 22 et 32 €.* Salle faite de pierres et de faïences murales anciennes. Service prévenant... une de nos anciennes adresses qui redresse la tête. Le midi, le 1er menu vaut le coup pour ses généreux poissons *a la planxa*, même si la salade en entrée joue les petits seconds rôles. Bons vins au pichet.

La Cuisine Comptoir : *2, rue Colbert. ☎ 04-68-81-14-40. En pleine* *vieille ville. Ouv tlj. Compter 12-15 € (selon appétit).* La salle est minuscule comme les rues médiévales. La terrasse abritée par un figuier. Et les ramequins de tapas alignent sur les tables ou le comptoir leurs appétissantes compositions : *lapin au rancio*, *escalivada gitana* et même *manchego* (fromage de brebis) à la confiture de figues (on revient au figuier...). C'est simple, au coude à coude avec les jeunes du coin. Oui, c'est bien à Collioure !

À voir

🚶🚶 ***Le vieux port*** avec sa plage de galets, ses barques catalanes peintes (avant d'être peintes) échouées là, ses cafés animés, sa promenade dallée de schiste, son château (à droite) et sa superbe église les pieds dans l'eau (à gauche). Un charme fou, mais beaucoup trop de monde pendant les vacances.

🚶🚶 ***L'église Notre-Dame-des-Anges :*** l'image la plus connue de Collioure grâce à son étonnante tour ronde, ancien phare du vieux port transformé en clocher. Construite au XVIIe siècle. Son intérieur est une véritable caverne d'Ali Baba : dans la pénombre se cachent neuf retables d'une richesse inouïe dont celui du maître-autel, immense triptyque en bois doré, sculpté par un artiste catalan dans le plus pur style baroque de la région. Dans la sacristie, le *trésor* de l'église : vases sacrés, croix processionnelle du XVIe siècle, peintures du XVe siècle, meuble-vestiaire du XIIIe, reliquaire, Vierge du XVIIe siècle, etc.

🚶 ***Le château royal :*** *☎ 04-68-82-06-43. Ouv 9h-17h oct-mai, 10h-18h juin et sept (19h juil-août). Durée de la visite : 45 mn env. Entrée : 4 € ; réduc.* Vieux de plus de 700 ans, il fut maintes fois assiégé. Résidence des rois de Majorque et d'Aragon au XIVe siècle, fortifiée aux XVe et XVIIe siècles par Vauban, au détriment de la ville qui l'entourait. En 1670, toute la ville est détruite et la population déplacée (d'abord vers ce qu'on appelle aujourd'hui le quartier du *Mouré* et puis, plus tard, vers la plage de Port-d'Avall). Il fut aussi utilisé pour y enfermer les républicains espagnols fuyant Franco. L'imposant édifice dominant la baie reçoit désormais des spectacles (en été) et expos temporaires. On peut néanmoins visiter quelques grandes salles, dont celle de la reine, malheureusement sans mobilier !

🚶 ***Le quartier du Mouré :*** c'est le nom donné à la vieille ville, entre le château et l'église, délimitée d'un côté par l'ancien sentier de la plage du Racou, de l'autre par le quai de l'Amirauté. Très mauresque (d'où son nom), avec ses maisons ocre (l'ocre rose est une caractéristique de Collioure) aux balcons fleuris, ses ruelles pavées de galets de schiste. En remontant la pittoresque rue Miradou, on parvient au fort du même nom, construit au XVIIe siècle et encore occupé par l'armée.

🚶 ***Le musée Peské :*** *dans la maison et le parc Pams (ancien sénateur), route de Port-Vendres. ☎ 04-68-82-10-19. Tlj 10h-12h, 14h-18h. Fermé mar hors saison. Entrée : 2 € ; réduc.* Art moderne uniquement, et quelques expositions temporaires d'art contemporain. Pour les amateurs de nouveaux talents tels Dominique Gauthier, Joan Brossa, Claude Viallat, et d'autres, ou pour voir quelques petits maîtres de qualité comme Henri Martin, Augustin Hannicotte ou Yves Brayer...

🚶 À côté du musée, ancien ***couvent des dominicains*** (XIVe siècle), aménagé en cave coopérative.

🚶 ***Le chemin du fauvisme :*** « Des beaux bleus, des beaux rouges, des beaux jaunes, des matières qui remuent le fond sensuel des hommes, c'est le point de départ du fauvisme, le simple courage de retrouver la pureté des moyens. » Matisse voyait Collioure de cette manière. Avec Derain, on connaîtra intimement cette ville. Le chemin du fauvisme met en scène vingt reproductions de leurs tableaux, placées dans la rue là où les peintres ont posé leur chevalet. Ce musée imaginaire permet d'assister à travers les rues de la ville à la naissance flamboyante du fauvisme. *Pour suivre une visite guidée (6 €), contacter l'espace Fauve (quai de l'Amirauté ; ☎ 04-68-98-07-16).*

***Fort Saint-Elme :** accès compliqué depuis Collioure. Autant suivre les panneaux depuis le centre de Port-Vendres.* Perché sur une haute colline, il domine Collioure et tous les environs. Le point de vue y est magnifique en plus d'un travail de rénovation en cours qui permet de valoriser ce vieux fort du XIVe siècle. Donjon et murs épais, ça va de soi ! Pour redescendre vers Collioure, continuer la même route (superbes panoramas). Le petit train touristique emprunte le même trajet.

À faire

Les plages, bien sûr. Il y en a six, et une crique : plages Nord et Saint-Vincent (près de l'église), plage Boramar (entre église et château), plages Port-d'Avall et Boutigué (côté Faubourg), plage de la Balette (vers Port-Vendres) et la crique de l'Ouille (vers Argelès). Inconvénient, elles ne sont pas bien grandes et en plein mois d'août on est quand même un peu serrés comme des anchois.

– ***Plongée, sports nautiques, etc. :*** *Club International de Plongée, 15, rue de la Tour. ☎ 04-68-82-07-16.*

➢ ***Randonnées :*** nombreuses promenades dans les montagnes de l'arrière-pays ; topoguide sur les chemins de Collioure à Cerbère en vente à l'office de tourisme (5,50 €). La petite route menant à l'*ermitage de Notre-Dame-de-Consolation* vaut le coup : garrigue, calme et beaux points de vue. Jolie chapelle (ex-voto marins) et platanes à l'arrivée. Un peu plus loin, la *tour Madeloc* offre un merveilleux panorama sur les Albères et toute la Côte Vermeille.

➢ ***Petit train :*** *avr-nov. Ttes les heures 10h-20h (10 pers min). Tarif : 5,50 €.* Relie Collioure à Port-Vendres (et lycée de Versailles) par des paysages enchanteurs de vignes dominant la mer. Promène-touristes, certes, mais les yeux en ont pour leur déplacement. Passe à proximité du fort Saint Elme.

Achats

Goûtez absolument la spécialité locale : les anchois ! Pêchés ici depuis toujours, en été à bord de barques munies de lampes (les fameux *lamparos*). Et si les chalutiers de Port-Vendres ont « tué » les petites barques, va quand même pour l'anchois de Collioure ! (classé AOC depuis 2004). Amenés ici dans la foulée, ils restent des mois dans des fûts de saumure. Quant aux copines sardines, elles se pressent tous les étés dans des sardinades géantes pour finir bien grillées. Humm ! Trois pas de sardane et ça redîne...
– Deux maisons proposent des anchois : *Desclaux, carrefour du Christ (N 114), et Roque, 17, route d'Argelès.* On peut assister à leur préparation et les déguster sur place.

Manifestations

– ***Procession de la Sanch :*** *le vendredi saint.* Une des trois du département, mais celle-ci se tient à la tombée de la nuit comme à l'origine, aux flambeaux ! Le *Regidor* (meneur) porte la traditionnelle tunique rouge, une haute capuche pointue, et tient la clochette des condamnés à mort... Les pénitents ont le visage caché par une cagoule noire et portent la croix. Cantiques, ferveur religieuse, etc. À ne pas rater.

– ***Sardanes :*** *pdt les fêtes traditionnelles (Saint-Jean, 14 Juillet, fêtes de la Saint-Vincent...).* Folklo mais pas surfait du tout : les danseurs sont habillés comme vous et moi.
– ***Fêtes de la Saint-Vincent :*** *14-18 août, point culminant le 16.* Ce jour-là, feu d'artifice célèbre dans toute la région (il se reflète dans les eaux du port, illuminant barques et château !) et *novillada* traditionnelle dans les arènes de Collioure. Réserver impérativement ses places auprès de l'office de tourisme et son billet de train : environ 150 000 personnes sont de la fête !
– ***Réveillon costumé du 31 décembre :*** *sur la plage. Rens : ☎ 04-68-82-15-47.* Sur un thème différent chaque année.

PORT-VENDRES

(66660) 4 580 hab.

À 3 km de Collioure. Port de pêche et de commerce à l'abri des collines, qui voudrait bien avoir la même notoriété que son voisin. Du « port de Vénus » développé au XVIIe siècle par Vauban, il reste une belle église rose de style espagnol, posée sur le quai. À côté, sur l'ancienne place royale dédiée à Louis XVI, un obélisque de marbre rose haut de 33 m. La présence de quelques navires marchands et de pêche affirme son ouverture sur la mer et le port reçoit des cargaisons entières de fruits et de légumes d'Afrique du Nord destinées aux marchés de France et de Navarre. Quant au reste du village, il joue les belles alanguies, dans une torpeur toute méridionale. L'atmosphère, plus populaire qu'à Collioure, n'est pas désagréable pour le voyageur de passage.

Adresse et info utiles

Office de tourisme : *1, quai François-Joly. ☎ 04-68-82-07-54. • port-vendres.com • Juil-août, tlj 9h-19h30 ; le reste de l'année, lun-ven 9h-12h30, 14h-17h30, sam le mat slt).*

CLTM : ☎ 04-68-98-37-37. Liaison en car-ferry Port-Vendres-Tanger, ts les 4 j. par la *Comanav.*

Où dormir ? Où manger ?

De prix moyens à plus chic

Hôtel du Cèdre : *29, route de Banyuls. ☎ 04-68-82-01-05. • contact@hotel-le-cedre.com • hotel-le-cedre.com • Wi-fi. Fermé fin nov-2 fév. Doubles 58-92 € selon confort et saison ; juin-sept et les w-e incluant 1 j. férié, ½ pens exigée 72-92 €. Menu 32-47 €.* Évidemment on préfère les chambres côté mer, même si le fameux cèdre limite la vue. Côté route, le double vitrage protège, certes. Les chambres sont assez grandes, claires et propres, avec TV et clim'. Le petit plus : les soirées musicales du samedi autour de l'honorable conifère. Le moins : la demi-pension, chère et imposée une bonne partie de l'année. Belle piscine.

La Côte Vermeille : *quai du Fanal. ☎ 04-68-82-05-71. Sur le port, face à la mer et à deux pas de la criée. Fermé dim-lun hors juil-août, mar midi et lun en été. Congés : 3 sem en janv, 1 sem en nov et juin. Menus midi en sem 26-55 €.* Ce resto cossu, à la déco de bois sobre, est réputé pour la qualité de son poisson. Le menu déjeuner, avec salade de morue demi-sel à l'huile d'olive, poisson du jour selon la pêche locale, dessert et vin compris, est fort bien.

Ferme-auberge Les Clos de Paulilles : *baie de Paulilles. ☎ 04-68-98-07-58. ♿ À 3 km du centre en direction de Banyuls. Ouv fin mai-fin sept. Dégustation de vins 10h-19h ; resto midi et* *soir. Menu unique avec dégustation de vins 39 € (quand même !). Digestif offert sur présentation de ce guide.* Très bon et copieux repas avec de vrais produits de la ferme, servi dans un cadre assez raffiné. C'est l'une des propriétés de la famille Dauré, vieille famille de viticulteurs qui possède aussi le château de Jau, près de Tautavel, et donc, à chaque plat, le vin change : bien mieux qu'un catalogue !

Les Poissonneries de la Côte catalane : *anse Gerbal (port de pêche, dans l'enceinte de la criée). ☎ 04-68-98-46-00. Ouv 8h-12h30, 15h-19h30. Fermé en janv, dim ap-m et lun hors saison.* C'est bien une seule et même poissonnerie, énorme, avec ses viviers de coquillages et ses aquariums. Mais c'est aussi un comptoir de vente où l'on peut déguster huîtres et palourdes avec un petit verre de blanc sec à prix doux. Les produits annexes, eux, sont chers (et puis on n'est pas là pour acheter de l'huile d'olive non !)

À voir. À faire

Le musée de Sidi-Ferruch : *après le port de commerce, sur la falaise. Ouv pdt les Journées du patrimoine et 2 j./sem en été. Se renseigner à l'office de tourisme.* Quelques documents sympas (cartes postales, photos) sur l'Algérie française. Mais le gros de la troupe, c'est l'armée d'Afrique ! Musée annoncé apolitique... jusqu'au portrait de Bastien-Thiry (instigateur de l'attentat du Petit-Clamart).

Le sentier du cap Béar : depuis le port, on peut rejoindre en 40 mn à pied la pointe du cap Béar.

Plages de la baie de Paulilles : trois jolies plages de sable fin. Bien sur le territoire de Port-Vendres (ils insistent !). Sur la route de Banyuls.

– ***Plongée : Scuba Passion,*** *plage des tamarins. ☎ 04-68-82-17-79. • chez.com/scubapass • Avr-oct.* Baptêmes, stages... gloub !

BANYULS-SUR-MER

(66650) 4 530 hab.

Terre des vignobles qui portent son nom, station balnéaire et patrie du sculpteur Aristide Maillol, Banyuls est également une agréable petite ville aux belles allées de palmiers et de platanes. Un important port de plaisance anime sa jolie baie, et les stands de dégustation proposent de remarquables vins. Bref, un endroit tout à fait charmant.

LES SIRÈNES DE LA RENOMMÉE

Maillol naît en 1861 sur la Méditerranée, à Banyuls. De la peinture aux céramiques, de ses multiples talents, le plus réussi est sans conteste la sculpture. Ses œuvres, universelles se retrouvent même aux Tuileries, à Paris. Femmes rondes et dévêtues. Celle de Banyuls, qui sait, sa muse ? Et puis, en 1944, Maillol fait comme Jacques, dans Le Grand Bleu*... il rejoint ses sirènes. Et repose désormais dans le jardin de sa métairie. Sous une de ses œuvres, « La Méditerranée »...*

Adresse et info utiles

Office de tourisme : *sur la plage, presque face à l'hôtel de ville. ☎ 04-68-88-31-58. • banyuls-sur-mer.com • Juil-août, tlj 8h30-20h (22h sam). Mai-juin et sept-oct, tlj sf dim 9h-12h, 14h-19h. Le reste de l'année, tlj sf dim 9h-12h, 14h30-18h. Fermé certains j. fériés. L'office organise en juil-août, sam, une randonnée pédestre avec un guide-conteur de la nature, au cœur du* *vignoble sur un ancien chemin des muletiers. Tarif : 10 € ; gratuit moins de 12 ans.* Bon accueil.

Gare SNCF : ☎ *36-35 (0,34 €/mn).*

Où dormir ? Où manger ?

Camping

Camping municipal La Pinède : *route des Crêtes, av. Guy-Malé.* ☎ *04-68-88-32-13.* • *camping.banyuls@wanadoo.fr* • *À 1,5 km du centre, non loin de la cave des Templiers. Ouv avr-nov. Compter 12,50 € en hte saison pour 2. Mobile home 495 €/sem.* Site calme et agréable à l'écart du centre. Les campeurs en tente apprécieront la pinède en haut du terrain *(ouv slt de mi-juin à mi-sept et interdite aux enfants).* Un bon rapport qualité-prix sur la côte.

De prix moyens à beaucoup plus chic

Hôtel El Llagut-restaurant Al Fanal : *18, av. du Fontaulé.* ☎ *04-68-88-00-81.* • *alfanal@wanadoo.fr* • *al-fanal.com* • *Wi-fi. Fermé 2 sem en déc et 3 sem en fév. Doubles 60-70 € selon vue (moins cher nov-mars). Menus 25-40 €.* Hôtel sympa et propre, dont le resto et le 1er étage ont été entièrement rénovés. Chambres avec TV, minibar, certaines avec AC et/ou vue sur la mer. Celles avec « vue jardin », se contentent d'un seul arbre dans une minicour... Design au second. Au 1er étage, décor blanc et bleu comme... la mer qu'on voit danser le long du golfe... Cuisine locale savoureuse à base de fruits de mer et de poisson et spécialité de veau rosé de Catalogne, servie l'été sur la jolie terrasse en caillebotis de l'autre côté de la route.

Hôtel Les Elmes et Restaurant La Littorine : *plage des Elmes.* ☎ *04-68-88-53-03.* • *info@hotel-des-elmes.com* • *perso.wanadoo.fr/hotel.des.elmes/* • *À 1,2 km du centre, au bord de la route vers Port-Vendres. Tlj sf dim soir, lun-mar midi hors saison. Congés : de mi-nov à mi-déc. Doubles 48-112 € selon équipement, situation et saison. Menus 29,50-43 €.* Chambres claires à la déco plutôt zen (look design très réussi au 3e étage). Les plus sympas donnent *of course* sur la mer. Réserver. Le lieu vaut aussi pour sa table réputée, face à la grande bleue. Un des meilleurs restos de la côte, très axé sur le poisson avec un chef formé au Portugal. Carte des vins locaux à découvrir : la femme du patron est œnologue. Piscine et plage à 10 m.

À voir. À faire

Le haut Banyuls : *plusieurs rampes y mènent de l'avenue de la République.* On se promène avec entrain dans ce vieux quartier en escaliers, aux maisons bariolées.

L'aquarium de l'Observatoire océanographique : *av. du Fontaulé.* ☎ *04-68-88-73-39. Tte l'année, tlj 9h-12h, 14h-18h30 ; juil-août, 9h-13h, 14h-21h. Entrée : 4,40 € adulte ; 2,20 € enfant.* Créé il y a plus d'un siècle (ça se voit un peu...), c'est un des plus anciens de France. On y admire, baba, 40 bassins où glougloutent faune et flore marines locales : poulpes, tortues, murènes, mérous, beaux cérianthes (anémones), corail rouge, spirographes, etc. Un bassin tactile permet même de les toucher du doigt. Par ailleurs, belle collection de 250 oiseaux naturalisés.

En sortant de l'aquarium, une jetée mène à un ***promontoire*** rocheux cerné par les eaux. Au sommet, beau monument en bronze du sculpteur Maillol. Vue superbe sur le port, la ville et les montagnes et murmure envoûtant des vagues...

La métairie de Maillol : *vallée de la Roume, à env 4 km du centre, dans les collines (bien indiqué).* ☎ *04-68-88-57-11. 1er oct- 30 avr, tlj 10h-12h, 14h-17h ; le* *reste de l'année, 10h-12h, 16h-19h. Fermé j. fériés. Entrée : 3,50 € ; réduc ; 3 € sur présentation de ce guide.* Musée Aristide-Maillol dans la métairie, avec une trentaine d'œuvres, petites par la taille mais grandes par la qualité. On y visite aussi la salle à manger et la cuisine de l'artiste. Une belle cuisine, ça oui ! Sûr qu'il devait avoir un bon coup de fourchette...

Les caves *(visite et dégustation)* **:** eh non ! Le banyuls n'est pas un vin cuit (genre porto) mais un vin doux naturel auquel on ajoute de l'eau-de-vie de vin en cours de fermentation. Quatre communes de la côte ont droit à l'étiquette banyuls AOC : Collioure, Port-Vendres, Cerbère et bien sûr Banyuls-sur-Mer. Ce qui en fait l'une des plus petites AOC de France ! Les vignes sont cultivées en terrasses et tout est encore fait main, sans aucune mécanisation possible. L'originalité et le succès de ce vin sont dus aux méthodes traditionnelles de vinification remontant aux Templiers (bon, ça, c'est pas prouvé, vu que l'ajout d'alcool a été inventé au XVIe siècle).

■ ***Cellier des Templiers :*** *route du Mas-Reig.* ☎ *04-68-98-36-92.* • *banyuls.com* • *Grande Cave, route du Mas-Reig (D 86), à 2 km du centre par l'avenue du Général-de-Gaulle ; vieille cave souterraine du Mas-Reig, un peu plus haut. Ouv tlj ; pour la Grande Cave, 1er avr-30 oct 10h-19h30, nov-mars 10h-13h, 14h30-18h30 ; pour la cave souterraine, juin-sept 10h-19h30. Visite et dégustation gratuites sur les deux sites.* La plus grosse coopérative des AOC banyuls : près de 80 % des viticulteurs y adhèrent. La Grande Cave est intéressante pour ses foudres centenaires (tonneaux géants) et la projection d'un film de 10 mn sur l'histoire du banyuls (commenté par Jean-Pierre Coffe). La vieille cave souterraine est superbe, avec ses voûtes du XIIIe siècle.

■ ***Coopérative de l'Étoile :*** *av. du Puig-del-Mas.* ☎ *04-68-88-00-10. Juil-août, visite lun-sam 8h-12h30, 14h-19h ; dim 10h-13h, 15h-19h. Le reste de l'année, visite lun-ven 8h-12h, 14h-18h. Visite gratuite de 15 mn, avec dégustation à la clé.* De chaleureux viticulteurs passionnés par leur métier. À voir, dans un décor de vieille usine-entrepôt, de beaux pressoirs, d'anciens foudres et un alignement de bonbonnes en verre où le vin fait un bain de soleil. Vieux vins épicés de la maison, absolument divins... un succès foule...

■ ***Domaine du Traginer :*** *16, av. du Puig-del-Mas.* ☎ *04-68-88-00-68. Avr-oct, 10h-13h, 15h-19h sf dim. Visite du domaine sur résa (☎ 04-68-88-15-11).* Héritier de la tradition viticole familiale, Jean-François Deu s'est converti au bio en 1997. À tel point que sur les coteaux il ne conduit plus un tracteur mais son mulet, redevenant ainsi le *traginer* (muletier)...

Vente de produits locaux : *vinaigre de Banyuls, La Guinelle d'en-bas, Hameau de Cosprons.* ☎ *04-68-98-01-76. À env 5 km du centre, par la N 114 vers Port-Vendres puis la D 86A à gauche vers Cosprons. De mai à mi-sept, visite tlj sf dim 9h-12h, 15h-19h ; de mi-sept à avr, slt le mat.* Très beau domaine au cœur des collines. Vente et dégustation de vinaigres artisanaux.

➢ ***Le GR 10 :*** démarre ici. Beaucoup de randonneurs en juillet et août.

➢ ***Kayak de mer :*** *Aléoutes Kayak Mer, Port de Banyuls, quais C-D.* ☎ *et fax : 04-68-88-34-25.* Sorties demi-journée, journée ou plus, encadrées, pour découvrir les secrets de cette côte rocheuse.

SARDANES EN BOÎTES DE NUIT ?

Danse venant de la Grèce antique ? Deux pas courts, deux longs, deux courts... Elle se tricote et se détricote en cercles, main dans la main, vigatanes (espadrilles) aux pieds, cobla (fanfare traditionnelle) à l'oreille. Plus qu'un rite sorti des placards pour flatter le touriste, la sardane se danse en famille, rondes d'enfants au centre, adultes autour. Elle convie de grands artistes à sa louange : à la musique Casals, au chant Trenet ou Brassens, au pinceau Picasso. Une tradition qui aura sautillé par-dessus siècles et Pyrénées.

Manifestations

– ***Fête de l'Orange :*** *en janv.*
– ***Semaine Catalane :*** *début juil.* Sardanes, chansons catalanes, défilés...
– ***Fest de Sardanes :*** *le 2ᵉ w-e d'août.*
– ***Fête des Vendanges :*** *le 2ᵉ w-e d'oct.* Arrivée de la vendange par la mer en barques catalanes.

DE BANYULS À CERBÈRE PAR LA CÔTE ROCHEUSE

Une route en lacet, splendide. Quelques kilomètres après Banyuls, le belvédère du *cap Réderis,* avec sa table d'orientation, offre un panorama exceptionnel : au nord, la côte du Roussillon et les Corbières, au sud, la Costa Brava espagnole. Le tout, bien sûr, dans un paysage confondant ciel et mer... En contrebas, de sauvages petites criques creusées dans la roche. En continuant, la route descend en d'impressionnants virages cernés de ravins, dans un décor de vignes, de roche schisteuse et de calanques.

CERBÈRE

(66290) 1 500 hab.

Cerbère est un petit village bien loti (même très loti) situé à 4 km de la frontière espagnole, connu pour ses plages de galets, ses petites criques et sa gare frontière (verrière et remblai de brique rouge sont des œuvres d'Eiffel). Pas le coup de cœur, mais on y passe lorsqu'on se rend sur la Costa Brava par la Côte Vermeille.

Adresses utiles

Office de tourisme : *av. du Général-de-Gaulle (sur le front de mer). ☎ 04-68-88-42-36. Juil-août, lun-sam 10h-12h, 15h-18h, dim 10h-12h ; le reste de l'année, 10h-12h, 14h-16h.*

Gare internationale : *à 10 mn de la plage et du centre-ville. ☎ 36-35 (0,34 €/mn).* Une gare de moins en moins internationale : quelques liaisons avec Paris, la Suisse et l'Italie.

Où dormir ? Où manger ?

De bon marché à prix moyens

Hébergement chez l'habitant : pas de coup de cœur, deux adresses qui présentent quand même l'inconvénient d'imposer un minimum d'une semaine en été ! Mais plutôt que de dormir sur la plage (désormais interdit)... ***Le Clos d'Embarselo :*** *2, rue de l'Église. ☎ 04-68-88-41-16. Doubles 38 € sans petit déj. Ou* ***Chez Vous Chez Nous :*** *2, rue Ducros. ☎ 04-68-88-11-65. Proche de la gare. Doubles 35-45 € avec petit déj.*

Hôtel La Vigie : *3, route d'Espagne. ☎ 04-68-88-41-84. Fax : 04-68-88-48-87. Sur la gauche en sortant de Cerbère, vers la frontière. Doubles 39-56 € selon saison.* Vaisseau des années 1960 suspendu dans le temps et au-dessus des flots. Chambres basiques, pas exemplaires question entretien, confort daté mais prix bien actuels. Son principal (unique ?) atout, c'est la vue sur la mer depuis chaque chambre et la salle de petit déj.

Restaurant La Plage : *front de mer. ☎ 04-68-88-40-03. ♿ Fermé mar soir et mer sf en été, et de Noël à fin fév.*

Menus 17,50-27 €. Apéritif offert sur présentation de ce guide. Spécialités régionales plutôt bien tournées, qu'on peut déguster en terrasse, malheureusement proche de la route. Paella, *arroz vegre, zarzuela, fideauda,* poisson grillé... Accueil plutôt détendu.

À voir

Demander à l'office de tourisme à visiter l'***hôtel Le Belvédère du Rayon Vert,*** une curiosité de Cerbère (gratuit). ☎ 04-68-88-41-54 (concierge). Ne pas se laisser impressionner par le béton : l'architecture de ce bâtiment, dont la construction démarra en 1925, est assez exceptionnelle. Sa forme rappelle celle d'un paquebot. À l'intérieur, des salles de réception, de cinéma, et même de spectacle (accessible par un escalier original en colimaçon). L'hôtel, désormais classé, doit faire l'objet d'une restauration. Il est aujourd'hui divisé en appartements à louer.

Le phare solaire : au cap Cerbère. Panorama sur le cap de Creus et le cap Béar.

À faire

– ***Centre de plongée Cap Cerbère :*** *route d'Espagne.* ☎ *04-68-88-41-00.* ● *capcerbere.com* ● La réserve marine entre Banyuls et Cerbère est paradisiaque.

– ***Sentier sous-marin :*** *plage de Peyrefite, entre le cap Réderis et le cap Peyrefite.* ☎ *04-68-88-56-87.* Un parcours sous-marin avec des panneaux décrivant la faune et la flore, et des bornes émettrices dont on entend le commentaire grâce à un tuba spécial qu'on loue sur place (location seulement en juillet-août). Une initiative unique et, par conséquent, originale ! Sentier d'accès libre pour qui est déjà équipé.

➢ ***Randonnée :*** dans la vallée des Cerfs. Dolmens.

LES ALBÈRES

D'Argelès au Boulou, bel itinéraire pour découvrir la chaîne des Albères, contreforts des Pyrénées, avec ses paysages pleins de couleurs et de charme. Des garrigues parsemées de cistes et brûlées par le soleil dans la partie côtière. Une végétation plus dense et fraîche de châtaigniers et de forêts verdoyantes quand on pénètre dans les terres. Le tout agrémenté çà et là de tours, de fortins et d'églises romanes. On y traverse des villages forts en caractère, authentiques et agréables à vivre, à l'écart de la côte surpeuplée, presque seul pour profiter de cette nature gorgée de surprises et prétexte à de belles balades. Répétition générale avant de se lancer à l'assaut du Canigou !

SAINT-ANDRÉ-DE-SORÈDE (66690) 2 700 hab.

À deux pas d'Argelès-sur-Mer, un village typique avec une belle église romane (et ce n'est pas la seule !).

À voir

L'église abbatiale Saint-André : construite entre le Xe et le XIIe siècle, elle se trouve sur l'emplacement d'un monastère carolingien. Jetez un coup d'œil au linteau sculpté du XIe siècle au-dessus du portail. À l'intérieur, une table d'autel à lobes très rare (il en existe 4 autres dans le département et une vingtaine en France) et un bénitier en marbre sculpté du XIe siècle.

Juste à côté, ***la Maison transfrontalière d'art roman :*** *☎ 04-68-89-04-85. • saint-andre66.fr • De mi-juin à mi-sept, mar-dim 10h-12h, 14h30-19h ; sinon, mar-sam 10h-12h, 14h-18h. Entrée : 2 €. Personnel très compétent.* Elle présente, dans un cadre ludique et interactif, l'histoire de l'ancienne abbaye bénédictine de Saint-André et l'art roman des Albères. À l'étage, neuf moulages des chapiteaux de l'ancien cloître du XIIe siècle.

SORÈDE

(66690) 3 200 hab.

À 3 km de Saint-André, par la D 11. Village agréable, renommé durant tout le XIXe siècle pour ses micocouliers servant à la fabrication de la cravache et du fouet dit « de Perpignan ».

Adresse utile

Office de tourisme : *à côté de la mairie. ☎ 04-68-89-31-17. • ot-sorede.com • Juil-août, tlj 9h-12h30, 16h-18h30 ; reste de l'année, le lun-ven 9h-12h, 14h-17h.*

Où dormir ? Où manger à Sorède et dans les environs ?

La Salamandre : *3, route de Laroque. ☎ 04-68-89-26-67. Fermé lun-mar et mer midi en saison. Hors saison, ouv slt jeu, ven et sam soir ainsi que dim midi. Congés : 1er janv-10 fév. Formule 20 € et menus jusqu'à 38 €.* Salle mistoulinette, mais joliment décorée qui voit passer des plats tout à fait originaux alliant les saveurs de Catalogne et d'ailleurs. Les papilles sont donc à la fête, le porte-monnaie moins...

Café-hôtel Catalan : *pl. de la République, 66740 Laroque-des-Albères. ☎ et fax : 04-68-89-21-06. À 2 km de Sorède. Hors saison, fermé lun et 13h30-17h. Congés : mai. Doubles 30 € avec lavabo et 40 € avec douche (certaines avec w-c sur le palier). Apéritif offert sur présentation de ce guide.* Bistrot de village offrant 15 chambres proprettes et agréables. Ambiance garantie « pays », vieux Catalans qui jouent au « troc ». Et surtout, accueil agréable du patron, fana de son joli village d'adoption. Terrasse.

Crêperie de Lavall : *hameau de Lavall, 66700 Argelès-sur-Mer. ☎ 04-68-89-22-83. ♿ À 7 km au sud-est de Sorède, au bout d'une route étroite. Ouv tlj 1er avr-15 nov. En basse saison, ouv les w-e, j. fériés et vac scol de mars à la Toussaint.* Une très sympathique crêperie du bout du monde, perdue au fond des gorges secrètes de Lavall. Vieux mas de montagne noyé dans la végétation, avec jardin en espalier et tables à tous les niveaux. On peut y glaner quelques infos sur les randos à faire dans les Albères. Un autre univers, à quelques encablures de la côte...

À voir à Sorède et dans les environs

Le Centre d'aide par le travail (CAT) Les Micocouliers : *4, rue des Fabriques. ☎ 04-68-89-04-50. Boutique et visite en sem 8h45-11h45, 13h30-16h30.* Démonstration du savoir-faire des ouvriers-artisans durant tout le mois d'août. Ce CAT, installé dans une fabrique qui date de 1850, perpétue la tradition du fouet en micocoulier (arbre très vivace qui croît dans le Midi), qui remonte au XIIIe siècle. Des fouets et cravaches réputés pour leur flexibilité et leur longue durée. Ces personnes handicapées font un travail remarquable de minutie. *Hermès* et la garde républicaine sont clients, tout comme les dompteurs de cirque. La fabrique est la seule en Europe à travailler la matière naturelle.

Le musée de l'Olivette : *dans Sorède (fléché). ☎ 04-68-89-12-47. Juil-août, tlj sf lun 15h-18h ; hors saison, sur rendez-vous. Entrée : 4 € adulte ; 3 € enfant ; réduc de 0,50 € sur présentation de ce guide.* Le genre d'endroit qui dépoussière sérieusement le mot « musée », tant la visite de cette *Olivette* est divertissante, vivante, originale. Il faut dire que, original, M. Borsnak l'est. Venu du Nord-Pas-de-Calais, cet ancien mineur et conducteur de train s'est installé ici et, passionné de bricolage, de mécanique et de chemin de fer, a réalisé des maquettes automatisées sur des thèmes variés qu'il commente avec humour (orchestre New Orleans, carrousel, scène champêtre, mine de charbon, passage à niveau, et bientôt une ancienne forge remise en état...). Collectionnant le matériel ferroviaire il a même construit un petit train au 1/3 dans lequel on prend place pour faire le tour de son jardin (100 m de trajet !).

La vallée des Tortues : *lieu-dit la Vallée Heureuse, 2 km au sud de Sorède. ☎ 04-68-95-50-50. • lavalleedestortues.com • Avr-mai et sept, tlj 10h-16h ; oct-mars, 11h-15h (mais slt dim et pdt vac scol de mi-nov à fin mars) ; juin-août, 9h-18h. Entrée : 9 € adulte ; 5 € enfant.* Au cœur d'un grand parc arboré, plus de 35 espèces de tortues terrestres et aquatiques, du monde entier cavalent de partout ! Géante des Seychelles, alligator, méditerranéenne, chacune a son truc pour battre le lièvre... Plusieurs espèces rares et en voie de disparition, à commencer par nos tortues locales, cistude d'Europe et tortue d'Hermann. Le centre se voue à la reproduction dans des enclos adaptés à ces bébêtes pudiques. La visite nécessite du temps (rien ne sert de courir) et de l'attention pour les apercevoir. Surtout par forte chaleur même s'il existe un parcours fraîcheur avec brumisateur !

Le prieuré Santa Maria del Vilars : *66740 Villeneuve-dels-Monts. ☎ 04-68-89-64-61. À 4,5 km à l'ouest de Sorède puis 1,5 km au sud de Villeneuve (bon fléchage). Tlj 15h-18h. Entrée : 4 € adulte ; 2 € enfant.* Voilà un trésor presque caché du haut de ses mille ans. Une chapelle recluse au fond d'une combe, restaurée avec opiniâtreté par une association et habitée par une communauté orthodoxe. Ne ratez pas cette merveille de simplicité avec ses fresques d'origine (XIe) et un beau portail qui a retrouvé la terre de sa jeunesse, racheté au château des Mesnuls.

SAINT-GÉNIS-DES-FONTAINES (66740) 3 000 hab.

Pittoresque village qui mérite impérativement une visite. Ambiance nonchalante de ces coins du Sud où la vie s'écoule tranquillement entre le marché (les mardi et vendredi) et les terrasses de cafés où on se retrouve pour bavasser. C'est peut-être un cliché pour Parisiens, mais gageons que vous ne serez pas déçu. D'autant que l'*église Saint-Michel* et son cloître sont somptueux. Dès le IXe siècle, un monastère fut érigé ici, et il faut absolument le visiter.

À voir

Le cloître, l'église abbatiale et le linteau de Saint-Génis-des-Fontaines : *rue Georges-Clemenceau. ☎ 04-68-89-84-33. • saintgenisdesfontaines.fr • (sf étage). Ouv tlj sf 24 déc ap-m, 25 déc et 1er janv ; oct-mars, 9h30-12h30, 14h-17h (18h avr-juin et sept) ; juil-août, 9h30-12h ; 15h-19h. Entrée : 2 € ; tarifs réduits : 1 € ; réduc de 0,50 € sur présentation de ce guide.* Fondée autour de l'an 800 puis dévastée au IXe siècle, l'abbaye bénédictine de Saint-Génis fut reconstruite au cours des décennies suivantes. Rattachée d'abord à Cluny, puis en 1507 à Montserrat (Espagne). Vendue comme bien national en 1796, elle est démantelée en majeure partie en 1924. On en trouve des morceaux outre-Atlantique : 3 piliers à Philadelphie et une vasque à New York *(Les Cloisters).*
Le cloître a été reconstruit à l'identique du primitif dans les années 1980. Les colonnes, récupérées dans le parc du château des Mesnuls, dans les Yvelines, ont retrouvé leur emplacement initial. Sobriété de l'ensemble et belle polychromie de teintes de marbre (les marbres rose de Villefranche-de-Conflent, noir des Corbières et blanc de Céret), unique en Roussillon. Des teintes qu'on retrouve en l'abbaye de Montserrat. Un déambulatoire supérieur tient lieu de galerie de peinture. Dans l'église, beau retable baroque dédié à saint Génis, martyr du Christ. Le linteau, œuvre monumentale, est connu pour être la première sculpture romane datée (1019-1020). On ne vous parle pas du clocher, recrépi en rose façon lotissement. Paraît que ça se faisait ainsi jadis...

LE BOULOU

(66160) 4 500 hab.

Ville de passage à gros trafic estival et station thermale pour les maladies digestives et artérielles. On y trouve les vestiges d'une tour quadrangulaire (issue du rempart médiéval) et l'église Sainte-Marie, dont le beau portail roman est surmonté d'une frise (peu visible) du Maître de Cabestany, sculpteur du Moyen Âge. L'espace des Arts en présente (entre autres) un moulage.

TRABUCAYRES : ROBINS DES BOIS DE CATALOGNE

Neuf ans seulement. C'est le temps durant lequel les trabucayres ont écumé les collines du sud de la Catalogne du Nord, de 1837 à 1846. Bandits de grands chemins, ils rançonnaient les plus fortunés, diligences de bourgeois ou riches fermiers, armés de courts fusils (les trabucs). Leurs forfaits étaient précédés de pratiques religieuses pour absoudre leurs futurs péchés... Et neuf ans leur ont suffi pour s'attirer la sympathie des populations d'hier, comme de celles d'aujourd'hui. Fusil haut et chapeau bas !

Adresse utile

Office de tourisme : *1, rue du Château. ☎ 04-68-87-50-95. • ot-leboulou.fr • Juil-août, lun-sam 9h-12h30, 14h30-18h30 ; le reste de l'année, lun-ven 9h-12h, 14h-18h, et sam mat.*

Où dormir ? Où manger dans les environs ?

La Tour de Banyuls : *15, rue Sainte-Anne, 66300 Banyuls-dels-Aspres. 06-60-64-51-51. • latourdebanyuls@orange.fr • En plein centre du village. Doubles 55 €.* Sur les écrans, *La Maison aux volets bleus*... Aux décors, Mickaël (il est costumier) et Christophe (il est régisseur). Le lieu, une bâtisse hors d'âge pleine de rebondissements : puits à glace, patio avec palmiers (et hamacs), tour crénelée (d'où le comte de Banyuls surveillait ses ouvriers agricoles). Chambres nominées en catégorie lits à baldaquins, sanitaires en commun et déco irréprochable : *l'africaine* et *l'asiatique* (accents de Tombouctou et de Bollywood garantis). Avec sanitaires privés, *la provençale* (façon Manon, ça coule de source). *The winner is :* un accueil jeune, une foultitude de détails soignés, l'originalité. Prix spécial du jury à la pièce de vie façon *Victor la brocante...*

Domaine de Nidolères : *66300 Banyuls-dels-Aspres. ☎ 04-68-83-15-14. À 4 km au nord du Boulou, par la D 900 (N 9). Juste avt l'intersection de la D 40a vers Banyuls-dels-Aspres, prendre la petite route à droite, qui franchit la voie ferrée. Ensuite, c'est à 200 m. Tlj en saison, sf lun et mar midi. Hors saison, ouv jeu midi-dim soir. Menu découverte 30 € vin compris et menu avec dégustation de différents* rivesaltes *43 €.* La bonne petite auberge au milieu du vignoble, tenue par des producteurs-restaurateurs. Grande et belle terrasse couverte et fauteuils en rotin, avec vue imprenable sur les vignes et le massif des Albères. Cuisine et vins de très haute tenue ! Le lapin rôti arrosé d'un rouge du domaine est un moment d'anthologie. En plus, vu la taille des plats, le plaisir dure longtemps... tant mieux, vu aussi le prix.

Hostal dels Trabucayres : *Las Illas. ☎ et fax : 04-68-83-07-56. À 16 km du Boulou, au bout de la D 13. Doubles 30 €. Menus 14,50-26 €.* Voilà longtemps que les *trabucayres,* voleurs de grands chemins, ont quitté les lieux. D'ailleurs, pour venir ici pas de grands chemins, que des petits... très petits ! Qui mènent à la vaste salle de cette auberge magnifique de rusticité : pilier massif central, poutres pyrénéennes, cheminée, vieux cuivres... et tout, et tout. Sur la table, tous les menus sont accompagnés de vin, le second d'entre eux propose un tournedos généreusement couronné de morilles. Les autres plats sont à l'avenant. Loin de tout mais vaut le déplacement. Pour ceux qui veulent rester sur place, chambres simples bon marché.

➤ DANS LES ENVIRONS DU BOULOU

L'église Saint-Martin-de-Fenollar : *entre Le Boulou et Maureillas. ☎ 04-68-87-73-82. 15 juin-15 sept, tlj 10h30-12h, 15h30-19h ; le reste de l'année, tlj sf mar 14h-17h. Entrée : 3 € ; 1 € pour les enfants.* Édifice du XIIe siècle avec un chœur décoré de peintures murales régionales, notamment un *Christ en majesté* dans une mandorle entouré des quatre évangélistes, des scènes de l'Annonciation, et de la Nativité où Jésus est couché sur un autel.

MAUREILLAS-LAS-ILLAS (66480)

À 4 km au sud-ouest du Boulou.

Le musée du Liège : *av. du Maréchal-Joffre. ☎ 04-68-83-15-41. 15 sept-15 juin, tlj 10h30-12h, 15h30-19h ; le reste de l'année tlj sf mar 14h-17h. Entrée : 3 € adulte ; 1 € enfant.* Tout ce que vous vouliez savoir sans oser le demander : chêne-liège, traitement du liège, travail à la main du bouchon, en machines, etc. Vidéos et matériel. Sculptures et boutique d'objets du même bois. On peut même y voir le plus grand bouchon du monde, répertorié dans le livre des records !

LE PERTHUS

(66480) 626 hab.

Une ville-frontière sans intérêt majeur. D'ailleurs il n'y a même plus de frontière ! Longue rue vers l'Espagne avec succession ininterrompue de supermarchés détaxés.

Où dormir ? Où manger au Perthus et dans les environs ?

Hôtel-restaurant Chez Grand-Mère : *au centre du village, le long de la nationale. ☎ 04-68-83-60-96. • pada ca@wanadoo.fr • Fermé lun hors saison, ouv tlj avr-fin sept. Congés : de mi-déc à fin mars. Six doubles avec lavabo ou douche 37,50-39,50 € ; ½ pens demandée en juil-août, 43,50 €/pers. Menus midi en sem 9-28 €.* Un bar-hôtel-restaurant où on trouve une honnête cuisine régionale, qui conviendra aux jeunes routards à petit budget en partance pour l'Espagne (sf en été où le couvert est imposé).

Gîte d'étape Chalet de l'Albère : *col de l'Ouillat, 66480 Saint-Jean-d'Albère. ☎ 04-68-83-62-20. À 12 km à l'ouest du Perthus, route du Col-de-l'Ouillat. Nuitée 16 €. À la carte, 22 € (le soir sur résa). Digestif offert sur présentation de ce guide.* À la fois café-resto et gîte d'étape pour randonneurs, ce chalet, situé au milieu de la forêt, offre un point de vue exceptionnel sur les cols d'Espagne, le fort de Bellegarde et les massifs des Albères. Pour le gîte, il y a un dortoir (17-18 personnes) avec douche, et 4 cabines de 2 à 4 places avec w-c et douche à l'extérieur. C'est simple mais propre. Très jolie route d'accès à travers les châtaigniers. Au passage du col, on lève les bras et... *« Allez l'Ouillat ».*

À voir

Le fort de Bellegarde : *1er juin-30 sept, tlj 9h-18h ; le reste de l'année, s'adresser à la mairie : ☎ 04-68-83-60-15. Entrée : 3 €.* Forteresse du XVIIe siècle, construite par Vauban, elle fut prise et reprise, malgré sa position géographique, à chaque guerre entre les rois de France et d'Espagne. Couvrant 14 ha, 1 000 personnes pouvaient y vivre pendant un an sans en sortir grâce à l'engrangement du blé dans une suite de caves voûtées. et à un puits du XVIIe siècle profond de 62 m (l'un des plus grands d'Europe). La forteresse accueillit des fortes têtes au début du XXe siècle, puis des républicains espagnols fuyant après la guerre civile et enfin des Allemands pendant la Seconde Guerre mondiale. Aujourd'hui, certaines salles accueillent les vestiges des fouilles archéologiques du site romain et médiéval de Panissars, 1 km en contrebas (via Domitia, trophée de Pompée et prieuré Sainte-Marie-de-Panissars). De sa terrasse panoramique, on plonge sur l'Espagne et la pyramide de Ricardo Bofill, symbole de l'union des deux Catalognes. Pour l'anecdote, *La Scoumoune,* avec Claudia Cardinale et Jean-Paul Belmondo, ainsi que *L'Évadé,* avec Charles Bronson, y furent tournés.
En contrebas, à moins de 1 km, à voir aussi un cimetière militaire du XVIIe siècle (tombes plus récentes), dominé par une originale tour fortifiée.

Le village des Cluses Hautes : *à 5 km au nord du Boulou par la D 900 (N 9).* L'ancienne via Domitia passe ici, coincée entre l'autoroute, l'ex-N 9 et le futur TGV. Cela explique quelques vestiges intéressants. Deux forts romains aux environs. Un *portinium,* ancien péage romain (déjà !) à droite en entrant dans le hameau. Puis la petite église romane Saint-Nazaire du XIIe siècle, qui renferme encore quelques jolis trésors entièrement classés. *Pour visiter l'intérieur, demander à la mairie (lun ap-m, mar et ven tte la journée, jeu et sam mat).*

LE VALLESPIR

Belle vallée aux versants boisés où s'écoule le Tech, descendant des sommets pyrénéens pour se jeter dans la mer. Région la plus méridionale de

France, le Vallespir connaît des paysages variés : plaine à 100 m d'altitude, puis pâturages et forêts majestueuses de hêtres, de chênes et de châtaigniers au fur et à mesure que l'on remonte vers la source du fleuve, jusqu'à 2 500 m.
Mais ce sont ses habitants qui donnent son intérêt à cette vallée : ces Catalans pure souche conservent leurs traditions et leur authenticité, comme à Céret la paisible et à Arles-sur-Tech la pieuse, où sardane et fête de l'Ours continuent d'animer les placettes ombragées...

Comment y aller ?

➢ ***En car :*** *avec les Courriers Catalans, ☎ 04-68-55-68-00, et la compagnie Vaills, ☎ 04-68-39-11-96. • cg66.fr/institution/transport/ •* Ligne Perpignan-Coustouges via Céret (12 bus/j.), Amélie et Arles (6 bus/j.), Coustouges (3 bus/j.). Moins fréquent le w-e.
➢ ***En voiture :*** de Perpignan, autoroute A 9-E 15 ou D 900 (N 9) direction Barcelone et sortir au Boulou (21 km) ; puis D 115 jusque Prats.

CÉRET

(66400) 9 100 hab.

Cœur et capitale du Vallespir, sous-préfecture de quelque 7 550 âmes, Céret est une paisible cité catalane. Céret avait tout pour séduire les artistes du début du XXe siècle avec son boulevard de platanes, constamment animé, son pont du Diable plein de légendes, ses corridas, ses danses, ses accueillants Cérétans, ses 310 jours d'ensoleillement par an et ses cerises gorgées de sucre rouge.

LE BARBIZON CATALAN
Picasso le premier est tombé amoureux de Céret. À deux pas de l'Espagne dont il est exilé (régime franquiste oblige), il fait aimer cette petite cité à tous ses amis artistes. Incroyable panthéon, largement exposé au musée d'Art moderne étonnamment fourni : Cocteau, Herbin, Chagall, Marquet, Matisse, Maillol, Hugué... On sent d'ailleurs encore leur présence sous les platanes, dans les cafés, aux festivités locales, qu'ils ont croqués, peints, dessinés. Un Barbizon... en plus ensoleillé !

Adresse et info utiles

ℹ ***Office de tourisme :*** *1, av. Clemenceau. ☎ 04-68-87-00-53. • ot-ceret.fr • Dans le centre. En juil-août, lun-sam 9h-12h30, 14h-19h, dim 10h-13h ; le reste de l'année, lun-ven 10h-12h, 14h-17h, sam 9h30-12h30.*

– ***Marché :*** *sam mat.* Vraiment sympa : produits régionaux (fromages, anchois, huîtres, pâtisseries, jambon et miel du pays), plats à emporter (paella, poulets rôtis...), artisanat, etc. *Mai-sept,* ***marché du terroir*** *mer mat.*

Où dormir ? Où manger ?

Camping

⛺ ***Camping du Bosquet de Nogarède :*** *36, av. d'Espagne. ☎ 04-68-87-26-72. ♿ À la sortie de Céret, en direction de Maureillas-las-Illas par la D 618. Ouv avr-oct. Compter 11,10 € en hte saison.* Dans un joli parc traversé par un ruisseau (chouette !) mais aussi (moins chouette !) par la route. Préférer les emplacements sous les chênes-lièges, dans la partie située au bord de l'eau.

Prix moyens

Hôtel-restaurant Vidal : *4, pl. Soutine. ☎ 04-68-87-00-85. • bisbe@club-internet.fr • hotelvidalceret.com • Dans le centre, entre la mairie et la place Picasso. Ouv slt le soir, tlj sf mar-mer. Ouv midi et soir dim. Congés : fin nov-début déc, 15 j. en fév et 1 sem en juin. Doubles avec bains 40 €. Menu 28 €.* Ancienne résidence épiscopale datant de 1735, classée Monument historique. Un charme fou avec sa belle façade ouvragée. Chambres assez spacieuses et de bon confort, presque toutes rénovées, avec beaucoup de goût. Les proprios sont du village, dont ils connaissent bien les secrets. Au rez-de-chaussée, bistrot catalan avec des petits plats à partir de 3,50 €. Également un restaurant catalan pour faire bombance dans la salle à manger de l'évêque aux tomettes bien brillantes ou en terrasse.

Hôtel des Arcades : *1, pl. Picasso. ☎ 04-68-87-12-30. • hotelarcades.ceret@wanadoo.fr • hotel-arcades-ceret.com • Ouv tte l'année. Doubles 42-57 € selon confort et saison.* Passé une façade d'allure moderne qui ne paie vraiment pas de mine, la trentaine de chambres surprend agréablement. Grandes, fonctionnelles et confortables, elles ont été rafraîchies, sont bien entretenues et disposent d'un mobilier récent. Le hall et la salle du petit déj rendent hommage, à travers photos et reproductions, aux artistes qui ont fait la réputation de Céret. D'ailleurs, certains fréquentaient autrefois le bar *Le Pablo,* situé au pied de l'hôtel (éviter peut-être les chambres situées juste au-dessus).

Où dormir ? Où manger dans les environs ?

Camping

Al Comu : *route de Fourques. ☎ 04-68-39-42-08. • alcomu@wanadoo.fr • Par la D 615, un peu avt le village, à droite en venant du nord. Ouv avr-oct. Compter 12,55 € en hte saison. CB refusées.* Un agréable petit camping comme on les aime, à l'écart des grands axes. Les emplacements sous les chênes-lièges sont vraiment vastes. Belle vue côté Méditerranée, belle vue côté Pyrénées et adorable côté accueil.

De prix moyens à plus chic

L'Hostalet de Vives : *rue de la Mairie, 66490 Vivès. ☎ 04-68-83-05-52. • hostalet-vives.com • À 8 km de Céret par la D 115, puis la D 13. Fermé janv-fév, mer tte l'année et mar hors saison. Trois doubles et deux studios, très confortables, 55-100 € selon saison et confort. Menus midi en sem 20-29 €.* L'auberge catalane dans toute sa splendeur. Parfois bruyante le w-e, avec ses groupes en goguette et sa musique à tue-tête, mais bon, c'est le Sud. Cuisine typique : escargots à la catalane, *boles de picoulat...* et exceptionnelle charcuterie. Tous les ans, en novembre, le patron organise la fête de l'*Ollada,* pot-au-feu catalan à base de porc (LA grande spécialité). Et, croyez-nous, ça vaut le coup !

Le Chat Qui Rit : *La cabanasse de Reynes, 66400 Céret. ☎ 04-68-87-02-22. À 2 km de Céret, direction Amélie-les-Bains. Fermé lun tte l'année et dim soir sept-juin. Formule midi en sem 14 € avec ¼ de vin et menus 22-33 €.* Méou est donc ce chat qui rit ? Au bord de la route, dans un resto chaleureux (fastoche), sur les murs, dans les vitrines, et même au bord de l'assiette. Il se marre et vous observe vous régaler du buffet copieux et frais (pas moins de 30 entrées et autant de desserts). Ogres bienvenus ! Et si vous êtes allergique à la pléthore de chats pitres qui peuplent la salle, reste la petite terrasse bien agréable quoique proche de la route.

Beaucoup plus chic

Le Mas Trilles : *66400 Le Pont-de-Reynès. ☎ 04-68-87-38-37. • mastrilles@free.fr • le-mas-trilles.com • À 3 km de Céret, direction Amélie-les-Bains. Ouv Pâques-9 oct. Doubles 110-231 € selon confort et saison, petit déj compris. Remise de 10 % sur le prix de la chambre (sf de mi-juin à mi-sept), sur présentation de ce guide.* Bar et petite restauration sur demande. Un immense mas catalan du XVIIe siècle superbement restauré. Dix chambres, toutes personnalisées ! Certaines ont une terrasse privative. Meubles d'antiquaire, tissus coordonnés, salons cossus... Confort sans faille et décoration classique de bon goût. Le mas surplombe la rivière Tech qui distille un fond sonore apaisant. Le jardin en terrasse habille le versant du ravin et une piscine chauffée trône au centre d'une pelouse impeccable. Le grand luxe, quoi ! Accueil attentionné et même très chaleureux du maître de céans d'origine hongroise.

À voir

Le musée d'Art Moderne de Céret : *8, bd du Maréchal-Joffre. ☎ 04-68-87-27-76. • musee-ceret.com • Ouv 10h-18h (19h 1er juil-15 sept). Dernière entrée 30 mn avt la fermeture. Fermé mar oct-fin avr. Entrée : 5,50 € (plus cher si expo).* Créé par Pierre Brune, peintre lui-même, installé à Céret depuis 1916. Picasso et ses amis l'ont aidé, séduits par l'idée de ce musée dans un ancien couvent. En 1953, royal, Picasso offre le clou de la collection : 59 pièces (huiles, dessins, lithos) dont 28 coupelles en terre cuite, uniques en leur genre, magnifiques, peintes en 5 jours seulement, représentant des scènes de corrida. et puis, parmi tous ces chefs-d'œuvre, un étonnant *Regard sur Gaudí* par Dalí et *Les Gens du voyage* de Chagall. À côté de cette collection, l'art contemporain n'est pas en reste : Tàpies, Vila, Arman, Ben... De ce dernier, notez l'humour (*Le camembert qui déborde* et *M. France,* œuvres désopilantes). Attention, les œuvres sont souvent prêtées à d'autres musées ; si vous venez pour une en voir en particulier, assurez-vous auparavant qu'elle y soit bien. Fréquentes expos temporaires d'excellente tenue.

Le « Boulevard » : l'artère principale de la ville s'appelle successivement Joffre, Jaurès, La Fayette et place Picasso. Elle épouse la forme des anciens remparts de la ville dont il reste quelques vestiges : la porte de France et celle d'Espagne, du XIVe siècle. Un bien beau boulevard, constamment animé, qui conserve son charme et sa poésie. C'est ici que les artistes se retrouvaient, peignant et discutant sous les platanes ou à la terrasse des cafés. Les peintres sont passés, les platanes sont restés, superbes, certains âgés de 200 ans et plus.

La place des Neuf-Jets : certes, il y a la fontaine du XIVe siècle (à 9 jets) mais on aime surtout l'atmosphère de cette adorable placette. L'essentiel est ici : quelques bancs, trois platanes centenaires, quelques petits commerces et les balcons tout simples des maisons... Sur la couronne de la fontaine, une inscription en latin, en tout petit : « Venez Cérétans, le lion s'est fait coq », allusion à la cession de cette partie de la Catalogne à la France (lion catalan et coq gaulois). D'ailleurs, on a remis le lion à l'endroit, c'est-à-dire tête tournée vers l'Espagne...

L'église Saint-Pierre : *près de la place des Neuf-Jets.* Très mignonne avec son clocher carré du XIIe siècle et son portail gothique. À l'intérieur, joli dôme peint et de beaux retables baroques à colonnes. Celui du chœur (classique) est surmonté par... saint Pierre. Belles orgues et chaire de marbre. L'ancien mécanisme de l'horloge

(7 m de diamètre !) est désormais exposé dans le hall de la mairie : on jurerait une sculpture contemporaine.

Le pont du Diable : *à l'entrée de la ville, en venant de Perpignan.* Trésor et mystère du XIVe siècle, le pont de Céret fut longtemps le seul accès à la ville. Avec son arche de 45 m d'ouverture, il reste un miracle d'architecture. À tel point qu'une légende prétend que le diable lui-même le construisit ! Les ponts précédents ayant coutume de s'effondrer, le diable proposa ses services... contre la première âme qui franchirait le nouveau pont. Acceptant son aide, l'ingénieur chargé des travaux usa de subterfuge et fit passer un chat noir sur le pont. Surpris, le démon en oublia de poser la dernière pierre... elle manque toujours : aucune n'a jamais pu y adhérer ! Pour se venger, le Malin jura de détruire son travail. C'est pourquoi les habitants de Céret édifièrent deux autres ponts à côté... belle histoire, non ? Cela dit, les deux ponts modernes, dont on ne doute pas de l'utilité, gâchent un peu le paysage... Aller admirer le pont du Diable le soir : il est encore plus étrange dans la lumière des lampes artistiquement disposées.

Maison du patrimoine : *pl. Picasso, tour d'Espagne. ☎ 04-68-87-31-59. Musée ouv tlj en juil-août, 10h-13h, 14h-18h ; le reste de l'année, lun-ven 10h-12h, 14h-17h. Fermé en janv. Entrée : 2,50 € (1,50 € sur présentation de ce guide). Juil-août, visites guidées de Céret tlj (5 €).* Cinq petites salles d'expo permanente permettent de suivre l'évolution du Vallespir, de la préhistoire au Moyen Âge. Peu de pièces mais de qualité, notamment les urnes funéraires (nécropole de Céret, âge des métaux). De plus, 3 expos temporaires sont organisées chaque année.

Manifestations

– ***Dimanche de Pâques :*** procession du ressuscité. Bonne occasion d'assister à des sardanes (voire de guincher !).
– ***Fête de la Cerise et festival de bandas*** *(fanfares) : le dernier w-e de mai ou le 1er w-e de juin.*
– ***Festival de musique Querencias :*** *fin juin.* Danses et musiques d'outre-Pyrénées (pardon de Catalogne du Sud)...
– ***Céret de Toros :*** *en juil.* Corridas traditionnelles, avec mise à mort *(no comment).* Autrefois, Picasso les présidait en personne... Pendant 3 jours, *abrigado* avec lâcher de taureaux dans les rues.
– ***Festival international de Sardane :*** *le 3e w-e de juil.* Magnifique. Céret s'est fait une spécialité de cette danse catalane typique. Pour l'occasion, des centaines de danseurs forment des rondes blanche et rouge dans les arènes.
– ***Tout l'été : sardanes*** dans les rues, **bals** de quartiers.
– ***Fête de la Saint-Ferréol :*** *un w-e à la mi-sept.* Grande fête en l'honneur de saint Ferréol, patron de Céret. Très beau rassemblement de *puntayres,* les dentellières catalanes !

LE TEMPS DES CERISES

Il est bien beau, le temps des cerises, que dans les vergers l'on cueille en rêvant. Un temps de fête, car c'est le printemps. Et aussi car on dit ici être les premiers en France à profiter de ces juteux fruits rouges (honnis soient ces Chiliens qui inondent les marchés d'hiver !). Alors on le célèbre, ce temps des cerises, sans merle moqueur, mais avec force de symboles : on orne bras et oreilles du Christ en procession à Pâques, on s'invite à la table du président de la République, on fait cracher, dénoyauter les Cérétans en mai en faisant la fête.

➤ DANS LES ENVIRONS DE CÉRET

L'ermitage Saint-Ferréol : *à 4 km au nord de Céret.* Au sommet d'une colline boisée, un bien bel ensemble de style espagnol du XVIIIe siècle. On peut avoir la chance que ce soit ouvert (plutôt vendredi et dimanche après-midi) pour voir l'intérieur (beau retable) sinon on jouit d'une belle vue sur la plaine.

Le pic de Fontfrède : à 12 km au sud, par une route sinueuse, assez difficile mais quelle récompense ! De ses plus de 1 000 m d'altitude, panorama superbe sur le Roussillon et la Méditerranée. Picasso y faisait des pèlerinages pour observer son Espagne natale à la jumelle !

AMÉLIE-LES-BAINS – PALALDA (66110) 3 600 hab.

L'une des premières stations thermales de France. Ses eaux sulfureuses étaient vénérées autant par les hommes préhistoriques que par les Romains, qui édifièrent des thermes. On peut encore voir les vestiges d'une grande piscine voûtée dans les actuels thermes, malheureusement sans charme. En fait, malgré sa situation, son air pur et sa végétation méditerranéenne, la ville n'a pas grand-chose pour elle : toute en longueur, faite de bâtiments béton, peu animée. Asthmatiques et rhumatisants s'y font soigner. Sinon, quelques belles excursions à faire dans les environs et le vieux village de Palalda à visiter.

Adresse utile

***Office de tourisme :** 22, av. du Vallespir. ☎ 04-68-39-01-98. • amelie-les-bains.com • Juil-août, lun-ven 8h30-19h, sam 9h-13h ; le reste de l'année, lun-ven 8h30-12h, 14h-18h, sam 9h-12h.*

Où dormir ? Où manger à Amélie-les-Bains et dans les environs ?

De bon marché à prix moyens

***Auberge de Saint-Marsal :** 66110 Saint-Marsal. ☎ 04-68-39-42-68. • kari.bjorkman@wanadoo.fr • saintmarsal.net • À 20 km au nord d'Amélie-les-Bains, sur la D 618 vers Ille-sur-Têt. Tlj sf lun. Résa souhaitée. Doubles 35-40 € selon confort. Menus 18-23 €. Un petit déj/chambre/nuit, ainsi que 10 % sur le prix de la chambre, oct-fin mars, sur présentation de ce guide.* Une petite auberge gentiment décorée qui propose une cuisine soignée à prix doux à déguster sur la terrasse ombragée. Cuisine catalane et parfois baltique. Normal, les proprios sont... finlandais !

***Au Poivre Vert :** pl. de la République. ☎ 04-68-39-05-45. Fermé dim, mer soir et lun hors saison, slt lun en saison. Congés : de mi-déc à fév. Menus 13,80-24,50 €. Apéritif offert sur présentation de ce guide.* Terrasse agréablement ombragée par des platanes qu'on dit centenaires, où afflue une clientèle de curistes habitués. Le service est rocailleux, le prix correct, même si les spécialités régionales sont essentiellement servies à la carte. Ni le coup de bambou, ni le coup de foudre.

De prix moyens à plus chic

***Castel-Émeraude :** route de la Corniche. ☎ 04-68-39-02-83. • castel.emeraude@wanadoo.fr • lecastelemeraude.com • À 1 km du centre. Traverser le pont direction « Centre sportif ». Fermé de mi-nov à mi-mars. Selon confort et saison, doubles 55-70 €. Menus 15-35 €. Apéritif local offert sur présentation de ce guide.* Un établissement bien situé au bord de la rivière, niché dans un écrin de verdure. Grand bâtiment blanc (50 chambres),

LES PYRÉNÉES-ORIENTALES

flanqué de deux tourelles, ce qui lui donnerait un air de manoir, s'il n'y avait la façade contemporaine. Couloirs tristounets mais chambres de bon confort, modernes (TV câblée) avec des balcons. Les quatre entre les tourelles sont bien agréables (deux avec terrasse). Au restaurant, personnel aux petits soins et savoureuse cuisine traditionnelle. Accueil très sympathique d'une équipe gérée par un tranquille patron passionné de pétanque.

Hôtel Le Lion d'Or : *3, carrer del Pardal. ☎ 04-68-39-13-04. • le-lion-dor-amelie@wanadoo.fr • le-lion-dor.fr • ♿. À 1 km du centre sur la route de Céret. Doubles 45-60 € selon saison. Piscine. Remise de 10 % sur présentation de ce guide, sf juin-sept.* Hôtel assez récent, un peu motel dans l'idée, aux chambres standard, bien tenues, à l'isolation perfectible. Au nord, vue sur les collines. Au sud, sur la rue mais grands balcons. Choisissez votre bord.

À voir

Palalda : vieux bourg rattaché à Amélie, sur les hauteurs. Des ruelles charmantes et de vieilles tours de pierre, restes d'un château médiéval. À côté de la mairie, église paroissiale du Xe siècle. Admirer la superbe porte aux étonnantes ferrures. Juste à côté, petit ***musée de la Poste en Roussillon*** *(☎ 04-68-39-34-90 ; ouv 10h-12h, 14h-17h30 – 18h30 mai-oct ; fermé de mi-déc à mi-fév ; entrée : 2,50 € en libre, 3,50 € en guidée).* Plein de mannequins pas timbrés (postillon, postière, facteur).

On peut descendre au bas du village par la ruelle en escaliers Carrer-del-Bac, très belle avec ses maisons recouvertes de vigne vierge et un beau panorama en toile de fond.

– ***Maison Coll :*** *37, av. De-Gaulle. Fermé dim-lun mat en été (sam ap-m hors saison).* Voilà un des derniers fabricants artisanaux d'espadrilles et autres *vigatanes*. On y croise parfois Gaston Lagaffe et vous pouvez y mirer ou acheter divers modèles avec ou sans talon, aux chauds coloris de Catalogne. La fabrique ne se visite malheureusement pas.

VIGATANES ET ESPADRILLES : M'ENFIN !

La vigatane est comme une espadrille, mais avec des bandelettes de tissus qui s'entrelacent au bas des mollets. Si son origine est incertaine (Vic, dans les environs de Barcelone ?), il est sûr que ce chausson a bien occupé les industries du Vallespir du milieu du XIXe au milieu du XXe siècle. Cent ans où toiles et semelles de corde ont fait trimer usines et ouvriers à domicile. Puis les métiers à tisser se sont tus. Restent quelques fabricants artisanaux dont la descendance est incertaine. Sauf retournement de mode.

ARLES-SUR-TECH

(66150) 2 800 hab.

Comme Céret, Arles-sur-Tech conserve des traditions et un folklore catalans vivaces. Mais la ferveur religieuse y joue un rôle plus important, son abbaye ayant connu une grande renommée au Moyen Âge. Son cloître ravissant est là pour en témoigner, ainsi qu'un étrange sarcophage rempli d'eau, qui garde tout son mystère... Ne pas quitter la ville sans avoir goûté aux *rousquilles*, délicieux gâteaux inventés ici...

Enfin, les randonneurs entraînés s'attaqueront au pic du Canigou par le sud. Compter 12h de marche aller-retour (au départ du refuge de Bater, au bout de la D 43, sur la commune de Corsavy).

LES PYRÉNÉES-ORIENTALES

Adresse et info utiles

Office de tourisme : *la place (derrière l'église abbatiale).* ☎ *04-68-39-11-99.* ● *tourisme-haut-vallespir.com* ● *Ouv tte l'année, 9h-12h, 14h-18h.* Personnel très compétent.
– ***Marché :*** mer.

Où dormir ?

Dommage, on aimerait vous donner plein de tuyaux sur l'hébergement dans cette petite ville sympa. Mais si Amélie la bétonnée en déborde, Arles l'authentique en manque cruellement. Avis aux vocations !

Camping

Camping du Riuferrer : ☎ *04-68-39-11-06.* ● *campingriuferrer@libertysurf.fr* ● *campingduriuferrer.fr* ● *À 600 m du centre, direction Prats-de-Mollo. Ouv fév-nov. Compter 14 € en hte saison. Mobile home 190-300 €/sem. 10 % de réduction (aux adultes) sur présentation de ce guide.* Camping bien tranquille au milieu des arbres. La famille Larreur, très sympa, s'en occupe depuis de nombreuses années. Demandez leur avis aux anciens campeurs (certains ont 37 ans de fidélité !). Piscine et tennis municipaux à deux pas.

Où dormir ? Où manger dans les environs ?

Chambres d'hôtes Case Guillamo : *66230 Serralongue.* ☎ *04-68-39-60-50.* ● *caseguillamo.com* ● *À 23 km d'Arles-sur-Tech par la D 115 et la D 44. À 4 km après Serralongue, tourner à droite (bien signalisé depuis la route). Mauvaise piste. Doubles 80 €, petit déj compris ; ½ pens 65 €, obligatoire en juil-août.* Beau mas de 1839, bien restauré, perdu au creux d'un vallon. Philippe, artiste peintre et artisan habile de ses mains, a effectué avec sa femme un travail tout en finesse. Chambres fraîches et hyper-rustiques, salles de bains grandioses (une occupe d'anciens saloirs derrière la cheminée !). La salle à manger est conviviale et les petits plats soignés. Piscine (avec bassin pour les enfants), forêt de 45 ha, sources, rivière à truites, etc. Quant au mulet un peu cabot, c'est l'ancien partenaire de Depardieu dans *Jean de Florette*.

Chez Françoise : *66150 Corsavy.* ☎ *04-68-39-12-04. À 7 km au nord-ouest d'Arles, par la D 43. Au centre du village. Fermé mer tte l'année et le soir hors juil-août. Congés : de mi-déc à fin janv.* Un resto tout à fait rustique et aimable, avec une belle terrasse ombragée sous un tilleul. Pour accéder à la salle, on passe par l'ancienne épicerie ! Menu unique à 29 €, copieux, avec charcuterie et pâté maison, truite au four, omelette aux cèpes, pintade et dessert, vin compris. Service vif et souriant non pas de... Françoise, mais de Véronique !

Où acheter de délicieuses *rousquilles* ?

Pâtisserie Jean Touron : *placette d'Availl.* ☎ *04-68-39-10-47. Fermé lun.* Serait l'inventeur de la fameuse *rosquilla* (ou *rousquille*), biscuit rond au citron, nappé de sucre glace. Le *touron* (nougat), c'est pas lui...

LES PYRÉNÉES-ORIENTALES

À voir

La vieille ville : *entre la D 115 (qui traverse Arles) et la partie commerçante, plus récente.* Quelques rues sombres et étroites, à l'atmosphère typique. Certaines maisons ont de belles portes voûtées, des fenêtres gothiques ou des balcons en fer forgé.

L'abbaye Sainte-Marie d'Arles : *rue Barjau (c'est fou !). ☎ 04-68-83-90-66. Juil-août, lun-sam 9h-19h ; le reste de l'année, 9h-12h, 14h-18h ; dim début avr-fin oct 14h-17h. Entrée : 3,50 € ; réduc. Visites libres ou guidées. Également des visites contées. Accueil spécial malvoyants.*
C'est l'ancienne abbaye bénédictine fondée par ce sacré, sacré Charlemagne au VIIIe siècle, autour de laquelle le village se développa.
– ***L'église abbatiale :*** se distingue par l'orientation de son abside, vers l'ouest plutôt qu'à l'est comme de tradition. Bel intérieur en pierre massive, voûtes du XIIe siècle, grand orgue superbe du XVIIIe siècle et intéressants témoignages d'art sacré dans les chapelles. Dans la première, à droite, beau retable baroque (éclairage à gauche). Dans l'absidiole à gauche du maître-autel, les fameux *misteris* (représentations du Christ : assis, en croix, au tombeau,...) portés par les pénitents noirs lors de la procession de la Sanch. Dans une chapelle haute au-dessus du portail d'entrée, à l'intérieur, fresques du XIIe siècle. Et notez aussi le pilier creux utilisé antan comme cache à reliques.
– ***Le cloître de l'abbaye :*** d'une finesse rare et très bien conservé, il fut construit à la fin du XIIIe siècle. C'est le premier cloître de style gothique du Roussillon. Les arcades de marbre blanc et de calcaire gris des galeries sont de véritables chefs-d'œuvre. Au centre du petit jardin, une croix de fer forgé originale, « La Creu del Gra » : dans sa tige, prisonnière de liens soudés, une boule de fer que l'on peut faire rouler !
– ***La Sainte Tombe :*** sur le parvis de l'église. Ce sarcophage de marbre blanc vieux de 1 700 ans est une véritable énigme. Il aurait abrité les reliques de saint Abdon et saint Sennen, rapportées à Arles au Xe siècle. L'incroyable est qu'il se remplit tous les ans de plusieurs centaines de litres d'eau, malgré un couvercle bien massif. Certains attribuent même à ces eaux limpides une vertu curative y compris pour les maladies incurables (alors elles sont curables !). Que nenni ! disent les scientifiques, dont Georges Charpak. Ce caisson surélevé, distant du mur, vidé chaque année, profiterait du savant mélange d'infiltration d'eau de pluie (à 90 %) et de condensation de vapeur atmosphérique à travers les interstices du couvercle (pour les 10 % restants). À vous de choisir votre camp !
Au-dessus du sarcophage, une statue funéraire encastrée dans le mur, représentant un seigneur mort au début du XIIIe siècle.

L'église Saint-Sauveur : arbore dans la Grand-Rue son beau clocher carré du XIe siècle. Dedans (très rarement visitable), retables dorés et un amusant bénitier en marbre blanc. Des poissons et une tortue sculptés s'y ébattent.

Les Toiles du Vieux Moulin (tissages catalans) : *rue des Usines. ☎ 04-68-39-10-07. Lun-ven 10h-12h, 14h30-17h30 ; sam 15h30-17h30 juil-août. Fermé nov-mars. Visite gratuite.* Alignement très intéressant de métiers à tisser (dont celui de Coco Chanel *herself* !), maquettes, objets divers accumulés depuis plus de 100 ans. Usine créée vers 1900 pour fabriquer des espadrilles, puis du linge de maison. Les métiers sont désormais silencieux, et les seules tisseuses rescapées sont quelques méticuleuses araignées... Il reste une boutique colorée, bien achalandée, et la gentillesse de la dernière descendante de cette famille.

Manifestations

– ***Fête de l'Ours :*** *le premier w-e de fév, au début du carnaval.*
– ***Procession de la Sanch :*** *le soir du vendredi saint.* À ne pas rater.

LES PYRÉNÉES-ORIENTALES

– ***Foire aux chevreaux et aux fromages :*** *au printemps, le w-e des Rameaux.*
– ***Fête de la Saint-Éloi :*** *fin juin.* Pour l'occasion a lieu la fameuse bénédiction des mulets et des petits pains. Cette amusante cérémonie rend hommage aux braves bêtes qui rendirent tant de services aux montagnards du Vallespir avant l'avènement du moteur ! On décore un mulet de pompons aux couleurs jaune et rouge de la Catalogne et on le charge de panières en osier remplies de petits pains. Puis le prêtre le bénit, sans oublier le muletier... et les pains, vendus après la cérémonie.
– ***Festa Major :*** *fête du village, le 30 juil.* Procession des bustes des saints, offrande de la Rodella (ininterrompue depuis le XVe siècle), etc.
– ***Fêtes médiévales dans la vieille ville :*** *fin août.* Défilés de mendiants, cracheurs de feu, saltimbanques et troubadours...
– ***Rencontres internationales de ferronnerie d'art :*** *fin oct.* Trois jours d'intense « forging ». Unique !

➤ DANS LES ENVIRONS D'ARLES-SUR-TECH

LES GORGES DE LA FOU

À 2 km d'Arles. ☎ 04-68-39-16-21. D 115 en direction de Prats-de-Mollo, puis à droite. Ouv début avr-fin sept, 10h-18h (jusqu'à 18h30 juil-août). Fermé les j. de gros orage. Entrée : 5 € ; réduc. Chèques refusés. Quatre parkings et un chenil gratuit (site interdit aux chiens). Prévoir une petite laine (clim' naturelle !). Curiosité géologique que ce défilé d'environ 2 km de long dont les parois atteignent par endroits 200 m de haut ! Des gorges considérées comme les plus étroites du monde, l'espace entre les parois rocheuses atteignant moins de 1 m à certains endroits... À ne pas rater, donc. La visite se fait sur une passerelle qui surplombe le torrent, des cascades, des marmites. On y trouve une flore luxuriante comprenant plus de 80 sortes de plantes, du micocoulier à la *ramonda myconii,* plante tropicale introuvable en Europe (sauf ici). Le site est sécurisé par des filets (nécessaires, soit, mais qui gâchent le spectacle).

CORSAVY *(66150)*

À 7 km à l'ouest d'Arles, par une très jolie route de montagne (la D 43). Avant d'arriver à ce minuscule village, on aperçoit les ruines de la chapelle romane Sant Marti (XIIe siècle), sur la droite. Malgré d'épais murs en pierre de taille, la voûte s'effondra et l'église fut transformée en réservoir d'eau ! Dans le village, des ruelles étroites et d'intéressantes maisons. À la sortie du bourg, vieille tour de guet endommagée par l'explosion de ses réserves de poudre... En continuant la D 43, on atteint l'ancienne mine de fer de Batère d'où l'on jouit d'un magnifique panorama. Le GR 10, y passe vers le pic du Canigou et on peut y faire étape (gîte : ☎ 04-68-39-12-01).

DUR COMME FER

Voilà longtemps que les sites miniers autour du Canigou ont cessé l'extraction du minerai de fer et d'argent. Pourtant, ici, le fer a la vie dure. Sous l'action des forges locales, il ne rouille pas, dit-on ! À voir les portes d'églises et leurs ferronneries encore intactes après un millénaire, on veut bien se rallier à cette théorie. En tout cas, les Catalans y croient dur comme fer...

MONTFERRER *(66150)*

Après Corsavy, remonter sur la gauche par la D 44. Superbe panorama sur toute la région. À Montferrer, ruines d'une grosse forteresse dynamitée au XVIIe siècle (on aimait bien les explosifs, dans la région !) et très belle église romane. À la mairie, petit musée (☎ 04-68-39-12-44) mêlant philatélie et vie locale : collection thématique sur le général de Gaulle, d'intérêt médiocre (la collection, pas le général !), évocation des trabucayres, bandits de la fin du XIXe siècle qui ont terrorisé la région. Dernière richesse de ce charmant village : les truffes, dont Montferrer est la capitale régionale...

SERRALONGUE (66230)

Entre Arles et Prats-de-Mollo (tourner à gauche une dizaine de kilomètres après Arles). Beau petit village aux maisons colorées. Un chemin en pente mène à l'église romane construite au début du XIe siècle. Superbe porte aux ferrures en spirales. Énorme verrou : remarquer la tête de dragon sculptée. Derrière l'église, un petit escalier grimpe à une butte ornée d'un petit édifice, appelé *conjurador*. Cette structure carrée ouverte sur les côtés était fréquente en Catalogne : c'est d'ici que les prêtres prononçaient leurs formules magiques censées calmer les colères du ciel et conjurer le mauvais sort... En tout cas, la vue sur les montagnes environnantes y est superbe. On respire à merveille dans une tranquillité propice à la méditation.

SAINT-LAURENT-DE-CERDANS (66260)

Ce village du haut Vallespir (3 000 habitants au XIXe siècle, 1 250 aujourd'hui), riche de traditions ouvrières et pastorales, affiche son attachant passé sur les murs des maisons et à l'intérieur des deux dernières fabriques existantes. L'une s'est recyclée dans le linge de maison *(Les Toiles du Soleil).* L'autre est restée totalement fidèle à l'espadrille, comme François Giraud, en haut du village, qui continue la fabrication artisanale. Dire que jadis, une dizaine de fabriques employaient ici un millier de personnes.

Adresse utile

Bureau municipal d'animation et de tourisme : *7, rue Joseph-Nivet. ☎ 04-68-39-50-06. Sur la D 3 en bas du village. Lun-ven 10h-12h, 14h-18h ; le w-e, en été, 10h-12h, 15h-17h.*

À voir

Les Toiles du Soleil : *☎ 04-68-39-33-93 (boutique). De mi-avr à sept, lun-sam 10h-12h, 14h30-19h ; et dim mat. Le reste de l'année, téléphoner.* L'usine est en activité depuis 1873. Au départ, il s'agissait d'une fabrique de toile d'espadrilles qui, de fil en aiguille, s'est orientée vers la confection du linge de maison catalan. Malheureusement, on ne peut plus la visiter, mais il reste la boutique où on peut acheter serviettes, nappes et espadrilles, et on peut toujours espérer entrevoir subrepticement les métiers à tisser.

Le musée des Arts et Traditions populaires : *☎ 04-68-39-55-75. Juste à côté du bureau de tourisme et mêmes horaires. Entrée : 2 € ; réduc.* Outre la reconstitution d'une usine d'espadrilles de 1923 et celle d'une forge de maréchal-ferrant, on y trouve, au 1er étage, des photos sur la vie économique et sociale du village du début du XXe siècle à nos jours. Au 2e étage, l'histoire des coopératives ouvrières et des syndicats de Saint-Laurent et un atelier de bourrelier reconstitué. Salle consacrée à la *retirada,* sombre épisode de l'émigration des réfugiés espagnols en 1939. Également des expos temporaires.

COUSTOUGES (66260)

On rallie ce village frontalier depuis Saint-Laurent-de-Cerdans (D 3). On peut joindre désormais l'Espagne par une route transfrontalière vers Maçanet-de-Cabrens. Coustouges est célèbre dans la région pour sa magnifique église fortifiée du XIIe siècle : clocher impressionnant, toit d'ardoise bleue et portails admirables. L'originalité réside dans le second portail, intérieur, auquel on accède après avoir franchi le premier. Tympan foisonnant de sculptures représentant des végétaux et d'étranges animaux. À l'intérieur, très belle grille en fer forgé fermant le chœur. Dans tout le village, des panneaux explicatifs, historiques et parfois désopilants.

PRATS-DE-MOLLO – LA PRESTE (66230) 1 100 hab.

Nous voici dans le haut Vallespir, peuplé de conifères. Prats, la royale ! car les rois d'Aragon y avaient bâti palais. Alors elle a gardé le titre depuis le XIIe siècle. Cette tranquille ville de montagne aux hautes maisons à balcons étonne par le contraste entre sa partie « moderne », étalée, et, en son cœur, sa cité fortifiée. Vauban est encore passé par là, renforçant les remparts et édifiant un fort qui veille sur l'imposante église au grand clocher carré. Aujourd'hui, Prats vit surtout du tourisme vert et de sa station thermale (urologie, rhumatologie) située à La Preste, à une dizaine de kilomètres par une route de montagne superbe.

Adresse utile

Office de tourisme : *pl. du Foiral. ☎ 04-68-39-70-83. • pratsdemollolapreste.com • En juil-août, lun-sam 9h-13h, 14h-19h, dim 10h-12h, 15h-18h ; le reste de l'année, lun-sam 9h-12h, 14h-18h.*

Où dormir ? Où manger ?

Hôtel des Touristes : *av. du Haut-Vallespir. ☎ 04-68-39-72-12. • restauranthoteltouriste@wanadoo.fr • hotel.lestouristes.free.fr • ♿ À l'entrée du village, sur la droite en venant d'Arles-sur-Tech. Fermé 31 oct-20 avr. Doubles 27-49 € avec lavabo, douche ou bains. Menus 18-34 €. Apéritif pour les repas et un petit déj/chambre/nuit offerts sur présentation de ce guide.* Des prix pour petits budgets dans cet établissement tenu à merveille par son affable, prévenante et souriante patronne. Très grand salon digne de celui des antiquaires, avec cheminée. Quelques chambres avec balcon. Les salles de bains, taille à part, sont à l'image du salon. Vaste salle à manger pour une cuisine régionale familiale et traditionnelle.

Hôtel Le Bellevue – Restaurant Bellavista : *pl. du Foiral. ☎ 04-68-39-72-48. • lebellevue@fr.st • hotel-le-bellevue.fr • ♿ Ouv de mi-fév à fin nov. Doubles 46-55 € selon confort. Menus 20,50-35 €. Apéritif offert sur présentation de ce guide.* Des chambres correctes, bien tenues, avec TV. Certaines avec balcon donnant sur la place. Au restaurant, joliment rénové, une cuisine régionale de haute qualité. Le quasi de veau Vedell des Pyrénées en brochette d'aubier du tilleul (reprenez votre souffle !), spécialité maison, en est un savoureux exemple. Il faut dire que Denis Visselach a reçu la Casserole d'Or des établissements *Logis de France* des Pyrénées, une sacrée référence !

Où dormir ? Où manger dans les environs ?

🏠 🍽 ***Maison d'hôtes Mas El Casal :** D 115, 66230 Prats-de-Mollo. ☎ 04-68-39-76-15. • chambres-hotes-catalogne.com • À 5 km de Prats-de-Mollo vers l'Espagne. Doubles 60 €. Table d'hôtes 20 €.* Jane et Patrick Maison, nom prédestiné, accueillent leurs hôtes dans la leur (de maison) : chaleureuse et joliment aménagée. Ancienne étable, elle a délaissé ses bovins mais gardé ses attributs : mangeoires, abreuvoirs... intégrés avec goût dans la déco de deux vastes chambres tout confort et de la grande pièce commune où se prend le petit déjeuner. Jane concocte aussi de généreux dîners à base de produits locaux (sinon, elle donne gentiment accès à sa cuisine). Vue imprenable sur les magnifiques montagnes environnantes, prix très raisonnables, c'est un lieu parfait pour établir le camp à la découverte des alentours.

🏠 🍽 ***Auberge de la Colometa :** route du Col-d'Arès, 66230 Prats-de-Mollo. ☎ 04-68-39-75-00. • ermitagendc@orange.fr • notredameducoral.com • À 11 km de Prats-de-Mollo en montant vers le col d'Arès par la D 115. Tourner à gauche et descendre une piste carrossable sur 5 km. Tte l'année. Ne pas oublier de réserver. Nuitée 15 € ; ½ pens 35 €/j./pers. Menu 15 €. Apéritif maison et café offerts sur présentation de ce guide.* Le gîte est tenu par un couple de Savoyards au cœur de l'ermitage Notre-Dame-du-Coral. Dedans, calme, recueillement et vieilles pierres. Dehors, nature sauvage avec balades à pied ou à VTT et site d'escalade tout proche. Chambres (un peu aseptisées vu le lieu) pour 2 à 4 personnes et dortoirs de 6, 10 et 14 lits. Cuisine familiale. Il y a aussi une cuisine pour faire son petit frichti (2 € par personne).

À voir. À faire

Ville fortifiée : construits au XIVe siècle, les remparts furent détruits lorsque les habitants, devenus français malgré eux, s'élevèrent contre les impôts ordonnés par Louis XIV. Les murs furent reconstruits à la fin du XVIIe siècle. On entre (à pied) par la porte de France. À l'intérieur de l'enceinte, de jolies ruelles et quelques petits commerces, de belles grilles en fer forgé (celles de la mairie sont du XVIIe siècle)... De larges escaliers pavés de galets conduisent à l'*église,* dont le seul vestige du XIIIe siècle est l'impressionnant clocher crénelé, le reste ayant été reconstruit au XVIIe siècle. Belle porte aux fers anciens. À droite de l'entrée, un curieux ex-voto, os de baleine de 2 m planté dans le mur... À l'intérieur, retable baroque de 14 m de haut, décoré de feuilles dorées. Un imbroglio de passages et ruelles donne accès à une porte du rempart d'où on peut visiter une partie de l'ancien chemin de ronde (tout au bout, intéressants pont fortifié et pont médiéval). De cette même porte démarre aussi une voie de repli souterraine et voûtée, menant au fort !

***Le fort Lagarde :** on accède à pied par le chemin couvert, mais aussi par minibus. Fermé nov-mars. Avr-oct, tlj sf lun 14h-18h (19h en juil-août). Entrée : 3,50 €. Visites commentées ou « contées » (voir l'office de tourisme). En juil-août, chaque ap-m sf sam, visite-spectacle avec animation historique, évoquant l'entraînement militaire au XVIIIe siècle (entrée : 9 €).* Démonstration de tir au canon et au fusil, combat d'escrime, voltige, ça swingue ! Et tout ça dans cette œuvre de Vauban qui domine fièrement la cité.

– ***Montozarbres :** à 1 km de Prats par la D 115 (vers l'Espagne) puis petit chemin à gauche. ☎ 04-68-22-43-55. • info@montozarbres.com • montozarbres.com • Ouv avr-nov. Entrée : 22,50 €.* Tyroliennes, pont de singes, de quoi voler d'arbres en arbres toute la journée. Aussi des spectacles d'ours et loup (7,50 €), et puis... la possibilité de dormir (un peu chérot mais original) soit en bivouac aménagé dans des hamacs (formules avec hébergement et activités combinés) soit dans une cabane dans les arbres (comme Tarzan) : 70 € pour 2 avec petit déj.

Manifestation

Jadis, l'ours hantait les paysans. Juste sorti d'hibernation, affamé, il n'hésitait pas à descendre des montagnes pour s'attaquer aux troupeaux, bergers et autres passants... puis il a disparu (la faute à qui ?). Alors on s'est mis à l'idolâtrer (les morts sont tous des braves types...). On le ressuscite tous les ans depuis belle lurette, en parant un jeune homme d'une peau et en le grimant de suie. Puis on l'attrape, l'humilie, le rase (symboliquement s'entend)... Elle a la peau dure cette fête de l'Ours qui dans le val expire.
– ***Fête de l'Ours :*** *en fév*. Sans doute la manifestation la plus originale de la vallée et, paraît-il, l'un des rites les plus anciens d'Europe.

➤ *DANS LES ENVIRONS DE PRATS-DE-MOLLO – LA PRESTE*

L'ermitage Notre-Dame-de-Coral : *route du col d'Arès. En théorie, ouv en permanence, sinon demander l'accès au gérant du gîte d'étape, situé dans les murs.* Dans un cadre naturel magnifique, à l'écart de tout, la chapelle Notre-Dame-de-Coral a été construite au XIIIe siècle après la découverte d'une Vierge cachée dans le tronc d'un chêne. La chapelle du XVIIe siècle qu'on peut voir aujourd'hui résulte d'un agrandissement fait sur la précédente. Sa restauration en 1984 a permis la découverte d'une statuette de saint Jean-Baptiste dans un mur, de fresques anciennes, et de la porte d'entrée du XVIe siècle. Une pierre à l'entrée témoigne de son appartenance à l'abbaye de Camprodon en Catalogne avant le traité des Pyrénées, à la suite duquel elle fut rattachée à l'évêché d'Elne. À l'intérieur, deux retables du XVIIIe siècle, un christ en majesté du XIe, une reproduction de la Vierge du XIIe. De chaque côté de l'autel, un escalier permet d'accéder au *camaril,* ou chambre de la Vierge, sorte de cabine téléphonique en liaison avec le ciel, où on venait demander des grâces à Marie, ou la remercier pour celles acquises. On y trouve une Vierge sur pivot du XVIIe siècle et des fresques naïves. Deux pèlerinages (ou *aplecs*) y sont célébrés, le lundi de Pentecôte et le 16 août, avec messe chantée en catalan, accompagnée de sardanes.

➢ Pour les amateurs de *hors pistes touristiques,* superbe chemin en partie goudronné à travers la forêt de Notre-Dame-de-Coral. Il rejoint le village de Lamanère, le plus au sud de France (Corse exceptée !), puis Serralongue.

LES ASPRES

Les Aspres sont ces collines âpres et boisées à l'ouest de Perpignan, au pied du Canigou, prises en sandwich entre le Vallespir et le Conflent. Une belle région à laquelle on s'attache autant qu'à ses voisines : l'art roman y est présent dans beaucoup de villages, tapis sur les versants, et ses hauteurs autorisent de superbes contemplations de la plaine du Roussillon jusqu'à la mer... La gastronomie y est également représentée sous forme de champignons (la spécialité locale), escargots à la catalane et bons produits des fermes-auberges !

THUIR (66300) 9 100 hab.

Capitale de la région mais d'un intérêt relatif, Thuir est surtout connue pour son apéritif, le Byrrh.

Adresse utile

Office de tourisme : *bd Violet. ☎ 04-68-53-45-86. En saison, lun-sam 10h-12h, 15h-19h ; dim 15h-18h. Hors saison, il faut se rendre à la mairie, bd Gregory. Lun-ven 9h-12h, 14h-17h.*

Où dormir ? Où manger ?

Hôtel Restaurant Cortie : *3, rue Jean-Jacques-Rousseau. ☎ 04-68-53-40-30. Fax : 04-68-53-04-18. Tlj sf dim tte l'année et sam hors saison. Congés : de mi-déc au Jour de l'an. Doubles 40-45 € selon confort (des suites plus chères). Menus 13-25 €. Café offert sur présentation de ce guide.* Un vénérable centenaire (fondé en 1902) qui a gardé toute sa verve. Hôtel niché dans une petite rue du vieux centre, il propose une quinzaine de chambres aux teintes pastel, simples mais correctes. Couloirs avec de jolis soubassements en céramique. Belle salle de restaurant au rez-de-chaussée aux couleurs du Sud (cadres évoquant la tauromachie), où l'on sert une cuisine traditionnelle que l'on peut aussi apprécier sous la treille d'une petite terrasse.

Chambres d'hôtes Casa Del Arte : *Mas-Petit, route d'Ille-sur-Têt. ☎ 04-68-53-44-78. • casadelarte@wanadoo.fr • casadelarte.fr.fm • À 2,5 km de Thuir par la D 615 puis chemin à gauche. Ouv tte l'année. Compter 80-100 €, petit déj compris. Table d'hôtes 25 € (hors vin). Apéritif offert sur présentation de ce guide.* Vieux mas dont la partie datant du XIIIe siècle a été convertie en chambres d'hôtes. L'ensemble est organisé autour d'un somptueux petit jardin et d'une jolie piscine. Parmi les 6 chambres (chacune a sa personnalité et son histoire), on a un faible pour celle avec baignoire romaine en marbre. Gigantesque salon aux poutres apparentes, plein de toiles (la *Casa del Arte* accueille des expos temporaires), et avec une belle cheminée datée de 1583. Tout a été sacrifié au plaisir de l'œil. En résumé, un endroit magnifique, digne d'un magazine de déco. Accueil charmant.

À voir

Les caves Byrrh : *2, bd Violet. ☎ 04-68-53-05-42. • byrrh.com • Fermé 1er janv, 1er mai et 25 déc. En juil-août, visites 10h-11h45, 14h-18h45 ; avr-juin et sept-oct, visites 9h-11h45, 14h30-17h45 ; nov-mars, visites tlj sf lun à 10h45 et 15h30. Visite guidée de 45 mn : 1,70 € ; gratuit moins de 18 ans.* Inventé au XIXe siècle, le Byrrh est un apéritif à base de vin et de plantes aromatiques (quinquina). Rachetées il y a une trentaine d'années par Cusenier, filiale de Pernod-Ricard, ses caves produisent également des millions de litres d'apéros : Cinzano, Dubonnet, Suze, etc. Lors de la visite, on admire plus de 800 cuves, les chais, un spectacle multivision autour du fameux foudre géant, considéré comme la plus grande cuve en chêne du monde (un million de litres !). L'ancienne gare de chargement des trains de marchandises fut construite par les ateliers Eiffel à l'époque où vins et aromates arrivaient ici via Port-Vendres. À la fin, selon la bonne vieille tradition (c'est pour ça qu'on y va, en fait), dégustation gratuite...

Le vieux bourg médiéval : ruines des anciens remparts, tours, belles maisons en brique rose (les fameux *cayroux*), etc.

L'église Notre-Dame-de-la-Victoire : à l'origine édifice roman, elle fut reconstruite au début du XIXe siècle dans un style néoclassique. Imposante façade austère. Recèle une Vierge du XIIe siècle en plomb, assez rare, mise en valeur dans une alcôve au-dessus du maître-autel.

Le musée des Arts et Traditions populaires : *sur la place de la mairie. De mi-juin à mi-sept, tlj 10h-12h, 15h-18h30 (15h-18h dim). Hors saison, se renseigner en* *mairie. Entrée libre et gratuite.* Dans une bâtisse du XVIIIe siècle, discret mais intéressant musée des Arts et Traditions populaires, qui mérite la visite. Collection assez riche et complète d'outils, vêtements et objets locaux, fort bien présentée.

Le musée Nature et Chasse : *7, bd Violet. ☎ 04-68-84-67-86. De mi-juin à mi-sept, 10h30-12h, 15h-18 h30. Fermé dim mat. Entrée libre et gratuite.* Un espace moderne où il est davantage question de la faune régionale que de sa chasse (chouette !). Bêtes naturalisées, scènes naturelles bien reconstituées, commentaires audio. N'incite pas particulièrement à prendre le fusil.

Manifestations

– ***Biennale de Sculptures monumentales :*** *pdt un mois et demi, un été sur deux (les années paires).* Exposition de sculptures dans les rues et divers lieux du centre-ville. Original. Autre événement culturel les années impaires.
– ***Diades catalanes :*** *la 3e sem de juil.* Fête catalane avec animations de rues et cargolade géante (plus de 25 000 escargots !).
– ***Festival de la pelouse :*** *le 1er w-e d'août.* Festival de musiques actuelles gratuit avec stands de produits bio et commerce équitable.
– ***Les Nuits d'août :*** *la 2e sem d'août.* Spectacles gratuits en soirée : folklore international, humour, chansons.
– ***Il était une fois Noël :*** *tt déc.* Chaque année, un pays différent est illustré par des contes, légendes, traditions de Noël.
– **Fête des Sorcières :** *à* **Tressere** *(66300), le dernier w-e d'oct.* Spectacles de rue, course de sorcières. Concerts endiablés...

➤ DANS LES ENVIRONS DE THUIR

Monastir del Camp : ***66300 Passa.*** *☎ 04-68-38-80-71. Route entre Passa et Villemolague. Visites avr-oct à 10h, 11h, 15h, 16h et 17h ; le reste de l'année, mêmes horaires sf 17h. Fermé jeu. Résa conseillée. Entrée : 4 €.* Prieuré du XIe siècle, classé au titre des Monuments historiques en 1862 par Prosper Mérimée. Son nom viendrait d'une bataille mythique entre Charlemagne et les Sarrasins. Ensemble de bâtiments formant hameau et exploitation agricole. Le délicieux cloître gothique en marbre de Céret date de 1307, et le très beau portail aux chapiteaux sculptés de l'église romane du XIIe siècle, sur le chemin du Maître de Cabestany. Un ancien promenoir qui daterait du IXe siècle a récemment été ouvert au public.

LE ROMAN DU MAÎTRE DE CABESTANY

Ce maître-là naît à Cabestany en 1930 lorsqu'on y découvre le tympan roman de l'église Notre-Dame-des-Anges. On attribue alors nombre de sculptures du XIIe siècle à ce mystérieux personnage en Languedoc, Catalogne, Navarre et jusqu'en Toscane. Mais a-t-il existé ? S'agit-il plutôt d'un style de sculpture ? Ou d'un esprit original donné à la pierre ? On trouvera peut-être un jour un sens à ces énigmatiques longues mains, à ces visages parfois sereins, parfois terrifiants. Il reste à écrire le dernier chapitre de ce roman.

CASTELNOU (66300) 335 hab.

À 6 km à l'ouest de Thuir, superbe village médiéval parfaitement conservé. Belle pierre ocre jaune, presque miel, des habitations et du château millénaire. À nos yeux, le plus beau village de la région, sans les boutiques tape-à-

l'œil qui défigurent habituellement ce genre de site. Et, le soir, les habitants sortent les tables dans la rue pour un petit dîner en regardant passer les touristes d'un air amusé.

Où dormir ?

Maison d'hôtes La Figuera : *3, carrer de la font d'avall. ☎ 04-68-53-18-42. • lafiguera@wanadoo.fr • la-figuera.com • Doubles 75-80 €.* Trois vieilles maisons aux murs épais comme ça, médiévales comme tout le village, reliées entre elles avec goût : c'est la *figuera.* On s'y déplace comme un chat dans un labyrinthe, on y loge comme un loir dans ses terriers. Déco bien faite, accueil doux de Nicole et Michel. Les prix sont un peu élevés pour la prestation mais on est au cœur de ce superbe village, ça compense !

À voir

Le village fortifié. On est déjà séduit en arrivant de Thuir par la petite D 48, au détour d'un virage : sur fond de Canigou, en pleine verdure, sa vieille pierre dorée par le soleil éblouit. On entre (à pied) par une porte coincée entre deux tours. Les ruelles pittoresques et tortueuses, tout en escaliers, frappent par leur chaleur et leur luminosité. Quelques boutiques artisanales s'intègrent bien au site : poterie, ferronnerie, etc. Les habitations se distinguent par leurs ouvertures étroites, leurs escaliers (les gens logent à l'étage) et de curieux renflements dans certaines façades, traces des anciens fours à pain. Partout ces schistes et cailloux usés, comme si le village était creusé à même sa colline... Fait rare, aucune maison récente, même aux alentours ! Le mardi, en été, ne pas manquer le *marché* de producteurs pittoresque, installé dans le même lieu qu'au Moyen Âge et avec des structures en bois comme à l'époque.

Le château : *au sommet du village, séparé par un parc. ☎ 04-68-53-22-91. Tlj en été 10h-19h ; en dehors, 11h-18h (17h en hiver). Fermé en janv. Entrée : 4,50 €.* C'est autour de lui que le village fut bâti, *castell nou* signifiant « château neuf » en catalan. Neuf, le château l'est à nouveau, une importante restauration ayant eu lieu après l'incendie de 1981 qui détruisit le toit. Édifié à la fin du Xe siècle, c'est l'un des premiers exemples de forteresse du Roussillon, longtemps siège des comtes de Cerdagne et Besalù, seigneurs tout-puissants. La visite de l'intérieur passionnera à coup sûr les amateurs d'architecture militaire.

L'église paroissiale, extérieure au village, est posée au sommet d'une colline, avec un petit cimetière hors du temps.

DE CASTELNOU À SERRABONE PAR LES PETITES ROUTES DE MONTAGNE

➢ On quitte le village par la D 48. Le paysage est immédiatement superbe. Sur la droite, au sommet d'une montagne pelée, apparaît l'église Saint-Martin-de-Camelas, dont l'isolement devait inciter à de sacrées méditations... En toile de fond, les inévitables sommets du Canigou, enneigés l'hiver. Plus la route monte, plus le panorama est vaste. On aperçoit enfin la Méditerranée à hauteur de Fontcouverte (chapelle romane d'un petit ermitage). Prendre la D 2 à gauche vers Caixas. Après l'embranchement pour ce petit village sans intérêt, prendre la direction col du Fourtou, à droite (attention, il est facile de rater la bifurcation).

Commence une jolie route très étroite, sauvage. Après l'église de Prunet, grand carrefour. À gauche, la D 13 enchaîne les points de vue et mène à ***Oms,*** à droite, la D 618 descend vers Serrabone. On doit faire un crochet (en continuant tout droit) par :

La chapelle de la Trinité : ouv toute l'année, gardien logeant sur place. Ce dernier explique de façon passionnante l'histoire de ce lieu extraordinaire (ermitage au IXe siècle puis chapelle depuis le XIe siècle). Elle abrite un des plus beaux christs « habillés » d'Europe (XIIe siècle). Le sculpteur l'a représenté revêtu d'une longue chasuble (symbole du Christ ressuscité). Et pour l'analyser il est même passé... au scanner de l'hôpital de Perpignan... Le seul au monde à être allé aux urgences ?

➢ En reprenant la route de Serrabone (D 618 direction Bouleternère), s'arrêter à ***Boule-d'Amont*** pour visiter la très mignonne église du XIe siècle, dédiée à saint Saturnin, mes p'tits canards. Disposition originale : nef voûtée en berceau brisé, abside semi-circulaire couverte en cul-de-four. Sur le toit, belles lauzes de schiste. À l'intérieur, retables intéressants et une effigie du saint, peinte à l'or fin...

LE PRIEURÉ DE SERRABONE

Construit au XIe siècle, le prieuré hébergea pendant près de 500 ans une communauté de chanoines voués au culte de saint Augustin. On les envierait presque (on ne devait quand même pas vraiment s'y amuser) : l'endroit est superbe, environné par la garrigue et surplombant un précipice. Tout autour, les montagnes, brûlées par le soleil.

L'extérieur de l'église est sobre autant qu'austère. Le balcon de la galerie d'entrée réserve une première surprise. Au-dessus du ravin, avec en trame un paysage grandiose, 6 arcades à colonnettes, aux chapiteaux sculptés de monstres. À l'intérieur de la nef, lumineuse et lugubre, la *tribune du chœur,* chef-d'œuvre de toute beauté. Les meilleurs sculpteurs romans du Roussillon y réalisèrent les plaques, les colonnes et les chapiteaux de marbre rose, ciselant un univers étonnant : fleurs quadrangulaires, monstres anthropomorphes et gueules fantastiques.

Ne pas oublier de rendre visite au *jardin botanique* : vignes, plusieurs espèces de figuiers et nombreuses essences méditerranéennes.

De la D 618, un chemin zigzaguant sur 4 km conduit au site. ☎ 04-68-84-09-30. Ouv 10h-18h (dernière visite à 17h30 en saison). Fermé à Noël, le Jour de l'an, le 1er mai et le 1er nov. Entrée : 3 € ; réduc.

Où manger sur le pouce ?

Le Relais de Serrabona : 66130 Boule-d'Amont, à l'embranchement de la route qui monte au prieuré. ☎ 04-68-84-26-24. Ouv mars-oct, tlj sf mar 10h-19h ; juil-août, tlj. Café offert sur présentation de ce guide. Pas mal pour une pause casse-croûte. L'affluence touristique pèse toutefois sur les prix de ce relais d'un groupement d'agriculteurs. Bons fromages de chèvre, miels, confitures, foie gras et magret de canard, sirops naturels aux plantes, vins, etc. Casse-croûtes au canard séché, au fromage de chèvre, voire à l'autruche (pas très catalan, ça !) et quelques tables sur une aire de pique-nique à l'ombre.

DU PRIEURÉ DE SERRABONE À ILLE-SUR-TÊT

➢ En redescendant la D 618 vers Ille-sur-Têt, la route offre encore quelques panoramas très sympas, notamment à l'approche des gorges de Boulès. Après ce défilé sauvage, on arrive au pittoresque village de ***Bouleternère,*** dont les remparts médiévaux gardent un certain cachet. Surplombant le village, la tour d'un vieux château, transformée en clocher d'église ! Le village vivait de l'exploitation de bruyères arborescentes qui étaient envoyées à Saint-Claude, dans le Jura, pour la fabrication des pipes.

La coutellerie Theuns Morian : *8 bis, rue Michel-de-Pontich, 66130* ***Bouleternère.*** *☎ 04-68-73-01-18. Ouv tte la journée (téléphoner avt car le maître-artisan présente souvent ses chefs-d'œuvre dans des salons...).* Theuns Morian s'inspire de couteaux catalans et méditerranéens pour créer de nouvelles lames (on dit que c'est l'ancêtre du laguiole). Que des pièces uniques avec lames forgées à la main, devant vous, et manche en corne ou bois dur. Compter de 50 à 2 000 € pour une de ces merveilles.

ILLE-SUR-TÊT (66130) 5 250 hab.

À la frontière des Aspres et à un peu plus de 25 km à l'ouest de Perpignan. En y arrivant, on distingue en premier le clocher carré de la grosse église Saint-Étienne. Autour de l'édifice, une vieille ville à l'atmosphère toute catalane. On s'arrêtera pour visiter l'Hospici d'Illa, centre d'Art sacré aux trésors méconnus, ainsi que ce qui fait la célébrité de la ville : les orgues, étonnante curiosité géologique. Et les fous de littérature sauront se souvenir que, lors d'un séjour ici, Mérimée composa un de ses plus beaux textes, *La Vénus d'Ille.* À propos, on prononce « iye ».

Adresse et info utiles

Office de tourisme : *sq. de la Poste. ☎ 04-68-05-02-62. • ille-sur-tet.com • Ouv tte l'année, lun-ven 9h-12h, 14h-18h (17h ven), fermé mer ; juil-août, lun-sam jusqu'à 18h30 et dim mat.*

Gare SNCF : *☎ 36-35 (0,34 €/mn).*

Où dormir ? Où manger ?

Camping

Camping Le Colomer : *route du Colonel-Fabien. ☎ 04-68-84-72-40. • mairie@ille-sur-tet.com • À la sortie d'Ille, sur la route de Perpignan, prendre à droite. Fléché. Ouv tte l'année. Compter 10,40 € en hte saison.* Terrain sans charme particulier mais calme, bien situé sur l'axe Perpignan-Prades.

De bon marché à plus chic

Maison d'hôtes Les Buis : *37, rue Carnot. ☎ 04-68-84-27-67. • mquerrien@wanadoo.fr • lesbuis.com • Doubles 65-95 € selon saison. Table d'hôtes 27 €.* Petit joyau que cette maison de maître de 1896 construite pour un président du Conseil. Jalousement conservée par ses descendants, elle est désormais ouverte aux hôtes de Patricia et Jean-Marc : vous. Cette adresse de charme bruit des silences d'antan dans un décor raffiné meublé à l'ancienne, hauts plafonds moulurés en prime. Mais l'ambiance vieille France du lieu est vite contrebalancée par la gentillesse et la décontraction des maîtres de céans. Pour ne pas affecter leur modestie, on ne vous parle pas de la table d'hôtes et des recettes locales. Ni même des copieux petits déj avec des confitures... Hum ! Surtout celle aux kumquats du jardin.

La Vie en Rose : *19, av. Pasteur. ☎ 04-68-84-11-12. Fermé lun et dim soir. Menus du jour 11,50-26 €. Apéritif maison offert sur présentation de ce* *guide.* Un petit resto sympa comme tout, couleur printemps, roses les nappes et vertes les plantes (en plastique). Parfait menu du jour : buffet de hors-d'œuvre, plat du jour correct et bien servi, dessert et quart de vin compris. Service aimable.

Où dormir ? Où manger dans les environs ?

La Petite Auberge : *74, av. du Général-de-Gaulle, 66320 Vinça. ☎ 04-68-05-81-47. ● petiteaubergevinca@wanadoo.fr ● À 9 km d'Ille-sur-Têt, vers Prades. Fermé mar soir, mer et dim soir. Congés : 15 déc-2 janv. Doubles 40 €, avec lavabo ou douche et w-c. Formule 14 €. Menus 17-40 €.* Une auberge où la cuisine est à l'image du chef, naturelle et généreuse. L'accueil a un bel accent catalan, mais il faut taper dans les menus un peu chers pour accéder aux plats locaux. Dispose aussi de chambres simples, surannées, pour dépanner. Avant ou après le déjeuner, profitez-en pour faire une visite à l'église Saint-Julien, avec son imposant clocher fortifié, son orgue du XVIIIe siècle et un mobilier baroque intéressant.

À voir

Les orgues : *à la sortie nord de la ville. ☎ 04-68-84-13-13. Franchir la rivière par la D 21. Ouv tlj. Nov-janv, 14h-17h ; fév-mars, 10h-12h30, 14h-17h30 ; avr-juin et sept, 10h-18h30 ; juil-août, 9h30-20h ; oct, 10h-12h30, 14h-18h ; pdt les vac, 10h-17h30. Ouf ! Entrée : 3,50 € ; réduc ; gratuit moins de 10 ans. La billetterie ferme 45 mn avt le site.* Un site unique dans toutes les Pyrénées. Cet amphithéâtre naturel de roches sédimentaires de 4 millions d'années dessine un étrange alignement de « cheminées de fées ». Du fait des matériaux peu résistants (sable et argile), l'érosion est forte et le site évolue extrêmement rapidement. Pour éclairer la visite, sentier d'interprétation où on apprend tout (ou presque) des phénomènes géologiques, climatiques, etc.

L'Hospici d'Illa : *dans l'ancien hospice Saint-Jacques. ☎ 04-68-84-83-96. De mi-juin à fin sept, tlj 10h-12h, 14h-19h ; fermé le mat le w-e. Le reste de l'année, tlj sf mar 14h-18h. Fermé déc-janv. Fév-mars et oct-nov, fermé w-e et j. fériés. Entrée : 3,50 € ; gratuit pour les moins de 12 ans. Tarif combiné (5 €) avec les orgues.* Installé dans un corps de logis du XVIIe siècle, ce musée présente des pièces d'art sacré médiéval et baroque, avec notamment les fresques de Casesnoves, rareté du XIe siècle. Propose également des expos temporaires et visites guidées de la ville.

L'église Saint-Étienne-del-Pradaguet : datant de la fin du Xe siècle et reconstruite sept siècles plus tard. Imposant clocher du XIVe, portail en marbre blanc du XVIIIe, vieil orgue.

Les ruelles de la vieille ville très authentiques (y aller à pied : en voiture c'est inextricable !), dégagent une atmosphère encore médiévale. On peut tomber, au hasard des promenades, sur quelques sculptures de marbre, de belles fontaines, de hautes façades, de beaux patios, placettes, platanes... Beaucoup d'hôtels particuliers du XVIIIe siècle. Rue des Enamourats (Amoureux), la pierre sculptée que l'on peut encore voir indiquait au XVIe siècle la présence ici d'une... maison close !

Manifestation

– ***Fête de la Pêche :*** *le 2e w-e de juil.* Point d'orgue d'une activité (la culture de la pêche) omniprésente dans ce bout de vallée du Têt.

➤ DANS LES ENVIRONS D'ILLE-SUR-TÊT

SAINT-MICHEL-DE-LLOTES *(66130)*

***Le musée de l'Agriculture catalane :** à 2 km d'Ille-sur-Têt. ☎ 04-68-84-76-40. ● musee.agriculture@libertysurf.fr ● De mi-juin à mi-sept, ouv en sem 10h-12h, 14h-18h, w-e et j. fériés, ap-m ; de mi-sept à mi-juin, l'ap-m slt. Fermé mar. Entrée : 3 € ; réduc ; gratuit jusqu'à 12 ans (enfants accompagnés).* Un énième musée bric-à-brac de l'agriculture ? Que nenni ! Bien au contraire, en voilà un intelligemment pensé et conçu avec un vrai sens de la mise en valeur. Ce musée réellement attractif conte la vie des champs, des labours jusqu'aux moissons, au travers de plus de 400 objets dont les plus vieux datent de 1900. Disposés dans 6 salles, herses, charrues, outils de la vigne, faucilles, fouloirs à vendanges, etc., entourés de nombreux panneaux et illustrations, ne laissent pas indifférent. Bravo !

MARCEVOL *(66320)*

D'Ille-sur-Têt, après Vinça, emprunter les jolies D 13 puis D 35 pour arriver dans ce hameau croquignolet et haut perché, entouré de prairies naturelles.

À voir

***Le prieuré des chanoines du Saint-Sépulcre :** ☎ 04-68-05-75-27. ● prieure-de-marcevol.fr ● Juil-sept, tlj 10h30-12h30, 14h30-19h ; jusqu'à 18h oct-nov et avr-juin sf lun ; déc-mars, sur demande. Entrée : 3 € ; 2,30 € sur présentation de ce guide.* Cet intéressant prieuré a appartenu aux chanoines du Saint-Sépulcre de 1412 à 1484, avant de passer à la communauté ecclésiastique de Vinça. C'est un ensemble de bâtiments fortifiés d'une belle simplicité, restauré de 1972 à 1987. L'église date du XIIe siècle. Elle possède une belle façade et un portail en marbre rose de Villefranche (ferrures des portes remarquables) ainsi qu'une belle fresque romane d'inspiration byzantine. L'église du hameau, Notre-Dame-de-Las-Grades, en partie fortifiée, est un bel exemple d'art roman.

LE CONFLENT

Le Conflent, confluent de rivières, est la plus grande vallée des Pyrénées-Orientales. Au pied du Canigou, cette magnifique région de montagne recèle moult joyaux de la période romane, dont les plus éclatants sont sans conteste les abbayes de Saint-Michel-de-Cuxa et de Saint-Martin-du-Canigou. Dans chaque village de la vallée, des églises aussi vieilles que charmantes réservent des surprises aux curieux qui en poussent la grosse porte. Leurs richesses inattendues en étonneront plus d'un !

Comment y aller ?

➢ ***Par la route :*** Prades (capitale du Conflent) est à 45 km de Perpignan par la N 116.

➢ ***En train :*** de Perpignan à Prades, en moyenne 4 trains en matinée, 4 l'ap-m et en soirée. La même ligne dessert ensuite Villefranche, où on change pour le « train jaune » vers Mont-Louis puis Latour-de-Carol (tarifs plutôt élevés, 32 € l'aller-retour Villefranche – Latour-de-Carol, mais belle expérience).

➢ ***En car :*** *avec les Courriers Catalans, ☎ 04-68-55-68-00. • cg66.fr/institution/transport/* • Lignes Perpignan-Mont-Louis ou Perpignan-Vernet, via Prades et Villefranche (12 bus/j.) moins fréquent le w-e.

EUS

(66500) 390 hab.

À 5 km avant Prades, en venant d'Ille-sur-Têt, prendre la D 35, à droite, à hauteur de Marquixanes. Entièrement classé Monument historique, ce village perché et fortifié est considéré à la fois comme le plus ensoleillé et l'un des plus beaux villages de France. Avant d'y arriver, toutefois, on traverse la basse ville qui détonne un peu. La promenade dans le vieux village est agréable avec vue sur la vallée en prime et pas encore trop de touristes.

À voir. À faire

La fondation Boris-Vian : *plaça de Las Cabres. ☎ 04-68-96-39-67. Au pied de l'église haute. Ouv quand il y a des expos ou des concerts, en été (se renseigner). Festival en août (rens sur place et à Prades).* Une « annexe » de la vraie fondation, installée cité Véron à Paris.

L'église haute : l'église la plus récente d'Eus (XVIIIe siècle). On y accède par un enchevêtrement de petits escaliers et passages voûtés. Elle fut construite sur les ruines d'un château du XIIIe siècle. À l'intérieur, quelques beaux retables du XVIIe et des statues polychromes. Chœur baroque dégoulinant de dorures.
– Beau ***panorama*** sur la région du sommet du village.

L'église basse : *en bas du village (pas possible !).* Édifiée du XIe au XIIIe siècle. Portail en marbre et colonnes intérieures en granit. Et un joli toit en écailles de poisson.

– ***Visites guidées du village :*** *☎ 04-68-96-22-69. Tlj sf lun et jeu 14h30-18h oct-mai, 19h juin-sept.*

MOLITG-LES-BAINS

(66500) 220 hab.

À 7 km de Prades, au milieu d'une nature verdoyante, les sources de Molitg, riches en plancton, sont utilisées dans le traitement des maladies de la peau. Les curistes y affluent : le village en accueille près de 4 000 par an pour 220 habitants. Ce plancton thermal est une sorte de filament blanc qui donne à l'eau un caractère onctueux, idéal en massage pour la régénération du derme. On dirait une pub pour un savon de star ! L'endroit jouit d'un climat typiquement méditerranéen et les zéphyrs venant des sommets environnants tempèrent le soleil brûlant. Un véritable havre de tranquillité, blotti au pied des ruines du château de Paracolls, dont l'enceinte aurait été délimitée par une peau de bœuf découpée en lanières mises bout à bout. En prime, une belle église fortifiée du XIIe siècle.

Adresse et info utiles

Syndicat d'initiative : *☎ 04-68-05-03-28. Sur la Grand-Route. Ouv en saison, lun-ven 9h-12h30, 15h-18h30 ; le reste de l'année, lun-ven 9h-12h30, 14h-17h30.*
– Possibilité de faire du ***canyoning.***

Où dormir ? Où manger à Molitg et dans les environs ?

🏠 🍽 **Hôtel-restaurant L'Oasis :** *dans la rue principale de Molitg. ☎ 04-68-05-00-92. • xcyp34@aol.com • hoteloasisaol.com • Ouv de début avr à mi-nov. Doubles 33-38 € selon confort. Menus 12,50 et 16,50 €. 10 % de réduc sur le prix de la chambre sur présentation de ce guide.* Chambres proprettes, confortables, à la déco passe-partout. Quatre d'entre elles, à l'arrière, ont une terrasse adossée à la colline (sans vue) au même prix que les autres. Cuisine copieuse, sans fanfreluches, vin compris (chouette !). Bon accueil.

🍽 **La Casa de l'Olivier :** *pl. de la République, 66500 Catllar. ☎ 04-68-05-72-81. Formule 11,50 € ; menus 15-25 €.* Petit resto-bar à tapas pour commettre le péché de gourmandise... face à l'église. Le clocher, surmonté d'un joli campanile ouvragé, lorgne de son œil-horloge la petite terrasse extérieure où s'alignent les tables multicolores couvertes d'appétissantes tapas servies avec décontraction. Également une salle avec grand balcon à l'étage. Un bon bistrot de pays pas ruineux.

➤ DANS LES ENVIRONS DE MOLITG-LES-BAINS

MOSSET (66500)

Superbe village accroché sur un piton, à 2,5 km de Molitg. C'est la plus petite station de ski du monde ! Bon, sur les 300 maisons du village il y a 200 résidences secondaires. Mais une balade s'impose dans les rues enroulées en escargot autour d'*El Plaçal*, la place ancienne. Le village fut longtemps une borne-frontière entre France et Catalogne, d'où les fortifications qui en font un vrai nid d'aigle. Sur le clocher de l'église pousse un pin âgé de plus de deux siècles (tout petit, une sorte de bonsaï naturel). Se faire offrir une pomme de ce pin est un honneur rare. On peut même acheter le miel du pin du clocher, provenant de la ruche installée juste à côté ! On en bourdonne de plaisir.

Adresse utile

ℹ **Office de tourisme :** *balcon de la Solana. ☎ et fax : 04-68-05-38-32. • mosset.fr • Juil-août, tlj 10h-12h, 15h-19h ; sept et vac scol, tlj sf lun 15h-18h.* L'office abrite aussi *la tour des Parfums (entrée : 3 € ; réduc)* : présentation des parfums naturels de la garrigue catalane et initiation aux odeurs grâce à des expos temporaires qui changent tous les 2 à 3 ans. Il y a même des « randonez » organisées !

Où dormir ? Où manger dans les environs ?

🏠 🍽 **Mas Lluganas – Chambre d'hôtes La Forge :** *☎ 04-68-05-00-37 (Mas). ☎ 04-68-05-04-84 (La Forge). • maslluganas@aol.com • maslluganas.com •* Le Mas : *1,5 km avt d'arriver à Mosset, en venant de Molitg. Ouv de début avr à mi-oct. Doubles 30-45 € selon confort, petit déj compris. Déj 17-20 €. Dîner 18 €. Apéro maison offert sur présentation de ce guide.* La Forge : *à la sortie de Mosset vers le col de Jau, suivre une petite route à gauche en contrebas jusqu'au bout. Doubles 50 €, petit déj compris, et une suite pour 4 pers 350 €/sem.* Deux adresses bien différentes, mais une seule et même famille qui vous accueille. Au *Mas Lluganas,* d'abord, c'est la campagne : les animaux de la ferme raviront les enfants quand ils courent les champs. On y dort à des prix très abordables (mais sans grand cachet). À *La Forge,* ensuite, épais murs de pierre, volets bleus et déco soignée donnent une ambiance bucolique pour séjourner au calme. Dans les deux cas, l'accueil est chaleureux avec des discussions bien intéressantes sur la survie du monde paysan en France et en Afrique. Déjeuners et dîners se prennent au *Mas Lluganas*.

PRADES

(66500) 7 950 hab.

Sous-préfecture, Prades est une bonne base de départ pour des excursions et des promenades dans le massif du Canigou. La ville est surtout notable pour ses activités culturelles en été. En souvenir de Pablo Casals.

Adresses utiles

■ ***Office de tourisme :*** *4, rue des Marchands.* ☎ *04-68-05-41-02. En été, lun-sam 9h-12h30, 14h30-18h30 ; hors saison, lun-ven 9h-12h, 14h-18h, fermé le w-e.*

■ ***Gare SNCF :*** ☎ *36-35 (0,34 €/mn).*

■ ***Location de vélos : Sport 2000,*** *Centre commercial* Super U *(espace rocade).* ☎ *04-68-96-54-51.* Fait aussi vente et réparation de vélos et motos. *Michel Flament, 8, rue Arago.* ☎ *04-68-96-07-62.* Réparation et location de VTT.

■ ***Conflent Spéléo Club :*** *M. Pérez.* ☎ *04-68-96-51-58.*

Où dormir ?

Camping

▲ ***Camping de la Plaine Saint-Martin :*** *chemin du Gaz.* ☎ *04-68-96-29-83.* ● *prades.conflent@wanadoo.fr* ● *En venant de Perpignan, au dernier rond-point, quitter la rocade, l'enjamber, puis à gauche et tt de suite à droite. Très mal indiqué. Ouv tte l'année. Compter 9,60 € en hte saison. Chalet à partir de 210 €/sem. Sur présentation de ce guide, café et apéritif offerts à l'arrivée.* Ombragé. À 5 mn à pied du centre, génial ! Emplacements bien délimités dont certains un peu riquiqui. Bon accueil. Piscine découverte à 200 m.

Prix moyens

■ ***Chambres d'hôtes Maison Prades :*** *51, av. du Général-de-Gaulle.* ☎ *04-68-05-74-27.* ● *maisonprades@aol.com* ● *bed-breakfast-prades.com* ● *Doubles 45-55 €, petit déj compris, sanitaire et w-c communs ou privés selon chambres.* Façade rose bonbon aux encadrements de fenêtre blancs. Accueil maternel. Miss Lancaster vous ouvre les portes de sa maison, de son vaste et rafraîchissant jardin, de ses grandes chambres, le tout balançant entre grand classique *British* et insolite coloré (tutu mauve au mur, boîtes flashies...). Et trois chambres ont vue sur *LE Canigou*.

Où manger ?

|●| ***Le Jardin d'Aymeric :*** *3, av. du Général-de-Gaulle.* ☎ *04-68-96-53-38. Un peu excentré, face à la gare routière. Fermé dim soir et lun. Fermé également mer soir en hiver. Congés : vac scol de fév (académie de Montpellier) et 2 sem fin juin-début juil. Résa conseillée. Formule déj 12 € hors sai-*

son. Menus 20-34 €. Un petit resto à la salle toute simple où on se régale franchement. Cuisine généreuse, régionale certes, mais aussi inventive et finement travaillée (selle d'agneau rôtie au thym, chevreau de Serdinya, *pannacotta* à l'amande amère...). Bons petits vins des côtes du Roussillon pas excessifs et servis « à la ficelle » : on ne paye pas la bouteille mais ce qu'on a consommé. Service énergique, souriant et loquace.

El Patio : *19, pl. de la République. ☎ 04-68-05-35-60. Face à l'église de Prades. Ouv tlj. Menus 13 € (déj en sem)-27 €.* Une jolie petite salle rustique bien aménagée (murs de pierre et poutres patinées) avec une mezzanine. Pas de patio mais une terrasse, sur une rue derrière. Très bien pour passer un moment sympa avec une cuisine régionale simple et goûteuse. Accueil tout en discrétion et en sourire.

À voir

L'église Saint-Pierre : *pl. de la République. Au cœur de la ville. Visite libre 8h30-12h, 14h30-18h ; fermé dim-lun ap-m. Pour les visites guidées (payantes) de l'église et du trésor, se renseigner à l'office de tourisme.* On ne peut la manquer tant son clocher attire les regards : tour carrée du XIIe siècle de marbre et de granit. Un des derniers vestiges de l'église romane primitive, le reste ayant été reconstruit entre 1606 et 1750 (le « chapeau » du sommet est toutefois plus récent). Le riche mobilier intérieur comporte un incroyable retable en bois sculpté du XVIIe siècle. Création du grand artiste catalan Joseph Sunyer, cette impressionnante œuvre baroque a été comparée à un « opéra sculpté », tant les figures y pullulent. C'est tout simplement le plus grand retable de France ! Pour admirer cette merveille à loisir, se munir de 1 € pour l'éclairage automatique (qu'on actionne en bas à gauche du retable). Nombreuses chapelles ornées de retables et sculptures finement ouvragés qui illustrent bien les styles des quatre derniers siècles. Dans la première chapelle tout de suite à gauche en entrant (qu'on peut éclairer), ne pas manquer l'émouvante pietà vêtue de dentelle noire.

Le trésor : *rue de l'Église. ☎ 04-68-05-23-58. Juil-août, lun-ven 10h-12h, 14h-18h ; sept, lun-ven 9h-12h, 15h30-18h ; le reste de l'année, sur résa.* On y trouve à la fois le trésor de l'église, mais également celui de l'abbaye Saint-Michel-de-Cuxa dont une Vierge en bois polychrome du XIVe siècle et une châsse en cuir du XVIe.

Casa Perez – Les Joyaux Catalans : *☎ 04-68-96-21-03. Juil-sept, tlj sf dim ; le reste de l'année tlj sf dim-lun. Quatre visites gratuites/j.* Des joailliers amoureux du grenat vous expliquent toutes les facettes de cette tradition catalane. Vente sur place pour ceux qui ont un gros budget vacances.

Musée Pablo-Casals – Médiathèque de Prades : *33, rue de l'Hospice. ☎ 04-68-96-52-37. Juil-août, mar-ven 9h-13h, 14h-17h et sam mat ; le reste de l'année, se renseigner. Entrée libre.* Expo d'objets personnels du prestigieux violoncelliste et de quelques œuvres du peintre roussillonnais Martin Vivès.

Manifestations

– **Journées romanes :** *pdt la 1re quinzaine de juil. Infos (Association culturelle de Cuxa) : ☎ 04-68-96-27-40. • cuxa.org •* Conférences et visites commentées.
– **Ciné-Rencontres de Prades :** *juste avt le Festival Pablo-Casals, pdt une sem. Info : ☎ 04-68-05-20-47. • cine-rencontres.org •* Un festival toujours très intéressant, où cinéastes et hommes (et femmes) du 7e art rencontrent le public.
– **Festival Pablo-Casals :** *de fin juil à mi-août. ☎ 04-68-96-33-07.* Reconnu dans le monde entier, le festival attire les plus grands ensembles classiques. Il a désormais lieu dans le cadre grandiose de l'abbaye Saint-Michel-de-Cuxa et dans les églises des villages environnants.

LES PYRÉNÉES-ORIENTALES

– ***Université catalane d'été :*** *la 2de quinzaine d'août. M. Gual, 66500 Codalet. ☎ 04-68-96-10-84.* • *ucestiu.com* • Une initiative très intéressante : de véritables cours (histoire, géo, etc.) sont donnés en langue catalane (pour qui le parle). C'est l'un des rares exemples du genre en France. Étonnant quand on sait que 22 universités enseignent le catalan aux États-Unis !

– **Festival plouc de B.D. :** *dans le charmant village de* ***Fillols*** *(66820), vers le 20 juil. ☎ 04-68-05-63-68.* Un petit festival sympa où quelques originaux de la bande dessinée se retrouvent. Animations, expos, ateliers...

PABLO CASALS : LA CORDE SENSIBLE

Le violoncelliste, déjà connu au début de la guerre d'Espagne, choisit de se réfugier en France, à Prades. Au pied du Canigou, les suites de Bach, jouées par son archet boustrophédon (lisant alternativement dans les deux sens), allaient s'élever comme un hymne à la beauté de la musique, la liberté en Espagne, l'unité catalane... vous en voulez plus ? Prades célèbre aujourd'hui encore ce temps où les plus grands chefs et interprètes vinrent ici rencontrer le maître : Pablo, Pau pour les Catalans.

L'ABBAYE SAINT-MICHEL-DE-CUXA

À 3 km au sud de Prades, par la D 27.

Où dormir ? Où manger dans les environs ?

🏠 🍴 ***Chambres d'hôtes Las Astrillas :*** *12, carrer d'Avall, 66500 Taurinya. ☎ 04-68-96-17-01.* • *lasastrillas@yahoo.fr* • *À 5 km de Prades par la D 27 et à 2 km de Saint-Michel-de-Cuxa. Ouv mars-oct. Doubles avec sanitaires 47 €, petit déj compris. Repas (slt le soir) 18 €.* Ce mas, composé de plusieurs bâtiments, a fière allure. Des chambres sobrement aménagées emportent facilement l'adhésion. Aux beaux jours, les tables sont dressées dans la cour-jardin, et le barbecue entre en action. Le maître des lieux, qui est aussi aux fourneaux, est le maire du village.

Visite de l'abbaye

☎ 04-68-96-15-35. • *abbaye.stmicheldecuxa@wanadoo.fr* • *Tlj (sf dim mat et j. de fêtes religieuses) 9h30-11h50, 14h-17h (18h mai-fin sept). Juil-août, visites guidées (même tarif) à 10h30 et 4 fois en moyenne l'ap-m. Avr et sept, visite guidée à 15h sf dim. Entrée : 4 € ; réduc.*

L'ensemble abbatial

🚶🚶🚶 ***L'abbaye :*** véritable splendeur d'art roman que ce vaste monastère vieux de plus de 1 000 ans. Étonnante aussi, l'histoire de son édification... Au IXe siècle, de violentes inondations détruisent le monastère d'Eixelada. Les 35 survivants trouvent refuge dans une petite église de Cuxa et y développent leur communauté sous la protection des comtes de Cerdagne. Grâce à leurs relations avec les papes et les nobles de leur époque, les ambitieux abbés de Cuxa lancent maints travaux d'agrandissement de leur église. Sur le même emplacement, trois édifices sont successivement construits. L'église actuelle est donc la troisième. Elle est préromane (consécration en 974). Belle table d'autel avec les noms des moines gravés dans la pierre. Entre autres, celui de l'abbé Oliba, l'une des principales figures de l'histoire catalane : abbé de Ripoll et de Saint-Michel, fondateur de Montserrat près de Barcelone, évêque de Vic. Vendue à la Révolution, l'abbaye perd alors nombre de ses œuvres d'art.

La visite commence par la ***crypte dite « de la Crèche »,*** construite au XIe siècle. Il s'en dégage une atmosphère assez fantastique, accrue par d'ingénieux éclairages. Au centre des passages, une curieuse chapelle circulaire, à la voûte annulaire s'enroulant autour d'un imposant pilier central.

Le cloître du XIIe siècle fut réalisé avec le marbre rose de la région. Autour d'une belle pelouse, ses superbes chapiteaux sculptés de motifs d'inspiration parfois orientale contrastent avec la pierre de l'église. Il manque malheureusement une bonne partie des galeries, démontées après la Révolution et dont les éléments dispersés rachetés par des antiquaires servirent de base à l'édification par Rockefeller des *Cloisters* à New York.

L'église : on y accède depuis le cloître. De vaste dimension, préromane d'époque carolingienne, austère par sa nudité avec des arcs outrepassés d'inspiration byzantine. Dans les chapelles latérales, quelques statuettes polychromes très émouvantes représentant la scène du jardin des oliviers, et une Vierge du XIIe siècle. À l'extérieur de l'édifice, superbe jardin fleuri d'iris en mai. Très réputé.

VERNET-LES-BAINS (66820) 1 480 hab.

Sources thermales spécialisées en rhumatologie et affections respiratoires, connues depuis le Moyen Âge (elles appartiennent alors aux moines de Saint-Martin-du-Canigou). Vernet devient soudain en vogue vers 1880. L'aristocratie anglaise y a ses habitudes, tout comme certains écrivains d'outre-Manche tel Rudyard Kipling. De cette fréquentation britannique reste une petite église anglicane. Aujourd'hui, Vernet essaie tant bien que mal de renouer avec ce riche passé thermal. Chaque année, 3 500 curistes s'y rendent en moyenne, rejoints par les adeptes du nouveau centre de remise en forme. À voir, le vieux village dominé par l'église Saint-Saturnin, et son château médiéval. Et puis quelques beaux restes architecturaux de sa gloire passée : casino et hôtels du XIXe siècle. Hélas, certaines de ses constructions prestigieuses ont été emportées par les eaux en 1940, comme le fameux hôtel *Pacha.* Sinon, Vernet-les-Bains est surtout une excellente base de départ pour découvrir le massif du Canigou.

Adresse utile

Office de tourisme : *pl. de la République.* ☎ *04-68-05-55-35.* • *ot-vernet-les-bains.fr* • *Juil-août, lun-ven 9h-12h30, 14h-18h30, sam 9h-12h, 15h-18h, dim 10h-12h30 ; le reste de l'année, lun-ven 9h-12h, 14h-18h (dim mat et sam en juin et sept).* Bonnes infos sur les randonnées dans le Canigou. Expo intéressante et vivante au 1er étage sur les traces du journal d'un curiste virtuel.

Où dormir ? Où manger ?

De bon marché à prix moyens

Les Deux Lions : *18, bd Clemenceau.* ☎ *04-68-05-55-42.* • *les2lions@free.fr* • *les2lions.fr* • *Parking privé fermé. Ouv en principe tte l'année. Doubles 50-60 € selon taille et saison. Petit déj compris.* Un ancien hôtel au cœur du village, transformé en cinq chambres d'hôtes et deux appartements joliment décorés de couleurs vives et très confortablement aménagés. Grand salon rustique au premier niveau avec cheminée. Agréable jardin et terrasse couverte où prendre le petit déj. Bref, un endroit qui dégage un certain charme.

|●| ***Restaurant de l'Hôtel Moderne :*** *7, av. des Thermes. ☎ 04-68-05-66-64. Tlj, tte l'année. Menus 17-35 €.* Faut oser pousser la porte de cet hôtel moderne d'il y a 40 ans. Dans sa salle sans chichis, la patronne, un petit bout de femme-orchestre, sert des plats copieux, variés et de bonne tenue. Dès le premier menu, la terrine de sanglier joue la tradition, l'autruche et le gingembre l'exotisme, l'assiette de fromages (si, si !) en rajoute une louche et les pâtisseries maison vous achèvent. Un resto où on se tape littéralement la cloche.

|●| ***Restaurant Le Cortal :*** *13, rue du Château. ☎ 04-68-05-55-79. Congés : vac scol de la Toussaint et première sem vac de Noël et de Pâques. Fermé lun-mar hors saison, slt mer en juin et sept, et slt lun midi en juil-août. Formule 14,50 € (pas toujours proposée), compter 25 € à la carte.* Sur trois niveaux, trois terrasses et deux petites salles rustiques, quand le temps ne permet pas de profiter de la jolie vue. Accueil sympathique. Spécialités de grillades au feu de bois et de tarte à la banane. Le resto a une bonne renommée locale, mais qui se paie.

|●| À noter, également, le ***Restaurant d'application de l'école hôtelière*** *(face au 34, av. des Thermes). ☎ 04-68-05-51-37 (réservez). Service unique le midi.* Service aux p'tits oignons, mets de goût et prix presque dérisoire.

Où dormir ? Où manger dans les environs ?

Camping

⛺ ***Les Sauterelles :*** *col de Millères. ☎ 04-68-05-63-72. ♿ Par la D 27, tourner au col de Millères. Ouv juin-sept. Compter 10 € en hte saison.* Pour ceux qui veulent être au calme, au cœur du massif du Canigou. La route qui mène au camping est très étroite mais les emplacements sont largissimes. Belle piscine. Une adresse canon !

Bon marché

⌂ |●| ***Gîte Les Mailloles :*** *66820 Fillols. ☎ 04-68-05-66-46. • lesmailloles.66@aol.com • gite-les-mailloles.com • À 5 km de Vernet-les-Bains. Prendre la petite route à côté de l'ermitage en ruine, à la sortie du village vers Taurinya et poursuivre sur un chemin. Fermé 8 nov-8 fév. Doubles 40 €, nuitée en gîte 17 € et repas du soir 20 €, boissons comprises.* Construction récente au pied du Canigou avec chambres et dortoirs (pour 6 personnes) sommaires (salle de bains et w-c communs). Accueil sympa et sans façon, y compris pour les cavaliers (c'est un des rares gîtes équestres de la région). Une bonne base pour les amateurs de rusticité conviviale, bien située pour explorer le massif. Bonne cuisine à base de produits frais de Madame, réputée fin cordon bleu.

|●| ***Café de l'Union :*** *66820 Fillols. ☎ 04-68-05-63-06. Fermé lun. Résa conseillée. Menus 12-22 €. Café offert sur présentation de ce guide.* Petit café-tabac-resto. Simple à souhait. La terrasse avé parasols, c'est la vue sur l'église croquigno... (on l'a déjà fait ?). La salle pitchounette, c'est la fraîcheur et la vie quotidienne du village. En plus des menus, à prix menus, des plats sur commande à saliver d'aise : cailles aux raisins et au banyuls, agneau aux girolles, magret de canard aux morilles.

À voir

🔨 ***Le Musée géologique :*** *parc du Casino. ☎ 04-68-05-77-97. Avr-oct, ouv tlj sf dim mat et lun, 10h-12h, 14h-18h ; le reste de l'année, ouv sur résa slt. Entrée : 3 € ;*

2,50 € sur présentation de ce guide. Moins de 12 ans : gratuit. Cristallisations minérales et animaux marins fossilisés, de 500 millions d'années à l'aube de la création, et les explications de M. Trochon en prime.

➤ DANS LES ENVIRONS DE VERNET-LES-BAINS

Le parc animalier de Casteil : *66820* **Casteil.** *☎ 04-68-05-67-54. • zoodecasteil.com • À 3 km au sud de Vernet-les-Bains. Mai-oct, tlj 10h-18h ; pdt les vac scol, tlj 13h-18h ; le reste du temps, ouv mer, sam et dim 13h-17h. Entrée : 7 € ; réduc. Remise de 25 % sur présentation de ce guide.* C'est un chasseur repenti qui a mis en place ce parc de 20 ha où les animaux ne sont pas tués mais en liberté surveillée. Une nette amélioration ! Bon, disons qu'il a quelque chose de sympa, ce parc. Sur un parcours de 3,5 km, on peut y voir la lionne Elsa et le lion Néron, qui a, c'est vrai, le nez rond (vu sous un certain angle). Ours, singes, yacks, lamas, émeus et compagnie sont du carnaval, avec quelques locaux : chevreuils, isards, cerfs et autres mouflons.

LE CANIGOU

La montagne sacrée des Catalans tire son nom de sa forme (*canigou* signifie « dent de chien »). Le nom a été détourné par des marchands, mais on vous déconseille de plaisanter sur ce sujet. Ici, on est mordu de cette montagne mythique, symbole religieux et social dont le pic immaculé fut longtemps synonyme de légendes et d'exploits. Le roi Pierre III d'Aragon est, paraît-il, le premier à en avoir atteint le sommet. D'autres l'imitèrent par la suite, à bicyclette, à cheval (sans poser les pieds à terre !), à ski ou en voiture... ou encore, plus laborieusement, par les airs car le Canigou avait une réputation de dévoreur d'avions, après moult catastrophes aériennes. Le mystère de ce triangle des Bermudes pyrénéen est pourtant simple à élucider, la forte concentration de fer et de manganèse dans la montagne faisant office d'aimant !

Le pic du Canigou a été longtemps considéré comme le point culminant des Pyrénées, les géographes du Moyen Âge s'étant trompés dans leurs calculs ! On sait désormais que ses 2 784 m d'altitude sont battus à plate couture par d'autres sommets comme le pic de Vignemale (3 298 m), versant français. Le vrai gagnant est en Espagne (pic d'Aneto, 3 404 m) !

Mais que toutes ces histoires ne vous fassent pas oublier l'essentiel : le Canigou réserve de nombreuses splendeurs à ceux qui s'y promènent. Riche d'une faune et d'une flore heureusement protégées, le massif offre également aux randonneurs de nombreux panoramas à couper le souffle, des routes spectaculaires, des gorges, des torrents, des sentiers praticables, des refuges, des forêts de sapins...

LA TROBADA DU CANIGOU : FEU SACRÉ DE CATALOGNE

Le week-end d'avant la Saint-Jean, Catalans du Nord (France) et du Sud (Espagne) portent des fagots en haut du pic en y insérant des vœux pour l'année. Au matin de la Saint-Jean, la flamme, gardée depuis des siècles au Castillet de Perpignan, part vers le sommet pour embraser, au crépuscule, l'énorme bûcher qu'on voit de toute la Catalogne. Les villageois allument alors des torches au brasier et les redescendent dans leurs villages en fête. Ce partage du feu est un fort symbole d'unité, sorte de fête nationale catalane.

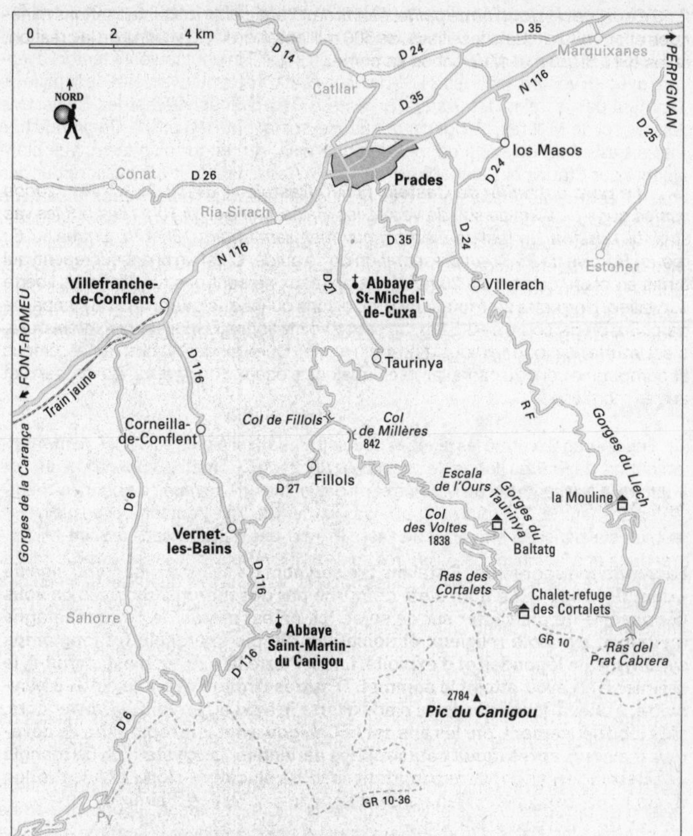

LE CANIGOU

Comment approcher le géant ?

En voiture

Deux routes mènent au pied du pic, où se trouve le *chalet-refuge des Cortalets,* duquel part le sentier pédestre qui conduit au sommet en 1h30-2h. Pour qui ne veut pas le faire avec sa propre voiture, on peut louer des 4x4 avec chauffeur (voir plus loin « Adresses utiles »).

➢ ***La première route*** passe par les gorges du Llech. De Prades, prendre la N 116 direction Perpignan puis tourner à droite vers Los Masos. Après Villerach, la D 24 se transforme en route forestière, praticable uniquement en été par temps sec. Mais attention, elle n'est ouverte que du lever au coucher du soleil et fermée au-delà d'une centaine de véhicules. La piste, superbe, court ensuite en lacet dans un décor boisé. Points de vue magnifiques sur les gorges, 300 m plus bas. On peut souffler un peu au *refuge de la Mouline* puis à Ras del Prat Cabrera (panorama splendide et refuge). On continue ensuite à monter jusqu'au *chalet des Cortalets.* En tout, prévoir env 1h de route depuis Prades.

➢ ***Attention, la deuxième route*** (20 km) n'est praticable jusqu'au bout qu'en 4x4 (compter 1h30 de trajet). De plus, en été, il n'est possible d'y circuler que du lever du soleil à 8h du mat et de 18h au coucher du soleil. On peut toujours tenter l'aventure avec sa voiture, mais les 21 % de dénivellation et le mauvais état de la piste ne facilitent pas le trajet ! De Prades, prendre la D 27 direction Vernet-les-Bains. Une fois au col de Millères, s'engager (à gauche) sur la route forestière. Ça grimpe très vite à travers un paysage de rocaille et de pins. Au détour d'un lacet, vue plongeante sur Prades et Saint-Michel-de-Cuxa. À vrai dire, quitte à passer pour des masos, cette route nous semble encore plus délirante que l'autre. Après l'Escala de l'Ours, le chemin devient carrément extraordinaire : passage voûté sous la roche, vue plongeante sur les gorges du Taurinya, puis passage du col des Voltes et du Ras des Cortalets, où on prend à droite pour arriver enfin au *chalet des Cortalets,* épuisé ! Si vous avez la journée, on vous recommande d'ailleurs de faire les deux routes, qui forment une boucle. Le mieux étant de monter par la première et de redescendre par la seconde, sans oublier qu'il faudra attendre 18h en été pour pouvoir l'emprunter (la seconde !).

À pied

➢ Les courageux et/ou les fauchés peuvent s'engager à pied sur la deuxième route au départ de Prades (longer le canal près du stade). Compter 8 bonnes heures de marche (aller) par le col de Millères et ne pas oublier de se munir de bonnes chaussures de marche, d'un pull et d'un K-way (là-haut la grêle peut tomber en plein été), et bien sûr penser à emporter de l'eau. Prévoir des haltes-visites à Saint-Michel-de-Cuxa et à Taurinya. Deux *refuges* sur le trajet, à Balatg et Jasse-des-Cortalets.
➢ Un autre chemin d'accès, pour les sportifs, est possible depuis le hameau des Mariailles (1 700 m), que l'on rejoint en voiture depuis Vernet. De là, compter 7h de marche aller-retour, avec un joli passage en cheminée.
Mais l'ascension la plus classique reste celle qu'on réalise depuis le refuge des Cortalets, au bout des deux routes forestières citées plus haut où on peut dormir (voir ci-dessous « Où dormir ? Où manger ? »).
Compter 3 à 4h de marche aller-retour. Évidemment, il est recommandé de ne pas s'aventurer là-haut par mauvais temps. Se renseigner avant le départ sur les prévisions météo.
Le GR 10 passe à proximité du refuge (façade ouest). Il longe un étang puis grimpe le long du pic Joffre. Après environ une demi-heure de marche, il poursuit à droite vers Vernet-les-Bains. On prendra à gauche pour continuer la montée. Certains passages sont difficiles à cause de la roche, mais l'ascension n'est pas vraiment compliquée.
Une croix indique l'arrivée au sommet. À côté, les ruines d'une cabane construite par des scientifiques au XVIIIe siècle. Évidemment – c'est pour ça qu'on y monte –, le panorama est à tomber à la renverse. On embrasse toute la plaine du Roussillon, jusqu'à la Méditerranée (à l'est), ainsi qu'une partie de la Costa Brava (au sud-est), les Corbières (au nord), et différents pics des Pyrénées (à l'ouest). Mais pas de vue sur la tour Eiffel !

– Pour toutes ces randonnées, se munir des cartes IGN nos 2450 Ouest et 2349 Est, au 1/25 000. Une autre carte bien détaillée : Randonnée Pyrénéenne n° 10 (Canigou, Vallespir, Fenouillèdes), au 1/50 000.

Adresses utiles

■ ***Antoine Glory à Prades*** *(☎ et fax : 04-68-96-46-41) ou* ***Sébastien Barrère à Casteil*** *(📱 06-18-58-19-24).* Guides de montagne.
■ ***Location de vélos :*** voir « Adresses utiles » à Prades.
■ ***Excursions en 4x4 : M. Taurigna,*** *à Fillols ou à Vernet-les-Bains, place de l'ancienne mairie. ☎ 04-68-05-63-06. Ou* ***Transports Villacèque :*** *☎ 04-68-*

05-51-14. Ou **Taxi de la Gare :** *☎ 04-68-05-62-28. Au départ de Prades,* **M. Colas :** *☎ 04-68-05-27-08. En principe, ils proposent ts le même tarif. Compter 25 €/pers pour la journée (tarif dégressif plus on est nombreux).*

■ ***En bref, en cas de pépin : Assistance Mattei,*** *à Prades : ☎ 04-68-05-34-22.* ***Compagnie privée d'ambulances.*** *Sinon,* ***clinique Saint-Michel :*** *☎ 04-68-96-03-16. Urgences 24h/24.*

Où dormir ? Où manger ?

Refuge des Cortalets : *au bout des routes conduisant au pic (voir plus haut). ☎ 04-68-96-36-19. Ouv début juin-fin sept. Nuitée 13,50 € (50 % de réduc aux membres du CAF). Repas 14,50 €, petit déj 4,70 €.* À 2 150 m d'altitude, c'est le camp de base rêvé pour attaquer l'excursion du pic. Créé par le Club alpin français, c'est le rendez-vous de prédilection des randonneurs, skieurs, alpinistes et touristes de passage. Les 87 places du dortoir et les chambres ne sont donc pas souvent libres ; téléphoner avant. Huit chambres pour couples.

L'ABBAYE SAINT-MARTIN-DU-CANIGOU

Après Vernet-les-Bains, continuer la D 116 jusqu'au village de Casteil. Une rampe exclusivement piétonne conduit à l'abbaye en 40 mn. ☎ 04-68-05-50-03. 1er juin-30 sept, visites chaque heure 10h-17h ; 1er oct-31 mai (fermé lun), 10h, 11h, 14h, 15h, 16h ; slt 10h, 12h30 dim et fêtes. Fermé janv. Entrée : 4 € ; gratuit moins de 12 ans. Transports Villacèque *(voir plus haut) assure le transfert de Vernet à l'abbaye.*

Nid d'aigle isolé dans la montagne, au bord d'un précipice, l'abbaye « est le prie-Dieu le plus exaltant qu'on puisse trouver en face des montagnes et du ciel ». La vie trépidante du plancher des vaches ne semble pas atteindre les lieux... Aucune route d'accès (Dieu soit loué) et un silence de mise durant les visites. On est ici pour tutoyer le ciel, dans un décor roman s'harmonisant parfaitement, à près de 1 100 m d'altitude, avec une nature propice à la méditation. Dans l'enceinte du monastère, près du clocher carré, on remarque des tombes creusées à même le roc il y a presque 1 000 ans par le comte Guifred de Cerdagne. C'est là qu'il désirait reposer aux côtés de sa femme, Guisla, après 30 ans d'un travail de Titan : fonder l'abbaye... Très endommagée au XVe siècle (à l'exception de la crypte) par un tremblement de terre puis abandonnée après la Révolution, son œuvre fut patiemment reconstruite au cours du XXe siècle. On peut donc à nouveau admirer les chapiteaux en marbre rose du cloître et l'église, austère, véritable révolution architecturale qui inspira les débuts de l'art roman dans toute la région.

MANTET

(66820) 24 hab. (22 selon certains)

Le routard cherche souvent son bout du monde. Il est là ! On l'a trouvé ! Un patelin superbe d'isolement. Enclavé au fond d'une vallée accessible par un col à 1 760 m (route sauvage, sans rambarde, avec croisement difficile). Sa population est tombée à zéro dans les années 1960 (faut dire que l'électricité n'est arrivée ici qu'en 1984). C'est la porte d'une magnifique réserve naturelle. Vous l'aurez compris, on a été ému par cet ensemble de maisons en pierres rousses et par la petite église du XIe siècle mignonne à souhait.

Pour s'y rendre, joindre Sahorre (depuis Vernet ou Villefranche), puis le village typique de Py, 3,14 km après le croisement vers l'abbaye Saint-Martin-du-Canigou. Paysages de forêts, rochers, gorges profondes. Somptueux.

Où dormir ? Où manger ?

Gîte d'étape La Girada : *☎ 04-68-05-68-69. • guy@lagirada.com • la girada.com • Tout en bas du hameau (demandez aux chats). Compter 33 €/pers en ½ pens. Plusieurs formules en gîte ou dortoir.* Depuis vingt ans, Guy, enfant du plat pays, retape deux maisons pour en faire un gîte charmant, propre et bien équipé. La déco des chambres et du dortoir allie bois et pierre mais le vrai spectacle est à l'extérieur. Allez découvrir cette vallée perdue à pied ou à cheval (possibilités au village). S'il est complet, Guy vous conseillera certainement Madame le maire, qui tient aussi un gîte-resto.

La Bouf'Tic : *☎ 04-68-05-51-76. Sur la « grand » rue. Compter 36 €/pers en ½ pens.* Madame le maire, Odile, vous accueille dans son café-resto-chambres entre quatre murs de belles pierres.

À voir. À faire

– ***Maison de la nature :*** *derrière l'église. ☎ 04-68-05-00-75. Juil-août, tlj 10h-12h, 14h-19h (sinon téléphoner avt).* Propose un diaporama intéressant sur la région, des randos découvertes (avec guide), des soirées thématiques en été, une expo rigolote de crottes d'animaux du cru... Excellent accueil. Plein d'infos utiles sur rando et nature.

– ***Randos :*** le GR 10 passe ici. Sinon, nombreuses possibilités de balades dans une nature sauvage où s'ébat une faune riche et rare, dont une espèce endémique : le desman, véritable *dahu* des Pyrénées (observable de nuit à la lampe de poche, si on le voit on siffle et...).

GR 10 : DEUX TRAITS D'UN SEUL TRAIT

Un trait rouge, un trait blanc, vous y êtes. C'est le GR 10 qui relie la mer à l'océan en gravissant hardiment les Pyrénées. 750 km de Banyuls à Hendaye, dont 180 dans les Pyrénées-Orientales, où il passe le col du Perthus, tutoie le Canigou, se recueille en l'abbaye de Saint-Martin, parcourt la sauvage vallée de Mantet, monte à l'assaut de la Cerdagne et de la forteresse de Mont-Louis, trempe le pied au lac des Bouillousses, à deux pas des sources de l'Aude qu'il ne verra jamais, et se noie après le Carlit, dans l'Ariège.

VILLEFRANCHE-DE-CONFLENT (66500) 230 hab.

Merveilleuse petite cité médiévale fondée en 1090 par le comte Guillaume-Raymond de Cerdagne, puis remodelée par Vauban. Dans le genre, Villefranche est certainement l'un des sites les mieux préservés de la région, avec son lot de remparts, redoutes, pavés et vieilles bâtisses respectables. Un modèle du genre, donc, avec par conséquent une assez grosse activité touristique. Si le village soigne son look (jolies enseignes en fer forgé), on est toujours ahuri de trouver dans ce genre de lieu les sous-produits de l'artisanat andin ou tibétain ! Est-ce que les Catalans vendent leurs espadrilles à Cuzco ?

Adresses et info utiles

Office de tourisme : *1, pl. de l'Église (sous la mairie). ☎ 04-68-96-22-96. De mi-avr à mi-sept, tlj sf w-e 10h-12h, 14h-17h (juil-août le w-e également) ; le reste de l'année, le mat lun-sam.*

Explorations Pyrénéennes : *64, rue Saint-Jacques. 06-22-45-82-02.* Spéléo, canyoning, parcours aventure, randos.

Gare SNCF : *à l'extérieur des remparts. ☎ 36-35 (0,34 €/mn).* C'est de là que part le fameux « train jaune », à prendre au moins une fois dans sa vie !

– Les ***parkings*** à l'extérieur des remparts sont payants.

Où dormir ? Où manger à Villefranche et dans les environs ?

Camping

Camping du Mas de Lastourg : *RN 116. ☎ 04-68-05-35-25. • maslastourg@aol.com • camping-lastourg.com • À la sortie de Villefranche, à gauche. Fermé en janv. Compter 17,30 € en hte saison. Caravane ou mobile home à partir de 25 € la nuit. Réduc de 5 % en saison estivale sur présentation de ce guide.* Quelle idée de placer un camping entre une route et une voie ferrée ? Idéal pour ceux qui voyagent en train : on vient vous chercher à la gare. Sinon, beaux emplacements ombragés (ceux du fond sont plus calmes). Piscine.

De bon marché à prix moyens

Chambres d'hôtes Le Mas d'en Benissac : *66820 Fuilla-du-Haut. ☎ 04-68-05-52-74. • bernard.floreal@wanadoo.fr • masbenissac.com • À 6 km de Villefranche-de-Conflent. N 116 puis D 6. Fermé nov-avr. Doubles 45-50 €, sem en gîte 400-700 € selon saison. Dîner 18 €.* Au milieu de vergers, d'oies, de canards et de paons, un couple sympa de producteurs bio (Bernard et Christine) a aménagé cette ancienne ferme. Un lieu qui appartint à Maurice Bellonte, qui atterrit dans cette vallée perdue de la Rotja après le fameux vol Paris-New York. La masure, relookée, allie avec goût vieilles structures et clins d'œil originaux. On a aimé la chambre Pablo Casals, décorée *con brio* d'une suite de bacs à pommes très colorés (pieds de lits, tables de nuit...). Levons notre verre de jus de pomme bio à votre séjour au Mas.

Au Grill, restaurant La Senyera : *81, rue Saint-Jean. ☎ 04-68-96-17-65. Fermé fin oct-fin nov et fin mars-début avr. Hors saison, ouv le midi tlj sf mer ainsi que sam soir et j. fériés. En saison, ouv tlj sf mer, mar soir et jeu soir. Menus 18 et 26 €. Apéritif offert sur présentation de ce guide.* Une petite salle néo-rustique pour une cuisine bien catalane. Vins régionaux aussi, ça va de soi. Une adresse fiable, appréciée des locaux.

De prix moyens à beaucoup plus chic

Auberge Saint-Paul : *7, pl. de l'Église. ☎ 04-68-96-30-95. • auberge-st-paul@wanadoo.fr • Fermé dim soir-mar nov-Pâques, dim-lun Pâques-oct. Congés : 15 j. en janv, 3e sem de juin (sf w-e) et 15 j. fin nov. Menus 19,50-85 €. À la carte, compter env 80 €.* Ici, on parle au féminin. Car si l'auberge est l'ancienne chapelle Saint-Paul, la messe est dite par Patricia Gomez. Une chef dont le talent rayonne sur toutes les Pyrénées-Orientales. Avec doigté et passion, elle active les touches de son piano qui devient grandes orgues, avec ses fugues pour râble de lapin farci à la sauge et autres escalopes de foie gras aux pêches rôties. On vous cite ces spécialités, mais les plats, renouvelés en permanence, raviront toujours vos papilles. Et la salle affiche fièrement son passé : tour à tour religieux (chapelle du XIIIe siècle), militaire (salle d'armes), laïc (école où le patron a usé ses fonds de culottes...) et désormais culinaire. Un destin peu banal. Le service pourtant efficace manque parfois d'attention.

Où boire un verre ?

Bar Le Canigou : *pl. du Génie. ☎ 04-68-96-12-19. Attenant à la porte de France.* Pas banal ce bar à la déco kitschissimement surchargée sur le thème des pompiers. Passion du patron. Bornes à incendie qui ne marchent pas qu'à l'eau... camions miniatures, escadron de casques. Pin-Pon ! Service express. Et en prime une terrasse à l'ombre du platane le mieux protégé des incendies de forêts de tout le département...

À voir

Les vieilles rues : on entre dans l'enceinte de la ville par la porte de France (côté gare), ou par celle d'Espagne (côté parking). Deux longues rues parallèles traversent Villefranche de bout en bout : Saint-Jean et Saint-Jacques. Fondée au XIe siècle et longtemps capitale économique du Conflent, la ville conserve encore de charmantes demeures aux belles façades médiévales. Au petit matin, une luminosité superbe baigne les ruelles, renforçant les teintes roses de certaines maisons (la ville fut construite avec le matériau fourni par ses montagnes : le marbre rose de Villefranche). Au pied du chemin de repli souterrain du fort Libéria, à noter un très beau réduit bastionné suivi du pont Saint-Pierre, fortifié, qui enjambe la Têt.

Les remparts : *accueil au 32 bis, rue Saint-Jacques. ☎ 04-68-96-16-40. Juin-sept, tlj 10h-19h (20h juil-août) ; fév et oct-nov 10h30-12h, 14h-17h ; sinon, 14h-17h. Tarif : 4 € ; réduc.* Encore bien conservée, l'enceinte du XIe siècle fut renforcée de tours au XIIIe et de 6 bastions (dont 4 d'angle) au XVIIe siècle (par Vauban, qui a subtilement modernisé les fortifications médiévales). Ici, la curiosité principale est sans conteste le chemin de ronde voûté, construit dans l'épaisseur des murs ! Sur le parcours, rare et belle forge catalane (fin XVIIIe).

VAUBAN FAIT FORT

Bellegarde (Le Perthus), Miradou (Collioure) ou Lagarde (Prats-de-Mollo), voilà trois citadelles aux appellations évocatrices qui surveillent l'Espagne et veillent au traité des Pyrénées. Dans le Vallespir, le fort Dels Banys protège Amélie. Dans le Conflent, Villefranche verrouille les vallées de la Têt et de la Rotja. Et, tout là-haut, la cité de Mont-Louis tient Cerdagne et Capcir. Tous ces fleurons de l'architecture militaire portent le nom de Sébastien Le Prestre de Vauban (1633-1707), Vauban pour les intimes.

L'église Saint-Jacques : sur résa pour groupes (auprès de l'office de tourisme). Paradoxalement flanquée de la tour du Diable ! Belle façade de marbre rose et portail sculpté du XIIe siècle. Beaucoup de marbre également à l'intérieur : bénitier et statues du XVIIe, autel du XIIIe, etc. Remarquer les pierres tombales, dont certaines sont cachées par les chaises : ne riez pas, mais on y a sculpté des têtes de mort en train de sourire !

Le château fort Libéria : *perché au-dessus de la ville, sur la colline de Belloch. ☎ 04-68-05-74-29 ou 04-68-96-34-01. Une navette payante (2,20 €) y conduit au départ de Villefranche. Pour y aller à pied, prendre la rue Saint-Pierre jusqu'au beau vieux pont et traverser la voie de chemin de fer. L'entrée souterraine est derrière. On conseille de monter par le sentier (en 20 mn) et de descendre par les marches. Ouv tte l'année ; visite tlj 10h (9h juil-août)-20h avr-oct et 10h-18h le reste de l'année (visite libre). Entrée : 5,80 €.*

À voir dans ce château du XVIIe siècle créé par... Vauban et remanié au second Empire : prisons, galeries de défense, four à pain, chemins de ronde, panorama sur la région, et canons... Le fort a servi de prison à certaines des femmes impliquées dans l'affaire des poisons, sous Louis XIV. De ce fait, on a reconstitué les cellules des « femmes enchaînées ». Après la visite, on redescend en ville par l'incroyable escalier souterrain dit « des mille marches » (en fait, il y en a 734 : on les a comptées), sous Napoléon III.

– Au *17, rue Saint-Jacques (entrée : 2,30 €)* musée du château qui expose des objets découverts dans le fort (fusils, poteries, boulets...) mais aussi une réplique du plan-relief de Villefranche dont l'original est conservé aux Invalides à Paris.

Les grottes : *la cova Bastera est la plus petite. Entrée face au jardin public, sur la nationale. De mi-juin à mi-sept, 10h30-18h (visite libre) ; le reste de l'année, sur résa pour les groupes. Entrée : 7 €.* Il s'agit désormais de la Préhisto-grotte. Avec un campement spéléo, un film pédagogique, une expo, des reconstitutions préhistoriques, des dinosaures taille réelle... il y a de quoi faire ! Plus loin, sur la route de Vernet-les-Bains, on trouve *les Canalettes* et *les Grandes Canalettes. Les Canalettes sont ouv slt en juil-août, tlj 10h-17h. Entrée : 7 € ; réduc. Les Grandes Canalettes (☎ 04-68-05-20-20) sont ouv 1er avr-31 oct, tlj 11h-17h30 ; le reste de l'année, dim et vac scol 14h-17h. Entrée : 7 € ; réduc. CB refusées.* Il faut au moins voir les Grandes Canalettes, superbe enfilade de salles vieilles de 40 millions d'années. Concrétions exceptionnelles, cristallisations, colonnes, aragonite, glacier suspendu et gouffre sans fond. La visite est agrémentée d'un chouette son et lumière, et, en juillet-août à 18h30, une visite guidée par l'inventeur des grottes est enrichie d'un spectacle musical. Prévoir un pull, sinon glagla !

À faire

➢ ***La promenade en « train jaune » :*** *de Villefranche (altitude 427 m) à Latour-de-Carol (1 231 m), via Mont-Louis, Font-Romeu, Bourg-Madame... Rens à la gare SNCF. Compter env 34 € l'aller-retour (18 € jusqu'à Font-Romeu qui est la partie la plus spectaculaire).* Attention : en été c'est la gare de Lyon aux heures de pointe et il y a de l'attente ! Par beau temps, certains wagons sont « cabriolet », pour profiter encore mieux des paysages de montagne traversés et du grand air.

➢ ***Nombreuses randonnées*** dans les environs, comme celles permettant de visiter les réserves naturelles de Py et Mantet ou de Conat Betllans (derrière le château fort), riches en faune et en flore. Parcours à l'office de tourisme.

TRAIN JAUNE : TRAIN GRANDE VALEUR À PETITE VITESSE

Que sont-ils allés bâtir ce chemin de fer acrobatique à l'assaut de la Cerdagne ? Colonne vertébrale de la Catalogne, parcourue par un petit train tout jaune accroché à sa crémaillère, alimenté par l'électricité d'un barrage dédié, qui gravit poussivement des pentes ardues, enjambe des précipices sur d'improbables viaducs, se jette dans de noirs et longs tunnels, s'agrippe à des corniches au-dessus du vide. Un de ces paris fous du début du XXe siècle. Et s'il va moins vite que le TGV vers Barcelone... il monte bien plus haut !

Achats

La Boutique du champignon : *bastion du Dauphin. ☎ 04-68-05-94-76.* Une étonnante boutique-cadeau dédiée au champignon, qu'on retrouve sous maintes formes : alimentaire (sec, au naturel...), en jouets, céramiques, peluches... Une initiative très originale où les prix poussent un peu sur le champignon.

Manifestations

– *Fête de la Saint-Jacques : le 3e w-e de juil.* Fête du village avec sardanes... qui s'achève sur un feu d'artifice.
– *Fête de la Saint-Jean : à la porte de France.*
– *Fête des Géants : le 1er w-e d'avr.*

➤ DANS LES ENVIRONS DE VILLEFRANCHE-DE-CONFLENT

CORNEILLA-DE-CONFLENT *(66820)*

À 4 km de Villefranche en direction de Vernet-les-Bains. Un village qui renferme l'une des plus belles et sans doute la plus riche église romane de la région.

***L'église romane :** accueil au patrimoine info face à l'église. ☎ 04-68-05-77-59. Visite guidée. Juin-sept, 10h-13h, 15h-18h (19h août) ; oct-mai, rens à la mairie (☎ 04-68-05-63-98). Entrée : 2,50 € ; réduc.* Ancien prieuré de chanoines, conservant de superbes œuvres. Fabuleuses statuettes en bois peint du XVe siècle ; exceptionnel retable en marbre sculpté du XIVe ; autre retable en bois doré du XVIIe siècle ; émouvante statue polychrome représentant Notre-Dame des Sept Douleurs, vêtue de dentelle noire, au visage d'une pureté éblouissante (nous en rêvons encore...) ; alignement d'autels en marbre rose, du XIIe siècle ; statuettes romanes dont l'une (celle de gauche) servit de modèle à toutes les Vierges de la région, etc. Dans la sacristie, un dernier trésor : une armoire à chasubles hispano-mauresque en noyer massif (elle a 700 ans !), aux ferrures finement ciselées... En ressortant de l'église, ne pas manquer les visages sculptés dans la poutre, sous la tribune.

DE VILLEFRANCHE À MONT-LOUIS

Route absolument splendide, la N 116 permet de visiter de nombreux villages de charme.

Tout d'abord ***Serdinya,*** joli patelin de montagne à l'église richement décorée. Après Joncet, on aperçoit deux vieilles tours, en forme de cheminée, d'une bastide du XIVe siècle. Les forêts accrochées aux montagnes lancent mille feux en automne.

Jujols : juste avant Olette, à droite par la D 57, une petite route panoramique qui mène à un hameau typique avec sa vieille chapelle romane. Point de départ de belles randos dans une réserve naturelle, avec vue imprenable sur le Canigou : si vous trouvez ça banal, retournez vite faire une cure de béton armé en ville... Les autres seront heureux de savoir qu'il y a ici de quoi loger et l'***Auberge de Jujols,*** rustique, simple avec menu unique à 22 € tout compris. Pas gastro mais bien local (résa au ☎ 04-68-97-02-40).

À ***Olette,*** prendre à droite en direction d'Évol. Route d'un charme fou, agrémentée de belles maisons pourtant abandonnées. Évol est un authentique village montagnard. Ruines d'un château, maisons en pierre et belle église Saint-André (Vierge en bois peint du XIIIe siècle, retable du XVe). Une route forestière grimpant à 16 % mène au col de Portus. De là, plusieurs randonnées possibles dans les réserves naturelles de Nohèdes, Jujols, Conat... Un sentier mène également au pic de Madrès (panorama grandiose à 2 469 m ; refuge en route).

De retour d'***Évol,*** ceux qui ont du temps peuvent joindre Mont-Louis par une magnifique petite route des cols buissonniers (la D 4) : des à-pics, un panorama somptueux sur la Cerdagne à hauteur de Tourol, le petit village méconnu d'Ayguatebia et, plus haut, des alpages (on dit comment dans les Pyrénées ?).

Nyer *(66360)* **:** tout proche d'Olette, vieux village niché au creux des montagnes. En haut du chemin principal, improbable château. Accroché à la façade, un élégant balcon de marbre rose. Nyer réserve une autre surprise, tout à fait incroyable et qui se mérite : la *chapelle de la Roca.* On suit d'abord la route au-dessus de Nyer sur 700 m puis, à la première épingle, on emprunte la (mauvaise) piste forestière à droite. 500 m plus loin, dans un site d'une sauvage beauté, on aperçoit une tour carrée jaunie par les âges. À ses pieds, la chapelle isolée, construite à l'emplacement d'un château médiéval sur un promontoire, surplombe les gorges d'une rivière coulant une centaine de mètres en contrebas...

Suite de l'itinéraire : après Olette, la route continue inlassablement à monter, atteignant les 1 000 m d'altitude à Fontpédrouse. Les pics se multiplient, les panoramas aussi. Et les infrastructures du train jaune s'affichent : viaducs de pierre et métal, tunnels, voies à flanc de roche.

Les gorges de la Carança : *à la sortie de* ***Thuès-entre-Valls****, petite route à gauche jusqu'au parking (payant, 2 €). Point info.* Le chemin longe la rivière jusqu'à un petit pont qu'on laisse à droite. Surgissent alors les gorges, splendides, hautes d'une centaine de mètres par endroits. Sur ce premier tronçon, une variante consiste à franchir le pont, à emprunter tout de suite à gauche un sentier creusé en corniche dans la roche, sur l'autre rive : les « gneiss œillés ». Superbe. Après 4h de marche environ, on arrive au refuge du Ras (gardé en été). Pour atteindre les crêtes du versant espagnol, compter encore 4h. On aperçoit parfois des bébêtes (penser aux jumelles). On trouve aussi des épinards sauvages... et la rivière grouille de truites (pas de rapprochement hâtif !). Le retour se fait par une série de lacets en forêt (compter 9-10h l'aller-retour). On peut y bivouaquer, l'endroit est paradisiaque en été. À éviter par temps d'orage : le sol plein de fer attire la foudre (!) et il peut y avoir des chutes de pierres. De bonnes chaussures, la carte IGN Olette n° 2349-Ouest, série Bleue au 1/25 000 et roule poupoule !

Les sources chaudes de Saint-Thomas-les-Bains : *66360* ***Fontpédrouse.*** *☎ 04-68-97-03-13. Par la N 116, dans Fontpédrouse, D 28 direction Prats-Balaguer (suivre le fléchage). Fermé 15 j. fin nov. Tlj 10h-20h (21h en juil-août). Entrée : 4-4,50 € selon saison ; réduc. Forfait 10-12 € selon saison : jacuzzis, hammam, bains extérieurs et boisson. Soins et massages sur rendez-vous.* Un *best-seller* du département avec 130 000 entrées par an. Il faut dire qu'en hiver, le grand chic, c'est d'y plonger après une journée de ski. C'est un vrai plaisir de pouvoir se baigner en plein air dans une piscine (2 bains dont un grand jacuzzi) à 37 °C. Les eaux sulfurées, sodiques et alcalines de la source soignent rhumatismes et voies respiratoires. De quoi faire une minicure thermale à moindre prix. À éviter en cas de problèmes cardio-vasculaires.

Où dormir ? Où manger dans les environs ?

Hôtel La Fontaine : *3, rue de la Fusterie, 66360 Olette. ☎ 04-68-97-03-67. Fax : 04-68-97-09-18. Sur une petite place un poil en retrait de la route. Doubles avec sanitaires complets 42-47 € selon saison.* Hugo (Redford) accueille gentiment ses clients dans la langue de William (Shakespeare) et pas celle d'Hugo (Victor) ni celle de Pau (Casals). Cet hôtel autoproclamé *B & B* offre le *bed* dans une jolie bâtisse couleur saumon avec des chambres de bon confort. Mais, pour le *breakfast,* c'est en supplément. Ça reste un bon rapport qualité-prix.

Auberge de la Carança : *Prats-Balaguer, 66360. ☎ et fax : 04-68-97-10-84. À env 15 km de Mont-Louis, par* *la N 116. À Fontpédrouse, D 28 jusqu'au bout. Fermé mer et 15 nov-20 déc. Doubles 34-39 €. Menus 13,20 et 18,50 €.* Une petite maison sans charme, au bout du village. Après, c'est la montagne. Ça conviendra surtout aux randonneurs pour reprendre des forces avec une cuisine simple mais goûteuse (veau rosé des Pyrénées, omelette de champignon...). Chambres sommaires mais propres, accueil montagnard et conseils pour la randonnée. Réservez ! Y compris pour les repas (la première boulangerie est à près d'une demi-heure de route...).

Manifestations dans les environs

– ***Foire d'automne :*** *à* **Olette.** Foire aux bestiaux et produits de la montagne.
– ***Fête des Pommes :*** *en oct, à* ***Fuilla*** *et à* ***Sahorre,*** *dans la vallée de la Rotja.*

LA CERDAGNE

À 1 200 m d'altitude moyenne, ce plateau cerné de hautes montagnes jouit d'un ensoleillement et d'une luminosité privilégiés (plus de 3 000 h de tempête de ciel bleu par an !). Ce n'est pas pour rien qu'on y installa les premiers fours solaires de France. Grâce également à ses cimes enneigées, ses vastes panoramas, ses somptueuses forêts et sa faune de montagne, la Cerdagne est devenue le paradis des randonneurs... Ses villages typiquement montagnards, la proximité de l'Espagne et d'Andorre, sans oublier ses stations de ski, achèvent d'en faire une étape obligée de toute visite des Pyrénées-Orientales. Un parc régional y englobe également une soixantaine de communes de Cerdagne, du Capcir et du Haut-Conflent. On y trouve enfin pas mal de sources chaudes, où il fait bon se tremper. Tout cela confirme ce que les Catalans ont l'habitude de dire : « Chez nous, vous avez à la fois la mer et la montagne ! »

À L'HEURE DES BROUSSE

Les Emmanuel Brousse, père et fils, n'étaient pas en retard sur leur temps. Le premier, homme politique, secrétaire d'État aux finances... mort pauvre, comme le dit un monument à Mont-Louis, fut moteur dans le projet du train jaune. Le second, journaliste, visionnaire, prédit que le tourisme serait un secteur économique majeur en Catalogne. Il écrivit le premier guide touristique de la région : ancêtre de votre Guide du routard *préféré ?*

Comment y aller ?

Depuis Toulouse en train, on arrive à Latour-de-Carol. Depuis Perpignan, Prades, Villefranche, bus et trains. Ensuite, bus et train jaune desservent la région.

➢ ***En train jaune ou autocars SNCF :*** de Villefranche-de-Conflent ou de Latour-de-Carol. Huit trains/j. en été, 3 à 4/j. en hiver. À ne pas rater, trajet mémorable (voir, plus haut, le chapitre « À faire » à Villefranche-de-Conflent).

➢ ***En bus :*** Perpignan – Mont-Louis via Prades avec les *Courriers Catalans.* Compter 2h de trajet. Un peu moins cher que le train. Localement, 4 à 5 bus/j. de Latour-de-Carol vers Mont-Louis (et vice versa) via Saillagousse ou Font-Romeu. ● *cg66.fr/institution/transport/* ●

➢ ***Par la route :*** de Perpignan par la N 116, de Toulouse par la N 20.

MONT-LOUIS

(66210) 270 hab.

La plus haute ville forte de France (à 1 580 m d'altitude) est l'œuvre de Vauban (une des rares qu'il aura édifiées de toute pièce). Elle a pris le nom de son maître, Louis XIV. À l'occasion du tricentenaire de la mort dudit Vauban, la citadelle postule à être classée au Patrimoine mondial de l'Unesco tout comme Villefranche-de-Conflent et plusieurs autres sites de sa facture. Toute petite ville de garnison, Mont-Louis n'est pas dénuée d'intérêt. Nous vous conseillons même d'y séjourner, la cité étant idéalement placée à l'entrée de la Cerdagne et du Capcir et pas très éloignée des beaux sites du Haut-Conflent (Nyer, Évol, gorges de la Carança...).

Adresse utile

*🛈 **Office de tourisme :** rue du Lieutenant-Pruneta. ☎ 04-68-04-21-97. • mont-louis.net • En saison, tlj 10h-12h, 14h-18h ; hors saison, lun-sam 10h-12h, 14h-17h.*

Où dormir ? Où manger ?

Campings

***Camping Pla-de-Barrès :** route des Bouillouses. ☎ 04-68-04-26-04. Par la D 60 en direction du lac des Bouillouses. Ouv de juin à mi-sept. Compter 10,75 € en hte saison.* En pleine nature, dans une belle forêt. Terrain rudimentaire mais suffisant. Normalement, il y a toujours de la place mais, en août, arriver tôt.

***Caravaneige :** à l'intérieur des remparts. S'adresser à l'office de tourisme : ☎ 04-68-04-21-97. Ouv de mi-oct à mi-avr. Compter 10 €/nuit.* Comme son nom l'indique, emplacement pour caravanes et camping-cars seulement.

De bon marché à prix moyens

***Lou Rouballou :** 7, rue des Écoles-Laïques. ☎ 04-68-04-23-26. • christine.courivaud@wanadoo.fr • À l'intérieur des remparts, face à l'école communale. Congés : en mai et de mi-oct à mi-déc. Doubles 40-50 € selon confort. Bon petit déj 7 €. Café ou tisane offert et réduc de 10 % en oct-nov sur présentation de ce guide.* Une pension de famille de charme et de caractère comme on les aime : rustique, confortable et agréable. Accueil très chaleureux de la famille Duval, à commencer par celui de Christine, *mamma* catalane à l'accent ensoleillé, qui n'hésite pas à vous appeler « mes petits ». On se sent ici chez soi, dans le lit douillet d'une chambre coquette. Le *rouballou* est un champignon qu'il faut savoir trouver dans la mousse, sous les sapinettes. La maison ne fait plus restaurant pour le moment, mais elle reste une adresse toujours appréciée par nos lecteurs.

***Le Dagobert :** 8, bd Vauban. ☎ 04-68-04-14-32. Ouv tlj en saison. Hors saison, fermé le soir lun-jeu. Congés : janv et juin. Menu unique 15,50 € (quart de vin et café inclus) et carte. Apéritif maison offert sur présentation de ce guide.* Une salle voûtée sous les remparts assez agréable avec ses grosses pierres apparentes, et quelques tables en terrasse. Cuisine régionale traditionnelle de bon aloi, bien servie. Service aimable. Bref, une petite adresse familiale qui tient la route.

Où dormir ? Où manger dans les environs ?

***Hôtel Corrieu :** 66210 La Llagonne. ☎ 04-68-04-22-04. • hotel.corrieu@wanadoo.fr • hotel-corrieu.com • À 3 km au nord de Mont-Louis, route* *des Angles. Fermé 20 sept-23 déc et 16 mars-10 juin. Doubles 35-78 € selon confort ; ½ pens obligatoire pdt les w-e et en août. Formules déj 13,80 € (en sem) et menus 24-28,50 €.* Une adresse fiable, tenue par les Corrieu depuis trois générations. Ancien relais de diligence, jouissant d'une belle vue côté montagne. Chambres assez confortables, propres et refaites pour certaines. Celles du 3e étage, sont mansardées mais petites (sauf la n° 38). La table, réputée, propose une saine cuisine traditionnelle régionale.

À voir

Les remparts : construits en 1679 à un point stratégique pour défendre les nouvelles frontières délimitées par le traité des Pyrénées, ils ne servirent jamais ! C'est Louis XIV qui en décida les travaux, d'où le nom de la ville... Par leur austérité, ils contrastent avec ceux des villages médiévaux comme Villefranche-de-Conflent. L'ensemble est impressionnant en pleine montagne. On y pénètre par l'étroite porte de France, au travers de fortifications destinées à casser l'avancée des assaillants.

Le four solaire : *bd Vauban. ☎ 04-68-04-14-89. Tlj 10h-12h, 14h-18h (17h nov-fin janv) ; juil-août 10h-12h30, 14h-19h. Fermé la 1re quinzaine de déc. Entrée : 5,50 € ; réduc. Slt des visites guidées, chaque demi-heure en juil-août, ttes les heures sinon.* Dernière visite une heure avant la fermeture. Accès aux malvoyants (livrets en braille). C'est le premier four expérimental au monde, réalisé en 1949 par le professeur Trombe (ça fait très savant fou). Ne croyez pas qu'on avait déjà des velléités écolos à l'époque : les recherches sur la fusion furent financées par l'armée ! Aujourd'hui, en revanche, les fours solaires construits ici présentent un réel intérêt écologique, économique aussi, notamment pour les pays tropicaux où ils permettraient de lutter contre la déforestation (le bois étant pour l'heure l'une des principales énergies de ces pays). Visite intéressante, avec démonstration de l'efficacité du four : une planche s'enflamme instantanément, une plaque d'acier fond en 34 secondes.

L'église : assez banale de l'extérieur, elle renferme pourtant quelques pièces intéressantes, comme ce Christ en bois du XVIIe siècle, des retables dédiés aux dévotions locales et des tableaux du XVIIIe siècle.

La citadelle : *en haut du village.* Cette caserne est toujours un centre d'entraînement commando (gaffe au sergent recruteur !). Visite toute l'année via l'office de tourisme, 3 à 5 fois par jour selon la saison, ce qui permet de voir le « puits des Forçats », qui alimentait la ville pendant les sièges. Intéressant pour l'immense roue en bois que faisaient tourner les soldats punis.

Le bastion du lieutenant Michel Gilles : après avoir franchi le passage voûté sous l'hôtel de ville, on rejoint ce bastion qui défendait la porte de France. À droite, pour joindre les douves, un escalier « pas de souris » avec des marches très étroites faciles à grimper mais qui font choir l'ennemi fuyant...
Après le bastion, on peut aller admirer un joli panorama sur les remparts et les environs depuis une butte à l'extrémité de la rue Vauban. Magique à la tombée de la nuit, quand les nuages remontent de la vallée.

➤ DANS LES ENVIRONS DE MONT-LOUIS

Planès (66210) **:** *à 6 km au sud-est de Mont-Louis. Prendre la D 32 à la Cabanasse.* Village cul-de-sac. Célèbre pour son incroyable ***église*** en forme de trèfle, construite au XIe siècle. Elle se trouve au bout du village, en haut d'une petite côte. Demander la clé au gîte d'étape, face à la mairie. Sa curieuse disposition inspira une légende : elle aurait été construite par des Arabes ! Elle est aussi « réputée » pour guérir la fièvre et la stérilité... Intérieur minuscule et presque vide.

➢ **GR 10** à l'entrée du village. Itinéraire fléché accessible aux VTT.

LES PYRÉNÉES-ORIENTALES

EYNE

(66800) 160 hab.

Entre Mont-Louis et Saillagouse. Un charmant village qui tente de survivre grâce à sa petite station de ski, le Cambre d'Aze. Dans le vieux village, deux clochers côte à côte ! À droite, celui de l'église, dans laquelle se cache un retable baroque classé (clé à la mairie).
Les environs, notamment la vallée d'Eyne, sont connus pour leurs plantes médicinales. À ce propos, une chouette balade d'une journée part du village. Itinéraire pédestre, équestre et accessible aux VTT.

Adresse utile

Maison de la vallée d'Eyne : *av. de Cerdagne.* ☎ *04-68-04-97-05.* • *eyne-cambredaze.com* • *info.oteyne@free.fr* • *Ouv mar-sam 14h-17h ; de mi-juin à mi-sept, tlj sf dim 10h-18h (tlj de mi-juil à mi-août) ; le reste de l'année, ouv sur demande.* Infos sur les randos. Expos permanentes, jardin ethnobotanique, sorties nature dans la vallée d'Eyne.

Où dormir ? Où manger ?

Gîte Cal Pai : ☎ *04-68-04-06-96.* • *calpai@libertysurf.fr* • *gite-calpai.com* • *Derrière l'église. Ouv déc-mars. Doubles 44 €, table d'hôtes le soir, sur résa, 20 €. ½ pens 41 €/pers, obligatoire pdt vac scol et le w-e. Apéritif maison offert sur présentation de ce guide.* Dans une vieille ferme rénovée. Chambres rustiques et agréables, certaines sans salle de bains. On a une préférence pour la « bleue » au dernier étage sous les toits. Éviter en revanche la chambre de l'annexe, sauf pour dépanner. Au petit déj, des confitures maison pas mal du tout. Cuisine simple et copieuse, servie dans une grande salle avec mezzanine. Salon, bibliothèque... Accueil gentil et organisation rigoureuse de la propriétaire, Françoise Massot.

À faire

➢ **Promenades à cheval :** *Cerdagne Équi-Rando.* ☎ *04-68-04-79-59.* • *contact@larando.com* • Promenades et randonnées à cheval, location de poneys.

LLO

(66800) 150 hab.

Prononcer « yo ». Au sud d'Eyne sur la petite route vers Saillagouse. Un des plus authentiques villages du coin. À Llo-Haut (yoho !), ruines d'une tour de gué sur un piton rocheux, d'où la vue est splendide. Un site archéologique gaulois a été mis au jour près d'une chapelle en ruine.

Où dormir ? Où manger à Llo et dans les environs ?

Camping et gîte

Las Closas : *pl. Saint-Génis, 66800 Err.* ☎ *04-68-04-71-42.* • *camping.las.closas@wanadoo.fr* • *camping-las-closas.com* • *À 4 km de Llo par la D 33.*

Ouv tte l'année. Compter 12 € en hte saison. Mobile home 350-485 €/sem. Réduc de 5 % sur présentation de ce guide. Sympa parce que dans le village. Ombragé, pas très grand et la nature tout autour.

Gîte d'étape et de séjour, ***San Feliu*** (☎ 04-68-04-08-98) situé près de la mairie de Llo.

De prix moyens à plus chic

La Vieille Maison Cerdane : *pl. de Cerdagne, 66800 Saillagouse. ☎ 04-68-04-72-08. • planotel.fr • Sur la route, au centre du village. Menus 22-44 €. Compter 40 € à la carte.* Faites arrêter le cocher à cet ancien relais de diligences. Les Planès vous accueilleront dans leur honorable maison comme leurs ancêtres le font depuis un siècle. Aigles, renards, faisans, ours sont de la noce... ou presque, aux murs d'une immense salle chic et lumineuse où des piliers de pierre portent une haute et belle charpente. Tables biens dressées et nappées de blanc comme la Cerdagne en hiver. La gastronomie y est classique mais rehaussée d'une pointe locale et très bien présentée. Et pour ne rien gâcher le service est efficacement mené par un personnel tiré à 4 épingles et serviable.

De plus chic à beaucoup plus chic

Auberge Atalaya : *à Llo-Haut. ☎ 04-68-04-70-04. • atalaya66@orange.com • atalaya66.com • Resto ouv slt le soir, sf sam-dim : ouv midi et soir. Doubles 96-155 €. Menu 33 € ; beaucoup plus cher à la carte. Piscine. Apéritif maison offert sur présentation de ce guide.* Bel ensemble de maisons en pierre recouvertes de vigne, qui domine le pittoresque village. Tout, du petit jardin de curé à la déco de très haute qualité des chambres, dégage un charme fou. L'accueil est délicieux. Tout comme les recettes de la carte, variant au gré de l'inspiration du chef et des saisons, servies dans une chic salle panoramique. Bref, une grande adresse.

À voir. À faire

L'église : *en bas du village.* Ravissante, avec son clocher. Portail roman aux belles sculptures. Petit cimetière adorable. Superbes photos en perspective, avec les montagnes en fond...

– ***Les bains de Llo :*** *☎ 04-68-04-74-55. Suivre le fléchage, se garer et finir à pied. Tlj 10h-19h15 (9h30-19h30 en juil-août). Fermé nov-22 déc. Entrée : 7,50 €.* Jacuzzi (compris dans le prix) et beau bassin en plein air. Un autre, couvert, équipé de jets masseurs. Température de l'eau : 35 °C.

– ***Via ferrata Les Escadilles :*** *06-85-02-23-84. • viaferrata-dello.com • Juste après les bains. Ouv les w-e et tlj juil-août 9h-16h. Compter 19 € (matériel fourni).* La première via ferrata des Pyrénées : 2 parcours, 2 niveaux. Compter 3h. Le site, au bord du Sègre, est enchanteur. Après ça, un bon bain dans les eaux chaudes (*escadilles* en catalan) s'impose !

CASSE-TÊTE, QU'À TA LANGUE

Pas facile de s'y retrouver dans les prononciations locales. Voici deux ou trois tuyaux. Le village de Llo se dit « yo ». Comme dans tuyau (tiens, tiens !). Donc Ille, c'est « iye », mais attention ça ne fonctionne pas pour Villefranche. Le « x » est classé dans la catégorie des son « che » comme dans Saint-Michel-de-Cuxa. Mais le « ch » du Tech qui coule à Arles est un « k ». Ah ! les mots en « t », notre hantise. Celui qui finit Têt est appuyé (« Tête »), comme à Mantet, mais ni à Vernet ni à Céret. Véritable prise de Têt, on vous dit. Vous dites ?

➤ DANS LES ENVIRONS DE LLO

Le musée de Cerdagne : *ferme Cal Mateu, 66800* ***Sainte-Léocadie.*** *☎ 04-68-04-08-05. À côté de la mairie. Ouv juil-fin sept et tte l'année sur résa pour les groupes. Pour les horaires, se renseigner auprès du musée. Entrée : 3,50 € ; réduc.* Dans une ferme du XVIIIe siècle, témoin du passé et de l'architecture locale, ce musée accueille des expositions temporaires retraçant l'histoire de ce recoin de l'Hexagone, devenu français en 1659. On visite les bâtiments d'habitation et d'exploitation, le jardin potager traditionnel et la basse-cour. Près de 300 bouteilles issues de la vigne de Sainte-Léocadie, la plus haute d'Europe, se vendent chaque année à la criée. Quand on sait ce que pouvait engloutir un travailleur des champs : un nombre impressionnant de repas et plus de 12 l de vin par jour.

LLÍVIA (ENCLAVE ESPAGNOLE) (17527) 700 hab.

À 5 km à l'ouest de Saillagouse, l'ancienne capitale de la Cerdagne est désormais un îlot espagnol de 13 km² rattaché à la province de Gérone, et cerné de terres françaises... Une situation étonnante (d'autres disent privilégiée), comme il n'en existe plus qu'une dizaine dans le monde. Dont le village d'Astérix... mais l'heure de Schengen tend à rattraper ces clins d'œil de l'histoire.

ESPAGNE, FRANCE : LLÍVIA, LLÍVIA PAS ?

L'histoire de cette enclave vaut d'être dite. La Cerdagne, berceau de l'État catalan, fut longtemps cause de guerre entre Espagnols et Français. Le traité des Pyrénées (1659) laissait des frontières peu précises. Un autre traité (signé à Llívia) allait octroyer la majorité de la Cerdagne à l'Espagne, la France gardant la vallée de Carol ainsi qu'un territoire pour y accéder, comprenant selon le texte « 33 villages ». Llívia faisant valoir son statut de ville et non de village échappa donc de justesse à l'annexion française !

Adresse utile

Bureau d'informations touristiques : *carrer dels Forns, 12 (sous l'église, face à la tour Bernat de So). ☎ (00-34-972) 89-60-11. • llivia.org • Avr-fin sept, mar-sam 10h-16h50 ; le reste de l'année, mar-sam 10h-16h20. Ouv dim et j. fériés, tte l'année, 10h-13h50. Fermé lun.*

Où manger ?

Cal Cofa : *Frederic-Bernardes, 1. ☎ (00-34-972) 89-65-00. Sur la place principale du village. Fermé de mi-juin à mi-juil. Tlj sf mer en été ; le reste de l'année, slt jeu-dim. Formule déj 12 € (en sem). Sinon, à la carte, compter 28 €. Apéritif et digestif offerts sur présentation de ce guide.* Une « taverne » sans prétention, où on mange copieusement dans une ambiance franco-espagnole animée. Ce n'est pas d'un grand raffinement mais le service est agréable et c'est une bonne alternative quand il est trop tard pour dîner côté français... (c'est l'Espagne, on sert jusqu'à 23h, voire plus !).

À voir. À faire

Llívia se présente comme un bourg étalé, aux habitations hésitant entre l'immeuble et le chalet. Seule la vieille ville (en hauteur) vaut d'être visitée, charmante avec ses maisons de pierre et sa grosse église. Le château de Llívia fut détruit par les Français sur ordre de Louis XI.

L'église fortifiée Nostra Senyora dels Angels (de pur style catalan, sans rire !) date des XVIe et XVIIe siècles. Très belle porte recouverte de motifs en fer forgé. Dans la sacristie, à l'étage, sublime christ sculpté, aux couleurs délavées (pour le voir, il faut se faire accompagner par le curé. Demander au bureau d'infos touristiques). Daté du XIIIe siècle, il est considéré comme l'un des meilleurs exemples de transition entre roman et gothique. Également un beau retable du XVIIIe de style baroque (de Navarre pour être précis !).

Le Musée municipal : *carrer dels Forns, 12. Mêmes horaires que le bureau d'informations touristiques.* On y trouve ce qui est sans doute la plus vieille pharmacie d'Europe (XVe siècle). Superbe collection de boîtes peintes, de bocaux de drogues, d'instruments divers, sans oublier la vieille bibliothèque. De longs travaux de rénovation sont en cours... vérifier les horaires d'ouverture auprès du bureau d'informations.

– ***Fête patronale*** *pour la Saint-Guillaume, à la mi-juin.*

BOURG-MADAME (66760) 1 200 hab.

Bourgade frontalière où la N 20 vient finir ici sa course à travers la France... et où vivent les Guinguettois (avant 1815, le village s'appelait Les Guinguettes-d'Hix). À côté, deux superbes églises romanes, à Caldégas et à Hix (prononcez « Hiche » !), du XIIe avec un cimetière hors du temps. Grosse fête le 1er week-end de juillet, la *feria des Guinguettes,* et joli festival de musique classique et jazz début août.

Adresse utile

Office de tourisme : *pl. de Catalogne. ☎ 04-68-04-55-35. En juil-août, lun-sam 10h-13h, 15h-19h. Hors saison, lun-ven 9h-12h, 14h-18h.*

Où dormir ? Où manger dans les environs ?

L'Auberge Catalane : *10, av. du Puymorens, 66760 Latour-de-Carol. ☎ 04-68-04-80-66. • auberge-catalane@club-internet.fr • auberge-catalane.fr • À 8 km au nord-ouest de Bourg-Madame. Fermé dim soir et lun hors vac scol. Congés : 3 sem en automne et 15 j. au printemps. Chambres avec sanitaires complets 48 ou 52 € selon vac scol. Menus 15,90-33,40 €. Café offert sur présentation de ce guide.* Étape sur la route du col de Puymorens et de l'Andorre. Auberge rénovée aux chambres agréables, bien insonorisées, aux tons chauds, avec douche et w-c, les plus belles avec terrasse et TV en plus. Petite terrasse ombragée ou salle coquette pour une honnête cuisine traditionnelle. Poulet à la catalane, boudin aux pommes déglacées, crème catalane... Service souriant et bonne ambiance.

Auberge Les Écureuils : *66340 Valcebollère. ☎ 04-68-04-52-03. • auberge-ecureuils@wanadoo.fr • aubergeecureuils.com • Fermé 3 nov-3 déc. Doubles 70-88 €. Menus 20-50 €. Réduc de 5 % pour les séjours supérieurs à 10 j. sur présentation de ce guide.* Aux confins de la Cerdagne, à deux pas de l'Espagne, cette chaleureuse auberge faite de pierres et bois massif est une bonne halte. Si l'hôtel est un vrai bonheur, le couvert, servi dans une ambiance et un cadre traditionnels, n'est pas mal non plus (quoique cher, et tous les convives d'une table doivent opter pour le même menu !). Étienne Lafitte s'épanouit aux fourneaux au travers d'une cuisine généreuse inspirée par le terroir catalan. Foie gras chaud de canard, noisettes d'agneau de pays, ou tournedos aux morilles, voilà l'appétissant programme. Chambres confortables, avec, en prime, petite salle de gym, sauna et billard. Belle randonnée à faire dans le massif qui domine l'hôtel. En hiver, on peut aussi y faire du ski nordique.

DORRES

(66800) 220 hab.

À 1 450 m d'altitude, et à 9 km au nord de Bourg-Madame. Typique village de montagne tout en granit à l'atmosphère poétique : ruelles en pente, linteaux des maisons sculptés, clocher trinitaire à pans coupés, métier à ferrer les bœufs en pierre... Le village abrite un petit musée du Granit qui retrace la vie des tailleurs de pierre ainsi qu'une source chaude.

Où dormir ? Où manger ?

Hôtel-restaurant Marty : *3, carrer Major. ☎ 04-68-30-07-52. Fax : 04-68-30-08-12. Fermé 20 oct-20 déc. Doubles avec sanitaires 46 €. Menus 15-30 €.* Le seul hôtel de Dorres (veinards, il est bien !). Une vingtaine de chambres très correctes et propres dans un endroit on ne peut plus calme. Préférer celles du 3e étage, pour bénéficier du meilleur panorama. Accueil aimable. Terrasse. Au resto, cuisine traditionnelle sans fioritures dont un intéressant menu aux spécialités de Cerdagne.

Gîtes communaux : *dans la maison juste à gauche de l'église. Rens à la mairie : ☎ 04-68-04-60-69. ● commune.dorres@wanadoo.fr ● Gîtes pour 2 à 7 pers.*

Où dormir ? Où manger dans les environs ?

Auberge Cal Xandera : *49, route de Font-Romeu, 66760 Angoustrine. ☎ 04-68-04-61-67. ● cal.xandera@wanadoo.fr ● calxandera.com ● À 3 km de Dorres, sur la D 618. Fermé de mi-nov à mi-déc. Dîner 15 € ; doubles 50-52 € (certaines avec sanitaires communs). Apéro maison offert sur présentation de ce guide.* Une bonne grosse ferme du XVIIIe siècle, joliment rénovée et décorée. En bordure de route, mais cela ne crée pas de nuisances. Chambres bien aménagées, surtout le pigeonnier pour roucouler en famille (petite mezzanine géniale pour les gosses). Grande salle à manger rustique. Cave où certains soirs d'été s'organisent des concerts de jazz (le patron est fana). C'est sympa, ça met de l'animation mais la musique, c'est quand même du bruit, n'est-ce pas ! Nous, on aime bien...

À faire

– ***Les bains de Dorres :*** *☎ 04-68-04-66-87. Tlj 9h-19h30 ; en saison, 8h30-20h40. Fermé en nov. Entrée : 3,90 € combinée avec le musée du Granit.* Bien aménagés et peut-être même trop... L'origine des eaux sulfureuses jaillissant ici est assez mal connue, on sait simplement qu'elles sortent à 41 °C. Un réel plaisir de se plonger dans les bassins quand il gèle à pierre fendre. Une vraie détente après une journée de ski ou de marche dans la montagne. En été, on se bouscule au bord du bassin riquiqui. Vestiaires-sanitaires pas top moumoute !

TARGASSONNE

(66120) 200 hab.

À 5 km de Font-Romeu, ce lieu-dit est connu pour son « chaos » de blocs granitiques, qu'on aperçoit des deux côtés de la route. Formes curieuses et menaçantes... qui auraient été charriées par les glaciers à l'ère quaternaire. On aperçoit aussi au-dessus du chaos une grande tour de béton : c'est une ancienne centrale solaire expérimentale.

Où dormir ? Où manger ?

Hôtel-restaurant La Tourane : *21, rue de la Tourane. ☎ 04-68-30-15-03. • latourane.com • Sur les hauts du village. Fermé 15 avr-25 mai. Resto ouv lun-jeu et ven soir, ainsi que sam-dim hors saison ; tlj en saison. Doubles avec lavabo ou douche et w-c ou bains 40-49 €. Menus 14-27 €. Terrasse. 10 % de remise sur le prix de la chambre sur présentation de ce guide.* Des chambres côté sud avec une belle vue sur les montagnes. Petites et correctes, certaines ont un balcon individuel mais toutes mériteraient un bon coup de neuf. Le resto est d'un bon rapport qualité-prix, avec une cuisine catalane servie dans une salle à manger à l'ambiance champêtre. Sympa. Impression indicible d'être dans un établissement immuable, entre France et Espagne avec un petit accent *British*.

FONT-ROMEU

(66120) 2 000 hab.

Cette célèbre station climatique et sportive fut lancée par l'équipe de France d'athlétisme qui y prépara les J.O. en 1968, suivis des bleus du Onze de France dans les années 1970. Les sportifs de haut niveau et touristes y affluent toujours, avides d'air pur. L'urbanisme, lui, respire peu. Faut dire que le premier hôtel y fut construit au début du XXe siècle par la *Compagnie des chemins de fer du Midi* (à laquelle on doit le train jaune), et que le premier moniteur de ski inscrit le fut en 1921. Autre date historique pour la ville : en 1950 elle a ouvert sa première remontée mécanique. En cent ans, les champignons de béton ont eu le temps de se développer.

Adresses utiles

Office de tourisme : *82, av. Emmanuel-Brousse. ☎ 04-68-30-68-30. • font-romeu.fr • Tlj 9h-12h, 14h-18h (8h30-19h pdt vac scol).* Fiches randos en vente.

Gare SNCF : *à Via. ☎ 36-35 (0,34 €/mn). À 4 km du centre, au sud.* Navette de la gare au centre-ville pendant l'été et la saison de ski.

Centre équestre : *av. Pierre-de-Coubertin. ☎ 04-68-30-34-43. Ouv tte l'année.* Réserver les promenades à l'avance.

Escalade : *Ozone 3, 40, av. Emmanuel-Brousse. ☎ 04-68-30-36-09.* Location de matériel de montagne et sorties encadrées : rafting (en été), randos, spéléo, montgolfière, VTT, kyte...

Location de vélos et de skis : *dans les magasins de sport.*

Parapente : *École Vol'Aime, à Targassonne. ☎ 04-68-30-10-10. Tous niveaux. Baptêmes biplaces pour 60 €.*

Patinoire : *av. Pierre-de-Coubertin. ☎ 04-68-30-83-29. Ouv pdt les vac scol mer, sam et dim 15h-18h ; tlj en juil-août*

16h-19h, avec séance le soir : 21h-23h30 pdt la saison d'été.

■ **Centres médicaux** (qui sait, avec tous ces sports !) *: 41, av. Emmanuel-Brousse (☎ 04-68-30-02-15) ou 81, av. du Maréchal-Joffre (☎ 04-68-30-01-12).*

Où dormir ? Où manger dans le coin ?

De bon marché à prix moyens

La Chouette Auberge – Restaurant Les Xicolles : *2, rue de la Liberté, 66120 Odeillo. ☎ 04-68-30-42-93. • chouette.fr • Wi-fi. Au village d'Odeillo, près de l'église. Selon saison, doubles avec douche et w-c 32-40 €. Menus 12-20 €. Café et infusions offerts sur présentation de ce guide.* Une chouette adresse bien cool, installée dans un hôtel dont les chambres retapées sont un peu petites. Les n°s 15 à 19 ont vue sur la chaîne de montagnes. Et puis, côté resto, des petits menus bien abordables. L'occasion de croquer de la *xicolle* (« pissenlit » en catalan).

Hôtel Les Pyrénées : *7, pl. des Pyrénées. ☎ 04-68-30-01-49. • hotel-des-pyrenees.com • Wi-fi. Fermé de mi-oct à début déc et de mi-avr à fin-mai. Doubles 40,50-64 € selon confort et saison. Accès Internet, piscine couverte et spa gratuit (pour les résidents). Sauna payant.* Massif bâtiment de pierre avec un toit-chalet dans un style qui se veut absolument montagnard. La vue des chambres côté sud y est exceptionnelle (on en oublie le béton de la ville !). Comme elles sont assez grandes, que certaines salles de bains sont rigolotes (look seventies) et que l'accueil est aimable, on s'est laissé séduire.

Restaurant La Chaumière : *96, av. Emmanuel-Brousse. ☎ 04-68-30-04-40. Ouv tlj sf dim-lun hors saison. Congés : 15 juin-8 juil et 1er-15 nov. Formule déj 12,60 € (en sem). Menus 15-29,60 €. Café sur présentation de ce guide.* Le cadre, dans la salle boisée ou bien sur la terrasse, est plutôt souriant, comme l'accueil, d'ailleurs, et on mange bien. L'adresse tourne même hors saison. Cuisine régionale en priorité. Des plats simples également : salades copieuses et crêpes. Service efficace.

Où boire un verre ?

L'Arts Café : *8, rue Maillol. ☎ 04-68-30-65-63. Ouv 17h-2h. Café offert sur présentation de ce guide.* L'incontournable pub, café-concert de la station, où se retrouvent les jeunes.

➤ DANS LES ENVIRONS DE FONT-ROMEU

ODEILLO *(66120)*

Le four solaire, exposition « Le soleil apprivoisé » : *☎ 04-68-30-30-29. • soleil@imp.cnrs.fr • Tlj 10h-12h30, 14h-18h ; en juil-août, 10h-19h30. Entrée : 6 € ; 3,50 € moins de 18 ans ; gratuit moins de 8 ans.* Ce site du CNRS fut créé en 1968 à l'initiative du professeur Trombe, pionnier en France dans le domaine de l'énergie solaire. Les scientifiques y font des recherches sur l'élaboration et le comportement des matériaux à haute température. Avec une puissance de 1 000 kW qui lui permet d'obtenir des températures de plus de 3 000 °C, ce four solaire est le plus grand du monde. Très impressionnant : les milliers de miroirs, 3 000 m² répartis sur 63 héliostats, renvoient la lumière sur les 2 000 m² du concentrateur, visible de la route. Bonjour les années de malheur si on en casse un peu ! L'entrée donne droit à un film didactique et à une expo permanente sur les énergies renouvelables, la

LES PYRÉNÉES-ORIENTALES

lumière, les recherches en laboratoire et l'utilisation de l'énergie solaire dans la vie courante. Un coin boutique propose aussi des ouvrages sur l'habitat écologique. Si les sciences vous branchent, n'oubliez pas de demander à l'accueil le petit dossier expliquant les principes de l'énergie solaire.

L'église Saint-Martin : très mignonne avec son portail du XIIe siècle. À l'entrée, une grille posée sur une fosse, de la largeur de la porte. Selon une fervente petite dame interviewée par le *Guide du routard,* cette grille servait autrefois à empêcher les loups d'entrer, leurs pattes restant coincées ! Une jeune fille a ajouté : « Maintenant, on y laisse nos talons aiguilles ! » À l'intérieur, beaux retables dont celui de la *Vierge à l'Enfant* en bois doré et un christ souffrant au thorax décharné.

L'ERMITAGE (66120)

Faubourg de Font-Romeu, en direction de Mont-Louis.

L'ermitage Notre-Dame-de-Font-Romeu : *dans le grand virage menant au calvaire, en direction de Mont-Louis. Groupe de bâtiments aux volets rouges. La chapelle est au fond de la cour. Visite libre et gratuite en saison, 10h-12h, 15h-18h. Si c'est fermé, demander (gentiment) la clé au tabac-presse juste à côté.* Cet ermitage est un lieu de pèlerinage très prisé dans les Pyrénées. Une belle légende est à l'origine de cette ferveur religieuse : apercevant une statue de la Vierge cachée sous une fontaine, un taureau serait devenu fou, grattant frénétiquement le sol. Depuis cet événement, la belle statuette en bois du XIIe siècle s'est fait offrir une chapelle, dont elle sort chaque année le dimanche autour du 8 septembre pour être solennellement portée jusqu'à l'église d'Odeillo pour y passer l'hiver. Cette procession est l'une des plus importantes de la région. Toute cette histoire est racontée sur le magnifique retable doré décorant l'intérieur de la chapelle. À droite du maître-autel, un escalier mène à un extraordinaire salon baroque, appelé *camaril.*

Le calvaire : *à 300 m de l'ermitage.* Un escalier orné de petites chapelles contourne la butte en colimaçon. Au sommet, un belvédère où se dresse un christ de métal. Vue sublime sur les montagnes de Cerdagne. On respire.

LE CAPCIR

Au nord de la Cerdagne, le Capcir est un haut plateau curieusement méconnu – hormis Les Angles, station de ski alpin réputée – malgré ses vallées solitaires, ses belles forêts, ses lacs et ses montagnes sauvages. Plus austère que la Cerdagne, cette région longue d'à peine 20 km du nord au sud offre pourtant un appréciable domaine de ski de fond et de superbes randonnées. Les habitants de ses villages longtemps préservés sauront vous en faire apprécier les charmes paisibles.

Adresse utile

Maison du Capcir : *sur la route de Formiguère (presque à l'embranchement vers Les Angles), 66210 Matemale.* ☎ *04-68-04-49-86.* • *capcir-pyrenees.com* • *Ouv tte l'année, lun-ven 9h-12h, 14h-18h, et le w-e pdt vac scol.* Délivre des informations touristiques pour les 15 communes du plateau du Capcir.

LES ANGLES

(66210) 600 hab.

Sur le podium des stations des Pyrénées. Domaine skiable de 40 km, réparti sur une trentaine de pistes à une altitude moyenne de 2 000 m. Évidemment, son enneigement important attire beaucoup de monde. Malgré les immeubles de la station, le petit village a gardé son charme (porte du Moyen Âge, ruines d'un château, vieilles maisons...).

Adresses utiles

Maison de tourisme : *2, av. de l'Aude. ☎ 04-68-04-32-76. • lesangles.com • Tlj 9h-12h, 14h-18h (19h été et vac scol).*

Compagnie des Guides : *☎ 04-68-04-39-22. Attenant à la maison du tourisme. Lun-sam 17h30-19h, dim 11h-12h.* Initiation à l'escalade, descente de canyons, randonnées, équitation, VTT, parcours aventure en été dans la forêt de la Matte, etc.

Espace Bleu Neige : *av. de Mont-Louis. ☎ 04-68-04-31-60.* Complexe sportif avec patinoire, bowling et cafétéria.

Où dormir ? Où manger ?

Le Coq d'Or : *pl. du Coq-d'Or. ☎ 04-68-04-42-17. • hotel.lecoqdor@laposte.net • hotel-lecoqdor.com • Au centre du village. Fermé dim soir hors saison. Congés : avr. Doubles 48-57 € selon saison. Menus 14,50-28 €. Apéritif maison offert sur présentation de ce guide.* La sympathique façade de ce *Coq d'Or,* hôtel-restaurant à l'ancienne, ouvre ses fenêtres et sa terrasse sur la placette du village. Cuisine sympa à base de volailles, à cause de l'enseigne, et aussi de cèpes. Chambres bien équipées (bains ou douche et w-c, téléphone, TV). Le gros plus, c'est qu'on n'est guère qu'à 300 m des pistes.

Où dormir ? Où manger dans les environs ?

Camping

Camping du Lac : *route des Carriolettes. ☎ 04-68-30-94-49. • camping-lac-matemale.com • ♿ À 3 km à l'est des Angles. Ouv juin-sept ; w-e et vac scol en hiver. Compter 13 € en hte saison. Réduc de 10 % en mai-juin et sept sur présentation de ce guide.* Bien situé en forêt, à deux pas du lac, ombragé. Très bien entretenu. Snack en saison.

Prix moyens

Hôtel-restaurant La Belle Aude : *2, rue du Père-Vieux, 66210 Matemale. ☎ 04-68-04-40-11. • hotel-capcir.com • Wi-fi. Congés : nov. Doubles 45 € avec douche ou bains, w-c, TV. Formule midi en sem 21 €, sinon menu unique 30 €. Piscine couverte et sauna. Apéritif offert sur présentation de ce guide.* Dans une grande et belle maison ancienne au cœur du village, une auberge comme on les aime avec des chambres assez grandes, des meubles anciens, une vaste salle à manger de style Louis XIII. Les couloirs, moquettés de la tête aux pieds, ont un côté décati. Au restaurant, très copieuses assiettes de viandes, rôties devant vous dans la cheminée. Dommage cependant qu'il n'y ait pas de vin au pichet, ça alourdit nettement la note du repas.

À voir. À faire

Le parc animalier : *Pla del Mir. ☎ 04-68-04-17-20. Visite tlj 9h-17h (18h 10 juil-fin août). Entrée : 8 € ; réduc.* Un bien bel endroit, assez réputé, tellement respectueux des animaux qu'ils sont parfois difficiles à apercevoir. Avec un peu de chance, vous surprendrez l'œillade d'un cerf pour sa biche, vous devinerez la silhouette élancée d'un loup ou celle, puissante, d'un ours, vous vous émerveillerez devant l'étonnant équilibre des mouflons, bouquetins et autres isards... et tremblerez devant les bisons. L'hiver, voir les isards gambader sur la neige est un spectacle inoubliable. Toute la faune pyrénéenne d'aujourd'hui et d'hier est au rendez-vous. Chaussures de marche vivement recommandées.

– ***Forêt de la Matte :*** *Base nautique l'ourson, sur la route vers Matemale.* Une pléiade d'activités de plein air, du chien de traîneau au parcours acrobatique dans les arbres en passant par le tir à l'arc et le club nautique.

➤ DANS LES ENVIRONS DES ANGLES

***Matemale** (66210) **:** à 5 km à l'est des Angles.* Petit village de montagne au pied du pic Bastard et station de ski de fond (100 km de pistes). Proche du *lac de Matemale* (plagette aménagée pas formidable) et possède une chouette piscine en plein air. Un gîte d'étape également au village, ouvert toute l'année, *La Capcinoise,* ☎ 04-68-04-41-48.

L'étang de Balcère : *au-dessus des Angles, à 4 km.* Joli petit étang aménagé pour la pêche. Location de cannes et permis à la journée. *Cré moué, cré moué pas*, on s'croirait au Canada. Snack. Tables de pique-nique.

LE LAC DES BOUILLOUSES

L'un des plus beaux lacs de la région, lieu de sortie favori des autochtones le week-end. Un barrage impressionnant y fut construit au début du XXe siècle pour alimenter en électricité le train jaune. Il contiendrait environ 15 millions de mètres cubes d'eau, déversés par les torrents des pics avoisinants. Mais l'intérêt du site réside dans son décor lunaire et la multitude de petits lacs posés comme un chapelet autour du sentier menant au sommet du pic Carlit. Vous nous avez compris : il y a de la randonnée dans l'air (pur). On peut aussi monter au lac, l'été, en télésiège, depuis Font-Romeu.

Pour s'y rendre, revenir presque jusqu'à Mont-Louis puis, à droite, suivre la D 60 sur 14 km. En juil-août, il faut laisser sa voiture au parking Pla de Barrès de Mont-Louis, un bus fait la navette (5 € ; tarif réduit : 2 €).

Idées randos

Nombreuses et variées. Demander des détails à la Maison de tourisme des Angles. En voici deux à faire absolument si vous avez du temps.

➢ ***Le lac des Bouillouses et Porteille-de-la-Grave :*** *prendre le GR 10, qui longe le lac sur la gauche. Après avoir dépassé le lac, tourner à gauche pour suivre la rivière Grave vers Porteille (3h30 de marche).* On atteint alors une crête (2 400 m d'altitude), d'où la vue est superbe sur les pics Rouges, le pic de Faury et une série de lacs. En hiver, on y aperçoit la fameuse perdrix blanche (grise en été) et quelques autres spécimens de la faune locale.

➢ ***Les « estanyes » du Carlit :*** 10 km ; 3h aller et retour sans les arrêts, au départ du lac des Bouillouses. Au pied du pic Carlit, les lacs et les étangs naturels prennent le nom d'*estanyes*. Une balade à plus de 2 000 m pour respirer le grand air des Pyrénées-Orientales. En été, de préférence. Vous y rencontrerez rhododendrons et myrtilles, linaigrettes blanches et pins à crochets, saumons de fontaine et truites arc-en-ciel, sans oublier le sifflement strident de la marmotte qui vous voit arriver.

Du lac de barrage des Bouillouses, balisage jaune. Facile, quelques dénivelées, mais éviter les jours de brouillard et prendre des chaussures montantes. Réf. : *Itinéraires nature en Cerdagne, éd. Randonnées Pyrénéennes.* Documentation à la maison de tourisme des Angles. Carte IGN au 1/25 000 n° 2249 ET.

ISARD, VOUS AVEZ DIT ISARD ?

Tout commence par le sifflet strident de la marmotte qui avertit les copines de votre passage. Et tous de se défiler : l'isard aux pattes agiles de chamois pyrénéen, le lagopède (perdrix camouflée de blanc en hiver), le grand tétras (plutôt coq de bruyère que poule mouillée) ; l'hermine, sur un col, ne juge personne, l'ombre fugitive du loup est de retour dans le Carlit et aux cieux de Planès plane le vautour chauve. Enfin, si le mouflon corse fait ici le touriste, le bouquetin a bien disparu. Quant à l'ours, il survit plus à l'ouest.

FORMIGUÈRES

(66210) 450 hab.

Résidence des rois de Majorque qui y soignaient leur asthme au XIIe siècle, ce village authentique compte moins de 500 habitants permanents. Car la petite station de ski qui leur permet de vivre est à 5 km. Pas de mélange ! Dynamiques mais fidèles, les autochtones ont eu l'intelligence de ne pas dénaturer leur beau village aux vieilles pierres recouvertes de *lloses* (« lauzes », en catalan). Formiguères est l'antinomie complète de Font-Romeu : le béton de la célèbre station n'a jamais eu d'âme alors que la capitale miniature du Capcir a conservé la sienne... Ce qui ne l'empêche pas de proposer de nombreuses et saines activités.

Adresses utiles

- ***Office de tourisme :*** *pl. de l'Église.* ☎ *04-68-04-47-35. En saison, tlj 8h30-12h30, 15h-18h. Hors saison, tlj sf dim 9h-12h.* Infos sur tout : balades, hébergements, météo... Vraiment sympa.
- ***Vagabond'âne :*** *à Rieutort (6 km au nord).* ☎ *04-68-04-41-22.* • *ane-et-rando.com* • Bruno et Claudine proposent des locations d'ânes bâtés pour porter vos charges de randonneurs. En hiver, raquettes et ski de fond (pas les ânes, vous !).

Où dormir ? Où manger ?

Hôtel-restaurant Picheyre : *2, pl. de l'Église.* ☎ *04-68-04-40-07.* • *picheyre.com* • ♿ *Derrière l'église. Fermé dim soir en basse saison. Congés : avr-mai et nov. Doubles avec sanitaires 40-75 € ; ½ pens 38-58 €/pers selon confort et saison, obligatoire pdt les vac scol. Menu lun-sam midi 13 €. Compter 28 € à la carte. Apéritif maison offert sur présentation de ce guide.* Un hôtel-restaurant familial qui a subi un lifting intégral réussi. L'établissement garde cependant son ambiance montagnarde grâce à une déco qui allie

la pierre et le bois. Très bonne adresse.
Gîte La Dressere : *60, carrer d'Amont. ☎ 04-68-04-46-45. En haut du village, une petite maison aux volets bleus joliment aménagée en gîte d'étape. Nuitée 17 €/pers (chambres 2 à 8 pers). Cuisine à disposition.* C'est pas le grand luxe, c'est propre et lumineux, un poil cher quand on fait ses comptes.

Où dormir ? Où manger dans les environs ?

Gîte Le Moulin : *3, rue du Bac, 66210 Rieutort. ☎ 04-68-30-97-37. • http://gitelemoulin.free.fr • Entre Puyvalador et la station de ski. Ouv tte l'année. ½ pens 35-37 €/pers selon saison.* Dans un ancien moulin restauré avec goût, 5 chambres (la plupart avec sanitaires privés). Salon TV, laverie. Au menu, repas de montagne. Et si on a une envie d'exotisme, Sia se fera un plaisir de vous mitonner une recette d'Asie. Pour garder la ligne, Alexandre, ex-guide de pêche, vous indiquera de bons coins.
Refuge des Camporells : *en haute montagne (2 240 m d'altitude), au milieu des forêts et des lacs. 06-82-12-99-22. Gardé fin mai-fin sept. Slt sur résa le reste de l'année. Fermé nov et mai. Repas 13,65 €. Café offert sur présentation de ce guide.* Bivouac autorisé de 20h à 8h dans la zone délimitée autour du refuge. La Maison du Capcir (voir ci-dessus) propose deux autres refuges (**col del Torn** et **Estagnols**) : *☎ 04-68-04-49-86. • capcir-pyrenees.com • Accès : télésiège de Formiguères puis 1h15 de marche, ou 2h15 de marche de la station. Nuitée 6 €.* Plaira aux amateurs de calme et de nature capables de se passer de leur petit confort... On y trouve tout de même un poêle à bois, une grande table pour les repas et des sanitaires... écologiques ! Y séjourner un peu, ne serait-ce que pour apercevoir la faune de ce superbe site naturel !

À voir

Le village, bien sûr, avec ses vieilles maisons pleines de charme.

L'église Sainte-Marie : étonnante façade romane formant un seul bloc avec le très beau clocher (XIIe au XIVe siècle). À l'intérieur, un grand *Christ en majesté* (sans la croix) du XVIIe siècle, d'une étonnante modernité. Quelque part, il rappelle Giacometti ou Germaine Richier.

À faire

Ski alpin : la station de Formiguères s'étend sur un domaine skiable de 100 ha ; 18 pistes, 5 téléskis et 2 télésièges. Bon à savoir : le village propose un forfait remontées mécaniques en saison très économique.

Ski de fond : 120 km de pistes balisées.

➢ ***Randonnées :*** l'office de tourisme a sélectionné une trentaine de randonnées de tous types (petit guide en vente). Ne pas rater la grande classique des Camporells ; 4 à 5h de marche dans un site de toute beauté : rivières, cascades et étangs à la pelle...

VTT : 16 circuits balisés dans le secteur (de 4 à 14 km). Guide en vente à l'office de tourisme et location des vélos chez **Loisir Passion,** *10, route de Mont-Louis. ☎ 04-68-04-37-47.*

LES PYRÉNÉES-ORIENTALES

Manifestation

– ***Meeting d'aéromodélisme :*** *un w-e, la 1re quinzaine d'août.* Formiguères passe pour avoir l'une des plus belles pistes du genre en France.

➤ DANS LES ENVIRONS DE FORMIGUÈRES

La grotte de Fontrabiouse : *8 km au nord de Formiguères. ☎ 04-68-30-95-55. Ouv 10h-12h, 14h-17h ; en juil-août, 10h-19h. Fermé 15 nov-15 déc. Visite guidée de 1h : 7 € par adulte ; réduc.* Très belles concrétions superbement éclairées : colonnes, aragonites, draperies, et les inévitables stalactites et... -gmites. Près de 900 m de couloirs taillés dans le calcaire par un ruisseau souterrain.

CORBIÈRES-FENOUILLÈDES

Région de transition entre Catalogne et pays cathare, entre Pyrénées-Orientales et Aude, la vallée de l'Agly, encadrée au nord par les coteaux des Corbières, au sud par le massif du Fenouillèdes, possède le charme de ces petits coins de France aux multiples visages : plateaux rocailleux, vignobles et massifs forestiers se succèdent au fil de la route. Un monde complexe à l'aspect sauvage, qui mérite qu'on s'y plonge. Le dépaysement est assuré ! Les Catalans appellent cette région le « pays des gavatches » (les non-Catalans, si vous préférez).

Comment y aller ?

➢ ***En bus :*** Perpignan-Quillan (Aude) via Estagel, Maury et Saint-Paul avec les *Courriers Catalans : 6 bus/j. en sem.* • cg66.fr/institution/transport/ •

➢ ***Par la route :*** de Perpignan par la N 116, de Toulouse par la N 20.

ESTAGEL

(66310) 1 970 hab.

Un village connu essentiellement pour sa production de vin. C'est aussi le fief des Arago. Cinq membres de cette famille d'Estagel ont leur nom dans le dico. D'abord François, astronome, physicien et homme politique célèbre. Il contribue à abolir l'esclavage dans les colonies, devient un véritable symbole du Roussillon et de la République face à la Monarchie et à l'Empire. À l'époque, on allait en prison pour oser crier « Vive Arago ». Ensuite Jean, général au Mexique, puis Jacques, écrivain mort au Brésil, et Étienne, révolutionnaire. Enfin, Emmanuel, fils de François, ministre en 1870... Quels destins !

Où dormir ? Où manger dans les environs ?

Auberge du Cellier : *1, rue Sainte-Eugénie, 66720 Montner. ☎ 04-68-29-09-78. • contact@aubergeducellier.com • aubergeducellier.com • 3 km au sud d'Estagel, par la D 612. Fermé mar-mer (et lun en basse saison). Congés : 15 j. en nov. Doubles 53-60 € selon saison.* Le talentueux Pierre-Louis Marin vous accueille à sa porte. Homme-orchestre jeune et détendu, il est tour à tour sommelier, maître d'hôtel, en restant aux commandes de sa cuisine. Certes, la décoration de la salle est des plus simple, mais les tables sont dressées avec la précision d'un grand resto... En direct des filets du pêcheur, la *baudroie fondante* allie l'exotique vanille avec une touche locale de banyuls. Le *shiste de Montner* mêle subtilement chocolat et rivesaltes. Chambres de bon confort et petit déj d'anthologie !

TAUTAVEL

(66720) 870 hab.

Charmant village situé au milieu d'un paysage grandiose de Corbières rouges et arides, plantées de vignes, où naquit, il y a bien longtemps, l'ancêtre des Roussillonnais.

Adresse utile

Office de tourisme : *au pied du musée. ☎ 04-68-29-44-29. • tautavel.com • Juil-août, tlj 10h-12h, 14h15-17h.*

Où dormir ? Où manger à Tautavel et dans les environs ?

De bon marché à prix moyens

L'Abri Sous Roche : *29, rue Gambetta. ☎ 04-68-29-49-31. • labrisousroche@orange.fr • http://perso.orange.fr/labrisousroche • Wi-fi. Au cœur du village. Fermé en déc. Doubles 37 €. Une bouteille de vin de Tautavel offerte sur présentation de ce guide.* Christiane et Christian Ducasse, ex-hôteliers à Madagascar, ont ouvert cette jolie maison d'hôtes pourpre aux volets bleus. Quatre chambres confortables en bois clair, toutes différentes. Également deux studios avec kitchenette. Petite terrasse. L'accueil est naturel, chaleureux et convivial, les propriétaires se faisant un plaisir d'évoquer leur expérience « tropicale ». La maison héberge souvent des chercheurs de la caune de l'Arago. L'occasion d'échanges enrichissants sur l'homme de Tautavel et ses congénères !

Le Petit Gris : *route d'Estagel. ☎ 04-68-29-42-42. ♿ Juin-fin sept, ouv tlj. Le reste de l'année, fermé le soir (sf ven-sam) et lun. Fermé en janv. Menu du jour 12 € midi en sem. Autres menus 20-30 €.* Terrasse. Une des bonnes tables des environs, où l'on vient se régaler de petits gris (escargots) au gril, dans la grande cheminée. Sanitaires grisounets, pas trop clean.

Plus chic

Grill du château de Jau : *66600 Cases-de-Pène. ☎ 04-68-38-91-38. Env 10 km au sud de Tautavel par la D 59 puis petite route (bien indiqué). Tlj de mi-juin à fin sept (slt le midi en juin et sept). Menu unique midi 29 € et soir 39 €, vins du domaine compris. Digestif maison offert sur présentation de ce guide.* On pourrait presque intituler la formule « barbecue party au château », car on y mange une seule chose, des grillades ! Côtelettes d'agneau et saucisses grillées. Du coup, c'est un peu chérot, mais le cadre est joliment contemporain, avec bassin, canapés, terrasse ombragée. Très agréable vin de la propriété : le fameux Jaja de Jau dont l'étiquette a été dessinée par Ben.

À voir

La caune de l'Arago : *au nord du village, direction Vingrau. Visite de la grotte avr-août. Sinon visite guidée tte l'année sur résa pour les groupes slt. Accès gratuit mais très réglementé pour ne pas perturber les fouilles.* C'est l'un des sites préhistoriques les plus riches au monde : ossements, pierres taillées, traces d'habitat, etc. Bien sûr, c'est ici que grand-papa fut trouvé (1971).

Le musée de la Préhistoire : *av. Léon-Jean-Grégory. ☎ 04-68-29-07-76. Juil-août, tlj 10h-19h ; sinon, 10h-12h30, 14h-18h (17h oct-mars). Billet combiné avec l'exposition « Les premiers habitants de l'Europe » au palais des congrès. Horaires décalés d'une demi-heure (de plus) sur le musée. Compter 2h de visite en tt. Entrée : 7 € ; réduc.* Ce petit village a offert au plus célèbre de ses hommes un immense espace très bien conçu qui reçoit près de 100 000 visiteurs par an. Visite des 22 salles avec audioguide. Commentaires instructifs et pas ennuyeux. Des dioramas reconstituent avec réalisme les scènes de la vie quotidienne de l'homme de Tautavel. Sur des écrans, on assiste en direct aux fouilles toujours en cours à la caune de l'Arago. Une grotte est d'ailleurs reconstituée dans le musée. Quant au crâne original, n'espérez pas le voir, il est conservé précieusement dans un coffre du musée. L'expo est aussi très instructive et passionnante, avec une série d'animations en petits théâtres virtuels. Ça démonte plein de certitudes sur l'évolution humaine, le chaînon manquant par exemple. Dans la boutique, le *Petit Guide de la Préhistoire* écrit par le conservateur, Jacques Pernaud-Orliac, vulgarise très bien le sujet. Également les *Chroniques de la Préhistoire* destinées aux enfants.

LE GRAND-ONCLE DE TAUTAVEL

Tout débute dans les années 1970 par un puzzle : un os iliaque de-ci, une mandibule de-là, ou un bout de crâne ! Dix ans de casse-tête (sans rire !) pour reconstituer l'homme de Tautavel. Âge : 450 000 ans ou plus, on n'est pas à 5 000 ans près. Front fuyant, face bombée, cervicales développées, petites lombaires... On sent qu'il sort « d'à quatre pattes ». Pour sûr, l'aïeul tautavelois est un des plus vieux hommes retrouvés en Europe (hormis un Géorgien de 1 500 000 ans !) et le plus célèbre Homo erectus.

CIRCUIT DANS LE FENOUILLÈDES

Depuis Estagel, suivre la D 17 vers Latour-de-France, puis la D 9. On passe à Rasiguères.

CARAMANY (66720)

La route continue vers l'ouest. Puis on bifurque à gauche sur la D 21 jusqu'à Caramany. Très joli village surplombant un barrage récent du haut de son éperon rocheux. Église du XVIIIe siècle avec un clocher de mission espagnole... comme au Mexique.

BÉLESTA (66720)

Quelques kilomètres plus au sud apparaissent les contreforts du château de Bélesta. Encore un petit village croquignolet, perché au milieu des vignobles.

Le château-musée de la Préhistoire récente : *☎ 04-68-84-55-55. 15 juin-15 sept, tlj 14h-19h ; le reste de l'année, 14h-17h30, sf mar et sam. Entrée : 4,50 € ; réduc.* Château médiéval du XIIIe siècle, fortifié par Saint Louis et relooké à coups d'huisseries métalliques bleues (sacrilège !). Il abrite un musée de la Préhistoire depuis 1992. Visite passionnante. On navigue ici de manière didactique à travers l'archéologie : reconstitution d'une tombe collective retrouvée dans le coin, impressionnante série de poteries et d'objets de parure découverts au cours des fouilles, etc. Les expos temporaires qui changent chaque année sont comprises dans le prix de l'entrée.

➢ Ensuite, en cheminant vers l'ouest par *Montalba-le-Château* (village d'élection du démographe et économiste Alfred Sauvy, natif du département et disparu en 1990), puis *Pézilla-de-Conflent* on joint *Ansignan,* village fleuri et centre du Fenouillèdes. Paysages torturés mais somptueux, parsemés de vignes.

ANSIGNAN (66220)

Dans ce petit village en surplomb de l'Agly, un aqueduc (long mais bas) coupe la vallée au milieu des vignes. Ce bel ouvrage romain n'est plus en service comme viaduc mais l'eau encore acheminée par ses canalisations à ciel ouvert sert à l'irrigation des jardins accrochés à mi-pente.

MAURY (66460)

Avant d'arriver à Saint-Paul-de-Fenouillet, faites un détour par ce petit village (par la D 19 et Lesquerde), connu pour son vin doux naturel, du même tonneau que le rivesaltes !

1907, révolte des vignerons

Mévente, mauvaise qualité, surproduction, importation massive de pinard étranger ? Le vin se vend mal ! et, en 1907, éclate une révolte dans les vignes du golfe du Lion. Un mouvement parti de Baixas (à côté de Rivesaltes) et d'Argellier (dans l'Aude). Il s'étendra jusque dans le Var, avec des manifestations monstres, pour finir en affrontements sanglants où la troupe, envoyée par le Tigre (Clemenceau), tirera sur la foule. De ce triste épisode de l'histoire nous restent cent ans après... les coopératives viticoles.

Où acheter du bon vin ? Où toucher du doigt le terroir ?

Domaine de la Coume du Roy : *cave, 13, route de Cucugnan (☎ 04-68-59-15-81) et boutique de vente, 7, av. Jean-Jaurès (☎ 04-68-59-67-58).* Un must du Maury ! Cinq générations de Volontat, ça vous forge une histoire. D'autant que l'ancêtre a créé une tradition : à chaque naissance, un foudre (1 000 l) de vin est mis en réserve jusqu'à la majorité du bébé, qui décidera lui-même de la date de mise en vente. Après avoir longtemps attendu, la mère de l'actuelle propriétaire a mis sa cuvée à la vente. Galant, le *Routard* ne vous donnera ni l'année de naissance de la dame ni du nectar, mais si vous aimez les vins doux, n'hésitez pas à casser (un peu) votre tirelire.

Maison du terroir : *av. Jean-Jaurès. ☎ 04-68-86-28-28. • maison-du-terroir.com •* Tout reste à créer dans cette toute nouvelle maison du terroir, qui promet, avec en ses murs une des toques les plus réputées de la place, Pascal Borell (chef du *Cala Gogo* à Saint-Cyprien et anciennement du *Chapon Fin* à Perpignan). Affaire à suivre...

Manifestation

– ***Les Amorioles :*** *le 3e w-e de juil.* Fête du vin et du terroir.

SAINT-PAUL-DE-FENOUILLET (66220)

Ville-frontière du XIIIe au XVIIe siècle, le traité des Pyrénées mit fin à son rôle de douanier. Deux anciens édifices religieux valent la visite : l'*église Saint-Pierre,* du XIIIe siècle, et un beau chapitre des XIVe et XVIIe siècles. Et puis, Saint-Paul, c'est aussi l'accès aux gorges de Galamus et au pays cathare par le sud (voir le chapitre « L'Aude »).

Adresse utile

Office de tourisme : *26, bd de l'Agly. ☎ 04-68-59-07-57. • st-paul66.com • Juil-août, lun-sam 10h-12h, 15h-19h ; hors saison, mar-sam 10h-12h, 14h-18h. Fermé dim-lun et j. fériés.*

Où dormir ? Où manger ?

Camping

Camping de l'Agly : *av. du 16-Août-1944. ☎ 04-68-59-09-09. • contact@camping-agly.com • camping-agly.com • Ouv tte l'année. Compter 14,30 € en hte saison. CB refusées.* Camping agréable et ombragé en périphérie du village, aux emplacements bien délimités et tranquilles.

Prix moyens

Hôtel-restaurant Relais des Corbières : *10, av. Jean-Moulin. ☎ 04-68-59-23-89. • relais.corbieres@free.fr • relaisdescorbieres.com • Wi-fi. Tlj en juil-août. Fermé dim soir et lun hors saison. Congés : janv-fév. Doubles 48-53 € selon confort ; ½ pens 47 € imposée en juil-août. Menus 17,50-45 €.* Le long de la route, proche d'un passage à niveau... mais assez calme. Les chambres sont surannées mais bien entretenues et correctes. Goûteuse cuisine régionale, servie par la patronne franche à souhait dans une salle traditionnelle ou sur une terrasse couverte sympa. Le soir, quand les voitures se font rares, déguster un maury sur la terrasse en écoutant chanter les fontaines est un vrai plaisir.

Hôtel-restaurant Le Châtelet : *route de Caudiès. ☎ 04-68-59-01-20. • chatlet.rauss@wanadoo.fr • chateletthotel.com • À 2 km du centre. Ouv de mi-mars à mi-nov. Resto fermé mer. Doubles 50-62 € selon saison. Formule buffet et dessert 16 €. Menus 22 et 25 €. Apéritif maison, petit déj enfant (hors saison) et 5 % sur ½ pens (mars-oct) offerts sur présentation de ce guide.* Un bon hôtel d'étape. Chambres très correctes et confortables. Certaines ont une loggia (et donnent côté route) mais celles côté rivière et montagne ont une vue très chouette. Belle piscine. Cuisine familiale de tradition, sans mauvaise surprise.

Restaurant L'Aqueduc : *pl. Coopérative, 66220 Ansignan. ☎ 04-68-59-08-61. À 10 km au sud de Saint-Paul. Fermé mar soir et mer. Menus 19-29 €.* En plein cœur de ce calme petit village, *l'Aqueduc* apporte son grain de gastronomie bien léchée : filet de veau au bâton de réglisse, samoussa au fromage de chèvre de Saint-Arnac, parfait au muscat de Rivesaltes. Plats inventifs et doux aux papilles qu'on déguste dans une salle à la déco campagnarde. On touche de la langue et du regard le terroir et ses subtilités. Une fameuse adresse !

Où dormir dans les environs ?

***Camping à la ferme La Chèvrerie :** lieu-dit Laribe, 66220 Saint-Arnac. ☎ 04-68-59-22-86. Par la D 77, à 6 km de Saint-Paul-de-Fenouillet puis petit chemin à droite. Ouv avr-oct. Compter 11 € en hte saison. CB refusées.* Tranquille, avec vue magnifique. Camping parmi les oliviers et les chênes. Accueil chaleureux des sympas éleveurs. Fromages de chèvre excellents. Baignade possible dans la rivière, à 2 mn à pied. Pas d'Arnac !

Où acheter de bons biscuits ?

***Biscuiterie Brosseau :** 7, chemin de Lesquerde. ☎ 04-68-59-01-62. Rousquilles, gimbelettes, tourtinettes* aux grains d'anis, et bien sûr les fameux croquants aux amandes... Tout est succulent dans cette maison fondée il y a plus d'un siècle. Ils ont du savoir-faire.

À voir. À faire

***Le Chapitre :** mêmes adresse, téléphone et horaires que l'office de tourisme.* On n'imagine pas que derrière ce simple bâtiment du XVIIIe siècle se cache un édifice baroque. L'ancien chapitre a été divisé, cloisonné, transformé partiellement en habitation. De ce fait, au premier étage on se trouve nez à nez avec les stucs de l'ancienne nef. Beau témoignage des strates de l'histoire. Et puis, si la nef a été burinée par la main de l'homme, le chœur a été « bourriné » par les excréments de chevaux (c'était devenu une écurie). Ne pas rater la vue sur le village et le Fenouillèdes depuis le clocher (accès par la chapelle). Et joli petit musée d'Arts et Traditions populaires.

***Le Train du pays cathare et du Fenouillèdes :** TPCF, 26, bd de l'Agly. ☎ 04-68-59-99-02. ● tpcf.fr ●* Un ancien autorail remis en service sur la ligne Rivesaltes – Saint-Martin – Lys (Aude), qui dessert chaque jour les gares du Fenouillèdes (hors saison, essentiellement pour les groupes).

L'AUDE, PAYS CATHARE

Pays du cyprès et de l'olivier, du sapin et du roseau, de la vigne et du blé, pays de mer, de plaine et de montagne, l'Aude est comme un résumé géographique du territoire national. Et c'est une succession de paysages tour à tour ondulés, escarpés, verdoyants ou brûlés par le soleil que le révolutionnaire de 1790, en instituant ce département, a placé sous un même petit vocable, aujourd'hui complété par ce qualificatif magique : « pays cathare »... À cette nature forte et variée s'ajoute en effet, mais ce n'est pas nouveau, un patrimoine bâti remarquable : Carcassonne, bien sûr, qu'on ne présente plus, et une bonne part du canal du Midi (inscrit par l'Unesco au Patrimoine mondial) ; mais aussi quantité d'églises et d'abbayes romanes (Rieux-Minervois, Saint-Papoul, Lagrasse, Fontfroide, Saint-Hilaire, Sainte-Marie-d'Alet, Caunes-Minervois, Saint-Polycarpe, Rieunette et Saint-Martin-des-Puits) particulièrement mises en valeur chaque année, au mois de juillet, lors du festival musical Fugue en Aude romane.
Mais, avant tout, et nul ne peut l'ignorer désormais, le voyageur entre ici en pays cathare. Lastours, Puivert, Quéribus, Peyrepertuse, Puilaurens, et d'autres encore : « citadelles du vertige » chantées par les uns, places fortes plus ou moins en ruine décrites par d'autres, mais toujours aussi belles dans leur cadre de monts et de vignes – avec en point d'orgue, tel un vaisseau amiral à la tête d'une flotte immense, la Cité de Carcassonne.

L'HISTOIRE DES CATHARES

Au Xe siècle, la société est régie à la fois par l'autorité temporelle des seigneurs et par le pouvoir spirituel de l'Église. Mais l'incompréhension du peuple face à un haut clergé riche et tout-puissant s'accentue ; la gravité des problèmes matériels génère une crise de la foi chez certains chrétiens qui vont essayer de trouver des réponses à leurs questions. Résultat : en 1165, l'évêque d'Albi organise une réunion entre les « vrais » catholiques et ces réformateurs appelés par dérision « cathares », du mot grec *katharos* signifiant « pur ». Rome les condamne solennellement pour hérésie.
La religion cathare repose sur le dualisme, une doctrine venue de l'Antiquité et remise au goût du jour : le monde est plus que jamais partagé entre le Bien et le Mal. Le Bien est symbolisé par Dieu, créateur du royaume éternel, sauveur des âmes. Le Mal a créé la matière et le temps, et il cherche à détruire le Bien. L'âme (le Bien) est donc enfermée dans un corps (le Mal). Pour les cathares, dont les « parfaits » forment une sorte de clergé, les « bonshommes » étant leurs ouailles, le salut consiste à se libérer du Mal, de l'enfer, en retrouvant la pureté originelle. Il faut observer des règles de vie plus que strictes : interdiction de tuer tout être humain ou animal, obligation de jeûner, abstention de tout rapport sexuel (mettre au monde un enfant est l'œuvre du Mal), interdiction de prêter serment (or, toute la société est fondée sur le serment de vassalité, d'où problème !), obligation de travailler (pas de changement pour les pauvres mais pour les nobles, quelle innovation !). En tout cas, on ne devait pas s'amuser tous les jours dans la famille cathare !

L'Église s'affola, car cette doctrine sapait les fondements mêmes de la société féodale sur laquelle elle avait un pouvoir absolu. Le pape dépêcha donc des légats en Occitanie. L'assassinat de l'un d'eux déclencha la croisade contre les cathares.
Les premiers à être massacrés furent les habitants de Béziers. L'extermination se poursuivit à Carcassonne, où Simon de Montfort, qui allait devenir le chef des croisés, entreprit d'anéantir les unes après les autres les cités cathares : Termes, Puivert, etc. À chaque fois ou presque, les croisés attendaient la faveur d'un été torride pour venir à bout de ces forteresses réputées inexpugnables. Les cathares, morts de soif, se rendaient, et les survivants de ces longs sièges, s'ils n'abjuraient pas leur foi, étaient jetés dans les flammes – ce qu'ils préférèrent bien souvent. Simon de Montfort décida alors d'assiéger Toulouse. Les seigneurs du Sud s'étaient ligués contre les croisés et le choc se déroula à Castelnaudary. Raymond VI battu, Raymond VII entra en scène et reprit Toulouse en 1216. Montfort décida d'assiéger une nouvelle fois la cité. Il mourut touché à la tête par une pierre.
C'est alors que, considérant que la situation n'avait que trop duré, le roi entra dans la bataille. Louis VIII, sentant son pouvoir menacé, déclara les cathares « ennemis du roi et de l'Église ». Coup de main du pape ; jamais à court d'imagination, il inventa l'Inquisition, des tribunaux chargés de découvrir, de juger et de brûler les hérétiques dans les meilleurs délais. Les méthodes pour faire avouer importaient peu, il fallait des coupables. La résistance cathare s'organisa dans les châteaux de Montségur, Puilaurens, Quéribus et Peyrepertuse. Mais l'assassinat de deux inquisiteurs, en 1242, déclencha une répression terrible et sanglante qui aboutit à la chute de Montségur deux ans plus tard. Les hérétiques furent brûlés. En 1321, le dernier parfait périt sur le bûcher. Les cathares n'étaient plus qu'un souvenir. Et le plus grand bénéficiaire de l'opération fut le roi de France, les comtés de Carcassonne et de Toulouse tombant dans son escarcelle. Les motifs religieux du départ s'étaient fondus dans une sombre affaire de pouvoir et de politique. Tout compte fait, les cathares n'avaient peut-être pas complètement tort.

ABC DE L'AUDE

- ***Superficie :*** 6 139 km².
- ***Population :*** 308 703 hab.
- ***Préfecture :*** Carcassonne.
- ***Sous-préfectures :*** Limoux, Narbonne.

Adresses utiles

Comité départemental du tourisme : *conseil général de l'Aude, allée Raymond-Courrière, 11855 Carcassonne Cedex 9. ☎ 04-68-11-66-00. • documentation@audetourisme.com • audetourisme.com • Lun-ven 8h-12h30, 13h30-17h.* Compétent et bien documenté sur l'histoire du pays cathare et sur les randonnées.

Maison du tourisme vert – Relais des Gîtes de France-Aude : *78 ter, rue Barbacane, 11000 Carcassonne. ☎ 04-68-11-40-70. • gites-de-france-aude.com •*

Association des sites du pays cathare : *14, rue du 4-Septembre, 11000 Carcassonne. ☎ 04-68-11-37-97. • payscathare.org •* L'association

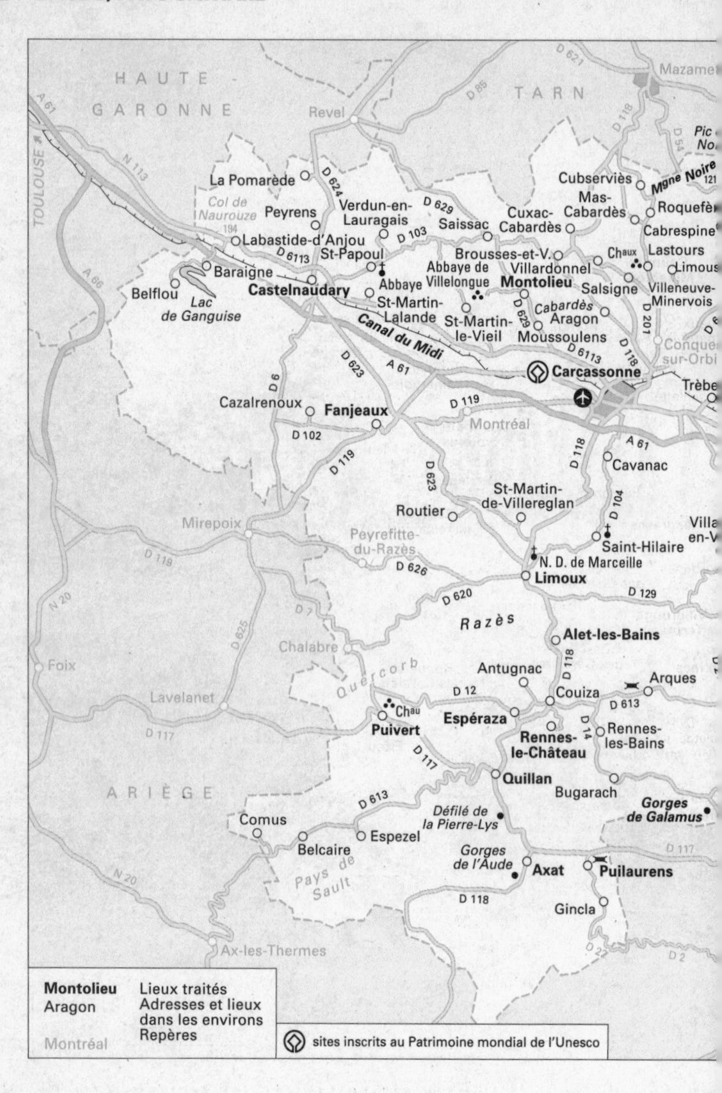

propose une carte intersites (4 € pour les adultes) qui permet de bénéficier d'une réduction sur le prix d'entrée de 19 grands sites du pays cathare. Elle donne aussi droit à une entrée enfant (de 6 à 15 ans) gratuite sur chacun des sites concernés.

■ ***Accueil Paysan :*** *Marie Coupet, 10, allée des Marronniers, 11300 Limoux.* ☎ *04-68-31-01-14.* • *http://accueil.paysan.free.fr* • Chambres et tables d'hôtes chez des paysans en activité.

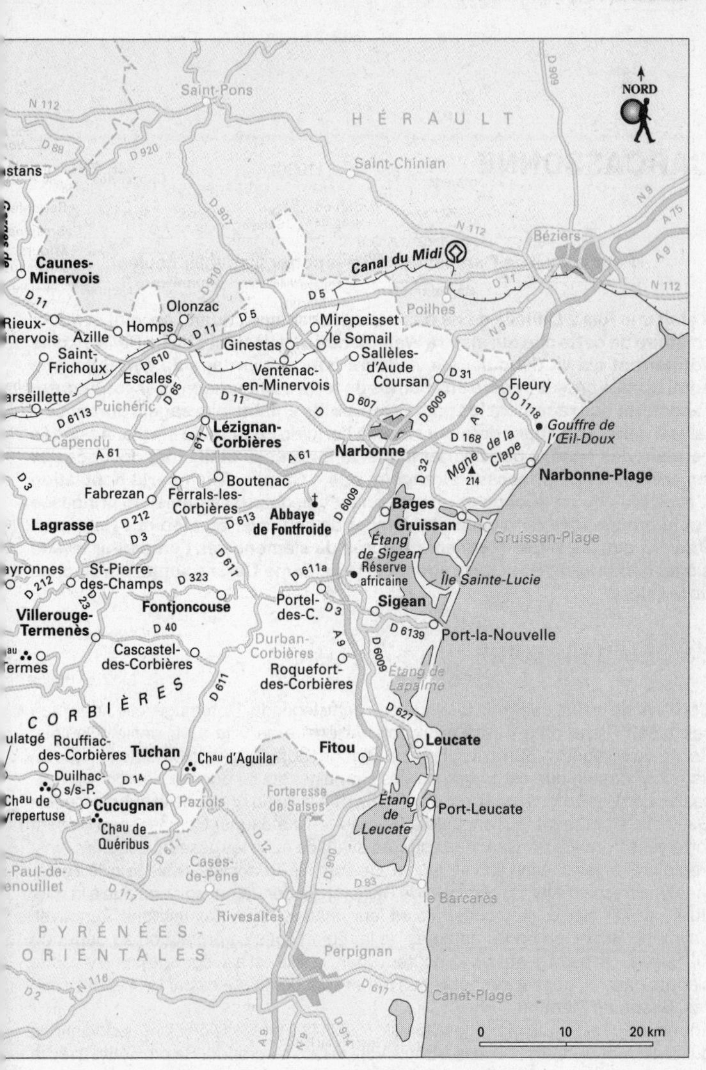

L'AUDE

Site internet

• ***cg11.fr*** • Le site du conseil général de l'Aude. L'histoire du pays cathare, des brochures sur les saveurs et les événements du département à télécharger, des infos sur les routes en chantier... on y trouve de tout !

LE PAYS CARCASSONNAIS

CARCASSONNE

(11000) 46 220 hab.

Pour le plan de Carcassonne, se reporter au cahier couleur.

Il était une fois... Difficile de ne pas commencer ainsi, quand on veut évoquer l'histoire de cette cité qui inspira Walt Disney pour le décor de *La Belle au bois dormant* et qui vit débouler les visiteurs pour le tournage du film du même nom. Si vous croyez encore aux contes de fées, commençons par vous conter l'anecdote que racontent les guides aux petits enfants pas sages, durant certaines visites. Une anecdote qui serait à l'origine du nom de la ville. Assiégée pendant des années par Charlemagne, la forteresse était alors occupée par les armées d'une princesse étrangère, dame Carcas. Affamée, la population n'avait plus qu'un cochon et une ration de blé, quand l'astucieuse princesse eut la grande idée d'en gaver l'animal et de l'envoyer au pied des remparts. Croyant que les vivres n'étaient pas près de s'amenuiser, l'empereur leva le siège, démoralisé. Pour lui proposer la paix, dame Carcas sonna les cloches de la ville...

UN PEU D'HISTOIRE

L'histoire de la Cité contredit quelque peu cette légende. Dommage, elle nous plaisait bien ! Riche d'un passé deux fois millénaire, la ville a vu défiler Gaulois, Romains, Wisigoths, Sarrasins, Francs. D'abord oppidum, ce promontoire situé au carrefour stratégique est fortifié par les Romains, qui lui donnent le nom de *Carcasso.* Les Wisigoths succèdent aux Romains à la fin du IVe siècle et submergent la Gaule. Ils établissent leur capitale à Rennes-le-Château, et Carcassonne devient forteresse frontière pendant deux siècles avant de subir les assauts des Sarrasins. Pépin le Bref les chasse au VIIIe siècle. Ce sont les Trencavel, noble famille également maîtresse d'Albi, de Nîmes et de Béziers, qui donneront son prestige à la ville, du Xe au XIIe siècle, en y construisant leur château. L'un des rejetons Trencavel, Raymond Roger, prend les cathares de la région sous sa protection au début du XIIIe siècle. Un beau geste qui lui coûtera cher : la ville est assiégée, le jeune vicomte clapote dans un obscur cachot et ses terres sont confisquées par le chef des croisés, Simon de Montfort.

Entrée ensuite dans le giron de la famille royale (les possessions languedociennes du fils de Montfort sont cédées à Louis VIII), la Cité s'agrandit. Sa proximité avec la frontière catalane pousse les rois français à renforcer les remparts et à ajouter une enceinte extérieure, séparée de celle de l'intérieur par des lices, tandis que la cathédrale prend de plus en plus d'ampleur.

Carcassonne est une cité bicéphale, la ville basse moderne, commerçante et administrative contrastant avec la ville haute, éloignée et enfermée à l'intérieur d'épais remparts. Après le siège de 1240, la Cité devint une forteresse du pouvoir royal triomphant. Le Languedocien se retrouva cantonné dans la ville basse. Saint Louis la fit construire sur un plan militaire à l'image d'Aigues-Mortes : plan « carré », rues à angles droits, bastion à chaque angle et deux églises, au nord et au sud. La Cité triomphante avait comme emblème deux tours liées. La « bastide Saint-Louis » (en fait, plus personne n'ose parler aujourd'hui de « ville basse ») mit sur son blason un agneau sacrifié. Au XIVe siècle, la Cité possédait une telle armure que le Prince Noir dans sa chevauchée incendiaire l'évita et se contenta de ravager la ville basse. Modifiée à la Renaissance et au XVIIIe siècle, elle a pris le visage qu'on lui connaît aujourd'hui.

Et le peuple ?

Fières de leur riche passé, les villes d'histoire comme Carcassonne ont une fâcheuse tendance à l'amnésie... remerciant un peu trop facilement les puissants de naguère du patrimoine « légué » et passant sous silence, par exemple, l'exode forcé de sa population après la victoire des croisés.
Punis pour avoir aidé les cathares, les habitants de la ville sont chassés et l'on rase les villages bâtis au pied des remparts ! Après plusieurs années de « déportation », tout ce petit peuple est autorisé à revenir et s'installe de l'autre côté de l'Aude, créant alors ce qu'on appela la ville basse de Carcassonne. Juste retour des choses, l'industrie du drap et le commerce du vin l'enrichit, alors que la vieille Cité militaire périclite après le traité des Pyrénées et le recul de la frontière française (le Roussillon étant annexé).
La Cité n'est alors qu'une caserne. Sous l'Empire, la citadelle est vendue, on doit récupérer les pierres. Mais, au XIXe siècle, le romantisme allait sauver Carcassonne. Mérimée, dans *Voyage dans le Midi de la France,* s'émeut de voir la ville amputée de ses tours et laissée à l'abandon. Du coup, le bon Prosper, qui était quand même inspecteur des Monuments historiques, en confie la restauration à Viollet-le-Duc, en 1844. Le célèbre architecte eut la bonne idée de ne pas se lancer dans une opération de chirurgie esthétique trop poussée, se contentant de restituer le caractère d'harmonie et de force d'une ville guerrière du XIIIe siècle.

Une ville touristique bien tranquille

Aujourd'hui, Carcassonne en temps ordinaire s'avère une préfecture bien tranquille, ville de garnison aussi, vivant surtout du tertiaire ; il lui manque sans doute l'université qui lui donnerait un peu de sang neuf, mais la jeunesse d'ici part faire ses études à Nîmes, à Toulouse ou à Montpellier. C'est en même temps l'une des villes médiévales les plus visitées de France, que les premiers rayons du soleil remplissent d'une foule bariolée. Un tourisme économiquement alléchant qui nuit pourtant au charme et à l'authenticité de la Cité : échoppes en toc, hôtellerie un peu trop chère, restauration souvent médiocre, médiévaleries à toutes les sauces (épées en plastique, arbalètes en solde, musées et pseudo-musées à la pelle, etc.). Cependant, inscrite au Patrimoine mondial de l'Unesco, elle demeure la plus importante cité médiévale d'Europe, et la voir dans son écrin de pierres illuminées le soir est un spectacle superbe...

Adresses et infos utiles

Office de tourisme *(plan couleur B2,* **1***)* **:** *28, rue de Verdun, 11890 Carcassonne Cedex 9. ☎ 04-68-10-24-30.* • carcassonne-tourisme.com • *Dans la bastide Saint-Louis, en centre-ville. Juil-août, tlj 9h-19h ; hors saison, tlj 9h-18h (13h slt dim). Juin-sept, mar et jeu, visites guidées de la bastide Saint-Louis ; rendez-vous à l'office de tourisme à 9h30.*

Bureau d'infos de la Cité *(plan couleur D4,* **2***)* **:** *porte Narbonnaise. ☎ 04-68-10-24-36. Tlj 9h-18h (19h en juil-août ; 17h oct-mars).*

Bureau d'infos du canal *(plan couleur B1,* **3***)* **:** *av. Maréchal-Foch. ☎ 04-68-25-94-81. Juil-août, tlj 9h-13h15, 14h15-19h ; avr-fin oct, slt 14h-18h.*

– **Marchés :** *ts les mar, jeu et sam.* Marché aux fruits, fleurs et produits locaux, pl. Carnot, vêtements bd Barbès, volailles et poissons aux halles. *Marché au gras en déc.*

Gare SNCF *(plan couleur B1)* **:** *port du Canal-du-Midi, au nord du centre-ville. ☎ 36-35 (0,34 €/mn).* On peut s'y procurer le *guide horaires TER* avec tous les trains au départ de Carcassonne.

Keolis *(plan couleur A1)* **:** *2, bd Paul-Sabatier (siège). ☎ 04-68-25-13-74. Cars* Teissier : *Le Pont-Rouge. ☎ 04-68-25-85-45.* Départ des bus boulevard de Varsovie. Société de transports régionaux de voyageurs. Dessert les principales villes du département : Carcassonne, Narbonne, Lézignan... Voir « Quitter Carcassonne ».

■ ***Transports urbains :*** *caisse centrale du Dôme. ☎ 04-68-47-82-22.* Pour se rendre à la Cité, prendre la ligne n° 2 (bus ttes les heures env, sf dim et j. fériés). Il existe aussi une navette Bastide-Cité de mi-juin à mi-sept, qui passe ttes les 15 mn en juil-août, y compris les dim et j. fériés.

■ ***Location de vélos : Évasion 2 Roues,*** *85, allées d'Iéna. ☎ 04-68-11-90-40. Proche du canal du Midi. Ouv tte l'année, mar-sam 9h-12h, 14h-19h.*

Où dormir ?

Dans la bastide Saint-Louis (ville basse)

Adresses plus nombreuses et un peu moins chères que celles de la touristique Cité. Le bus n° 2 relie les deux villes.

De bon marché à prix moyens

Hôtel Astoria *(plan couleur C1,* ***10****)* **:** *18, rue Tourtel. ☎ 04-68-25-31-38. • hotel-astoria@wanadoo.fr • astoria carcassonne.com • À 150 m de la gare. Congés : fév. Doubles 25-49 € selon confort et saison. Garage ou parking gratuit sur présentation de ce guide.* Voici un hôtel spécial petits budgets. Propose également quelques chambres triples et quadruples, toujours bon marché et toujours propres, avec une bonne literie et la TV. Les chambres ont été rénovées et l'ensemble est bien tenu. Une adresse connue des cyclotouristes, qui y trouvent de quoi se reposer les mollets et les reins.

De plus chic à beaucoup plus chic

Chambres d'hôtes La Bastide Saint-Louis *(plan couleur B2,* ***18****)* **:** *chez Olivia et Jérôme Joseph, 42, rue Barbès. ☎ 04-68-72-34-81. • labastide@free.fr • vtlanguedoc.com/labastide • Ouv tlj sf vac de Noël. Doubles 63 €, petit déj compris.* On a vraiment du mal à imaginer que ce mur austère puisse cacher une si belle adresse. Pourtant, il s'agit d'un hôtel particulier du XVIIIe siècle, typique de ce quartier de Carcassonne. Quatre magnifiques chambres toutes différentes, meublées à l'ancienne, avec beaucoup d'élégance. Les salles de bains sont superbes, avec des sanitaires rétro. Une adresse qui ne manque pas d'un certain charme dans la ville basse.

Grand Hôtel Terminus *(plan couleur B1,* ***13****)* **:** *2, av. du Maréchal-Joffre. ☎ 04-68-25-25-00. • leterminus@hotels-du-soleil.com • hotels-du-soleil.com • Près de la gare. Parking payant. Ouv tte l'année. Doubles et suite 70-158 €, bon petit déj-buffet 10 €. Réduc de 10 % sur le prix de la chambre sur présentation de ce guide.* Immense palace *modern style,* où quelques films furent tournés. Le hall à lui seul vaut le déplacement, avec sa porte à tambour années 1930, ses moulures, sa double cage d'escalier, son vieux carrelage et son bar étincelant. Certaines chambres ont perdu leur cachet après leur rénovation, mais elles restent confortables. Accueil souriant. Resto sur place.

Hôtel Montségur *(plan couleur A2,* ***12****)* **:** *27-32, allée d'Iéna. ☎ 04-68-25-31-41. • info@hotelmontsegur.com • http://hotelmontsegur.com • Ouv tlj sf fin déc. Doubles 75-98 €. Petit déj 9 €.*

Tenu avec sérieux par la famille Faugeras, depuis quelques décennies déjà. Une vraie maison de maître fin XIXe, avec sa décoration qui semble d'époque, comme ses meubles. Chambres très confortables, climatisées. Et pour dîner aux chandelles, en plein air, l'été, vous n'avez que quelques pas à faire pour aller jusqu'au jardin du restaurant *Le Languedoc* où officie Didier Faugeras (voir plus loin).

Chambres d'hôtes La Maison Coste *(plan couleur C2, **11**) : 40, rue Coste-Reboulh. ☎ 04-68-77-12-15. • contact@maison-coste.com • maison-coste.com • Congés : 15 j. avt la Saint-Valentin. Trois doubles 81-92 € et une suite 125 €, petit déj compris. Table d'hôtes 22 € pour un repas complet.* Une adresse hors norme qui a autant de charme que de personnalité. Une maison de ville entièrement relookée, qui donne envie de poser ses bagages quelques jours, au calme, loin de la foule, pour profiter du jardin, de la terrasse, du solarium, du jacuzzi. Du blanc, du beige, du marron, des grands volumes, entre ombre et lumière, avec une cheminée dans chaque chambre, pour le fun plus que pour le feu. Michel et Manu tiennent aussi une boutique de déco au rez-de-chaussée.

Dans la Cité

Bon marché

Auberge de jeunesse *(plan couleur D4, **14**) : rue du Vicomte-Trencavel. ☎ 04-68-25-23-16. • carcassonne@fuaj.org • fuaj.org • Accueil 24h/24. Ouv tlj sf de mi-déc au 1er janv. Résa conseillée. Adhésion obligatoire. Nuitée : 16,50 €, petit déj et draps compris. ½ pens 23,80-25,30 €/pers selon saison. Compter 6-10 € au snack-bar, ouv en saison.* Belle AJ bien tenue, en plein cœur d'un lieu hautement historique. 120 lits répartis dans des chambres de 4 à 6 personnes, propres et modernes. Foyer avec cheminée, cuisine, bar, salle TV, ping-pong, cour intérieure. Également des concerts et soirées à thème en juillet-août.

Prix moyens

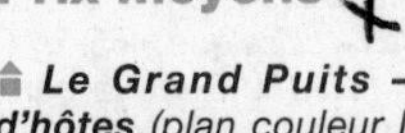

Le Grand Puits – Chambres d'hôtes *(plan couleur D3, **19**) : chez Mme Cordonnier, 8, pl. du Grand-Puits. ☎ 04-68-25-16-67. • nicole.trucco@club-internet.fr • http://legrandpuits.free.fr • Selon saison, doubles 45-60 € avec douche et w-c.* Dans le frigo ou sur la table, vous trouverez de quoi faire un petit déj. Trois chambres, l'une, familiale, avec terrasse donnant sur la Montagne noire et la porte Narbonnaise, l'autre avec un petit patio bien protégé où l'on peut loger à quatre et enfin la dernière, plus petite, pour 2 personnes maximum. Calme et indépendance au cœur de la Cité médiévale.

Beaucoup plus chic

Hôtel Best Western Le Donjon *(plan couleur D4, **16**) : 2, rue du Comte-Roger. ☎ 04-68-11-23-00. • info@bestwestern-donjon.com • hotel-donjon.fr • Garage payant (10 €). Tlj sf dim soir en hiver. Doubles 115-160 € selon saison. Petit déj 10 €. Réduc de 10 % sur le prix de la chambre sur présentation de ce guide en janv-mars et nov-déc.* La totale : maison médiévale, poutres superbes, luxe bourgeois, confort moderne, insonorisation, AC, bar, salons, pour ne parler que de la maison mère. Agréable jardin pour le petit déj, aux beaux jours. Si l'hôtel est complet, vous pourrez loger à la ***Maison du Comte Roger,*** en face, ou à l'***hôtel des Remparts*** (même direction, mêmes coordonnées).

À proximité de la Cité

Camping

Camping Campéole La Cité *(hors plan couleur par C4,* ***17****) : route de Saint-Hilaire.* ☎ *04-68-25-11-77.* • *cpllacite@atciat.com* • *campeoles.fr* • *À 1 km de la Cité ; bus n° 8 depuis le centre-ville. Ouv de mi-mars à mi-oct. Forfait pour 2 avec voiture et tente 23,50 € en hte saison. Loc de bungalows et de mobile homes 330-720 €/sem.* Légèrement excentré, ce 3-étoiles reste néanmoins assez proche de la Cité et dispose d'un cadre agréable en bordure de l'Aude. Piscine, tennis, petite restauration, etc.

De prix moyens à plus chic

Hôtel du Pont-Vieux *(plan couleur D3,* ***20****) : 32, rue Trivalle.* ☎ *04-68-25-24-99.* • *info@hoteldupontvieux.com* • *hoteldupontvieux.com* • *Doubles 46-78 € selon saison et confort. Également des chambres familiales. Petit déj-buffet 7 € servi jusqu'à 11h. Sur présentation de ce guide, 10 % de réduc accordée nov-fin mars.* Idéal pour les lève-tard, qui feront l'impasse sur le déjeuner ! Dans une rue calme, à quelques enjambées de la porte d'entrée principale de la Cité. Chambres rénovées et climatisées. Belle vue sur la cité depuis la terrasse, tout en haut, et les chambres n°s 14-15 et 18-20 ; les n°s 6 à 11 donnent sur le jardin.

Hôtel de l'Octroi *(plan couleur D3,* ***21****) : 106, av. du Général-Leclerc (sortie autoroute Carcassonne Est).* ☎ *04-68-25-29-08.* • *hotel-octroi@ataraxie.fr* • *Congés : de mi-déc à fin janv. Doubles avec bains 45-65 € selon saison.* Un hôtel qui, depuis 30 ans, a réussi à se maintenir dans la gamme la plus basse, tout en se rénovant gentiment au fil du temps. Climatisé et insonorisé.

Chambres d'hôtes La Maison sur la Colline *(hors plan couleur par D4,* ***15****) : chez Nicole Galinier, Mas de Sainte-Croix.* ☎ *04-68-47-57-94.* • *contact@lamaisonsurlacolline.com* • *lamaisonsurlacolline.com* • *À 1,5 km de la Cité. De la porte Narbonnaise, longer les remparts en direction du cimetière, c'est indiqué ensuite sur la gauche. Tlj sf 31 déc-14 fév. Doubles 70-90 €, petit déj inclus. Table d'hôtes en sem 30 € boissons comprises. Réduc de 10 % sur le prix de la chambre (4 nuits min) sur présentation de ce guide.* Formidablement situé face à la Cité, mais déjà dans la campagne, ce mas dispose de six chambres avec ou sans TV, mignonnes et confortables. Mobilier provençal et déco chaleureuse, piscine, cuisine régionale familiale et excellent accueil de Nicole ou de sa fille.

Hôtel Montmorency *(hors plan couleur par D4,* ***22****) : 2, rue Camille-Saint-Saëns – Montée Combéléran.* ☎ *04-68-11-96-70.* • *le.montmorency@wanadoo.fr* • *lemontmorency.com* • *Face à l'entrée de la Cité. Garage privé. Ouv tte l'année. Doubles « classique » 65-75 €, et « prestige » 110-180 €.* De la porte Narbonnaise, vous n'avez qu'un pas (deux, allez !) à faire pour vous retrouver, loin de la foule, dans ce joli petit hôtel décoré avec beaucoup de goût. Beau travail sur les détails, les lumières, le mobilier. Accès à la piscine (chauffée de Pâques à la Toussaint) et au jacuzzi de l'*Hôtel du Château* attenant, très chic, appartenant aux mêmes propriétaires. Accueil très agréable.

Où manger ?

Dans la bastide Saint-Louis (la ville basse)

De bon marché à prix moyens

L'Endroit *(plan couleur B2,* ***30****) : 18, rue de l'Aigle-d'Or.* ☎ *04-68-71-00-20.* *Tlj sf dim-lun. Menus 18-25 €. Apéritif maison offert sur présentation de ce* *guide.* Une adresse passée en quelques mois de la petite table de marché un peu cachée à l'adresse branchée, tout en conservant la même équipe. Déco dans l'air du temps, tout comme la cuisine, qui ne se contente pas du sempiternel cassoulet. L'adresse qui assure, avec une dizaine de tables en terrasse dans la rue piétonne.

|●| ***Restaurant L'Escalier*** *(plan couleur B1,* ***31****) : 23, bd Omer-Sarraut. ☎ 04-68-25-65-66. Tlj sf dim midi. Service jusqu'à minuit. Menus 18-23 € et carte. L'Escalier* est un lieu avant d'être un restaurant, et ça dure depuis quelques décennies déjà. Pas simple de décrire la salle au décor helléno-mexicano-américano-cinéphile. Couleurs chaudes, vieilles affiches de ciné et musique. On y mange à la fois grec, italien, créole et surtout mexicain. Les *fajitas* et le *chili* valent le déplacement, tout comme les encornets et gambas *a la plancha.* Accueil jovial.

|●| ***Restaurant Le Sixième Sens*** *(plan couleur B2,* ***33****) : 55, rue Aimé-Ramond. ☎ 04-68-72-56-83. • lesixiemesens@orange.fr • Ouv slt le soir, tlj sf mer 19h-1h. Congés : 2 sem fin fév. Menus 19-25 € et carte. Digestif maison offert sur présentation de ce guide.* Face aux Halles, dans ce quartier en pleine rénovation, un petit resto qui joue la carte charme, sans forcer la note. Deux salles, deux ambiances. La première, ouverte sur la rue, dans les tons blanc-grège, avec ses touches de couleurs, la seconde, le caveau, avec ses petites lumières, ses senteurs, pour ceux qui veulent cacher leur joie.

|●| ***Restaurant Chez Fred*** *(plan couleur B1,* ***34****) : 31, bd Omer-Sarraut et 86, rue Albert-Tomey. ☎ 04-68-72-02-23. • contact@chez-fred.fr • ♿ Tlj sf sam midi et lun midi (et dim soir hors saison). Congés : 15 j. en nov et 15 j. en mars. Formule 16 €, le soir 19 €. Menus 23-27 € et carte. Apéritif maison offert sur présentation de ce guide.* Une adresse agréable au décor feutré. Fauteuils en rotin, murs lie-de-vin et prune créent un ensemble de bon goût. Frédéric Coste prépare une cuisine moderne, inspirée du terroir et pleine de sincérité. La carte est renouvelée régulièrement. Terrasse au calme dans la cour.

|●| ***Restaurant Gil*** *(plan couleur B1,* ***36****) : 32, route Minervoise. ☎ 04-68-47-85-23. ♿ Tlj sf dim-lun. Congés : 2 sem en août. Formule tlj 18 € et menus 24-28 €. Apéritif maison offert sur présentation de ce guide.* On descend quelques marches pour accéder à la salle pas très grande de ce surprenant restaurant très « terre-mer » même si l'aspect maritime semble l'emporter. Spécialité de *parrillada* catalane avec toutes sortes de poissons grillés *a la plancha* et, au dessert, une bonne crème, catalane elle aussi. Service affable.

CARCASSONNAIS

De prix moyens à plus chic

|●| ***Restaurant Le Languedoc*** *(plan couleur A2,* ***38****) : 32, allée d'Iéna. ☎ 04-68-25-22-17. • info@languedocrestaurant.com • Tlj sf lun midi en saison (dim soir et lun hors saison). Congés : 20 déc-20 janv et 1 sem en juin. Menus 24-44 € et carte.* Une table carcassonnaise qui ne triche pas, depuis vingt-cinq ans (voir plus haut : *Hôtel Montségur*). Du sérieux, jusque dans l'assiette, la carte proposant des recettes classiques mais parfaitement exécutées, à base de produits de choix.

|●| ***Restaurant Robert Rodriguez*** *(plan couleur B-C2,* ***39****) : 39, rue Coste-Reboulh (près de la poste). ☎ 04-68-47-37-80. • robert.rodriguez@orange.fr • ♿ Tlj sf dim et mer. Formule midi 20 € en sem ; menus 39-59 € et carte. Réduc de 10 % hors juil-août sur présentation de ce guide.* Bonheur d'une maison au centre de Carcassonne ouverte par un « artisan du goût » qui cache, derrière des moustaches à la Hercule Poirot, un caractère bien trempé. Robert Rodriguez a quitté le restaurant où il avait la tête dans les étoiles, en Corse, à Erbalunga, pour se retrouver, en famille, mais tout seul en cuisine, loin des grandes brigades. Vingt couverts, pas plus. Tout est fait maison, du pain aux chocolats ou aux glaces, le reste vient de chez les producteurs du pays, ou du marché, tout à côté. C'est si simple, la vie. Cuisine ensoleillée pour se retrouver, dans

l'assiette comme dans la tête, entre mer et garrigue. Séduits ? Restez pour le prochain festin ! Une chambre et trois suites de charme vous y invitent.

Dans la Cité

De prix moyens à plus chic

|●| ***Le Jardin de la Tour*** *(plan couleur D4, **32**) : 11, rue Porte-d'Aude. ☎ 04-68-25-71-24. • lejardindelatour@club-internet.fr • Ouv ts les soirs sf dim-lun hors saison. Service jusqu'à minuit en été. Congés : de nov à mi-déc. Résa très conseillée, car complet ts les soirs. Menus 22-28 € et carte. Apéritif maison offert sur présentation de ce guide.* Belle adresse cachée tout contre les remparts. Le cadre est magnifique et profite de l'illumination de la Cité le soir. Une histoire qui marche et pour cause : tablées conviviales à l'intérieur, dîner romantique au milieu des arbres à l'extérieur, tapas et parfois musique live. Belles assiettes et cuisine exquise, musique bien choisie, que demander de plus ? L'essayer, c'est l'adopter !

|●| ***Restaurant Comte Roger*** *(plan couleur D4, **37**) : 14, rue Saint-Louis. ☎ 04-68-11-93-40. • restaurant@comteroger.com • Tlj sf dim-lun (hors hte saison et j. fériés). Congés : de mi-fév à mi-mars. Menus midi 20 € en sem, puis 32-52 €. À la carte, compter 50 €. Digestif carcassonnais offert sur présentation de ce guide.* Accueil chaleureux et sincère. Une carte qui fait la part belle aux produits locaux, aux recettes du terroir et aux vins du pays. Cuisine fraîche et enlevée, aux saveurs régionales, tel le cassoulet languedocien aux deux confits. Le cadre très contemporain est très agréable, mais la jolie terrasse abritée est idéale pour un soir d'été. Un très bon rapport qualité-prix.

|●| ***Auberge de Dame Carcas*** *(plan couleur D4, **35**) : 3, pl. du Château. ☎ 04-68-71-23-23. Tlj sf mer. Congés : 2 sem fin janv, 10 j. début juin, 1 sem début oct et 1 sem à Noël. Formules 12,50-16,50 €. Menus 14-24,50 € et carte. Kir offert sur présentation de ce guide.* De la place pour tout le monde, en terrasse, à l'étage ou dans la vieille cave voûtée. Un cadre rustique bien étudié, une cuisine ouverte sur la salle à manger et une cloche qui tinte pour dire merci ! Menu régional et bonnes recettes au feu de bois, comme ce cochon de lait grillé au miel des Corbières ou ce foie gras poêlé aux fruits rouges, entrés dans la légende de Dame Carcas.

|●| ***L'Arbre de Vie*** *(plan couleur D4, **40**) : 3, pl. Saint-Marcou. ☎ 04-68-71-45-33. Tlj sf jeu hors saison. Congés : janv-fév. Menus midi 12,50 € en sem, puis 18-35 €. Café offert sur présentation de ce guide.* Terrasse sur la place la plus célèbre de la Cité, aux allures de petit Montmartre, mais aussi et surtout un très agréable patio, oasis retirée de la cohue touristique. À l'étage, deux petites salles. Cuisine méditerranéenne variée. Service gentil de la patronne.

À proximité de la Cité

De plus chic à beaucoup plus chic

|●| ***Restaurant Le Parc*** *(hors plan couleur par D4, **41**) : 80, chemin des Anglais. ☎ 04-68-71-80-80. • fr.putelat@wanadoo.fr • ♿ Au pied des remparts de la Cité. Tlj sf dim-lun (hors j. fériés). Congés : janv. Formule midi 25 € en sem ; menus 37-95 € et carte.* Franck Putelat a créé l'événement gastronomique en quittant le resto de l'*Hôtel de la Cité* pour s'installer dans ses murs, en compagnie de sa femme et d'une équipe de choc, prête à repousser tous les coups du sort. Un bel espace lumineux et moderne percé de meurtrières pour rappeler l'autre forteresse qui se dresse, à quelques minutes de là, en haut de la rue. Et cuisine qui pourfend les traditions en s'amusant à les restituer à travers d'étonnants clins d'œil (osée, la bouillabaisse au foie gras). Bel accueil, et terrasse agréable en été.

CARCASSONNAIS

Où dormir ? Où manger dans les environs de la Cité ?

Voir également nos adresses dans le Cabardès tout proche, autour de Conques-sur-Orbiel et Montolieu.

De plus chic à beaucoup plus chic

Château de Cavanac : *11570 Cavanac. ☎ 04-68-79-61-04. • infos@chateau-de-cavanac.fr • chateau-de-cavanac.fr • À 5 km au sud de la Cité, par la D 104 direction Saint-Hilaire. Repas slt le soir (sf lun) et dim midi. Congés : janv-fév et 15 j. fin nov. Doubles 65-95 € selon saison ; suite 100-150 €. Menu unique 40 € tt compris. Apéritif maison offert sur présentation de ce guide.* Château de famille du XVIIe siècle au cœur d'un petit village tranquille. Chambres extraordinaires, toutes différentes, avec meubles de style, tissus chatoyants et lits à baldaquin. Ni vieillotte ni rustique, la déco a su rester élégante, bien au goût du jour. Une chambre peut accueillir jusqu'à 5 personnes. Cuisine délicieuse au restaurant, installé dans d'anciennes écuries. Foie gras chaud à la figue et escargots à la carcassonnaise en spécialités. La salle de la cheminée est de loin la plus agréable. Sinon, tennis, piscine, salle de gym, sauna.

Chambres d'hôtes Au Domaine des Castelles : *chez Isabelle Puaud, 11170 Caux-et-Sauzens. ☎ et fax : 04-68-72-03-60. À 5 km de Carcassonne. Prendre la direction de l'aéroport de Salvaza, puis la D 119 vers Montréal. À 4 km, panneau sur la gauche. Pour 2, compter 65-70 €, petit déj compris. Également un gîte pouvant accueillir 5-6 pers, 400-480 €/sem selon saison, draps et serviettes fournis.* Belle maison de maître et immense parc. Isabelle, la maîtresse de maison, a tenu une boutique d'art dans les hauteurs de Paris avant de décider de s'installer ici. L'accueil, c'est son truc, tout comme la randonnée, le yoga et la philosophie orientale. Une adresse tout près de la ville, mais en pleine verdure et au calme.

Hostellerie Saint-Martin : *au hameau de Montredon, 11090 Carcassonne. ☎ 04-68-47-44-41. • hostellerie@chateausaintmartin.net • chateausaintmartin.net • À 3 km de la Cité. Du centre-ville, direction le stade et l'hippodrome puis suivre les indications. Resto fermé mer et dim soir. Doubles 80-95 € selon confort et saison. Petit déj 9 €. Menus env 31-55 €.* Dans une demeure moderne, des chambres climatisées confortables. Dans le jardin, on profite d'une belle piscine. Resto du château situé juste à côté, dans un très joli cadre. Logis de France.

CARCASSONNAIS

Où boire un verre ? Où sortir ?

Le Bar à Vins *(plan couleur D4, **50**) : 6, rue du Plô. ☎ 04-68-47-38-38. • philippe.calvet@wanadoo.fr • Dans la Cité. Tlj jusqu'à 23h. Congés : début nov-début janv.* Avec sa belle terrasse tranquille donnant sur les remparts, ce *Bar à Vins* jouit d'un cadre extra et l'on y passe du bon temps dans une ambiance hispanisante. Apéro-tapas, fromages et charcuteries accompagnés de bons vins régionaux au verre... Juste en face, le resto **Le 5,** des mêmes propriétaires *(5, rue du Petit-Puits ; tlj en été)*, très sympa avec sa terrasse. Bons petits plats.

Le Conti *(plan couleur B2, **51**) : 16, rue de l'Aigle-d'Or. ☎ 04-68-25-39-40. À deux pas de la place Carnot. Ouv à partir de 22h ts les soirs sf lun. Consos env 7 €.* Ce bar très animé reste ouvert tard (jusqu'à 5h). Certains soirs, c'est la méga-fiesta, sur les tables on danse et dessous on roule. Tapas, vins au verre et ambiance sympa.

L'Envers *(plan couleur B2, **52**) : 18, rue de l'Aigle-d'Or. ☎ 04-68-71-00-20.*

Jeu-sam 18h-2h, plus sam midi pour l'apéro. Consos env 7 €. Bar-à-tapas-apéros-musicaux : un mot qui convient bien à *l'Envers*. Dans une sorte de cave, déco « savane » et lumière tamisée. Un DJ anime les lieux régulièrement. Une dizaine de concerts dans l'année. Belle ambiance.

O'Sheridan's *(plan couleur B2,* ***53****) : 13, rue Victor-Hugo. ☎ 04-68-72-06-58. Tlj 16h (17h en été)-2h.* Un pub qui ressemble à une vieille quincaillerie, avec ses livres et machines à écrire collés aux murs... À la pression, Beamish et Guinness et, en bouteilles, un choix presque aussi long que les 40 m qui séparent ce pub de la place Carnot !

Le comptoir des Vins et des Terroirs *(plan couleur D4,* ***54****) : 13, rue du Comte-Roger (au pied même de la* Maison du Comte Roger, *l'annexe de l'*Hôtel du Donjon*). ☎ 04-68-26-44-76. • comptoir-vins@wanadoo.fr • Tlj 10h30-22h (23h en été).* Une maison du vin qui donne à boire et à manger (charcuterie du pays et fromage de montagne) avec du pain qui croque sous la dent, pour faire durer le plaisir, certainement. Vin au verre.

À voir

La Cité

Petit préambule pour ceux qui se demandent, arrivés au pied des remparts, comment visiter à la fois le « village » encore habité (une centaine de résistants, bon an, mal an) et les deux enceintes successives, séparées par ce no man's land appelé Lices (hautes au sud, basses au nord), totalisant ensemble 3 km de murailles et pas moins de 52 tours... Sachez juste qu'il faut au minimum une journée pour tout visiter. Le parcours décrit ci-dessous reprend l'itinéraire généralement suivi quand on entre par l'entrée principale (porte Narbonnaise) ; mais on peut tout à fait entrer par l'autre côté (la porte d'Aude, dont nous parlons à la fin de ce chapitre sur la Cité) et nous le conseillons : moins de monde, moins de boutiques, parcours pittoresque (mais abrupt) et possibilité de parking gratuit – tandis qu'à l'entrée principale stationnement payant.

La porte Narbonnaise *(plan couleur D4) :* l'entrée principale de la Cité, curieusement située du côté opposé à la ville basse (et donc dirigée vers Narbonne, d'où son nom). Un véritable château fort à elle seule. Avec ses deux tours à éperon de 30 m de haut (du XIIIe siècle), elle défend de manière autoritaire l'accès à la Cité. En levant la tête, on aperçoit des trous qui supportaient les balcons de bois d'où on lançait sur l'assaillant pierres et fagots enflammés...

Musée Mémoires du Moyen Âge *(plan couleur D4) : chemin des Anglais, BP 6 (à l'extérieur du château, face à la porte Narbonnaise). ☎ 04-68-71-08-65. • chez.com/mmma • Tlj 10h-19h. Fermé pdt vac scol de Noël. Entrée : 5 € (4 € sur présentation de ce guide) ; enfants : 3 € ; réduc.* Vidéo et maquettes pour se mettre en condition et mieux entrer tout à la fois dans le Moyen Âge et dans la Cité médiévale. Un plaisant raccourci de 1 000 ans d'histoire, d'architecture civile et militaire, et de mode vestimentaire. Dans la salle des maquettes, trois reproductions de la Cité, des Gallo-Romains au siège de 1240 – cette dernière scène étant assez captivante. Les enfants apprécient et les parents aussi.

Les Lices : immense terrain vague situé entre les deux enceintes. Visite passionnante, si l'on fait jouer son imagination. Ce chemin de ronde fait le tour de la Cité et permet de se rendre compte de la démesure des enceintes. D'ailleurs, on y respire mieux que dans les ruelles étroites de l'intérieur. Commencer la visite par la droite en prenant les Lices basses. C'est ici que l'on peut comparer le plus facilement les différents styles architecturaux correspondant aux périodes de construction successives. Sur l'enceinte intérieure on aperçoit les marques, alors que l'enceinte extérieure appartient à une seule et même période. Au niveau de la poterne romaine, les énormes pierres datent du Ier siècle apr. J.-C. Ce sont les plus anciennes. Les couches alternées de pierres rectangulaires et de briquettes datent du Ve siècle. Les parties d'enceinte faites de belles pierres lisses et rectangulaires correspondent à la troisième campagne de construction, vers le XIIe siècle. Les baies géminées appartiennent à cette époque. La seconde enceinte date des XIIIe et XIVe siècles. Philippe le Hardi et Philippe le Bel furent à l'origine de ces travaux titanesques, véritable exemple de l'art architectural militaire. On reconnaît cette période à l'emploi des pierres à bossage. Un petit conseil : allez-y le soir. On ne vous ment pas, c'est fantastique. Pas un chat, et l'éclairage savant des donjons vous donnera l'impression de vous promener dans un décor de film...

La rue Cros-Mayrevieille *(plan couleur D4)* **:** du nom de l'érudit local qui aida au sauvetage de la Cité. La moindre des choses était de donner son patronyme à la rue principale. Elle monte directement au château. Pittoresque avec son dallage et ses belles maisons, mais hélas ! largement dénaturée par les boutiques vendant un bric-à-brac hétéroclite aux armes de Carcassonne. Sans parler des musées douteux qui proposent des reconstitutions toutes plus sujettes à caution les unes que les autres.

Le château comtal et les remparts de la Cité *(plan couleur D3-4)* **:** *☎ 04-68-11-70-70. Tlj 10h-18h30 (9h30-17h oct-mars). Attention : dernière admission 45 mn avt la fermeture en saison, 30 mn oct-mars. Fermé certains j. fériés. Entrée : 7,50 € ; 18-25 ans : 4,10 € ; gratuit moins de 18 ans. Donne accès au château, au musée lapidaire, aux expos, ainsi qu'au parcours promenade : durée 45 mn, un départ ttes les 15 à 30 mn en saison. Préférez, si possible, la visite-conférence (qui vous permettra d'approfondir vos notions relatives au catharisme), d'env 1h30 ou 2h30, pour 4 ou 6 € de plus (plein tarif). En saison, il y en a env 5/j., se renseigner.*

Construit vers 1130 par les Trencavel, cet édifice de 80 m de long sur 40 m de large est une véritable « forteresse dans la forteresse ». Le château est plus qu'une résidence où l'on trouve le seigneur et sa suite. Il fait office de donjon et articule toutes les défenses de la Cité. Il commande la vallée de l'Aude et surveille les alentours du haut de la tour Pinte.

On y pénètre par un pont de pierre chevauchant des douves, dans une curieuse cour d'accès semi-circulaire (dite « barbacane »). Plusieurs fois remaniée par ses occupants successifs, la redoutable forteresse reste malgré tout un merveilleux témoignage de l'architecture militaire médiévale. On peut visiter l'enceinte intérieure, les remparts gallo-romains, les tours royales, les cours d'honneur et du Midi et les deux corps de bâtiments (salles de l'époque féodale et d'autres, moins anciennes).

DES VERTES ET DES PAS MÛRES

Il en vit de belles, le château comtal : la mort de Raymond-Roger (jeune protecteur des cathares) dans ses cachots, le statut de QG pour l'impitoyable Simon de Montfort après la victoire des croisés, possession des rois de France, prison où étaient jetés les enfants rebelles, caserne au XIXe, à nouveau prison pendant la Première Guerre mondiale, QG des nazis pendant la Seconde et désormais musée !

Le **Dépôt lapidaire** présente une rétrospective de l'histoire de la Cité au travers des vestiges qui y furent mis au jour. Antiquité (bornes milliaires du IIIe siècle, sarcophage du Ve) ; Moyen Âge (pierres tombales, chapiteaux, stèles, sarcophages mérovingiens, peintures romanes dans la salle du Donjon, gisant du XIIIe, etc.) ; époque « moderne » (XVIe et XVIIe siècle).

La basilique Saint-Nazaire *(plan couleur D4)* **:** *dans la partie ouest de la Cité. ☎ 04-68-25-27-65. Tlj 9h-11h45 (10h45 dim), 13h45-18h (17h en hiver).*

L'église primitive aurait été bâtie à cet endroit au VIe siècle, sous la domination des Wisigoths. Mais ce n'est qu'au Xe siècle que le siège épiscopal fut transféré ici. Il ne

venait pas de loin. L'ancien était dans les faubourgs. Elle demeura cathédrale jusqu'en 1803, le siège épiscopal retournant dans la ville basse à l'église Saint-Michel. L'édifice se partage en deux parties bien distinctes : la nef romane, le chœur et le transept gothiques. L'ensemble est surprenant et absolument superbe. Les deux styles se complètent de manière harmonieuse et il devient presque difficile de les dissocier.
À l'intérieur du bâtiment, on est frappé par la beauté des vitraux, à juste titre considérés comme les plus beaux du Midi. Les vitraux des rosaces datent du XIVe siècle, ceux du chœur et du transept de la fin du XIIIe (les plus bleutés) et des XVIe et XVIIe siècles (avec les grands personnages). Il faut les admirer à des moments différents. Le soleil illumine la rosace nord le matin, embrasant les violets. Et l'on s'aperçoit qu'elle compose une roue du temps qui tourne inexorablement. La rosace sud se pare de mille feux au couchant et là, la roue devient éternelle, le temps prend fin. La légèreté du chœur tranche avec la masse imposante de la nef. Colonnes délicates, piliers ténus, fenêtres envahissant le mur font que l'on se demande comment l'ensemble peut tenir. Les piliers sont ornés de statues taillées à même la colonne.
La cathédrale abrite de nombreuses œuvres d'art : un bénitier du XIIe siècle, un orgue du XVIIe (un des plus anciens du Midi), une somptueuse chaire Empire, un gisant d'albâtre, une saisissante *pietà* polychrome du XVIe siècle, une *Trinité* du XIVe siècle, un curieux bas-relief aux personnages gommés (la « Pierre du Siège »), et bien d'autres. Remarquer également cette cloche de bronze du XVIe, posée à droite du chœur. Elle pèse plus d'une tonne...

CARCASSONNAIS

Le musée de l'École *(plan couleur D4)* ***:*** *3, rue du Plô.* ☎ *04-68-25-95-14. Tlj 10h-19h en été (18h hors saison). Bibliothèque « mémoire de l'école » ouv au public et aux chercheurs sur rendez-vous. Entrée : 4 € ; gratuit moins de 12 ans ; 3 € sur présentation de ce guide.* Dans l'ancienne école de la Cité. Le monde de l'école communale sous les IIIe et IVe République des XIXe et XXe siècles, avec notamment tous les supports pédagogiques utilisés. Encriers, pupitres, tableaux noirs et morale du jour. Collection exceptionnelle de vieux appareils de projection. Une salle est consacrée à l'exposition annuelle. Atelier d'écriture pour essayer plume, encre violette... et buvard !

Les tours de la Cité : 26 tours dans l'enceinte intérieure et autant pour les remparts extérieurs. Certaines se visitent : s'adresser pour ce faire au château comtal. Les plus intéressantes : celles de la porte Narbonnaise (vestiges romains) ; celle du Tréseau, à droite de la précédente (caves, pièces voûtées, cheminées, chemin de ronde) ; celle de la Vade (2e à gauche dans l'enceinte extérieure à partir de la porte Narbonnaise ; la tour de l'Inquisition, entre le château et l'église, une véritable salle de torture : les chaînes et les graffitis en témoignent !

La porte d'Aude *(plan couleur D4)* ***:*** *à droite du château (belle vue sur celui-ci).* Comme dit plus haut, on vous recommande d'accéder à la Cité par cette porte au moins une fois au cours de votre séjour ici : parcours très pittoresque, passant par le pont Vieux, la rue Barbacane et la petite église Saint-Gimer ; enfin, superbe point de vue sur les remparts.

La bastide Saint-Louis (ville basse)

Il suffit de passer le pont, comme dans la chanson, pour découvrir, au pied des remparts, une autre ville, une autre vie. La « ville nouvelle » date du... XIIIe siècle, et a été créée par Saint Louis sur le modèle des bastides, comme Aigues-Mortes. Beaucoup moins visitée que la Cité, pour l'heure, elle possède un cachet certain, avec ses nombreux bâtiments anciens, en cours de rénovation pour la plupart, et son plan en damier. *De mi-juin à mi-sept, intéressantes visites guidées avec l'office de tourisme à 9h30 mar et jeu.*

Le pont Vieux *(plan couleur C3)* **:** construit au XIVe siècle pour remplacer un pont encore plus ancien, il fut l'unique moyen de traverser l'Aude, ici, jusqu'au XIXe siècle. Reliant la ville basse à la Cité, il constitua pendant longtemps un outil de scission plus qu'un moyen de communication. Aujourd'hui, malgré la construction du pont Neuf, il reste encore en service. Superbe le soir grâce aux éclairages à l'ancienne. Long de 210 m, avec huit arches en plein cintre.

La place Carnot *(plan couleur B2)* **:** incontestablement l'endroit le plus vivant de la ville, grâce à ses vieux platanes, sa fontaine en marbre de Caune et surtout son marché aux herbes *(mar, jeu et sam 7h-13h)*. Les fermiers des environs y descendent. À ne pas manquer, le samedi matin surtout.

La cathédrale Saint-Michel *(plan couleur B2)* **:** construite au XIIIe siècle, elle supplanta celle de la Cité au XIXe. Entrée rue Voltaire. De style gothique languedocien, elle fut restaurée par Viollet-le-Duc en 1840. À voir : vitrail de la nef, du XIVe siècle, statue polychrome de la même époque, trois sculptures en marbre du XVIIe siècle.

L'église Saint-Vincent *(plan couleur B1)* **:** on la repère grâce à son haut clocher carré (54 m), qui servit au XVIIIe siècle à mesurer le méridien terrestre. Dans le carillon, 47 cloches. Nef aux belles dimensions de style roman byzantin.

La chapelle des Carmes *(plan couleur B1)* **:** dans la rue piétonne Georges-Clemenceau. L'ordre des Carmes, qui fut fondé au XIIe siècle à la suite des croisades, tire son nom du mont Carmel en Israël. Ses disciples s'établirent ici au XIIIe siècle avec l'autorisation de Saint Louis. L'église, vendue en 1791 comme bien national par les révolutionnaires, devint une écurie. En 1850, l'ordre racheta la totalité du couvent et s'installa à nouveau à Carcassonne. Expulsé trente ans plus tard, l'ordre fut définitivement dissous en 1901 et le couvent devint une maison des jeunes et un cinéma avant que l'évêché ne s'installât ici en 1981. Une atmosphère de sérénité et de bien-être habite l'endroit. Superbe plancher en bois dans toute la nef d'où s'exhalent de douces odeurs de cire. Une ambiance plus qu'une œuvre d'art.

Le musée des Beaux-Arts *(plan couleur C2)* **:** *1, rue de Verdun.* ☎ *04-68-77-73-10. Tlj en été 10h-18h. Hors saison, tlj sf dim-lun 10h-12h, 14h-18h. Gratuit.* Dans l'ancien présidial de la sénéchaussée de Carcassonne, collection remarquable de peintures et céramiques du XVIe siècle à nos jours, des écoles françaises et hollandaises principalement : Van Goyen, Chardin, Hyacinthe Rigaud, ou Jacques Gamelin, le régional de l'étape. Joli *Portrait de madame Astre* par Achille Laugé (1892), et de bons Jalabert (1815-1900), pour citer les régionaux de l'étape. Arrêtons-nous aussi sur *Les Chérifas,* longue composition orientalisante de Benjamin Constant, ou sur cette demoiselle du *Printemps* d'un certain Courtat (1878), qu'on aimerait rencontrer au coin d'un bois (la demoiselle, pas Courtat). Expos temporaires également, toujours gratuites.

La Maison des mémoires – Centre Joë-Bousquet et son temps *(plan couleur B2)* **:** *53, rue de Verdun.* ☎ *04-68-72-45-55. Tlj sf dim-lun 9h-12h, 14h-18h. Entrée libre.* C'est en 1924 que le poète Joë Bousquet s'installe ici. Il y restera jusqu'à sa mort, en 1950, reclus dans une chambre aux volets clos conservée en l'état, et qu'on peut voir depuis le seuil : sanctuaire un peu sinistre, avec, posée sur le guéridon, une pipe à opium. Joë s'y était mis pour calmer ses douleurs. L'homme, grièvement blessé pendant la Grande Guerre, est paralysé des membres inférieurs ; il se consacre alors au monde de l'esprit, développant une œuvre saluée par les plus grands : Gide, Valéry, Aragon, Jean Paulhan, Max Ernst et d'autres, qui lui rendent visite. Son *Journal intemporel* ou sa *Correspondance* sont des exemples d'énergie poétique. La Maison des mémoires rend hommage à l'artiste, dans le cadre élégant de cette ancienne maison de ville du XVIIIe siècle – superbe plafond à caissons. Manuscrits, photos, citations (« Je cherche une clarté qui change tous les mots »), rares tirages... Des expos temporaires se proposent d'explorer les champs croisés de l'écriture et de la peinture autour d'écrivains, de peintres et de photographes des XXe et XXIe siècles.

L'hôtel de Murat *(plan couleur C2) : 3, bd Camille-Pelletan.* L'un des plus beaux de la ville, construit par une riche famille au XVIIIe siècle. Ne pas hésiter à entrer (on y trouve la Chambre de commerce et d'industrie) pour admirer l'escalier mais aussi le superbe mobilier et les tapisseries d'Aubusson du grand salon.

Pour ceux qui disposent de temps, Carcassonne possède d'autres beaux ***hôtels particuliers*** des XVIe et XVIIIe siècles, qui devraient profiter de la remise en valeur du centre ancien commencée en ce début du XXIe siècle. Liste et plan détaillé à l'office de tourisme.

Manifestations

– ***Festival de la Cité :*** *ts les ans en juil.* Danse, opéra, théâtre, concerts. ***Festival de la Bastide*** *aux mêmes dates. Programme : ☎ 04-68-10-24-30. • festivaldecarcassonne.com •*
– ***14 Juillet :*** *bal populaire pl. Carnot et, surtout, surtout, embrasement de la Cité à 22h30.* Un monde fou vient y assister... De l'avis de tous, le plus beau spectacle donné dans le Sud : remparts, donjons et château rougeoient dans la nuit d'été à des kilomètres à la ronde avant de s'enflammer dans le délire multicolore des feux de Bengale !
– ***Spectacles médiévaux :*** *début juil-fin août.* Tournois de chevalerie. ***Spectacles son et lumière :*** *env 1 sem courant août, le soir à 21h30 au Grand Théâtre.*
– ***Semaine espagnole et « Fiesta y toros » :*** *fin août. Infos auprès du pôle culturel de la mairie : ☎ 04-68-77-71-57.*

QUITTER CARCASSONNE

En train

➢ ***Pour Narbonne :*** nombreux trains chaque jour. Un peu plus de 30 mn de trajet.
➢ ***Pour Castelnaudary :*** nombreux trains chaque jour. Compter 20 mn de trajet.
➢ ***Pour Limoux et Quillan :*** départs quotidiens 6h-19h30. Env 30 mn de trajet pour Limoux et un peu plus de 1h pour Quillan.

En bus

➢ ***Pour Narbonne*** (en passant par ***Trèbes*** et ***Lézignan-Corbières***) ***:*** en période scolaire, bus de la compagnie *Keolis (2, bd Paul-Sabatier, ☎ 04-68-25-13-74)*, au départ du bd de Varsovie, lun-sam 6h20-18h20. Pdt les vac, 3 bus/j. sf w-e, à 6h20, 12h15 et 18h20. Compter 1h20 de trajet. Mieux vaut vérifier les horaires auprès de la compagnie.
➢ ***Pour Castelnaudary :*** en période scolaire, bus de la compagnie *Keolis* (☎ 04-68-25-13-74), lun-sam à 7h55 et 12h15, au départ du bd de Varsovie. Les lun-mar et jeu-ven, départs à 16h10, 17h15 et 18h20. Compter env 1h de trajet. Horaires sujets à variations.
➢ ***Pour Limoux, Alet-les-Bains, Espéraza, Quillan et Axat :*** départs tlj sf dim à 10h30. Également d'autres départs, mais horaires variables, se renseigner auprès de la compagnie *Teissier (Le Pont-Rouge ; ☎ 04-68-25-85-45).*

ENTRE MINERVOIS, CABARDÈS ET MONTAGNE NOIRE

Au nord de Carcassonne commence le Cabardès, qui s'étend jusqu'au pied de la Montagne noire, début du Massif central et frontière naturelle entre

l'Aude, le Tarn et l'Hérault. Un secteur très riche en sites naturels et villages typés, qui trouve sa prolongation avec le Minervois, largement étendu à l'est sur l'Hérault (voir plus loin : entre canal du Midi et Minervois).

CAUNES-MINERVOIS

(11160) 1 510 hab.

Les vignes, toujours les vignes, quelques oliviers çà et là. Voilà pour l'ambiance alentour. Caunes se situe sur le cours de l'Argent-Double (dont on dit que lorsqu'elle déborde, la récolte est deux fois plus importante l'année suivante) et est connu pour ses carrières de marbre, situées au nord de la ville. En amont, le charmant village de Citou, capitale de l'oignon doux (et plat). Caunes était un village fortifié dont les origines remontent au VIIIe siècle, lorsqu'un religieux proche de saint Benoît d'Aniane y fonda une abbaye. Il possède encore les quelques vestiges laissés après le passage ravageur du duc de Joyeuse, chef de la Ligue du Languedoc, dont la très belle abbatiale Saint-Pierre-et-Saint-Paul, ainsi qu'un remarquable centre ancien.

UNE CARRIÈRE QUI NE LAISSE PAS DE MARBRE !

Des carrières de Caunes, on extrait des marbres allant du rouge au vert. Les carrières ont ainsi fourni treize colonnes au Grand Trianon. En 1862, Charles Garnier utilisa ces marbres pour décorer l'Opéra de Paris. On en trouve également, entre autres, au palais de Chaillot. Belle carrière !

Adresse utile

ℹ ***Office de tourisme :*** *1, ruelle du-Monestier.* ☎ *04-68-78-09-44.* ● *caunes-minervois.com* ● *Juil-août, tlj 10h-19h ; sept-oct, tlj 10h-12h, 14h-18h ; nov-mars, tlj 10h-12h, 14h-17h ; avr-juin, tlj 10h-12h, 14h-18h.* Infos et visites organisées.

Où dormir ? Où manger ?

Hôtel-restaurant d'Alibert : *pl. de la Mairie.* ☎ *04-68-78-00-54.* ● *frederic.dalibert@wanadoo.fr* ● *Tlj sf dim soir, lun et mar midi. Congés : de mi-nov à mi-mars. Selon saison, doubles avec douche et w-c 45-76 € ; 50-85 € avec bains. Menu 24 €. Apéritif maison offert sur présentation de ce guide.* Situé au cœur du village, au milieu des ruelles et placettes anciennes, cet hôtel particulier avec sa mignonne petite cour semble tout droit sorti de son XVIe siècle. M. et Mme Guiraud veillent depuis de longues années sur cette perle avec amour et gentillesse. Chambres bien entretenues et agréables, simples et spacieuses. Cuisine du terroir réalisée avec beaucoup de sincérité et de savoir-faire.

Où manger dans les environs ?

Le Logis de Mérinville : *77, av. Georges-Clemenceau, 11160 Rieux-Minervois.* ☎ *04-68-78-12-49. À 7,5 km au sud-est de Caunes-Minervois par la D115, puis la D18. Tlj sf lun soir, mar soir et mer. Congés : de la Toussaint à mi-déc et janv-Pâques. Formules midi en sem 12-14,50 €. Menus 22-35 € et carte env 25 €. Apéritif maison offert sur présentation de ce guide.* Une maison construite au XIXe siècle avec une cuisine d'époque qui vaut le détour. Tout comme la pièce que Pierre Morin, le maître des lieux, fondu de Frédéric Dard, a consacré à San-Antonio. Un vrai musée qu'il se fera un plaisir de vous ouvrir. Et qui vous mettra en appétit pour dévorer magret aux cèpes, foie gras entier maison et autres plats du moment... Les chiens ne sont pas admis au restaurant ! Terrasse ombragée par une somptueuse glycine.

À voir

🕵🕵🕵 ***L'abbatiale Saint-Pierre-et-Saint-Paul :*** *☎ 04-68-78-09-44. Juil-août, tlj 10h-19h ; hors saison, tlj 10h-12h, 14h-18h (17h l'hiver). Entrée : 4,50 € ; réduc.* Bel ensemble des XIe et XIIe siècles. L'église est la partie la plus ancienne : portail roman, voûte sobre et superbe chevet à chapiteaux sculptés de volutes et de palmettes. Après une longue période prospère, l'abbaye décline au XVe siècle. Elle retrouve quelque éclat au XVIIe siècle, au cours duquel sont construits les bâtiments conventuels. À noter aussi, les beaux autels en marbre de Caunes ou de Carrare, fin XVIIIe. On peut terminer la visite par une dégustation de vins locaux, dans la cave attenante.

🕵🕵 ***La chapelle Notre-Dame-du-Cros :*** *à 2 km au nord-est, prendre la route de Trausse puis le chemin à gauche (indiqué).* Assez perdue dans un site charmant, cette chapelle dédiée à la Vierge est le plus important lieu de pèlerinage du Minervois (pardi, il a été construit près d'une source miraculeuse !). À l'intérieur (elle est rarement ouverte parce que des religieux y habitent), grand décor de chœur et marbres polychromes (XVIIe et XVIIIe siècle).

🕵🕵 ***Les carrières de marbre :*** il y a deux carrières de marbre à Caunes, celle ***du Roy*** et celle ***de Notre-Dame-du-Cros.*** Cette dernière est la plus belle. On la trouve à partir de la chapelle (voir ci-dessus), en s'engageant entre la chapelle et le corps de ferme, puis en traversant le ruisseau : de là, suivre le chemin sur un bon kilomètre pour arriver à la carrière. Site insolite et beau, encadré de trois parois de marbre rose.

Manifestation

– ***Fête du Marbre :*** *la 1re quinzaine de mai.* Visite des carrières, ateliers animés par des tailleurs de pierre Compagnons du Tour de France, ateliers pour enfants ou adultes, sculpture d'art et expos thématiques : deux jours durant, on apprend tout du marbre et de sa taille.

➤ DANS LES ENVIRONS DE CAUNES-MINERVOIS

RIEUX-MINERVOIS

🕵 *Rens au syndicat d'initiative, rue Saint-Blaise. ☎ 04-68-78-13-98. Ouv tte l'année, tlj sf dim hors saison.* Dans les rues du village, quelques belles maisons anciennes, et un pont dont les trois arches franchissent l'Argent-Double. Rieux, d'ailleurs, vient de *rivus* (« rivière » en latin).

🕵🕵 ***L'église Sainte-Marie :*** Rieux est célèbre pour son église, un curieux joyau de l'art roman

BON SAINT MAIS SEPT BIEN SÛR !

L'église de Rieux-Minervois renferme un sanctuaire couvert d'un dôme à sept pans. Le chiffre 7, directeur du plan, ne se trouve dans aucune autre construction ronde d'église. On a voulu y voir le rappel de la phrase du Livre des proverbes *: « La Sagesse a bâti sa maison, elle a taillé ses sept colonnes. »*

renommé pour sa forme. L'édifice date du XIIe siècle et est pourvu d'un plan insolite, unique dans tout le Languedoc. Romane par la construction, son ornementation est byzantine. Sur les murs du déambulatoire, 14 chapiteaux magnifiques d'influence corinthienne représentant l'Assomption, la Vierge en gloire soutenue par des anges, etc. Mise au tombeau polychrome de l'école bourguignonne qui daterait du XVe siècle.

VILLENEUVE-MINERVOIS

Le moulin à vent de Villeneuve-Minervois : *11160 Villeneuve-Minervois. ☎ 04-68-26-57-56. • moulin-benazeh.fr • Juil-août, tlj 10h-18h ; avr (sf le mat)-juin et sept, tlj 10h-12h, 14h-17h30. Entrée : 5 € ; gratuités ; réduc de 1 € sur présentation de ce guide. Visite guidée d'env 45 mn.* Pour voir fonctionner un moulin à vent et tout savoir sur la fabrication de la farine. Par exemple, on apprend que le meunier doit tourner le toit du moulin tout entier pour mettre les ailes face au vent ! Si cela vous amuse, il est possible d'acheter la farine produite par le moulin dans la boutique à l'entrée du site.

LES GORGES DE LA CLAMOUX ET LA MONTAGNE NOIRE

La Clamoux descend de la Montagne noire. La D 112 en longe les gorges (pas aussi spectaculaires que d'autres célèbres, mais jolies tout de même) et mène à Cabrespine. Plus haut, le pic de Nore (1 210 m), sommet de la Montagne noire.

À voir

Le gouffre géant de Cabrespine : *indiqué le long de la D 112. ☎ 04-68-26-14-20 ou 22. • grottes-de-france.com • Ouv 10 fév-10 déc. Fév-mars, tlj 14h-17h30. Avr-juin et sept-oct, tlj 10h-12h, 14h-17h30. Juil-août, tlj 10h-18h30. Entrée : 8 € ; 4 € pour les 5-12 ans ; réduc.* Bar, boutique. Vraiment géant, ce gouffre : avec 250 m de profondeur et des dimensions extra-larges, la tour Eiffel y tiendrait presque ! L'inconvénient est que l'éclairage du précipice produit un effet écrasant, donnant l'impression d'une moindre profondeur ; mais si on n'éclaire pas, on n'y voit rien du tout. Spectacle impressionnant tout de même. Par ailleurs, possibilité de randonnée spéléo de 5h (sur résa : ☎ 04-67-66-11-11).

Les lamas de la Montagne noire : *Les Vernèdes, route de Pradelles (D 89), 11160* ***Castans.*** *☎ 04-68-26-60-11. • http://lamabalade.free.fr • Ouv tte l'année de 9h au coucher du soleil, sur résa slt hors vac scol. Visite commentée : 4,50 € ; gratuit pour les enfants accompagnés. Initiation à la conduite du lama à partir de 4 pers (8 €/pers). Possibilité de rando à la journée ou au w-e.* Si vous voulez balayer toutes vos idées fausses sur le lama, vous êtes au bon endroit... Vous pourrez l'approcher, le toucher et même le nourrir. Une douzaine d'animaux, tous plus charmants les uns que les autres. Le site où se sont installés Jean-Louis, Hélène et Sylvain est un petit havre de paix, totalement écolo en plus ! Panneaux « photovoltaïques » et petite éolienne installés par Jean-Louis, le *lamatero* électricien de formation. Un chouette endroit pour redécouvrir une nature préservée en même temps que les lamas.

Le village de Pradelles-Cabardès : au pied du pic de Nore (voir ci-après), il a gardé les vestiges des silos souterrains où l'on stockait la neige pour en faire des blocs de glace que l'on conservait toute l'année (tradition maintenue jusqu'en 1920). Pour visiter les glacières, contacter le service randonnées du Haut-Cabardès *(tte l'année, mer ; ☎ 04-68-11-12-40).* Petit lac très agréable, par ailleurs, où la baignade est surveillée en été.

Le pic de Nore : ça vaut la peine de pousser jusqu'au pic de Nore (1 210 m), sommet de la Montagne noire. Mont pelé où se dresse la tour d'un relais hertzien, on y jouit d'un panorama formidable (table d'orientation) sur les Corbières jusqu'au Canigou. Extra ! C'est aussi un haut lieu du cyclisme, point fort du tour de l'Aude féminin et d'un critérium international : en témoigne une plaque où sont gravés les noms de Laurent Jalabert, Mauro Gianetti, Rebecca Bailey ou Linda Jacks.

Idées rando

➢ Plusieurs boucles de randonnées autour de **Castans.** Pour plus de détails, contacter le **GRAAL** *(Groupement de randonnées et d'aménagement d'animations locales) : ☎ 04-68-26-57-15. • multimania.com/graalcastans •*

LE HAUT-CABARDÈS

Jolies petites routes pour rejoindre les châteaux de Lastours, Limousis ou le charmant village de Mas-Cabardès.

Adresse utile

Syndicat d'initiative du Haut-Cabardès : *Z.A. Massefans, 11380 Mas-Cabardès. ☎ 04-68-26-32-12. • montagnenoirecabardes.fr • (site en construction). Juil-août, jeu-ven et dim 13h-17h. Hors saison, lun-mar, jeu-ven 14-17h.* Accueil adorable. Plus de 30 boucles de rando proposées aux amateurs.

Où dormir ? Où manger dans le Haut-Cabardès ?

De prix moyens à plus chic

Chambres et table d'hôtes au Domaine de Lacalm : *chez Éric Martin, 11600 Villardonnel. ☎ 04-68-26-52-13. • lacalm@free.fr • D 118 en direction de Mazamet. Ne pas entrer dans Villardonnel ! Suivre les flèches, sur la gauche. Pour 2, compter 43 €, petit déj compris. Repas 17 € et 10 € pour les petits. Apéritif maison offert sur présentation de ce guide.* Dans une belle ferme isolée, 4 chambres (3 épis) rustiques. Grand séjour pour une soirée en famille, auprès de la cheminée, attablés autour d'un délicieux repas. Éric et Pilar Martin utilisent avant tout les produits de la ferme et les légumes du jardin pour une cuisine de tradition. Une très bonne adresse, surtout avec des enfants.

Chambres d'hôtes L'Abbaye de Capservy : *Denise et Daniel Meilhac, 11600 Villardonnel. ☎ 04-68-26-61-40. • daniel-meilhac@wanadoo.fr • abbayedecapservy.com • Sur la D 118, en direction de Mazamet, laissez Villardonnel sur votre droite et prenez la 1re à gauche. Ouv de mi-mars à mi-nov. Selon saison, compter 60-70 € pour 2 et 70-80 € pour la suite, petit déj compris. Table d'hôtes sur résa 25 €, vin maison compris, et menus 2-3 soirs/sem env 10-12 €.* Ancien prieuré du XIIe siècle admirablement restauré. On longe le mur d'enceinte, ouvert d'arcades successives, et on pénètre dans la cour. Ambiance sereine alimentée par la taille des pièces et l'authenticité du décor. Quatre chambres, dont deux avec mezzanine et une suite composée de deux chambres. Cuisine familiale. Domaine de 30 ha, avec un lac (à vos cannes !), une agréable piscine, sans oublier les 6 ha de vignes qui produisent un excellent vin de pays.

Chambres d'hôtes du domaine de la Bonde : *chez Nathalie et Alain Grandin, 30, route de Caudebronde, 11390 Cuxac-Cabardès (D 118 en direction de Mazamet ; au village, suivre les flèches). ☎ 04-68-26-57-16. 06-30-26-81-63. • bienvenue@labonde-cuxac.com • labonde-cuxac.com • Résa fortement conseillée (obligatoire en hiver). Doubles 62-75 € pour 2, petit déj compris. Dîner 26 €, boissons comprises. Sur demande, menu gastronomique 45 €. Apéritif maison offert sur présentation de ce guide.* Dans une magnifique manufacture royale de textiles du XVIIe siècle, nichée au cœur de la Montagne noire, 6 chambres spacieuses (la plus grande fait 70 m²) et très confortables. Meubles anciens, poutres, parquet et carrelage d'époque. Cuisine fraîcheur aussi savoureuse qu'inventive servie dans la salle à manger où trône une immense cheminée. Accueil très cordial. Vaste jardin et piscine. Propose aussi un gîte (4-5 personnes). Une belle adresse raffinée et bohème à la fois.

Le Puits du Trésor : *21, route des 4-Châteaux, 11600 Lastours. ☎ 04-68-77-50-24. • contact@lepuitsdutresor.com • Tlj en saison. Fermé lun-mar hors saison. Côté auberge, formule midi 12 € ; à l'ardoise, compter 21 €. Carte de club-sandwichs env 6 €. Côté resto, menus 37-55 € et carte. Carte blanche 75 €. Apéritif maison offert sur présentation de ce guide.* Dans ce verrou naturel entre Cabardès et Minervois, les 150 âmes du village se sont trouvé un chef et pas n'importe lequel. Passé chez Gagnaire et à l'*Ambroisie,* Jean-Marc Boyer a créé l'événement en s'installant dans cette ancienne usine aurifère et fabrique de feutrine pour billard, greffée à l'entrée des châteaux. Soucieux de n'oublier personne, il a coupé sa cuisine en deux. D'un côté l'auberge rurale pour les déjeuners, de l'autre la table gastronomique avec ses tapis de Delhi, souvenirs du voyage de noces au Tibet, une nature morte d'Ourtal et les gravures de Rivaud. Proche des producteurs et des vignerons, sa cuisine rend hommage à sa terre natale. Personnage entier et passionné, son vrai trésor, il nous l'offre dans les assiettes.

Le Sire de Cabaret : *11380 Roquefère. ☎ 04-68-26-31-89. • siredecabaret@wanadoo.fr • Tlj en juil-août ; fermé dim soir et mer hors saison. Ouv slt le w-e en hiver. Congés : de début janv à mi-fév. Menus 20-36 € ; carte env 25 €. Pour les enfants, formule 10 €.* Une magnifique maison dans un joli village perdu au milieu de la Montagne noire et du Cabardès. Quatre tables dans le jardin aux beaux jours. La salle en pierre et bois, avec son imposante cheminée, pour les grillades, annonce tout de suite la couleur. Alors, sans trop hésiter, on s'assoit et on commande une assiette de charcuterie, un petit plat genre navarin d'agneau et une assiette de fromages... C'est copieux, c'est bon, c'est sympa.

À voir

Les châteaux de Lastours : *☎ 04-68-77-56-02. • http://chateauxlastours.lwd.fr • Juil-août, tlj 9h-20h ; hors saison, tlj 10h-18h ; fév-mars et nov-déc, slt w-e et vac 10h-17h. Congés : janv. Entrée : 5 € (4 € avec le passeport Inter-sites) ; réduc. Compter de 1h30 à 2h de visite.* On passe d'un château à l'autre (Cabaret, tour Régine, Surdespine et Quertinheux) en longeant la ligne de crête. Les ruines se détachent magiquement sur le fond sombre de la Montagne noire. Bien que ce fût l'une des forteresses les plus audacieuses du catharisme, presque imprenable, les croisés en sont venus à bout en 1227. Au pied du château de Cabaret, on peut visiter la reconstitution du village médiéval. Chaussures de marche recommandées. La visite du site s'effectue à partir d'une ancienne usine de textile réhabilitée où l'on peut voir une exposition permanente sur le *Castrum* de Cabaret et le Haut-Cabardès.

Le belvédère de Montfermier : *☎ 04-68-77-56-02. Mêmes horaires que pour les châteaux. Accès au seul belvédère : 2 € ; gratuit moins de 15 ans.* Un site sublime, qui permet d'embrasser d'un coup d'œil les quatre châteaux dans une perspective hallucinante. Ceux qui auront eu le courage de grimper seront récompensés de leurs efforts !
– *En juil-août, jeu et dim soir :* son et lumière.

La cascade de Cubserviès : allez-y, vous ne le regretterez pas. Cubserviès est un tout petit village accroché à la pente, avec une belle chapelle romane (chapelle Saint-Sernin, Xe siècle) ; de là, superbe vue sur la cascade, qui mesure 90 m et dont 35 m sont visibles.

L'ancien site industriel de Salsigne : cette mine d'or (et de cuivre et d'argent), la plus importante de France avec près d'une tonne d'or par an, fut surtout connue pour ses effets polluants sur les nappes phréatiques et l'Orbiel. Un effort considérable est fait pour gommer les effets de l'activité, en laissant la nature reprendre progressivement ses droits.

Idées rando

➢ ***La petite boucle de Limousis (la combe de Valbonne) :*** *circuit de 3,5 km. Compter 1h30 sans les arrêts. Prévoir de l'eau. Pas de difficulté (balade familiale). Départ de Limousis (parking à l'entrée du village). À 15 km au nord de Carcassonne, par la D 101 (direction Conques-sur-Orbiel), puis la D 111 (direction grotte de Limousis). Rens : ☎ 04-68-26-31-24 (service sentiers de randonnée). Balisage jaune et bleu.* Au départ de la boucle (traverser le village dans toute sa longueur), le sentier longe un mur en pierre sèche. Sur le versant en face, on peut voir le ***roc des Cors.*** Vers la crête du roc des Cors, un éboulis rougeâtre indique l'ancienne mine de fer où l'on découvrit les premières traces aurifères du pays en 1892. Au printemps, les fleurs roses du ciste vous accompagnent jusqu'à un magnifique panorama sur la vallée de l'Orbiel : les quatre châteaux de Lastours, au loin la mine d'or à ciel ouvert de Villanière. Le chemin redescend vers le ruisseau (souvent asséché) de Valbonne, le traverse et vous accompagne vers le village de Limousis. Magnifique panorama sur le Minervois et les Pyrénées d'est en ouest.

Manifestations

– ***Festival Jazz sous les châtaigniers :*** *fin juil, à Roquefère. ☎ 04-68-26-35-46.*
– ***Fête des Châtaignes, du Vin primeur et de l'Agneau du pays cathare :*** *le 1er w-e de nov, à Villardonnel. ☎ 04-68-26-52-41.*

MONTOLIEU (11170) 800 hab.

Le village est bâti tel un amphithéâtre, accroché au flanc rocailleux de deux ravins. Il surplombe les gorges impressionnantes de l'Alzeau et de la Dure. À l'origine de la ville, la fondation de l'abbaye bénédictine de Saint-Jean-de-Mallast en 800. Pillé et détruit à de nombreuses reprises, le village fut reconstruit par Roger de Trencavel, vicomte de Carcassonne. Il l'entoura de fortifications... Une habitude ! Au XIIIe siècle, la ville s'appelait *Mount a Ouliou* (le mont des Oliviers). Poétique, non ? Montolieu a connu de nombreux sièges dans son histoire. Au XVIIe siècle, Colbert y établit une manufacture royale de draps qui fit la prospérité du village jusqu'au début du XXe siècle. Depuis 1990, Montolieu est devenu une cité du livre (on en compte six en France, et Montolieu a été la deuxième, quelques mois après la première – Bécherel –, en

Bretagne). Une quinzaine de libraires, bouquinistes, éditeurs, artisans d'art graphique sont venus s'installer ici sous l'impulsion de Michel Braibant, relieur à Carcassonne.

Adresse utile

Office de tourisme du Cabardès : rue de la Mairie. ☎ 04-68-24-80-80. ● tourisme-cabardes.fr ● Juil-août, tlj 10h-12h30, 14h30-19h ; le reste de l'année, tlj sf lun (et w-e en hiver) 10h-12h30, 14h-18h. Documentation touristique intéressante sur le village (plan, liste des libraires, activités, animations et programme culturel...) et les alentours.

Où dormir ? Où manger ?

***Chambres d'hôtes Château de Villeneuve :** chez Chantal et Guy François, 11170 Montolieu. ☎ 04-68-24-45-76. ● chateau.de.villeneuve@wanadoo.fr ● chateauvilleneuve.com ● Tte l'année. Doubles 65-80 €. Table d'hôtes 25 €/pers, boissons comprises. Sur présentation de ce guide, réduc de 10 % sur le prix de la chambre.* Chambres personnalisées selon plusieurs thèmes : médiéval, marine, coquelicot, etc. L'ensemble de la demeure a été repeint de couleurs vives et gaies. Du coup, cette maison n'a pas seulement une âme et du caractère à vous offrir, mais un confort tout à fait douillet. Les repas, concoctés avec les légumes du jardin et des produits locaux, oscillent entre cuisine régionale et spécialités belges, origine des propriétaires oblige. Belle piscine. Accueil très cordial.

***Les Anges au Plafond :** rue de la Mairie, 11170 Montolieu. ☎ 04-68-24-97-19. ● info@lesangesauplafond.com ● lesangesauplafond.com ● Resto ouv tlj sf mer en saison ; fermé le soir hors saison (sf ven-sam). Congés : janv-fév. Table d'hôtes possible ts les soirs sf mer. Trois doubles avec douche 47-57 € en basse saison, 57-67 € en hte saison, petit déj compris. Formule plat du jour midi et soir 11 € ; menus 14,50-21 €. Réduc de 10 % sur le prix de la chambre (nov-déc et mars pour un séjour de 2 nuits min) et café offerts sur présentation de ce guide.* Un des anciens bistrots du village est devenu cette drôle de bonne adresse, réconfortante pour le corps et pour l'esprit, où l'on vient se ressourcer entre deux bouquins. En amoureux, choisissez la table près de l'horloge. Plats simples et sympas à midi, autour de la *pasta* du jour. Coin épicerie avec des madeleines (logique, ici), des carambars, des langues de chat, des confitures pour grignoter sucré et boire un thé. Certains soirs, jazz ou musique du monde. Trois chambres accueillantes, avec des peintures qui ont la pêche, elles aussi.

Où dormir ? Où manger dans les environs ?

De prix moyens à beaucoup plus chic

***Chambres d'hôtes La Rougeanne :** chez Monique et Paul-André Glorieux, 8, allée du Parc, 11170 Moussoulens. ☎ 04-68-24-46-30. ● info@larougeanne.com ● larougeanne.com ● Doubles avec douche 72-80 €. Apéritif maison et sachet de lavande en souvenir offerts sur présentation de ce guide.* De vraies chambres pleines de charme et de vie tout à la fois, dans une ancienne maison vigneronne, à 10 mn de Carcassonne. Calme et fraîcheur à l'ombre des volets gris perle, aux heures chaudes, piscine et parc en face de la maison, et Pyrénées dans le lointain. Des teintes douces et apaisantes, des meubles de familles, des livres, tout incite à se poser, pour un temps, avant d'aller visiter le Cabardès, que Paul-André connaît bien. Une vraie maison, où l'on se sent à l'aise, en couple, entre amis ou en famille, l'espace étant suffisant pour que chacun trouve ses marques.

Chambres d'hôtes de l'abbaye de Villelongue : *dans l'abbaye, chez Jean Eloffe, 11170 Saint-Martin-le-Vieil. ☎ et fax : 04-68-76-92-58. À 4 km à l'ouest de Montolieu par la D 64. Tlj sf 15 j. fin sept et 1 sem à Noël. Chambres dans l'abbaye 65 € pour 2, petit déj compris. Réduc de 10 % accordée sur le prix de la chambre au-delà de 6 nuit, sur présentation de ce guide.* Quatre chambres respectant bien l'esprit des lieux, toutes différentes et charmantes. Admirable travail de restauration et de décoration. Calme et tranquillité assurés... On ne peut rêver mieux pour un week-end repos ou lecture : plein de recoins où installer sa chaise longue, dans le cloître et le jardin. Accueil très chaleureux.

La Bergerie : *allée Pech-Marie, 11600 Aragon (à 11 km à l'est de Montolieu). ☎ 04-68-26-10-65. • info@labergeriearagon.com • labergeriearagon.com • Fermé lun-mar (sf j. fériés). Doubles avec bains 60-110 € selon saison. Petit déj 8 €. Menus 23-58 € et carte. Apéritif maison offert sur présentation de ce guide.* Fabien Galibert a créé une jolie bergerie pour Marie-Antoinette des temps modernes. Un restaurant agréable en toutes saisons, qui met les saveurs du Sud à l'honneur. Cuisine inventive et produits de saison à la carte. Pour profiter du charme de ce village typique perché fièrement sur un éperon, en pays Cabardès, des chambres coquettes avec vue sur la garrigue et le vignoble.

À voir. À faire

Le musée Michel-Braibant, conservatoire des Arts et Métiers du livre : *rue de la Mairie, près de l'office de tourisme. ☎ 04-68-24-80-04. Tlj sf dim mat 10h-12h, 14h-18h. Entrée : 1,50 € ; 1,25 € sur résa et sur présentation de ce guide ; gratuités.* En plus du musée, toutes les informations et documentations concernant Montolieu et les activités pédagogiques liées aux livres (typo, calligraphie, reliure, etc.), malheureusement réservées aux groupes...

– **Atelier du livre :** *impasse de la Manufacture. ☎ 04-68-24-84-27. • atelierdulivre.net • Tlj sf w-e 8h30-18h30, l'été slt ; sur résa le reste de l'année.* Au cœur de la manufacture royale de Montolieu, l'Atelier du livre offre des initiations aux techniques traditionnelles du papier, de l'imprimerie, de la gravure et du papier marbré. Visite libre de l'atelier, boutique, stages sur plusieurs jours, journée ou demi-journée pendant les vacances scolaires.

La cactuseraie d'Escaïre Figue : *à l'entrée du village, en venant de Moussoulens. ☎ 04-68-24-86-59. Ouv l'ap-m mer-ven, mat et ap-m sam-dim.* Un lieu et un personnage hauts en couleur, pour tout savoir sur le cactus. Plus de 1 000 variétés, gare où vous mettez les doigts. Foire aux cactus le 3e w-e de juin.

Manifestations

– **Expositions, théâtre et rencontres littéraires :** *tte l'année.*
– **Salon du livre ancien :** *le w-e de Pâques.*
– **Livre en fête :** *oct.*
– **Journée des métiers d'art et du savoir-faire :** *le 3e dim d'oct.*

➤ DANS LES ENVIRONS DE MONTOLIEU

SAINT-MARTIN-LE-VIEIL (11170)

L'abbaye de Villelongue : *☎ 04-68-76-92-58. À 4 km à l'ouest de Montolieu. Mai-oct, tlj 10h-12h, 14h-18h30. Sur rendez-vous le reste de l'année. Entrée : 4 €.*

On ne la voit pas de la petite route départementale qui pourtant passe juste à côté, car cette abbaye, ceinte d'un mur et bâtie en contrebas, a tout fait pour s'extraire du monde. Comme la plupart des abbayes cisterciennes. Celle-ci, bâtie du XIIe au XIVe siècle pour l'essentiel, et aujourd'hui habitée (elle fait même chambre d'hôtes, voir plus haut « Où dormir ? Où manger dans les environs ? »), est tout à fait surprenante par l'importance et le bon état de conservation de certaines parties. Belle galerie de cloître, église largement en ruine (le fait qu'elle soit à ciel ouvert contribue à son charme) ; impressionnante par ses dimensions. Nombreux détails d'ornementation : culots et chapiteaux sculptés, clef de voûte du chœur... Un visiteur a laissé ces quelques mots qui décrivent l'atmosphère paisible dont le lieu est empreint : « Dans cette belle église mutilée, à ciel ouvert, qui appartient aux oiseaux, le charme serein des beaux jardins, aménagés dans l'enclos monastique, s'empreint de méditation. » Régulièrement y sont organisés des concerts (notamment « Fugue en Aude romane », au mois de juillet), des conférences, et même une foire aux courges et légumes oubliés en septembre.

BROUSSES-ET-VILLARET (11390)

Le Moulin à papier : *à 8 km au nord de Montolieu. ☎ 04-68-26-67-43. • moulinapapier.com • Prendre la D 48 direction Brousses. Monter dans le village et passer devant l'église. Visites guidées tte l'année sf Noël et Jour de l'an ; 5 à 8 visites/j. pdt les vac scol ; 2 à 5 visites/j. hors vac scol. Accès libre à la boutique, tlj.* Le dernier survivant des moulins à papier du XVIIIe siècle (en 1845, Brousses en comptait encore une dizaine en activité) rappelle qu'autrefois le versant sud de la Montagne noire faisait partie des grands centres papetiers du Languedoc. Accès par un joli petit sentier botanique qui surplombe la rivière.

SAISSAC (11310)

Village très pittoresque de la Montagne noire, Saissac a conservé d'importants vestiges de ses fortifications féodales : plusieurs tours, une porte à mâchicoulis, et, en contrebas du village, les impressionnantes ruines du château fort (donjon, tours).

Le château : *rens au ☎ 04-68-24-46-01. En été, tlj 9h-20h ; hors saison 10h-18h ; w-e et vac en hiver 10h-17h. Congés : janv. Entrée : 3,50 € ; réduc.* Perché sur un éperon rocheux, le château de Saissac est l'un des plus vastes du Languedoc. Reconstruit après la croisade contre les cathares (donjon et courtines de la fin du XIIIe siècle), il fut modifié au XVIe siècle par la famille Bernuy, puis au moment des guerres de Religion, avec l'ajout de nombreuses canonnières. Un corps de logis datant du XVIe siècle a été entièrement restauré avec sa charpente « en coque de bateau », ses dallages de granit et ses fenêtres à meneaux. Trois terrasses offrent une vue panoramique avec la chaîne des Pyrénées à l'horizon.

Le musée des Vieux Métiers de Saissac : *dans la tour Grosse. ☎ 04-68-24-46-55 (syndicat d'initiative). En juil-août, tlj sf sam 10h-12h, 15h-18h ; le reste de l'année, sur rendez-vous. Entrée : 2,50 € ; réduc.* Répartis sur les trois étages de la tour Grosse, une fortification du XIVe siècle, différents outils d'ateliers anciens, une vidéo sur « les gestes d'artisans », et quelques éléments d'archéologie, dont le *trésor de Saissac* (pièces de monnaie anciennes). Au rez-de-chaussée, expo sur le textile ancien avec notamment des coiffes locales. Au sommet, table d'orientation.

LE PAYS LAURAGAIS

À l'ouest de la Montagne noire, une fois passé le Cabardès, le Lauragais s'étale de la plaine jusqu'au col de Naurouze. Sa vocation agricole remonte à l'Anti-

quité. Ici, les sols sont fertiles. Au XVIe siècle, la culture du pastel assura la fortune de la région. Aujourd'hui, la plaine opulente autour de Castelnaudary regorge de blé, d'orge, de maïs, d'avoine et de seigle. La culture maraîchère approvisionne les marchés en asperges, tomates et melons.
Cette région audoise fut également le berceau historique du catharisme. Saint-Félix-de-Caraman accueillit le premier grand concile cathare en 1167, au cours duquel les bases de l'Église réfractaire furent définies. Saint Dominique choisit alors de se fixer à Fanjeaux pour ramener les brebis égarées dans le droit chemin. La suite de l'histoire prouvera qu'il n'y a pas vraiment réussi. Les voies du Seigneur sont parfois totalement impénétrables.

CASTELNAUDARY

(11400) 11 610 hab.

Capitale du Lauragais, Castelnaudary dominait autrefois une vallée plantée de moulins à vent, que Don Quichotte aurait sûrement appréciée. Mais aujourd'hui, ce bourg préfère cultiver son image « rugby-cassoulet », la vie culturelle et touristique tournant entièrement autour de ces deux pôles. Cependant, la vieille ville aux allures méridionales se reflétant dans le bassin du canal du Midi et sa population avenante ont de quoi séduire. Une ambiance nonchalante bienvenue avant de partir à l'assaut des citadelles cathares. Si vous ne devez qu'y passer, faites en sorte que ce soit un lundi : grand et beau marché. Quant à ceux qui nous suivent en bateau, ils savent déjà que la ville est une étape importante sur le canal du Midi, avec le plus grand plan d'eau du canal (7 ha, demi-tour possible) et quatre écluses.

L'AUDE

LA CAPITALE DU CASSOULET

« Mondiale », même, ajoutent les Chauriens (habitants de Castelnaudary) ! Les gastronomes s'accordent à dire que Castelnaudary est le père du cassoulet (qui y est né au XVe siècle), Carcassonne en étant le fils et Toulouse le Saint-Esprit ! Ici, la tradition est stricte. La *cassole* (grand bol qui a donné son nom au plat) doit être en argile d'excellente qualité. De plus, il faut que les produits proviennent de la région, que la cuisson, douce et de longue durée, soit faite au four de boulanger, avec des ajoncs de la Montagne noire, tandis que les haricots se cuisent dans l'eau de la ville... non mais !
Question haricot, on préférera le lingot. Il devra rester ferme. Côté viande, la composition diffère des rivaux voisins : confit de canard ou d'oie, saucisses de Toulouse (jamais de Strasbourg !), couennes, jarret de porc (surtout pas de viande fumée).
Les puristes affirment qu'il n'y a plus de grande adresse où déguster le cassoulet de Castelnaudary. Les habitants et notamment les restaurateurs rétorquent qu'il est bon dans tous les restaurants de la ville. Allez savoir qui a raison...
– On peut en rapporter chez soi, en boîte : c'est autre chose que ce qu'on trouve en grandes surfaces... Deux bonnes adresses :

Maison Rivière – Le Lingot d'Oc : *av. Frédéric-Passy. ☎ 04-68-94-01-74. Dans la zone industrielle d'En-Tourre.* Si vous ne savez pas quel produit choisir, allez tester foie gras et cassoulet en ville, dans leur restaurant-brasserie : ***La Maison du Cassoulet :*** *24, cours de la République. ☎ 04-68-23-27-23. • lesiecle@tiscali.fr • maisonducassoulet.com • Congés : 1 sem à Noël. Menus 14,50-31 € et carte. Apéritif maison offert sur présentation de ce guide.* Jolies tables en bois surmontées d'un plateau en verre contenant des... haricots et cuisine du terroir !

Maison Albert Escourrou : *9, rue Jean-Baptiste-Perrin (magasin au 30, rue de Dunkerque). ☎ 04-68-23-16-88.*

Un artisan à l'ancienne, qui ne manque pas de caractère, comme ses produits : boudin audois à la fleur de thym, rillettes maison, cou de canard farci au foie gras, sans oublier un étonnant jambon de canard ou le cassoulet traditionnel au confit de canard ou d'oie.

Adresses utiles

Office de tourisme : *pl. de Verdun. ☎ 04-68-23-05-73. ● castelnaudary-tourisme.com ● En saison, tlj 9h-13h, 14h-19h ; hors saison, tlj (sf dim et sam ap-m nov-fév) 9h-12h, 14h-18h.* Visites guidées des monuments de la ville toute l'année par groupe et individuellement, sur réservation.

■ **ADATEL (Association de développement et d'animation touristique en Lauragais) :** *19, cours de la République, BP 91403, 11494 Castelnaudary Cedex. ☎ 04-68-23-46-56. ● adatel.fr ●* Vous pouvez vous adresser à eux pour tout ce qui concerne les randonnées pédestres, équestres ou à VTT...

Gare SNCF : *au sud du centre-ville. ☎ 36-35 (0,34 €/mn).*

■ **Location de bateaux : Crown Blue Line,** *sur le Grand Bassin. ☎ 04-68-94-52-72. ● crownblueline.com ●*

■ **Promenade en bateau à bord du Saint-Roch :** *☎ 04-68-23-49-40. 📱 06-62-03-49-40. ● saintroch11.com ● Début avr-fin oct, tlj 9h-18h ; sortie de 1h ou 2h selon le nombre de pers. Compter 6,10 € pour 1h et 8,50 € les 2h ; réduc.*

Pâtisserie Belloc : *48, rue du 11-Novembre. ☎ 04-68-23-02-20.* La pâtisserie qui fabrique les fameux *Alléluias* de Castelnaudary, une spécialité centenaire : un biscuit croquant (ô combien) fourré de cédrat confit et recouvert de sucre glace parfumé à la vanille et au citron. Une recette rapportée de ses pérégrinations par un soldat de l'Empire. Ils furent rebaptisés plus tard *Alléluias* en hommage au pape Pie VII, qui fit un séjour pascal à Castelnaudary.

Où dormir ? Où manger ?

De bon marché à prix moyens

Time to Eat : *17, rue des Carmes. ☎ 04-68-23-56-96. ● didier.vaissiere@free.fr ● Tlj sf dim-mar. Ouv à partir de 11h30 pour le déjeuner puis de 18h15. Service jusqu'à 22h. Congés : dernière sem de déc. Menu-burger 8,50 €, puis menus 9,90-12,50 €. Café offert sur présentation de ce guide.* Quand on est dingue des *States* et des fifties, quoi de plus normal que d'ouvrir à Castelnaudary un bar fast-food qui rappelle de loin celui de la série mythique *Happy Days*. Sandwichs *Poor Boy, T-Bone steak, chili con carne,* salades et glaces. Les jeunes qui sont las du cassoulet se retrouvent ici.

Le Petit Gazouillis : *5, rue de l'Arcade. ☎ 04-68-23-08-18. Tlj de mi-juil à fin août ; fermé mer-jeu hors saison. Congés : de mi-déc à mi-janv. Menus variés : 11,80-21 €. Apéritif maison offert sur présentation de ce guide.* Un bon plan pour une étape à Castelnaudary, que vous avez été d'ailleurs nombreux à apprécier. Rien de bien compliqué (cassoulet, tripes et confit de canard aux cèpes) mais un très bon rapport qualité-prix. Un service sympathique, des plats copieux et pour tous les goûts. Que demander de plus ?

Prix moyens

Hôtel-restaurant du Centre et du Lauragais : *31, cours de la République. ☎ 04-68-23-25-95. ● hotel.res.campigotto@wanadoo.fr ● Resto tlj sf dim soir. Congés : janv. Doubles avec douche et w-c ou bains 50-55 €. ½ pens 65 €/pers. Formule 18 € en sem et menus 25-51 €. Repas complet à la carte 30 €. Apéritif maison offert sur présentation de ce guide.* À l'intérieur d'une massive maison bourgeoise, des chambres propres, très bien tenues, confortables, et donnant sur la place principale. La table est bonne, l'une des meilleures en ville. Service irréprochable et cuisine servie dans un cadre relooké. Cassoulet de Castelnaudary (évidemment !), foie gras mi-cuit, rognons de veau à la moutarde ou pigeonneau du Lauragais. De quoi vous refaire une santé !

Hôtel du Canal : *2 ter, av. Arnaut-Vidal. ☎ 04-68-94-05-05. • hotelducanal@wanadoo.fr • hotelducanal.com • ♿ (2 chambres). En face de la gendarmerie. Parking gratuit. Tlj, tte l'année. Doubles avec bains 55-66 €. Un petit déj/chambre offert, hors saison, sur présentation de ce guide.* Également trois chambres familiales. Hôtel de construction récente, au bord du canal du Midi (accès à la promenade). Les chambres sont modernes, spacieuses et bien tenues. Accueil souriant. Une bonne adresse à Castelnaudary, sans mauvaise surprise.

Où dormir ? Où manger dans les environs ?

De bon marché à prix moyens

Auberge La Calèche : *rue de la Croix, 11400 Peyrens. ☎ 04-68-60-40-13. ♿ À 4 km au nord de Castelnaudary par la D 624 vers Ravel. Tlj sf mar soir et mer. Congés : vac de fév. Menus 15,50 € en sem, puis 18,50-28,50 €. Cocktail maison offert sur présentation de ce guide.* Probablement un des meilleurs cassoulets du coin, tellement bon que l'on fait la route depuis Toulouse pour venir manger ici ! Sans oublier quelques spécialités fameuses, le mille-feuille de légumes, le pot-au-feu de lotte ou le trio de canard aux figues rôties. Très agréable accueil dans un cadre champêtre.

Camping, chambres et table d'hôtes de la Capelle : *11400 Saint-Martin-Lalande. ☎ 04-68-94-91-90. • lacapelle1@aol.com • À 4 km à l'est de Castelnaudary. Prendre la route de l'abbaye de Saint-Papoul (D 103), c'est indiqué sur la gauche. Camping ouv Pâques-Toussaint : 10-12 € l'emplacement pour 2. Trois chambres d'hôtes, bien équipées (avec douche et w-c), 60 € pour 2, petit déj compris. Dîner 25 € tt compris (vin, café), à la table des propriétaires. Repas à emporter à partir de 12 €. Apéritif maison offert sur présentation de ce guide.* Superbe terrain de camping, tout fleuri, tranquille et propre. À table, cassoulet formidable et authentique, cuit au feu de bois (sur réservation). Cassoulet, pain maison et pichet de vin livrés au camping sur demande. Accueil cordial de Maryse et Jacques Sabatte et très belle vue sur la campagne environnante depuis la propriété.

Ferme-auberge Le Bout du Monde : *ferme de Rhodes, Verdun-en-Lauragais, 11400 Castelnaudary. ☎ 04-68-94-95-96. • info.leboutdumonde@orange.fr • leboutdumonde.fr • ♿ Prendre la D 103 vers Saissac et suivre les flèches. Repas ts les soirs et dim midi en saison ; sur commande slt hors saison. Chambre avec douche et w-c ou en tente mongole (yourte) : 50 € pour 2. Forfait emplacement au camping 17 € pour 2. Nuitée en dortoir 12 €. Menus en sem 20-49 €.* Centre équestre, piscine, ruisseau et lac pour se rafraîchir ; tennis, foot et volley pour se dépenser... L'ambiance est garantie lorsque c'est complet.

Hostellerie Étienne : *1, rue Saint-James (N 113), 11320 Labastide-d'Anjou. ☎ 04-68-60-10-08. • hostellerieetienne.com • De l'autre côté du canal du Midi. Resto tlj sf dim soir ; hors saison, fermé aussi lun soir et mar soir. Congés : 25 déc-12 janv. Six doubles 31-34 €. Menus midi en sem 12-25 €. À la carte, compter env 25 €.* Au milieu d'un parc peuplé d'oiseaux, le cadre est sympathique et les chambres sont simples mais nickel. On vient plutôt ici pour la cuisine agréable, servie par de vrais spécialistes du cassoulet, baptisé « impérial ». Celui-ci a fait la renommée du père, aux innombrables diplômes, et maintenant du fils. Terrasse en été.

Auberge Le Cathare : *château de la Barthe, 11410 Belflou. ☎ 04-68-*

L'AUDE

60-32-49. • cazanave.monique@wanadoo.fr • auberge-lecathare.com • ♿ À env 20 km à l'ouest de Castelnaudary. Resto slt pour les groupes et les clients de l'hôtel. Les touristes de passage doivent réserver par téléphone. Doubles 44 € avec lavabo et douche (w-c sur le palier), et menus 13 € (pour les clients de l'hôtel)-25 €. Emplacement de camping 11,50 € pour 2. Digestif maison offert sur présentation de ce guide. Une petite auberge de campagne loin de tout, simple et agréable, avec un accès au lac. À côté du barrage de l'Estrade, le camping dans la forêt a vue sur le lac. La cuisine est traditionnelle et régionale : cassoulet maison, confits et magrets grillés.

De plus chic à beaucoup plus chic

Château de la Pomarède : *11400 La Pomarède. ☎ 04-68-60-49-69. • hostellerie-lapomarède@wanadoo.fr • ♿ Au nord de Castelnaudary, à 10 km ; D 624 via Peyrens, puis D 302. Resto tlj sf lun-mar et dim soir déc-fin avr. Congés : vac scol de fév et en nov. Doubles avec bains 85-170 € ; petit déj 15 €. Menu midi en sem 18 €, puis 35-56 € et carte. Café offert sur présentation de ce guide.* Dans l'enceinte de ce château cathare qui surplombe la plaine du Lauragais, l'ancien et le moderne se sont donné rendez-vous. Une rencontre sous le signe de l'élégance dans une ambiance détendue et champêtre. Derrière les épais murs de pierres, le voyageur profite de belles chambres contemporaines qui s'ouvrent sur la cour du château ou sur la plaine qui s'étend à perte de vue. Calme et sérénité pour mieux vous faire apprécier encore la cuisine de Gérald Garcia, inventive et ouverte à toutes les audaces. Terrasse aux beaux jours.

À voir

Le Grand Bassin : l'attraction n° 1. Quatre écluses y retiennent l'eau du canal du Midi, qui traverse la ville au sud. Base de navigation en été, c'est aussi un lieu agréable de promenades (belle vue sur la ville).

La collégiale Saint-Michel : *dans la partie haute de la ville ancienne. Fermeture des portes à 19h en été.* Étonnante tour-clocher de 56 m de haut, à cheval sur une petite rue (on passe sous son arcade brisée). L'imposante église, édifiée au XIIIe siècle, est typique du gothique méridional. Nef unique de 40 m de long, orgues superbes du XVIIIe siècle (qu'on entend le dimanche), belle croix sculptée du XVIe dans l'une des chapelles.

Le Présidial : *non loin de l'église. Ouv l'été slt. Tlj sf dim mat et lun 10h-12h30, 14h30-18h-30.* Ancien tribunal civil et criminel créé par Catherine de Médicis en 1554. Une prison lui fut adjointe au XVIIe siècle. Aujourd'hui musée du Lauragais, il accueille en été des expositions temporaires.

La chapelle Notre-Dame-de-la-Pitié : *rue de l'Hôpital.* À voir pour ses magnifiques boiseries dorées du XVIIIe siècle. La Passion du Christ y est retracée. Belle *pietà* en pierre dans le chœur.

L'hôpital Jean-Pierre Cassabel : *rue de l'Hôpital. Mêmes horaires que le Présidial. Slt pour les groupes.* Escaliers du XVIe siècle et belles grilles en fer forgé. À l'intérieur, on peut admirer (sur rendez-vous) l'*apothicairerie* : vieilles boiseries et collection d'une centaine de pots en faïence et porcelaine du XVIIIe siècle.

Le moulin de Cugarel : *en été, tlj sf dim mat et lun (mêmes horaires que le Présidial).* Entièrement restauré et parfaitement représentatif des 32 moulins que comptait autrefois Castelnaudary. Le canal du Midi, creusé en 1681, permit à la ville de devenir une place commerciale importante. Seul grand port entre Toulouse et la mer, les environs devinrent le grenier de la région. Le toit conique tournait au gré du meunier et du vent afin que les ailes entraînent les meules pour fabriquer la farine.

Manifestations

– ***Fête du Cassoulet :*** *le dernier w-e d'août.* Diverses animations, corso fleuri, concerts, etc.
– ***Festival de la caricature et du dessin de presse :*** *début déc.* Avec l'association Los Croquignous !

➤ DANS LES ENVIRONS DE CASTELNAUDARY

L'abbaye de Saint-Papoul : *11400* ***Saint-Papoul.*** *☎ 04-68-94-97-75. À 7 km au nord-est de Castelnaudary. Juil-août, tlj 10h-12h, 14h-18h30 ; hors saison, tlj 10h-11h30, 14h-17h30 ; en hiver, slt w-e et vac scol jusqu'à 16h30. Congés : janv. Visite commentée en saison sur demande, et sur résa le reste de l'année. Entrée : 3,50 € ; réduc, notamment 1 € sur présentation de ce guide.* Saint-Papoul était le siège d'un évêché de 1317 à la Révolution, d'où l'importance de son abbaye. Cette ancienne cathédrale possède de remarquables chapiteaux extérieurs, attribués au Maître de Cabestany. Beau cloître à décor végétal du XIVe siècle, où subsistent des monstres inspirés du bestiaire roman. Noter aussi, du chevet, la vue sur le toit de l'abside en grès sculpté : rarissime.

Baraigne *(11410) :* beau village typique du Lauragais, avec un château construit au XVe siècle. Cour Renaissance des plus intéressante. Église datant du début du XIIe siècle. Nef et chœur possèdent quelques jolis chapiteaux romans, même si l'ensemble a été largement remanié au XIXe siècle. Au fond, croix du Sépulcre du XIIe siècle, décorée d'une ancre, d'un oiseau et d'une croix en triangle. Curieux !

– ***Voile sur le lac de Ganguise :*** *à l'****École française de voile,*** *base en Gaillard, à Belflou. ☎ 04-68-60-35-68.* Propose stages d'initiation et de perfectionnement. Location de bateaux à voile, de planches à voile, de canoës...

FANJEAUX

(11270) 848 hab.

Adorable vieux village bâti sur une colline. Un site oublié des visiteurs, aux rues et aux maisons authentiques. Voir les halles, superbes, l'église gothique pour son chœur baroque, ses tableaux, son trésor... Mais Fanjeaux est surtout connu pour son superbe panorama sur les environs, du haut du Seignadou.

SACRÉ SAINT DOMINIQUE !

Il aurait vu des boules de feu s'abattre sur le hameau voisin de Prouille ! Pour fêter ce « miracle », il y fonda sa première communauté en 1206. Rasé pendant la Révolution, le couvent a été remplacé par un monastère où vit une communauté de moniales venues du monde entier.

Adresse utile

Office de tourisme de la Piège et du Lauragais : *pl. du Treil. ☎ 04-68-24-75-45. ● cc-piege-lauragais.fr ● ♿ En été, tlj 10h-19h ; sept-juin, lun, mer et ven 14h-18h, mar, jeu et sam 10h-12h30 ; pdt vac scol de Pâques et j. fériés, tlj 10h-12h30, 14h-18h.*

L'AUDE

Où dormir ?

Camping

Camping Les Brugues : ☎ *04-68-24-77-37.* ● *lesbrugues@free.fr* ● *http://lesbrugues.free.fr* ● *Accès par l'autoroute Toulouse-Narbonne, sortie Bram. Le camping est indiqué à l'entrée de Fanjeaux. Ouv juin-sept. Compter env 10,70 € pour 2 avec tente et voiture.* Une belle aire naturelle de camping classé 4 épis. Seulement 25 emplacements en pleine nature, au milieu d'une grande prairie et au bord d'un lac : le grand calme ! Sanitaires impeccables, salle commune couverte.

Où dormir dans les environs ?

Chambres d'hôtes du Domaine de Saint-Estèphe : *Joëlle Chauvel, 11270 Cazalrenoux.* ☎ *04-68-60-51-67.* ● *au de-saint-estephe.com* ● *Suivre la D 102 depuis Fanjeaux, puis la D 402 (bien indiqué). De préférence sur résa. Cinq chambres avec sanitaires communs et 2 chambres avec salle de bains privée mais w-c communs. Compter 30-40 € pour 2, petit déj compris.* Au calme, dans un ancien prieuré du XIIIe siècle, Joëlle a aussi aménagé un gîte (7 personnes). Piscine. Ambiance familiale et accueil convivial.

➤ DANS LES ENVIRONS DE FANJEAUX

L'église Notre-Dame : *11270* ***Cazalrenoux.*** *À 8 km à l'ouest de Fanjeaux par la D 102, puis la D 402.* Encore une belle église romane des XIe et XIIe siècles. Nef unique voûtée en berceau autour de laquelle court une corniche sculptée de damiers et de palmettes géométriques. Le motif se prolonge à l'extérieur sur les tailloirs des chapiteaux.

LAURAC-LE-GRAND *(11270)*

À 15 km de Fanjeaux en direction de Castelnaudary, par la D 623 puis la D 116. Tout petit village circulaire perché à 400 m. Anciennement fortifié, il donna son nom à la plaine du Lauragais dont il fut la capitale jusqu'au XIVe siècle. À voir : les ***ruines de la porte Saliège*** (XIe), qui gardait l'entrée du village, et l'***église castrale Saint-Laurent*** du XIIIe siècle, avec son arc triomphal roman et ses sculptures Renaissance.

BRAM *(11150)*

À quelques kilomètres de Fanjeaux par la D 4, voici le village circulaire le plus grand d'Europe. Le vieux centre fut construit au XIIe siècle en cercles concentriques autour de son église. Yann Arthus-Bertrand ferait un beau cliché vu du ciel ! Belle balade dans les ruelles du vieux centre. À voir également, la ***Maison de l'archéologie*** *(2, av. du Razès,* ☎ *04-68-78-91-19),* qui renferme tous les objets du secteur audois, depuis la préhistoire jusqu'au Moyen Âge.

LA HAUTE VALLÉE DE L'AUDE

Le littoral se trouve à plus de 100 km et le paysage change très vite. Ici, le Languedoc perd insensiblement sa coloration méditerranéenne pour paraître

plus aquitain. Le Razès limouxin n'a rien à voir avec le relief escarpé qui vous attend au-delà de Quillan. Surplombant les plateaux de la haute vallée de l'Aude, le donjon d'Arques, les châteaux de Puilaurens et Puivert, campés sur leurs promontoires, vous invitent à un joli voyage dans le temps.

LE RAZÈS

De Limoux à Rennes-le-Château, l'Aude traverse le Razès, microrégion aussi appelée pays de Rhedez, du nom de l'ancienne capitale wisigothique Rhedæ, devenue aujourd'hui Rennes-le-Château. Le Razès au Moyen Âge s'étendait de l'Espagne à Carcassonne et de Termenes à Foix. Aujourd'hui, la capitale de cette petite région n'est autre que Limoux, le pays de la blanquette.

LIMOUX

(11300) 10 200 hab.

Quand on vous dit Limoux, bien sûr, vous répondez blanquette. Seuls les incultes s'attendent à y manger du veau ! En revanche, nous vous avouerons avoir appris deux choses en visitant cette agréable petite ville : premièrement, que la blanquette n'était pas une copie du champagne, lui étant de loin antérieure (elle fut inventée au XVIe siècle !) ; deuxièmement, qu'elle était loin de lui être inférieure en qualité, certaines marques valant largement mieux que certains champagnes... Peut-être est-ce la raison pour laquelle la ville est si animée, si active, même si l'industrie textile développée grâce à la rivière a disparu. Et puis on vient ici pour le carnaval, une tradition qui remonterait au XIVe siècle. Les meuniers célébraient la remise de leurs redevances au monastère de Prouille. La tradition séculaire se perpétue aujourd'hui dans une profusion de confettis... carnavalesque.

L'AUDE

Adresses et info utiles

***Service tourisme de Limoux :** promenade du Tivoli, entrée du musée Petiet, BP 88, 11304 Limoux Cedex. ☎ 04-68-31-11-82. • limoux.fr • Juil-août, tlj 9h-12h30, 14h-19h ; hors saison, tlj 9h-12h, 14h-18h (10h-12h, 14h-17h w-e).* Propose un topo historique de la ville, bien fait, et des promenades guidées. Les randonneurs y trouveront aussi le topoguide du Limouxin.

***Syndicats des vins AOC :** 20, av. du Pont-de-France. ☎ 04-68-31-12-83. • limoux-aoc.com •* Ils proposent 4 circuits thématiques sur les « Routes des vins du cru Limoux ».

***Location de vélos :** établissements Taillefer, 18, esplanade F.-Mitterrand. ☎ 04-68-31-02-01.*

*– **Canoë :** prendre la direction du camping et de la piscine, rue des Violettes. 06-86-57-80-68. Base ouv tlj.* Location de canoës-kayaks...

*– **Équitation : Le Cheval N'arquois,** face à l'église, 11190 Arques. ☎ 04-68-69-86-65.* Toute l'année, avec Jacques Raynaud, accompagnateur de tourisme équestre, découvrez la terre cathare à cheval. Pour ts niveaux.

***Confiserie Bor :** 23 bis, av. Fabre-d'Églantine. ☎ 04-68-31-02-15. • nougat-bor.com •* Pour goûter et bien sûr acheter le nougat maison, confiserie limouxine par excellence, le tap, chocolat parfumé au marc de blanquette...

*– **Marché :** ven, pl. de la République et aux Halles. Nocturne mar pdt l'été 17h-23h.*

Où dormir ? Où manger ?

Camping

Camping municipal du Breil : *av. Salvador-Allende. ☎ 04-68-31-13-63. Fax : 04-68-31-18-43. Très bien situé, au sud de la ville et au bord de l'Aude, près de la piscine. Ouv juin-fin sept. Forfait pour 2 avec voiture et tente 10 €.* Un règlement un peu strict, mais des prix doux.

De prix moyens à plus chic

La Goûtine : *10, rue de la Goûtine. ☎ 04-68-74-34-07. • yvane.jezequel@wanadoo.fr • Tlj sf dim (hors carnaval)-lun. Fermé le soir en sem et sam midi hors saison. Congés : vac scol de Noël. Menus midi 11,80-14,60 €, soir 22,80 €.* Au cœur de la ville de la blanquette, un p'tit resto qui propose une cuisine bien différente : végétarienne et bio (et la clim' est remplacée par un éventail) ! Yvane, la propriétaire, apporte un soin particulier aux jolies et copieuses assiettes qu'elle propose : de la saveur, de la couleur, de la chaleur en hiver et de la fraîcheur en été.

Grand Hôtel Moderne et Pigeon : *1, pl. du Général-Leclerc. ☎ 04-68-31-00-25. • hotelmodernepigeon@wanadoo.fr • grandhotelmodernepigeon.fr • (resto slt). À côté de la poste, tout près de la place de la République. Resto tlj sf lun-mar et sam midi (et dim soir hors saison). Hôtel ouv tte l'année sur résa. Doubles climatisées 85-100 €. Menus midi en sem 26-58 € et carte. Un petit déj/chambre offert la 2e nuit sur présentation de ce guide.* Cette superbe maison désormais entièrement rénovée fut un couvent, puis l'hôtel particulier d'une grande famille, puis une banque, avant de se transformer en hôtel au début du XXe siècle. Remarquer les fresques du bel escalier. Salle à manger au décor raffiné et à l'ambiance feutrée. Très belle carte des vins.

Où dormir dans les environs ?

Chambres d'hôtes Aux Deux Colonnes : *3, av. de Limoux, 11250 Saint-Hilaire. ☎ 04-68-69-41-21. • auxdeuxcolonnes@aol.com • auxdeuxcolonnes.com • À 14 km au nord-est de Limoux par la D 104. Au centre du village. Congés : fév-mars. Cinq doubles 50-58 €, petit déj compris. CB refusées. Réduc de 10 % sur le prix de la chambre hors juil-août et apéritif maison offerts sur présentation de ce guide.* Belle maison de maître restaurée avec goût. Joël est peintre et décorateur, ça aide. Joli mobilier d'antiquaire dans des chambres colorées : rose, bleue, jaune, verte et blanche. Les deux dernières, en duplex, peuvent accueillir jusqu'à 4 personnes. Le matin, jus d'orange, confitures et gâteau maison sur la terrasse ombragée. Barbecue à disposition.

À voir

Le belvédère Monte Cristo : *à l'est de la ville. Franchir l'Aude par le pont Neuf et continuer tt droit en remontant le chemin de Monte Cristo.* Le beau panorama donne une meilleure idée de la configuration de Limoux. De grandes avenues traversent la ville, parallèles au fleuve. Nichée dans l'une de ses courbes, la vieille ville, blottie contre la superbe église au clocher effilé.

Le pont Neuf : appelons-le comme ça même si le pont Vieux, situé juste à côté, est le plus jeune des deux ! Construit au début du XIVe siècle, le faux pont Neuf ressemble assez au vrai pont Vieux de Carcassonne avec ses belles arches « à becs ». Jolie vue sur le clocher et l'église Saint-Martin.

L'église Saint-Martin : tlj sf dim 9h30-12h, 15h-18h. On l'appelle aussi improprement cathédrale, l'église romane (dont il reste un beau portail) ayant été élevée à ce rang au XIVe siècle. Mais l'annulation des travaux stoppa l'élégant vaisseau dans son envol. À l'intérieur, grand retable du maître-autel (XVIIe siècle), jolies toiles françaises du XVIIIe siècle et surtout statue du XVe siècle, représentant saint Martin, recouverte de vermeil et d'argent (dans la sacristie).

La place de la République : le poumon de la ville pendant le marché, son cœur pendant le carnaval. Belles arcades surnommées « couverts ». Ces anciennes galeries en bois, victimes d'incendies, ont été reconstruites en pierre. Quelques maisons à colombages au-dessus.

➢ Se promener dans les ruelles voisines, ***autour de l'église et sur les bords de l'Aude*** : quelques agréables surprises architecturales, comme dans la rue de la Mairie (beaux hôtels particuliers), celle de la Blanquerie, sur l'autre rive (voir l'étonnant patio XVIe siècle de l'hôtel de Clercy, au n° 59), la rue Jean-Jaurès, celle du Palais...

Le musée du Piano : *pl. du 22-Septembre, église Saint-Jacques. ☎ 04-68-31-85-03 (musée Petiet). Tlj sf mar. Se renseigner pour les horaires d'ouverture. Entrée : 2,50 € ; réduc.* Une collection de pianos du XVIIIe siècle à nos jours : Pleyel à ornements dorés, pianos droits à clavier basculant ou cylindre tournant, Erard « Belle Époque » et pianos mécaniques... Une cinquantaine de pianos au total.

Les caves à Limoux et dans les environs

Vous êtes venu pour ça, avouez... Il y a plusieurs petits producteurs indépendants dans les environs de Limoux, mais la coopérative est la plus représentative.

■ ***Coopérative Aimery-Sieur d'Arques :*** *av. du Mauzac. ☎ 04-68-74-63-46. À l'est de la ville par l'avenue Charles-de-Gaulle, en direction de Mirepoix.* Visite sur résa, animée par la Société des vignerons producteurs de Limoux. Visite avec film, puis dégustation gratuite. Bon accueil.

■ ***Domaine Clos d'Arranco-Pets, caveau Satgé :*** *19, rue Blanquerie. ☎ 04-68-31-40-60. À Limoux même, dans la « petite ville », sur l'autre rive, en face du pont Vieux. Tlj 10h-12h, 14h-19h (21h l'été).* Le caveau du vigneron-rugbyman le plus célèbre de la ville, champion de France en 1968. Dans une ancienne écurie, au milieu des photos-souvenirs et d'outils anciens, on déguste la blanquette produite par celui qui prêta son image pour vanter la blanquette de son pays. Ici, un mot d'ordre : « Au ciel il n'y a pas de vin. Buvons sur Terre ! »

Les caves à vin

■ ***Château de Routier :*** *à 12 km au nord-ouest de Limoux, par la D 623 puis la D 309, direction Alaigne. ☎ 04-68-69-06-13. Tlj 10h-20h.* Très belle cave dirigée par une jeune femme passionnée. Minimusée à l'entrée. Bonne sélection de vins de qualité (côtes-de-malepère et vin de pays de l'Aude).

■ ***Domaine de Matibat :*** *près du petit village de Saint-Martin-de-Villereglan. ☎ 04-68-31-15-52. À 8 km au nord de Limoux par la D 118 puis la D 19.* M. Turetti produit le meilleur malepère rouge de la région et un blanc (chardonnay) formidable, ce qui est assez rare ici pour être souligné.

Manifestations

– ***Carnaval :*** *de mi-janv à fin mars, le w-e. Trois « sorties »/j., vers 11h, 17h et la dernière à 22h.* À ne pas manquer. Les « bandes » font le tour de la place des Arca-

des en dansant selon un rythme précis (musique composée par des Limouxins) et les Fécos mènent la danse dans leurs somptueux déguisements. En chemin, les joyeux fêtards s'arrêtent à chaque fois dans tous les bistrots ; chaude ambiance !
– ***Toques et Clochers :*** *le w-e des Rameaux. Rens : ☎ 04-68-74-63-47.* Grande fête de la gastronomie tout autour de Limoux. Organisée par les vignerons du Sieurs d'Arques, cette fête connaît un succès grandissant auprès des professionnels du monde entier (chefs, sommeliers...) comme du grand public. Grande vente de vin aux enchères dans le but de sauver le patrimoine architectural local (les clochers des églises de village).
– ***Vigne et Terroir en fête :*** *un w-e aux alentours du 15 août.* Marché gourmand, concerts, animations de rue, ateliers artisanaux, etc.
– ***Fête des Vins primeurs :*** *le 3e sam d'oct.*

➤ DANS LES ENVIRONS DE LIMOUX

Le jardin aux plantes La Bouichère : *domaine de Flassian (à l'entrée de Limoux, en venant de Carcassonne par la D 118). ☎ 04-68-31-49-94. • labouichere.com • Mai-fin oct, tlj sf lun-mar 13h-18h. Juil-août, tlj 10h-18h. Entrée : 6 €.* Sur 2 ha, un paradis végétal, et un jardin assez extraordinaire, surtout en plein pays cathare. Gaby et Pierre ont planté au fil des ans des arbres aujourd'hui magnifiques, collectionné des plantes aromatiques oubliées provenant de plusieurs continents, créé des vergers regorgeant de fruits de toutes sortes. Jardin aquatique. Serres à visiter. Espaces de détente et de pique-nique. Boutique. Visite originale l'été en nocturne.

La basilique Notre-Dame-de-Marceille : *toujours sur la commune de Limoux, mais un peu excentrée, au nord-est de la ville par la D 104.* Célèbre chapelle du XIIe siècle, dont la source « miraculeuse » attire de nombreux pèlerins le 7 septembre. On dit que son eau soignerait les maladies des yeux. Comme eux, on admire la statue de la Vierge noire (du XIe siècle) mais on évite peut-être de s'asperger le visage avec une eau dans laquelle les enfants du coin n'hésitent pas à faire pipi.

L'abbaye de Saint-Hilaire : *à 12 km au nord-est de Limoux par la D 104. ☎ 04-68-69-62-76 ou 04-68-69-41-15 (mairie). Avr-juin et sept-oct, tlj 10h-12h, 14h-18h. Juil-août, tlj 10h-19h. Nov-mars, tlj 10h-12h, 14h-17h. Entrée : 4 € ; réduc. Possibilité de visite guidée.* C'est ici, dit-on, qu'est né le premier brut du monde. Traduction : on doit à un moine de l'abbaye la découverte, en 1531, de la mutation du vin tranquille en effervescent. À voir plus sérieusement pour les fines colonnades de son merveilleux cloître du XIVe siècle, et pour le sarcophage, œuvre maîtresse du Maître de Cabestany (XIIe siècle) retraçant l'arrestation et le martyre de saint Sernin, 1er évêque de Toulouse au IIIe siècle.

ALET-LES-BAINS (11580) 500 hab.

Cette petite station thermale en bordure de la rive droite de l'Aude existait déjà au temps des Romains, qui, pas fous, appréciaient les vertus de ses eaux. Alet fut surtout célèbre ensuite pour son évêché. La cathédrale bâtie au XIIe siècle fut un monument splendide, détruit par la folie des guerres de Religion en 1577. Les protestants saccagèrent l'église, aujourd'hui en ruine. Elle ne fut jamais reconstruite, pas même par Nicolas Pavillon, prêtre réfractaire à l'autorité janséniste du XVIIe siècle, qui fut nommé de force évêque d'Alet par Richelieu. Le caractère intime, préservé et discret de ce village lui plut ; il y resta durant près de 40 ans.
Cette petite ville, qui bénéficie d'un microclimat agréable, est toujours aussi accueillante. Les ruelles étroites recèlent quelques demeures superbes des

XIIIe, XIVe et XVe siècles. Colombages, encorbellements, fenêtres géminées... Séduisant, quoi ! De plus, l'eau d'Alet est réputée soigner efficacement les maladies du tube digestif et du système nerveux. Au lavoir, on peut d'ailleurs remplir ses bouteilles d'eau minérale.

Adresses utiles

Office de tourisme : *av. Nicolas-Pavillon. ☎ 04-68-69-93-56. • info.aletlesbains@free.fr • Tlj en été 10h-12h, 14h30-19h.*

Piscine : *☎ 04-68-69-91-20. Tlj en été 11h-13h, 15h-19h.* Piscine remplie d'eau thermale. Pour barboter dans une eau limpide (bien pratique quand les thermes sont en travaux).

Alet Eau Vive : *allée des Thermes. ☎ 04-68-69-92-67.* Rafting, hydrospeed, canoë, kayak. Prestations à partir de 17 € (2h de canoë). Initiation très agréable au canoë-kayak dans les gorges d'Alet.

Accro'Parc : *Le Moulin. ☎ 04-68-69-94-86. À 100 m du casino.* Plusieurs parcours pour crapahuter dans les arbres en toute sécurité. Parcours d'initiation obligatoire, puis deux niveaux avec pont de singe, saut de Tarzan...

Où dormir ?

Camping et chambres d'hôtes Val d'Aleth : *av. Nicolas-Pavillon. ☎ 04-68-69-90-40. • info@valdaleth.com • valdaleth.com • Ouv tte l'année. Au camping, emplacement pour 2 avec voiture et tente 13 €. Doubles 45 €, petit déj inclus.* Terrain pas très ombragé mais vraiment agréable, en bord de rivière. Dans une belle maison de village, trois chambres sans artifices mais tout à fait plaisantes. Accès à la terrasse et au jardin.

À voir

Les ruines de l'Abbaye Notre-Dame d'Aleth : *ouv de mi-fév à fin déc, lun-sam 10h-12h, 14h30-18h (19h en juil-août). Billetterie à l'office près des ruines. Tarifs : 3 € ; réduc. Sur présentation de ce guide, visite 2 € pour 3 pers max.* L'abbaye bénédictine fut fondée en 813 et promue cathédrale en 1318. Elle conserve des éléments d'architecture carolingienne, romane et gothique (IXe-XIVe siècle).

Manifestations

– ***Fête de l'Eau :*** *le 2e w-e de juin.* Repas, retraite aux flambeaux, animations de rue, brocante, foire gourmande, etc.
– ***Fugue en Aude romane :*** *courant juil.* Festival de musique avec concerts dans les abbayes romanes.
– ***Festival international de folklore :*** *le dernier w-e de juil.* Pendant 3 jours, les 5 continents sont représentés en musique.
– ***Fête locale :*** *début août.* Bal, repas, concours de pétanque, animations...
– ***Ciné sans filet :*** *le 2e w-e d'août. • http://cinesansfilet.org.free.fr •* Un festival de courts-métrages récent mais prometteur.

ESPÉRAZA (11260) 2 113 hab.

Installé au bord d'un méandre de l'Aude, dans un cadre calme et champêtre, Espéraza fut le deuxième centre mondial de la chapellerie au début du XXe siè-

cle et compta jusqu'à 16 usines. Pas étonnant que l'on découvre dans cette ville, qui « travailla du chapeau » jusque dans les années 1960, un intéressant *musée de la Chapellerie.* On y découvre également quelques intrigants reptiles préhistoriques, mais ça, c'est une autre histoire ! Vraies possibilités de randonnées, balisées, sous forme de boucles, tout autour du bourg.

Où dormir ? Où manger ?

Chambres d'hôtes Les Pailhères : *chez Monique et André Pons. ☎ 04-68-74-19-23. • monique.pons.11@wanadoo.fr • À 11 km au sud d'Alet par la D 118. Compter 42 € pour 2. ½ pens 37 €/pers. Menu unique 16 €. Sur présentation de ce guide, 10 % de réduc sur le prix de la chambre, hors juil-août, à partir de 3 nuits.* Le petit chemin qui mène à la ferme serpente au milieu des vignes, qui appartiennent à vos hôtes, vignerons et éleveurs depuis plusieurs générations. Dans une ancienne grange, 5 chambres classées 3 épis avec accès indépendant et sanitaires privés. Table d'hôtes dans la chaleureuse salle à manger, avec sa cheminée et sa vieille horloge au tic-tac rassurant ; priorité aux produits de la ferme. Accueil authentique.

À voir

Le musée des Dinosaures : *av. de la Gare. ☎ 04-68-74-26-88. • dinosauria.org • À 11 km au sud d'Alet par la D 118. Tlj en été 10h-19h ; hors saison, tlj (ap-m slt en hiver) 10h30-12h30, 13h30-17h30. Entrée (visite guidée du chantier de fouilles en été) : 5-7,50 € selon saison ; réduc de 1 €/pers pour la visite du musée sur présentation de ce guide.* L'espace muséographique s'articule autour de deux thèmes : l'évolution de la vie sur 4 millions d'années, à travers l'exposition de fossiles, et les étapes de la recherche paléontologique, du moulage d'un chantier de fouilles jusqu'au laboratoire. Outre des squelettes grandeur nature (le plus grand mesurant 22 m !), des aquariums d'animaux marins disparus ou un diorama sur la vie de ces inquiétants monstres, on y verra aussi une serre représentant le paysage audois d'il y a quelques millions d'années. Pour les petits comme pour les grands. Atelier pédagogique et ludique pour les premiers.

Le musée de la Chapellerie : *av. de la Gare. ☎ 04-68-74-00-75. Tlj 10h-12h, 14h-18h. Prix de l'entrée inclus dans celui du musée des Dinosaures. Visite commentée.* Musée aménagé comme un atelier de confection, ce qui permet de découvrir les différentes étapes de la fabrication des chapeaux de feutre. Avant d'entamer la visite, il est conseillé de visionner le film de 20 mn qui, tourné dans la seule usine encore en activité, détaille le procédé : traitement de la laine, « clochage » ou moulage du chapeau, finitions... Six mille cinq cents couvre-chefs sont exposés. Visite très intéressante. Chapeau bas !

RENNES-LE-CHÂTEAU (11190) 113 hab.

Un lieu de pèlerinage original. Au sommet de ce belvédère pourvu de défenses naturelles et impossible à assiéger tant il regorge de sources intarissables, les Wisigoths établirent une ville de 30 000 habitants. En 410, après avoir pillé Rome en emportant le trésor de Jérusalem rapporté en l'an 10 par Titus, ils occupèrent le sud de la Gaule et l'Espagne. La cité, véritable place de guerre fortifiée avec deux citadelles et une double ceinture de remparts, ne prit une réelle importance qu'à la victoire de Clovis. Refoulés au pied des Pyrénées, après la bataille de Vouillé, les Wisigoths, chassés de leur capitale, Tou-

louse, investirent Carcassonne. Le royaume wisigoth, s'étendant jusqu'à Tolède, dut subir les invasions arabes. Mais Rennes-le-Château fut épargnée. La ville devint cité royale par le mariage d'Amalric, fils d'un roi wisigoth et d'une princesse franque. Et quand on voit ces espaces déserts, on a du mal à imaginer cette cité aussi grande que celle de Carcassonne. Elle fut entièrement détruite par les troupes du roi d'Aragon en 1170. Pour éradiquer l'hérésie cathare, Simon de Montfort mit la région à feu et à sang. Des pillards de toute sorte finirent de détruire la fière cité. La chute de cette extraordinaire forteresse militaire allait marquer quelques années plus tard le début d'une incroyable histoire, un mystère absolu qui a soulevé et soulève encore toutes les passions et toutes les polémiques.

L'INCROYABLE HISTOIRE DE L'ABBÉ SAUNIÈRE

Janvier 1781 : l'héritière des Hautpoul de Blanchefort est sur le point de mourir sans héritier. Elle décide de confier un secret d'une importance considérable à son confesseur, l'abbé Antoine Bigou, lui faisant promettre de ne le révéler qu'à quelqu'un de confiance. L'abbé panique. Ne pouvant garder un si lourd secret, il fait graver sur une dalle l'épitaphe de la défunte. Seulement, elle présente des anomalies cryptographiques qui doivent permettre de trouver le lieu où il a caché le secret.
Ainsi pourrait commencer une étonnante saga de l'été adaptée pour une chaîne de télévision grand public et qui reprendrait l'essentiel d'un feuilleton qui a déjà fait couler beaucoup d'encre au fil des décennies (quelque 300 ouvrages écrits sur ce thème).
Passons donc le prélude. Un siècle plus tard, en 1885, l'abbé Saunière est nommé curé de Rennes-le-Château. Il décide de restaurer l'église Sainte-Madeleine, et c'est, moment d'émotion, la découverte d'une fiole contenant un parchemin qui va bouleverser le cours de sa vie.
À ce moment-là commence l'enrichissement incompréhensible de Béranger Saunière. Avec sa gouvernante Marie Dénarnaud (une femme illettrée que la légende va transformer en une seconde Madame de Sévigné, vu le nombre de lettres qu'elle est censée avoir écrites !), il dépense l'argent sans compter, narguant toute la hiérarchie de l'Église jusqu'au Vatican. Accusé de violation de sépultures (le curé déplacerait les tombes la nuit, d'où une réputation sulfureuse, jusque dans les Carpates), de trafic de messes, il échappe à toute poursuite. La restauration de l'église se poursuit. Des sommes somptuaires sont englouties dans ces travaux. Il achète des terrains autour du presbytère et fait construire une tour néogothique, une maison de style Renaissance, la villa Béthania, une orangerie, et un parc avec fontaines et jardin. Quant au vœu de pauvreté, il est bien oublié ! Béranger Saunière meurt en 1917, « avec des dettes d'épicerie », comme on le découvre aujourd'hui, après une enquête minutieuse menée par le maire de Rennes-le-Château, ulcéré de voir tout ce qui continue d'être dit faussement sur son village. Quant à Marie, qui continua de vivre là, elle s'éteint à son tour en 1953, sans révéler quoi que ce soit.
Alors, quel est donc ce fameux secret qui, des années 1960 à la fin du XXe siècle, allait faire naître nombre de vocations littéraires ? Chacun élabora des hypothèses toutes plus plausibles les unes que les autres mais absolument invérifiables, comme il se doit.
Voici quelques-unes des explications les plus originales. L'abbé aurait découvert le fameux trésor de Jérusalem, laissé ici par les Wisigoths au Ve siècle après la poussée des Francs. Ce trésor pourrait aussi être celui de Blanche de Castille, la rançon demandée pour la libération de Saint Louis. Elle l'aurait caché ici en apprenant sa mort. Autre hypothèse, remise au goût du jour par les dernières découvertes : il s'agirait d'un butin accumulé pour réinstaller sur le trône de France la dynastie mérovingienne, ce qui expliquerait les contacts fréquents de l'abbé avec les familles royales d'Europe. Ce sont les royalistes qui auraient continué de verser de l'argent

à la pauvre Marie, pour services rendus à la cause. Et pourquoi pas le trésor cathare dont on perd la trace au moment de la reddition de Montségur ?
L'abbé aurait, selon d'autres sources dignes de foi, si l'on peut dire, retrouvé l'Arche d'alliance de Moïse contenant les Tables de la Loi, le Saint Graal contenant le sang du Christ (sale coup pour Indiana Jones) ou encore la Ménorah des juifs... L'abbé Saunière aurait découvert le plus grand des secrets, remettant en cause toute l'histoire de l'humanité depuis 2 000 ans, détruisant les croyances, les convictions, les certitudes. Il aurait tout simplement retrouvé le tombeau de Jésus ou un document prouvant que Jésus serait mort ici. Plus fort que le *Da Vinci Code* ! Cela mérite un éclaircissement. Après sa crucifixion, Jésus ne serait pas mort. Pas de mort, donc pas de résurrection. Il se serait enfui avec Marie-Madeleine pour venir ici, se marier et vivre heureux longtemps en ayant eu beaucoup d'enfants... Une remise en cause absolue du dogme chrétien. Et notre bon abbé, quelque peu troublé dans sa foi (il y aurait de quoi !), décida alors de faire chanter l'Église, qui, bien sûr, s'inclina plutôt que de se remettre en cause. Y avait-il une autre solution pour le Vatican ?
Nombre de personnalités se sont penchées sur l'affaire au fil du temps : certains tableaux de Poussin et de Delacroix évoquent Rennes ; George Sand, passionnée d'occultisme, est souvent venue dans le village, et Jules Verne aurait consacré à l'affaire un roman crypté : *Clovis Dardentor.*
Quel qu'il soit, ce secret a suscité toutes les passions. À tel point que désormais les fouilles sont interdites dans la commune. On a vu des chercheurs creuser dans les rues à la dynamite ! D'autres ont transformé le sous-sol en gruyère à force d'ouvrir des galeries provoquant des affaissements. Cette époque est bien révolue, et les dernières déclarations du maire, après l'ouverture de la tombe de l'abbé (il fallait ça pour couper court à d'autres rumeurs encore plus terribles, on peut l'imaginer), ont laissé retomber le soufflé ; mais le secret, que l'abbé emporta justement dans sa tombe, demeure intact. Tout comme le plaisir de découvrir aujourd'hui un paysage remarquable qui participe à sa façon grandement à la magie de ce « lieu de force habité sans interruption depuis la période protohistorique », pour reprendre les mots du maire, avide de tirer un trait sur des années de folie plus ou moins douce...

Adresse et info utiles

Domaine de l'Abbé Saunière – boutique du Presbytère (accueil) : *rue de l'Église. ☎ 04-68-74-72-68. • rlctourisme@wanadoo.fr • ♿ En hte saison, tlj 10h30-18h ; hors saison, 11h30-17h. Congés : 25 déc, 1er janv et de mi-janv à mi-fév.* Fournit toutes sortes d'infos touristiques. Imagerie religieuse et objets d'art. – Pour la visite du **Domaine :** *entrée : 4,50 € ; réduc ; 3,20 € sur présentation de ce guide*. Beaucoup de documents et de pièces à conviction concernant cette affaire. Le domaine retrace aussi l'histoire de la ville. Restauration réussie de l'ensemble des verrières, de la chapelle privée de la villa Béthania et de la Gloriette.

Où dormir ? Où manger dans les environs ?

Prix moyens

Les Saveurs du Terroir : *Oustal d'al Pech, 11190 Bugarach. ☎ 04-68-69-87-59. À 13 km, par la superbe D 14. Tlj avr-oct, fermé lun-dim soir et mer en hte saison. Congés : début nov-fin mars. Menu unique 22 € (formule 8,50 € pour les enfants). Café offert sur présentation de ce guide.* Une petite auberge de campagne totalement perdue dans un village oublié au cachet intact. Décor rustique très agréable pour une étape sympathique. Cuisine classique, savoureuse, élaborée à partir de bons produits de saison. Foie gras en terrine, civet de sanglier et nougat glacé sauce caramel, tout est fait maison.

Plus chic

Château des Ducs de Joyeuse : *11190 Couiza. ☎ 04-68-74-23-50. • reception@chateau-des-ducs.com • chateau-des-ducs.com • Au pied de Rennes-le-Château. Resto ts les soirs sf dim-lun hors saison. Congés : janv-fin fév. Doubles 95-117 €. Menus 36-55 € pour une belle cuisine classique. Café offert sur présentation de ce guide.* Construit par Jean de Joyeuse, premier gouverneur de Narbonne, au milieu du XVIe siècle, le château devint hôpital militaire, gendarmerie, magasin de laine. Restauré il y a plus de 30 ans, il s'est métamorphosé en un bel hôtel cossu et plein de charme. Piscine.

Le Domaine de Mournac : *11190 Antugnac. ☎ 04-68-74-21-10. • contact@mournac.com • mournac.com • Ouv tte l'année. Chambres de charme 80-100 € selon saison, petit déj compris. Suite 130-140 € pour 4. Table d'hôtes hors saison slt, 20 €. Également un gîte pour 10 pers ; se renseigner pour les tarifs. Réduc de 10 % sur le prix de la chambre (pour 7 nuits) juin-sept et 15 % hors saison et vac scol.* Difficile de trouver mieux pour un séjour très « chic décontracté », au calme, à 8 km de Rennes-le-Château. Clientèle très conviviale qui profite des nombreuses randonnées à faire tout autour. Vue sur la chaîne des Pyrénées et la vallée. Superbe terrasse, pour le petit déj. Piscine. Possibilité de pique-niquer sur place, aux beaux jours (barbecue, coin cuisine). Le domaine possédant 9 ha de terrain en pleine nature, vous n'aurez pas de voisins.

À voir

L'église Sainte-Marie-Madeleine : *ouv aux mêmes heures que le domaine et la boutique du presbytère (point d'accueil).* Le secret serait à l'intérieur de cette église restaurée par l'abbé Saunière durant neuf années. Tout dans cet édifice sulpicien serait matière à interprétation. À l'entrée, le diable vous accueille. Il est sous le bénitier. Mais ce n'est pas l'original qu'on voit ici, dont la tête et le bras ont été volés en 1996. Le dallage constitue un échiquier. Dans le chœur, deux statues représentant Joseph et Marie, chacun avec l'Enfant Jésus. Une légende veut que Jésus ait eu un jumeau ! Le bas-relief sous l'autel confirmerait cette croyance. Marie-Madeleine est agenouillée devant une grotte. Devant, une croix à deux branches. Jeux de lumière dans les vitraux, chemin de croix codé.

➤ DANS LES ENVIRONS DE RENNES-LE-CHÂTEAU

ARQUES *(11190)*

Chaque été, le village d'Arques voit sa population multipliée par trois ou quatre car ce village allie activités de pleine nature (lac de 8,5 ha, arboretum du Planel dans les environs) et découverte d'un riche patrimoine historique autour de son fameux donjon du XIIIe siècle.

À voir. À faire

Le château d'Arques : *☎ 04-68-69-84-77 (château) et 04-68-69-82-87 (musée). • chateau-arques.fr • À 11 km à l'est de Couiza par la D 613. Juil-août, tlj 9h30-19h30 ; avr-juin et sept, tlj 10h-18h ; hors saison, tlj 10h30-12h30, 13h30-17h. Entrée : 5 € adulte pour les 2 visites ; réduc. Visites guidées nocturnes à 20h30 mer (sf juil-août) : 5,50 €/pers (avec résa).*

Nulle résistance cathare en ces murs, postérieurs au passage de Simon de Montfort – qui s'empara tout de même en 1210 du village fortifié ; Pierre de Voisins, son compagnon d'armes, est confirmé baron d'Arques en 1226. Le château a été construit un peu plus tard, par ses descendants, aux XIIIe et XIVe siècles, et se compose d'une enceinte rectangulaire entourant un donjon carré de 4 niveaux, chef-d'œuvre de l'art gothique en architecture militaire.
Le billet donne droit à la visite de la maison de Déodat Roché (historien du catharisme), musée qui abrite une exposition permanente, au cœur du village d'Arques. Bon topoguide, disponible à l'accueil du château, indiquant les circuits à faire à pied ou à VTT, autour du village.

➢ ***Promenades à cheval :*** *au village d'Arques, avec* Cheval N'Arquois, *42, route des Corbières.* ☎ *04-68-69-86-65. Face à l'église.* Découverte du village et des environs à cheval ou à poney. Promenade ou rando « à hennir de plaisir », à ce qu'il paraît.

LES PYRÉNÉES AUDOISES

Comme son nom l'indique, ce secteur offre un paysage de massif ancien, de villages de montagne, d'herbages à vaches, de gorges et de torrents – un paysage pyrénéen. Quillan en est l'avant-poste et la capitale : on y vient au marché, on s'y rencontre aux terrasses des cafés. Vers l'ouest, le Quercorb, vieux pays au relief assez doux, d'élevage et de forêt, que domine Puivert et son château cathare ; plus haut, plein sud, Axat et les gorges de l'Aude, haut lieu de la rando et des activités en eau vive ; entre les deux, le plateau de Sault, de 900 à 1 200 m d'altitude, aux paysages tout à fait montagnards, bordé de hauts sommets (pic d'Ourthizet, 1 904 m), ça grimpe !

QUILLAN (11500) 3 000 hab.

Le bourg s'étire le long de l'Aude et se situe au carrefour routier de la D 117 (Foix-Perpignan) et de la D 118 (Quillan-Carcassonne). Au nord-ouest de la commune se trouvent le Quercorb et le pays de Sault au sud : deux microrégions bien typées. Quillan conserve une atmosphère bien sympathique, très couleur locale avec son vieux centre et sa promenade. Dans les années 1950-70, la ville connut un prodigieux essor grâce au développement de l'industrie du stratifié, le *Formica,* mais l'entreprise a fermé sans même laisser de musée... À voir, dans le centre ancien, la curieuse église (fin XIIe, agrandie au XVIIe siècle) recouverte de galets de rivière. La mairie, quant à elle, occupe un bel hôtel particulier.

Adresse et infos utiles

🅸 ***Office de tourisme de Quillan :*** *sq. André-Tricoire.* ☎ *04-68-20-07-78.* • *aude-en-pyrenees.fr* • *En saison, tlj sf dim mat 9h-12h, 14h-19h ; hors saison, lun-ven 9h-12h, 14h-18h, sam 9h-13h.*
– ***Marchés :*** *mer tte la journée, pl. de la République (où donne le pont Vieux) ; sam mat, sq. Courtejaire. Marché nocturne jeu soir en juil-août, avec animation musicale.*
– ***Sports en eau vive :*** 12 km de rivière sportive (rafting, nage en eau vive, hydrospeed, kayak) entre les gorges de Saint-Georges et celles de la Pierre-Lys. Infos à l'office de tourisme.

Où dormir ? Où manger ?

🏠 🍽 ***Hôtel-restaurant Cartier :*** *31, bd Charles-de-Gaulle. ☎ 04-68-20-05-14. • contact@hotelcartier.com • hotelcartier.com • Resto fermé de mi-déc à mi-mars. Doubles 36-62 € selon confort. ½ pens 55-65 €/pers. Menus 18-28 € et carte.* Les chambres donnant sur l'avenue sont insonorisées. Au restaurant, très bonne cuisine traditionnelle autant que régionale. Goûtez par exemple à la *rouzole,* une soupe régionale à base de poitrine de porc, œufs, mie de pain... ou aux aiguillettes de canard sauce aux truffes. Au dessert, le mi-cuit chocolat et agrumes apporte une touche finale parfaite à un repas réussi. Service souriant !

➤ DANS LES ENVIRONS DE QUILLAN

LE DÉFILÉ DE LA PIERRE-LYS

La route de Quillan à Axat (voir plus loin) longe l'Aude par ce défilé assez spectaculaire. Surplombant la rivière, elle emprunte trois tunnels, dont le dernier, appelé *Trou du Curé,* est l'œuvre d'une figure locale, le père Félix Armand (1742-1823). Cet homme extraordinaire, curé de Saint-Martin-Lys, perça, à coups de pioche, ce tunnel de ses propres mains (avec l'aide de ses paroissiens, quand même).

PUIVERT (11230) 400 hab.

À 16 km au nord-ouest de Quillan par la D 117, un lieu incontournable sur la route des châteaux cathares. Sympathique gîte d'étape chez Françoise et Michel Dubrunfaut. ☎ *04-68-20-80-69.*

À voir

★★ 👪 ***Le musée du Quercorb :*** *16, rue Barry-du-Lion. ☎ 04-68-20-80-98. • quercorb.com • De mi-juil à fin août, tlj 10h-19h ; hors saison, tlj 10h-12h30, 14h-18h (17h en oct). Entrée : 4 € ; réduc ; tarif groupe sur présentation de ce guide.* La présentation claire, moderne et attractive de ce musée du Quercorb vaut qu'on s'y arrête. Illustration de la vie locale et de ses métiers disparus, avec reconstitution d'une cuisine d'antan, d'une forge, d'un atelier de tourneur sur bois. *« A Pepert, fan flaütas e roubinelhos »* (« À Puivert, ils font des flûtes et des robinets »). Il y avait une vingtaine d'ateliers de tourneurs sur bois au XIXe siècle. Dans la salle de l'Instrumentarium, baignée d'une ambiance musicale, sont présentés huit instruments de musique du Moyen Âge, reconstitués d'après les sculptures du château de Puivert. La vidéo « De la pierre au souffle de vie » raconte cette expérience. Les maquettes du château de Puivert et de son donjon restituent les parties disparues du monument ; textes, moulages et photographies retracent son histoire et celle des cathares en Quercorb. La visite est « guidée » par les chants de troubadours, agréable initiation aux sonorités de la langue occitane. La grange restaurée du musée accueille régulièrement des expositions temporaires. Et le musée s'est agrandi récemment avec un verger sur le thème de l'alambic et de l'eau-de-vie. Jolie promenade autour des variétés anciennes d'arbres fruitiers, comme les poires « curés » ou les « bons chrétiens » ; parfois des concerts et animations.

★★★ 👪 ***Le château de Puivert :*** *☎ 04-68-20-81-52. • chateau-de-puivert.com • Avr-fin oct, tlj 9h-19h ; à partir de nov, tlj 10h-17h. Entrée : 5 € ; 5-12 ans : 3 €.* Un château cathare composé d'une partie ancienne assez ruinée (XIIe siècle) et d'une autre du XIVe, dont un donjon massif de 35 m de haut. Simon de Montfort l'assiégea en 1210. À l'intérieur, 6 belles salles meublées dont une, remarquable, dite « des musiciens », où huit personnages portant différents instruments sont représentés sur les culots de voûtes. Il s'agit d'un *instrumentarium.* C'est une illustration des fameuses « cours d'amour » du Languedoc médiéval, où troubadours et poètes animaient la vie culturelle. Terrasse avec point de vue superbe sur les environs.

LE PAYS DE SAULT

À l'ouest de Quillan, au sud de Puivert, on entre dans la vallée du Rébenty, pays de montagnes, tapissé d'épaisses forêts. Sauvage, la région est ignorée des touristes, mais grandement appréciée des randonneurs et autres mordus de nature.

Adresse utile

Office de tourisme du pays de Sault : *route d'Ax-les-Thermes, 11340 Belcaire. ☎ 04-68-20-75-89. • o.t.p.s@wanadoo.fr • L'été, lun-sam 9h-12h, 15h-18h, dim 9h-12h ; hors saison, lun et jeu-ven, mar et sam mat.*

Où dormir ? Où manger ?

De bon marché à prix moyens

Gîtes et Loisirs de Montagne de Comus : *chez Anne Pagès, 11340 Comus. ☎ 04-68-20-33-69. • anna@gites-comus.com • gites-comus.com • Gîte d'étape situé dans l'ancienne école du village. Congés : déc-fin janv. Par pers, compter 13,50 € la nuitée en dortoir, 30 € en double ; ½ pens 32 €. Réduc de 10 % sur le prix de la chambre sur présentation de ce guide.* Bois offert pour la flambée du soir et couvertures fournies. En revanche, apporter drap et sac de couchage. Sanitaires en commun. Nombreuses possibilités de randonnées (à pied, à cheval et à VTT) au départ de Comus : sentier cathare, chemin des Bonshommes (GR 107), sentier d'Émilie, gorges de la Grau, etc. Plein de documentation, des topoguides et les conseils d'Anne vous aideront à profiter de votre séjour. Également deux gîtes ruraux installés dans l'ancien presbytère. Hiver comme été, des repaires douillets pour les amoureux de nature.

Hôtel-restaurant Grau : *12, Grand-Rue, 11340, Espezel. ☎ 04-68-20-30-14. • hotel.grau@wanadoo.fr • Tlj sf dim soir hors juil-août. Doubles 42-54 € selon confort et saison. Menus midi en sem 11,50 €, puis 15-29 € ; env 25 € à la carte. Café offert sur présentation de ce guide.* Cuisine du terroir et spécialités du chef (fondant de volaille, langoustines...). Établissement classique, mais réputé pour la qualité de sa cuisine.

Le Relais du Pays de Sault : *3, pl. du Calcat, 11340 Espezel. ☎ 04-68-20-72-89. À 6 km avt Belcaire sur la route d'Ax-les-Thermes. Tlj sf lun, à midi slt, et sam soir. Congés : de déc à mi-fév. Menus 21-30 € et carte. Apéritif maison ou café offert sur présentation de ce guide.* On connaît bien l'adresse dans la région, pour son excellent rapport qualité-quantité-prix. Premier menu avec apéritif et vin à volonté, entrées, fromage et copieux plat de résistance. Deux salles rustiques, tablées de six, ambiance bonne franquette et rando.

AXAT

(11140) 900 hab.

Modeste chef-lieu de canton, Axat est bâti à flanc de coteau dans un site pittoresque, environné de monts. Son histoire et son nom sont liés à l'Aude, dont la dénomination gauloise était « Atacine », signifiant « fleuve audacieux » ; cet Atacine se transforma en Aldae, et le bourg d'Axat n'était autre qu'Aldesatus. Et c'est dans les environs d'Axat, sur le site de Saint-Georges, que fut mise en service la toute première centrale hydroélectrique jamais construite en France, le jour de Noël 1900.

Le « fleuve audacieux » reste l'atout principal d'Axat, point de départ de randonnées et d'activités diverses : canoë-kayak, rafting ou hydrospeed dans les gorges de l'Aude, où l'on trouve des rapides aux noms évocateurs *(la Triple Chute, le Flipper...)*, mais aussi grimpette et descente, à pied, à vélo ou à cheval, tir à l'arc, lancer de marteau, etc.

Adresses utiles

Pays d'accueil touristique du canton d'Axat : *☎ 04-68-20-59-61. • pays-axat.org • Sur la D 117 en venant de Quillan, au carrefour (des petits ours en bronze) pour monter au village. Ouv de mi-mai à mi-sept. En juil-août, tlj 9h-13h, 15h-19h. Le reste de l'année, se renseigner à la mairie.* Tout sur Axat et ses environs. Bonne documentation et fiches rando.

Association Pyrène : *camping du Pont-d'Aliès. ☎ 04-68-20-52-76. • pyrenerafting.com • Ouv tte l'année.* Hydro, canyoning, rafting, hotdog, *air boat...* Une structure petite, mais très bien équipée où on apprécie de bosser en petits groupes. Bref, le top pour découvrir ou pratiquer toutes ces activités, proposées par une fine équipe de fanatiques fort sympathiques.

Sud Rafting : *pont d'Aliès. ☎ 04-68-20-53-73. • vegapassion.com • Ouv tte l'année.* Raft et fun-raft, hydrospeed. Également des sorties le week-end et des stages de 5 jours.

Où dormir ?

Camping

Camping La Crémade : *route de Perpignan. ☎ 04-68-20-50-64. • lacremade.com • ♿ Un peu avt le village d'Axat, à l'ouest de Puilaurens. À l'écart de la D 117, sur la gauche, en pleine forêt. Ouv de mi-avr à fin sept. Compter 11,80 € pour 2 en hte saison.* Site superbe, un peu surélevé, avec vue sur les montagnes alentour. Terrain bien tenu et ombragé, ce qui n'est pas négligeable en été ! Bar, buvette et aire de barbecue. Label Accueil confiance du Pays cathare.

➤ DANS LES ENVIRONS D'AXAT

La grotte de l'Aguzou : *☎ 04-68-20-45-38. • grotte-aguzou.com • Grand parking. Ouv sur résa slt. Visite d'une journée, par petits groupes (12 pers max) avec repas à 600 m sous terre. Tarif : 50 €/pers (loc du matériel, guide et assurances compris ; apporter son pique-nique). En tout, 7h à la Jules Verne !* On visite la salle des Mille et Une Nuits, celle de la Couronne de la reine (féerique), les cierges bougeoirs, etc. Et l'on boit l'eau des fontaines souterraines ! Un peu cher mais un sacré moment.

Les gorges de l'Aude : *situées à l'extrême sud-ouest du département, à un jet de pierre des voisins de l'Ariège...* À partir d'Axat, prendre la D 118, espèce d'intestin grêle qui longe la frontière départementale pour conduire à Mont-Louis (Pyrénées-Orientales). Peu après Axat, on longe les gorges Saint-Georges, peu étendues (en longueur) mais étroitement bordées de hautes falaises. On atteint l'Aude un peu plus loin, parallèle à la route sur plusieurs kilomètres dans un décor montagneux bordé par la forêt de Gesse. Puis apparaissent dans la végétation luxuriante des blocs de pierre aux formes rebondies. On entre dans les gorges de l'Aude, pas si impressionnantes mais tout de même assez sauvages, au fur et à mesure que la route se fait plus étroite...

LE CHÂTEAU DE PUILAURENS

Une des plus fascinantes citadelles du vertige, remarquable par son état de conservation. C'est ici que se réfugièrent les cathares, à la chute de Montségur, là qu'ils survécurent, avec la complicité du peuple, avant d'être exterminés jusqu'au dernier...

D'Axat, prendre la D 117 vers Saint-Paul-de-Fenouillet pendant 6 km ; on rejoint le château par la D 22, direction Gincla.

Où dormir ? Où manger dans les environs ?

Hostellerie du Grand Duc : *2, route de Boucheville, 11140 Gincla. ☎ 04-68-20-55-02. • hotelgranduc@wanadoo.fr • host-du-grand-duc.com • À 5 km du château de Puilaurens. Tlj en juil-août, fermé mer midi hors saison. Congés : 1er nov-1er avr. Selon saison, doubles 72-78 €. Menus 32-65 € et carte 35-45 €.* Ancienne maison de maître agréable et pleine de charme, dans un joli jardin agrémenté d'un bassin. Des chambres rustico-bourgeoises entièrement refaites. Bonne table, qui joue une partition inventive avec ses trois cartes par saison, sur un fond très classique : symphonie de canard, filet mignon de porc au chocolat et bon choix de vins des Corbières.

À voir

Le château : *☎ 04-68-20-65-26. • lapradelle-puilaurens.com • Perché à quelque 700 m de hauteur, il faut grimper le long d'un sentier forestier et montagnard pour l'atteindre. En juil-août, tlj 9h-20h ; hors saison, tlj 10h-18h (17h en oct) ; en hiver, slt w-e et vac scol 10h-17h. Congés : de mi-nov à début fév. Entrée : 3,50 € ; réduc.* La silhouette féodale du château se découpe sur le ciel ; on aperçoit de loin ses gros donjons et ses remparts épais posés sur un piédestal. Puilaurens avait pour mission de garder la haute vallée du Fenouillèdes. Pas compliqué, il n'y avait qu'une route et elle passait au pied du château. Ce dernier appartenait en fait, avec Aguilar, Quéribus, Termes et Peyrepertuse, à un réseau de postes avancés protégeant la frontière avec l'Aragon. On les surnomma « les cinq fils de Carcassonne ». Les cathares, pacifistes convaincus, n'ont jamais construit ces citadelles qu'on leur attribue par abus de langage. Propriétés des seigneurs occitans qui les prenaient sous leur protection tout en défiant les croisés, ces forteresses médiévales étaient leur seul refuge. Plutôt sûr comme refuge ! Puilaurens est un modèle d'architecture militaire. Tout avait une logique de défense rendant la prise du château pratiquement impossible. D'ailleurs, le château résista bien aux attaques des croisés. Montségur vaincu, Puilaurens résistait encore pour ne capituler qu'en 1256. À la signature du traité des Pyrénées au milieu du XVIIe siècle, le château, n'ayant plus de mission de protection des frontières, perdit toute son importance. Pendant un temps transformé en prison, il fut abandonné aux vents, au temps et... aux touristes. Depuis le sommet, vue sur le pic de Bugarach, point culminant des Corbières.

LE PAYS CORBIÈRES-MINERVOIS

Deux terroirs séparés par le canal du Midi, que les volontés politiques autant que les réalités sur le terrain ont réunis, sur les plaquettes distribuées dans tout le pays. Une balade originale de vignes en châteaux, ceux-ci n'ayant rien, évidemment, de ceux que vous pourriez rencontrer dans d'autres régions viticoles. Au cas où vous n'auriez pas bien regardé les panneaux sur la route, vous êtes ici, plus que jamais, en pays cathare.

LES CITADELLES DES CORBIÈRES

Première image en évoquant le pays des Corbières, celle du vin, produit sur près de 19 000 ha (classé AOC, sur 87 communes audoises). La montagne à vin permet de découvrir des paysages insensés. Chaos de monts rocailleux, vallons étroits et torturés, coteaux escarpés... Derrière une apparence rude, et même dure, l'endroit garde son unité dans la clarté lumineuse du ciel, dans son climat tout méditerranéen et dans le charme presque magnétique des couleurs et des paysages, qui opère dès que l'on pénètre dans ces reliefs chargés d'histoire et de drames. Dans chacune des garrigues parfumées, derrière tous les cyprès ballottés par les vents, on s'attend à trouver quelque chose d'encore plus beau.
Certes, la terre est rude, mais la vigne récompense amplement ceux qui l'aiment. Les vins élevés dans ces vignobles reflètent parfaitement les paysages. Tendres et veloutés dans la partie maritime, ils deviennent charpentés et tanniques dans les hautes Corbières. Dans les monts d'Alaric (entre Narbonne et Carcassonne), où l'influence atlantique se fait sentir, ils prennent des arômes et une fraîcheur bien agréables. Dans le centre, où les variations de températures sont importantes, les vins sont très complets et de grande classe. D'autant que la période de production intensive est passée, la qualité primant largement sur la quantité. Qui s'en plaindra ?
Toutefois, l'essentiel n'est pas là. La nature sauvage et torturée des Corbières, les vallées de terre rouge, les collines dénudées frisant l'ascétisme constituèrent le terreau du catharisme. Dans les Corbières, l'histoire se confond avec la géographie et les citadelles de pierre fusionnées dans la roche scandent le pays cathare.

L'AUDE

LES GORGES DE GALAMUS

Ces gorges somptueuses sont situées dans deux départements à la fois : l'Aude et les Pyrénées-Orientales. Si les Pyrénées-Orientales l'emportent, pour les kilomètres, la plus belle partie des gorges se trouve sans conteste dans l'Aude. Va pour l'Aude et que les P.-O. nous pardonnent ! Si vous venez d'Axat ou de Puilaurens, prenez la D 117 jusqu'à Saint-Paul-de-Fenouillet et à gauche la D 7 qui s'enfonce dans les gorges.
L'Agly a creusé ici l'une des plus belles cluses de la région. Sur 4 km, ce ne sont qu'escarpements où seuls quelques genêts, arbousiers et chênes kermès ont réussi à se cramponner. Au fond, le torrent tumultueux parcourt une superbe gorge étroite. Quelques marmites géantes font office de bassins naturels, d'ailleurs les autochtones s'y baignent en été ! On ne peut rêver piscine plus agréable...

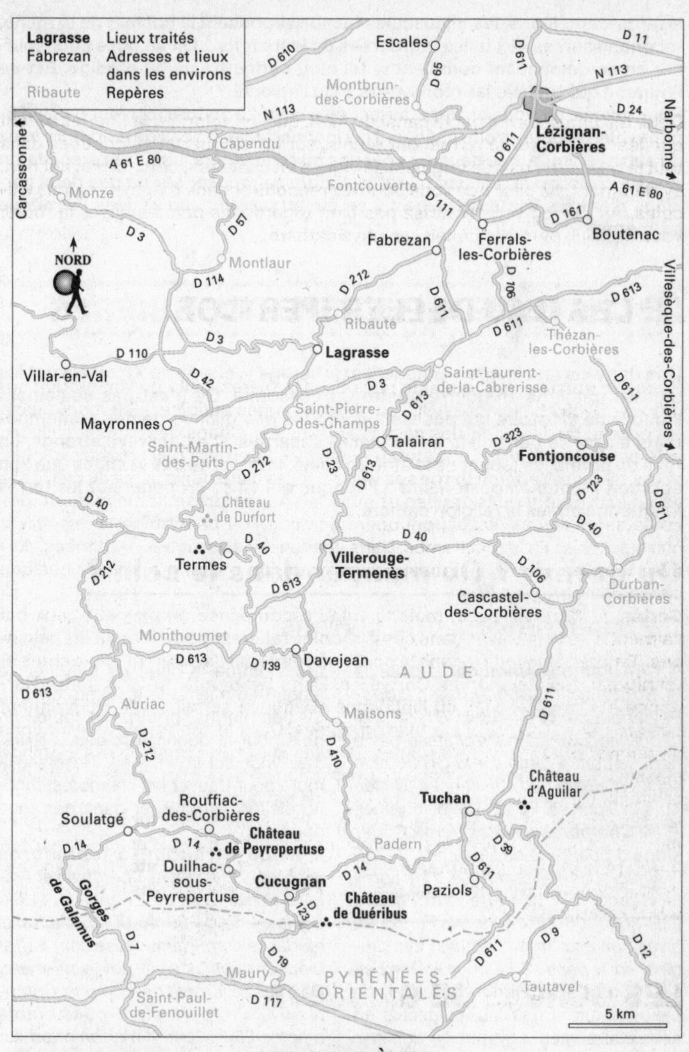

LES CORBIÈRES

En continuant, on est frappé par la blancheur de la roche. À certains endroits de la route, la profondeur de la gorge est proprement vertigineuse. Visions fantastiques de l'eau verte coulant dans le ravin... Mais les surprises ne sont pas terminées. Avant un tunnel creusé dans la roche, un parking : en descendant le sentier qui part de l'aire de stationnement, on aboutit à travers les broussailles, après un petit tunnel, à un *ermitage* créé au VIe siècle ! Planquée dans la paroi rocheuse, une incroyable chapelle... On comprend mieux la délirante situation de l'ermitage Saint-Antoine-de-Galamus en poursuivant la route. Situé peu après le tunnel, un belvédère surplombe les gorges. Bien observer les parois rocheuses : là, en face, lovées comme une portée de

lézards-caméléons, les minuscules façades épousent la couleur de la roche, reconnaissables aux tuiles mordorées de leurs toits... On se pose pour souffler en se demandant comment la foi a pu permettre un tel prodige. Est-ce l'homme qui soulève les montagnes ? Ou l'inverse ?
Pour revenir un peu sur terre, autant être clair. La voiture ici n'est pas indispensable, la route étroite obligeant les inconscients, en cas de rencontre avec un autre véhicule, à se dévouer pour une marche arrière jusqu'à la précédente aire de croisement. Laisser plutôt la voiture se reposer sur un des deux parkings d'entrée. Vente de boissons en été au parking sud et dans l'ermitage lui-même.

LE CHÂTEAU DE PEYREPERTUSE

Une des plus fascinantes « citadelles du vertige », élevée au XIe siècle par les comtes catalans en guerre contre Carcassonne. Ce n'est pas seulement l'amour de l'Histoire qui pousse aujourd'hui des milliers de nos contemporains à aller se perdre sur ces chemins escarpés. C'est un rêve étrange, un rêve de pureté, se jouant de la stricte réalité, la majorité des vestiges que l'on aperçoit étant bien postérieure à l'époque qui vit se propager sur les terres languedociennes la religion cathare...

Où dormir ? Où manger dans le coin ?

De bon marché à prix moyens

🏠 ***Gîte d'étape communal :*** *18, rue de la Fontaine, 11350 Duilhac-sous-Peyrepertuse.* ☎ *04-68-45-01-74.* • *gite.duilhac@wanadoo.fr* • *chateau-peyrepertuse.com* • *Situé sur le GR 36 et le sentier cathare. Ouv tte l'année. Nuitée 10 € ; 19 places.* Possibilité de cuisiner.

🏠 🍽 ***Chambres d'hôtes (Aimé Coussinoux) :*** *bergerie de Bugamus, 11350 Duilhac-sous-Peyrepertuse. 2 km après le village, sur la route du château (GR 36).* 📱 *06-85-47-69-54. Fermé en hiver. Sur résa. Trois chambres ttes simples, en ½ pens : 90 € pour 2.* Dans un site superbe, ancienne bergerie, en pleine nature. En juillet, les genêts en fleur embaument l'air pur de la serre. Cuisine familiale. Une adresse pour les amoureux de la nature à la recherche de l'authenticité.

🏠 🍽 ***L'Auberge de Peyrepertuse :*** *12, rue Blanche-de-Castille, 11350 Rouffiac-des-Corbières.* ☎ *et fax : 04-68-45-40-40.* ♿ *Tlj sf mer. Congés : déc-fin janv. Doubles avec douche et w-c 44 €. Menus 15-28 €.* Auberge à l'ambiance simple et conviviale, très « rando », proposant une cuisine régionale reconstituante. Des plats roboratifs, comme le civet de sanglier, le magret au miel et le lapin au romarin. Vieilles pierres, poutres et tables en bois pour le décor. Aux beaux jours, ruez-vous sur la terrasse. Traversez la route pour trouver les chambres, fonctionnelles, propres et dans des tons doux.

🏠 🍽 ***La Giraudasse (chambres d'hôtes) :*** *chez Katia Tiberghien et Anibal Somoza, 2, pl. de la Fontaine, 11330 Soulatgé.* ☎ *04-68-45-00-16.* • *info@giraudasse.com* • *giraudasse.com* • *Tlj sf mer. Congés : de mi-nov à mi-mars. Doubles 65 €, petit déj compris. Compter 57,50 €/pers en ½ pens. Table d'hôtes 25 €. Apéritif maison offert sur présentation de ce guide.* Certaines ont une belle vue sur la montagne. La maison, du XVIIe siècle, est calme, magnifique, et le jardin reposant. Nos deux hôtes ont le sens de l'accueil et de la déco et Anibal prépare une cuisine raffinée, savoureuse et saine, de type méditerranéen, avec beaucoup de légumes, un vrai bonheur.

🍽 ***Auberge La Batteuse :*** *2, chemin de la Batteuse, 11350 Duilhac-sous-Peyrepertuse.* ☎ *04-68-45-04-96.* • *bat* *teuse2@wanadoo.fr • Tlj sf dim soir et lun en basse saison. Congés : de mi-janv à mi-fév. Menus midi 12 € puis 19-24 €. Apéritif maison offert sur présentation de ce guide.* Au pied du château, un petit restaurant sans prétention, côté décor, qui assure côté table, et fait le bonheur des marcheurs : civet de sanglier, Boles de Picoulats aux cèpes, fricassée, etc.

À voir

⚲⚲⚲ ***Le château de Peyrepertuse :*** *06-71-58-63-36. ☎ 04-68-45-40-55 (mairie). • chateau-peyrepertuse.com • Accès au château à partir de la D 14 par le chemin de gauche à l'entrée du village de Duilhac ; parking au bout de la petite route ; de là, sentier cahoteux qui mène au sommet en 20 bonnes mn de marche. Juil-août, tlj 9h-20h30 ; juin et sept, 9h-19h ; avr-mai et oct, 10h-18h30 ; fév-mars et nov-déc 10h-17h. Entrée : 5 € ; réduc. Audioguide 4 €.* Éviter de s'y rendre seul, surtout de nuit ou par mauvais temps, car rien ne protège des chutes. En revanche, ne pas oublier son appareil photo : les ruines de cette énorme construction militaire médiévale sont fabuleuses, sur fond de paysages époustouflants. Depuis la route, les remparts blanchis par le temps se confondent avec l'arête rocheuse de la montagne. Plus on s'approche, plus l'étonnement est grand : il y a bien 2,5 km de murs de pierre, enserrant ce qui fut presque une ville ! Édifiée au début du XIe siècle, la citadelle fut renforcée sous Saint Louis d'un second château, auquel on accède, à l'intérieur de l'enceinte du premier, par un escalier taillé dans le roc. Prévoir une bonne heure pour faire le tour de ces superbes ruines. Festival médiéval en été.

➤ DANS LES ENVIRONS DU CHÂTEAU DE PEYREPERTUSE

⚲⚲ ***Rouffiac-des-Corbières** (11350) :* on ne passe pas forcément par ce modeste village situé en contrebas du château de Peyrepertuse (lui-même se trouvant sur la commune voisine de Duilhac), un peu à l'écart de la D 14. On a tort, car il est charmant. Outre l'*Auberge de Peyrepertuse* (voir plus haut), s'y trouve un joli lavoir, une charmante église et un *centre du Bonsaï* (☎ 04-68-45-00-81) où l'on pourra acheter sur rendez-vous des figuiers, des oliviers nains, des minivignes en pot et la plupart des espèces méditerranéennes.

CUCUGNAN ET LE CHÂTEAU DE QUÉRIBUS

(11350) 100 hab.

« L'abbé Martin était curé... de Cucugnan. Bon comme le pain, franc comme l'or, il aimait paternellement ses Cucugnanais ; pour lui, son Cucugnan aurait été le paradis sur terre, si les Cucugnanais lui avaient donné un peu de satisfaction... » Tirée des *Lettres de mon moulin,* l'édifiante histoire du curé de Cucugnan narrée par Alphonse Daudet allait immortaliser ce charmant village que presque tout le monde croit facilement imaginaire !
Joliment posé sur une butte aux pieds baignés de vignes, Cucugnan est l'archétype du village pittoresque : ruelles anciennes, maisons aux couleurs chaudes, échoppes d'artisans, population débonnaire...

Où dormir ? Où manger ?

On ne va pas vous indiquer toutes les chambres d'hôtes du village, mais vous aurez un grand choix ici, et de qualité.

Prix moyens

Chambres d'hôtes Le Rampaillou : *en haut du village, une fois passé le moulin, sur un petit chemin qui rejoint une combe. ☎ 04-68-45-74-40. 06-85-81-57-61. • frederic.rojas@wanadoo.fr • Parking privé. Chambres ttes simples 46 € pour 2, petit déj compris. Apéritif maison offert sur présentation de ce guide.* Pour la vue, la tranquillité, et le petit déj apporté sur un plateau, en terrasse, par la maîtresse de maison. Les propriétaires pensent à nos amis musiciens, un studio d'enregistrement numérique a été créé, histoire de vous initier ou de vous inspirer, même en vacances ! Accueil familial.

Chambres d'hôtes L'Écurie de Cucugnan : *chez Lydie et Joël Gauch, 10, rue Achille-Mir. ☎ 04-68-33-37-42. • ecurie.cucugnan@wanadoo.fr • queribus.fr • Doubles 58 €, petit déj compris. Apéritif maison et café offerts sur présentation de ce guide.* Pas la peine de vous expliquer l'origine de la maison, mais vous serez agréablement surpris par la qualité de la rénovation. Chambres climatisées, agréables, avec terrasse privée, meubles anciens et grand lit très confortable. Bel accueil, belle vue, ce qui ne signifie pas un accueil qui en met plein la vue, loin de là. Et terrasse pour se retrouver, autour d'un verre ou d'un petit déj.

Auberge du Vigneron : *2, rue Achille-Mir. ☎ 04-68-45-03-00. • auberge.vigneron@ataraxie.fr • auberge-vigneron.com • Juste en face du théâtre Achille-Mir. Tlj sf dim soir et lun hors saison, sam midi et lun en été. Congés : de mi-nov à mi-mars. Doubles 49-65 € selon confort (½ pens 100-114 € pour 2 en été). Menus 17-38 €.* L'*Auberge du Vigneron* offre un gîte mignon, avec des chambres rustiques aux pierres apparentes. En bas, dans l'ancien chai du vigneron, belle salle de resto avec des tonneaux géants, cheminée pour les journées d'hiver et terrasse aux beaux jours. Cuisine régionale de caractère, à l'image du patron, qui ne s'en laisse pas conter.

Plus chic

La Tourette – Maison d'hôtes : *4, passage de la Vierge. ☎ 04-68-45-07-39. • latourette.eu • Congés : nov-mars. Doubles 95-115 €, petit déj compris. Apéritif maison offert sur présentation de ce guide.* Une très belle adresse, accueillante, reposante, sur les hauteurs du village, près du moulin et de l'église. Corinne Perrier aime voyager, ça se sent, et elle sait faire plaisir à ceux qui, au bout du voyage, trouvent ici une maison confortable où se poser. Deux suites et une grande chambre, où chacun a ses aises.

À voir

L'église : *ouv aux mêmes horaires que le théâtre Achille-Mir.* Celle du village mérite le détour ; non seulement elle est fraîche et accueillante, en été, mais elle est célèbre dans la région pour son incroyable statue d'une Vierge... enceinte !

Le théâtre Achille-Mir : *☎ 04-68-45-03-69. Tlj 10h-20h (20h30 l'été). Hors saison, jusqu'à 19h30 (oct), 18h (nov-janv), 18h30 (fév), 19h (mars). Congés : janv (hors vac scol). Entrée : 5 €. Le billet comprend le spectacle, d'une vingtaine de minutes, et la visite du château de Quéribus.* Spectacle virtuel sur le « sermon du curé de Cucugnan ». Au cœur du village, un théâtre de poche, dédié à Achille Mir, écrivain audois et auteur d'une version en occitan et en vers du « sermon du curé de Cucugnan », présente l'adaptation française de ce conte naïf du XIXe siècle. Confiée au conteur Henri Gougaud, elle plonge le spectateur dans l'ambiance poétique et haute en couleur de ce personnage. Ainsi la salle de théâtre se transforme-t-elle tour à tour en intérieur d'église, paradis et enfer...

Le moulin de Cucugnan : *rens : ☎ 04-68-33-55-03. Tlj en été.* Superbe retour à la vie pour ce moulin à vent perché au-dessus du village, resté en sommeil depuis 1810 avant d'être restauré à l'identique en 2003. Entrez pour découvrir tout l'univers de la meunerie : ailes orientables selon le vent, charpente tournante, mécanisme des meules à grain, techniques de construction et savoir-faire, etc. Mais aussi pour goûter aux pains au miel, fougasses, croquants, macarons épicés et autres trouvailles du meunier, un sacré personnage, qui arrivera certainement à vous surprendre avec les dernières créations des « Maîtres de mon Moulin ».

Le château de Quéribus : *☎ 04-68-45-03-69. • queribuscucugnan.fr • À 2 km par la D 123. Compter 10 mn de marche facile pour y accéder. Avr-sept, tlj 9h30-19h (20h juil-août) ; nov-janv, tlj 10h-17h ; 17h30 en fév, 18h en mars, 18h30 en oct. Congés : janv (sf vac scol). Entrée : 5 € ; réduc. L'entrée donne droit à un spectacle en continu au théâtre Achille-Mir à Cucugnan. Au château, plaques d'orientation, audioguides et panneaux pédagogiques.* Du haut de ses 730 m, la citadelle surveille la plaine du Roussillon, tournant le dos à l'Aude (on est à la frontière des deux départements). Édifiée au XIe siècle, la forteresse de Quéribus est considérée comme le dernier îlot de la résistance cathare, vaincu en 1255. Transformé aux XIIIe et XIVe siècles en fief royal, le château présente désormais un imposant donjon dans lequel on peut encore voir une belle salle voûtée ainsi que tous les éléments d'architecture militaire : machicoulis, échaugette, assommoir, etc. Mais la dure montée est surtout récompensée par le panorama sur les Pyrénées et les Corbières. Et l'accès à la terrasse du donjon offre une vue circulaire encore plus impressionnante.

TUCHAN

(11350) 800 hab.

Village qui n'a rien d'extraordinaire, rien de vilain non plus, vivant au rythme des cigales et de la viticulture. C'est aussi le chef-lieu de canton (commerces, pharmacie). Dans les environs, un bon petit resto et un bon petit château.

Où dormir dans les environs ?

Domaine Grand Guilhem – gîte et chambres d'hôtes : *chez Séverine et Gilles Contrepois, chemin du Col-de-la-Serre, 11360 Cascastel-des-Corbières. ☎ 04-68-45-86-67. • gguilhem@aol.com • grandguilhem.com • À 12 km au nord de Tuchan. Ouv tte l'année. Compter 84 € pour 2, petit déj compris. Également un gîte pour 4-6 pers (490-690 €/sem) et un autre pour 12 pers (avec piscine privative). Une bouteille de fitou offerte dès la 3e nuit sur présentation de ce guide.* Quatre superbes chambres classées 4 épis, dans une grande et belle maison vigneronne du XIXe. Des murs peints de couleurs chaudes, égayés de frises, des meubles anciens qui s'intègrent de façon légère et élégante... Luxe suprême, les baignoires à l'ancienne ont même trouvé leur place dans une insolite salle de bains-salon. C'est une base idéale pour un w-e œnologique, vos hôtes vignerons organisant régulièrement des soirées « vin et musique ». Piscine.

➤ DANS LES ENVIRONS DE TUCHAN

Le château d'Aguilar : *à 4 km de Tuchan. ☎ 04-68-45-51-00. Ouv avr-nov. Entrée 3,50 € ; réduc.* On y accède après 5 mn d'ascension : le château domine le pays du haut d'une colline haute de 400 m. C'est un très ancien site fortifié, contrôlant l'accès aux Corbières centrales. Il se compose de deux enceintes polygonales couronnées de six tours. Légué à la famille de Termes, vassaux des Trencavel, il fut occupé en 1210 par les troupes de Simon de Montfort, lors de la croisade contre les Albigeois. Puis, devenu forteresse royale sous le règne de Saint-Louis, le château fut fortifié pour surveiller la frontière aragonaise. Beau panorama sur Tuchan et les Corbières.

VILLEROUGE-TERMENÈS (11330) 200 hab.

Dans un décor sauvage de collines rouges, de maquis et de vignes, un pittoresque village médiéval blotti autour de son imposante forteresse sauvée des ruines. Le château de Villerouge est connu pour avoir été le théâtre de la fin officielle du catharisme languedocien. Le dernier des « parfaits », Bélibaste, y fut brûlé en 1321.

Info utile

■ *Mairie :* ☎ *04-68-70-06-99.*

Où dormir ? Où manger à Villerouge et dans les environs ?

Restaurant médiéval « La Rôtisserie » : Le Château. ☎ *04-68-70-06-06.* • *societe.cameline@wanadoo.fr* • *Tlj sf dim soir et lun. Congés : janv. Menus 36-51 €, vin et digestif compris, et carte.* Tables, bancs et vaisselle sont des répliques de mobilier du XIIIe siècle, et l'on vous sert, en costume d'époque, une cuisine goûteuse et parfumée, respectueuse des recettes médiévales retrouvées, comme il se doit, dans de vieux grimoires. Tourtes, viandes à la broche, plats mitonnés, fruits cuits... En été, banquets seigneuriaux sur réservation seulement. Pendant le repas, leçon de « courtoisie de table » ; par exemple, apprenez qu'on se sert de trois doigts pour manger, et pas n'importe lesquels. En tout cas, c'est bon et original.

La Maison d'hôtes du Pont d'Orbieu : *11330 Lanet.* ☎ *04-68-70-09-34. À l'intersection de la D 613 et de la D 212 (à 18 km à l'ouest de Villerouge). Congés : de mi-déc à mi-fév. Doubles 60-80 €, petit déj compris. Suite 140 € pour 4. Repas tt compris : 25 €, et menu végétarien. Apéritif, café et digestif offerts sur présentation de ce guide.* Une belle adresse où l'on ne vient pas vraiment en famille, mais en couple, entre amis, pour profiter du calme. Seulement six habitations à un tournant où il ne passe pas souvent de voitures, dont cette belle maison audoise, une ancienne vannerie, transformée par Marie-Claude et Jean-Marie Livet. Ce couple sympathique aime recevoir, autour d'une table (c'est un ancien chef parisien), à commencer par celle du petit déjeuner, avec toutes les confitures maison. Chambres très reposantes. Documentation sur toute la région.

À voir

Le château : ☎ *04-68-70-09-11. Juil-août, tlj 10h-19h30 ; avr-juin et de sept à mi-oct, mar-dim 10h-13h, 14h-18h (10h-18h pdt vac scol et w-e) ; hors saison, ouv w-e, j. fériés et tlj pdt vac scol 10h-17h. Congés : de mi-déc à janv. Dernière visite 1h avt la fermeture. Entrée : 6 € ; réduc.* C'est un quadrilatère protégé par de grosses tours circulaires. Une déclaration d'utilité publique a permis à la commune de racheter le monument pour le restaurer entièrement et lui rendre son éclat d'antan. Intéressant parcours scénographique traduit en anglais et en espagnol qui permet de découvrir, au travers d'animations audiovisuelles, l'histoire de Villerouge au XIVe siècle. Au rez-de-chaussée, la vie du dernier des cathares (Bélibaste) : un« parfait » capable de désirs charnels (concubinage) et de coups de sang (homicide volontaire). Parfaitement !

L'église Saint-Étienne : voir l'étonnant retable composé de huit panneaux en bois peint. Pour les conditions de visite, se renseigner au château.

Dans le village : pont Vieux, vestiges des portes et des remparts, maisons des XVIe et XVIIIe siècles, jardin médiéval...

➤ DANS LES ENVIRONS DE VILLEROUGE-TERMENÈS

Le château de Termes : _2, Camin dal Castel. ☎ 04-68-70-09-20. À 12 km à l'ouest de Villerouge. Accès par la D 613 puis la D 40 au col de Bedos. Avr-oct, tlj 10h-18h (9h30-19h30 juil-août). Mars et de nov à mi-déc, w-e, j. fériés et vac scol 10h-17h. Visites commentées sur résa en juil-août 15h. Fermé de mi-déc à fév. Entrée : 3,50 € ; 2,50 € avec le passeport Inter-Sites ou sur présentation de ce guide ; 1,50 € pour les 6-15 ans._ Véritable nid d'aigle, cette citadelle cathare du XIIIe siècle se rendit après un siège de quatre mois, ses courageux occupants ayant été vaincus par la soif et la dysenterie ! Mais les vestiges bien pittoresques de la double enceinte et du donjon central, qu'on peut arpenter aujourd'hui, semblent dater du XIVe siècle. S'équiper de bonnes chaussures et surveiller les enfants pour des raisons de sécurité, même si l'ascension est plutôt aisée, par un chemin en pente douce goudronné. On peut poursuivre avec une petite balade agréable dans le village de Termes, très fleuri.
Au retour, route magnifique via les gorges du Termenet, sous le château, par la D 40 puis la D 212, en direction de Saint-Pierre-des-Champs.

FONTJONCOUSE (11360) 150 hab.

Mais c'est où, Fontjoncouse ? Pour finir en beauté cette série consacrée aux sentinelles du vertige, nous vous offrons ce village du bout du monde, accessible seulement par des routes où vous avez plus de chance de rencontrer un sanglier à la nuit tombante qu'une voiture de vigneron. Un détour que l'on ne regrette pas, tant pour la table (une des meilleures du département) que pour la beauté du paysage. C'est ici que les gourmets du monde entier se retrouvent à la table d'un des étoilés (2 étoiles !) les plus discrets et les plus méritants de toute la région.

Où dormir ? Où manger à Fontjoncouse et dans les environs ?

L'auberge du Vieux Puits : _11360 Fontjoncouse. ☎ 04-68-44-07-37. • aubergeduvieuxpuits@wanadoo.fr • À 22 km à l'est de Villerouge, en passant par Albas. Tlj sf lun midi tte l'année, ainsi que dim soir, lun soir et mar hors saison. Congés : janv-fév. Doubles 105-115 € (Maison des Chefs) ou 150-170 € (hôtel). Menu mar midi-ven midi 55 € ; autres menus 93-100 €._ Tenue par Gilles Goujon et son épouse Marie-Christine, voici une auberge de grand charme, au cœur d'un village perdu des Corbières. Menus de saison. Le premier, « bienvenue au pays », se révèle excellent. Un très grand repas et un service à la hauteur, soigné mais pas guindé. Six belles chambres doubles à prix plus doux, dans le village _(Maison des Chefs)_, chacune en hommage à un des grands noms de la gastronomie française, et des suites côté auberge, près de la piscine (pour tous les clients de l'hôtel). Tant pour l'environnement (garrigue, chant des cigales) que pour la classe de l'établissement, on s'attarderait bien ici quelques jours ! Surtout si le bouillant Gilles Goujon réussit à mettre en place sa carte courte du midi et ses cours de cuisine, pour animer les soirées, hors saison.

Auberge du Château de Bonnafous : *rue de l'Usine, 11360 Villesèque-des-Corbières. ☎ 04-68-45-88-20. • auberge-du-chateau-bonnafous@wanadoo.fr • ♿ Prendre direction Durban. Tlj sf mer (et dim soir hors saison). Congés : vac scol (zone A) de fév et de la Toussaint. Doubles 49-52 €. Menu midi en sem 13 €, puis 19-36 €. Apéritif maison offert sur présentation de ce guide.* Les chambres ont vue sur le parc. La cuisine fine et fraîche est joliment présentée et dans des portions généreuses. On mange dans une mignonne salle aux couleurs pastel ou sur la terrasse, selon la saison.

LAGRASSE

(11220) 600 hab.

Au cœur des Corbières, à mi-hauteur de Narbonne et Carcassonne. En venant de Narbonne, 40 km par l'autoroute puis la D 613. Ancienne capitale des Corbières, Lagrasse est une petite ville au beau patrimoine médiéval : vieux pont, ruelles, vieilles halles de toute beauté... et sa fameuse abbaye.

Adresse utile

Syndicat d'initiative : *6, bd de la Promenade. ☎ 04-68-43-11-56. • lagrasse.com • En saison, tlj 10h30-12h30, 14h30-17h30 (19h juil-août). Fermé dim hors saison.*

L'AUDE

Où dormir ? Où manger ?

Camping

Camping municipal Boucocers : *route de Ribaute. ☎ 04-68-43-15-18. • mairielagrasse@wanadoo.fr • ♿ Au nord du village. Ouv mars-oct. Compter 10,60 € pour 2 avec voiture et tente.* Une cinquantaine d'emplacements, bien équipés, avec une vue imprenable sur le village.

Prix moyens

Hostellerie des Corbières : *9, bd de la Promenade. ☎ 04-68-43-15-22. • hostelleriecorbieres@free.fr • hostelleriecorbieres.com • Dans le village, prendre direction Carcassonne. Resto tlj sf jeu. Congés : 5 sem en janv-fév. Doubles avec douche et w-c 50 € ; 70 €/pers en ½ pens. Au resto, menus 15-35 € et carte.* Une belle maison de village, avec six chambres accueillantes et paisibles où dominent le blanc, le bois, l'osier. Vieux parquets et vue sur la campagne. Restaurant réconfortant lui aussi, avec son salon, sa cheminée, sa salle conviviale. Terrasse à l'arrière, avec vue sur le vignoble.

Le Temps des Courges : *3, rue des Mazels. ☎ 04-68-43-10-18. Tlj sf mar et mer midi. Menus 15-28 €. Café offert sur présentation de ce guide.* Un petit resto caché dans une des vieilles rues de la cité, qui vous fait voir la vie tout en couleurs et en saveurs. Simple, bon, mais un peu long. Végétariens ne pas s'abstenir, surtout.

Où dormir ? Où manger dans les environs ?

De prix moyens à plus chic

Chambres d'hôtes et gîte rural : *Marthe et Daniel Rémon, domaine Degrave, 11220 Talairan (10 km de Lagrasse) ; bien fléché à partir du centre du village. ☎ 04-68-44-00-65. • daniel.remon@louisdegrave.com • louisdegrave.com • Ouv avr-oct. Résa obligatoire. Chambre d'hôtes 60 € pour 2, petit déj compris. Familiale 90 €. Table d'hôtes 15 € tt compris, sur résa slt. Dégustation du corbières du domaine sur présentation de ce guide. Également de jolis gîtes pour 4-5 pers (déco bien du Sud, tout en blanc et bleu) : 320-450 €/sem selon saison, 150-180 €/w-e (draps fournis).* Maisons de caractère indépendantes et accueil très chaleureux.

Chambres d'hôtes La Talayrane (Paule et Pierre Chertier) : *pl. de la République, 11220 Talairan (10 km sud). ☎ 04-68-44-09-92. • p-chertier@wanadoo.fr • Doubles 55-65 €, petit déj compris. Apéritif maison offert sur présentation de ce guide.* Dans un petit village pittoresque, sur une placette tranquille où gazouille une fontaine, grande demeure familiale au crépi beige rosé et aux volets verts, dont une partie appartient à l'ancien château. À l'étage, quatre chambres originales et douillettes avec sanitaires privés. Beaux meubles anciens, nombreux bibelots, superbes tableaux et murs enduits à la chaux. Atmosphère remplie d'authenticité, jusqu'au petit déjeuner servi dans de la belle vaisselle ancienne. Agréable patio et terrasse d'été bien abritée. Accueil superbe.

Hôtel-restaurant La Fargo : *11220 Saint-Pierre-des-Champs. ☎ 04-68-43-12-78. • lafargo@club-internet.fr • lafargo.fr • À env 5 km au sud de Lagrasse. Resto ouv slt le soir, et dim (sf juil-août) ; fermé lun. Congés : oct-fin mars. Doubles avec douche et w-c 64-74 €. Au resto, compter 35 € pour un repas complet à la carte.* Dans un cadre sublime : montagnes et vergers, bosquets de lavande devant cette ancienne forge catalane réhabilitée. Des chambres à la déco sobre, fraîche et élégante, harmonieux mélange de mobilier indonésien et de meubles de famille et, sur les lits, de beaux « batiks » des îles de la Sonde. Chaque chambre porte un nom d'arbre, en hommage à dame Nature. La cuisine est méditerranéenne, avec des notes orientales, variant au gré des saisons.

Le Clos des Souquets : *av. de Lagrasse, 11200 Fabrezan. ☎ 04-68-43-52-61. • clossouquets@free.fr • le-clos-des-souquets.com • À 10 km au nord-est de Lagrasse par la D 611, route de Lézignan. Resto tlj sf dim. Congés : en hiver. Doubles 50-90 € ; ½ pens 60-82 €/pers selon saison. Menus 20, 28 € (exotique) et 35 €. Verre de vin offert sur présentation de ce guide.* Cinq chambres en tout et pour tout. La famille Julien a gardé la nostalgie des Caraïbes, et ça se voit dans la décoration des chambres, comme dans les plats servis autour de la piscine. Côté sud, deux chambres à l'ombre des oliviers avec jardin privé et piscine pour elles deux. Également une chambre familiale pour quatre. Au restaurant, régalez-vous avec un carpaccio de thon rouge et un loup grillé au fenouil.

À voir

L'abbaye Sainte-Marie : on ne devine pas son âge en découvrant son aspect extérieur. Pourtant, cette abbaye a plus de douze siècles ! Fondée sous la protection de Charlemagne, elle connut un développement rapide qui en fit longtemps l'une des abbayes les plus prospères du Midi de la France. Du XIIIe au XVIIIe siècle, les 64 abbés qui s'y succèdent participent activement à la vie politique et religieuse du Languedoc et de la Catalogne. Divisée à la Révolution, et les moines chassés des lieux, ce monument historique assez impressionnant se divise en deux parties distinctes, l'abbaye ayant retrouvé une seconde vie depuis quelques années, grâce à une jeune communauté de chanoines réguliers.

– ***Logis et dortoir :*** *première porte d'entrée. ☎ 04-68-43-15-99. Juil-sept, tlj 10h30-18h15 ; hors saison, tlj 10h30-11h45, 14h-17h (17h30 juin et sept) ; de nov à mi-déc, tlj 14h-16h ; fév-mars, 14h-16h30. Entrée : 4 € ; réduc. Supplément de 1,50 € pour la visite accompagnée.* Après avoir franchi la première porte à gauche, on visite la partie médiévale. Dans l'ordre, la cour du logis (XIIIe siècle) et son chapiteau attribué au Maître de Cabestany, les vieux *celliers,* la boulangerie, une *tour préromane* (VIIIe siècle), un grand *dortoir* du XIIIe aux arcs magnifiquement conservés, représentant une coque de vaisseau renversée, une *chapelle* au beau carrelage vernissé, etc. En fin de parcours, panorama depuis le sommet de la tour sur le village...

– ***Le monastère :*** *peu visible, l'accès se fait par le portail en grès rose à droite de l'entrée précédente. ☎ 04-68-58-11-50. • chanoines-lagrasse.eu • Juin-sept, tlj 15h30-17h30 ; oct-mai, slt dim et fêtes. Entrée : 4 € ; visite guidée : 5 € ; réduc.* En restauration par les Chanoines Réguliers de la Mère de Dieu, les bâtiments conventuels se déploient autour de la cour d'honneur, d'un sobre classicisme auquel le grès rose donne un éclat presque joyeux. Du même style, le cloître de 1760 rayonne la majesté, la lumière, l'espace et une étonnante sérénité. L'église gothique (XIIIe siècle), bâtie sur les fondations d'une basilique carolingienne, impressionne par son acoustique remarquable (concerts en été). Elle s'ouvre sur un transept roman du XIe siècle. La tour-clocher s'élève à 42 m (panorama exceptionnel visible lors des visites guidées). Trois absidioles romanes déploient leur charme sur un jardin monastique en cours d'élaboration. Curiosités à ne pas manquer, sinon : le chapiteau du Maître de Cabestany représentant Adam et Ève chassés du paradis, un couvercle de sarcophage du VIe siècle et les chapiteaux de l'ancien cloître gothique.

Le pont Vieux : belle arche légèrement bombée, du XIIe siècle, reliant l'abbaye au village.

Dans le village : grande halle du XIVe siècle. Belles poutres et imposants piliers. Quelques vestiges des anciens remparts disséminés, comme la porte de l'Eau, la tour de Plaisance, etc. La *Maison du patrimoine* propose des expositions temporaires et une exposition permanente sur les plafonds à métope (plafonds peints datant des XIVe et XVe siècles). Entrée libre. Salle d'expo sur le Maître de Cabestany à l'abbaye.

➤ DANS LES ENVIRONS DE LAGRASSE

De charmants villages à découvrir au gré de promenades pédestres, cyclistes ou motorisées. Comme ***Fabrezan*** *(11200)* ou ***Ferrals-les-Corbières*** *(11200)*, aux places et toitures écrasées de soleil, aux vieilles églises modestes et belles. À Ferrals, halte sympathique au café du village, place de la République.

➢ ***Mayronnes*** (11220) ***:*** *au sud-ouest de Lagrasse.* Exposition de sculptures à ciel ouvert (d'avril à septembre), sur une boucle de 5 km empruntant en partie le GR 36 à travers la garrigue. Compter environ 2h30 de balade pour parcourir ce « sentier sculpturel » qui allie à merveille art et nature. On peut aussi prendre, sur les crêtes, le chemin panoramique (16 km et 6h de marche) qui emprunte le sentier sculpturel au retour.

➢ ***Villar-en-Val*** (11220) ***:*** *à env 15 km à l'ouest de Lagrasse.* Patrie de l'écrivain Joseph Delteil, « sentier en poésie », randonnée pédestre dans les bois et clairières qui entourent le village, ponctuée de phrases choisies de l'auteur. On y lit par exemple : « Le cœur, c'est encore le plus haut point de vue sur la terre » ou encore : « J'ai 100 000 ans, je suis né ce matin. » À méditer ? En tout cas, difficile d'échapper à la magie de cette promenade poétique. Si vous tombez sous le charme, sachez que s'organise à Villar un festival musical, poétique et champêtre : la Grande Deltheillerie.

LÉZIGNAN-CORBIÈRES

(11200) 9 000 hab.

Bourg assez étendu, entre Corbières et Minervois et à mi-chemin de Narbonne et Carcassonne, traversé par la N 113 et desservi par l'autoroute des Deux-Mers, Lézignan-Corbières reste une halte agréable assez proche du canal du Midi (jolie petite route pour rejoindre Le Somail, voir plus loin).

Adresses et info utiles

i ***Office municipal de tourisme :*** *9, cours de la République. ☎ 04-68-27-05-42. • lezignan-corbieres.fr • ♿. Juil-août, tlj 9h-19h (10h-12h30 dim) ; hors saison, lun-ven 10h-12h, 14h30-17h30.* Très accueillant. Toute la documentation concernant le vignoble environnant (liste des caveaux). Programme d'animation en été.

– ***Marché de pays :*** *mer mat.* Un des plus beaux du pays. Beaucoup de petits producteurs. À ne pas manquer.

■ ***Espace Gibert :*** *24, bd Max-Dormoy. ☎ 04-68-27-30-32. Juil-août, lun-sam 10h-12h, 15h-19h. Le reste de l'année, mar-ven 9h-12h, 14h-18h, sam 15h-18h.* Le rendez-vous de toutes les cultures, de toutes les musiques.

■ ***Maison des Terroirs en Corbières :*** *au château de Boutenac, 11200 Boutenac. ☎ 04-68-27-84-73. Ouv tte l'année tlj sf w-e et j. fériés.* Siège du syndicat général de l'AOC Corbières mais aussi accueil du public.

Où dormir ? Où manger ?

Hôtel Le Tassigny – Restaurant Le Tournedos : *rond-point de-Lattre-de-Tassigny (à la sortie de la ville, direction Fabrezan). ☎ 04-68-27-11-51. • tournedos@wanadoo.fr • Resto fermé lun. Doubles avec douche et w-c ou bains 41-48 €. Menus midi en sem 12,50 €, puis 24-45 € ; à la carte, compter 50 €.* Banale à l'extérieur, conviviale à l'intérieur, la maison est depuis plus de 35 ans surtout connue pour son restaurant, *Le Tournedos*, fréquenté par les gens du pays. Copieuses spécialités comme la terrine de cassoulet au confit ou le poisson *a la plancha*.

ENTRE CANAL DU MIDI ET MINERVOIS

Pour la carte du canal du Midi, se reporter au chapitre « Canal du Midi » dans « Hommes, culture et environnement ».

Remarque introductive : nous avons regroupé ici quelques haltes du canal du Midi sur un tronçon d'une quarantaine de kilomètres, de Trèbes (Aude) à Poilhes (Hérault). Une partie seulement (mais aussi une des plus belles portions) des 240 km que compte cette voie verte paressant sous de frais tunnels de platanes, inscrite par l'Unesco au Patrimoine mondial en début d'ouvrage (voir dans le chapitre « Hommes, culture et environnement ») !

Balades sur le (et autour du) canal

De nombreuses compagnies proposent des croisières de 2 à 7 jours entre *Trèbes* et *Marseillan* (voir plus haut dans le chapitre « Languedoc-Roussillon utile »). Bon à savoir : les tarifs de location (de 2 à 12 personnes) sont deux fois moins élevés en basse saison.
Mais qui dit canal ne dit pas forcément bateau, ce canal du Midi, on peut aussi le parcourir à pied ou à VTT, le long du chemin de halage. C'est une découverte nouvelle, un rythme différent, un autre regard. Flâner sous les platanes, les frênes, les pins parasols, les micocouliers, les saules, les peupliers, observer les jeux de lumière à la surface de l'eau et les manœuvres des éclusiers... La promenade s'avère délicieuse.
De Carcassonne à Agde, sur une distance de 126 km, le canal connaît sa portion la plus riche. Les marcheurs les plus résistants mettront environ une semaine pour les parcourir, avec une moyenne journalière de 18 km. Les vététistes, quant à eux, pourront le faire en 4 jours, suivant une moyenne approximative de 31 km par jour.

LE CANAL DU MIDI DE TRÈBES À POILHES

TRÈBES *(11800)*

D'origine romaine, le village fortifié est, au Moyen Âge, un poste avancé de Carcassonne. Belle église Saint-Étienne des XIIe et XIIIe siècles, intéressante pour ses 350 corbeaux peints. L'Aude, l'Orbiel et le canal du Midi traversent le village ; on les franchit par des ponts remarquables, notamment un pont à cinq arches en partie romain et un pont-canal construit par Vauban en 1686 permettant de traverser l'Orbiel.
Cette portion pourrait s'intituler « le canal en majesté », car majestueux, entre Carcassonne et Marseillette, il l'est vraiment. L'eau devient d'un vert profond, la végétation prend de l'ampleur et le chemin de halage des allures d'« allées du roi ».
Pour ceux qui continuent en bateau, arriver vers 16h. Un technicien vous initie et vous explique tous les secrets du bateau : réserve d'eau, moteur, pompe à eau. Parking gardé pour les voitures. Si vous êtes en forme, vous passez vos premières écluses et vous filez vers Marseillette ; sinon, vous pouvez dîner sur place.

Où manger ?

Le Moulin de Trèbes : *2, rue du Moulin. ☎ 04-68-78-97-57. Tlj sf de janv à mi-mars. Formule midi en sem (sf j. fériés) 15 € autour d'un superbe buffet de hors-d'œuvre (charcuterie, crudités, tomates séchées, etc.). Soir et w-e, menus 23-35 €, et carte. Apéritif maison offert sur présentation de ce guide.* Une cuisine toute simple, honnête et copieuse, à prix doux. Le must, c'est bien sûr la situation, avec la terrasse ombragée pour profiter de la vue et de l'animation sur le canal et une jolie salle aux tons ocre jaune.

MARSEILLETTE *(11800)*

Amarrer le bateau après le pont et avant les écluses, puis faire le plein d'eau sur le quai. Jolie vue sur la campagne des terrasses de l'église. Étonnante tour du Télégraphe. Pour ceux qui ont un vélo, direction Peyriac-Minervois et Rieux-Minervois (voir plus haut « Le pays carcassonnais ») : remparts, églises romanes et caves au programme.

Où dormir ? Où manger dans les environs ?

🏠 🍽 ***Chambres d'hôtes La Belle Minervoise :*** *chez Irène et Jean-Luc Kretz, 6, rue du Château, 11800 Saint-Frichoux. ☎ 04-68-78-23-65. • jeanluckretz@aol.com • belleminervoise.net • À 7 km au nord de Marseillette. Ouv tlj. Doubles avec douche et w-c 50 €. Fait aussi table d'hôtes : menu 20-22 €, vin compris. Apéritif maison et café offerts sur présentation de ce guide.* Maison de village du XIXe siècle avec terrasse et petit jardin fleuri. À l'étage, belles chambres décorées selon des thèmes différents (la « Gruissan » évoque la mer, la « Sigean » l'Afrique...). Certaines sont avec pierres et poutres apparentes et s'ouvrent sur les vignes. À la table d'hôtes, cuisine du terroir (régionale ou belge car les proprios le sont). Également un séjour d'initiation à la peinture ou à la vidéo. VTT à disposition. Possibilité de balade en bateau sur le canal.

HOMPS (11200)

Encore un village traversé par cette belle « route liquide » qu'est le canal du Midi. Amarrer pour la nuit à Homps, sans oublier le plein d'eau. Beaucoup de bateaux, manœuvres délicates, mais étape incontournable au pied de la tour. Un des rares cybercafés sur la route, au joli nom, vous attend ici : « En bonne compagnie » (☎ 04-68-91-23-16).

Où dormir ? Où manger ?

🏠 🍽 ***Auberge de l'Arbousier :*** *50, av de Carcassonne. ☎ 04-68-91-11-24. • auberge.arbousier@wanadoo.fr • Juste à côté du canal. Tlj sf dim soir (hors saison), lun et mar midi. Congés : 2 sem en fév et 2 sem en nov. Doubles 50-80 € selon confort. Menus midi en sem 16 €, puis 21-36 €. Apéritif maison ou café offert sur présentation de ce guide.* Auberge au décor alliant vieilles pierres, poutres apparentes et art contemporain. Un bel endroit avec une terrasse ombragée en été et des chambres calmes et confortables. Pour un peu, on se croirait dans une chambre d'hôtes. Côté cuisine, utilisation fine des produits du terroir.

🍽 ***Restaurant Les Tonneliers :*** *23, quai des Tonneliers. ☎ 04-68-91-14-04. • lestonneliers@wanadoo.fr • Congés : de mi-nov à début fév. Menus 14-31 € et carte.* On y mange bien mais sans la vue. Peu importe, le canal est là, tout près... et en tendant l'oreille, on peut presque l'entendre. Cassoulet ou saumon, il y en a pour tous les goûts. Beau jardin et terrasse ombragée dès les beaux jours.

Où dormir ? Où manger dans les environs ?

🏠 ***Chambres d'hôtes chez Pierre et Claudine Tenenbaum :*** *5, av. du Minervois, 11700 Azille. ☎ 04-68-91-56-90. • pierreetclaudine@tele2.fr • À 6 km au nord-ouest d'Homps. Tlj sf 15 j. en nov. Compter 59 € pour 2, petit déj compris. Réduc de 10 % en basse saison sur présentation de ce guide.* Quatre chambres d'hôtes (dont une est climatisée) au cœur du joli village d'Azille, entre canal et vignoble. Une adresse simple et chaleureuse, dans une grande maison bourgeoise. Pierre, ancien prof de tennis, a le sens du contact. Avec Claudine, ils sont très attentifs à la qualité des services et des produits qu'ils proposent. Petit déjeuner très soigné. Piscine.

🏠 🍽 Voir aussi nos adresses d'hôtels et resto à Lézignan-Corbières (Aude) ou vers Minerve et Olonzac (Hérault).

À voir dans les environs

Pour ceux qui sont en bateau, à l'écluse de ***Pechlaurier,*** possibilité d'acheter des fruits et légumes du jardin dont des vraies tomates ! Amarrer pour la nuit à ***Argens.*** Faire le plein d'eau et retourner par le chemin de halage, avec une lampe de poche. À Argens, visiter le village, son vieux château, superbe forteresse. Plus d'écluses pendant 54 km. Le paysage se déroule entre les méandres ; échappées sur les vignes, les villages et les garrigues. Quelques ponts en dos d'âne étroits, ralentir, centrer, passer plein gaz. Petite halte après ***Paraza,*** pour admirer l'aqueduc-pont-canal de Repudre, très étroit.

LE SOMAIL (11120)

À peine un village, un gros hameau plutôt, admirablement situé sur le canal du Midi. Notre coup de cœur entre Narbonne et Carcassonne. Bateaux et vedettes fluviales glissent sur l'eau douce, passent sous l'arche du vieux pont patiné surmonté d'une chapelle. Puis ils s'éloignent, grosses puces multicolores sous la voûte des arbres. Le Somail vit au rythme, lent et aquatique, du canal. C'est comme ça depuis plus de trois siècles. Rien n'a changé ou presque, sauf bien sûr le château d'eau qui domine le pays. Un artiste inspiré l'a totalement repeint à sa manière...
Bref, voilà un bon coin pour passer une nuit, loin des foules de la côte et des embouteillages des autoroutes. Une curiosité : Le Somail compte 450 habitants administrés par 3 communes.

Adresses utiles

Office de tourisme du Sud Minervois : *chemin des Patiasses, 11120 Le Somail-Ginestas. ☎ 04-68-41-55-70. Avr-oct, lun-ven 9h-13h, 15h-19h ; w-e 15h-19h. Le reste de l'année, tlj 13h-17h.*

■ ***La Péniche Épicière :*** *allée de la Glacière, au pied du pont du Somail, face à la librairie ancienne. ☎ 04-68-46-95-11. Avr-oct, tlj 8h-13h, 16h-19h30.* Une épicerie flottante où se ravitailler en produits alimentaires de toutes sortes. Le matin, on y trouve des viennoiseries. Très sympa.

Où dormir ? Où manger dans les environs ?

Prix moyens

Chambres et table d'hôtes Les Volets Bleus : *43, quai d'Alsace, 11590 Sallèles-d'Aude. ☎ 04-68-46-83-03. • bandb@salleles.net • salleles.net • Ouv tte l'année. Doubles 60-70 €, petit déj compris. Repas, vins compris, 25 €. Pot d'accueil offert sur présentation de ce guide.* Maison de maître au bord du canal avec une miniterrasse ombragée et des volets... bleus. Les propriétaires, écossais, sont tout bonnement adorables et la table est bonne (gaspacho, poulet sauce miel et moutarde, pêches au four...). Les dîners sont souvent polyglottes, ce qui donne un charme supplémentaire aux discussions ! Bibliothèque bien garnie dans le couloir.

Chambres d'hôtes La Cicindelle : *chez Laureen Tillier, 4, rue des Pacaniers, 11200 Raissac-d'Aude. ☎ 04-68-43-80-95. Depuis la N 113, direction Villedaigne, puis Raissac. Ouv avr-fin sept. Doubles 50 €, petit déj compris.* Dans une maison de village du XVIIe siècle, des chambres spacieuses et confortables, avec salles d'eau impeccables. Calme assuré. Dans la cour, petite collection de cactus et, au rez-de-chaussée, un minimusée de minéraux et fossiles ! Laureen, d'origine lyonnaise, est charmante. Elle dispense plein de conseils sur les balades et les sites à visiter.

Chambres d'hôtes Passage à Gué : chez Isabelle et Louis Cathala, 13, rue de la Rigole, 11120 Mirepeisset. ☎ 04-68-46-31-22. • cathala.louis@wanadoo.fr • gite-mirepeisset.fr.st • Pour 2, compter 44-52 € selon la chambre (une avec douche et l'autre avec une immense baignoire). Apéritif maison offert sur présentation de ce guide. Idéal pour les cyclistes. Espaces communs spacieux et incroyablement bien équipés : chaîne hi-fi, TV, magnétoscope, cuisine, terrasse avec barbecue, etc. Au bout d'une ruelle, calme garanti.

Où manger ? Où boire un verre au Somail et dans les environs ?

***Le Comptoir Nature** : 1, chemin de Halage, 11120 Le Somail. ☎ 04-68-46-01-61. • lecomptoirnature@hotmail.fr • Avr-oct, tlj. Formule midi 17 € ; menus 21-29 €. Carte 22 €. Apéritif maison offert sur présentation de ce guide.* Café-glacier-resto au bord du canal, en contrebas du petit pont. Cuisine « nature » autant que savoureuse. Assiettes de pays. Jus de fruits biologiques, vins et produits du pays cathare.

***Café du Port** : rue du Port, 11200 Paraza. 06-28-82-80-42. En hte saison, ouv ts les soirs à partir de 17h30 et à midi mer et sam. Fermé mar-mer avr-oct. Le reste de l'année, ouv slt ven soir et sam soir.* Cadre sympa dans un ancien caveau et terrasse au bord du canal pour grignoter sans façon.

***« Plan B »** : ☎ 04-68-46-28-08. Ouv tte l'année, 18h-2h ; fermé lun-mer nov-mars.* Très sympathique pour boire un petit verre ou un des nombreux cocktails maison, entre amis. Musique d'ambiance, jazz et salsa latina. Dominique et Gilles ont aussi des chambres d'hôtes, très chaleureuses (50 € pour 2, petit déj compris).

À voir

La chapelle-pont : pendant longtemps, les gens du canal venaient y faire leur prière au cours d'une escale au Somail.

***La librairie ancienne** : tt près du pont du Somail, le long du canal. ☎ 04-68-46-21-64. Tlj sf mar (tlj juil-août). 1er déc-1er avr, slt l'ap-m. Fermé 15-30 nov.* Un lieu toujours aussi étonnant qui contient pas moins de 50 000 ouvrages ! Des livres parfois introuvables dénichés par Anne-Marie Gourgues, la propriétaire des lieux.

***Le musée de la Chapellerie** : ☎ 04-68-46-19-26. En saison, tlj 9h-12h, 14h-19h ; hors saison, ouv l'ap-m slt jusqu'à 18h. Entrée : 3,20 € ; réduc enfant.* Pas moins de 6 500 couvre-chefs (un peu poussiéreux) provenant de 84 pays, exposés dans un hangar. Peu d'antiquités toutefois, les plus anciens datant du XIXe siècle. Pour les passionnés de chapeaux.

À voir dans les environs

***Mirepeisset** (11120),* charmant petit bourg, est un joli but de promenade. En été, baignade très agréable dans la Cesse, au lieu dit « La Garenne », avec une aire de jeu à l'ombre, des tables de pique-nique et la possibilité de faire des grillades.

***Amphoralis, musée des Potiers gallo-romains** : allée des Potiers, 11590 **Sallèles-d'Aude**. ☎ 04-68-46-89-48. Traverser Sallèles jusqu'au canal et prendre à gauche, longer le canal jusqu'à l'allée des Potiers, sur la droite. En été, tlj 10h-12h, 15h-18h. Hors saison, mar-ven 14h-18h, w-e 10h-12h, 14h-18h. Entrée : 4 € ; réduc.* Le musée domine ce qui fut une véritable cité industrielle où l'on fabriqua, trois siècles durant, des amphores, tuiles, briques, tuyaux, vaisselle, etc. On y découvre nombre d'amphores, notamment la « Gauloise 4 » qui servit au transport du vin tout autour de la Méditerranée. Le village des potiers, en construction depuis 1997, est un chantier permanent, à la fois zone d'expérimentation archéologique et lieu d'interprétation, d'animations. Les visiteurs assistent aux travaux et peuvent participer.

Le centre européen du Patchwork : *32, quai de Lorraine, 11590* ***Sallèles-d'Aude.*** *☎ 04-68-46-02-47. • patchwork-cep.com • Pâques-Toussaint, tlj 10h30-12h30, 15h-19h ; Toussaint-Pâques, w-e slt. Congés : janv-fév. Tarif : 3 € ; réduc ; gratuit moins de 16 ans. Entrée : 2 € sur présentation de ce guide.* Dans un ancien chai, au milieu des vignes, une passionnée du patchwork vous entraîne dans son monde tout en couleur. Expo permanente des techniques et de l'histoire du patchwork. Expo temporaire d'artistes internationaux, à l'étage ; stage d'initiation et de perfectionnement ; boutique de patchworks et kits.

À faire dans les environs

➢ Se rendre à ***Paraza*** (8 km) en passant par **Ventenac,** à mi-chemin environ se trouve le premier pont canal d'Europe construit par Pierre-Paul de Riquet en 1676. Le joli village de Paraza surplombe le canal. À noter que le château du XVIIe siècle fut la résidence de Riquet, le concepteur du canal du Midi, pendant la réalisation des travaux. De ***Paraza*** à ***Roubia*** (3 km), sur un chemin de halage ombragé par des platanes centenaires. Parcours agréable et très calme, qui traverse de beaux villages perchés comme celui d'***Argens.*** Prendre le temps, ici, d'admirer les jardins fleuris et les jolies maisons d'éclusiers qui se succèdent. *De* ***Roubia*** *à* ***Homps*** (10 km), vous verrez sur cette portion du canal sans doute les plus belles écluses. Petites maisons pimpantes aux volets peints de couleurs vives, saules majestueux et un véritable feu d'artifice de fleurs multicolores. Au printemps, c'est magique !

➢ Pour ceux qui sont en bateau, l'heure est venue de nous quitter. Vous avez le choix entre la descente de la Robine vers Narbonne et la continuation. Le passage de ***Port-la-Robine*** n'est pas simple, il y a un bras mort, des ponts, du courant et, ô merveille ! de magnifiques pins parasols ; passage technique. Pour ceux qui continuent en direction d'Agde, fin ici de la croisière côté Aude. À partir de Capestang, vous êtes dans le département de l'Hérault (suite de la balade dans un prochain chapitre, autour de Béziers « Le canal du Midi de Béziers à Capestang »).

BIZE-MINERVOIS (11120)

Un hameau situé sur la route des vins, pour ceux qui continuent l'aventure côté Hérault.

Où dormir ? Où manger à Bize et dans les environs ?

La Bastide Cabezac : *18-20, hameau de Cabezac, à Bize-Minervois. ☎ 04-68-46-66-10. • contact@labastidecabezac.com • labastidecabezac.com • De mi-sept à mi-avr, resto ouv tlj sf sam midi, dim soir et lun ; en été, tlj sf le midi lun-mer. Congés : de fin nov à mi-déc et vac scol de fév. Doubles 85-130 € selon confort et saison. Menus à partir de 16 € midi en sem, puis 25-75 €.* L'ancien relais de poste sur la Minervoise, la route des vins entre Béziers et Carcassonne, est devenu un hôtel-resto de charme. Entre ocre jaune et bleu ciel, la Bastide offre un intérieur d'inspiration régionale. Dallage ancien, salon-patio andalou, piscine, on fait le plein d'énergie après une visite des châteaux cathares. Cuisine gastronomique entre terre et mer.

🍽 ***Le Chat qui Pêche :*** *vieille route du Canal, 11120 Argeliers. ☎ 04-68-46-28-74. • restaurantchatqp@aol.com • ♿ À 4 km de Mirepeisset en direction de Béziers. Tlj sf ven. Congés : oct-mars. Menus 18-25 €.* Une cuisine cosmopolite pour tous les goûts, avec bourride de seiches et calamars aïoli, poulet à la catalane, etc. Dans une maison cantonnière du XVIIe, avec une agréable terrasse au bord du canal.

À voir

La coopérative l'Oulibo : *☎ 04-68-41-88-88. • loulibo.com • Visite commentée et gratuite du moulin à huile et de la coopérative. En été, visites à 10h30 et 14h30-17h30. Magasin de produits régionaux ouv tlj 8h (9h sam, 10h dim)-12h, 14h-18h (19h en été).* On peut y acheter notamment la Lucques, la fameuse olive verte de table.

LE PAYS DE LA NARBONNAISE

De Narbonne à la frontière séparant l'Aude des Pyrénées-Orientales, on découvre avec surprise une côte plutôt bien préservée. Hormis les stations balnéaires de Port-la-Nouvelle ou Port-Leucate, très bétonnées mais circonscrites à quelque 5 ou 10 km de littoral, ce sont de vastes étendues de plage séparant la mer d'une multitude d'étangs où nichent flamants roses et vieux villages de pêcheurs.

NARBONNE

(11100) 48 020 hab.

Mille ans avant notre ère, Narbonne était une halte bienvenue sur la route allant de Marseille vers l'Espagne. Les Romains en firent leur capitale, commandant toute la région – d'ailleurs appelée narbonnaise. « La Narbonnaise, disait Pline, n'est pas une province : c'est l'Italie. » D'une ville grise, triste, aux maisons de torchis, le génie architectural de la Rome toute-puissante transforma Narbonne en un port magnifique.
Place commerciale de premier ordre (les canaux y transportaient le fromage de Lozère, les conserves d'huîtres de la côte et le vin de Béziers), port important, industrie drapière florissante, l'âge d'or dura du VIIIe au XIVe siècle. Les événements du XIVe siècle (peste, guerre de Cent Ans, piraterie) entraînèrent le déclin de la ville. Mais Louis XII en fit une place forte, édifiant remparts et tours avec les pierres des monuments romains et détruisant ainsi un témoignage unique de la période la plus faste de la ville. Son rôle militaire s'acheva à la signature du traité des Pyrénées. La frontière s'éloignait et la menace aussi.
Aujourd'hui, le voyageur prendra plaisir à flâner dans les quartiers populaires et le long du romantique canal de la Robine.

Adresses et infos utiles

ℹ ***Office de tourisme*** *(plan B2) : 31, rue Jean-Jaurès. ☎ 04-68-65-15-60. • narbonne-tourisme.com • D'avr à mi-oct, tlj 9h-19h ; hors saison, lun-sam 10h-12h30, 13h30-18h, dim et j. fériés 10h-17h.*

Office de tourisme Narbonne-Plage *(hors plan par D2)* **:** ☎ *04-68-49-84-86.* • *narbonne-plage.com* • *De juin à mi-sept, tlj 9h-19h ; hors saison, tlj sf lun 10h-17h ; en hiver, 9h-13h.* Infos complètes sur les campings.

Gare SNCF *(plan C1)* **:** *av. Carnot.* ☎ *36-35 (0,34 €/mn). Au nord-est du centre-ville.*

Versus Internet Café *(plan C2,* **1***)* **:** *60, rue Droite.* ☎ *04-68-32-95-27. Tlj 10h-23h (ap-m slt dim et j. fériés, jusqu'à 20h).* Accès wi-fi.

Evolva *(plan C3,* **2***)* **:** *8, rue Paul-Louis-Courrier.* ☎ *04-68-65-02-36. À 50 m de la poste.*

– **Marchés :** *tlj sous les halles, 7h-13h. Marché aux fleurs quai Vallière jeu tte la journée. Marché forain Les Barques et Cours Mirabeau jeu 8h-17h et dim 8h-13h ; plan Saint-Paul jeu 8h-13h. Marché aux fripes parking de la Charité mar 8h-12h.*

Où dormir ?

Bon marché

Centre international de séjour *(plan B2,* **10***)* **:** *pl. Roger-Salengro.* ☎ *04-68-32-01-00.* • *contact@cis-narbonne.com* • *cis-narbonne.com* • ♿ *À l'angle de la rue Deymes. Sans adhésion et accueil 24h/24. Nuit 15,10 € en dortoir, 18,90 € en chambre, petit déj compris ; ½ pens 25-28,80 €.* Centre moderne et bien tenu, disposant de 98 lits. On y trouve foyer TV, distributeurs et salle polyvalente. Très bien pour les couples : les chambres du 2e étage n'ont que 2 ou 3 lits, avec douche et w-c. Récemment agrandi, le centre s'est doté de chambres doubles et d'infrastructures adaptées aux personnes handicapées.

De prix moyens à plus chic

Hôtel Le Régent *(plan D2,* **12***)* **:** *15, rue Suffren.* ☎ *04-68-32-02-41.* • *hotelleregent@wanadoo.fr* • *leregentnarbonne.com* • *Ouv tte l'année. Doubles 35-44 € selon confort et saison. Réduc de 10 % de nov à mi-mars sur présentation de ce guide.* Deux chambres ont une terrasse avec vue sur la ville (les nos 10 et 11), les nos 16 et 17 donnent sur le jardin (nos préférées), et la plupart ont été récemment refaites. Un petit hôtel propre et sans prétention, pratiquant des prix raisonnables.

Hôtel de France *(plan C3,* **11***)* **:** *6, rue Rossini.* ☎ *04-68-32-09-75.* • *accueil@hotelnarbonne.com* • *hotelnarbonne.com* • *À côté des halles. Selon saison, doubles 47-68 € avec douche, w-c et TV, 58-68 € avec bains.* Dans une rue tranquille, cette belle maison du début du XXe siècle dispose de jolies chambres rénovées, propres et assez confortables. Accueil simple et cordial.

Hôtel du Languedoc *(plan C3,* **13***)* **:** *22, bd Gambetta.* ☎ *04-68-65-14-74.* • *hotel.languedoc@wanadoo.fr* • *hoteldulanguedoc.com* • *Garage privé. Ouv tte l'année. Doubles avec douche et w-c ou bains 58-68 €. Kir breton offert sur présentation de ce guide.* Au rez-de-chaussée, pour les petits creux, salon de thé-crêperie (le *Mewen*). Les chambres, très classiques, sont claires et ont été refaites. La literie est excellente et certaines chambres ont vue sur la cathédrale toute proche. Double vitrage, ascenseur et Canal+.

Hôtel La Résidence *(plan B2,* **14***)* **:** *6, rue du 1er-Mai.* ☎ *04-68-32-19-41.* • *hotellaresidence@free.fr* • *Au centre-ville, près du canal, entre la médiathèque et la cathédrale. Garage fermé privé ou parking de la médiathèque. Doubles 63-83 € selon saison. Un petit déj/chambre/nuit offert sur présentation de ce guide.* Dans une petite rue calme, cet ancien hôtel particulier cache une trentaine de chambres climatisées. Les chambres nos 33 et 34 ont vue sur la cathédrale. Derrière la façade blanche de style haussmannien, la décoration classique de bon goût, le mobilier XIXe, les salons et les hauts plafonds, tout cela lui confère un charme certain. Son principal atout demeure son emplacement stratégique pour découvrir à pied les monuments historiques ou flâner le long du canal. Il règne ici une agréable tranquillité, une ambiance cosy très appréciée de nos voisins d'outre-Manche.

Où manger ?

À midi, pour manger à prix doux et sur le pouce, allez faire un tour aux halles de Narbonne. Deux ou trois bars pas tristes pour les amateurs de convivialité, comme *Chez Bébelle,* un ancien joueur de rugby qui tient son bar en famille. Chez lui, on commande une viande, il interpelle le boucher en face pour l'avoir immédiatement, il la fait cuire, et avec les frites maison et un verre de vin de pays, vous en avez pour moins de 10 €.

Prix moyens

|●| ***Restaurant L'Estagnol*** *(plan C3,* ***20****) : 5 bis, cours Mirabeau.* ☎ *04-68-65-09-27.* ● *lestagnol@net-up.com* ● ♿ *Tlj sf dim et lun soir. Le soir, service jusqu'à 22h. Formule midi 11 € ; menus 17-28 €. Café offert sur présentation de ce guide.* Une brasserie sympa pour ceux qui veulent manger rapidement, en toute simplicité. Cuisine locale et plateaux de fruits de mer à prix raisonnables. Terrasse (chauffée en hiver) et salle à l'étage avec vue panoramique sur le canal et la cathédrale. On y croise parfois les artistes qui viennent y dîner après le théâtre.

|●| ***Le Petit Comptoir*** *(plan B2,* ***21****) : 4, bd du Maréchal-Joffre.* ☎ *04-68-42-30-35.* ● *camille-pastoret@aol.com* ● *Tlj sf dim-lun. Service jusqu'à 22h. Congés : début janv. Menus 18 € midi, puis 25-35 € ; à la carte, compter 45 €.* Autant réserver car ce resto-bistrot est à la mode grâce à son cadre plaisant et à son patron enjoué toujours attentif au choix de ses produits. Il y a du changement chaque semaine en fonction des arrivages et de l'humeur du chef (c'est ce que le patron appelle « la cuisine spontanée »).

|●| ***Les Barques*** *(plan C3,* ***24****) : 31, cours de la République.* ☎ *04-68-32-47-95. Tlj sf dim soir hors saison. Menus 12,50 € midi lun-sam (sf j. fériés), puis 16-23 €.* La spécialité, ici, c'est le foie gras, et l'on ne vous mène pas en bateau, même si, en été, le service rame un peu. Le reste de la carte est très « terroir et méditerranée ». Sinon, de belles et copieuses salades. En somme, une honnête cuisine de brasserie. Terrasse le long du canal. Fréquenté par les habitués.

Plus chic

|●| ***La Table Saint-Crescent*** *(hors plan par A3,* ***22****) :* 68, av. du Général-Leclerc. ☎ *04-68-41-37-37.* ● *saint-crescent@wanadoo.fr* ● *Dans le palais du Vin et aux*

■ Adresses utiles

- Office de tourisme
- Poste
- Gare SNCF
- Gare routière
- **1** Versus Internet Café
- **2** Evolva

Où dormir ?

- **10** Centre international de séjour
- **11** Hôtel de France
- **12** Hôtel Le Régent
- **13** Hôtel du Languedoc
- **14** Hôtel La Résidence

|●| Où manger ?

- **20** Restaurant L'Estagnol
- **21** Le Petit Comptoir
- **22** La Table Saint-Crescent
- **24** Les Barques

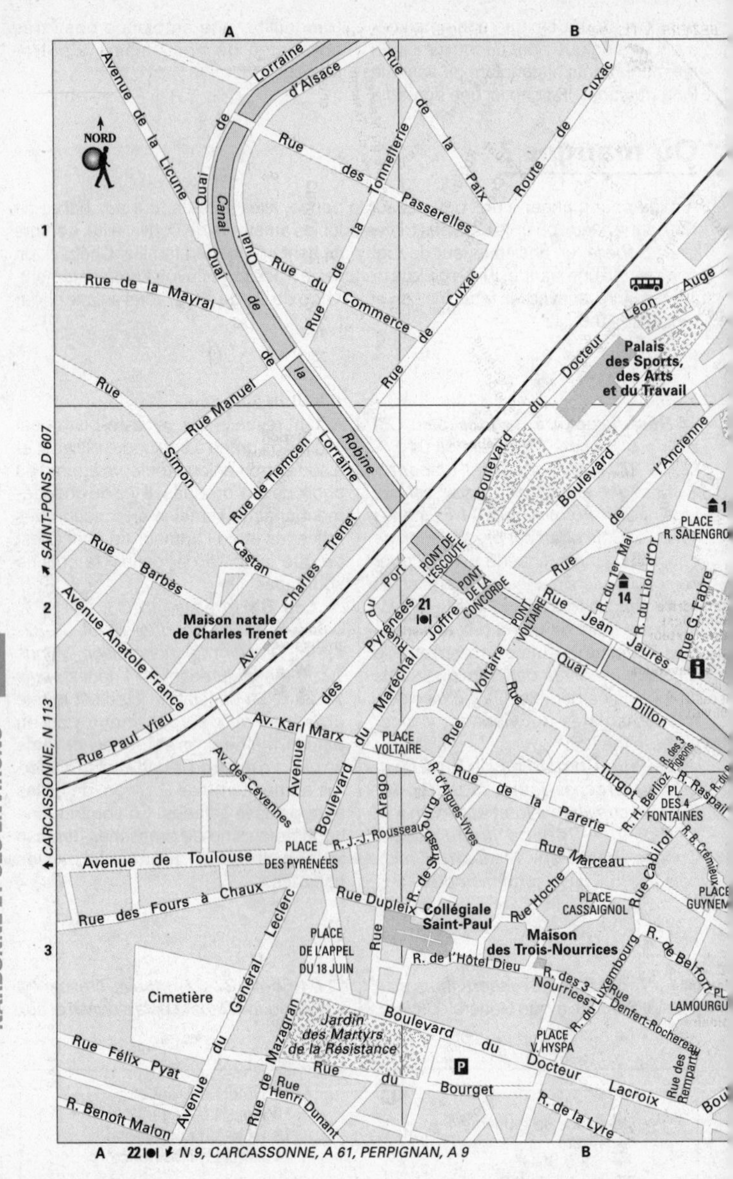
A
B
NORD
1
2
3
Avenue de la Licune
Quai de Lorraine
Quai d'Alsace
Rue de la Paix
Route de Cuxac
Canal
Quai de la Robine
Quai de Lorraine
Rue des Passerelles
Rue de la Tonnellerie
Rue du Commerce
Rue de Cuxac
Rue de la Mayral
Rue Simon Castan
Rue Manuel
Rue de Tiemcen
Rue Charles Trenet
Av. Charles Trenet
Boulevard du Docteur Léon Auge
Palais des Sports, des Arts et du Travail
Boulevard de l'Ancienne
PLACE R. SALENGRO
Rue Barbès
Avenue Anatole France
Maison natale de Charles Trenet
Rue Paul Vieu
Rue du Port
Avenue des Pyrénées
21
Boulevard du Maréchal Joffre
PONT DE L'ESCOUTE
PONT DE LA CONCORDE
PONT VOLTAIRE
Rue Jean Jaurès
R. du 1er Mai
R. du Lion d'Or
Rue G. Fabre
14
Quai Dillon
Rue Voltaire
Av. Karl Marx
PLACE VOLTAIRE
Av. des Cévennes
Boulevard
Rue Arago
R. de Strasbourg
R. d'Aigues-Vives
Rue de la Parerie
Rue Turgot
R. des 3 Pigeons
R. Raspail
R. H. Berlioz
PL. DES 4 FONTAINES
R. B. Crémieux
Avenue de Toulouse
PLACE DES PYRÉNÉES
R. J.-J. Rousseau
Rue Marceau
Rue Cabirol
PLACE GUYNEM
Rue des Fours à Chaux
Rue Dupleix
Collégiale Saint-Paul
Rue Hoche
PLACE CASSAIGNOL
Maison des Trois-Nourrices
R. de Belfort
PLACE DE L'APPEL DU 18 JUIN
R. de l'Hôtel Dieu
R. des 3 Nourrices
R. du Luxembourg
Rue Denfert-Rochereau
PL. LAMOURGU
Cimetière
Avenue du Général Leclerc
Rue de Mazagran
Jardin des Martyrs de la Résistance
Boulevard du Docteur Lacroix
PLACE V. HYSPA
Rue des Remparts
Rue Félix Pyat
Rue du Bourget
P
R. Benoît Malon
Rue Henri Dunant
R. de la Lyre
Bou
SAINT-PONS, D 607
CARCASSONNE, N 113
22 N 9, CARCASSONNE, A 61, PERPIGNAN, A 9

BÉZIERS, N 113, N 9
C
BÉZIERS, N 113, N 9
D
0
100
200 m
1
2
3
NARBONNE-PLAGE, D 168
PERPIGNAN, A 9, BÉZIERS, A 9
A 9
C
D
GRUISSAN, D 32, A 9
Square Thérèse Léon Blum
Avenue Pierre Sémard
Avenue du Maréchal de Lattre de Tassigny
Rue de l'Indépendance
Rue Lakanal
Avenue Élie Sermet
Rue Rochambeau
Boulevard Marcel Sembat
Boulevard du Maréchal Foch
R. des 3 Moulins
Rue de Blida
Rue Condorcet
Rue Chanzy
Rue Viala
Rue Edmond Valentin
Rue Calixte
Rue Pierre
R. de Barcelone
Rue d'Alger
Avenue Paul Tournae
PL. DU FORUM
COUR DE JANOTE
Saint-Sébastien
Station œnologique
Horreum
Rue Garibaldi
Rue Cuvier
R. du Dr Roux
PLAN SAINT-FRANÇOIS
Rue Valmy
d'Isly
PLACE DE LAPEYRADE
Rue Gabriel
Rue Pelouze
Rue Francis Marcero
Boulevard du Général de Gaulle
Avenue du Président Kennedy
Palais de justice
Sous-préfecture
Cathédrale Saint-Just-Saint-Pasteur
Palais des Archevêques
PLACE DE L'HÔTEL DE VILLE
R. de l'Ancien Courrier de la Major
PLACE DE VERDUN
R. Brissot
R. P. Laffont
Rue Littré
Rue Mosaïque
R. V. Renard
R. E. Billières
Rue Jacquard
Rue d'Églantine
Rue Suffren
Rue Félix
Boulevard Gambetta
Cours de la République
Canal de la Robine
PONT DE LA LIBERTÉ
Cours Mirabeau
Rue Lobet
Rue Paul Louis Courier
Rue Henri Aldy
Rue Rouzaud
Quai Victor Hugo
Quai Vallière
R. E. Zola
Marché
Docteur Ferroul
R. Baptiste Limouzy
Rue de l'Alcazar
Rue Mazzini
R. Guiraut Riquier
Rossini
Rue Romain
Rue des Colonnes
Rue Neuve
Rue du Capitole
Rue Droite
Rue Rouget de Lisle
Rue Michelet
Rue Blanc
Rue Louis
Rue Corneille
Rue Auber
R. Viollet-le-Duc
R. Nigaud
R. Gauthier
R. de l'Ancienne Porte de Béziers
Rue Mistral
R. Papin
1
2
11
12
13
20
24

NARBONNE

portes de Narbonne (route de Perpignan). Tlj sf sam midi, dim soir et lun. Formule midi en sem 20 €, puis menus 37-79 €. À la carte, compter 60 €. Belle maison toute de pierre brute ancienne. La salle, à la déco très contemporaine, a été aménagée dans une ancienne chapelle, ce qui renforce le sentiment de décalage avec l'environnement extérieur (on est en pleine zone commerciale). Lionel Giraud a travaillé chez les plus grands (aux *Ambassadeurs,* au *Ritz...*). Il nous a bluffés avec sa formule du midi, goûteuse et équilibrée, à prix tout doux ! Quant au menu à 37 €, il relève du prodige et change régulièrement avec le marché et les saisons.

Où dormir ? Où manger dans les environs ?

La Bâtisse : *11560 Fleury-d'Aude. ☎ 04-68-33-77-01. • contact@la-batisse.net • la-batisse.net • Dans Fleury, prendre la direction Béziers (D 618) ; après la chapelle, passer deux petits ponts, c'est la 1re à droite (un chemin). Ouv tte l'année sur résa. Doubles 60 € ; petit déj 7 €. Table d'hôtes en été 30 €. Visite de l'élevage de taureaux de la propriété sur présentation de ce guide.* Isolés de tout, vous êtes au royaume des chevaux, des *toros* et des oiseaux, dans un site très préservé. La bâtisse ne propose que 10 chambres, toutes différentes, à la déco authentique et ensoleillée, très rétro (mais toutes confortables). On vous proposera des sorties à cheval (payantes) en compagnie des gardians, et le soir vous pourrez découvrir à la table d'hôtes (en hte saison, résa obligatoire) les déclinaisons savoureuses de la viande de *toro* (AOC !).

À voir. À faire

En rive gauche de la Robine, le quartier de Cité offre de multiples découvertes : musées, palais des Archevêques (aujourd'hui hôtel de ville) et cathédrale Saint-Just-et-Saint-Pasteur. Des visites guidées sont organisées du lundi au vendredi durant toutes les vacances scolaires. Sur rendez-vous pour groupe hors saison. Thèmes en fonction de la programmation.
Sur présentation de ce guide, tarif réduit accordé sur toutes les visites commentées de juillet à septembre. *(Rens : service culturel de la mairie, ☎ 04-68-90-30-66.)*
– Il existe un « *ticket pass* » à 7,50 € qui permet de visiter les 4 musées (Musée archéologique, musée d'Art et d'Histoire, Horreum et Musée lapidaire) ainsi que plusieurs sites de la ville. Infos auprès de l'OT.

La cathédrale Saint-Just-et-Saint-Pasteur *(plan B-C2) : accès rue Armand-Gautier ou cloître. Juil-sept, tlj 10h-19h ; oct-juin, 9h-12h, 14h-18h.*
Commencée au XIIIe siècle, seul son chœur fut construit. Ce qui ne se voit pas du premier coup d'œil, à moins d'être un spécialiste. Les consuls de la ville s'opposèrent à la poursuite des travaux au XIVe siècle pour éviter la destruction d'un rempart romain. L'histoire leur donna raison d'une certaine manière, le rempart ayant, par la suite, protégé Narbonne des Anglais... D'un style gothique rayonnant à tendance flamboyante avec ses pinacles, l'édifice est une belle réussite, à commencer par sa voûte, l'une des plus hautes de France après celles d'Amiens, de Beauvais et Metz. Dans le chœur : orgue somptueux, orné d'anges musiciens, maître-autel dessiné par Hardouin-Mansart et belles stalles...
Dans les *chapelles,* vitraux des XIVe et XVe siècles et très riche mobilier. Dans la chapelle de Notre-Dame-de-Bethléem, superbe retable de pierre polychrome datant du XIVe siècle. À la clôture du chœur, des tombeaux d'archevêques révèlent le prestige de ces grands prélats.
Du même côté, un couloir conduit à la *salle du Trésor (juil-fin sept, lun-sam 11h-18h, dim 14h-18h ; entrée : 2,20 € ou avec le* ticket pass*).* Sa voûte ellipsoïdale en

brique lui donne une curieuse résonance. On y trouve d'admirables raretés comme la tapisserie flamande de la Création (début XVIe siècle), une plaque en ivoire du IXe, des pièces d'orfèvrerie, des livres enluminés, un coffret en cristal, etc.
Et si vous n'avez pas le vertige, offrez-vous le grand frisson (on exagère un peu !) : la Planète, située au-dessus du déambulatoire et des chapelles rayonnantes, donne accès à la tour nord, haute de 62 m.

Le cloître *(plan B-C2)* **:** de la seconde moitié du XIVe siècle, il est assez mal conservé à l'exception de ses gargouilles sculptées. D'un côté, les jardins, de l'autre, le pittoresque passage de l'Ancre qui sépare le palais Neuf du palais Vieux.

Le palais des Archevêques *(plan B-C2)* **:** *pl. de l'Hôtel-de-Ville. En deux parties, l'une du XIIe et l'autre du XIVe siècle. Cette dernière abrite le Musée archéologique et le musée d'Art et d'Histoire. Avr-sept, tlj 9h30-12h15, 14h-18h ; oct-mars, 10h-12h, 14h-17h. Fermé lun (en hiver) et j. fériés. Entrée : 7,50 € pour les 4 musées (le Musée archéologique, le musée d'Art et d'Histoire, l'Horreum et le Musée lapidaire) ou 3,70 € par musée ; réduc.*
Les salles du Musée archéologique présentent une importante collection de documents lapidaires évoquant Narbonne romaine mais aussi un exceptionnel ensemble de peintures à fresques.
Le musée d'Art est installé dans les anciens appartements des archevêques, où séjournèrent Louis XIII – pendant le siège de Perpignan –, puis Louis XIV. Leur chambre possède un magnifique plafond à caissons. Au sol, une belle mosaïque romaine et, aux murs, de très académiques tableaux du XVIIe siècle. La grande galerie se distingue par sa collection de pots à pharmacie en faïence de Montpellier. Un peu partout, des tableaux italiens et flamands. Dans la chambre à coucher, très beau mobilier Louis XV. Les deux dernières salles du musée sont consacrées à la peinture orientaliste. Cette exposition permanente est aujourd'hui l'une des plus remarquables de France.

Le donjon Gilles-Aycelin : *accès par l'accueil de la mairie. Juil-sept, tlj 10h-18h ; hors saison, 9h-12h, 14h-18h. Entrée : 2,20 € ou avec le* ticket pass. Belle tour de la fin du XIIIe siècle érigée par un archevêque soucieux d'affirmer son pouvoir... Depuis le sommet, terrasse offrant un panorama sur la ville et les environs.

La place de l'Hôtel-de-Ville *(plan C2)* **:** *la mairie est installée dans le palais des Archevêques.* De la place de l'Hôtel-de-Ville, la façade est du palais Neuf entre les deux tours a été reconstruite au XIXe siècle par Viollet-le-Duc. À droite du passage de l'Ancre s'élève le palais Vieux. Le tracé de l'ancienne voie Domitienne a été dégagé sur le parvis de l'hôtel de ville, formant une belle excavation archéologique, bien mise en valeur par son écrin de marbre.

De la place, remonter la ***rue Droite*** *(plan C2)*, piétonne et très animée, pour pénétrer dans les vieux quartiers.

L'Horreum *(plan C2)* **:** *rue Rouget-de-Lisle. ☎ 04-68-32-45-30. Tlj sf lun 10h-12h, 14h-17h. Entrée : 3,70 € ou billet combiné 7,50 €, qui donne également accès (3 j. durant) aux deux musées du palais des Archevêques et au musée Lapidaire.*
Cet entrepôt romain est le seul monument antique conservé par la ville, ce qui est tout de même un comble quand on sait l'importance qu'elle eut pour les Romains. Longtemps enterrées, les longues galeries de l'Horreum (« grenier » en latin) ne furent explorées qu'au début du XXe siècle. Les recherches ne sont d'ailleurs pas terminées tant cette cave, autrefois située sous un marché, semble immense. L'Horreum, monument unique en son genre, reste assez mystérieux : on n'en connaît toujours pas la fonction exacte. Visite intéressante, et bien agréable en été (fraîcheur constante). Dans les nombreuses petites cellules jouxtant les galeries, des bustes, des masques, des frises et des plaques sculptées font revivre toute une Antiquité enfouie. L'atmosphère qui règne dans ce dédale de pierre est tout à fait étrange.

La maison natale de Charles Trenet *(plan A2) : 13, av. Charles-Trenet. ☎ 04-68-90-30-66 (mairie). 1er avr-30 sept, tlj sf mar 10h-12h, 14h-18h ; l'ap-m slt le reste de l'année. Visites commentées et musicales ttes les heures (dernière visite à 11h le mat et à 17h l'ap-m). Entrée : 5,20 € ; réduc.* Pour une immersion dans l'univers du « Fou chantant », la maison où est né le 18 mai 1913, le chanteur-compositeur de *Y a d'la joie*, *Douce France* et de tant d'autres tubes et où il a grandi. Beaucoup de souvenirs drôles, émouvants, derrière ces murs aux volets verts, dans cette maison familiale cédée à la ville en 1997.

➢ ***Promenade sur le canal de la Robine :*** *en bateau électrique. 06-03-75-36-98. Balades de mi-juin à mi-sept, tlj 11h-19h.* Embarcadère le long de la promenade des Barques, en face du marché.

La collégiale Saint-Paul *(plan A-B3) : de l'autre côté du canal, dans le quartier de Bourg. Tlj sf dim ap-m 9h-12h, 14h-18h.* Construit dans le style gothique méridional précoce, cet édifice a été édifié sur le tombeau du premier évêque évangélisateur de Narbonne. Selon un poète local, « le vieux clocher de Saint-Paul est l'âme de Narbonne ». Le chœur (du XIIIe siècle) étonne par ses dimensions. Riche mobilier : tapisseries d'Aubusson, retables, reliques, tableaux, grandes orgues, etc. À noter, le « bénitier à la Grenouille » qui s'inspira d'une amusante légende : troublant une messe de ses coassements hérétiques, la pauvre bête aurait été pétrifiée sur place ! À voir aussi, la crypte paléochrétienne (s'adresser au gardien) qui recèle d'intéressants sarcophages, dont l'un, sculpté, est considéré comme le plus vieux de la Gaule chrétienne.

L'ancienne église Notre-Dame-de-la-Mourguié *(plan C3) : derrière les Halles. Avr-sept, tlj 9h30-12h15, 14h-18h. Le reste de l'année, 10h-12h, 14h-17h. Fermé lun en hiver et certains j. fériés. Entrée : 3,70 €.* L'église du XIIIe siècle, désaffectée, héberge le ***Musée lapidaire*** de la ville. Plus de 1 000 pièces y sont rassemblées : souvenirs de l'époque romaine, fragments de sculptures médiévales, stèles, sarcophages, autels, statues, etc. Le plus grand musée lapidaire du monde après celui de Rome !

Manifestations

– ***Festa Latina :*** *21 juin-fin août, à Narbonne et Narbonne-Plage.* Des spectacles colorés, gratuits et ouverts à toute la famille.
– ***La Via Mercaderia :*** *2 j. début août, 10h-19h.* Sorte de marché médiéval : spectacles, animations et reconstitutions historiques retracent l'histoire de Narbonne au Moyen Âge.
– ***Féeries de Noël :*** *en déc.*

➢ DANS LES ENVIRONS DE NARBONNE

L'île Sainte-Lucie : *à env 15 km au sud de Narbonne. Accès par le canal de la Robine, à Port-la-Nouvelle (3,5 km) ; possibilité sinon d'arriver en voiture à* ***Mandirac.*** *À partir de là, il faut compter 11 km pour atteindre l'île.*
Le chemin de halage défile entre les roseaux et les genêts, la bande de terre se resserre tandis que le canal se trouve coincé entre les étangs de ***Sigean*** et de l'***Ayrolles.*** Terre, eau et ciel semblent se confondre, et même la voie ferrée, seul élément de modernité dans cet univers aquatique, sait se faire discrète. Une balade à faire tôt le matin ou en fin de journée.
Autrefois nommée Cauquène, l'île Sainte-Lucie fut une zone de troc importante dès l'Antiquité. En dépit de ce riche passé, elle est aujourd'hui isolée dans les étangs narbonnais. À noter que l'île est gérée par le Conservatoire du littoral, que les chiens et le camping y sont interdits. Végétation particulièrement exubérante : plus de

300 plantes et fleurs, dont un tiers d'espèces rarissimes. Une demi-journée de marche suffit pour en faire le tour.

🥾🥾🥾 ***Le massif de la Clape :*** entre Narbonne et la mer, le massif de la Clape se parcourt à pied, à cheval ou à vélo ; des routes secondaires le traversent également, à travers pierres et vignes, en passant par de pittoresques villages. Le massif est un site naturel au relief étonnant (gorges, falaises, chaos de pierre blanche) qui abrite une flore et une faune riches et singulières : essences méditerranéennes (pin d'Alep, pin parasol, quelques chênes verts ou kermès, genêts et pistachiers) et de belles plantes qui fleurissent en avril-mai : orchidée, tulipe sauvage, genévrier... On y trouve aussi une centaurée acaule unique au monde : la *Corym bosa,* qui, certainement, fait bon ménage avec les criquets – dont trois espèces sont également uniques au monde.
Plusieurs chemins au départ du *Domaine de l'Hospitalet* (route de Narbonne-Plage) : chemins vers l'étang de Pissevaches et vers l'intérieur des terres. Un « sentier d'Émilie » est également fléché depuis ce point de départ.

🥾🥾🥾 Au nord du massif, entre Saint-Pierre-la-Mer et Fleury, se trouve le ***gouffre de l'Œil-Doux,*** spectaculaire et formant une piscine naturelle, mais traître. **ATTENTION !** plusieurs disparitions d'imprudents, mystérieusement happés par le gouffre...

🥾 ***Narbonne-Plage :*** *à 15 km de la ville par la D 168.* Jolie route au paysage de pins et de pierraille, de plus en plus sauvage à mesure que la mer approche. La plage s'étend en ligne droite sur plusieurs kilomètres, malheureusement bordée de maisons récentes sans aucun charme. En fait, c'est assez laid ! On y trouve les activités et loisirs habituels : plongée, voile, pêche, golf, parc d'attractions.

L'ABBAYE DE FONTFROIDE

Un des sites majeurs de ce département de l'Aude, à 12 km au sud-ouest de Narbonne. Prendre l'A 9 (sortie Narbonne-Sud) puis la N 113, direction Carcassonne, et enfin la D 613.

À voir

🥾🥾🥾 ***L'abbaye :*** *☎ 04-68-45-11-08.* • *fontfroide.com* • *♿ (sf à l'étage). Visite guidée slt (une bonne heure), 10 juil-31 août, tlj 10h-18h (départ ttes les 30 mn) ; hors saison, 10h-12h15, 13h45-17h30 (départ ttes les 45 mn), en hiver, 10h-12h, 14h-16h (départ à l'heure pile). Entrée : 9 € ; réduc. Restauration possible sur place. Librairie, cave, produits locaux.*
L'une des plus belles abbayes de la région, dans un site enchanteur et sauvage, propice à la prière et au calme. Fondée au XIe siècle, elle prospéra pendant les XIIe et XIIIe siècles, donnant un pape, quelques cardinaux, et essaimant d'autres abbayes. Ses biens furent vendus après la Révolution, puis la propriété devint privée au début du XXe siècle. De jeunes guides très compétents vous permettront de mieux remonter le temps et l'espace.
– ***L'ancien réfectoire :*** pour admirer sa superbe voûte.
– ***La cour Louis-XIV :*** bâtiment du XIIIe siècle, fronton du XVIIe.
– ***Le cloître :*** de la deuxième moitié du XIIe siècle. D'une élégance rare avec ses colonnettes géminées en grès et en marbre de Caunes, finement sculptées. Voûte du XIVe. Les larges écoinçons des arcades permettent un meilleur éclairage des galeries, qu'apprécieront les photographes.
– ***La salle capitulaire :*** salle de réunion des moines construite entre 1180 et 1280, qui allie sobriété et majesté.

– ***L'église abbatiale :*** édifiée au XIIe siècle. La grâce touchante des proportions parfaites et la chaude couleur de ses pierres contrastent admirablement avec la nudité austère des lieux. La voûte en berceau brisé de 20 m de haut en fait l'une des plus hautes abbayes cisterciennes de France. Des messes y sont encore dites et des chorales viennent y chanter.
– ***Le promenoir :*** à l'étage. Dominant le cloître, sa terrasse lui sert en fait de toit. Sa déclivité servait à récupérer l'eau de pluie.
– ***Le dortoir des frères :*** splendide grâce à ses tons ocre, orangés, roses. Le silence y était obligatoire. Les frères n'avaient d'ailleurs le droit de s'adresser la parole qu'un quart d'heure par jour !
– ***Le cellier :*** construit en partie dans la roche. Ses dimensions rappellent qu'il y avait 300 bouches à nourrir...
– ***La cour d'honneur :*** étonne par son faste, plus habituel dans un château.
– ***La roseraie :*** inaugurée pendant l'été 1990, elle a reçu un prix. Plus de 2 000 rosiers joliment disposés autour d'un bassin.
|●| Possibilité de déjeuner à la *Table de Fontfroide* : ☎ *04-68-41-02-26.*

Manifestations

En 2008, l'abbaye fêtera tout au long de l'année le centenaire de son acquisition par Gustave Fayet et Madeleine d'Andoque : concerts, expos, colloques. *Infos :* • *fontfroide.com* •
– ***Visite nocturne théâtralisée :*** *en juil-août*. Pour découvrir Fonfroide la nuit, sous un angle inédit.
– ***Festival Musique et Histoire :*** *13-16 août.* Avec Jordi Savall (le spécialiste de la viole de gambe) et Montserrat Figueras.
– ***Une saison en hiver :*** *de la Toussaint à la veille du dimanche des Rameaux.* Visite de pièces non accessibles le reste de l'année. Pour retracer la vie de l'abbaye du XVIIIe au XXe siècle.
– ***Les Balades gourmandes d'hiver du massif de Fontfroide :*** *le 7 déc.* Vente, dégustation de vins du terroir de Fontfroide, produits gourmands, artisanat.

GRUISSAN (11430) 3 400 hab.

À 10 km au sud de Narbonne-Plage. Gruissan apparaît entouré du miroitement des eaux des étangs peuplés de flamants roses. Le vieux village possède un cachet extraordinaire avec ses maisons couleur de terre brûlée par le soleil, aux toits rouges. Il est construit sur un plan circulaire et semble encore sous la protection du château de Barberousse. Un « tribunal des prud'hommes pêcheurs » et le *Café de la Paix,* siège du club de rugby, achèvent de conférer au lieu toute son authenticité. Voilà pour le côté paradisiaque de l'endroit ! En 1963, l'État ayant décidé de « mettre en valeur le littoral du Languedoc-Roussillon », les promoteurs investirent les lieux. On creusa une marina et Port-Gruissan sortit de terre. L'ensemble n'est certes pas très joli d'un point de vue architectural, mais on a vu pire. Ambiance chaude en juillet et août.

Adresses utiles

🅘 ***Office municipal de tourisme :*** *bd du Pech-Maynaud.* ☎ *04-68-49-09-00.* • *gruissan-mediterranee.com* • *En saison, tlj 9h-20h ; hors saison, lun-ven 9h-12h, 14h-18h, sam-dim 10h-12h, 14h-16h.* Personnel compétent. Bonne documentation sur Gruissan et sa région. Accès libre à Internet et wi-fi.

■ ***Gruissan Windsurf :*** *étang de Mateille.* ☎ *04-68-49-88-31.* ● *gruissan-windsurf.com* ● Stages et location de planches à voile, funboard, catamaran, optimiste, char à voile, canoës de mer, etc.

■ ***Le Coureur des Bois :*** *sous la pinède du Pech-Maynaud, face à l'office de tourisme.* *06-22-32-34-61.* Parcours aérien installé d'arbre en arbre ; 52 ateliers et 5 parcours pour combler ses envies de sensations fortes en toute sécurité.

■ ***Ligue de protection des oiseaux :*** *route de Gruissan-Tournebelle.* ☎ *04-68-49-12-12.* ● *aude@lpo.fr* ● *En juil-août, sorties ornithologiques au crépuscule autour des salins et du village ; gratuit.*

Où dormir ? Où manger ?

Sur le port, plusieurs petits restos sans prétention, mais qui servent de bons poissons frais : ***Le Lagon*** (Les Dromandaires), ***Les Palmiers*** (La Farigoule), ***Chez Bulle*** (quai Ponant).

De prix moyens à plus chic

Hôtel Le Corail : *quai Ponant, Port-Gruissan.* ☎ *04-68-49-04-43.* ● *resa_gruissan@monalisahotels.com* ● *monalisahotels.com* ● *Parking payant (8 €). Doubles avec bains 65-93 € selon saison.* Les chambres modernes, confortables et propres, avec TV câblée, ont été rénovées et sont dignes de leurs 3 étoiles. On y dort bien. Resto sur place. Terrasse agréable donnant sur le port.

L'Estagnol : *12, av. de Narbonne.* ☎ *04-68-49-01-27. Juste en face de l'étang. Tlj sf dim soir (hors juil-août) et lun ; Congés : sept-fin mars. Menus midi en sem 15 €, puis 24-30 €. À la carte, compter 35 €.* Une ancienne maison de pêcheur où l'on se délecte de *zarzuela* à la langouste, d'encornets farcis ou encore d'une potée du pêcheur aux petits légumes. Déco provençale et accueil agréable.

Restaurant Le Lamparo : *4, rue Amiral-Courbet.* ☎ *04-68-49-93-65. Dans le vieux village, en bordure d'étang. Tlj sf lun-mar (slt midi en été). Congés : de mi-déc à fin janv. Menus 23-39 € et carte.* Un bon resto spécialisé dans le poisson et les crustacés, à prix raisonnables. Salle bien propre, quelques tables en terrasse face à l'étang. Redoutable premier menu : huîtres rôties au magret de canard, filet de daurade à la tapenade, truffé au chocolat. Rien à redire, sinon merci !

Où trouver quelques bons vins et de bons produits ?

Depuis plus de deux millénaires, on fabrique du vin à Gruissan. Une tradition bien implantée et quelques bonnes surprises.

Château Bel Évêque : *sur l'île Saint-Martin.* ☎ *04-68-75-00-48. Tlj sf dim 10h-13h, 15h-18h.* Le domaine de Pierre Richard, depuis vingt ans déjà.

La Perle Gruissanaise : *M. Rozek, 6-7, av. de la Clape, Base Conchylicole.* ☎ *04-68-49-23-24.* Huîtres et moules de pleine mer.

À voir

La tour – dite de Barberousse : ce qu'il reste d'un château médiéval du XIIIe siècle. On y monte par un escalier étroit taillé dans le rocher (accès tout proche de l'église du village). Panorama admirable sur les étangs, le massif de la Clape, la plage des chalets sur pilotis. On y remarque l'étonnante construction en rayons concentriques du village, et la belle couleur terre et ocre des murs et des toits des maisons. Un sentier contourne le château, à travers pins et broussailles.

Les chalets sur pilotis : vers 1850, les bains de mer deviennent un phénomène de société. Les Narbonnais qui peuvent se le permettre viennent à Gruissan et se mettent à construire des chalets en bois. Habitations de vacances, ces chalets n'ont jamais eu la vocation d'être des maisons de pêcheurs. Le port était près du village et chacun vivait de son côté. Pour échapper à la fournaise de la ville, les familles s'installaient à la plage, sans eau ni électricité, mais avec la fraîcheur des embruns maritimes. Dans les années 1960, on comptait 1 300 chalets étalés sur 10 rangées. Aujourd'hui, ils sont dotés de l'eau et de l'électricité. Et si quelquefois la mer tente de reprendre ses droits pour inonder le site, la digue protège les constructions. L'endroit servit aussi de décor au film de Jean-Jacques Beinex, *37°2 le matin*, tourné en 1986.

La chapelle des Auzils et le cimetière marin : *à 4 km au nord, direction la chapelle Notre-Dame-des-Auzils, dans le massif de la Clape.* Une allée de cyprès monte vers ce sanctuaire bordé de cénotaphes. On peut lire d'émouvantes inscriptions sur les dalles du cimetière marin. Des ex-voto en trompe l'œil sur les murs de la chapelle et de belles peintures ornent l'intérieur de l'église, juste devant le socle très particulier de l'autel. Une figure de proue, quelques maquettes et tableaux en hommage aux marins disparus complètent l'ambiance des lieux. Beau panorama sur la région. Pèlerinage le lundi de Pâques, le lundi de Pentecôte et le 15 août.

Les salins de l'île Saint-Martin : *route de l'Ayrolle. ☎ 04-68-49-59-97. • salins.com • Contourner le vieux village par le bord de l'étang et traverser le pont qui mène au port Barberousse, en direction de l'étang de l'Ayrolle. Avr-juin et sept-oct, tlj 9h30-12h30, 14h-18h ; juil-août, tlj 9h30-12h30, 14h-19h. Compter 1h30 de visite. Tarifs : 6,60 € ; 3,90 € enfant.* Parcours pédestre sur le salin de l'île Saint-Martin, qui n'est plus exploité aujourd'hui. Une balade de 2 km avec présentation des différentes phases de production et usages du sel, récolte « muséale ». Observations ornithologiques et biologiques passionnantes. La visite de l'écomusée (gratuit) nous fait revivre la récolte du sel au début du XXe siècle, et présente la faune et la flore des milieux salés.

La cité de la vigne et du vin : *domaine INRA de Pech-Rouge. ☎ 04-65-75-22-62. Juil-août, tlj 10-20h ; vac scol, tlj 14h-17h ; le reste de l'année, slt w-e et j. fériés. Tarifs : 6 € ; 8-15 ans : 3 € ; gratuit moins de 8 ans. Atelier d'œnologie et d'analyse sensorielle (9 €). Jeux-découverte pour les enfants.* Ce centre scientifique propose une découverte interactive du raisin et de ses dérivés. Tous les stades de développement de la vigne au fil des saisons : du cep jusqu'à la dégustation, en passant par les différentes phases de vinification et d'élevage du vin. Vaste jardin de cépages, serre et exposition pour sentir, expérimenter et s'informer. Pour finir, dégustation et découverte des derniers cépages issus des recherches de l'INRA.

Fêtes et manifestations

– ***Le festival de la B.D. :*** *en avr ou mai, se renseigner.* Le rendez-vous des bédéphiles de la région. Expositions des œuvres des célèbres dessinateurs et séances de dédicaces.
– ***Printemps des sens :*** *le w-e de Pâques.* Expositions, ateliers découverte, animations originales et spectacles gratuits pour surprendre nos cinq sens.
– ***Défi wind du Gruissan Windsurf :*** *le w-e de l'Ascension.* Un événement qui attire tous les accros de windsurf. On s'inscrit quel que soit son niveau et son équipement (tout ce qui ressemble à une planche à voile est valable) et en avant pour la glisse !

– ***Fête des Pêcheurs :*** *à la Saint-Pierre, les 28 et 29 juin.* Messe spéciale, où l'on danse le *scottish,* procession et bénédiction des flots !
– ***La Barberousse :*** *le 1er dim de juil.* Course pédestre emblématique de 11 km ouverte à tous. Les lots les plus importants sont tirés au sort avant le buffet pantagruélique... Il y a même la ***Barbemousse,*** réservée aux enfants.
– ***Les Rencontres cinéma :*** *8-9 sept.* Thème choisi et projections suivies de débats, ateliers découverte avec initiation à la réalisation de sketches et au montage. Expos de films, de photos et d'affiches de films.

BAGES

(11100) 760 hab.

À 10 km au sud de Narbonne. Prendre la N 9, direction Perpignan, et tourner à gauche dans la D 105. On longe les étangs avant d'apercevoir les habitations à flanc de coteau. Pour découvrir toute l'histoire du village et de l'étang, se promener en empruntant la rue du cadran solaire et en suivant le sentier du patrimoine intitulé : « Dans le sillage de l'anguille ». On débouche en contrebas sur le petit port de pêche, tout en surplombant les toits des maisons recouverts de lichen. Un lieu touchant et pittoresque, miraculeusement préservé du syndrome de « plagification ». À visiter par un matin ensoleillé...

Adresse utile

ℹ ***Office de tourisme :*** *à la maison des arts, 8, rue des Remparts.* ☎ *04-68-42-81-76.* • *bages.fr* • *Mer-dim 14h30-19h (en juil-août, tlj 15h-20h).*

DE BAGES À LA RÉSERVE AFRICAINE PAR LES ÉTANGS

Prendre la D 105, direction Peyriac-de-Mer. On longe alors une étroite bande de terre bordée à droite par les marais salants, à gauche par les étendues d'eau de Bages et Sigean. Magnifique, surtout quand les mouettes et les colonies de flamants sont de la partie. À Peyriac, prendre la N 9 direction Sigean. La ***réserve africaine*** est indiquée.

SIGEAN

(11130) 4 100 hab.

Tranquille et pas trop envahie de touristes, l'ancienne ville-étape de la voie romaine Domitienne (ralliant Nîmes aux Pyrénées) possède de vieilles rues pittoresques...

Adresses utiles

ℹ ***Syndicat d'initiative de Sigean et des Corbières maritimes :*** *pl. de la Libération.* ☎ *04-68-48-14-81.* • *http://monsite.wanadoo.fr/sisigean* • *Tlj sf dim ap-m 9h-12h, 16h-19h.* Toutes les promenades possibles dans les environs : circuit de Ginestelle, circuit des Gasparets, promenade aux Éoliennes et autour du golfe antique. Juste en face, musée des Corbières (fouilles archéologiques, outils agricoles, etc.).

■ ***Cercle nautique des Corbières :*** *base nautique de Port-Mahon.* ☎ *04-68-48-44-52.* Canoë, catamaran, planche à voile, etc.

À voir. À faire

Le musée des Corbières : *☎ 04-68-48-14-81. Juil-août, lun-ven 9h-12h30, 15h30-19h ; hors saison, le mat slt lun-sam.* Musée d'archéologie principalement, présentant urnes funéraires, amphores, poteries, outils et bijoux divers, trouvés en partie lors des fouilles de Pech Maho. Ces témoignages anciens (phéniciens, grecs, étrusques, romains et gallo-romains), s'ils ne sont pas toujours en parfait état, n'en sont pas moins remarquables.

La Réserve africaine : *rens au ☎ 04-68-48-20-20. • reserveafricainesigean.fr • Tlj de 9h au coucher du soleil (caisses fermées vers 19h en été et vers 16h en hiver). Entrée : 23 € adulte ; 18 € enfant. Cafétéria et aires de pique-nique.*
L'un des rares « espaces de liberté » pour animaux en France, sur 300 ha de garrigue et d'étangs. La réserve accueille aujourd'hui plus de 3 800 animaux, dont de nombreuses espèces en voie de disparition : lycaon, chimpanzé, éléphant d'Afrique, âne de Somalie, rhinocéros blanc, ours du Tibet, etc. Outre ces animaux devenus rares, le site fait l'intérêt des lieux, avec sa végétation de type quasi africain et son superbe étang peuplé de flamants roses, rouges et blancs, de hérons, de pélicans, d'oies sauvages, de cygnes, etc.
À voir également, sur le circuit à pied, les différents parcs dominant l'étang et menant à la « plaine africaine » et à l'île où vit un groupe de chimpanzés. On y trouve dromadaires, éléphants, zèbres, guépards, girafes, impalas, wallabies, cochons du Vietnam... Ainsi que nombre d'oiseaux, paons et autres, en totale liberté.
Les parcs de la brousse et de la savane présentent les rhinocéros blancs et une flopée d'antilopes. En revanche, les parcs à ours et à lions font un peu de peine. Ils ne se visitent qu'en voiture ou dans la navette gratuite de la réserve.

➢ Une ***promenade*** sympa si l'on a du temps : l'***étang*** à Port-Mahon et ***Les Cabanes.*** Prendre la direction Port-la-Nouvelle à la sortie de Sigean. À la fabrique de tuiles, prendre le chemin de gauche vers le CCCM (déchetterie). Continuer tout droit à travers les vignes. Le hameau Les Cabanes est en contrebas. Au milieu des marais, une poignée de descendants de pêcheurs y vivent. Au bord de l'étang, des traînées blanches laissées par les salins. Le calme environnant, percé du cri des mouettes et du chant des cigales dans les pins, ajoute une touche poétique. Voici le dernier authentique village de pêcheurs...

➤ DANS LES ENVIRONS DE SIGEAN

PORTEL-DES-CORBIÈRES *(11490)*

À 6 km au nord-ouest de Sigean.

Où dormir ?

Chambres d'hôtes Domaine de la Pierre Chaude : *chez Myriam et Jacques Pasternak, hameau Les Campets, 11490 Portel-des-Corbières. ☎ 04-68-48-89-79. • lescampets@aol.com • lapierrechaude.com • Traverser le village de Portel (en venant de Narbonne) et poursuivre sur 3 km. Un panneau indique la propriété. Congés : janv-mars. Gîtes (4-8 pers) ouv tte l'année. Pour 2, compter 75-85 €, petit déj compris. Apéritif maison ou café offert sur présentation de ce guide.* La maison, un ancien chai du XVIIIe siècle, présente une architecture exceptionnelle : jeu sur les volumes et les formes, avec notamment des mosaïques réalisées par un élève de Gaudí, et un patio andalou. Quatre belles chambres meublées et décorées d'objets glanés aux puces (où Jacques a travaillé). On a particulièrement aimé la Chambre blanche, avec son côté marocain, mais les autres sont tout aussi ravissantes. Superbe petit déj avec fromages de la région, excellentes confitures maison, etc. Deux gîtes à la déco très méditerranéenne.

À voir. À faire

Terra Vinea, les caves Rocbère : *chemin des Plâtrières. ☎ 04-68-48-64-90. • terra-vinea.com • Ouv tte l'année, tlj sf Noël et Jour de l'an. Se renseigner pour les horaires de visite. Entrée : 8,50 € ; réduc.* Une visite de caves assez originale, puisqu'il s'agit d'anciennes mines de gypse reconverties en chais. Longues, larges et fraîches galeries bordées de fûts millésimés, des centaines de barriques ; de quoi enivrer plusieurs régiments pendant de nombreuses années ! Quelques mises en scène : villa gallo-romaine modestement reconstituée, expo de matériel de viticulture. Son et lumière dans les galeries souterraines, évocation assez réaliste de la consommation de vin (et des plats !) au Moyen Âge entre autres... Une visite qui se termine, côté boutique, par une sélection de bouteilles et un bar à vins pour ceux qui préfèrent consommer sur place. On termine par une petite dégustation.

PORT-LA-NOUVELLE *(11210)*

Le domaine de Jugnes et sa baleine : *av. de Catalogne. ☎ 04-68-48-00-39. De Port-la-Nouvelle, route de Lapalme (D 7) ; c'est indiqué. Pâques-fin sept, tlj 15h-19h. Entrée gratuite. Visite commentée pour les groupes sur rendez-vous.* Vigneron de son état, Jean-Louis Fabre décida un jour de 1989 de ramener chez lui la baleine échouée sur la plage de Port-la-Nouvelle. Il a fallu dépecer ce monstre de 40 t, démonter le squelette et le remonter, blanchir les os : un gros travail mais aujourd'hui on peut voir un squelette de baleine long de 20 m au domaine de Jugnes, dans le chai. Ça impressionne beaucoup les bambins ! On pourra aussi acheter du vin de table bon marché.

LEUCATE (11370) 3 700 hab.

À 15 km au sud-ouest de Sigean. N 9 puis D 27. Il y a Leucate, village d'un certain charme, et Leucate-Plage, offrant un des meilleurs spots de planches à voile d'Europe. La plage de sable s'étend à perte de vue de Cap-Leucate à Port-Leucate. À notre avis, plus intéressante que celle de Narbonne. Moins de monde en saison. Et puis il y a les huîtres !

Adresses utiles

Office de tourisme : *espace culturel, 11370 Port-Leucate. ☎ 04-68-40-91-31. • leucate.net • Juil-août, tlj 9h-19h (22h sam) ; hors saison, tlj (sf dim oct-mars) 9h-12h, 14h-18h. Espace Internet à l'intérieur : 3 €/h.*

Location de VTT : Roue libre, *résidence Madina, rue de la Vixiège, à Port-Leucate. ☎ 04-68-40-66-16. Ouv avr-sept.* **Loca Détente,** *quai du Paurel, à Port-Leucate. ☎ 04-68-40-89-73. Ouv tte l'année.*

Surfshop/Kiteshop : Surf One Port Leucate, *☎ 04-68-40-92-11.* **Neway Leucate :** *☎ 04-68-40-61-08.* **Adrenaline La Franqui :** *☎ 04-68-40-11-32.*

Où dormir ? Où manger ?

⛺ ***Camping Rives des Corbières :*** *av. du Languedoc, Port-Leucate.* ☎ *04-68-40-90-31.* ● *rivescamping@wanadoo.fr* ● *rivesdescorbieres.com* ● ♿ *Ouv avr-fin sept. Pour 2, compter 17,20 € en hte saison avec voiture et tente. Loc de mobile homes 180-670 €/sem selon saison.* Vaste camping très bien équipé avec une grande piscine, un bar, épicerie, aire de jeux, etc. Plage à 150 m. Fonctionnel et sans charme.

🍴 ***Le Clos de Ninon :*** *12, av. Francis Vals.* ☎ *04-68-40-18-16.* ● *closdeninon@wanadoo.fr* ● ♿ *Tlj sf lun, mar (sf le soir en été) et mer midi (en hte saison). Congés : de mi-nov à fin janv. Menu le midi en sem 14 €. Autres menus 30-40 €. Café offert sur présentation de ce guide.* Doit avoir chaud, avec sa fourrure, Ninon, qui pose fièrement sur toutes les cartes de ce restaurant traditionnel, au menu terroir impeccable. Déco un peu hors du temps.

Manifestations

– ***10 km de la Corrège :*** *en mars*. Course pédestre, *pasta party,* orchestre, etc.
– ***Mondial du vent :*** *fin avr.* Championnat et coupe du monde de funboard et de kitesurf.
– ***Sol y Fiesta :*** *le w-e de l'Ascension, à Leucate-Village.* Spectacles de rue, fanfares, *bandas,* animations de rue, concerts, etc.
– ***Voix d'Étoiles :*** *pdt les vac de la Toussaint, à Port-Leucate.* Festival dédié aux voix de l'animation. Projection de courts et moyens métrages, avant-premières et ateliers découvertes.

FITOU

(11510) 800 hab.

Vieux village de type provençal, aux toits devenus ocre jaune sous l'action conjuguée du lichen et du soleil...

Adresse utile

ℹ ***Bureau du tourisme :*** *rue de la Mairie.* ☎ *04-68-45-69-11.* ● *fitou.fr* ● *Juil-août, lun mat-sam mat.* Demander le petit dépliant sur l'histoire et les monuments de la ville, ainsi que sur les balades en VTT. Trois circuits à vélo pour découvrir la cité et les environs.

Où manger dans les environs ?

🍴 ***Le Lézard Bleu :*** *8, rue de l'Église, 11540 Roquefort-des-Corbières.* ☎ *04-68-48-51-11.* ♿ *Ouv juin-oct. Résa conseillée. Menus 20-22 € ; compter 35 € à la carte. Café offert sur présentation de ce guide.* Suivez le lézard, il vous conduira à la porte de cette adresse placée sous le signe du bleu. Porte bleue, murs bleus... et des peintures modernes aux murs. Patronne gentille et passionnée (non, pas fleur bleue) qui vous mitonnera de bons petits plats, surtout à base de canard gras (rillettes, foie gras, civet). En sortant, on se dit que la France recèle vraiment des petits trésors.

À voir

Le château féodal : ☎ 04-68-45-65-92. *Juil-août, tlj 10h-20h ; en sept, tlj jusqu'à 19h ; hors saison, horaires très variables, se renseigner. Congés : déc-fév. Visite libre.* Monument imposant qui a fêté ses 1 000 ans en 1990 : beau point de vue sur les maisons, les collines et la mer. Le château a été pillé et brûlé en 1843 mais il renferme aujourd'hui plusieurs petites salles d'exposition : musée de la vigne, salles des armures, armes et instruments de torture...

De l'autre côté de l'autoroute, ***Port-Fitou,*** petite station de loisirs axée sur les possibilités offertes par l'étang de Leucate. À quelques kilomètres seulement, la frontière avec le département des Pyrénées-Orientales et, juste derrière, la magnifique forteresse de Salses (voir « Dans les environs de Perpignan »).

L'HÉRAULT

Imaginez un amphithéâtre adossé aux contreforts du Massif central et descendant vers la mer.

Du poulailler, le col d'Arboras, par exemple, un spectacle étonnant s'offre à vous, l'Hérault dans une mise en scène foisonnante : des sites grandioses, des gorges profondes (d'Héric), une montagne blanche (la Séranne).

Au balcon, les garrigues, au nord et à l'ouest de Montpellier : suivez les sentiers qui mènent à la découverte d'une commanderie perdue, d'une chapelle isolée ou de la somptueuse abbaye de Saint-Guilhem-le-Désert.

À l'orchestre, la plaine et ses vignes émaillées de villages tout autour de Montpellier.

À l'avant-scène, la mer et le littoral, par endroits malheureusement bétonné, mais, ce qu'on sait moins, non construit et préservé à 60 %. De vastes horizons de sable, d'étangs et de lagunes. Un pays entre terre et eau, et que domine Sète, du haut de son mont Saint-Clair.

Le département est traversé par deux voies romaines autour desquelles s'est développée l'économie : la voie Domitienne, qui, venant de Nîmes, rejoignait la Narbonnaise ; et la *voie Tegulae,* qu'empruntaient les potiers de Graufesenque près de Millau pour transporter vers Nîmes et l'Empire romain les tuiles plates *(tegulae)* et les tuiles canal *(imbrices).*

Terre de contrastes donc, l'Hérault est, grâce au fleuve qui lui a donné son nom, la vraie ligne de partage entre les « deux Sud », Languedoc et Provence, aux cultures bien marquées. À cette variété s'ajoute celle de villes à caractère fort, Montpellier la jeune, l'active, Béziers l'authentique, la rude, et Sète l'inclassable, la presque insulaire. Des villes où l'art roman s'est épanoui et où le XVIIe siècle a conçu des ensembles urbains intéressants (Pézenas, Montpellier)...

Difficile alors de parler d'identité héraultaise, tant on y trouve de paysages, de figures et d'attraits. Tout de même, le soleil et la vigne sont partout présents (même à Sète, sur le lido !), les bonnes tables aussi. Ajoutez-y la grande bleue et la belle nature de l'arrière-pays, et vous saurez où passer vos vacances.

La Fédération française de randonnée pédestre a édité un topoguide très complet, *L'Hérault à pied,* décrivant les plus belles randonnées, du Haut-Languedoc aux portes de Montpellier ; 54 circuits remarquablement commentés, bien balisés sur le terrain. En vente en librairie.

ABC DE L'HÉRAULT

- *Superficie :* 6 101 km².
- *Population :* 1 000 000 d'hab. (2007).
- *Préfecture :* Montpellier.
- *Sous-préfectures :* Béziers, Lodève.
- *Quelques chiffres :* l'Hérault possède 106 207 ha de vignes, la plus grande production de la région, ce qui équivaut à 1 ha de vignes tous les 5 ha en moyenne.

Adresses utiles

ℹ ***Comité régional du tourisme Languedoc-Roussillon :*** *L'Acropole, 954, av. Jean-Mermoz, CS 79507, 34960 Montpellier Cedex 2.* ☎ *04-67-200-220.* • *sunfrance.com* • Le centre névralgique du tourisme dans toute la région. Cependant, il vaut mieux s'adresser au comité départemental

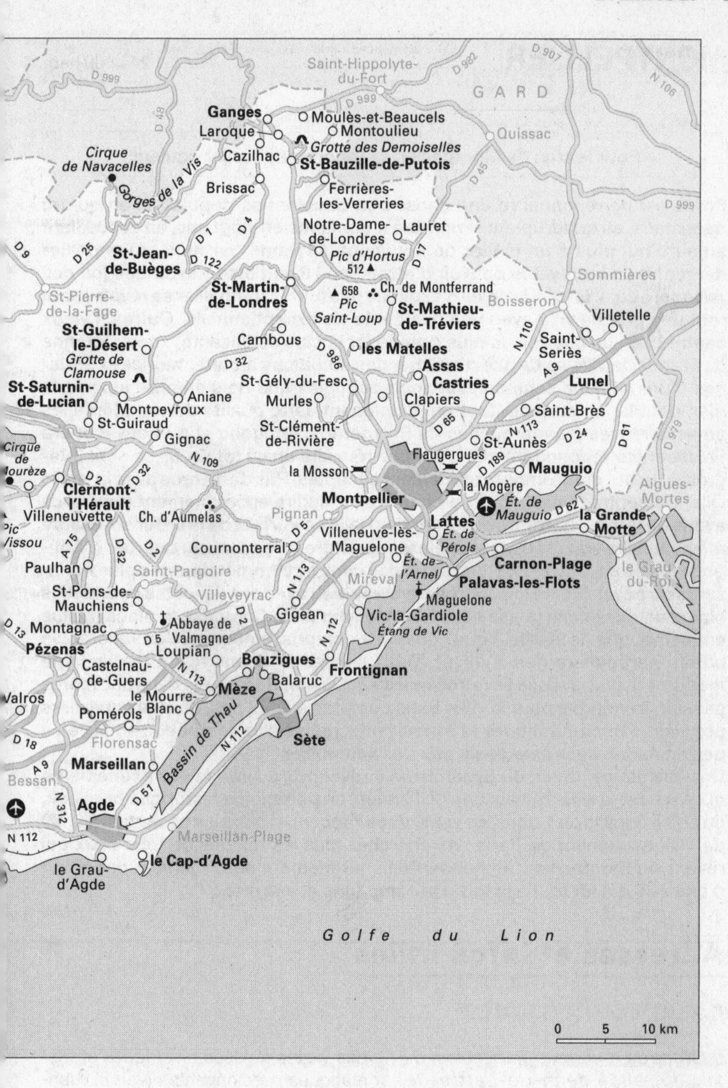

L'HÉRAULT

pour les brochures et les adresses concernant l'hébergement.

Comité départemental du tourisme de l'Hérault : *av. des Moulins, 34184 Montpellier Cedex 4. ☎ 04-67-67-71-71. • herault-tourisme.com • Dans un quartier excentré (celui des facultés), pas facile à trouver.*

Relais départemental des Gîtes de France : *maison du tourisme, 1977, av. des Moulins, BP 3070, 34034 Montpellier Cedex. ☎ 04-67-67-62-62. • gites-de-france.fr •*

MONTPELLIER

244 500 hab.

Pour le plan de Montpellier, se reporter au cahier couleur.

Force est de reconnaître une chose : en doublant sa population en quatre décennies, en quadruplant le nombre d'étudiants en vingt ans, en accueillant aujourd'hui plus d'un millier de nouveaux arrivants par mois, Montpellier démontre un incroyable pouvoir d'attraction ! Il doit bien y avoir une (ou des raisons) à cela. Eh oui, le soleil n'explique pas tout ! Montpellier se révèle avant tout une grande ville avec une qualité de vie exceptionnelle. Outre un vieux centre plein de charme, la plus grande (et la plus séduisante) zone piétonne de France, la ville se targue d'afficher des ambitions architecturales et urbaines d'une audace sans pareille : rien de moins que de s'étendre jusqu'à la mer, doubler sa surface, tout en maintenant cette qualité de vie. Même les adversaires les plus farouches du Polygone, d'Antigone et du nouvel opéra finissent par reconnaître que c'est une réussite quasi totale. Ils se sont intégrés, à défaut d'être encore totalement acceptés. Pas de divorce avec la vieille ville. Un centre commercial qu'on devrait maudire spontanément (tant nous avons en tête les horreurs du forum des Halles à Paris et de la Défense) assure même une liaison crédible entre le vieux centre et le nouveau quartier d'Antigone (en se payant le luxe d'être l'un des centres commerciaux les plus florissants du pays). Même le superbe tramway bleu avec ses délicates hirondelles blanches dessinées glisse sans heurt le long de la Comédie, la place la plus emblématique de la ville. Vous nous avez compris, amoureux des vénérables hôtels particuliers des XVIIe et XVIIIe siècles et chantres de l'urbanisme moderne le plus avancé se retrouvent de fait au coude à coude dans une même passion frénétique pour la ville. Sans compter, à deux pas, de vieux quartiers populaires multi-ethniques et bien vivants, même s'ils se « boboïsent » peu à peu en raison de la hausse du prix de l'immobilier.

Une ville jeune, donc, du dynamisme à revendre, à l'image des évènements qui animent la ville tout au long de l'année, un patrimoine historique hors pair, du soleil dans le ciel, dans les yeux, dans l'accent et dans les assiettes, à 3h30 de TGV seulement de Paris : ne cherchez plus les raisons de tous ceux qui rêvent de Montpellier. Alphonse Allais lui-même n'aurait jamais osé rêver d'une ville qui fût tout à la fois à la campagne et à la mer...

Adresses et infos utiles

INFOS TOURISTIQUES

ℹ ***Office de tourisme*** *(plan couleur C2, **1**) : 30, allée Jean-de-Lattre-de-Tassigny, pl. de la Comédie.* ☎ *04-67-60-60-60.* • *ot-montpellier.fr* • Ⓣ *Comédie. Lun-ven 9h-18h30 (19h30 en saison) ; sam 10h (9h30 en saison)-18h ; dim 10h-13h, 14h-17h (9h30-13h, 14h30-18h en saison).* Équipe très dynamique qui dispose d'une documentation bien fournie, d'un comptoir pour les demandes d'hébergement et d'une billetterie pour les spectacles (ferme 1h plus tôt). Organise également des visites guidées historiques et thématiques passionnantes (voir la rubrique « À voir »).

➢ ***City Card Montpellier :*** *formules 24h, 48h ou 72h 13-26 € (moitié prix pour les enfants).* Avantageux, il offre la gratuité dans les transports TaM (bus et tramway), dans certains sites et activités (musées, châteaux, visites guidées) et fait bénéficier de réductions (loisirs, spectacles) dans plusieurs autres. En vente à l'office de tourisme.

ℹ ***Comité départemental du tou-***

***risme de l'Hérault. Maison du tourisme :** av. des Moulins, 34184 Montpellier Cedex 4. ☎ 04-67-67-71-71. • herault-tourisme.com • Lun-ven 8h30-18h.* Publie des brochures thématiques sur les fêtes, festivals et animations, un guide sur la pêche dans la région ainsi qu'un itinéraire très clair sur les routes buissonnières. Abrite également un *comptoir des Gîtes de France* spécialisé, bien évidemment, dans les belles adresses du département *(☎ 04-67-67-62-62 ; • gites-de-france-herault.asso.fr •).*

Centre régional information jeunesse (CRIJ) : *3, av. Charles-Flahault. ☎ 04-67-04-36-66. • crij-montpellier.com • Bus n° 3, arrêt « Maison des sports » ; Ⓣ Stade-Philippidès. Lun 14h-18h ; mar-ven 9h-13h, 14h-18h (17h ven).* L'une des 27 antennes (et non des moindres !) mises en place par le ministère de la Jeunesse et des Sports. Pour consulter les petites annonces sur les jobs, les stages en France et à l'étranger, etc. Également offres de meublés, de chambres, d'appartements à partager, plus un service de covoiturage.

✉ **Postes :** *poste principale, 4, pl. Rondelet (plan couleur B3). ☎ 04-67-34-50-00. Dans l'Écusson : pl. du Marché-aux-Fleurs (face à la préfecture ; plan couleur B2), ☎ 04-67-60-03-60 ; et pl. de la Comédie (plan couleur B3-4), ☎ 04-67-60-07-50. À Antigone : 275, rue Léon-Blum (plan couleur D2), ☎ 04-67-20-97-00. Lun-ven 9h-19h, sam 8h-12h.*

URGENCES

■ **Hôtel de Police** *(plan couleur D3)* **:** *206, rue du Comté-de-Melgueil. ☎ 04-99-13-50-00.*

■ **Samu :** *☎ 15.*

■ **SOS Médecins :** *☎ 04-67-45-62-45 ou 04-67-03-30-30.*

■ **CHU-Hôpital Lapeyronie** *(hors plan couleur par A1)* **:** *191, av. Doyen-Gaston-Giraud. ☎ 04-67-33-67-33. Sur la route de Ganges vers le parc Euromédecine.* Traite les urgences médico-chirurgicales pour adultes et enfants.

■ **Polyclinique Saint-Jean** *(hors plan couleur par B1)* **:** *36, rue Bouisson-Bertrand. ☎ 04-67-61-20-00. Ⓣ Stade-Philippidès. Vers la faculté de pharmacie.*

■ **Pharmacies et médecins de garde :** *infos au : ☎ 04-67-33-67-97. Sinon, liste disponible à l'office de tourisme ou consulter le* Midi libre *(quotidien local).*

TRANSPORTS

De l'aéroport

✈ **Aéroport Montpellier Méditerranée** *(hors plan couleur par D2)* **:** *à 8 km du centre-ville en direction des plages. ☎ 04-67-20-85-00. • montpellier.aeroport.fr •* Vols vers Paris, Lille, Nantes, Strasbourg, Rennes, Nice, Clermont-Ferrand, Bastia et Ajaccio. Vols internationaux directs et quotidiens vers Londres, Francfort, Copenhague et Alger. Une quinzaine de vols quotidiens pour Paris (Orly et Roissy) avec *Air France* et quelques compagnies *low-cost* qui assurent un service régulier. Ses couloirs voient défiler plus d'un million et demi de passagers par an, ce qui classe Montpellier à la 9e place des aéroports les plus fréquentés de l'Hexagone.

🚌 Les liaisons de la navette Montpellier-aéroport se font à partir de la place de l'Europe *(plan général F4).* Toutefois, le terminus de la station de tramway « Place de l'Europe » est susceptible de changer... *Rens auprès de Hérault Transport : ☎ 0825-34-01-34 (0,15 €/mn).* Horaires selon les vols. En général : premier départ de l'aéroport vers 8h30, dernier vers 23h ; premier départ de la place de l'Europe vers 6h, dernier vers 20h. Compter 15-20 mn de trajet (sauf bouchons !). Prix aller simple : 4,90 € et 5,40 € avec le trajet tramway inclus.

– Tête de station de taxis à la sortie du hall des arrivées, porte A. Borne

d'appel : ☎ 04-67-20-65-29.
– Plus location de voitures et trois parkings de stationnement courte (P2/P3) et longue durée (P4).

■ **Air France :** *infos et résas à l'aéroport.* ☎ *36-54 (0,34 €/mn).*

De Montpellier vers les autres villes

En train

Gare SNCF – Montpellier Saint-Roch *(plan couleur C3)* **:** *pl. Auguste-Gibert. Rens :* ☎ *36-35 (0,34 €/mn). À 5 mn de la place de la Comédie.* Départs pour Paris (une douzaine de trains par jour), Toulouse, Marseille, etc. Nombreux trains express pour Lunel, Sète, Agde, Béziers, mais aussi le TGV et le Talgo pour Barcelone. Le TGV Paris-Montpellier complète son trajet en 3h20 environ, une belle (et rapide) escapade pour les Franciliens rêvant de la grande bleue ou pour les Montpelliérains qui veulent s'encanailler à la capitale...

En bus

Gare routière *(plan couleur C3)* **:** *rue du Grand-Saint-Jean, à 200 m de la gare SNCF.* ☎ *04-67-92-01-43.* Plusieurs compagnies sont présentes : *Courriers du Midi (☎ 04-67-06-03-67)* qui quadrillent le département ; *Eurolines (☎ 04-67-58-57-59)* pour les destinations internationales... Les communes de l'Hérault sont desservies par *Hérault Transport.* ☎ *0825-34-01-34 (0,15 €/mn).* • *herault-transport.fr* • Certaines lignes, Saint-Guilhem-le-Désert par exemple, sont saisonnières. De la gare routière, il est donc possible de se rendre en car dans l'arrière-pays (Clermont-l'Hérault, Bédarieux, Lamalou-les-Bains, Millau, etc.), dans la plupart des villes françaises et européennes, voire au Maroc ! Plus lent que l'avion ou le train, mais moins cher aussi.

En pénichette

Au départ de port Marianne à Lattes (à 8 km de Montpellier) vers le canal du Midi ou le canal du Rhône à Sète.

En bateau

Au départ de Sète (à 30 km de Montpellier) vers les îles Baléares et le Maroc.

■ **Euro-Mer :** *5, quai de Sauvages, 34078 Montpellier Cedex 3.* ☎ *04-67-65-95-10.* • *euromer.net* • Spécialiste des traversées maritimes au départ d'Europe, *Euro-Mer* propose plus de 150 lignes maritimes comme Sète-Tanger. Possibilité de réservation d'hôtels *online*. *Euro-Mer,* c'est aussi une agence de voyages qui vous propose des vols vers Marrakech et Casablanca, au départ de Montpellier, à des tarifs très attractifs.

ACCÈS INTERNET

Station Internet *(plan couleur B2,* **4***)* **:** *dans l'agence* France Telecom, *pl. du Marché-aux-Fleurs. Lun-sam 10h-19h.*

Hall the Net *(plan couleur C3,* **5***)* **:** *6, rue Clos-René. À deux pas de la gare.*

Comment se déplacer en ville ?

À pied

Attention, obsédés de la voiture, Montpellier saura vous tenir en échec ! Presque tout le centre-ville est interdit aux automobiles. Tant mieux ! Car découvrir cette

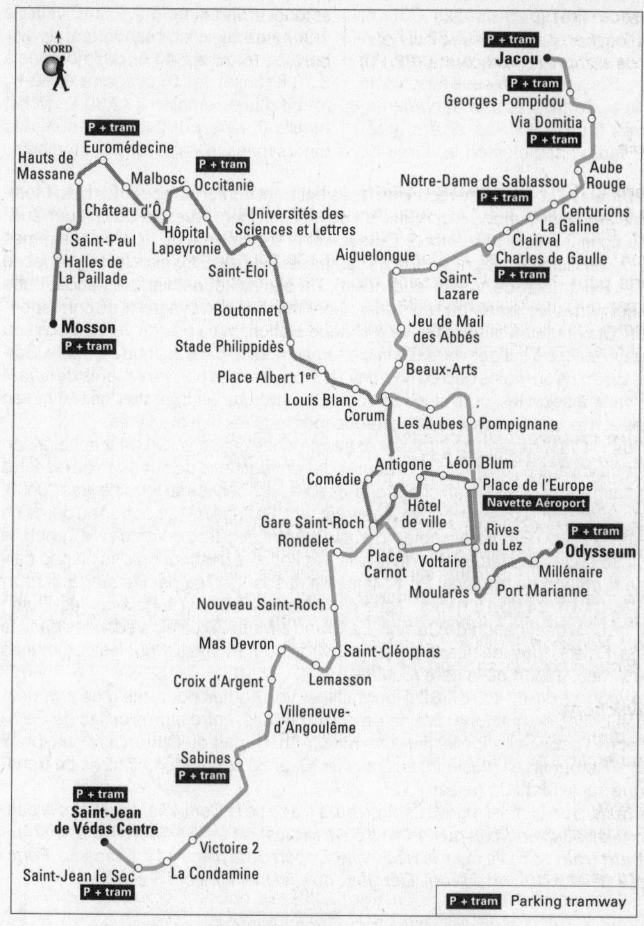

MONTPELLIER – TRAMWAY

ville à pied est une vraie partie de plaisir. Ce choix politique fort a permis de faire respirer la place de la Comédie, qui est ainsi devenue, en 1985, l'une des plus grandes places piétonnes de France. Comptez une vingtaine de minutes pour vous déplacer à l'intérieur de l'Écusson, depuis la gare jusqu'au Corum (axe sud-nord) ou depuis la place de la Comédie jusqu'à la promenade du Peyrou (axe est-ouest). Pour parcourir les nouveaux quartiers (Antigone, Polygone) jusqu'au Lez, ajoutez encore quelque 20 mn.

En transports en commun

La ***TaM*** (Transports de l'agglomération de Montpellier) gère les transports en commun de la ville et de son agglomération qui, en 2002, est passée de 15 à 31 communes. La société dispose d'un réseau d'autobus, de deux lignes de tramway, gère également les horodateurs et les parkings en ville, et assure même un service de bus de nuit et de location de vélos.

■ ***Agence TaM*** *(plan couleur C3) : 6, rue Jules-Ferry.* ☎ *04-67-22-87-87.* • *tam-way.com* • *Face à la gare. Tlj 7h-19h.* Service très efficace avec vente de tickets, forfaits et une documentation très fournie sur les divers itinéraires. Tarif variable selon la durée du séjour : trajet simple à 1,30 € valable une heure avec correspondance ; ticket aller-retour à 2,40 € ; *pass* journée à 3,20 € ; ticket de 10 voyages à 10,80 € ; forfait d'une semaine à 12,30 € ; forfait famille (5 pers pdt 24h) 5 € ; puis des cartes mensuelles et forfaits étudiants.

– ***Le tramway :*** la ligne 1 se reconnaît à ses belles et confortables rames bleu Méditerranée aux sièges arrondis qui circulent de Mosson (nord-ouest) à Odysseum (sud-est). La ligne 2 reflète plus encore l'audace et le dynamisme de la ville : ses rames *flower power* illuminent les rues de leurs carapaces fleuries. Elles circulent entre Jacou (nord) et Saint-Jean-de-Védas (sud-ouest). Un seul ticket est valable pendant une heure sur toutes les lignes (bus compris), sans limitation de voyages ni de correspondances. Distributeurs automatiques à chaque station, mais pas de vente à bord du tramway. Pensez à valider votre ticket à chaque montée dans les bus ou trams. Service assuré plus ou moins de 5 ou 6h à env 1h. Consultez les horaires auprès de la *TaM* car ils varient selon les jours et les saisons. Comptez sur un tram ttes les 5-6 mn en journée et ttes les 15 mn après 20h ; fréquences réduites dim et j. fériés.

– ***Le bus :*** la *TaM* dessert Montpellier et ses proches environs. On peut acheter son ticket d'un voyage ou un aller-retour auprès des conducteurs de bus. Plan du réseau à obtenir auprès de la *TaM* et affiché à tous les arrêts. Le service se termine vers 20h30. Les lignes n°s 1 à 14 desservent la ville seulement. La ligne n° 12 conduit au domaine de Grammont, où l'on trouve notamment le théâtre des Treize-Vents et le Zénith, le complexe sportif et culturel. En revanche, les lignes à destination des plages partent de la station de tramway Port-Marianne et sont gérées par *Hérault Transport* (☎ 0825-34-01-34 ; 0,15 €/mn) : ligne n° 131 à destination de Palavas-les-Flots ; ligne n° 106 à destination de Carnon-La Grande-Motte. Plusieurs services dans la journée. En été, tous les quarts d'heure environ pour Palavas. Pour les communes des environs, départ de la gare routière.

– ***L'Amigo :*** ☎ *04-67-22-87-87.* Pour faciliter vos sorties nocturnes, ce bus dessert des boîtes de nuit (une dizaine de discothèques, entre autres celles du *Palladium* et de l'espace *Latipolia*) jeu-sam minuit-5h. Départ du Corum à minuit, 0h45 et 1h30. Retour (avec plusieurs arrêts) à 2h30, 3h30 et 5h. Mêmes titres de transport que sur le reste du réseau.

– ***Les taxis :*** *rue Victor-Hugo (à l'entrée de la place de la Comédie) ou devant la gare (ce sont les deux endroits où l'on en trouve le plus).* ☎ *04-67-58-10-10 (24h/24).*

– ***Le petit train :*** *circule dans la vieille ville. Départ de la place de la Comédie. Fonctionne 11h-18h (19h en saison). Congés : nov-fin mars. Billet : 5 € ; réduc.*

À vélo

■ ***Vélomagg' :*** *infos et plan des vélostations auprès de la TaM :* ☎ *04-67-22-87-87.* • *montpellier-agglo.com/tam* • Tout nouveau depuis l'été 2007, un service vélo à la carte, de la location courte durée de 4h à une journée à la location longue durée de 3 à 12 mois. Pas le souci de se faire piquer son deux-roues, le stationnement des vélos est sécurisé dans les parkings Tramway (lignes 1 et 2) et dans les parkings du centre-ville de Montpellier. Ce service connaissant un grand succès, il comprendra à terme plus de 1 000 vélos et 50 vélostations réparties dans l'agglomération de Montpellier. Avec 136 km de pistes cyclables, c'est un bonheur de découvrir le centre et les environs de Montpellier en pédalant.

Stationnement et parkings

Si vous êtes en voiture, n'insistez pas, il est impossible de se garer dans le centre. Le seul parking gratuit reste celui de la station Odysseum. Trop loin pour vous ?

Alors, une seule solution : utilisez l'un des nombreux parkings souterrains très pratiques (mais assez chers, surtout celui de la Préfecture) puis marchez. Ou bien optez pour l'un des parkings les plus proches du Corum (Joffre, découvert) ou du Polygone, meilleur marché. Pour quitter les lieux, prenez un copilote et conseillez-lui de se munir d'un plan : les rues, même dans la périphérie, sont toutes en sens unique. Un vrai casse-tête chinois !
La *TaM* propose néanmoins une formule intelligente parking-tramway : pour 4 €, comprenant le stationnement et l'aller-retour dans la journée pour chaque occupant du véhicule, on peut garer sa voiture dans les parkings des stations Mosson, Euromédecine, Occitanie, ou Odysseum et emprunter le tramway pour se rendre au centre-ville.

Où s'informer ?

– Pour en savoir davantage sur l'actualité des cafés littéraires, les nouveaux bars musicaux, les concerts et cafés-théâtres, et toutes les activités culturelles ou autres du moment, voir les pages agenda de ***La Gazette,*** l'hebdomadaire indépendant du vendredi, qui publie également chaque année *Le Guide de Montpellier,* saine lecture que nous vous recommandons (ainsi que le *Guide des festivals,* pour la saison printemps-été).
– ***Le Midi libre :*** quotidien régional fondé en 1944 avec ses pages d'infos locale et nationale. Assez consensuel.
– Deux autres journaux sont diffusés à Montpellier : ***L'Hérault du jour,*** proche du parti communiste, et ***La Croix du Midi,*** un hebdomadaire catholique.
– Le forum d'Actualité, à la ***médiathèque centrale d'agglomération Émile-Zola*** dans le quartier d'Antigone, met gratuitement à la disposition des lecteurs tous les quotidiens et magazines locaux et nationaux *(☎ 04-67-34-87-00 ; • ville-montpellier.fr/bm ; • mar 12h-18h30, mer 10h-18h30, jeu 12h-21h, ven 12h-18h30, sam 10h-17h30).*
– ***Médiathèque municipale Federico-Fellini :*** *pl. Paul-Bec, au bout du centre commercial du Polygone sous les Échelles de la Ville. ☎ 04-67-34-87-36. Horaires variables 12h-18h.* Dispose d'écrans individuels où visionner plus de 7 000 films, ainsi que des archives vidéo et des écrits sur l'actualité du cinéma.
– ***France Bleu Hérault*** *(FM 100.6)* est rattachée à Radio France. Infos sur Montpellier et le département à 7h, 8h, 9h, 12h et 18h.

Où dormir à Montpellier et dans les environs ?

Le parc hôtelier de Montpellier se révèle plutôt restreint, compte tenu de la demande croissante due en grande partie aux nombreux congrès et festivals qui se succèdent à l'année. Ajoutez à cela l'arrivée régulière d'étudiants venus passer un concours ou soutenir une thèse et vous voici condamné à coucher dans une ville voisine si vous n'avez pas de réservation.
Le projet d'un grand hôtel en face du Corum est toujours d'actualité, ce qui permettrait d'accueillir les groupes cédant ainsi la place aux vacanciers dans les petites structures. Mais, pour l'heure, les projets immobiliers se tournent vers les aménagements en bordure du Lez et ne considèrent pas le tourisme en ville comme une priorité. Côté loisirs, Montpellier est l'une des places fortes du Sud et pour cause : concerts et spectacles au Zénith, parc d'attractions à l'Odysseum, discothèques qui restent ouvertes toute l'année... Prévoyez donc vos escapades de week-end à l'avance. Par ailleurs, ne vous attendez pas à rencontrer une animation débordante dès la fin juillet, car tout le monde a filé au bord de la mer. Sachez enfin que le petit déjeuner n'est généralement pas inclus dans le prix de la chambre.

CAMPINGS

⛺ ***Camping-caravaning Le Floreal :*** *rue de la Première-Écluse, La Cereirède, 34970 Lattes. ☎ 04-67-92-93-05. • info@campinglefloreal.com • camping-le-floreal.com • ♿ Par l'autoroute A 9, sortie Montpellier-Sud. Ouv mars-oct. Emplacement pour 2, tente (ou caravane) et voiture env 20 € en hte saison. Loc de caravanes et de mobile homes 150-450 €/sem selon saison.* Le camping le plus proche de la ville (10 mn en voiture), et pourtant perdu dans un dédale de petites routes desservant une zone mi-résidentielle mi-campagnarde. Calme, familial, et doté d'emplacements corrects et bien délimités. Snack, terrain de basket, pétanque et ping-pong. Simple et sans prétention.

⛺ ***Camping de Fondespierre :*** *277, ch. du Pioch-Viala, 34160 Castries. ☎ 04-67-91-20-03. • accueil@campingfondespierre.com • campingfondespierre.com • ♿ Dans l'arrière-pays. Sortie n° 28 sur l'A 9, puis traverser Castries et suivre la route d'Alès (N 110) pdt env 2 km. Ouv tte l'année. Emplacement pour 2 avec voiture et tente 22 € en hte saison. Loc de caravanes, chalets et mobile homes : 240-630 €/sem.* Un camping nature très agréable et convivial, au beau milieu des oliviers et des chênes. Une centaine d'emplacements ombragés et pas mal de petits plus : pataugeoire et jeux pour les enfants, piscine, billards, buvette. Bonne ambiance, à l'image de l'accueil très sympa.

⛺ ***Camping Le Parc :*** *sur la D 172, 34970 Lattes. ☎ 04-67-65-85-67. • camping-le-parc@wanadoo.fr • leparccamping.com • À 4 km à l'est de Montpellier et à 4 km de Carnon-plage. Ouv 1er avr-30 oct. En hte saison, compter 24,80 € pour 2 avec voiture et tente, électricité comprise. Loc de mobile homes et caravanes : 180-680 €/sem.* Petit camping familial géré par un couple sérieux. Emplacements semi-ombragés très convenables, bien délimités et entretenus. Bons équipements : piscine, jeux, épicerie d'appoint... Snack et animations en saison. Pistes cyclables à proximité.

⛺ ***Camping club Le Plein Air des Chênes :*** *route de Castelnau (D 112), 34830 Clapiers. ☎ 04-67-02-02-53. • pleinairdeschenes@free.fr • pleinairdeschenes.net • ♿ À 3 km au nord-est de Montpellier. Ouv tte l'année. Emplacement pour 2 avec voiture et tente 45 € (si !) en hte saison. Loc de mobile homes et de chalets à la nuit ou à la sem.* Pas moins de 280 emplacements pour ce camping, le plus complet des environs, immense mais très aéré, vert et ombragé. Emplacements bien délimités avec de petites terrasses pour prendre l'apéritif. Mais ce qui fait vraiment la différence, ce sont ses innombrables activités et animations : soirées à thèmes, concerts, minigolf, miniclub, terrain multisports pour les bambins et un impressionnant parc aquatique de 1 200 m² avec toboggans. Sans oublier la panoplie complète de snacks, glacier, friterie et même un resto classique *(L'Auberge du Parc)* avec un bon menu du jour le midi en semaine à 13 €.

CHAMBRES D'HÔTES

– ***L'office de tourisme*** détient aussi une liste de meublés touristiques et chambres d'hôtes à Montpellier et dans les alentours. Tous vérifiés et classés. Brochure disponible ou téléchargeable sur • ot-montpellier.fr •

🏠 ***Chambres d'hôtes Famille Michel-Gaunand*** *(plan couleur B1,* ***8****) : 17, rue de l'Université. ☎ 04-67-60-29-50. 📱 06-70-34-76-95. • claude.michel-gaunand@orange.fr • Ⓣ Louis-Blanc. Résa très conseillée. Doubles 45 €, petit déj 6 €. Apéritif maison, tisane et jus de fruits offerts sur présentation de ce guide.* Quatre chambres propres et coquettes dans un appartement rénové au deuxième étage d'un immeuble classé. Tout ici respire l'histoire du pays : portes et cage d'escalier du XVIIe siècle, sol en barres de calcaire, meubles de famille... même le banc rustique où l'on prend le petit déj porte la patine du temps. Deux salles de bains impeccables, l'une avec douche (côté rue, dans la partie moderne) et l'autre avec baignoire. Bref, du beau, du calme et du soigné, à un prix sympa. Mme Michel est aussi arrangeante que discrète et vous gâtera avec ses confitures aux fruits de saison.

Chambre d'autres Alexandre Gumbau *(plan couleur B1-2, **9**) : 1, rue Germain. ☎ 04-34-50-33-51. 06-62-07-33-52. • alexandre.gumbau@club-internet.fr • alexandre-gumbau.fr • Ⓣ Louis-Blanc. Parking fermé. Pour 1 ou 2 pers, compter 95 € avec le petit déj.* Au cœur du centre historique, dans un quartier tranquille, une chambre d'hôtes de charme, installée dans un immeuble du XIVe siècle. Spacieuse, lumineuse et confortable (5 m de hauteur sous plafond), vous pénétrez aussi dans un univers sophistiqué empli de beaux objets et de plantes. Excellent accueil du maître des lieux. Copieux petit déj. Possibilité de table d'hôtes sur résa.

HÔTELS

De bon marché à prix moyens

Auberge de jeunesse *(plan couleur B1, **10**) : rue des Écoles-Laïques. ☎ 04-67-60-32-22. • montpellier@fuaj.org • fuaj.org • De la gare, tramway direction Mosson ; arrêt « Louis-Blanc ». Entrée par l'impasse de la Petite-Corraterie. Congés : début déc-début janv. Nuitée 15,20 €, petit déj et draps compris.* Au cœur de la vieille ville, cette AJ conviviale occupe un immeuble de caractère, flanqué d'une terrasse agréable l'été. L'intérieur est évidemment plus fonctionnel et moins attrayant : dortoirs basiques, consignes, mais pas de cuisine. En revanche, salle commune sympa avec TV, baby-foot et billard.

Hôtel Les Fauvettes *(plan couleur A1, **12**) : 8, rue Bonnard. ☎ 04-67-63-17-60. Fax : 04-67-63-09-09. Ⓣ Place-Albert-Ier. Derrière le jardin des Plantes. Fermé dim 14h-18h. Congés : 1 sem à Noël. Doubles 28 € avec lavabo, 36 € avec douche et w-c, 50 € avec bains.* Tenue par une équipe très gentille, cette petite maison dans une rue calme est sans doute l'adresse la moins chère de la ville. Les chambres, toutes simples (pas de TV), sont propres et calmes car elles donnent sur une cour intérieure (seulement deux côté rue). On y prend d'ailleurs le petit déj, à moins de se réfugier sur la véranda lumineuse les jours de frimas. Beaucoup de jeunes et de moins jeunes y descendent dès les beaux jours.

Hôtel des Étuves *(plan couleur B3, **13**) : 24, rue des Étuves. ☎ 04-67-60-78-19. • hoteldesetuves@wanadoo.fr • hoteldesetuves.fr • À deux pas de la place de la Comédie, dans une rue piétonne. Fermé dim 12h-18h30. Congés : vac de Noël. Doubles 39-45 € avec douche et w-c ou bains. Déc-fév, 10 % de réduc pour 2 nuits le w-e sur présentation de ce guide.* Accueil à l'étage. Pas le grand luxe mais un très bon sans-étoile, très central et gentil. Chambres fort bien entretenues, agrémentées de quelques petites touches de couleurs (coussins, double rideaux...) pour rester dans l'esprit du Sud.

Hôtel Le Mistral *(plan couleur C3, **14**) : 25, rue Boussairolles. ☎ 04-67-58-45-25. • hotel-le-mistral@wanadoo.fr • hotel-le-mistral.com • Ⓣ Hôtel-de-Ville. Proche de la gare. Doubles 43,30-46,95 € avec douche et w-c ou bains. Un petit déj/chambre offert la 1re nuit sur présentation de ce guide.* Une petite adresse toute simple, possédant néanmoins un brin de personnalité : des balcons en fer forgé courent le long de la façade, tandis que certaines chambres se distinguent par leurs meubles à l'ancienne, bien agréables. Ensemble bien tenu, pas mal de confort (garage, TV satellite). Préférez les chambres nos 31, 32, 33 et 34, situées au dernier étage.

Hôtel Colisée-Verdun *(plan couleur C3, **18**) : 33, rue de Verdun. ☎ 04-67-58-42-63. • hotel.colisee@orange.fr • hotelcolisee.com • Ⓣ Hôtel-de-Ville. Chambres avec lavabo à partir de 28 €, avec douche et w-c ou bains 45-50 €. Un petit déj/chambre/nuit offert sur présentation de ce guide.* Petit hôtel de quartier tout à fait sympathique, aux chambres sobres et sans prétention, correctes et bien tenues (TV). Bien situé, à deux pas de la gare dans une petite rue vivante (en face du *Rockstore*). Accueil détendu et pas compliqué.

Hôtel Acapulco *(hors plan couleur par A1, **21**) : 445, rue Auguste-Broussonnet. ☎ 04-67-54-12-21. • hotel.acapulco@cegetel.net • Ⓣ Place-Albert-Ier ou Stade-Philippidès. Ouv tte l'année. Doubles avec douche (w-c privés sur le palier) 35-41 € ; avec douche et w-c ou bains 43-52 €. Un petit déj/chambre/nuit offert ainsi que 10 % de réduc sur le prix de la chambre en nov-janv sur présentation de ce guide.* Dans le quartier des universités, à proximité du jardin des Plantes. Un petit hôtel sans prétention aménagé dans un pavillon de deux étages, préservé du bruit de la rue grâce à un jardinet agréable. Une quinzaine de chambres inégales : sans chichis mais très correctes pour les récentes, vieillottes pour les anciennes ; celles à l'arrière sont les plus prisées. Resto sur place (spécialités orientales).

De prix moyens à plus chic

Hôtel des Arts *(plan couleur B3, **15**) : 6, bd Victor-Hugo. ☎ 04-67-58-69-20. • hoteldesarts@free.fr • hotel-des-arts.fr • ♿ Ⓣ Comédie. Congés : 24 déc-début janv. Doubles avec douche et w-c ou bains 51-53 €. Café offert sur présentation de ce guide.* Idéalement situé entre la gare et la Comédie, ce petit hôtel guilleret dégage une impression de bonne humeur : couleurs printanières dans la minuscule salle de petit déj, chambres simples et agréables (TV et AC) rénovées dans les tons jaunes et bleus et un accueil souriant. Une bonne surprise.

Hôtel Acacias *(hors plan couleur par B1, **16**) : 39, av. Bouisson-Bertrand. ☎ 04-67-63-55-95. Fax : 04-67-54-54-40. Ⓣ Stade-Philippidès. En face de la clinique Saint-Jean, dans un quartier résidentiel. Congés : de mi-juil à fin août. Doubles 54 € avec douche et w-c. Un petit déj/chambre/nuit offert sur présentation de ce guide.* Il n'y a plus d'acacias, coupés pour faire de la place à la galerie d'art moderne du fils de la famille. Pour le reste, cette maison 1900 n'a rien perdu de son agréable atmosphère, plus proche de celle d'une maison d'hôtes que d'un hôtel grâce à l'accueil adorable de son propriétaire. Chambres aux normes d'un 2-étoiles, mais vraiment à l'ancienne mode avec leur mobilier d'antan. Beaucoup d'habitués, dont un fort contingent d'étudiants en pharmacie ou médecine. De quoi vous rassurer en cas de malaise !

Hôtel d'Angleterre *(plan couleur C3, **19**) : 7, rue Maguelone. ☎ 04-67-58-59-50. • hoteldangleterre@hotmail.com • hotel-d-angleterre.com • Ⓣ Comédie. Ouv tte l'année. Doubles 45 € avec douches (sanitaires sur le palier) ; 50 € avec w-c, douche ou bains. Sur présentation de ce guide, réduc de 10 % accordée tte l'année sur le prix de la chambre.* Niché dans un bel immeuble à la façade classique, ce petit hôtel modeste est un point de chute idéal à deux pas de la gare et de la Comédie. Chambres de toutes les formes et de toutes les tailles, très simples, fonctionnelles et bien tenues. Au rez-de-chaussée, un petit bar coloré où l'on sert le petit déj. L'accueil est à la fois discret et aimable. À savoir : le tram passe juste devant l'hôtel (mais la rue étant piétonne, ce n'est pas rédhibitoire).

Hôtel Les Myrtes *(hors plan couleur par A3, **20**) : 5, av. Lepic (ou 10, rue de la Cour-du-Recteur – entrée garage). ☎ 04-67-42-60-11. • hotel.les.myrtes@wanadoo.fr • perso.orange.fr/hotel.lesmyrtes • Bus n° 6 depuis la gare direction Pas-du-Loup, descendre à l'arrêt « Saint-Cléophas ». Doubles avec douche et w-c ou bains 45-54 €. Garage offert sur présentation de ce guide.* Ce petit hôtel sympathique cache bien son jeu. Niché au fond d'une agréable courette fleurie, avec bassin et fontaine au chérubin de rigueur, il donne sur une ruelle résidentielle tranquille. Quant à la trentaine de chambres, elles se révèlent simples mais pimpantes, ensoleillées et souriantes... comme l'accueil ! Les nos 21 à 27 et 29 à 34 ont été entièrement redécorées, avec chacune une touche de style Provence, baroque, zen, etc.

Hôtel du Parc *(hors plan couleur par*

*B1, **22**) : 8, rue Achille-Bégé. ☎ 04-67-41-16-49. • hotelduparcmtp@wanadoo.fr • hotelduparc-montpellier.com • Ⓣ Place-Albert-Ier. À 300 m de la cathédrale, de l'autre côté du quai Verdanson. Ouv tte l'année. Chambres avec douche 52 € ; doubles avec douche et w-c ou bains, minibar, téléphone, TV 70-83 €.* Belle demeure languedocienne du XVIIIe siècle, réaménagée avec goût pour accueillir une vingtaine de chambres élégantes, personnalisées et très confortables. Lieu de charme dans un jardin très calme. Beaux volumes, petits balcons dans les chambres du rez-de-chaussée. Terrasses fleuries et parking privé gratuit. Tenue parfaite et bon accueil. Une excellente adresse.

Hôtel du Palais *(plan couleur B2, **23**) : 3, rue du Palais-des-Guilhem. ☎ 04-67-60-47-38. • hoteldupalais2@wanadoo.fr • hoteldupalais-montpellier.fr • Ⓣ Louis-Blanc. Dans l'Écusson, à 5 mn du centre. Chambres climatisées avec double vitrage, douche et w-c ou bains 67-79 €.* Cet hôtel douillet a tout pour plaire : une situation idéale près de la jolie place de la Canourgue, mais au calme, une petite trentaine de chambres coquettes meublées de copies d'ancien, des salles de bains rénovées et un accueil très aimable. Un vrai cocon à l'anglaise.

Hôtel des Arceaux *(hors plan couleur par A2, **24**) : 33-35, bd des Arceaux. ☎ 04-67-92-03-03. • contact@hoteldesarceaux.com • hoteldesarceaux.com • Derrière la promenade du Peyrou. Doubles avec douche et w-c ou bains 63-100 € selon saison. Réduc de 10 % de mi-sept à mi-mai sur présentation de ce guide.* Cachées derrière la verdure et face à l'aqueduc du XVIIe siècle, ces deux jolies maisons bourgeoises accolées entretiennent une atmosphère intime qui séduira les amoureux. Jardin intérieur exposé plein sud, très agréable pour se relaxer à l'ombre des frondaisons. Chambres confortables (TV écran plat, wi-fi), que les propriétaires rénovent peu à peu dans un style au goût du jour très réussi. Au rez-de-chaussée, la n° 302 dispose d'une petite terrasse ; les nos 207 et 208 disposent de parquet et donnent sur le jardin. Salle de petit déj coquette, très méditerranéenne avec ses tables en fer forgé, ses chaises en sisal et ses tomettes.

Hôtel Ulysse *(plan couleur D1, **25**) : 338, av. de Saint-Maur. ☎ 04-67-02-02-30. • hotelulysse@free.fr • hotel-ulysse.com • Ⓣ Corum (ligne 1) ou Les Aubes (ligne 2). Doubles avec bains 58-64 € selon saison. Réduc de 10 % sur le prix des chambres en hte saison et parking gratuit en basse saison, sur présentation de ce guide.* « Heureux qui comme Ulysse a fait un beau voyage » pour arriver dans ce quartier calme et y découvrir cette longue maison récente de style méditerranéen. Décoration moderne et chaleureuse à la fois, petite terrasse pour se prélasser. Mobilier en fer forgé et bois, chaque chambre avec une tonalité différente et des salles de bains impeccables. Une option intéressante pour ceux qui craignent l'agitation du centre-ville.

Hôtel de la Comédie *(plan couleur C2, **26**) : 1 bis, rue Baudin. ☎ 04-67-58-43-64. • hoteldelacomedie@cegetel.net • Ⓣ Comédie. Doubles 52-69 € selon saison. Petit déj offert aux moins de 15 ans sur présentation de ce guide.* Difficile de faire plus central comme situation : au bout d'une rue calme débouchant sur la Comédie. Pour le reste, c'est un petit hôtel bien tenu, aux chambres simples et sans prétention dotées de fenêtres insonorisées. Accueil cordial.

Bien plus chic

Hôtel d'Aragon *(plan couleur C2, **31**) : 10, rue Baudin. ☎ 04-67-10-70-00. • info@hotel-aragon.fr • hotel-aragon.fr • ♿ Ⓣ Comédie. Congés : 1re quinzaine de janv. Chambres avec douche et w-c ou bains 79-129 € selon saison.* Il est loin le temps de la domination aragonaise... Cet hôtel de charme tient plus de la chambre d'hôtes que du palais médiéval, avec seulement une poignée de chambres élégantes. Beaucoup de confort, à l'image des TV à écran plat discrètes, de la clim', ou des douches à hydro-jet dans certaines chambres. Bref, on pose sans hésiter ses valises, d'autant plus que le petit déj soigné servi dans une courette lumineuse et l'accueil convivial assuré par des garçons souriants complètent ce tableau déjà flatteur... sans parler de sa situation on ne peut plus stratégique !

Hôtel Le Guilhem *(plan couleur A1,* ***28****) : 18, rue Jean-Jacques-Rousseau. ☎ 04-67-52-90-90. • hotel-le-guilhem@mnet.fr • leguilhem.com • Ⓣ Louis-Blanc. En plein cœur du centre historique. Chambres avec bains 91-150 €.* Cette maison du XVIe siècle se cache dans une petite rue pleine de charme. Les chambres donnent sur un jardin mystérieux digne des Feuillantines et, plus loin, sur la cathédrale. Les cloches rythment donc la vie, mais, pas d'inquiétude, elles respectent votre sommeil. Soigneusement rénovée dans les tons pastel, avec une prédominance du jaune provençal et du bleu gaulois, cette adresse de charme livre une trentaine de chambres personnalisées, sortes de petites bonbonnières meublées avec goût. Parking à proximité, un élément non négligeable en plein centre-ville. Bon accueil. Une halte de choix.

Hôtel La Maison Blanche *(hors plan couleur par D1,* ***29****) : 1796, av. de la Pompignane. ☎ 04-99-58-20-70. • hotelmaisonblanche@wanadoo.fr • hotel-maison-blanche.com • ♿ À l'angle de la rue des Salaisons, sur la route de Castelnau. Resto tlj sf sam midi, dim et fêtes de fin d'année. Doubles 76-102 €. Un petit déj/chambre/nuit offert sur présentation de ce guide.* Une vraie curiosité. Dans un petit parc classé aux arbres pluriséculaires, on découvre une maison insolite de style sudiste digne d'*Autant en emporte le vent.* Très cosy, à l'image du piano-bar intimiste et des chambres modernes, tout à fait agréables lorsqu'elles donnent sur la galerie surplombant les palmiers. Resto sur place, et une irrésistible piscine bien cachée dans un écrin de verdure. C'est d'ailleurs le petit côté confidentiel de la maison, à l'abri derrière de hauts murs et à quelques distances du centre, qui en fait l'un des point de chutes favoris de nombreuses célébrités.

Citadines Antigone *(plan couleur C2,* ***27****) : 588, bd d'Antigone (donne aussi place du Millénaire). ☎ 04-99-52-37-50. • antigone@citadines.com • citadines.com • ♿ Ⓣ Léon-Blum. Réception : 7h-minuit (24h/24 juin-sept). Compter 73-110 € selon qu'il s'agit d'un studio ou d'un 2-pièces. Tarifs dégressifs à partir d'une sem.* Cette résidence impeccable au cœur du quartier moderne dessiné par Bofill cumule les avantages de l'hôtel et de la location : on y vit en totale indépendance dans des studios et des appartements bien conçus, rénovés dans un style classique et contemporain agréable, tout en profitant d'un service hôtelier à la carte (change de linge, ménage, petit déj, etc.). Cuisine équipée, TV, chaîne hi-fi, wi-fi, bref, confort assuré. On peut même vous téléphoner directement ou sonner à votre porte, comme à la maison. Comme un coq en pâte !

New Hôtel du Midi *(plan couleur B2-3,* ***32****) : 22, bd Victor-Hugo. ☎ 04-67-92-69-61. • montpelliermidi@new-hotel.com • new-hotel.com • Ⓣ Comédie. Doubles 155 €.* Rénové, ce bel immeuble d'angle dont la proue s'avance face à la place de la Comédie réserve un séjour de prestige à ses hôtes. Les parties communes ont recouvré tout leur lustre, un savant mélange de moulures et de vitraux ancien dans un environnement au goût du jour, tandis que la décoration des chambres obéit à une thématique sur l'opéra. Soignées, elles arborent des lignes sobres et modernes pour certaines, classiques et élégantes pour d'autres. Le tout est très cossu.

Hôtel Sofitel-Antigone *(plan couleur D2,* ***30****) : 1, rue des Pertuisanes. ☎ 04-67-99-72-72. • H1294@accor.com • sofitel-montpellier.com • ♿ Ⓣ Antigone. Doubles 200-240 €.* Le grand hôtel de luxe de Montpellier. Le bâtiment, moderne et fonctionnel, est à l'image de la chaîne, mais le décor intérieur contraste par son atmosphère élégante et chaleureuse : tons colorés et utilisation du bois, étages rouges ou bleus en alternance, chambres cosy (TV à écran plat, Internet...) aux salles de bains signées par Starck. Irréprochable, mais la vraie bonne surprise, c'est le toit-terrasse avec bar, salle de *fitness* et piscine.

Où manger ?

Dans la vieille ville : au sud de la rue Foch

De très bon marché à bon marché

|●| ***Le Petit Mickey*** *(plan couleur B2,* ***41****) : 15, rue du Petit-Saint-Jean. ☎ 04-67-60-60-41. Ⓣ Comédie. Tlj sf mar soir, dim et j. fériés. Congés : de mi-juil à mi-août. Formules midi 8,50 €, soir en sem 10 € ; menus 11-20 € et carte env 13 €. Apéritif maison offert sur présentation de ce guide.* Salle familiale plutôt spacieuse et déco en bleu et blanc avec maintes photos de voiliers, phares et vagues géantes. Vous l'aurez compris, le patron a le pied marin, mais accommode aussi bien la sole que l'onglet, la seiche que le taureau. Ambiance cantine à midi, avec ses habitués qui viennent reprendre des forces. Moins tapageur que ses voisins, clientèle moins jeune aussi car pas de terrasse. En revanche, plats copieux de cuisine à tendance méditerranéenne et service efficace. En prime, vin au pichet ou en bouteille à des prix plus que raisonnables.

|●| ***« Chez Doumé »*** *(plan couleur B2,* ***40****) : 5, rue des Teissiers. ☎ 04-67-60-48-76. Ⓣ Comédie. Tlj sf sam midi et dim midi (plus dim soir et lun soir hors saison). Congés : 1 sem fin mai et pour les fêtes de fin d'année. Formules midi 11,50 €, soir en sem 14 € ; à la carte 22 €. Digestif maison offert sur présentation de ce guide.* Banquettes de moleskine et nappes à carreaux de rigueur pour ce petit bistrot convivial. Cadre chaleureux et surtout une cuisine de bouchon lyonnais, bien canaille, servie avec générosité. Grosses faims totalement satisfaites (on se fait même gronder si on ne finit pas l'assiette). Vins à prix modérés et faugères « à la ficelle » (ou « au compteur » !).

|●| ***Le Coréziann*** *(plan couleur B2,* ***77****) : 12, rue des Trésoriers-de-la-Bourse. ☎ 04-67-57-37-22. Ⓣ Comédie. Tlj sf dim-lun. Formule 8,50 €, salades 10-15 €, vin au verre et apéro foie gras 19 € pour 2.* Insolite. À l'heure du tout-tapas branché, ce bar à foie gras coquet joue à fond la carte du Sud-Ouest. Ici, le foie gras de canard préparé par le sympathique propriétaire est le prétexte à une dégustation astucieuse, sous forme d'échantillons sucrés-salés (confitures d'oignons, de bananes, de figues...), ou à l'occasion d'une formule apéro servie avec un verre de vin. C'est bon et plein de bonnes idées.

De bon marché à prix moyens

|●| ***Au Bonheur des Tartes – Au Bonheur du Sud-Ouest*** *(plan couleur B2,* ***43****) : 4, rue des Trésoriers-de-la-Bourse. ☎ 04-67-02-77-38. Ⓣ Comédie. Ouv le midi mar-sam, le soir jeu-sam. Fermé dim-lun. Congés : 1 sem à Pâques, 2 sem en sept et 1 sem à Noël. Formules « tartes » 10 € le midi, « sud-ouest » 16 € ; formule et menu sud-ouest 19-22 € le soir. Apéritif maison offert sur présentation de ce guide.* Deux restos en un : le midi, les habitués investissent la jolie terrasse pour les tartes salées maison, confectionnées en fonction des saisons et du marché, plus une giclée d'huile d'olive pour faire bonne mesure, ou encore pour la formule avec foie gras ou soupe du moment et un plat au choix ; le soir en fin de semaine, les mêmes habitués reviennent pour la carte sud-ouest qui aligne d'excellents plats régionaux à base de produits de qualité. Une atmosphère conviviale et chaleureuse. Pour couronner le tout, vous pourrez accompagner le repas de bons p'tits vins ou de quelques grandes cuvées du Languedoc et le conclure avec un vieil armagnac, vendus à « prix d'amis ».

|●| ***La Place*** *(plan couleur B2,* ***42****) : 2, pl. Saint-Ravy. ☎ 04-67-66-22-86. Ⓣ Comédie. Tlj sf dim en basse saison. Service non-stop 12h-minuit. Formule rapide midi et soir 11 €, menus soir 19-26 €. Carte env 20 €.* C'est effectivement le site qui motive en premier lieu les foules, une adorable place piétonne de la vieille ville. Pour le reste, on se

satisfait d'une cuisine simple et correcte, pas trop chère. Ambiance jeune, service relax et souriant. Pour les « aventuriers », filet de kangourou ou de requin. Pour les autres, grillades, croques et salades diverses.

Brasserie du Théâtre *(plan couleur B3, **46**) : 22, bd Victor-Hugo. ☎ 04-67-58-88-80. ♿ Ⓣ Comédie. Service midi et soir jusqu'à 1h. Fermé dim. Formule en sem 19 € (plat, dessert, quart de rouge) et menu 24 €. Carte env 30 €. Apéritif maison ou café offert sur présentation de ce guide.* La brasserie telle qu'on se l'imagine : un service à toute heure pour contenter les couche-tôt et les noctambules, un personnel stylé et efficace, une cuisine traditionnelle bien faite et régulière (tartare, côte de bœuf, poissons du jour...), le tout dans le cadre élégant des brasseries d'avant-guerre. Dès que les nuits se font câlines, la terrasse en surplomb de la rue est prise d'assaut, et c'est à qui sera le plus proche de la fontaine fleurie qui glougloute. Bref, un bon rapport qualité-prix.

De prix moyens à plus chic

L'Écrin d'Anaïs *(plan couleur B3, **44**) : 15, rue de la Fontaine. ☎ 04-67-02-14-50. Ⓣ Comédie. Tlj sf dim-lun. Congés : 1 sem en fév et tt le mois d'août. Formule midi en sem 12 €, menus 23-44 €. Apéritif maison offert sur présentation de ce guide.* Un écrin charmant (cadre frais et sobre tout à la fois, murs blancs, parquet clair, tables bien séparées surveillées par un aquarium), un accueil d'une affabilité sans pareille et une fine cuisine suivant marché et saison. Voici une adresse qui possède tout pour séduire. Et elle tient ses promesses : la tradition, toute la tradition, déclinée en petits plats élaborés, comme cette cassolette de moules, ce fondu d'endives, cette crème brûlée à la lavande...

Kinoa *(plan couleur B2, **45**) : 6, rue des Sœurs-Noires. ☎ 04-67-15-34-38. • restaurantkinoa@yahoo.fr • Ⓣ Comédie. Fermé dim-lun et j. fériés. Congés : 1re quinzaine de nov. Formule midi en sem 16,50 €, menus 26-38 € ; carte env 40 €. Apéritif maison offert sur présentation de ce guide.* Après avoir compté parmi les belles tables de Montpellier, l'ex-Chandelier a troqué l'architecture contemporaine d'Antigone pour les vieilles pierres de la place Saint-Roch. Un charme de l'ancien qui ne se reflète pas dans la déco moderne très soignée de la salle, mais correspond mieux à une cuisine plus sage, tout en fraîcheur... émaillée de quelques produits provenant d'horizons lointains. Du beau travail, régulier, qui inscrit cette table dans la durée pour en faire l'une des plus séduisantes adresses de l'Écusson. On confirme, et avec enthousiasme. Accueil charmant. Terrasse.

Welcomedia *(plan couleur B2, **79**) : Opéra Comédie, pl. de la Comédie. ☎ 04-67-02-82-65. ♿ Tram : Comédie. Fermé le soir lun-mer et sam ainsi que dim tte la journée. Formules du jour 16-20 € ; compter env 30 € à la carte.* Voilà le duo Cellier et Morel (de la *Maison de la Lozère*) installé de plain-pied sur l'une des plus séduisantes places de Montpellier. Ici on joue plutôt la carte du bistrot chic, tendance et bien enlevé. Si la salle contemporaine et très sophistiquée ne fait pas forcément l'unanimité, c'est de toute façon en terrasse (et quelle terrasse) que se tiennent les agapes ! Un cadre de choix pour un menu dans l'air du temps, plus simple que chez sa grande sœur, où l'on pioche parmi les spécialités version tapas ou en plat unique, faisant la part belle aux saveurs méridionales. Et comme la maison ne fait pas les choses à moitié, on peut profiter de ce cadre unique dès le petit déj, ou à l'heure du thé pour les gourmands. *Welcome !*

Dans la vieille ville : au nord de la rue Foch

De très bon marché à bon marché

Bistrot d'Alco *(plan couleur B2, **54**) : 4, rue Bonnier-d'Alco. ☎ 04-67-63-12-89. Ⓣ Comédie.Louis-Blanc. Tlj sf sam midi et dim. Congés : 23 déc-1er janv.*

Formule midi en sem 10 €, menus 14-16,50 €. Apéritif maison offert sur présentation de ce guide. Qu'est-ce qui explique le succès de ce petit bistrot de quartier, isolé à l'angle d'une rue calme et peu touristique ? Ses tarifs ? Pas seulement. Car les habitués connaissent bien la qualité régulière de ses menus, et surtout ce petit quelque chose en plus pour faire d'un plat tout simple une agréable spécialité bien ficelée. C'est bon, copieux et souvent pris d'assaut (surtout la petite terrasse). Accueil très gentil.

|●| ***La Grange*** *(plan couleur A1, **49**) : 30, rue Jean-Jacques-Rousseau. ☎ 04-67-54-68-80. ♿ Ⓣ Place-Albert-Ier. Tlj sf sam, dim et j. fériés. Congés : d'oct à mi-nov. Formule midi en sem 14 €, env 18 € à la carte. Digestif maison offert sur présentation de ce guide.* Pour les p'tites faims, de fraîches salades composées, des toasts campagnards, des terrines maison, un plat du jour, des poissons marinés. Que de bons produits, une cuisine proprette et deux petites salles très agréables, au milieu d'un sympathique bric-à-brac façon antichambre de brocanteur. Très chaleureux.

|●| ***Brasserie du Corum*** *(plan couleur C1, **53**) : esplanade Charles-de-Gaulle. ☎ 04-67-02-03-04. • brasserieducorum@wanadoo.fr • ♿ Ⓣ Corum. Ouv le midi slt lun-jeu, midi et soir ven-sam. Fermé les dim et j. fériés. Ouv le soir en sem lors des grands festivals. Congés : août. Formules tartine + salade 9 € ; repas à la carte env 25 €.* Trois espaces en un : galerie d'art, bar à vin et resto gastronomique. Ce dernier est d'un rapport qualité-prix moins intéressant. Le cadre du bar à vin est clair, moderne et décontracté, avec une perspective de l'esplanade aux allures futuristes et du jardin archéologique, un drôle de contraste ! Salle confortable avec des tables en teck pour la terrasse et des chaises couleur sucette pour l'intérieur. On déguste au calme d'excellentes tartines bien servies : espadon et agrumes marinés au gingembre, poulet et aubergines grillées, brochette de Saint-Jacques... Côté gourmandises, la compotée de fruits frais remporte notre faveur. Sans trop sucrer la note !

|●| ***Le Kreisker*** *(plan couleur C2, **50**) : 3, passage Bruyas. ☎ 04-67-60-82-50. Ⓣ Comédie. Tlj sf dim. Service le soir jusqu'à 23h ; non-stop sam en hiver. Congés : dernière sem de juil et 1re quinzaine d'août. Compter env 10 € à la carte.* Galettes honnêtes de fabrication traditionnelle, prix tout doux, et un petit bout de terrasse idéalement situé, voilà la recette imparable d'une gentille crêperie sans chichis où les locaux viennent volontiers en voisin. Accueil simple et agréable.

De bon marché à prix moyens

|●| ***Restaurant L'Image*** *(plan couleur B2, **51**) : 6, rue du Puits-des-Esquilles. ☎ 04-67-60-47-79. • e-labat@free.fr • Ⓣ Louis-Blanc. Ouv le soir slt. Fermé dim et j. fériés. Congés : de mi-juin à début sept. Menus 14,90-22,90 €. Digestif maison offert sur présentation de ce guide.* Petite salle sympathique au rez-de-chaussée ; les claustrophobes préféreront toutefois la petite salle du haut. Cuisine simple et généreuse aux accents du Sud-Ouest. Quelques spécialités, comme par exemple le croustillant de magret de canard au miel et aux poires.

|●| ***La Girafe*** *(plan couleur B2, **52**) : 14, rue du Palais-des-Guilhem. ☎ 04-67-54-48-89. • restaurant.lagirafe@wanadoo.fr • Ⓣ Comédie ou Louis-Blanc. Tlj sf sam midi, dim et lun. Congés : 2 sem à Pâques, 3 sem en août, 2 sem à Noël. Carte slt, env 28 €.* Mignonne salle voûtée d'ogives avec une petite mezzanine pour ceux qui cherchent plus d'intimité. Ambiance plutôt paisible et accueil affable. Carte au tableau noir. Avant tout une cuisine d'assemblage, mais les plats se révèlent bien présentés et assez copieux. Surtout, notons un vrai goût pour les produits de saison, les herbes fraîches et le télescopage de saveurs. Bonbons de canard confit au miel, jambonnette de volaille farcie aux gambas, figues rôties... Service tout sourire qui participe à l'esprit détendu de la maison.

De prix moyens à plus chic

|●| ***Les Vignes*** *(plan couleur B2,* ***54****) : 2, rue Bonnier-d'Alco. ☎ 04-67-60-48-42. • contact@lesvignesrestaurant.com • Ⓣ Louis-Blanc. Ouv midi et soir jusqu'à 21h30. Fermé mer soir, sam midi, dim et j. fériés. Congés : 2e sem de Pâques et 3 sem en août. Menus midi 24-34 €, puis 39-55 € ; carte env 50 €. Apéritif maison offert sur présentation de ce guide.* De la rue, entrée banale qui ne laisse guère deviner la belle salle voûtée en contrebas, ni l'accueil souriant et discret. Un cadre intime et coquet, idéal pour découvrir une cuisine méditerranéenne à base de beaux produits régionaux, pleine d'élans créateurs et de saveurs nouvelles. Belle sélection de vins frais et gouleyants. Certes, pas de terrasse, mais, comme dit la patronne, ça vous garantit, par grosses chaleurs, quasi toujours de la place. Et nous de rajouter... une bienveillante tranquillité pour déguster cette belle cuisine de pro.

|●| ***La Diligence*** *(plan couleur B2,* ***55****) : 2, pl. Pétrarque. ☎ 04-67-66-12-21. • info@la-diligence.com • Ⓣ Comédie. Tlj sf lun midi, sam midi et dim. Congés : 10 j. en août. Menu midi slt 15 €, carte env 45 €. Kir offert sur présentation de ce guide.* Logée à l'enseigne du prestigieux hôtel de Varennes, *La Diligence* répartit ses tables entre des salles superbes sous croisées d'ogives, une cour classée agrémentée d'une magnifique porte du XVIe siècle, ou une galerie médiévale voûtée. Un décor de carte postale qui fait désormais partie du circuit de nombreux touristes. On les comprend d'autant mieux que la cuisine de la maison se goûte bien, une sélection de plats traditionnels (millefeuille d'agneau au foie gras, filet de bœuf) rehaussés à l'occasion de saveurs asiatiques.

|●| ***Le Saleya*** *(plan couleur B2,* ***78****) : 5, pl. du Marché-aux-Fleurs. ☎ 04-67-60-53-92. Ⓣ Comédie ou Louis-Blanc. Tlj sf dim, midi et soir. Repas à la carte 15-25 €.* Un petit resto-terrasse qui n'est ouvert que les jours de beau temps. Cela ne devrait pas vous perturber car les tables sont toutes dressées sur la place du marché, et l'ardoise vous donne la liste des plats du jour disponibles. Bonne petite cuisine de marché, pas compliquée mais à base de produits frais ; on se régale d'une fricassée de poulpes, seiches et encornets, d'une côte de taureau grillée ou de gambas croustillantes... Adresse *gay-friendly.*

De plus chic à beaucoup plus chic

|●| ***Tamarillos*** *(plan couleur B2,* ***56****) : 2, pl. du Marché-aux-Fleurs. ☎ 04-67-60-06-00. • info@tamarillos.biz • Ⓣ Louis-Blanc. Fermé certains dim midi, lun midi et mer midi. Congés : 1 sem pdt les vac de fév et de Pâques. Formules déj en sem 22-34 €, menus 50-90 €. À la carte, env 50 €. Café offert sur présentation de ce guide.* Double champion de France des desserts, ancien chef pâtissier chez *Savoy*, Philippe Chapon propose tout naturellement une cuisine de fruits et de fleurs particulièrement inspirée. Souvent originales, parfois déroutantes, ses créations sont autant de compositions colorées aux arômes multiples. Certains plats frisent le génie, d'autres sont plus classiques, c'est selon. Pensez évidemment à laisser de la place pour les très beaux desserts et les remarquables sorbets maison, qu'on savoure à petites cuillérées après avoir goûté une sélection de nectars de fleurs (dada de la maison). Résa conseillée, la salle tout en couleurs et très personnalisée (tables lumineuses en pâte de verre, service Murano chamarré) n'est pas bien grande. Fort agréable terrasse aux beaux jours, dans un environnement verdoyant.

|●| ***Restaurant Cellier & Morel – Maison de la Lozère*** *(plan couleur B2,* ***57****) : 27, rue de l'Aiguillerie. ☎ 04-67-66-46-36. • contact@celliermorel.com • ♿ Ⓣ Comédie ou Louis-Blanc. Fermé lun midi, mer midi, sam midi et dim tte la journée. Congés : 1re quinzaine d'août. Menus midi en sem 28 €, puis 47-62 €, puis carte. Apéritif maison offert sur présentation de ce guide.* Destinée, comme sa petite sœur parisienne, à promouvoir les produits lozériens, cette maison

remplit toujours sa mission à merveille. Avec quelque chose en plus. Éric Cellier, un des meilleurs chefs de l'Hérault, revisite avec un sens étonnant des nuances, des parfums, un terroir qui, ici, fait souvent le grand écart entre le Causse et les rivages de la Méditerranée. Service très agréable dans une salle design nichée sous des voûtes du XIIIe siècle, ou dans la cour, aux beaux jours. Coin épicerie fine pour qui voudrait rapporter de bons produits à la maison. Très belle carte des vins avec notamment de savoureux vins du Languedoc, sélectionnés avec intelligence.

Dans le quartier des Beaux-Arts et au nord-est

De bon marché à prix moyens

|●| ***Le Royaume des Mers*** *(plan couleur B1,* ***47****) : 4, rue de la Cavalerie. ☎ 04-67-52-86-47. Ⓣ Louis-Blanc. Tlj sf dim soir et lun, slt lun en été. Menus 13-26 € et carte.* On ne regrette vraiment pas les 10 petites minutes à pied depuis le cœur de l'Écusson. Car cette table discrète, sans enseigne ostentatoire, est une petite perle dont on ne donne l'adresse que du bout des lèvres. Pensez donc, pour une poignée d'euros à peine, la gentille maîtresse de maison offre un menu du jour aux allures de repas de fête. Rien d'extravagant ni de prétentieux, mais de fraîches spécialités de poisson, cuisinées dans les règles et joliment présentées. On y prendrait bien un abonnement à l'année.

|●| ***Chez Vincent*** *(hors plan couleur par C1,* ***59****) : 23, pl. Émile-Combes. ☎ 04-67-79-64-62. Ⓣ Louis-Blanc. Fermé sam midi, dim midi et lun. Congés : 24-31 déc. Plat du jour midi 7,50 €, pizzas 8-12 € et carte env 15 €. Apéritif maison offert sur présentation de ce guide.* Resto italien populaire proposant les meilleures pizzas de ce côté de la ville. Et cela dure depuis 1971 ! La maison aligne trois salles simples et agréables, mais c'est évidemment la terrasse au milieu de la place qui remporte tous les suffrages en été. À la carte, de copieux *antipasti* pour s'ouvrir l'appétit et d'excellentes pâtes fraîches, ou de bonnes viandes et salades pour ceux qui boudent les célèbres pizzas.

|●| ***Le Baloard*** *(plan couleur B1,* ***60****) : 21, bd Louis-Blanc. ☎ 04-67-79-36-68. • baloard@free.fr • Ⓣ Louis-Blanc. Service le soir jusqu'à 23h. Fermé sam midi et dim midi. Congés : août. Menus 12-24 € et carte env 25 €.* L'un des rares établissements à être ouvert le dimanche soir. Un néobistrot dynamique doublé d'une salle de spectacles au soussol, avec une programmation aussi éclectique que la déco de la salle le laisse présager. Tables et chaises qui valsent entre récup' et brocante. On éclaire l'ardoise avec une vieille lampe de bureau et on découvre les futurs talents en promenant son regard sur les murs. Petit rappel : vous êtes dans le quartier des Beaux-Arts. Au programme, plats créatifs à tendance méditerranéenne élaborés en fonction du marché. Accueil cordial. À fréquenter surtout le soir, pour l'ambiance et les performances d'artistes divers. Voir aussi « Où écouter de la musique ? Où assister à un spectacle ? ».

De prix moyens à plus chic

|●| ***Insensé*** *(plan couleur C2,* ***61****) : musée Fabre, 39, bd Bonne-Nouvelle. ☎ 04-67-58-97-78. Ⓣ Comédie. Tlj sf dim soir et lun. Formules 19-26 € ; carte 40 €. Vin au verre à partir de 5 €.* Installée dans l'aile droite du musée et accessible à tous de l'extérieur, une table pas si folle que ça, offrant un vrai dépaysement, visuel autant qu'olfactif. Dans les assiettes, une cuisine de marché signée par les frères Pourcel, qui suit les saisons et s'amuse à renouer, à sa façon, avec des classiques du pays comme la rouille de seiche. Les poissons et les pâtes sont déclinés d'amusante façon, et l'on ne voit pas le temps passer, sur-

tout en terrasse, face à l'entrée d'un musée qui, comme la cuisine des jumeaux montpelliérains, joue sur l'épure, la couleur et la modernité. Le soir, ambiance assez magique avec la façade éclairée. À côté du resto, sandwicherie *Sens Eat NoMad* pour ceux qui ont de l'humour autant que l'amour des voyages.

Dans le quartier des Arceaux

Très bon marché

I●I ***La Cigale*** *(hors plan couleur par A2,* ***62****) : 7, bd des Arceaux. ☎ 04-67-92-66-30. Tlj jusqu'à 1h (service slt 12h-15h) ; dim, horaires plus restreints. Env 10 € à la carte.* C'est le PC de la vie associative du quartier des Arceaux. On ne vient pas pour la déco, un sépia d'une époque révolue, mais pour son ambiance sympa et sa terrasse accueillante face aux célèbres arches de l'aqueduc. Idéal avant d'attaquer les marches de la promenade du Peyrou, et très pratique quand on fait son marché bio le samedi. Possibilité de se restaurer de façon simple et correcte : plat du jour, salades, burgers, frites, sandwichs divers.

Prix moyens

I●I ***Le Cinq*** *(hors plan couleur par A1,* ***71****) : 5, bd des Arceaux. ☎ 04-67-58-31-30. Ouv à midi lun-ven ; le soir jeu-sam. Fermé dim. Congés : août. Formule plat du jour, verre de vin et café le midi 12,90 €, autres formules 2 ou 3 plats 22 et 26 €.* Néobistrot sympa comme tout, surfant sans excès sur les tendances du moment, avec une déco moderne discrète, égayée ici ou là par les toiles des copains artistes. À l'ardoise, une bonne cuisine du marché bien inspirée, fraîche, joliment présentée et pleine de saveurs méditerranéennes. Accueil dynamique et souriant. Cinq sur Cinq !

I●I ***L'Assiette aux Fromages*** *(hors plan couleur par A2,* ***63****) : 17, rue Gustave. ☎ 04-67-58-94-48. Tlj sf sam midi et dim. Congés : août. Résa conseillée sam soir. Formules 8-16 € le midi ; env 22 € à la carte. Apéritif maison offert sur présentation de ce guide.* Un petit coin de montagne dans le quartier des Arceaux, à l'endroit où les rues jonglent avec les noms propres : Raoul, Georges, Hippolyte... La jolie salle aux vieilles pierres est vite embaumée par les raclettes et les fondues savoyardes. La carte recèle également une fondue au vin rouge, des viandes séchées et, bien sûr, les fromages de tout l'Hexagone avec une dominante franc-comtoise. Faites une petite place au pélardon des Cévennes avant d'attaquer la braserade avec ses six sauces et gratins au choix. Accueil amical et service assuré par un patron aussi attentionné qu'affairé. Une adresse que les Montpelliérains trouvent dépaysante, et pour cause.

Dans les quartiers des Figuerolles, du faubourg du Courreau et de Gambetta

De très bon marché à bon marché

I●I ***Mac Khalid*** *(plan couleur A2-3,* ***64****) : 10, rue Daru. ☎ 04-67-92-70-84. Ⓣ Comédie. Tlj 11h-23h. Congés : 10 sept-10 oct.* Un des kebabs les plus populaires du quartier. Deux salles, le snack et le resto. Grillades, sandwichs copieux (agneau, merguez, *kefta*, etc.). Un des rares endroits où l'on peut déguster des rognons blancs (pour ceux qui ne connaissent pas, bien cuisinés... c'est un plat fin et délicieux). Dans la petite salle de resto, très simple, on est largement rassasié pour 7 € (assiette garnie, frites, salade, boisson). Pour le même prix, un demi-poulet. Bref, la providence des petits budgets et des travailleurs du quartier. Et le thé à la menthe est offert avec le menu !

Le Repalatin *(hors plan couleur par A3,* ***65****) : 42, rue du Faubourg-Figuerolles. ☎ 04-67-92-27-85. Ⓣ Comédie. Ouv midi et soir, tlj sf dim et j. fériés. Carte env 15 €.* Seulement quatre tables dans ce minuscule caboulot, alors n'oubliez pas de réserver ou gardez une place au chaud sur un banc de la place voisine. Cadre et accueil chaleureux au possible. Au mur, œuvres d'artistes locaux (et photos d'un vieil habitué, Antonin Artaud)... Ici, on vous concocte des pizzas au feu de bois de légende (les meilleures à l'ouest du Pô, dit-on !). D'ailleurs, les gens du coin ne s'y trompent pas. Belles garnitures, pâtes d'une finesse exquise (ah, celle au reblochon !). Un petit moment de bonheur pour les papilles (en folie) et pas d'attentat au portefeuille.

Le Sphinx *(hors plan couleur par A3,* ***66****) : 3, pl. Roger-Salengro. ☎ 04-67-58-34-24. Ⓣ Comédie. Tlj jusqu'à 1h. Repas env 10 €.* Décor oriental et accueil familial dans cette minuscule cantine de quartier typique. Parmi les meilleurs couscous et tajines du coin, sans oublier les grillades et côtelettes d'agneau. En outre, généreusement servis et à des prix hyper-démocratiques. En face, le convivial bar *La Pleine Lune* pour l'apéro ou le café. Y a pas à dire, les Figuerolles, un quartier vraiment épatant !

De plus chic à beaucoup plus chic

Le Ban des Gourmands *(plan couleur C3,* ***70****) : 5, pl. Carnot. ☎ 04-67-65-00-85. Ⓣ Place-Carnot. Fermé dim-lun, ainsi que le midi mar-mer et sam. Congés : 3 sem en août et 10 j. à Noël. Résa conseillée. Formules midi 13 € et menu-découverte 28 € ; compter 35-45 € à la carte. Apéritif maison offert sur présentation de ce guide.* Un ban pour ce petit resto de compétition ! Car la cuisine créative de marché, qui suit les saisons et l'inspiration d'un chef consciencieux, confirme d'année en année son rang de bonne table locale. Comme le coin n'est pas vraiment touristique, on n'y rencontre, ça va de soi, que des gourmands, et de plus en plus de gourmets... ce qui n'a pas pour autant influencé l'ambiance, toujours cordiale et sans chichis.

L'Olivier *(plan couleur C3,* ***72****) : 12, rue Aristide-Ollivier. ☎ 04-67-92-86-28. Ⓣ Hôtel-de-Ville. Tlj sf dim-lun et j. fériés. Congés : 24 juil-1er sept. Menus midi 28 €, puis 36-53 € ; carte env 55 €. Apéritif maison offert sur présentation de ce guide.* Une référence. Les bonnes bouches de la ville ont depuis longtemps leurs habitudes dans cette maison sérieuse, où l'on sert une cuisine classique d'une grande finesse dans une petite salle gentiment rétro, compartimentée par des étagères remplies de bibelots. On travaille ici aussi bien le poisson que la viande, mais toujours à partir de produits frais et choisis : pigeon en cocotte, civet de homard au banyuls... Raffinement des sauces, soin de la présentation, patronne rythmant le service avec efficacité. De quoi laisser à vos papilles gustatives des souvenirs impérissables.

À Antigone et port Marianne

De bon marché à prix moyens

Le Pescator *(plan couleur D2,* ***73****) : 23, pl. du Nombre-d'Or. ☎ 04-67-13-29-16. ♿ Ⓣ Antigone. Tlj sf dim-lun. Congés : vac de fév. Menu 12-35 € et carte env 30 €. Apéritif maison offert sur présentation de ce guide.* Ils ne sont pas légion les bons restos de poisson dans la ville. Celui-ci s'est cependant forgé une petite réputation quant à la qualité de sa cuisine, très honnête. Comme le cadre se révèle plutôt agréable, tout en parquet et lambris bleus façon caboulot de marin, on fait le détour pour goûter la bouillabaisse, la bourride de baudroie ou les *parrillades* de poisson et crustacés. Terrasse protégée aux beaux jours.

Plus chic

|●| ***Séquoïa*** *(hors plan couleur par D3,* ***74****) : 148, rue de Galata.* ☎ *04-67-65-07-07.* ♿ *À Port Marianne, juste en face du bassin Jacques-Cœur.* Ⓣ *Port-Marianne. Tlj sf mer, sam midi et dim. Fermé ts les midis les 2ᵉ et 3ᵉ sem d'août. Congés : fin déc-début janv. Résa vivement conseillée. Formules midi 19-24 €, puis menu 39 € ; env 45 € à la carte.* Un lieu « show » dans la ville nouvelle, où angles arrondis et bois exotiques préfigurent la cuisine *fusion* créative et raffinée de Yann Rio. Choisissez les tables sur la terrasse qui s'accordent bien avec l'esprit solaire et ludique de la carte. En soirée, la salle sophistiquée s'impose, grand théâtre élégant où chacun peut jouer son rôle, enfoncé dans de gros fauteuils, côté bar, ou rêvant d'ailleurs autour des tables en verre et fer forgé. Si l'emplacement et la déco évoquent Miami ou Barcelone, les assiettes rectangulaires, très tendance, au contenu très coloré, mélanges subtils de saveurs d'ici et d'ailleurs, rappellent d'autres Suds et invitent à l'aventure culinaire sans œillères. La carte est saisonnière, avec un chapitre pour les tartares, idéal pour les couche-tard. Toujours très en vogue.

Où prendre un thé ? Où grignoter un gâteau ?

De bon marché à prix moyens

|●| ☕ ***Carthage Milk*** *(plan couleur C3,* ***80****) : 9, rue Alfred-Bruyas.* ☎ *04-67-58-86-77.* Ⓣ *Hôtel-de-Ville ou Comédie. Tlj sf lun 9h-21h. Congés : juil-août. Thé à la menthe, loukoums et pâtisseries orientales à prix démocratiques.* Une bonne halte pour les fauchés, entre la gare et la place de la Comédie, dans une rue calme. Petites tables en formica, néons arabisants et radio branchée sur une FM musicale pour tromper le silence. Précisez au patron si vous souhaitez des pignons dans votre thé à la menthe. Pâtisseries orientales, bon jus d'orange frais, brick au thon ou à la viande et sandwich tunisien très copieux.

|●| ☕ ***Les Doigts d'Or de Fès*** *(plan couleur A2,* ***81****) : 39, rue du Faubourg-du-Courreau.* ☎ *04-67-06-97-90.* Ⓣ *Comédie. Tlj sf lun 9h-21h. Apéritif maison offert sur présentation de ce guide.* Petite affaire familiale réputée pour ses bonnes pâtisseries orientales maison. Possibilité de se restaurer également (pastilla, grillades, tajines, couscous, etc.) à des prix imbattables.

Plus chic

☕ ***Le Latitude*** *(plan couleur B1,* ***86****) : pl. de la Canourgue.* Ⓣ *Comédie. Tlj sf dim-lun 8h-19h30.* À l'intérieur, la vaste salle arbore une déco minimaliste mais cosy : tables en bois brut et fauteuils en cuir, quelques toiles aux murs et une poignées d'objets africains. Agréable terrasse au beau milieu des rosiers dès les beaux jours. Très discret, idéal pour conter fleurette ou discuter une affaire. Quelques expos avec vente d'œuvres d'art.

|●| ☕ ***L'Heure Bleue*** *(plan couleur B2,* ***87****) : 1, rue de la Carbonnerie.* ☎ *04-67-66-41-05.* Ⓣ *Comédie. Tlj sf dim-lun (ainsi que certains ap-m en juil-août) 12h-19h ; salon de thé à partir de 15h. À midi, assiettes salées très copieuses env 12 €.* Installé dans un charmant hôtel particulier du centre-ville, ce salon de thé coquet affiche une déco aussi bariolée que surchargée, digne de la caverne d'Ali Baba. Pas de problème si vous craquez pour l'un des objets disposés dans l'un des salons-boudoirs ; le patron antiquaire est fier de ses trouvailles et les expose à la vente. Il est aussi soucieux de trouver les meilleurs fournisseurs en thé, et a ainsi choisi le *Thé des Écrivains* et les thés *Kousmichoff*. Bref, un endroit plébiscité par les Montpelliérains, qui vous offrira de quoi occuper vos yeux et vos papilles. Fait aussi librairie gourmande et comptoir de thés.

Où boire un verre ?

Avec ses dizaines de placettes ombragées, ses grandes esplanades et ses petites terrasses camouflées, Montpellier est la ville rêvée pour faire une pause au soleil ou pour venir la nuit tombée à la recherche de la fraîcheur et du calme de ses rues piétonnes. Dans cette ville, étudiante par excellence, les bars font souvent office de QG, de bureau, de lieu de rencontres, voire de salle de lecture où potasser les cours... Voici quelques propositions, mais vous en rencontrerez bien d'autres en vous baladant.

🍸 ***Le Café Riche*** *(plan couleur C2, **95**) : 8, pl. de la Comédie. ☎ 04-67-54-71-44. • cafe.riche@tiscali.fr • ♿ Ⓣ Comédie.* Vous y passerez tôt ou tard, car cette place magnifique est un carrefour incontournable entre la gare, l'Écusson et la ville nouvelle. Hélas, la vague pseudo-design qui sévit dans de nombreux bars est passée par là, et du vieux *Riche* aux allures 1900 ne reste que l'auvent en fer forgé. L'intérieur a été remodelé en ajoutant des bois sombres, une mezzanine et des lustres néobaroques. Pour nous consoler, il nous reste les fauteuils de régisseur sur la terrasse, que l'on préfère matinale et ensoleillée. Un point de rencontre idéal.

🍸 ***Le Café Joseph*** *(plan couleur B2, **96**) : 3, pl. Jean-Jaurès. ☎ 04-67-66-31-95. Ⓣ Comédie. Tlj 10h (14h dim)-1h (2h en juil-août).* Cette petite place concentre l'essentiel de l'animation nocturne de la ville. Le taux de rotation de ces établissements est si élevé qu'il est impossible de prévoir ceux qui seront toujours *in* à la sortie du guide. Cependant, nous pouvons mentionner sans crainte celui-ci, où se retrouve une jeunesse estudiantine allumée au milieu d'une déco *70's* revisitée non moins éclatante : fauteuils œufs en plastique blanc, banquettes de moleskine rouge, écrans géants pour des clips électro assourdissants...

🍸 ***Times Café*** *(plan couleur B2, **99**) : 9, rue des Teissiers. ☎ 04-67-54-98-42. Ⓣ Comédie. Mer-dim 18h30-1h.* Au *Times*, il n'y a pas d'heure pour goûter un petit cru de derrière les fagots ! Pas faux, surtout à la lecture de l'alléchante carte des vins. C'est ce qui garantit le succès de ce petit bar à vin mignon comme tout, d'autant plus que l'équipe est souriante et dispense de bons conseils. Quelques tables en terrasse, souvent trustées par une clientèle chaleureuse d'étudiants et de post-étudiants réunie par l'amour du divin breuvage.

🍸 ***Art Café*** *(hors plan couleur par C1, **97**) : 13, rue Proudhon. ☎ 04-67-72-29-63. Ⓣ Comédie ou Louis-Blanc. Tlj sf dim. Petite restauration le midi et tapas le soir.* Un des cafés branchés des Beaux-Arts parmi les plus populaires. Mais quelle reconversion ! C'était autrefois le grand rendez-vous des bouchers quand il y avait encore les abattoirs. Cadre coloré, confortables fauteuils en osier, expos d'artistes, et surtout une terrasse irrésistible sur la place. Un lieu de rencontre particulièrement renommé.

🍸 ***Rebuffy Pub*** *(plan couleur B2, **98**) : 2, rue Rebuffy. ☎ 04-67-66-32-76. • rebuffypub@aol.com • ♿ Ⓣ Comédie. Sur une place à deux pas de la préfecture.* Une terrasse ombragée pour « apéroter » et disputer au calme une partie de Scrabble ou de Trivial Pursuit. Fréquenté par les commerçants du quartier et les chalands pendant la journée, clientèle principalement universitaire en fin d'après-midi et le soir. Ce petit pub tapissé de vieilles affiches est souvent animé jusqu'à tard, sans exagérer, fermeture à 1h pétante oblige (2h en été)... Également des soirées à thème (théâtre, courts-métrages...) une fois par trimestre.

🍸 ***Café de la Mer*** *(plan couleur B2, **100**) : 5, pl. du Marché-aux-Fleurs. ☎ 04-67-60-79-65. Ⓣ Louis-Blanc. Tlj, tte l'année.* Très fréquenté, ce bar minimaliste *gay-friendly* borde une place au si joli nom qu'on la rêverait autrement, plus jolie, plus vive, plus colorée. Néanmoins, elle est inondée de soleil une bonne partie de la journée, un petit plus en automne et en hiver où l'on s'installe en terrasse pour prendre des couleurs.

🍸 ***Fitzpatrick's*** *(plan couleur B2, **101**) :*

5, pl. Saint-Côme. ☎ *04-67-60-58-30.* Ⓣ *Comédie. Tlj 11h-2h.* Un pub irlandais authentique et sans concession. *Baked potatoes* à midi et *Guinness on tap* à savourer en terrasse, sous les auvents aux couleurs du pays, ou dans la salle aux vieilles pierres envahie de bibelots hétéroclites. Concerts *folk* certains soirs, et retransmission des matchs de foot et de rugby de rigueur. Sur la place, petite annexe pour s'exercer au billard. Un lieu très prisé des anglophones.

🍸 ***Circus Spin Lounge*** *(plan couleur B2,* ***102****) : 3, rue Collot.* ☎ *04-67-60-42-05.* Ⓣ *Comédie. Tlj 18h-1h (19h-2h en été). Congés : 6 sem fin juin-fin juil. Consos 2-8 €.* L'un des bars les plus prisés de Montpellier. Malgré l'agrandissement, les places sont chères en 2e partie de soirée, lorsque les canapés et le comptoir sont pris d'assaut par une joyeuse bande d'étudiants bien mis. Bonne *vibe,* bon son, bref, un *before* parfait avant la tournée des boîtes.

🍸 ***Bodega Los Caracoles*** *(plan couleur B3,* ***104****) : 8, pl. Laissac.* ☎ *04-99-06-04-94.* Ⓣ *Comédie ou Gare-Saint-Roch. Tlj sf dim-lun. Congés : 14 juil-1er sept.* Si l'Espagne vient à vous manquer, voici une adresse où vous assouvirez vos envies de tapas et de *cañas* (chopes de bière). Allez jeter un coup d'œil aux mets exposés sur le comptoir (le bar fait 9 m de long !) avant de faire votre choix. On vous conseille les classiques comme l'omelette aux pommes de terre *(tortilla)* ou les boulettes de viande *(albondigas).* Également pas mal de poissons et viandes *a la plancha.* Tables en terrasse pour se prélasser.

🍸 ***Le Comptoir*** *(plan couleur B2,* ***106****) : 5, rue du Puits-du-Temple (entrée par la rue des Sœurs-Noires).* ☎ *04-67-60-94-55.* Ⓣ *Comédie. Tlj sf dim 17h30-1h.* À l'ombre de l'église Saint-Roch. Un petit bar à vin bien languedocien, très convivial avec sa salle rouge et son zinc poli par les brochettes d'habitués. Une dizaine de tables dans la rue piétonne pour des soirées gustatives estivales. Pas de tapas (ça change des autres troquets du quartier), mais de la charcutaille à déguster avec du faugères et des fromages qui accompagnent à merveille le pic-saint-loup. Parfois quelques soirées à thème avec apéro huîtres, DJ ou vernissage d'expos.

🍸 ***Le Barberousse*** *(plan couleur C2,* ***103****) : 6, rue Boussairolles, près de la place de la Comédie.* ☎ *04-67-58-03-66.* • *montpellier@barberousse.com* • Ⓣ Comédie. *Tlj sf dim 18h-1h (19h-2h l'été).* Happy hours *18h-20h (19h-21h l'été).* Une porte étroite, un escalier abrupt, et tout en bas... une « authentique » taverne à matelots ! Car les boiseries, les tonneaux et les filets de pêche ont tout de la cale d'un galion qui se serait échoué un jour de tempête. D'ailleurs, la cambuse renferme shooters, planteurs et vieux rhums des plus variés, et goûter autre chose relève presque du sacrilège. Une règle d'or apprise par cœur par les nombreux étudiants qui font désormais partie de l'équipage !

Où écouter de la musique ? Où assister à un spectacle ?

À Montpellier, passé 1h, on n'entre plus dans la plupart des bars ou cafés-concerts, mais sachez néanmoins qu'on y reste souvent jusqu'à bien plus tard. Quant aux boîtes de nuit, elles ont la permission de 4h.
Tous les courants musicaux y ont droit de cité, de l'électro dernier cri aux chanteurs de variété française de bon ton. La capitale de l'Hérault compte quelques enfants prodiges dont le groupe Rinôçerôse, qui pratique la house à la guitare, ou encore le chanteur à textes Général Alcazar. Qu'il s'agisse de découvrir un nouveau talent dans un obscur café-théâtre, de consacrer un artiste au Zénith ou d'applaudir une diva à l'Opéra Berlioz, Montpellier possède des salles de toutes les tailles et un éventail de spectacles pour tous les budgets. Ajoutez à cela la danse contemporaine et les nombreux festivals (voir la rubrique « Fêtes, manifestations et festivals » plus loin) qui s'y déroulent toute l'année et vous obtenez l'équation parfaite de la ville sudiste dynamique à la pointe de la culture.

Bars musicaux

Bar La Pleine Lune *(hors plan couleur par A3,* ***108****) : 28, rue du Faubourg-Figuerolles. ☎ 04-67-58-03-40. Programmation sur le site • lapleinelune.fr • Tlj 7h-1h. Entrée gratuite ; consos env 3,50 €.* Au carrefour stratégique des Figuerolles, une lune pleine tous les jours, à toutes les heures. Accueil sympa, chaleureux, apprécié des gens du quartier (surtout en terrasse aux beaux jours). Diverses animations (*slam*, poésie, théâtre...) et concerts vers 21h, de tous genres (tzigane, hip-hop, salsa, jazz, world, etc.), un souci d'éclectisme musical et d'ouverture notable. En mal de lecture ou en attendant votre *blind date,* une riche librairie alternative vous tend les bras à l'étage. Dans un des derniers quartiers authentiques, certainement notre café préféré à Montpellier et l'un des plus anciens cafés-concerts.

Le Bec de Jazz *(plan couleur B2,* ***110****) : 9, rue des Gagne-Petit. ☎ 04-67-02-18-83. Ⓣ Comédie. Ouv 19h-1h. Consos env 3 €. Cocktail maison offert sur présentation de ce guide.* Tenu par un jeune Africain très sympa et passionné de musiques du monde, ce bar de poche bien patiné accueille des musiciens certains soirs (en solo ou en duo, vu la taille), pour des concerts chaleureux et fraternels. Les guitares résonnent de loin, attirant les spectateurs qui se tiennent même debout dans la rue. Ça va de la chanson française au flamenco, donc assez varié.

Salles de concert

Le Rockstore *(plan couleur C3,* ***111****) : 20, rue de Verdun. ☎ 04-67-06-80-00. • rockstore.fr • Ⓣ Hôtel-de-Ville. Tlj sf dim 18h-4h (6h l'été).* Le temple du rock montpelliérain, le mot n'est pas trop fort. L'arrière de la Cadillac qui gicle de la façade donne le ton : pas moins de trois bars, une salle électro et une vaste scène pour des concerts fougueux. Formations de toutes pointures et de tous styles. Un lieu pour boire un coup, pour écouter de la musique et pour danser.

Le Zénith Sud *(hors plan couleur par D3,* ***112****) : domaine de Grammont, av. Albert-Einstein. ☎ 04-67-64-50-00. • enjoy-montpellier.com • Sortie autoroute n° 9 Montpellier-Est. Lors de grands concerts, un bus dessert le site av et après le spectacle.* Petite frère de la salle parisienne, le Zénith peut accueillir jusqu'à 6 000 spectateurs et possède une grande souplesse d'utilisation pouvant varier de taille en fonction des manifestations (récitals, galas de danse, etc.). Parmi les stars internationales ayant brillé dans le firmament méditerranéen, on dénombre Björk, Iggy Pop, Tina Turner, Sting et, plus proches de chez nous, Johnny Hallyday ou encore Charles Aznavour.

JAM *(hors plan couleur par B3,* ***113****) : 100, rue Ferdinand-de-Lesseps. ☎ 04-67-58-30-30. • jam@lejam.com • lejam.com • ♿ Ⓣ Saint-Cléophas ou Nouveau-Saint-Roch. Près de la gare de tri postal. Bus n° 12 ou tram pour y aller, sinon il vous reste la voiture, le vélo ou le stop. Ouv oct-juin. Entrée 0-20 € selon programmation. Concerts 4 fois/sem à partir de 21h.* Le jazz-club de Montpellier est installé dans un ancien chai viticole de 1 000 m² et affiche une programmation de haut niveau. Toutes les pointures sont passées par là : Bill Evans, Michel Petrucciani, Steve Coleman... Concerts gratuits tous les jeudis, accueillant des groupes, suivis de bœufs par les élèves de ce conservatoire hors du commun. Les vendredi et samedi, le programme alterne jazz et musiques du monde (salsa, afro, indienne, etc.). Le *JAM* (Jazz Action Montpellier) est aussi une école pour jazzmen débutants et confirmés avec ses *masterclasses* et ses artistes en résidence. Une initiative assez unique en France, l'autre académie de ce genre se trouvant à Tours.

Inclassable

Le Baloard *(plan couleur B1,* ***60****) : 21, bd Louis-Blanc. ☎ 04-67-79-36-68. • baloard.com • Ⓣ Louis-Blanc.* Le sous-sol du *Baloard* est perméable à toutes les formes artistiques avec un faible pour les musiques électroniques, les performances d'artistes et le théâtre expérimental. Un lieu pluriculturel en plein centre avec une programmation décidément avant-gardiste. Fait aussi resto (voir « Où manger ? »).

Où danser ?

Voici une ville jeune située en plein milieu de l'axe fêtard nord-sud qui s'étire de Bruxelles à Barcelone. Elle est décidément moins frime que ses voisines de la Méditerranée, et plus abordable aussi, car les clubbeurs sont pour l'essentiel des étudiants. Pour s'attirer les faveurs d'une telle population (près de 70 000 universitaires par an, en moyenne), les organisateurs de soirées ne cessent de faire tourner les DJs et de varier les thématiques : kitsch, déguisements, soirées blanches avec cadeaux à la clé... Les boîtes de nuit de Montpellier exercent leur magnétisme bien au-delà de l'agglomération, se plaçant parmi les plus réputées du Sud. De plus, elles restent ouvertes toute l'année, un avantage de taille ! Leur seul inconvénient : le couvre-feu est à 4h, arrêté préfectoral oblige, et les *after* ne courent pas la garrigue. Du coup, les bars du centre-ville font le plein jusqu'à 1h et les noctambules empruntent le chemin des plages – Palavas, La Grande-Motte – pour rejoindre les discothèques qui s'enfièvrent à partir de 2h du mat. Là, quitte à jouer les paternalistes, il vaut mieux vous prévenir : l'Hérault détient le triste record des routes les plus meurtrières de France. Alors, un conseil, que celui ou celle qui en est à son troisième Vittel-menthe soit seul à prendre le volant et que les autres bouclent leur ceinture. Maintenant, bon divertissement.
Pour connaître les événements et les soirées dans la ville, voire dans la région, se procurer ***Coca'Zine*** (ainsi que son extension ***Festoche***) et ***Out Next,*** deux mensuels gratuits disponibles dans de nombreux bars, ainsi que ***Events.*** Côté loisirs, il y a de quoi occuper aussi bien les excursionnistes du week-end que les estivants. Aux escapades nocturnes, il faut ajouter l'opération « plages musicales » pendant l'été. Les *sound systems* (traduisez, maxi-platines et enceintes taille XXL) sont éparpillés le long du littoral et diffusent à tue-tête de la musique *lounge,* techno, salsa, etc., pour ceux qui aiment danser pieds nus sur le sable encore chaud. Une dernière précision : Montpellier vient de décrocher la palme de la deuxième ville gay de France après Paris. Ce qui lui vaut une réputation de tolérance doublée d'une image de marque *hype*... branchée, quoi !

♫ ***La Villa Rouge*** *(hors plan couleur par C3,* ***121****) : route de Palavas (sur l'A 9, sortie Sud-Montpellier), 34970 Lattes. ☎ 04-67-06-52-15 ou 04-67-06-50-54. Ouv tte l'année mer-dim. Entrée : 8- 15 € selon les jours, conso comprise.* Club gay à dominante électro incontournable : un patio et pas moins de 3 *rooms,* dont un vaste *dancefloor* et un bar supercoloré (le Cat's Club), le tout pouvant accueillir jusqu'à 2 000 clubbeurs. Un style musical différent (house, techno-électro...) pour chaque piste, distillé par d'excellents DJs résidents ou des invités de renom. Ambiance chaude et envoûtante, également pour une clientèle hétéro qui vibre à l'unisson sur les mêmes ondes. Pour ceux qui n'ont pas de voiture, possibilité de s'y rendre par le bus Amigo, car *La Villa Rouge* se trouve à proximité de l'espace Latipolia.

♫ ***La Dune*** *(hors plan couleur par D3,* ***123****) : allée de la Plage, 34280 La Grande-Motte, face à la plage. ☎ 04-67-56-43-43. • http://ladunemontpellier.com • Ouv jeu-sam et veilles de j. fériés. Entrée gratuite.* Cette discothèque, qui programme de la house en priorité, ne cesse de croître par la taille et par la réputation, à tel point qu'on doit se garer de plus en plus loin sur le front de mer. Grand blockhaus dans le style Ibiza, ciment et acier anodisé, écrans télé géants diffusant les derniers défilés de mode et espaces VIP à l'étage. Beaucoup de DJs invités pour varier les thématiques (kitsch, follivores...). Du beau monde entre 18 et 35 ans, dents brossées et pompes bien cirées.

♫ Indiquons au passage les discothèques de l'espace Latipolia (***Pulp, Matchico,*** etc.) qui attirent une clientèle locale et sont desservies par le bus nocturne Amigo.

Où acheter de bons produits ?

Halles et marchés

– ***Les halles Castellane*** *(plan couleur B2,* ***141****)* ***:*** *sur la place du même nom, à deux pas de la Comédie. Tlj 7h30-19h30 (14h dim).*
– ***Les halles Jacques-Cœur*** *(plan couleur D2,* ***160****)* ***:*** *bd d'Antigone. Tlj 8h-21h (15h30 dim).* Ces halles, devant lesquelles le tram s'arrête, ont redonné vie au quartier dessiné par Bofill.
– Deux grands marchés sinon : *un* ***marché paysan*** *(plan couleur D2,* ***161****), à Antigone, av. Samuel-Champlain (slt des producteurs locaux), dim 8h-13h ; et le* ***marché des Arceaux*** *(plan couleur A2,* ***139****), mar, et rendez-vous des amateurs de produits bio, sam 7h-13h.*
– *Sinon,* ***marché des Beaux-Arts*** *(plan couleur C1,* ***164****), pl. des Beaux-Arts, lun-sam 7h-13h.* ***Marché aux plantes,*** *mar 7h-19h, espace Mosson.* ***Marché paysan nocturne*** *organisé au mas de Saporta, à Lattes, en juil-août.*
– Pour ceux qui rechercheraient le dépaysement, un incontournable : le ***marché du quartier des Figuerolles*** *(hors plan couleur par A3,* ***162****), pl. Roger-Salengro, avec son bazar. Tlj 7h30-13h30.* Si vous voulez manger sur le pouce, arabe ou africain, c'est là qu'il faut aller traîner, en fin de matinée.
– ***Le marché aux puces*** *(hors plan couleur par A2,* ***163****)* ***:*** *à la station « Mosson », au terminus du tramway. Dim mat jusqu'à 13h.* Immense, très populaire. On y trouve tout, de la fringue bien sûr aux pièces automobiles, portables de toutes marques et toutes origines, brocante, antiquailleries, bibelots, etc. Ne pas se décourager, les bouquins et vieux papiers sont tout au fond à droite.

Boutiques

Dans l'Écusson (vieux centre)

Pinto *(plan couleur B2,* ***166****)* ***:*** *14, rue de l'Argenterie. ☎ 04-67-60-57-65. • pinto.fr • Tlj sf dim et lun mat 9h-12h30, 14h30-19h.* Une épicerie fine qui fait craquer toutes les bourses, dont la spécialité reste le « délice des Trois Grâces », un chocolat noir aux épices, et les « grisettes de Montpellier », irrésistibles petits bonbons ronds aux saveurs de miel et de réglisse. Aussi « cocktails » d'épices du monde, concoctés avec la manière par le maître de céans, et confitures rares. Une boutique de passionnés.

La Maison régionale des vins *(plan couleur B2,* ***167****)* ***:*** *34, rue Saint-Guilhem. ☎ 04-67-60-40-41. Lun 10h-20h, mar-sam 9h30-20h. Fermé dim.* Si vous devez reprendre le TGV et que vous voulez vous faire pardonner pour votre absence loin de la famille, faites un tour dans cette boutique, vous serez absous illico. Belles corbeilles avec produits du terroir (encornets farcis, olives de Lucques, mendiants au muscat...). Grand choix de vins de pays, crémants et eaux-de-vie. Tout pour l'amateur de vin : verres, tire-bouchons, carafes. Bons conseils.

Fromagerie Puig *(plan couleur B2,* ***168****)* ***:*** *23, rue Saint-Guilhem. ☎ 04-67-66-17-32. Tlj sf dim-lun 8h-13h, 16h-19h.* Une boutique très pro et accueillante avec une pointe d'humour dans l'agencement de la vitrine (une installation vous expliquera tout sur la fabrication du roquefort) et un coucou qui sonne l'heure de se régaler d'un pélardon des Cévennes, par exemple. On peut également y déguster un bon fromage de brebis (tome de Corbières) ou de vache (tome du Larzac) et plus généralement tout ce que les fermes de la région produisent de meilleur.

Boulangerie Lomonaco *(plan couleur A2,* ***170****) : 8, rue Jean-Jacques-Rousseau.* ☎ *04-67-60-76-07. Tlj sf dim 7h30-13h30, 16h-20h.* Toute petite boutique dans une rue charmante. Tout comme le service, aimable, et la baguette payse, délicieuse, ainsi que les petits pains aux olives, les tartes sucrées, les pizzas...

Boulangerie Buzon *(plan couleur B3,* ***171****) : 7, rue du Faubourg-de-la-Saunerie.* ☎ *04-67-92-68-69. Tlj sf dim 6h-19h30.* Four à l'ancienne au fond de la boutique et, au comptoir, un choix de feuilletés (brandade, allumettes aux anchois) et de pâtisseries succulentes comme le « jésuite », triangle de pâte feuilletée couvert de sucre et d'amandes effilochées.

Boulangerie Le Vieux four Sainte Anne *(plan couleur A2,* ***182****) : 10, rue Eugène-Lisbonne.* ☎ *04-67-84-45-58. Tlj sf dim 7h-13h30, 16h-19h30.* Vieille maison réputée pour ses pains au levain, cuits dans un four en pierre du XVIIIe siècle. Excellent pain aux olives. Fournit quelques bonnes tables de la ville.

Au nord de l'Écusson

La Maison des pâtes fraîches *(hors plan couleur par C1,* ***172****) : 4, pl. des Beaux-Arts.* ☎ *04-67-79-14-66. Tlj sf dim-lun 9h-13h30, 16h-19h30.* Pâtes faites maison, mais avec la touche locale, comme les « raviolis au bœuf fleur d'Aubrac ». Pesto concocté par le chef, charcuterie et vins transalpins, tout pour vous préparer un repas comme en Italie. En cas de petites faims intempestives, on peut même se faire cuire ses pâtes préférées à la commande : 5 mn d'attente, et il ne reste plus qu'à trouver un banc public de libre pour savourer son butin. Service souriant. Possède une deuxième boutique aux halles Castellane.

Dans les quartiers du Courreau, des Figuerolles et des Arceaux

La Brûlerie du Courreau *(plan couleur A2,* ***174****) : 9, rue du Faubourg-du-Courreau.* ☎ *04-67-92-30-11. Tlj sf dim-lun 9h-13h, 15h (16h l'été)-19h.* Boutique accueillante où vous trouverez les meilleurs cafés torréfiés quotidiennement. Plein de bonnes senteurs. Rendez-vous des vrais fans de thé aussi qui viennent humer et se faire conseiller les arômes et les mélanges parmi une sélection de 150 variétés. Également des miels, des chocolats et autres fins produits régionaux.

Sésame *(plan couleur A2,* ***175****) : 41, rue du Faubourg-du-Courreau.* ☎ *04-67-58-04-86. Tlj sf dim-lun 10h-13h, 15h-20h.* Même les portes fermées, on n'échappe pas aux parfums enivrants émanant de cette petite boutique, dont les rayonnages croulent sous les produits exotiques et les épices. Beaucoup de choix.

Aux Croquants de Montpellier *(plan couleur A2,* ***176****) : 7, rue du Faubourg-du-Courreau.* ☎ *04-67-58-67-38. Tlj sf dim-lun 7h-19h. Fermé les j. fériés et en août.* Vénérable boutique où vous découvrirez de succulentes spécialités de la ville comme les fameux « croquants de Barre » (créés en 1880), ainsi que d'autres exclusivités : les « comédies » (pâte d'amande à l'orange), les « olives du clapas », etc.

Guy Auzier *(plan couleur A2,* ***177****) : 3, rue du Faubourg-du-Courreau.* ☎ *04-67-92-63-35. Tlj sf lun 9h-12h, 14h-18h.* Un véritable temple de la haute dragée, des gommes, guimauves et autres réglisses. Régale presque tous les mariages et baptêmes au sud de la Loire depuis les années 1920, c'est dire. Mamans et marraines viennent choisir la couleur des dragées et du ruban sur catalogue et en discutent les nuances dans une atmosphère délicieusement provinciale et presque anachronique. Une coutume qui tient le choc en ces temps où beaucoup de traditions se délitent. Grand choix de paniers, corbeilles, bonbonnières, « berceaux » et « voiliers » pour grands moments romantiques. On adore les « avola super », dragées aux amandes siciliennes de grande renommée...

La Cave des Arceaux *(hors plan couleur par A2, **179**) : 7, rue Marioge. ☎ 04-67-92-44-84. Lun-sam 9h-13h, 16h-19h30 (20h ven-sam) ; dim 10h-13h. Fermé lun en août.* Plus les années passent, plus cette cave s'affirme comme l'une des plus pro de la ville. Excellents conseils et superbe sélection de vins de propriété (avec évidemment une prédilection pour ceux du Languedoc), dégustation-rencontre le samedi matin... Bon plan : le patron a mis en place un système d'« épargne-vin », sorte de cave collective qui vous permet de stocker votre vin dans de bonnes conditions en attendant sa maturation ! Une référence.

La Pêcherie *(hors plan couleur par A3, **180**) : 30, rue Faubourg-Figuerolles. ☎ 04-67-92-54-18. Tlj sf lun 8h-12h30, 16h-20h, dim slt le mat.* Tout simplement le meilleur poissonnier de Montpellier. Même les bourgeois de la ville viennent aux Figuerolles s'approvisionner en poisson frais (arrivé direct de Sète le matin), c'est dire ! Plateaux de fruits de mer à emporter. Ça s'active dans tous les sens, certains poissons semblent vouloir déjà repartir au bouillon, une vraie ruche de la mer.

Valgalier *(plan couleur A1, **181**) : 18, rue du Faubourg-Saint-Jaumes, à l'angle de la rue Bonnard. ☎ 04-67-63-30-61. Lun-sam 5h30-12h45, 14h30-20h ; en continu dim. Fermé lun en été.* Ça sent bon le chocolat maison dans cette boulangerie-pâtisserie en contrebas du jardin des Plantes. Fabricant d'une autre spécialité de Montpellier, « l'Écusson », un petit carré fourré de pâte d'amandes, parfumé aux écorces d'orange et enrobé de chocolat blanc. Vous pourrez aussi goûter aux Équatoriales : ce sont différentes variétés de chocolat fabriqué en exclusivité pour la maison en Équateur !

À voir. À faire

À Montpellier, il y a toujours de quoi s'occuper les jambes et la tête agréablement.

– ***Visite guidée du centre historique :*** *balades culturelles très pédagogiques de 2h, organisées min 2 fois/sem par l'office de tourisme. N'hésitez pas à consulter le programme édité chaque trimestre et, pour plus d'infos, contacter le ☎ 04-67-60-60-60, billetterie ☎ 04-67-60-19-27.* Sous la houlette de guides professionnels et passionnés, on passe en revue les façades et les ruelles les plus intéressantes, et surtout on pénètre, par petits groupes, dans des lieux habituellement fermés au public, du *mikvé* au sommet de l'arc de triomphe en passant par une cour d'hôtel particulier.

– ***Visites à thème :*** *programme édité chaque trimestre. Compter 6-12 € par adulte ; réduc.* L'office de tourisme ne manque décidément pas d'imagination pour mettre en valeur Montpellier : balades originales au cœur de la ville, des hôtels particuliers, de l'Opéra-Comédie, de la faculté de médecine, de l'Opéra Berlioz, de la pharmacie de la Miséricorde, mais aussi sur le thème du vin, sur celui de l'histoire de la communauté juive ou du monde méconnu des luthiers. Génial, surtout lorsque la visite s'achève avec panache par une dégustation au sommet de l'arc de triomphe (pour la balade vigneronne), ou par un concert (après la rencontre avec les luthiers).

BALADE DANS LE VIEUX MONTPELLIER

Aujourd'hui, la ville peut s'enorgueillir de posséder l'un des plus beaux centres piétons de France. Toutes les ruelles, et même certains grands axes du centre, sont parvenus à bannir les voitures. Tant mieux (même si certains commerçants n'apprécient pas vraiment). À Montpellier, se balader est vraiment un plaisir.

Cette ville de prime abord ouverte, facile et par certains côtés un peu superficielle, comme peut l'être parfois la jeunesse, en grand nombre ici, est en réalité discrète,

secrète. On n'en finit pas de lui découvrir des détails d'architecture, des recoins pittoresques. Rappelons que, malmenée par l'histoire – toutes ses églises ont été rasées au XVIe siècle durant les guerres de Religion, sauf la cathédrale, d'ailleurs très restaurée –, Montpellier a toutefois gardé, à peu de chose près, son plan médiéval dans tout l'Écusson. Ruelles et placettes ombragées, et, ici et là, quelques nefs romanes ou gothiques, vestiges de maisons civiles des XIIIe et XIVe siècles. On remarque surtout les belles façades d'hôtels particuliers, redessinées à l'époque classique (XVIIe et XVIIIe siècle).
Ces maisons de ville, sobres d'aspect, cachent des cours intérieures lumineuses et fraîches, avec parfois de superbes escaliers monumentaux. C'est qu'ici il n'est pas élégant d'afficher sa fortune ; on décore l'intérieur pour soi et ses amis. Et c'est une tradition bien méditerranéenne : la vie et ses agréments se retrouvent dans l'atrium gallo-romain, le patio espagnol, tout comme dans les cours des hôtels médiévaux et classiques montpelliérains (pour y avoir accès, s'adresser à l'office de tourisme, qui organise, et on peut lui tirer notre chapeau, d'excellentes visites guidées ; voir plus haut).

Au nord de la rue Foch

Rue Foch *(plan couleur B2)* **:** les mini-Champs-Élysées de Montpellier. Une des rares percées de type haussmannien (1878), cependant pas trop monstrueuse et même agréablement arborée.
– Au n° 6, bel ***hôtel Paul.*** Pas du tout contemporain de la rue Foch, c'est un hôtel de la fin du XVIIe siècle (dessiné par Daviler), qui ne fut pas démoli au moment du percement de la voie. Porte ornée d'un Hercule revêtu de la peau du lion de Némée.
– En face, le ***palais de justice,*** construit en 1853 à partir de l'ancien palais des Guilhem, tombé en ruine au début du XIXe siècle. On lui adjoignit cette monumentale colonnade corinthienne, surmontée d'un fronton avec une allégorie en haut-relief : « La justice protégeant l'innocence et dévoilant le crime ». À l'intérieur, d'intéressantes fresques, notamment celle de la première chambre de la cour d'appel, œuvre de Joseph-Marie Vien (1771), figurant le Languedoc sous la protection de la Justice. Dans la troisième chambre, peinture de Jean Troy, un Louis XIV en Apollon entre la Justice et la Religion.

L'arc de triomphe *(plan couleur A2,* ***137****)* **:** édifié en 1691 en remplacement de l'ancienne porte médiévale, pour célébrer les victoires de Louis XIV (sur le modèle de celui de la porte Saint-Martin à Paris). Côté ville, deux médaillons. L'un représente la victoire des catholiques sur les protestants, avec l'inscription « *Extincta heresi* » (« L'hérésie est éteinte »), l'autre, la jonction de l'océan Atlantique et de la Méditerranée, grâce au canal du Midi. Côté extérieur, bas-relief représentant Hercule terrassant un lion (entendez l'Angleterre) et un aigle terrorisant l'Empire. L'autre symbolise villes et provinces soumises par le roi, avec l'inscription « *Sub oculis hostium Belgii arcibus expugnatis* » (« Les citadelles de Belgique sont vaincues », allusion à la prise de Namur). Dans le grand cartouche en haut, ode à « Louis le Grand qui règne depuis 72 ans et qui, après avoir vaincu les nations coalisées, a ramené la paix sur terre et sur mer ».

La promenade du Peyrou *(plan couleur A2,* ***138****)* **:** face à l'arc de triomphe, il s'agit d'une longue place royale de pierre *(peyrou)* qui fut réalisée par J.-A. Giral. Auparavant, ce n'était qu'une promenade quasi sauvage d'où Louis XIII fit tirer au canon sur la ville, au moment du siège de 1622. Lieu de fêtes, de foires et de réjouissances sous Louis XIV. Les travaux d'aménagement débutèrent au début du XVIIIe siècle. On remodela et améliora sans cesse son aménagement tout au long du siècle. On plaça en plein centre une statue équestre à la gloire du Roi-Soleil. Pour arriver là, elle effectua d'ailleurs une belle balade : fondue à Paris, elle rejoignit Le Havre, d'où elle embarqua pour Bordeaux. De là, croisière sur la Garonne et le

canal du Midi jusqu'à Frontignan. Là, un canal spécial fut creusé pour l'amener au Lez et enfin à Montpellier. L'original ayant été fondu à la Révolution, celle-ci est une réplique du XIXe siècle.
Au bout de la promenade, quelques marches mènent à un château d'eau en forme de temple corinthien entouré d'une pièce d'eau. Dernière tranche des travaux en 1765. On le doit au même Giral (ainsi que les trois élégantes arches surbaissées qui le relient à l'aqueduc). De là, vue panoramique sur la ville et même sur la mer au loin. Dans l'axe, l'aqueduc Saint-Clément. Dessiné sur le modèle du pont du Gard, on surnomme ce bel ensemble *les Arceaux.* Il prolonge harmonieusement la promenade. À l'entrée, les lions et les Amours datent de 1883.

L'aqueduc des Arceaux *(plan couleur A2,* ***139****)* **:** édifié de 1753 à 1766, long de près de 14 km (dont les deux tiers en souterrain), avec 4 m de dénivelée. Fournissait l'eau potable de la ville à partir des sources de Saint-Clément-de-Rivière. Dans sa partie finale, il promène à 21 m de hauteur 53 grandes et élégantes arches et 183 petites.

La rue de la Loge *(plan couleur B2)* **:** l'un des axes majeurs de la ville et la rue principale au Moyen Âge (qui s'appelait à l'époque la rue Dorée, à cause des nombreuses boutiques de bijoutiers). En 1445, Jacques Cœur fit édifier une loge des Marchands (bourse des marchandises et tribunal de commerce), immeuble de prestige, situé à l'époque au coin de la rue de l'Aiguillerie. À côté, une petite loge s'occupait plus particulièrement des affaires des marchands d'épices. Hélas, totalement ruinées par les guerres de Religion, les loges disparurent. Restent un nom et le souvenir. À l'angle de la rue des Trésoriers-de-France, plaque rappelant que l'humaniste Rondelet reçut Rabelais chez lui le 15 septembre 1530.
– Au 19 bis, rue de la Loge, découvrez le **_lieu de naissance de saint Roch._** Plaque (1295-1327) et statue dans une niche. Au fond de la maison se trouve le vieux puits de Saint-Roch où le saint fit provision d'eau avant d'entamer son long périple. On ne peut voir le puits que le 16 août, lors du pèlerinage qui amène de nombreux fidèles à recueillir l'eau du puits. Dans le temps, on en gardait une fiole toute l'année pour traiter non seulement la peste, mais aussi blessures et plaies, fièvres diverses et toute épidémie. Une autre tradition consistait aussi à fabriquer du pain avec cette eau, le *pan béni,* qui était distribué dans les églises le même jour.
– Au 11 bis, rue de La Loge, **_hôtel du Pont-de-Gout,_** construit en 1667, mais côté rue, balcons et verrière datent du XIXe siècle. En revanche, à l'intérieur, on retrouve l'ordonnancement traditionnel du XVIIe siècle. Notamment un magnifique escalier dit « à quatre noyaux ». Arcs particulièrement travaillés. Au plafond, peinture de Jean de Troy.

La place Jean-Jaurès *(plan couleur B2)* **:** l'épicentre de l'activité commerciale au Moyen Âge. C'est là qu'aboutissaient les routes de Toulouse, de Nîmes et du port maritime. Un négoce fiévreux régnait devant l'église Notre-Dame-des-Tables, appelée ainsi en raison des tables de changeurs, qui prirent littéralement possession de la place. À l'entrée de la *rue de la Petite-Loge,* on trouvait précisément la *petite loge des pépriers* (importateurs du poivre). Au centre de la place (côté droit en descendant), *pharmacie Gely,* la plus ancienne de la ville (Xe-XIe siècle). La fontaine dite des Licornes y était adossée avant d'aller émigrer place de la Canourgue. Statue de Jean Jaurès, ça va de soi. Aujourd'hui, la place est devenue l'un des hauts lieux de la jeunesse estudiantine. Elle est bordée d'une bonne dizaine de cafés plus ou moins branchés. Chacun a son préféré, son lieu de rendez-vous favori, mais si on n'y distille pas la même musique, on y sert la même bière.

La crypte Notre-Dame-des-Tables *(plan couleur B2,* ***140****)* **:** *pl. Jean-Jaurès.* ☎ *04-67-54-33-16. Mar-sam 10h30-12h30, 13h30-18h. Entrée : 1,60 €.*
Une muséographie appelée à faire parler d'elle. Entre le marché et les terrasses de la place, certains vont descendre les escaliers en pensant rejoindre un parking. Surprise, on va leur remettre un casque et les inviter à suivre une visite dans le

temps qui, au départ, les laissera sceptiques. Rien de spectaculaire, du béton et des pierres, où est le musée ? Dans leur tête, a-t-on envie de répondre.
Une explication préliminaire s'impose. D'origine romane, la crypte dont on va vous conter l'histoire, en même temps que celle de Montpellier, vit le jour, si l'on peut dire, au XIIe siècle, lorsque les changeurs de monnaie s'installèrent au pied de l'église Notre-Dame-des-Tables. Elle connut une scoumoune incroyable : détruite en 1563 par les protestants, rebâtie, puis détruite à nouveau en 1621. Les cathos n'étant pas du genre à se décourager, elle fut encore reconstruite, puis consacrée comme l'une des étapes importantes sur le chemin de Saint-Jacques-de-Compostelle avant d'être définitivement démolie en 1794. Les rares vestiges que le temps a épargnés servent de point de départ pour une visite virtuelle dans le passé de la ville : traces lumineuses pour faire revivre l'église et un monde disparu, animations vidéo et sonores vous invitent à un drôle de pèlerinage, par petits groupes et dans la langue que l'on préfère. On s'assied devant un castelet, petit dispositif théâtral bien vu, on écoute, on sourit, on repart, on fait une pause devant un ossuaire, avant d'admirer les gisants de Jacques d'Aragon et d'Urbain V. À la sortie, on peut prendre un verre, sur la place, en ayant l'étrange sentiment d'avoir fait, comme le professeur Mortimer dans la B.D. d'Edgar P. Jacobs, un singulier voyage immobile...

⚲ ***Les halles Castellane*** *(plan couleur B2,* ***141****) : rue de la Loge (et rue Saint-Guilhem).* Marché couvert construit en 1869 sur le modèle des halles de Baltard à Paris (premier ouvrage à utiliser la technique du fer à Montpellier), récemment restauré, qui, à cette occasion, a intégré tous les commerçants qui officiaient autour.

⚲ ***Rue Embouque-d'Or*** *(plan couleur B2)* **:** l'une des rues les plus séduisantes de la ville, bordée de superbes hôtels particuliers (ça devient lassant !). Notamment aux nos 1, 3, 4 et 6. Pas souvent ouverts, mais certains se visitent dans le cadre de l'office de tourisme.
– Au n° 1, ***l'hôtel de Baschy-du-Cayla,*** construit au milieu du XVIIIe siècle. Très belle porte sculptée, mais, étroitesse du terrain oblige, elle se révèle très en biais pour permettre l'entrée des carrosses. D'ailleurs, le montant de porte gauche est deux fois plus large que le droit (au premier étage, même le mascaron est de biais !). À l'intérieur, façades particulièrement travaillées. Fenêtres cintrées ornées d'un mascaron et balcons au fin fer forgé. L'une des façades arbore une ornementation aux trois ordres (dorique, ionique et corinthien). Très large escalier avec belle rampe.
– Au n° 4, ***l'hôtel de Manse*** *(plan couleur B2,* ***142****).* Ici habita l'un des personnages les plus importants de la région : Jacques de Manse, trésorier de France. Hôtel reconstruit en 1667. Peu de chances qu'elle soit ouverte, mais sachez que la cour intérieure propose une magnifique façade à l'italienne. Elle fut d'ailleurs choisie pour être la couverture du livre *Montpellier, la demeure classique,* aux Cahiers du Patrimoine, l'ouvrage le plus exhaustif que l'on connaisse, c'est dire ! Belle porte sculptée. À l'intérieur, l'escalier est donc précédé d'une façade richement ornementée. Au rez-de-chaussée, de fines colonnes à chapiteaux ioniques supportent un entablement orné de guirlandes. Au-dessus du balcon à balustres, d'autres colonnes à chapiteaux corinthiens sont surmontées d'une corniche très travaillée. Entre les colonnes, des vitraux. Quant à l'escalier, inspiré des grands escaliers parisiens, c'est le premier dit « à cage ouverte », monté sur trompes et coquilles dans les angles.

⚲ ***Rue Jacques-Cœur*** *(plan couleur B2)* **:** là aussi, une des rues les plus anciennes. Une des dernières arches du XVIe siècle relie la *chapelle des Pénitents-Blancs* à *l'hôtel des Trésoriers-de-France,* qui abrite le musée Languedocien.

⚲⚲⚲ ***Le Musée languedocien*** *(plan couleur B2,* ***130****) : 7, rue Jacques-Cœur. ☎ 04-67-52-93-03. Tlj sf dim et j. fériés 14h30-17h30 (15h-18h de mi-juin à mi-sept). Entrée : 6 € pour une visite libre des collections et de l'expo temporaire, 8 € pour la visite guidée ; réduc.*
Abrité dans l'hôtel des Trésoriers-de-France, l'un des plus beaux de la ville. D'abord palais de Jacques Cœur, grand argentier de Charles VII. Puis, au XVIIe siècle, siège des trésoriers de France en charge des domaines royaux pour la région. À cette

occasion, l'hôtel est entièrement reconstruit, mais en conservant certaines de ses structures antérieures. L'architecte est Alexis de la Feuille, responsable des travaux du canal du Midi. Il travaille avec l'un des plus grands constructeurs de l'époque, Antoine Arman. Leur chef-d'œuvre sera le grand escalier sur la cour, le plus monumental de la ville. Cage d'escalier en forme de portique, ensemble harmonieux de trois paliers soutenus par trois ordres de colonnes. Dorique (ou plutôt toscan), puis corinthien, enfin pilastres se terminant par un ordre plus composite. On notera le beau travail de ciselage sur les frises des corniches et les deux soleils, symboles de Louis XIV, ornés de la devise « *Nec pluribus impar* », « Supérieur à tout autre ». Arrogante façon d'affirmer son pouvoir ! Fronton triangulaire du XIXe siècle qui remplaça le dôme abattu en 1737 (la charpente commençait à montrer des signes de faiblesse). La Feuille s'inspira de l'escalier de l'hôtel de Manse et réalisa là un génial calcul sur les poussées de la pierre (ce ne sont pas les voûtes qui les subissent). Au XIXe siècle, l'hôtel fut racheté par la famille Lunaret, qui le transforma en maison d'habitation et rajouta un étage à l'escalier. À gauche, au rez-de-chaussée, un couloir de style gothique. Pilier avec les armes de Jacques Cœur, un autre « alchimiste » avec moult symboles, dragon ailé, petit singe, poisson à deux têtes, chouette, salamandre, etc.

Rez-de-chaussée

On y trouve les *salles romanes,* essentiellement des sculptures provenant de la région. Belle collection de chapiteaux historiés ou décorés de feuillages, et intéressant bas-relief, *La Vierge de Fontfroide* du début du XIIIe siècle. Dans la salle suivante, vestiges de Saint-Guilhem. Notamment, la *Traditio Legis* ou le « Christ enseignant la Loi à ses apôtres » du XIIe siècle. Ces derniers se serrent les uns contre les autres autour du Christ (beau travail sur les cheveux). Ne pas manquer également les deux jolis tailloirs à décor végétal.

Premier étage

– Belle *salle gothique,* ancien bureau de réunion des trésoriers de France. Remarquable plafond polychrome datant de Jacques Cœur (XVe siècle). Sur les murs, décor de fleurs de lys du XVIIIe siècle redécouvert à l'occasion de travaux de restauration. Impossible de décrire toutes les richesses. Quelques coups de cœur : châsse en émail limousin du XIIIe siècle, « paredals » ou panneaux de plafond provenant d'un hôtel particulier, statuettes en bois, monnaies du Moyen Âge, exquis ivoires ciselés, poteries diverses, vestiges d'un décor du XVIIIe siècle, cuve baptismale en bronze, rare vaisselle en bois tourné du XIIIe siècle.

– *Grande salle :* belles tapisseries flamandes, armoires de mariage languedociennes (noter les symboles de fécondité et de fertilité), coffres en bois sculpté, émaux de Limoges (dont une belle pietà du XIVe siècle), superbe cabinet Renaissance incrusté de nacre, ivoire et pierres précieuses, faïence italienne aux tons jaunes et bleus (splendide plat rond), porcelaine de Delft, portrait de Louis XIV par Rigaud. Pièce exceptionnelle : une sphère céleste de Coronelli, géographe et mathématicien vénitien (1650-1718).

– *Petite salle suivante :* toiles de Jean Raoux, vases de chine Qing (XVIIe siècle) décor mille fleurs, mobilier...

– *Salle de faïences de Montpellier :* c'est sous Louis XIV que la faïence peinte connaîtra un formidable essor. Pour une raison toute simple : ruinée par son train de vie et les guerres, la France de Louis XIV est obligée de fondre toutes ses pièces d'orfèvrerie. La faïence peinte la remplace et triomphe alors. Cette industrie connaît à Montpellier un important développement, ainsi que dans d'autres villes (notamment la faïence de Moustiers). Belle collection de pots d'apothicaire, vases pharmaceutiques, soupières, « bouillons à oreilles », plats à décor floral, etc.

– *Grand salon :* situé dans l'appartement de la famille de Lunaret. Le décor n'a pas bougé. Beau plafond à caissons. Remarquable buffet à deux corps style Renaissance. Dans la vitrine du milieu, quelques « pièces », comme ces billets pour le baptême du roi de Rome et le couronnement de l'empereur, et des miniatures.

– *Salon doré (ou jaune) :* là aussi, tout est en l'état. Murs tendus de soieries, quelques costumes.

– *Grand vestibule :* belles tapisseries flamandes du XVIIe siècle, dont un *Moïse changeant son bâton en serpent devant le pharaon,* chaise à porteur du XVIIIe siècle, etc.
– *Salle à manger :* décor gothique pompeux comme c'était la mode au XIXe siècle. Plafond à écussons, lourd décor de la cheminée.
Deuxième étage
Plus fourre-tout et chiche en explications, il recèle néanmoins de beaux trésors.
– *Salles de la préhistoire :* pointes et lames en silex, objets découverts dans les dolmens (burins, grattoirs, etc.). Belle poterie du chalcolithique avec dessins (2200-1700 av. J.-C.), pointes de flèche en bronze, bracelets. Vitrines égyptiennes : tissus coptes, vases canopes, statuettes d'Osiris. Beaux vases et cratères grecs (IVe siècle av. J.-C.), coupes, amphores attiques à figures rouges (ravissante tête d'animal-verre à boire) ou noires... Archéologie romaine : vestiges lapidaires, bijoux, petit matériel de médecine, délicats petits bronzes, outillage agricole du IIe siècle apr. J.-C., sarcophage d'enfant, verres et fioles, urnes en verre, etc.
Enfin, la salle consacrée aux traditions populaires regroupe d'anciennes mesures montpelliéraines et une belle collection de brides muletières du XVIe au XVIIIe siècle, intéressant témoignage de l'activité des muletiers cévenols. Ces brides trouvent leur origine dans les « phalères » de bronze utilisées par les guerriers celtes et les soldats romains pour leurs montures. Céramiques diverses, poids de commerce utilisés du XIIIe au XVIIIe siècle, orfèvrerie religieuse complètent ce riche musée.
Également une importante expo temporaire (jusqu'à mi-septembre 2008) : *Jacques le Conquérant (1208-1276), roi d'Aragon, de Majorque et de Valence ; Montpellier sa ville natale.*

Juste en face du musée se trouve ***la chapelle des Pénitents-Blancs*** *(plan couleur C2,* ***143****) : rue Jacques-Cœur.* Ancienne chapelle Sainte-Foy de 1243, annexée par les pénitents en 1623, peu après la défaite des protestants et la reprise de la ville par les catholiques. Église reconstruite en 1643. Pour bien marquer leur pouvoir, les pénitents dressèrent sur la façade une grande croix, supprimée bien sûr à la Révolution, réinstallée après et aujourd'hui toujours là. *Rappel :* les pénitents sont un ordre de catholiques laïcs pratiquant la prière et la charité. Leurs origines remontent aux XIIe et XIIIe siècles. Les associations de pénitents se retrouvent surtout autour de la Méditerranée (Espagne, Italie, Corse). À Montpellier, ils s'occupent aussi de la maintenance des quatorze croix de la ville.
À l'intérieur de l'église, décor très sombre du XVIIe siècle et atmosphère un peu mystérieuse. Chœur de 1875 avec des éléments de l'ancien retable. Grand tapis de 1848 reproduisant les noms de toutes les confréries dépendant de Montpellier. Derrière, le chapitre des pénitents. Mais le plus intéressant, c'est le plafond peint, typique de la Contre-Réforme (années 1670). Bien sombre lui aussi, il gagnerait à être nettoyé. Pour ceux et celles possédant de bons yeux, quelques panneaux parmi les plus intéressants (certains sont d'Antoine Ranc). Rangée du milieu, à tout seigneur tout honneur, *Dieu le Père* dans un tout petit panneau, puis *L'Adoration des bergers, La Fuite en Égypte* (petit panneau) et *L'Érection de la croix.* De part et d'autre de *La Fuite en Égypte, La Circoncision* et *L'Adoration des mages.* Pour la visiter, en dehors de la visite spécifique avec l'office de tourisme, le mieux est encore d'arriver 10 mn avant la messe de 9h45 les mardi et vendredi.

L'hôtel de Varennes *(plan couleur B2,* ***131****) : 2, pl. Pétrarque.* Un de nos hôtels préférés. D'abord, il est ouvert dans la journée (voir ci-dessous), ensuite, c'est un bel exemple de fusion harmonieuse d'architectures. Façade du XVIIIe siècle (typiquement parisienne) rapportée sur les structures d'une vieille demeure médiévale, dont l'histoire se lit dans la pierre. Le long hall d'entrée à voûtes ogivales était initialement une rue. Dans la cour, environnée de salles gothiques voûtées, vénérable puits de 23 m de fond. Très belle salle Pétrarque (utilisée pour des expos) du XIVe siècle, qui pourrait être la salle basse du premier château des Guilhem. Dans la petite cour sur la gauche, jolie porte du XVIe siècle très ornementée (feuillages et bestiaire). Ne pas manquer de jeter également un œil à côté sur la belle salle à manger du resto *La Diligence*.

À l'étage, ***le musée du Vieux-Montpellier et le musée du Fougau*** *(plan couleur B2,* ***131****) : 1, pl. Pétrarque. ☎ 04-67-66-02-94. Installé dans le magnifique hôtel de Varennes (voir plus haut). Tlj sf dim-lun et j. fériés 9h30-12h, 13h30-17h. Entrée libre.*

Petit musée intéressant consacré, en cinq salles, à l'histoire de Montpellier. Quelques brochures détaillent certains des objets présentés, mais le personnel d'accueil se fera un plaisir de répondre à vos questions.

– *Salle 1 :* quelques « pièces » intéressantes comme le cabinet doré qui contint une partie des archives jusqu'en 1789 (avec quatre serrures et quatre personnes possédant chacune une clé). Rare tabernacle, peut-être hébraïque (on en discute encore), des XVe et XVIe siècles. Il abrite une Vierge noire du XIIIe siècle.

– *Salle 2 :* réservée aux témoignages et faits religieux. Portraits des chanoines et chapelains de l'hôpital, bâtons de procession de pénitents, quatre anges de la Passion dorés et un beau reliquaire polychrome.

– *Salle du XVIIIe siècle :* reconstitution d'un salon de l'époque, décoré des portraits des évêques de la ville, dont un nommé Colbert (de la famille du ministre de Louis XIV). Petit cabinet avec ivoire ciselé et belle horloge.

– *Salle de la Révolution :* objets et souvenirs liés aux vedettes locales : Cambon, Cambacérès... Quelques médailles et porcelaines, maquette de la Bastille.

– *Dans le couloir,* jolies estampes et bureau de M. Pagesie, maire de Montpellier sous le Second Empire. Encadrement de miroir (chef-d'œuvre de maître).

– *Dernière salle :* l'ancienne cuisine avec son sol d'origine. Quelques éléments d'église, enfilade de sacristie (meuble), chaise de mariage (très étroite). Plus insolite : accroché au mur, un très vieux jeu montpelliérain, le mail, un genre de golf (réservé à l'époque aux nobles).

– En haut, le ***musée du Fougau.*** *☎ 04-67-84-31-58. Ouv slt mer-jeu 15h-18h. Congés : de mi-juil à mi-août. Entrée gratuite.* Tenu par des bénévoles passionnés ravis de vous faire la visite, ce petit musée d'art et traditions populaires fut créé en 1932 à l'initiative d'un journaliste local. *Lou Fougau* (« le foyer » en occitan) est installé dans un appartement typique du XVIIIe siècle, avec des barres de Montpellier au sol, sur lesquelles on peut encore observer des coquilles incrustées dans le calcaire. Tous les objets exposés ont été donnés par des Montpelliérains fiers de leur patrimoine. Costumes traditionnels, belles poteries (dont la cruche « dau troubaïre », modèle unique façonné par Claudi Peyrotte en 1840, gravé de pamphlets contre les magistrats qui lui avaient causé du tort), portrait d'une « griseta » ou couturière, ustensiles de cuisine, etc. Demander les explications sur le jeu de tambourin ou encore le jeu de mail, ancêtre du golf. Pittoresque et charmant, ce musée se révèle également dynamique puisqu'il propose des petites expositions temporaires et dispense des cours d'occitan languedocien une fois par semaine. Alors, laissez tomber votre accent pointu et allez chanter à la manière de Mistral et des troubadours du Moyen Âge, *boudiou !*

Remontons désormais vers la cathédrale Saint-Pierre par un charmant treillis de ruelles.

L'hôtel de Mirman *(plan couleur B2,* ***144****) : 7, pl. du Marché-aux-Fleurs.* Date des XIVe et XVIIe siècles. En 1632, possession de Jean de Mirman, trésorier général de France. L'un des plus séduisants de la ville (inclus dans la tournée à thèmes des guides de la ville d'ailleurs). Jeter d'abord un œil sur la belle salle de la banque voûtée d'ogives. Juste à côté, entrée monumentale à croisée d'ogives, sur laquelle s'ouvre, à droite, la cour intérieure. Au fond, magnifique escalier dit « à vis ouverte à arc rampant », c'est dire ! On y distingue une nette influence des escaliers des châteaux de la Loire (Blois notamment). C'est le plus ancien escalier créé en ville par Simon Levesville, architecte qui serait arrivé de l'Orléanais et qui influença fortement l'architecture montpelliéraine du XVIIIe siècle. Plusieurs balcons à balustre. À droite de l'escalier, ravissante grille de ferronnerie ornant un vieux puits de 1645.

La préfecture *(plan couleur B2,* ***145****)* **:** comprend deux corps de bâtiment. Face à la place Chabaneau, d'abord l'hôtel de Jeanne de Gévaudan, comtesse de Ganges. Construit en 1686, surélevé le siècle suivant. *L'hôtel de Ganges* fut le siège de l'intendance à partir de 1718, puis préfecture sous le Premier Empire. En 1869, on lui adjoignit de nouveaux bâtiments côté place des Martyrs-de-la-Résistance, en même temps que s'ouvrait la rue Impériale (rue Foch aujourd'hui). Sur la place Chabaneau, fontaine de 1775 qui personnifie la ville (une femme assise sur le Peyrou entre deux enfants symbolisant les sources du Lez et de la Mosson).

Rue de la Vieille-Intendance *(plan couleur B1-2)* **:** l'une des rues qui montent vers la place de la Canourgue. Au n° 9, **hôtel de la Vieille-Intendance.** Construit en 1638, un des premiers hôtels à la française, typique de l'architecture Louis XIII. En 1685, Nicolas Lamoignon de Basville, intendant de la province y habitait, d'où son nom. La grande Mademoiselle, cousine germaine de Louis XIV, y dormit lors d'un passage dans la ville et l'hôtel connut deux locataires célèbres, Auguste Comte et Paul Valéry. Belle cour intérieure avec élégante porte et escalier dit « droit à rampes alternatives avec palier à mi-étage ». Belles lucarnes cintrées sur deux consoles.

La place de la Canourgue *(plan couleur B2,* ***146****)* **:** l'une des plus jolies places, en tout cas la plus intime et la plus romantique. Elle doit son existence à un curieux hasard architectural. En effet, la cathédrale Saint-Pierre ayant été très endommagée par les guerres de Religion, il fut décidé d'en construire une autre à cet emplacement précisément. Les travaux commencèrent alors, mais ils furent arrêtés par Richelieu, qui décida qu'il valait mieux finalement restaurer Saint-Pierre. On raconte aussi qu'il ne souhaitait pas faire un si beau cadeau à une ville qui avait épousé la cause huguenote (on lui avait aussi rapporté de graves cas de détournement d'argent destiné à la construction, par les amis de l'évêque). Seuls vestiges de cette cathédrale avortée, les gros piliers qui servent aujourd'hui de soutènement au jardin. Au point le plus élevé de la place, saisissant paysage urbain en plongée. Belle fontaine dite des Licornes, de 1770 (précédemment place Jean-Jaurès, à côté de la pharmacie). Cheval cassé lors du transfert. La grande croix à côté rappelle l'existence ici même de l'église Sainte-Croix, démolie par les protestants en 1621. Bancs et ombrages du jardin fort recherchés pour lire et se reposer. Environnement d'un charme fou. On ne se croirait vraiment pas au cœur d'une grande ville.
– ***L'hôtel de Belleval,*** au coin de la place et de la rue du Vestiaire, est un élégant bâtiment édifié au XVIIe siècle à l'emplacement du palais de Guilhem VI. Ancien hôtel de ville de 1816 à 1971. Ouvert en semaine de 9h à 16h30, car il abrite une annexe du tribunal de grande instance et les prud'hommes. Jolie cour aux balustres aveugles et fenêtres à l'italienne. Les bustes d'empereurs romains ont été mis à l'intérieur. Subsistent les consoles sculptées du XVIIe siècle. Bel escalier central à deux départs.
– Au n° 3, rue de Sainte-Croix ***l'hôtel Cambacérès,*** œuvre du grand architecte Jean-Antoine Giral en 1723 pour Dominique Cambacérès, conseiller à la Cour des comptes et finances de la ville. L'un des plus beaux exemples d'hôtels de l'aristocratie du XVIIIe siècle. Façade s'inspirant de celles des grands hôtels parisiens de la même époque. Magnifique escalier ouvert. Des arcs surtendus portent des paliers larges de six mètres.
– Enfin, ***l'hôtel de Sarret,*** au sud de la place, au n° 6, rue du Palais-des-Guilhem. Logement du conseiller du roi à la Cour des comptes reconstruit en 1636. L'exemple parfait de la maison de ville de la période Louis XIII. Admirer également cet élément architectural unique, assez hardi également, la trompe à l'angle de la rue de la Coquille. Noter en outre une autre originalité, les deux côtés sont asymétriques.

Rue du Palais-des-Guilhem *(plan couleur A-B2)* **:** d'autres beaux hôtels particuliers, notamment aux n°s 12, 15, 17 et 29. Nous arrivons désormais à la frontière de l'ancien quartier juif.

L'ancien quartier juif (*plan couleur B2*) **:** précisons que celui-ci n'a jamais été un ghetto. Circonscrit grosso modo par les rues de la Barralerie, Castel-Moton, du Figuier et du Palais-des-Guilhem. Y habitaient également des familles chrétiennes. La grande majorité des institutions juives, synagogues, bains rituels, boulangeries et boucheries casher s'y trouvaient donc. Treillis de rues étroites bordées d'élégantes maisons de ville et d'hôtels particuliers, dont beaucoup héritèrent au XVIIIe siècle de larges fenêtres « en davilerte » (ouverture à arc surbaissé, rappelons-le). On a localisé définitivement l'ancienne synagogue et des bâtiments annexes au sein d'un groupe d'immeubles, dans le même coin que le *mikvé*. Des travaux de restauration sont en route pour les mettre en valeur et les transformer en lieu de mémoire.

Le mikvé (*plan couleur B2,* **147**) **:** *1, rue de la Barralerie (vient de barraliers, « fabricants de tonneaux »).* On ne peut le voir que lors des visites guidées de l'office de tourisme. Le *mikvé,* ou bain rituel juif, fut découvert par hasard dans les années 1970. Un proprio trouvait que son habitation était vraiment trop humide. En recherchant les causes, on découvrit d'abord un puits dans une boutique, puis, dans la foulée, le fameux *mikvé* dans un sous-sol. Par un étroit escalier, on parvint à cette petite piscine d'environ 3 x 2 m aux eaux très pures et d'un vert profond provenant directement de la nappe phréatique, séparée de la salle de déshabillage (avec banquette de pierre) par un mur percé d'une fenêtre géminée (appelée fenêtre des témoins). Les bains rituels se prenaient à partir de 12-13 ans, notamment lorsqu'on avait eu un décès dans une famille (tout membre qui avait été en contact avec la mort) ou avant le mariage. Parmi les plus anciens *mikvé* d'Europe. « Plongée » assez fascinante dans le XIIe siècle.

Quelques ruelles secrètes encore vers la cathédrale Saint-Pierre. Comme les adorables ***rue et place de Candolle.*** Au n° 20, rue de Candolle, hôtel particulier d'Antoine Arman, un entrepreneur qui s'était considérablement enrichi dans la construction des hôtels de l'aristocratie locale, dans ce dernier quart du XVIIe siècle. *Rue l'Allemand,* au n° 22, en retrait, ***l'ancien évêché de Montpellier*** dans un bel hôtel du XVIIe siècle (croix sur le fronton). En face, ***l'Œuvre du prêt gratuit*** de 1684. Porche monumental et, à l'intérieur, porte surmontée d'un fronton à volutes.

La cathédrale Saint-Pierre (*plan couleur B1,* **148**) **:** *sur la place du même nom, couverte de pavés assassins. Tlj sf dim ap-m 9h-12h, 14h30-19h.*
Ancienne chapelle d'un collège bénédictin, cet édifice austère frappe par son originalité plus que par sa grâce. Observer le porche tout d'abord. Deux tours rondes terminées en poivrière servent d'appui à un monumental baldaquin qui garde l'entrée. Curieux mais finalement charmant. Ce porche est l'un des seuls éléments architecturaux d'origine, avec les tours au-dessus du chœur et de la nef. Cette véritable forteresse fut édifiée au XIVe siècle. Au moment du transfert du siège épiscopal à Montpellier en 1536, l'église fut érigée en cathédrale et prit le nom de Saint-Pierre. Les guerres de Religion l'endommagèrent en grande partie avant qu'elle ne soit restaurée au XVIIe siècle. Sur la gauche, la façade se prolonge par la faculté de médecine (ancien palais de l'archevêché). Nef assez haute et voûtée d'ogives, longues baies. Les six premières chapelles sont du XIVe siècle, toutes les autres du XIXe siècle.
À l'intérieur, ne pas manquer le *Coretto Choretto,* où vous pourrez admirer quelques toiles de l'école française du XVIIe siècle inspirées de Poussin et d'assez belle facture. Signalons que le *Coretto Choretto* est le dernier vestige de l'ancien cloître du monastère des bénédictins, intégré à la cathédrale lors de la restauration du XIXe siècle. Face à la porte, une *Peste* (beau jeu des ombres et des lumières). Un autre tableau rappelle *La Manne.* À côté, un *Moïse sauvé des eaux* et, au-dessus, une jolie *Crucifixion.* En face, ravissante *Adoration des mages* et, à côté, une *Adoration des bergers* (dont les animaux ont disparu).
Dans la chapelle en face de l'entrée, tableau de Nicolas Mignard, le *Songe de Joseph* (1664). Enfin, dans le transept à droite, noter la *Chute de Simon le Magicien*

par Sébastien Bourdon, né à Montpellier en 1616 et l'un des artistes les plus brillants de son temps. Ce tableau, exécuté en 1657, fit presque scandale à l'époque par sa modernité. Modèle d'équilibre entre les lignes et les diagonales, zones rouges réparties également de façon harmonieuse. Bonne répartition des tâches entre les couleurs d'ailleurs : les bleus donnent la profondeur et les rouges mettent en valeur.
Dans le transept gauche, de face, on n'échappe pas au paysage médiéval et, en dessous, à la *Remise des clés à Pierre.* À gauche, *Pierre relève un paralytique* (à ses côtés, toujours saint Jean et sa toge rouge). Voir enfin le superbe buffet d'orgue (fin XVIIIe), ainsi que le *monument funéraire du cardinal de Cabrières.*
À l'extérieur, côté rue Cardinal-de-Cabrières, beau *portail sculpté de la Vierge,* réalisé au XIXe siècle en style gothique (pour une fois pas trop raté !). Au tympan, *Nativité* d'un côté et *Mise au tombeau* de l'autre.

*** La faculté de médecine** (plan couleur A1, **132**) : rue de l'École-de-Médecine. Possibilité de pénétrer dans le grand hall d'entrée et, éventuellement, de jeter un œil sur la cour intérieure. Mais nous conseillons vraiment de suivre l'une des visites guidées de l'office de tourisme pour pouvoir accéder aux parties les plus intéressantes.*
C'est le pape Urbain V (qui avait été professeur à Montpellier) qui ordonna en 1364 la construction d'un monastère-collège bénédictin à cet endroit (pour la petite histoire, il fit incendier vingt-trois maisons pour dégager le terrain). L'idée étant d'y accueillir des moines – enseignants et étudiants. De grands savants vinrent y étudier ou enseigner, dont Rabelais (qui obtint son doctorat en 1537), Nostradamus, Rondelet, Lapeyronie, etc. À la même époque, le bâtiment devint le siège de l'épiscopat. Au moment des guerres de Religion, ce fut bien entendu une solide enclave catholique. Importantes transformations au XVIIIe siècle. L'architecte Giral fit percer une vaste porte au niveau de la rampe et construisit un pont pour la relier à la rue de l'École-de-Médecine (auparavant, on ne rentrait que par la petite porte en bas de la rampe). L'ancien premier étage devint alors le rez-de-chaussée et l'entrée principale. Modification également de la façade : *exit* les baies gothiques médiévales, remplacées par de grandes fenêtres en un rigoureux alignement. De part et d'autre du portail d'entrée, placées en 1864, les statues de bronze de Lapeyronie (médecin de Louis XV) et de Barthez (médecin de Louis XVI, puis de Napoléon Ier) avec une perruque (pour cacher sa calvitie ?). Au début de la Révolution française, le palais épiscopal fut transformé en prison, puis, en 1795, en école de santé destinée à la formation des chirurgiens militaires. En 1803 lui succéda l'école de médecine proprement dite.
À l'intérieur
– *Le grand hall (ou vestibule) :* liste sur le mur des grands médecins de l'université des XIIe et XIIIe siècles (d'autres sont en buste). Au fond à droite, élégant escalier du XVIIIe siècle menant à la bibliothèque des étudiants. Au passage, une peinture de style pompier représentant une soutenance. Noter la massue en argent du recteur qui pèse, dit-on, 20 kg (toujours dans le bureau du doyen).
– *La salle des Actes :* sous l'escalier s'ouvre la salle de soutenance des thèses (ancienne bibliothèque des évêques). Décorée de belles grisailles et des portraits de tous les doyens de la faculté (la tradition s'arrêta en 1960). Noter celui, très personnalisé, d'un des plus célèbres : Joseph-Marie-Eugène Grasset. Dans cette prestigieuse galerie, pas de femmes bien sûr, sauf sur le tableau d'un des doyens... qui est accompagné de son épouse. Le buste dominant la salle serait celui d'Hippocrate, mais il n'en est rien. C'est Napoléon Ier lui-même qui fit choisir un beau buste d'inconnu dans les caves du Louvre. Au fond, à gauche, petite porte de placard où l'on conserve la robe de soutenance dite « de Rabelais ».
– *Les anciens appartements de l'évêque :* c'est l'un des privilèges des visites guidées de la faculté à l'occasion de congrès (mais hélas pas dans le cadre des visites guidées thématiques de l'office de tourisme). Enfilade de grandes pièces. La première, ancienne loge, sert de vestiaire aux profs. Au-dessus, portraits de célèbres médecins, comme Rabelais (dans le coin gauche, au milieu), Belleval (fondateur du jardin des Plantes), etc. Pièce suivante, *salle du conseil* (et des délibérations). Buste

de Grasset et portrait de Lapeyronie (par Hyacinthe Rigaud). Cheminée Louis XV avec buste d'Hippocrate. Portraits de médecins du XVIIIe siècle. À côté, ancienne chambre à coucher des évêques. Gypses du XVIIIe siècle. Quand il n'est pas là, visite exceptionnelle du bureau du doyen. Remarquable décor en bois et lambris divers dans un impressionnant environnement de livres. Mobilier de style Empire.
– *La cour intérieure :* elle permet de mieux comprendre les différentes phases d'édification du monastère et de la cathédrale. On note, à droite, les vestiges de la dernière galerie du *Coretto Choretto* (cloître), avec ses baies de style gothique. Jusqu'en 1867, on y procéda aux dissections (puis la galerie fut intégrée à la cathédrale lors de sa reconstruction). Toutes les autres galeries du cloître ont disparu, mais subsiste, à hauteur des yeux, le tracé des arcades des parties inférieures et supérieures. À droite, on distingue aussi fort bien sur la cathédrale les rajouts du XIXe siècle (différences d'appareillage de pierre). *Grand escalier* du XVIIIe siècle descendant dans la cour. En dessous, les anciennes écuries transformées en réserve de l'actuelle bibliothèque. Voûtes du XVIIe siècle et entrée d'origine sur rue du monastère. À gauche, maquettes de l'ancienne et nouvelle cathédrale.
– *L'amphithéâtre d'anatomie :* construit dans la cour en 1802, grâce à l'aide du grand chimiste Chaptal. Façade sobre percée de trois arcades. Visite possible, en dehors des cours, bien sûr. Le musée d'Anatomie qui renfermait une incroyable collection d'histoire naturelle médicale est désormais fermé au public. Il faudra patienter jusqu'à l'ouverture (très hypothétique aujourd'hui) d'un grand musée de la médecine, pour redécouvrir ses squelettes de vertébrés, pièces en cire et écorchés divers, collections de crânes, ou encore têtes de momies.

*** Le musée Atger** (plan couleur A1, **132**) : ☎ 04-67-41-76-30. • biu-montpellier.fr • Ouv slt lun, mer et ven 13h30-17h45. Congés : fin juil-fin août et à Noël. Entrée gratuite.*
Un petit musée enthousiasmant, véritable joyau méconnu regroupant la collection de dessins de maîtres des écoles flamandes, italiennes, allemandes, hollandaises et françaises, léguée à la bibliothèque par l'amateur d'art éclairé Jean-François Xavier Atger (1758-1833). Portraits, caricatures, paysages, crayon, plume ou lavis, il voyait dans le dessin « la partie des arts la plus attrayante et la plus noble » mais aussi la plus difficile à apprécier, car les dessins s'adressent « plus à l'esprit qu'aux yeux ». C'est dans le dessin qu'on appréhende le mieux la verve et l'expression de l'artiste, alors que les tableaux ne sont, d'après Atger, que des « copies colorisées ». Sa collection réunit les plus grands maîtres européens du XVIe au XVIIIe siècle : Tiepolo (avec 23 dessins, la plus importante collection publique de France), Véronèse, Carrache, Rubens, Jordaens, Champaigne, Rigaud, Fragonard, Watteau, Vigée-Lebrun, Natoire (67 dessins), ou encore une très belle *Tempête* de Manglard... Au total, près de 1 000 dessins et 5 000 estampes constituent un ensemble absolument remarquable, unique au monde. Le musée présente en permanence les 500 principales œuvres, à l'abri dans d'astucieuses armoires qui s'ouvrent comme un millefeuille, et propose par roulement une sélection provenant du fonds.
– *La bibliothèque universitaire de médecine :* la plus riche de province. On l'estime à plus de 100 000 volumes datant d'avant le XIXe siècle, dont 300 incunables, 900 volumes de manuscrits médiévaux (dont de rares de la période carolingienne), le *Roman de la rose,* de magnifiques enluminures, etc. Encore grâce à Chaptal, qui chargea Gabriel Prunelle, médecin et bibliothécaire, de constituer le fonds en récupérant le maximum de choses, juste après les désordres de la Révolution française. Pour les fanas de musique ancienne, la bibliothèque a réalisé un CD-Rom multimédia, *Cantor et Musicus,* qui regroupe des extraits de plusieurs dizaines de manuscrits musicaux dont deux chefs-d'œuvre de la musique médiévale et de l'enluminure, le *Chansonnier du XIIIe siècle* et le *Tonaire du XIe siècle.* Site internet : • http://manuscrits-bumed.cines.fr •

***La tour des Pins** (plan couleur A-B1, **149**) :* l'une des deux dernières survivantes des 25 tours qui composaient au XIIe siècle l'enceinte médiévale, appelée la *commune clôture* (l'autre, c'est la *Babote*). Certains mâchicoulis du XIVe siècle sont d'origine. À propos, pourquoi *tour des Pins* ? Personne n'a trouvé d'explications réelles. En tout cas, il y avait déjà des pins au XVIe siècle, puisque Nostradamus en mentionnait l'existence dans l'une de ses prophéties. Une des rares qui ne se réalisa pas, d'ailleurs, puisqu'elle affirmait que « si les pins mouraient, la ville serait détruite ! ». Cela dit, les cyprès qui les remplacèrent firent peut-être illusion ! Côté boulevard, grande plaque évoquant la mémoire de Jacques d'Aragon. En 1562, les protestants de la ville se réfugièrent dans la tour. Sous la Révolution, elle servit de prison et, dans les années 1825, de couvent de jeunes filles. On y trouve aujourd'hui l'association des Barons de Caravètes et la compagnie de musique folklorique la Garriga.

Le jardin des Plantes *(plan couleur A1,* ***150****)* **:** *1, bd Henri-IV. ☎ 04-67-63-43-22. • jardindesplantes-montpellier.com • Mar-dim 12h-20h (18h oct-fin mai).* Fondé en 1593 par Henri IV pour l'étude des plantes médicinales, c'est aujourd'hui un jardin universitaire de 4,6 ha, géré par la faculté de médecine. Dès son origine, le « jardin des simples » servit à enseigner la botanique au moment où la connaissance de l'histoire naturelle était indispensable à la fabrication de remèdes. L'instigateur du projet fut Pierre Richer de Belleval, docteur en Avignon, à l'occasion d'une épidémie de peste ayant sévi à Pézenas dans les années 1580. Ce professeur de médecine n'hésitera pas à investir jusqu'à la dot de sa femme pour s'approprier d'anciennes possessions extra-muros des Guilhem et élargir ainsi le domaine. En 1622, lorsque les protestants du Midi résistèrent au roi Louis XIII, le jardin fut en partie détruit pendant le siège. Richer le restaurera alors à ses propres frais. Dans son souci de respecter l'environnement des plantes en restituant à chacune son milieu naturel, Richer pourrait figurer parmi les premiers écologistes de l'histoire.
Ce jardin est le plus ancien de France et l'un des plus beaux d'Europe. Il est un modèle d'approche rationnelle de la nature et, en cela, il se rapproche de la philosophie des Lumières. Après la Révolution, le jardin fut embelli par des constructions, puis étendu au-delà de ses limites originelles. Il sera enfin ouvert au public en 1841.
Aujourd'hui, on peut y voir la montagne Archéologique et son *Phillyrea* au tronc crevassé, recueillant messages d'amour et vœux, l'école forestière, la bambouseraie et le jardin anglais avec le bassin au *Nelombos.* Les serres restent fermées au public. La visite de l'école systématique est réservée aux botanistes et aux amateurs, sur demande préalable au secrétariat du jardin. Ce secteur rassemble de belles collections de plantes méditerranéennes, médicinales et potagères et présente une orangerie de 1804 et un groupe de serres. Deux autres curiosités à ne pas manquer : un *Oranger des Osages* originaire d'Amérique du Nord qui donne une fois par an d'énormes mûres vertes de la taille d'une orange. Puis le deuxième *Gingko biloba,* un des plus anciens de France, ayant la particularité d'avoir des branches femelles greffées sur un tronc mâle. De plus, leur graineterie s'inscrit dans un réseau d'échanges avec près de 700 autres institutions botaniques dans 85 pays étrangers et en France. Eh oui, les bonnes graines, comme les vrais routards, ne connaissent pas de frontières !

Dans le quartier nord-est

La rue de l'Université *(plan couleur B1)* **:** ancienne rue de la Blanquerie, car autrefois des entreprises de blanchissage s'élevaient au bout de cette rue, au bord du canal Merdanson. Au n° 31, l'ancien *hôpital Saint-Éloi* qui fut le siège des universités de sciences, lettres et droit (lettres effacées en façade) de 1890 à 1966. Paul Valéry y étudia le droit en 1892.

L'ancien couvent des Ursulines *(plan couleur B1,* ***151****)* **:** *entre les rues Sainte-Ursule et Louis-Blanc.* Il été construit en 1670, puis transformé en prison pour femmes en 1805. On notera effectivement son aspect forteresse dès l'origine, avec son architecture ronde et ses demi-tours en contrefort. Abrite aujourd'hui des spectacles de danse. Tout au bout de la rue de l'Université, la *porte de la Blanquerie,* porte de ville du XVIIe siècle, qui remplaça celle, plus ancienne, de la commune clôture (du XIIe siècle). La *rue du Chapeau-Rouge* évoque une vieille enseigne ou le nom d'un logis.

Pittoresque ***rue du Pila-Saint-Gely*** (entre autres, rue à restos). Au n° 27, ***l'hôtel du Chapeau-Rouge*** *(plan couleur C1),* imposante façade d'une grande sobriété et percée de douze fenêtres à meneaux. Construit en 1447, remanié au XVIIe siècle. Ancienne auberge, la première que le voyageur rencontrait arrivant d'Italie. Vaste entrée à croisée d'ogives. À gauche, large escalier à vis ajouré menant à une terrasse à balustres. Un gros palmier occupe toute une cour. En face, l'immeuble qui fait l'angle avec le *boulevard Bonne-Nouvelle* présente des fenêtres géminées et trilobées aveugles. C'est à cet endroit, juste en face, que se profile la masse du Corum. Pourtant, elle se fond relativement bien dans le paysage urbain. Entre les deux, une arche déstructurée assure même une sorte de transition. C'est là qu'on mesure l'intelligence architecturale de cette ville, la capacité qu'elle possède de digérer la modernité sans heurts trop violents.

Prendre l'escalier pour la *rue Descente-en-Barrat* menant à la ***rue de la Salle-l'Évêque*** *(plan couleur C1).* Calme, déserte la nuit.
– Au passage, au n° 12, ***l'hôtel de Bocaud*** du XVIIe siècle (régent de l'université, il fut le premier Montpelliérain à demander une inhumation huguenote). Vieux pavage, large porche en plein cintre. Noter le heurtoir en forme de lyre. Toute la rue est d'ailleurs jalonnée de beaux hôtels particuliers, nobles et imposantes demeures.
– En particulier, au n° 5, ***l'hôtel de Graves*** (de 1698). Ancien palais des évêques de Maguelone. Possibilité d'en avoir un bon aperçu la journée, car il abrite aujourd'hui la DRAC et le Centre de documentation du patrimoine. Ne pas manquer de descendre au sous-sol pour les belles voûtes en croisée d'ogives des salles de documentation *(ouv 14h-17h).* Tout au fond du couloir, vieux puits.
– Au n° 2, ***l'hôtel de Girard*** du XVIIe siècle. Inscription au-dessus (rue Boc). Au coin de la rue, de l'autre côté, sur *l'hôtel de Noailles,* d'autres inscriptions anciennes (rue des Jésuites et le nom du quartier : Isle de l'Oratoire). Arrivée rue Vieille-Aiguillerie et place Notre-Dame.

L'église Notre-Dame-des-Tables (même nom que celle qui disparut place Jean-Jaurès ; *plan couleur C1)* ***:*** *pl. Notre-Dame.* Construite par les Jésuites en 1748 (façade dessinée par Giral). En façade, saint Jean à gauche et saint Joseph à droite. Belle porte intérieure sculptée de la même époque (côté nef).

La statue de saint Roch *(plan couleur B2)* ***:*** *descendre la rue Vieille-Aiguillerie.* En face du n° 9, beau porche à volutes et larges arcades sur rue (en fait, c'est le dos de *l'hôtel de Graves*). Au n° 6, ***hôtel d'Assas*** du XIXe siècle. Au coin de la rue Vieille-Aiguillerie et du Pila-Saint-Gely, à 5 m de hauteur, *statue de saint Roch,* qui marque un endroit historique. C'est là qu'en 1322, au retour d'un voyage de douze ans en Italie (où, rappelons-le, il passa son temps à soigner les malades atteints de la peste), après avoir remonté la rue du Pila-Saint-Gely, il s'écroula, épuisé de fatigue, avec son fidèle chien. Pris pour un espion, il fut immédiatement arrêté et jeté en prison. Bizarrement, il ne protesta pas de son innocence et ne chercha même pas à se faire reconnaître (une vraie vocation de martyr, quoi !). Il y croupit cinq années et mourut, le 16 août 1332, à l'âge de 32 ans. Cependant, les historiens divergent sur les circonstances et la date de sa mort. Certains affirment que saint Roch serait décédé en Italie, à Voghera.

➢ À partir de là, dédale de vieilles ruelles propices à de belles découvertes. Emprunter la rue de l'École-de-Pharmacie. En haut, à droite, juste avant l'église Saint-Mathieu, l'ancien ***collège royal*** ouvert au Moyen Âge, qui fut le siège de l'école de médecine de 1498 à 1792 (rue de l'Université taillée dans la pierre).

L'église Saint-Mathieu *(plan couleur B1)* ***:*** *rue Germain.* Ancienne chapelle de l'école de médecine (1620). Hélas, pas souvent ouverte (pour des concerts essen-

tiellement, ou pour une messe aussi, vers le 21 septembre, quand l'église est alors prêtée parfois aux Arméniens de Montpellier). Porche en bois lambrissé. Sous un badigeon, on y a découvert une belle fresque.
À l'intérieur, plan classique, voûte en berceau, décor de style jésuite. C'est la seule église de la ville à avoir conservé intégralement son mobilier du XVIIe siècle et qui passa sans dommage à travers la Révolution française (mais peut-être était-elle déjà souvent fermée !). À droite de l'entrée, tableau figurant l'ancienne église Notre-Dame-des-Tables. À côté, une intéressante *Adoration des bergers.* Superbe retable baroque aux colonnes torses. À gauche, saint Dominique (avec le petit chien). On reconnaît aussi saint Thomas d'Aquin à son encyclopédie dans la main. Tableau de sainte Catherine de Sienne. Au centre, c'est saint Matthieu, bien sûr. Mais en fait, c'est un tableau de l'Apocalypse, avec un saint Jean maquillé en Matthieu, et à qui on rajouta une barbe. Sur le mignon petit retable doré, quatre scènes de la Vierge typiques : l'Annonciation, la Nativité, le repas de la Sainte Famille et, à droite, la fuite en Égypte. Noter saint Joseph et ses outils de charpentier, au cas où il trouverait du boulot. Pour finir, dans une des premières chapelles, admirer la qualité picturale du *Saint Jean de la Croix en extase* (datant de 1705 et qui serait l'œuvre d'Antoine Ranc).

Rue Germain toujours, d'autres témoignages de la vocation universitaire et « médicale » du quartier, notamment les deux premiers collège de la ville. Au n° 1, le ***collège de Mende,*** dit « des Douze Médecins », fondé en 1369 (pour douze étudiants originaires du Gévaudan). En face, au n° 2, ***collège de Girone,*** fondé en 1453 par Jean de Bruguière (originaire de Gérone), au profit d'étudiants en médecine de sa ville natale et du pays catalan.

Rue du Cannau *(plan couleur B1-2)* **:** l'une des rues les plus aristocratiques de la ville, festival de beaux hôtels particuliers. Au n° 1, ***hôtel de Roquemaure*** (début du XVIIe siècle). Rythmé de pilastres corinthiens jusqu'au toit orné de volutes. Porche en pointe de diamants. Au n° 3, ***hôtel d'Avèze*** (XVIIe siècle). Logement en 1678 d'un trésorier général de France. À l'intérieur, superbe péristyle à colonnes et escalier avec jolie rampe en fer forgé. Au n° 6, ***hôtel de Baulac,*** ancien intendant des gabelles (XVIIe et XVIIIe siècle). Belle cour intérieure sculptée et richement ornementée, notamment la façade à colonnes corinthiennes de l'escalier. Au n° 8, ***hôtel Deydé.*** Construit par Simon Levesville en 1644, puis acquis et modifié par le célèbre architecte Charles d'Aviler, l'auteur de la porte du Peyrou (1692). Portail monumental avec fronton triangulaire. Au n° 1, rue de la Carbonnerie, ***hôtel de Baudon-de-Mauny*** (1777), construit pour le directeur des domaines du roi. Sol en petits galets sur tranche. En haut, masques et gargouilles sur oculus. Façade ornée de guirlandes. Au n° 2, rue Delpech, ***hôtel de Grasset*** (XVIIIe siècle) aux hautes fenêtres.

Rue Fournarié *(plan couleur B2),* au n° 1, ***hôtel de Solas*** (XVIIe siècle). C'est le marquis de Solas qui fit creuser le canal entre Lattes et port Juvenal. Porche en pointes de diamant. Fort belle porte. Noter les vantaux divisés en plusieurs compartiments et décorés de cabochons métalliques. Mazarin logea ici en 1660. Au dernier étage, deux très belles gargouilles. Au n° 3, ***hôtel d'Uston*** (XVIIIe siècle). Porche en retrait pour aider à l'entrée des carrosses. Œuvre de Daviler dont on pense que c'est son plus beau porche en ville. Noter le magnifique fronton sculpté symbolisant l'opulence : débauche de guirlandes, de fleurs, d'Amours bien joufflus. Le président de la Cour des Comptes Antoine Samuel d'Alco et son fils (plus tard assassinés à Rastatt, en 1799) y habitèrent. Au n° 6, ***hôtel de Marveille*** et sa large entrée en voûte d'ogives. Au n° 8, rare tourelle d'escalier angulaire.

Rue de l'Aiguillerie *(plan couleur B1-2)* **:** là aussi, propose son pesant de beaux hôtels particuliers. Au n° 23, ***hôtel de Montferrier.*** La Chambre des comptes y siégea de 1550 à 1606. Belle porte du XVIIIe siècle. Petite cour menant à un élégant escalier à vis et vénérable puits Renaissance. Au n° 25, ***hôtel de Planque*** du XVIIe siècle (façade du XVIIIe siècle). Maison de juge. Hautes fenêtres et beaux mascarons (appelés aussi agrafes) les ornant sur deux étages. Visages symbolisant les grands moments de la journée : le crépuscule, la nuit, l'aube et le jour. Au n° 26, ***hôtel de Griffy*** du XVIIIe siècle. Construit à l'emplacement du premier château des Guilhem. Sur cour, bel escalier à rampe de ferronnerie. Au n° 29, ***hôtel Estorc*** du XVIIIe siècle. Au rez-de-chaussée, jolies gypses sur le thème des fables de La Fontaine. Au n° 31, ***hôtel de la Société royale des sciences*** du XVIIe siècle. Elle y siégea de 1776 à 1793. Sur le fronton, tous les symboles de la société : globe terrestre, compas, équerre, etc.

La ***rue du Collège*** *(plan couleur B2)* rappelle l'existence du collège des jésuites, fer de lance de la Contre-Réforme. Au n° 14, ***l'hôtel de Joubert*** du XVIIIe siècle. Imposantes façade et porte cochère. Rue Montpellieret, ***hôtel Sicard*** du XVIIIe siècle. Au n° 13, ***hôtel de Massilian*** des XVIIIe et XIXe siècles qui remplaça celui où joua Molière en 1654 (aujourd'hui, *musée Fabre*). Au n° 6 bis, ***hôtel de Cabrières*** du XIXe siècle.

Le musée Fabre *(plan couleur C2,* ***134****) : 39, bd Bonne-Nouvelle. ☎ 04-67-14-83-00. • montpellier-agglo.com • Entrée par l'esplanade Charles-de-Gaulle. Ⓣ Corum et Comédie. Ouv mar, jeu-ven et dim 10h-18h, mer 13h-21h, sam 11h-18h. Fermé lun, 1er janv, 1er mai, 11 nov et 25 déc. Le musée propose régulièrement des visites guidées (générales, thématiques, en famille), des collections et des expositions. Infos sur le site internet ou par téléphone. Resto ultra-design des Frères Pourcel (voir la rubrique « Où manger ? ») et sandwicherie* Sens Eat NoMad *(nomad, peut-être, mais chérot quand même !). Librairie Sauramps bien fournie.*
Quatre ans de patience... C'est à la fois long et si peu au regard des miracles accomplis. Pari gagné pour ce somptueux musée Fabre qui se positionne désormais dans la cour des grands : 9 200 m², dont 6 000 m² d'exposition dévolus aux 800 œuvres de collection permanente. Un véritable tour de force si l'on considère le manque de cohérence des bâtiments d'origine. Car il a fallu réunir le premier musée, l'hôtel de Massilian (qui abritait les collections de son fondateur et ingénieux collectionneur, le peintre montpelliérain François-Xavier Fabre), le collège des jésuites (fin XVIIe siècle), la bibliothèque des Beaux-Arts... et une nouvelle aile, toute de verre sablé, le pavillon du XXe siècle, qui accueille les œuvres de Pierre Soulages. Un défi ambitieux, relevé avec panache.
On pénètre par l'esplanade Charles-de-Gaulle, où les lignes noires et blanches de Daniel Buren sur fond de marbre et de murs rose bonbon guident nos pas jusqu'au hall d'entrée. Salle d'expos temporaires au fond à droite (rétrospective Gustave Courbet du 14 juin au 28 septembre 2008), ou visite des collections permanentes, à gauche. Demander un plan (gratuit) pour vous repérer car c'est un vrai labyrinthe ! Le musée permanent suit un parcours thématique. En voici nos coups de cœur.
– *Salles 1 à 8, au niveau -1 :* on découvre des chefs-d'œuvre de ***la peinture flamande et hollandaise,*** avec une *Allégorie de l'Autriche catholique attaquée par des princes protestants* de ***Rubens*** *(salle 3),* où l'Autriche est une femme assise sur une sphère, symbole du pouvoir, les yeux tournés vers le ciel, implorant l'aide de Dieu. Les couleurs sont blanches, brunes, jaunes et les lumières bien esquissées. ***Van Ruisdael*** *(Paysage par temps d'orage),* ***Metsu*** *(Jeune homme écrivant)* complètent le panorama.
– *Salles 9 à 19, au niveau 1 :* panorama de la peinture et de la sculpture européenne du XVe siècle au milieu du XVIIIe siècles. Arrêt obligatoire par la ***galerie des Griffons*** *(salle 11).* Quelle merveille ! Levez la tête et appréciez déjà cette hauteur sous plafond, restituée pendant la rénovation et surtout cette frise qui a retrouvé toute sa splendeur, avec ces animaux fabuleux, mi-aigle, mi-lion, qui veillent sur les candélabres de cette section de l'hôtel de Massilian. *Sainte Agathe de Zurbarán* vous attend *salle 13,* ployée, tendant le plateau sur lequel sont posés ses seins tranchés. Émouvant, comme cet *Ange Gabriel,* juste à côté, à la figure poupine et irréelle. Autant de figures de la Contre-Réforme.
Autre grand moment de la visite, la ***galerie des Colonnes*** *(salle 18),* imposante, avec ses colonnes en stuc, construite entre 1875 et 1878 pour la collection d'Alfred

Bruyas, l'autre grand donateur du musée. C'est la couleur rouge qui saute aux yeux dans cette galerie, prévue pour accueillir ce qui fut la décoration de la galerie créée par Mansart au XVIIIe siècle au Palais-Royal à Paris. Parmi les tableaux peints par ***Coypel*** figurait le tryptique lié à l'histoire d'Énée, dont *Énée et Achate apparaissant à Didon*. Au fond de la salle, remarquez aussi ce tableau de ***Dandré-Bardon,*** *Tullie faisant passer son char sur le corps de son père*... Les naseaux frémissant du cheval sont encore tout baveux !

– *Salles 20 à 28, niveau 1 :* place à la peinture et à la sculpture néoclassique du milieu du XVIIIe au milieu du XIXe siècle. Tous les grands sont réunis ici. Un petit faible pour les sculptures scandaleuses de **Houdon.** Son *Hiver* n'a pas les traits d'une vieille mégère mais bien ceux d'une gracieuse à moitié nue (rare pour le XVIIIe siècle), une urne brisée à ses pieds. *L'Été,* face à elle, renouvelle les codes, avec une jeune fille sûre d'elle et déterminée, un arrosoir moderne à la main. D'autres petits bonheurs artistiques, avec ***Greuze*** *(salle 20),* ***Fragonard, Vernet*** *ou* ***David*** *(salle 21)*. On appréciera aussi – *salles 27 et 28* – les tableaux de ***Fabre*** lui-même. Les thèmes mythologiques ou religieux de sa jeunesse sont précis, riches comme dans *Saul Agité pas ses remords*... Cet homme était loin d'être un simple collectionneur éclairé !

– *Salles 29 à 36 :* on s'arrêtera avec gourmandise dans ces salles dédiées au romantisme et au classicisme du XIXe siècle. *Salle 32,* admirez le voluptueux tableau de ***Delacroix,*** *Femmes d'Alger,* plein de ce rêve oriental... « C'est beau, c'est comme au temps d'Homère ! La femme dans le gynécée s'occupant de ses enfants, filant la laine en brodant de merveilleux tissus. C'est la femme comme je la comprends ! », écrira-t-il dans son *Journal.* On a l'impression de pénétrer derrière le rideau que tient la servante sur la droite du tableau. Remarquez aussi dans la même salle, *Bruyas* (l'un des généreux donateur du musée) peint par ***Delacroix,*** avec son mouchoir dans la main gauche (il était tuberculeux). Au rayon curiosités, l'*Aspasie* de ***Delacroix*** (toujours lui !), une impressionnante et tellement vraie *Étude de pieds et de main* de ***Géricault,*** et la langueur qui s'échappe des tableaux de ***Cabanel*** *(salle 35),* un des grands peintres pompiers du Second Empire, avec ces ténébreuses *Phèdre* ou *Albaydé*, inspirées du poème *Les Orientales,* d'Hugo, où il s'écrit : « On croyait voir un ange ! » Enfin, laissez-vous séduire par l'histoire de *Stratonice et Antiochus,* peinte par ***Ingres*** *(salle 33),* où le jeune Antiochus tombe amoureux à en mourir de sa belle-mère. Son père, le roi Séleucos, de la dynastie des Séleucides, qui régna en Syrie au IVe siècle av. J.-C., ira jusqu'à s'effacer pour laisser les deux amants s'unir...

– *Salles 37 à 45 :* on passe à la modernité (XIXe siècle) et surtout à la salle ***Courbet*** *(salles 37 et 38).* Il y a là *Les Baigneuses,* qui choquèrent tant à l'époque mais que s'était procuré Bruyas, avant-gardiste qu'il était, pour faire vivre « un art libre ». Quel flair !

On trouve aussi *Bonjour M. Courbet,* où Bruyas est représenté avec la barbe fournie. L'entente de Bruyas et Courbet date du scandale des *Baigneuses,* que Bruyas acheta pour 3 000 Francs-or (!). Ce dernier avait le don de repérer les grands artistes mais il avait aussi un ego surdimensionné, à tel point qu'on finit par ne plus le voir en peinture tellement il aimait se faire tirer le portrait par tous ceux qu'il soutenait financièrement (on le retrouve sur de nombreux tableaux dans plusieurs salles) !

CALLIPYGES

On raconte que Napoléon III et l'impératrice Eugénie, en visite au Salon de 1853, passèrent devant un tableau représentant Le Marché aux chevaux *peint par Rosa Bonheur. Un peu plus loin, Courbet présentait ses célèbres* Baigneuses. *L'impératrice se serait alors écriée : « Sont-ce aussi des percheronnes ? » Et l'empereur aurait alors fait mine de cravacher la croupe de la baigneuse à laquelle Courbet affirmait avoir peu de temps auparavant ajouté « un linge sur les fesses ». Scandale assuré !*

L'importance de l'art moderne se poursuit avec ***Bazille,*** peintre montpelliérain disparu trop jeune, aux origines de l'impressionnisme et qui peint cette étrange et touchant portrait de la *Petite Italienne chanteuse des rues*, si moderne avec son costume trop grand et ces touches précises, des couleurs audacieuses et un sentiment de vérité. Appréciez aussi *La Vue de village,* avec ce portrait qui fit dire à ***Berthe Morisot*** que le peintre avait réussi la gageure d'inclure une figure dans un paysage. Rien que ça ! On trouve aussi ***Sonia et Robert Delaunay*** *(salle 42)*, avec cette *Nature morte portugaise,* où l'abstraction prend ses marques, notamment à travers cette robe, en bas à droite du tableau. On aimerait aussi vous citer ***Degas, Sisley, Fantin-Latour, Matisse, Staël, Van Dongen*** (superbe *Portrait de Fernande Olivier,* compagne de Picasso)... à vous de les trouver !
– *Salles 46 et 47 :* le clou du spectacle ! Le Pavillon dédié à ***Pierre Soulages,*** tout en verre et en béton, mélange de couleur naturelle et de néons, présente 32 œuvres au visiteur ébloui par cette lumière blanche où le noir des œuvres du peintre né à Rodez s'illumine. Et puis l'on découvre les autres couleurs, le bleu, le rouge, qui s'immiscent dans les interstices de cette création finalement lumineuse. C'est beau, tout simplement.
– La fin du parcours, *salles 48 à 52,* offre un bel ensemble de peinture contemporaine, avec ***Aurélie Nemours*** ou encore ***Simon Hantaï.***

L'hôtel de Cabrières-Sabatier-d'Espeyran *(plan couleur C2,* ***136*****) :** *6 bis, rue Montpelliéret. Réouverture prévue fin 2009-début 2010. Rens : ☎ 04-67-14-83-00.* Demeure bourgeoise construite en 1875, en cours de restructuration pour devenir le pôle des Arts décoratifs du musée Fabre.

Au n° 1, *rue de la Monnaie (plan couleur B-C2),* la ***communauté de la Miséricorde*** abrita la pharmacie des sœurs jusqu'en 1965. Elles y fabriquaient médicaments, onguents, etc., donnés gratuitement aux pauvres. Possibilité de visiter l'ancienne apothicairerie (se renseigner à l'office de tourisme). Dans la première salle, grands et jolis pots avec armoiries et des noms qui chantent : *flor perficor, mielle, thériaque fin, eau de milice* (sûrement mélisse), etc. Beaux meubles à tiroirs avec étiquettes en émail. Dans la deuxième, vénérables alambics, mortiers et des pots en céramique ornés de petits anges. Là aussi, des noms marrants : *sirop de pie, sirop de pavot, vessicatoire,* etc. Photos anciennes montrant les religieuses en activité. On notera la fenêtre qui servait à transmettre les ordonnances.

Au sud de la rue de la Loge

La place de la Comédie *(plan couleur B-C2-3,* ***152*****) :** même si elle n'est pas située au milieu du centre-ville, elle en est malgré tout le cœur. Créée en 1753, elle s'appela successivement place d'Armes, place du Palais-du-Gouverneur et, sous la Révolution, place de la Salle-de-Spectacle. Encombrée par la circulation jusqu'en 1985, elle a été rendue aux piétons lors des fêtes du millénaire de la ville. Cela donne un gigantesque espace libre (et souvent ensoleillé) où s'étalent les terrasses des cafés et où jouent les artistes de rue, mimes ou musicos. Véritable lieu de passage, carrefour de rencontres et d'échanges.
Aménagée au milieu du XVIIIe siècle, presque en même temps que le théâtre, cette place se modifia doucement au cours du temps, sans jamais perdre ses proportions.
Plusieurs fois incendié, le *théâtre,* le plus grand de province après celui de Bordeaux, prit son allure définitive à la fin du XIXe siècle sous l'égide de Garnier, qui venait de terminer celui de Paris. Un lieu assez magique : s'il reste des places pour un spectacle d'opéra, ne boudez pas votre plaisir.
Dans la foulée, on refit les immeubles dans le goût francilien, avec toits d'ardoise (une erreur sous un tel soleil !) et façades chargées : balustrades, pilastres, masques, mascarons, guirlandes, tourelles, alternant les balcons de fer forgé et ceux de pierre, les avancées et les parties en retrait. Beaux exemples : le cinéma Gau-

mont et l'immeuble de l'autre côté de la rue, avec ses colonnes d'angle et son drôle de toit en tête de scaphandrier.
La fontaine des Trois-Grâces, de la fin du XVIIIe siècle, complète harmonieusement l'ensemble. Ces trois Grâces sont Euphrosine, Aglaé et Thalie (les préférées parmi les copines d'Apollon). En fait, c'est une copie. L'originale est dans le théâtre. Elle est située dans ce qu'on surnomme familièrement « l'Œuf », c'est-à-dire l'ancien trottoir central (en forme d'œuf, bravo !), sorte de rond-point qui guidait la circulation autrefois. Aujourd'hui, l'Œuf n'existe plus, mais il est matérialisé au sol par une bande de marbre rose.

L'hôtel Saint-Côme *(plan couleur B2,* ***153****) : 32, Grand-Rue-Jean-Moulin.* Ancien amphithéâtre d'anatomie. Lapeyronie, le chirurgien de Louis XV, légua à sa mort, en 1747, une grosse somme d'argent afin de construire un amphithéâtre anatomique, pour la dissection des cadavres. Les plans en furent confiés à Jean-Antoine Giral, qui s'inspira du Saint-Côme de Paris. Superbe édifice octogonal de style baroque. Il fonctionna de 1757 à 1794, date à laquelle tout fut regroupé à l'école de santé nouvellement créée par la Convention (au palais épiscopal, près de Saint-Pierre). Au début du XXe siècle, il accueillit la chambre de commerce. Ne se visite qu'à travers les visites thématiques (hôtels particuliers) de l'office de tourisme. On peut néanmoins admirer la courette et le petit édifice octogonal qui abritait la coupole sous laquelle se déroulaient les charcutages. Bel ensemble architectural avec pilastres à chapiteaux, corniche et balustrade. Devant, péristyle à voûte plate peu ordinaire. À gauche, salle de réunion des chirurgiens. Belle ferronnerie de l'escalier. Porte de bois ciselé. Le premier étage fut rajouté au début du XXe siècle et cassa bien entendu le volume de l'ensemble. Belle lanterne à oculus avec lanterne ajourée. Au pied de l'hôtel, le *Bistrot Saint-Côme,* avec son bar à vin et sa terrasse, vous donnera sûrement envie de traîner un peu sur cette place, une des plus animées de la ville.

Rue de l'Argenterie *(plan couleur B2)* **:** au n° 3, ***hôtel de Pommier-Layrargues.*** Façade avec de nombreux mascarons aux fenêtres. Au n° 8 (impasse Barnabé), ***hôtel Hostelier-Saint-Jean.*** Porte à bossage (ou pointes de diamant) avec un curieux masque au fronton. Imposte en bois sculpté. Dans la petite cour à gauche, baies ornées de mascarons. C'est dans cet hôtel que les protestants de la ville se réunirent pour décider de se reconvertir au catholicisme après la révocation de l'édit de Nantes. Au n° 10, ***hôtel de Clair dit « des Rois d'Aragon ».*** Porte du XIVe siècle, l'un des derniers vestiges du passage des rois d'Aragon. Arc brisé et frises. Dans la cour, à gauche, escalier à vis. Les rois d'Aragon y habitèrent, semble-t-il, et l'on raconte aussi que Jacques III y aurait tué son page, Bernard de Roquefeuille, pour un peu de vin répandu sur son pourpoint. Juste à côté, une autre belle porte en ronde-bosse. Au n° 20, ***hôtel Fourcade,*** rampe de fer forgé dans la cour (hélas, souvent fermé).

Rue de la Vieille *(plan couleur B2)* **:** au n° 10, ***hôtel de Saint-Ravy*** et son porche monumental. Bel escalier à balustres. Remarquer, à l'angle des rues de la Vieille et Saint-Ravy, cette maison d'angle qui ressemble à une tour. Tout en haut, vestiges de deux fenêtres géminées. Au n° 3, ***rue Saint-Ravy, hôtel Jacquet.*** Façade austère, hautes fenêtres. Au n° 3, rue de la Vieille, un foyer de jeunes travailleuses occupe ***l'hôtel de Gayon,*** une magnifique demeure médiévale, rare survivante des maisons-tours du XIVe siècle. À l'angle de la rue Draperie-Rouge, d'ailleurs, cette tour s'impose toujours. Même si on y perça ultérieurement de banales fenêtres, on peut encore aisément discerner les contours des doubles ou triples baies romanes d'origine (quasiment à chaque étage). À l'intérieur, fort bel escalier avec décor de coquillage dans les coins (si vous mangez au self du FJT – Foyer des jeunes travailleurs –, une bonne occasion de l'admirer).

La place Saint-Ravy *(plan couleur B2)* **:** beau décor avec quelques éléments médiévaux. Sur une façade, on devine encore les tracés gothiques des fenêtres et des claires-voies fermées au XVIIIe siècle. Les rois d'Aragon auraient, dit-on, séjourné ici. Jolie fontaine centrale.

L'hôtel de Rodez-de-Benavent *(plan couleur B2)* **:** *4, rue des Trésoriers-de-la-Bourse.* Construit au XVIIe siècle, entre cour et jardin, il tient son nom de ceux qui occupaient cette charge et se succédèrent dans la maison. Cour pavée de « têtes de chat » (ou caillade). Longtemps la plus vaste demeure de la ville, à l'image de son monumental escalier ouvert, dit à quatre noyaux (dessiné par Giral). Noter les clés décalées. À droite, petit escalier Louis XIII. Derrière, grand jardin et, tout au fond, l'orangerie. Les édifices qui l'entourent seraient de Daviler. Le jardin accueillit jadis des représentations théâtrales. Noter les trous dans les murs, qui servaient à accrocher le vélum qui protégeait les spectateurs. L'hôtel possédait une sortie sur la rue de l'Ancien-Courrier.
– Au n° 15, hôtel datant de 1671. Dans la cour, escalier ouvert en forme de portique à colonnes (hélas, cour le plus souvent fermée).

Rue de l'Ancien-Courrier *(plan couleur B2)* **:** s'y trouvait jadis *l'hôtel des Postes.* Ancienne rue de l'Annellerie, car c'est ici que les paysans accrochaient leurs ânes. Pittoresque avec ses commerces de luxe installés sous des voûtes médiévales. Tous ces rez-de-chaussée étaient autrefois des entrepôts. La plupart des boutiques et restos ont conservé et mis en valeur ces voûtes, où subsistent parfois des anneaux qui servaient à suspendre les ballots de marchandises. On entre, on jette un coup d'œil aux fringues et on en profite pour admirer le cadre. Tenez, le n° 15 abrite une *petite église orthodoxe* (fenêtre géminée au rez-de-chaussée, fresques très curieuses à l'intérieur). Bon accueil au moment des offices. Au n° 13, ***hôtel Lecourt,*** c'est là que précisément se nichait la poste au XVIIIe siècle. Beau balcon en fer forgé sur hautes fenêtres. Au n° 12, un *hôtel* qui dut être séduisant jadis et qui garde cependant une belle allure sous sa patine. Dans la cour, on voit encore la vieille poulie qui servait à monter meubles et marchandises aux étages. Au n° 5, on se situe au dos de *l'hôtel des Trésoriers-de-la-Bourse.* Tiens, on y trouve l'un des derniers anneaux pour les ânes de la rue. Perpendiculaire, la croquignolette ***rue du Bras-de-Fer*** avec ses marches et son passage voûté (l'un des trois derniers de la ville). Nom provenant d'une enseigne.

L'hôtel Montcalm *(plan couleur B2,* ***154****)* **:** *5, rue de la Friperie.* Un grand classique de la visite à thème. Date des XVIe et XVIIe siècles. Comme son nom l'indique, demeure de la famille Montcalm. C'est de là que partit pour le Canada, en 1756, le célèbre marquis de Montcalm. Oui, celui-là même qui livra et perdit, en 1759, la bataille cruciale et historique (et la vie aussi) contre les Anglais devant la ville de Québec (et la France devait y perdre le Canada par la suite). Original escalier à vis, avec sa main courante sculptée dans la pierre et, surtout, un rare axe central évidé qui servait de monte-charge. Sur la face arrière, donnant sur la *rue de l'Ancien-Courrier,* terrasse et balcon à balustre. Tout en haut, gargouilles à visage humain. À propos de gargouilles, jetez plus qu'un œil sur celles donnant rue de la Friperie, sous le toit, qui sont assez pittoresques avec leur bouche en rond.

Grand-Rue Jean-Moulin *(plan couleur B2-3)* **:** quelques intéressants hôtels particuliers. Au n° 25 (en face de l'*hôtel Saint-Côme*), très imposant ***hôtel de Fourque.*** Édifié en 1725 pour François Lamouroux, trésorier principal de « l'extraordinaire des guerres » (on ne sait trop ce que c'est comme métier mais dès qu'il y a le mot « trésorier », on peut se faire construire un luxueux hôtel !). Façade austère malgré le festival de consoles sur la corniche. C'est ici que se réfugièrent en 1645 les collecteurs d'impôts fuyant la colère populaire. Au n° 27, ***hôtel de Bossugues*** (membre de la Cour des comptes) du XVIIIe siècle. Au n° 21, ***hôtel Rey*** de la fin du XVIIe siècle. Jean Moulin y vécut (plaque). Escalier intérieur du même type que l'hôtel de Manse. Au n° 11, ***hôtel Périer*** du XVIe siècle. Ici naquit Frédéric Bazille en 1841, grand compagnon impressionniste de Monet et Renoir.

La tour de la Babote et sa placette *(plan couleur B3,* ***155****)* **:** *à l'angle des boulevards de l'Observatoire et Victor-Hugo.* Remarquablement restaurée, ancien vestige des fortifications, appelées commune clôture. Avec la tour des Pins, la *tour de la Babote* joua un grand rôle. Édifiée au XIIe siècle, elle était entourée de créneaux et de mâchicoulis. Rehaussée aux XIVe et XVIIIe siècles, additionnée de tours (notamment pour accueillir l'observatoire astronomique de la Société royale des sciences et, plus tard, le télégraphe), elle prit une élégante allure. La porte à la base ne fut ouverte qu'à la fin du XVIIIe siècle. C'est de là-haut que, tel Icare, un citoyen aurait pris son envol suspendu à un parapluie ! Le 29 décembre 1783, Louis-Sébastien Lenormand, en présence de Joseph de Montgolfier, accomplit son exploit à bord de sa machine qu'il nomma lui-même « parachute », en fait un parasol de 60 pouces de diamètre avec manche renforcé. Un saut qui n'a jamais été homologué, malgré la gravure d'époque authentifiant l'événement. Cette fameuse porte dissimule une charmante placette, fraîche et calme, idéale pour une pause avec ses jolies terrasses ombragées.

Rue Saint-Guilhem *(plan couleur B2)* **:** longue artère commerciale, qui vous ramène aux halles. Quelques hôtels à butiner de-ci, de-là. Au n° 20, ***hôtel Antoine-de-Ranchin,*** avec un bel escalier. Au n° 23, intéressante porte à guirlandes et, au-dessus, terrasse avec balcon de pierre. Au n° 31, ***hôtel de Castries*** du XVIIe siècle. Œuvre de Simon Levesville. Jolie petite cour intérieure avec pierres saillantes et portail à pointes de diamant. En 1660, la reine Anne d'Autriche y logea (comme par hasard, Mazarin était à Montpellier à la même époque !). Au n° 35, ***hôtel de Ricard*** (encore un conseiller à la Cour des comptes ; vraiment un bon job !), du début du XVIIe siècle. Style assez sobre, porte avec fronton à volutes et décor de coquilles. C'est ici que l'on donna la première représentation d'opéra à Montpellier. Enfin, au n° 43, ***hôtel de Campan,*** de la deuxième moitié du XVIIe siècle. Remarquable escalier à colonnes et rampe en fer forgé. Médaillon en stuc au plafond en haut de la cage.

L'église Saint-Roch *(plan couleur B2,* ***156****)* **:** en fait, c'est plus l'environnement serein de sa place et du quartier alentour qui est sympa que l'église elle-même. Il y eut une première église, démolie par les protestants en 1562. Rebâtie, elle fut à nouveau victime des bombardements du siège de 1622. En 1854, il fut décidé de la reconstruire en plus grand encore et de la dédier à saint Roch. Pas de chance, elle ne fut jamais terminée. Les niches attendent toujours leurs statues, les gargouilles restent à l'état de pierre brute et les deux flèches n'ont pas quitté la table à dessin de l'architecte. La *rue du Four-des-Flammes* qui part devant ne comporte pas de pléonasme, mais évoque le four de la veuve d'un Flamand. Ne manquez pas non plus le nouveau *mur peint en trompe l'œil* devant l'église, impressionnant par sa taille ; depuis son inauguration en mai 2005, il ne cesse d'attirer les curieux.

Rue du Puits-du-Temple *(plan couleur B2)* **:** on trouve ce puits à l'angle de la rue des Teissiers. Il appartenait à l'ordre des Templiers de l'ordre de Malte. Au n° 6, ***hôtel de Fizes*** de 1643 construit pour un receveur de la Cour des comptes et son fils... receveur des tailles du diocèse (il était vraiment temps que la Révolution arrive !). Superbe portail sculpté. Deux personnages sont adossés à une hotte pleine de fruits. Au-dessus, dans la pierre, un visage renfrogné. À l'intérieur, bel escalier à quatre noyaux. Balustres et très fine rampe en fer forgé. En face, escalier en colimaçon.

Au coin des ***rues Rochelle et Saint-Sépulcre*** *(plan couleur A2),* l'une des plus anciennes demeures classiques (XIIIe siècle). Quatre fenêtres trilobées d'un côté et six dans l'autre rue. On en découvre une autre au n° 14, *rue de l'Amandier,* avec quatre fenêtres trilobées du XIIe siècle. Au n° 12, deux autres baies. Rue de la Valfère, ne pas rater au n° 10 ***l'hôtel de Lunas,*** un des plus imposants de la ville (et austère tout à la fois). Belle vue depuis la ***rue des Carmes-du-Palais.*** Vaste portail. Superbe façade sur cour, avec de hautes baies à mascarons surmontés de deux licornes. Fronton triangulaire orné de guirlandes.

L'église Sainte-Anne *(plan couleur B2)* **:** édifiée au XIXe siècle au milieu d'un quartier plein de charme. Pour une fois, c'est du néogothique d'excellente facture qui s'intègre ainsi bien à l'environnement. On notera les deux pittoresques atlantes écrasés à vie par leurs charges. À l'intérieur, belle série de colonnes et voûtes. L'espace accueille régulièrement des expos. Retour vers la rue Foch, par la ***place et la rue du Petit-Scel.*** Le nom de cette place provient de la présence de la *cour du Petit-Scel,* un des importants sceaux de juridiction (cour de justice créée par Saint Louis) de la France au XVIIe siècle.

LA VILLE NOUVELLE

L'esplanade Charles-de-Gaulle et le jardin du Champ-de-Mars *(plan couleur C1-2)*

Ancien terrain vague et dépotoir, il fallut attendre le XVIIIe siècle pour que ce bel espace fût organisé en promenade avec allées de platanes, bassins, jets d'eau et aire de jeux. En fait, l'esplanade n'a jamais été aussi majestueuse et ombragée qu'aujourd'hui. Avec ses bancs, ses terrasses et ses boulingrins, elle constitue un trait d'union parfait entre la place de la Comédie et le Corum, l'opéra et le palais des congrès de la ville. Sur la droite de l'esplanade, on trouve le jardin du Champ-de-Mars. C'est le long du boulevard Sarrail qu'on trouve le musée Fabre (voir plus haut « Balade dans le vieux Montpellier. Dans le quartier nord-est »).
Avant d'arriver au Corum, vous remarquerez la touche de couleur des cinq allégories en résine de polyester pigmentée de l'artiste américain Allan McCollum. Elles reproduisent les sculptures mutilées qui furent trouvées dans le château Bonnier-de-la-Mosson, dans les environs de Montpellier.

Le Corum *(plan couleur C1,* ***157****)* ***:*** *tt au bout de l'esplanade.* L'opéra-palais des congrès imaginé par l'architecte Claude Vasconi a fini par se fondre dans le paysage de la ville mutante. Son nom composite qualifierait les fonctions cumulées de palais des congrès et d'auditorium. D'aucuns s'inclinent pour un rapprochement linguistique plus exact entre le cœur et le forum. Vue extérieure : béton et granit rose de Finlande. Vue intérieure : tout d'un hall d'aéroport (d'ailleurs, il y a même un héliport sur le toit !). Il abrite heureusement un écrin : une superbe salle de 2 000 places, ***l'Opéra Berlioz.*** Elle fut inaugurée en 1990 et, pour s'accorder avec le style résolument contemporain du lieu, on joua alors une œuvre de Iannis Xenakis. Ce chantier battit tous les records et finit par coûter la bagatelle de 122 millions d'euros, soit le double du budget initial. On a doté l'édifice de nombreux exploits techniques dont le plus impressionnant reste sans doute les 280 boîtes à ressorts de 50 cm chacune qui supportent les 23 000 tonnes de la grande salle et de la cage de scène. Cela afin de supprimer les vibrations du tramway et du TGV qui circulent à proximité. Il s'agit d'un procédé que l'on applique pour protéger le cœur des centrales nucléaires et récupéré ici par l'acousticien Daniel Commins, à qui l'on doit également l'esthétique sonore des auditoriums du Louvre et du musée d'Orsay. Par ailleurs, l'espace est entièrement modulable avec cinq rangées de sièges escamotables et un plafond mobile qui descend comme un monte-charge permettant d'adapter la salle à plusieurs activités. La scène à toit ouvrant se prête à merveille aux scénographies les plus extravagantes pouvant faire décharger des chevaux, des voitures et même des piscines. Enfin, la salle est entièrement climatisée mais pas le plateau ; s'agirait-il d'un raffinement ultime ou encore d'un caprice de prima donna ? Quoi qu'il en soit, le résultat est époustouflant, et l'Opéra Berlioz figure au 3e rang français par sa fréquentation avec une moyenne de 130 représentations annuelles.

Antigone *(plan couleur D2)*

Le nouveau quartier, qui aspire à être le nombril de la ville dans les décennies à venir, est en fait une excroissance de la ville qui n'en finit pas de s'étirer vers l'est.

Sur 1 800 m, la longueur exacte des Champs-Élysées parisiens, l'architecte catalan Ricardo Bofill s'est inspiré d'un style que l'on peut qualifier de néoclassique monumentalisé pour dessiner ce vaste ensemble de logements sociaux, bureaux et commerces, majestueux décor de théâtre qui s'anime peu à peu, grâce aux halles, à la piscine, à la bibliothèque et aux restaurants en bordure du fleuve. Après les tentatives architecturales arrogantes et démesurées des années 1970, cet ensemble étonne par sa cohérence, son élégance, son respect des proportions humaines et la place donnée aux espaces piétons, aux espaces verts, bref à une certaine convivialité. Frontons en lignes brisées, colonnades et perspectives ; le béton précontraint de couleur claire qui rappelle la pierre a pris une belle patine au cours de ces deux décennies, et la ville s'est enfin dotée d'une « clé » pour s'ouvrir une porte vers la Méditerranée.

➢ De la place de la Comédie, on accède à Antigone par le tram ou en traversant (ce qui n'est pas vraiment l'idéal, mais il fallait bien faire ce cadeau au dieu Mercure) le centre commercial du ***Polygone.*** Petite parenthèse à propos des appellations d'origine... controversée. Respectant l'ancienne toponymie de la ville, le *Polygone,* construit au début des années 1970 sous le mandat de François Delmas, fut érigé sur le terrain de l'ancien champ de manœuvres (polygone de tir). Quant à la dénomination d'Antigone, la « greffe » de l'ancien maire, les opinions divergent. Certains verront dans ce vocabulaire classique un hommage au théâtre grec ; d'autres un anti-Polygone. Œuvre colossale, elle est le fruit de réflexions savantes et de calculs secrets et complexes, comme celui des proportions de ***la place du Nombre-d'Or.*** Laissant les ***Échelles de la Ville*** (les escaliers qui relient le niveau de la place de la Comédie et celui d'Antigone) derrière nous, on parvient à cette place qui se prolonge par une longue esplanade bordée d'immeubles. D'allure austère au départ, elle s'est ouverte du côté du Polygone par une arche impressionnante et s'est ornée d'une fontaine doublement rafraîchissante, puisqu'on peut s'amuser à la traverser, en choisissant bien le moment où l'eau jaillit ! Les façades intérieures sont surmontées d'une corniche très saillante, l'amorce d'une « coupole imaginaire » selon Bofill, qui, entre mathématiques et lyrisme, conçoit le ciel comme un plafond toujours changeant. La place du Nombre-d'Or est à la fois la clé de voûte et la référence du projet Antigone. Son module de base, un carré de 48 m de côté, sert de modèle aux places suivantes, toutes combinant le carré et le cercle en plan, mais dans une configuration toujours différente. ***La place du Millénaire,*** large de 48 m, semble, à l'œil nu, plus étroite par la présence des cyprès. Quant à ***la place de Thessalie,*** elle offre la variante d'un jardin carré et deux amphithéâtres également plantés.

Une fois traversée la rue de l'Acropole et toujours dans le sacro-saint respect des proportions, on tombe nez à nez avec ***la piscine olympique*** conçue par Bofill *himself* et, sur la droite, ***la bibliothèque municipale,*** inaugurée fin 2000. Entre les deux bâtiments, *la place Dionysos,* aménagée en amphithéâtre avec 300 places assises. De l'autre côte du boulevard, les halles Jacques-Cœur, contemporaines juste ce qu'il faut, restituent une ambiance moins solennelle au quartier. La bibliothèque, œuvre des architectes Chemetov et Huidobro, possède son espace d'archives sur la façade sud couverte par un mur plein (rappelez-vous, les documents et livres anciens supportent mal la lumière) laissant la partie nord ouverte sur de grandes baies vitrées. C'est justement là que l'on peut consulter revues et journaux ou faire une halte à la cafétéria, de préférence autour de 17h, lorsqu'un écran géant descend pour projeter des émissions littéraires autour desquelles les participants engagent souvent le débat.

On finit avec la grandiose ***esplanade de l'Europe,*** qui permet de rendre le Lez à la ville, délimitée par une colonnade en forme de croissant qui s'ouvre sur le plan d'eau. Sur l'autre rive, le bâtiment de l'hôtel de région (réplique moderne de l'arc de triomphe de Paris) se reflète dans un bassin-miroir qui n'est pas sans rappeler celui qui décore certaines « folies » montpelliéraines.

Antigone est un défi urbanistique, un essai en perpétuelle transformation. Et les projets ne s'arrêtent pas là. L'axe central entre l'agglomération et ses plages sera l'autoroute et le Lez, sa colonne vertébrale. Deux solutions sont envisagées afin de le rendre navigable : lui réinjecter de l'eau des nappes souterraines ou du Rhône. En attendant, les nouveaux quartiers sortent de terre sur des centaines d'hectares : le pôle universitaire Richter, les résidences chic autour du bassin Jacques-Cœur, le centre de loisirs de l'Odysseum avec sa patinoire et son grand aquarium en cours de construction... on dit même que l'ancien maire, Georges Frêche, comptait déménager la mairie à port Marianne ! La ville va poursuivre son petit bonhomme de chemin vers la grande bleue.

LES AUTRES GRANDS QUARTIERS

Il ne faudra guère aller loin pour les découvrir. Pour certains d'entre eux nul besoin de parler « d'exil banlieusard », ce sont carrément les faubourgs de l'Écusson. Esprit, voire identité de quartier, cependant très fort.

Quartier du Courreau** (plan couleur A2) :* miniquartier, vertébré par le faubourg du Courreau. Sa partie nord se confondrait presque avec le quartier des Arceaux. Dans sa partie sud, vers la trouée Gambetta, on est quasi dans les Figuerolles. Le ***faubourg du Courreau est une pittoresque rue commerçante et particulièrement animée. Population ouvrière et immigrée. On n'est pas étonné d'y découvrir de nombreuses plaques rappelant l'héroïsme des habitants pendant la Résistance. Rue réputée pour ses excellentes boutiques de produits (voir chapitre « Où acheter de bons produits ? »). Encore quelques artisans, dont un bijoutier qui travaille même en vitrine. Au coin de la rue du Général-Maureilhan, boucherie avec vénérable enseigne au premier étage (subsistent encore les têtes d'un bélier et d'un sanglier). Mais la vedette du quartier, c'est incontestablement le ***marché du quartier des Figuerolles,*** à l'angle du cours Gambetta. Le plus ethnique (clientèle et commerçants majoritairement maghrébins), le moins cher de la ville pour les fruits, légumes d'une grande fraîcheur, ainsi que la menthe et la coriandre vendues en gros buissons. Meilleurs jours : le week-end.

***Quartier des Figuerolles** (plan couleur A3) :* le plus emblématique, le plus populaire de Montpellier. Il prolonge, au-delà du cours Gambetta, le quartier du Courreau. Ces Figuerolles (littéralement : « là où il y a des figuiers », encore que des historiens prétendent que c'est une grande famille foncière, les *Figayroles,* qui donna son nom au quartier) se sont construites au fil des vagues d'immigration. D'abord des vagues de pauvres ouvriers agricoles de l'arrière-pays, puis d'Espagnols, d'Italiens (venant combler le manque de main-d'œuvre après l'horrible saignée de la Grande Guerre) et de Portugais, aujourd'hui tous intégrés dans le tissu social. Ensuite, dans les années 1940, ce furent les gitans qui se sédentarisèrent et marquèrent profondément le quartier. Ils étaient ferrailleurs, chiffonniers, récupérateurs de peaux de lapin, tondeurs de moutons, vendeurs de chevaux (métiers aujourd'hui disparus bien sûr)... On y trouve aussi des Africains, des Turcs, des Kurdes, des Asiatiques. Mais aujourd'hui, c'est l'immigration maghrébine la plus importante (Kabyles, Tunisiens et Marocains).

Quartier éminemment populaire, donc, avec encore quelques artisans et de nombreux petits commerces. Ces quinze dernières années, de nombreux Français vinrent les rejoindre. Plutôt jeunes, sans trop d'enfants, artistes, intellos précaires (ou pas), étudiants, travailleurs sociaux, militants associatifs, musicos, chômeurs, marginaux et rebelles de tout poil, attirés par les bas loyers, les maisons à acheter bien moins chères qu'ailleurs et l'atmosphère très villageoise du bas Figuerolles (autour de la place Salengro). Aujourd'hui, le quartier change aussi. Désormais, les gitans habitent quasiment tous cité Gely, plus à l'ouest. Les Figuerolles gardent cependant, auprès de certains Montpelliérains, une mauvaise réputation : un quartier de voyous, affirment-ils, d'Arabes, d'immigrés, qui plus est, dangereux, sale et on en passe... Beaucoup de ces clichés reposent bien entendu sur de classiques fantasmes sécuritaires, renforcés (rarement, il faut le dire) par une épisodique bagarre au

couteau entre demi-sel ou par le souvenir lointain d'un règlement de compte spectaculaire. Mais dans leur immense majorité, les habitants des Figuerolles sont fiers de leur quartier, de son atmosphère conviviale et de la bonne entente entre les différentes populations qui le composent. Il nous vient à l'esprit ce chiffre terrifiant : deux Marseillais sur trois avouaient encore, dans les années 1980, n'avoir jamais mis les pieds dans le quartier du Panier à Marseille, même quarante ans après la disparition de Spirito et Carbone et des autres Borsalino de cinoche et roman noir...
Venez donc apprécier la santé pétante des petits commerces des Figuerolles. Record de coiffeurs, boucheries, bazars, dans les rues Daru, des Figuerolles, Vincent, cours Gambetta, etc. Les bourgeois éclairés savent depuis longtemps y trouver la meilleure poissonnerie de la ville, et les pizzas *addicts,* les plus savoureuses au sud du mont Aigoual ! En prime, une riche vie associative, et avec la *Pleine Lune,* le bar musical le plus sympa de Montpellier (voir « Où écouter de la musique ? Où assister à un spectacle ? »)... Et quand il n'y a pas de musique, restent les terrasses accueillantes de la place Salengro. Curieusement, l'apéro y possède un autre goût et l'atmosphère se révèle nettement plus grecque et méditerranéenne qu'à Antigone... Tandis que d'une fenêtre s'échappe cette version épatante de *Mon amant de Saint-Jean* par le groupe Les Boukakes (raï des villes, rock du bled), originaire du quartier, bien représentatif de cette génération black-blanc-beur.

Un peu plus au sud, on atteint ***le musée de l'Infanterie*** *(hors plan couleur par A3,* ***133****)* ***:*** *École d'application de l'infanterie (EAI), av. Lepic.* ☎ *04-67-16-50-43. Ligne de bus n° 7, arrêt « Lepic ». Tlj sf mar 14h-17h30. Fermé pour les fêtes de fin d'année. Entrée : 4 € ; gratuit moins de 18 ans.* Inauguré en 1999, ce musée clair et bien conçu retrace, en une douzaine de salles, toute l'histoire de l'infanterie française, de 1480 à nos jours. Des petites reconstitutions alternent avec les vitrines, où armes, emblèmes et uniformes sont présentés sur un fond bleu très sobre qui met en valeur les tenues. Le tout ponctué de panneaux d'information rappelant les époques, l'origine des conflits et l'équipement des fantassins. Personne n'est oublié, du grognard napoléonien au poilu de 14-18, en passant par l'armée d'Afrique, avec ses goums marocains et ses unités sahariennes. Ces dernières salles sont sans doute les plus colorées, avec des objets de la vie quotidienne dans le désert et des dromadaires itou. Un musée assez original quant à son thème, et plutôt bien goupillé.

Quartier des Arceaux *(plan couleur A2)* ***:*** *à l'ouest du Peyrou.* Délimité par l'avenue d'Assas et de Lodève. L'aqueduc des Arceaux en est la moelle épinière. Jusque dans les années 1960, facile à trouver, il suffisait de suivre les bons effluves de cacao dispensés par la chocolaterie *Matte.* Quartier populaire qui ne change pas trop vite. Beaucoup de pavillons et de petits immeubles discrets. Edmond Leenhardt, un fameux architecte local, spécialiste des bureaux de poste, construisit une dizaine de villas aux Arceaux (pour ceux que ça intéresse, liste et adresses dans *L'Annuaire des Arceaux*). Petite vie villageoise autour des rues Marioge, Subleyras, etc. Nombreux petits commerces et jolies maisons basses avec balcon de fer forgé. Les gens du quartier aiment bien se retrouver à la *Cigale,* au 7, bd des Arceaux. Marché bio en face.

Quartier des Beaux-Arts *(plan couleur B-C1)* ***:*** délimité par les quais des Tanneurs, du Verdanson et l'avenue de Nîmes. Venant de l'Écusson, on traverse un canal à sec (parfois recouvert par la chaussée). C'est là que les tanneurs lavaient leurs peaux. D'ailleurs, il s'appelait auparavant le « Merdanson » à cause des effluves abominables qui s'en dégageaient. Aujourd'hui, quartier recherché par les bobos sauce Méditerranée pour son côté tranquille et convivial. La rue Ferdinand-Fabre donne le ton : quelques hôtels particuliers à deux étages avec des portails travaillés. Derrière de hauts murs, on devine de beaux jardins secrets. Des bornes anti-carrosses subsistent encore. Rue Lakanal, rue Villefranche, demeures typiques du XIXe siècle lorsque le coin fut loti. Beaucoup de maisons d'un étage avec fin balcon de fer forgé. Vers la place des Beaux-Arts, habitat populaire avec de plaisantes petites HLM de trois étages maximum et de couleur pastel (certaines s'appellent même « Count Basie » et « Charlie Parker »). L'animation culturelle locale tourne autour des cafés de la place des Beaux-Arts (*Art Café, bar des Super Vedettes, café Bibal,* etc.). Dans les parages, de fort bons restos aussi (voir la rubrique « Où manger ? »).

Au nord du quartier des Beaux-Arts, un quartier plus tranquille, le ***cimetière Saint-Lazare*** *(hors plan couleur par C1), walhalla* de la bourgeoisie montpelliéraine. *Bus depuis la place du Faubourg-de-Nîmes. 1er avr-30 sept, tlj 8h (9h dim et j. fériés)-18h (17h en hiver).* Ouvert en 1849, il abrite les sépultures des grandes familles de la ville qui ont donné leurs noms aux rues ou grands hôtels particuliers, comme les *Baschy de Cayla, Cambacérès, Lunaret, Montcalm, Sabatier d'Espeyran....* Quelques tombeaux caractéristiques, comme celui de la *reine Hélène d'Italie,* les mausolées des familles *Polge* et *Alicot-Bruyas,* de pittoresques chapelles funéraires. Mais c'est surtout le tombeau de la famille *Sylvestre* qui retient l'attention. Fascinée par l'histoire d'amour d'Héloïse et Abélard et par leur superbe tombeau de style gothique (au Père-Lachaise à Paris), elle en fit édifier une très fidèle reproduction...

La Paillade : plus connue pour son stade de foot que pour ses tours bâties il y a 30 ans, au nord de la ville. On peut se contenter d'une balade le dimanche matin au marché aux puces (près du stade de la Mosson). Les poètes pourront passer devant la *tuilerie de Massane* où vécut et mourut l'écrivain Joseph Delteil au milieu de ses 70 ha de vignes qu'il cultivait lui-même.

Au nord-ouest, n'hésitez pas à pousser jusqu'au ***musée de la Pharmacie*** *(hors plan couleur par A1,* ***159****) : faculté de pharmacie, 15, av. Charles-Flahault. ☎ 04-67-54-80-62. Mar et ven 10h-12h. Fermé à Noël, le 1er janv et le 1er mai. Entrée gratuite.* Peu connu et pourtant intéressant. Installé dans l'ancienne bibliothèque de la faculté, il retrace toute l'histoire de la pharmacie du XIIe siècle à nos jours. Impossible de tout décrire, mais signalons les trois officines de pharmacie reconstituées dans leur intégrité et assez fascinantes. Notamment celle Art déco de 1925 et celle de style Empire qui fonctionna de 1820 à 1973. Comptoir avec meuble à ordonnancier, miroirs qui dissimulaient l'armoire à poisons et à stupéfiants, vénérables bocaux étiquetés d'époque, cages à sangsues, ventouses, canules, moules à ovules, appareils à fabriquer les cachets, balances de précision, microscopes, galvanomètres, etc., toute une série d'objets, appareils et outils insolites... Également de nombreux livres et manuscrits très anciens, comme ce fragment de l'une des quatre bulles du pape qui fondèrent l'université en 1289 et la première pharmacopée qui tenta d'unifier les pratiques des apothicaires de la ville en 1574.

Et enfin, en dehors du centre, au nord, vous trouverez le fameux ***Agropolis Museum*** *(hors plan couleur par B1,* ***158****) : 951, av. Agropolis. ☎ 04-67-04-75-00. • museum.agropolis.fr • Audioguide, label « tourisme et handicap ». Par le tramway, direction Mosson, arrêt « Saint-Éloi », puis navette Agropolis-Lavalette ; descendre au terminus. Tlj sf mar 14h-18h. Entrée : 7 € ; réduc ; gratuit moins de 10 ans.* Un lieu assez unique pour découvrir notre monde autrement. Expression culturelle de la communauté scientifique du pôle Agropolis, il présente de façon intelligente et très ludique l'histoire et le devenir de l'alimentation et des hommes qui la produisent. Après avoir suivi la grande épopée de l'agriculture, depuis les tâtonnements timides de cromagnon jusqu'à l'industrie agro-alimentaire, on aborde une section astucieuse mettant en parallèle les principales techniques d'exploitation en vigueur dans le monde. Ce sont les agriculteurs eux-mêmes qui s'expriment, du *farmer* américain au petit paysan indonésien. À voir encore « Aliments, nourritures et boissons du monde » : un ensemble vivant et didactique qui permet de découvrir la diversité des aliments, cuisines et boissons du monde ainsi que leurs enjeux économiques, sociaux ou de santé. Expositions temporaires, animations, *cybermuseum,* vous allez vous régaler. En sortant, si vous allez encore manger dans un fast-food, c'est que vous êtes vraiment irrécupérable !

Fêtes, manifestations et festivals

Montpellier est une ville culturelle d'un dynamisme époustouflant.
– ***Saperlipopette, voilà enfantillages ! :*** *en mai au parc du château d'Ô et dans d'autres endroits (variables) de la ville, puis tournées dans le département.* ☎ *04-67-60-05-45.* Le festival des petits qui s'initient à toutes les disciplines du spectacle : théâtre, musique, arts plastiques, danse...
– ***Comédie du Livre :*** *un w-e en mai.* ☎ *04-67-29-74-99.* ● *comediedulivre.montpellier.fr* ● *Sur la place de la Comédie et l'esplanade Charles-de-Gaulle.* Un événement qui réunit chaque année écrivains, auteurs de bandes dessinées, éditeurs et libraires autour d'un thème ou d'un pays (débats, conférences, rencontres...).
– ***Festival international des sports extrêmes – Nokia Fise :*** *en mai, rives du Lez.* ☎ *04-67-40-15-35.* ● *nokiafise.com* ● Premier rassemblement européen de sports extrêmes qui accueille les meilleurs *riders* du moment pour défier les lois de la gravité en roller, skateboard, bicross, wakeboard, motocross et même en ski et snowboard, sur de la vraie neige ! Et après les compétitions, place aux concerts...
– ***Le Printemps des comédiens :*** *en juin.* ☎ *04-67-63-66-67.* ● *printempsdescomediens.com* ● *Pour s'y rendre, tram n° 1, arrêt « Château-d'Ô ».* Un excellent festival de théâtre généraliste, qui se déroule en plein air, dans le parc du château d'Ô. Une programmation heureusement éclectique, de belle qualité. Le *Printemps,* en bientôt 20 ans, a accueilli des artistes aussi divers que la troupe de Royal de Luxe, le cabaret Footsbarn, le cirque Fratellini, le *Mahabharata* mis en « espace » par Peter Brook, les Catalans de la Fura dels Baus et leur théâtre total, des marionnettistes indiens, des voltigeurs mexicains, des conteurs africains ainsi que des musiciens et des groupes de danse du monde entier.
– ***Festival de musique à Maguelone :*** *début juin.* ☎ *04-67-60-69-92.* ● *musiqueanciennea maguelone.com* ● Entre mer et étangs, ce festival de musique classique fête ses 25 ans d'existence avec des programmes aussi variés que la musique sacrée, la musique médiévale des fêtes d'Italie et d'Espagne et rend hommage aux compositeurs de la Renaissance. Concerts donnés à la cathédrale, un pur moment de plaisir !
– ***Festival Montpellier Danse :*** *de fin juin à mi-juil.* ☎ *0800-600-740.* ● *montpellierdanse.com* ● Un festival, mondialement reconnu, dans un domaine où Montpellier se distingue particulièrement. Mieux vaut donc réserver longtemps à l'avance. Les cartes *Agora* et *PassDanse* offrent des réductions jusqu'à 30 % pour le festival et tout au long de la saison. Parmi les pointures de la danse contemporaine qui assurent leur présence régulière on dénombre Mathilde Monnier, directrice du centre, Angelin Prejlocaj, Anne Teresa De Keersmaeker ou encore Régine Chopinot. Les spectacles ont lieu au Corum, à l'Opéra-Comédie, au théâtre de Grammont et certains « hors série » sont présentés au studio Bagouet et à l'ancien couvent des Ursulines. La figure du chorégraphe Dominique Bagouet, fondateur du festival, est toujours présente dans l'esprit des danseurs.
– ***Festival de Radio France et de Montpellier :*** *en juil.* ☎ *04-67-02-02-01.* ● *festivalradiofrancemontpellier.com* ● On y entend des airs connus interprétés par de jeunes artistes, on y redécouvre des merveilles dégotées dans des fonds de tiroirs et interprétées par des vedettes internationales. Durant le festival, nombreux concerts gratuits de jazz, musique de chambre et *world music* aux Ursulines, place de l'Europe, au Corum ou au musée Fabre.
– ***Les Estivales :*** *en juil-août, sur l'Esplanade, ts les ven 18h-minuit.* Rencontres conviviales autour de dégustations d'huîtres, de vins du terroir...
– ***Les plagesss... festival électro :*** *le dernier w-e de juil, entre la plage du Souleil sur la plage de Maguelone et le club* La Villa Rouge. ☎ *04-67-06-50-54.* Pas moins de 30 DJs nationaux et internationaux se produisent en 4 jours. On démarre la

soirée les pieds dans le sable et on finit le soir en boîte. Une consolation pour les aoûtiens : *Festival Gravity* le dernier w-e du mois.
– ***Festival du cinéma méditerranéen :*** *fin oct-début nov.* ☎ *04-99-13-73-73.* • *cinemed.tm.fr* • Tous les films sont axés sur la culture méditerranéenne au sens large. Cannes sans les paillettes.
– ***Fêtes locales aux environs proches :*** *férias de la mer fin avr, fête de la mer vers le 7 juil, joutes nautiques vers le 8 sept, ferias d'automne (avec « bouvines » et courses à la cocarde) fin sept à Palavas-les-Flots. Festival de jazz à La Grande-Motte la dernière sem de juil.*

Culture

Théâtres

Opéras de Montpellier : *11, bd Victor-Hugo.* ☎ *04-67-60-19-99.* • *opera-montpellier.com* • Deux lieux de spectacle : *l'Opéra-Comédie* (1 200 places) et *l'Opéra Berlioz* au Corum (2 000 places). Une superbe programmation, une dizaine de spectacles différents chaque saison, des plus romantiques aux plus contemporaines ou d'avant-garde.
Orchestre national de Montpellier-Languedoc-Roussillon : *le Corum, esplanade Charles-de-Gaulle.* ☎ *04-67-60-19-99.* • *orchestre-montpellier.com* •
Centre chorégraphique national de Montpellier : *les Ursulines, bd Louis-Blanc.* ☎ *04-67-60-06-70.* • *mathildemonnier.com* • Centre expérimental unique en Europe. Au sein de ce superbe couvent des Ursulines défilent toute l'année les plus grandes compagnies de danse internationales.
Théâtre des Treize-Vents : *domaine de Gramont, av. Albert-Einstein.* ☎ *04-67-60-05-45.* • *theatre-13vents.com* • C'est le Centre dramatique national de Montpellier qui offre de remarquables créations théâtrales et organise le fameux festival pour jeune public : « Saperlipopette, voilà enfantillages ! ».
Théâtre d'Ô : *château d'Ô.* ☎ *04-67-67-73-73 ou 66-66. D'oct à avr.* Intéressant programme par de jeunes compagnies européennes.
Café-théâtre La Cicrane : *9, rue Sainte-Ursule.* ☎ *04-67-86-42-90.* • *cicrane.com* • *Au cœur de la vieille ville.* À prix très doux, l'occasion de rire dans la tradition du café-théâtre parisien.
Théâtre Lakanal : *17, rue Ferdinand-Fabre.* ☎ *04-67-16-28-82.* • *theatrelakanal.com* • *Tte l'année.* Bonne programmation de spectacles pour toute la famille.

Cinémas

■ ***Cinéma Diagonal*** *(plan couleur B3) :* *18, pl. Saint-Denis.* ☎ *04-67-92-91-81. Répondeur :* ☎ *0892-680-029.* • *cinediagonal.com* • ♿
■ ***Diagonal Capitole*** *(plan couleur C-D3), 5, rue de Verdun.* ☎ *04-67-58-58-10.* Propose tous les films en v.o. Fonctionne avec carte d'abonnement à puce, belles cartes avec images de cinéma. Carte 10 places à 47 € et rechargeable.
– À noter : le *Diagonal Center* a fermé, le *Diagonal Campus* a été repris par *Utopia* et la ville de Montpellier réfléchit à l'avenir du *Diagonal Celleneuve.*
■ Sans oublier bien sûr le grand complexe ***Gaumont,*** place de la Comédie *(plan couleur D3).* Plus éclectique, plus commercial et grand public. La société possède également un multiplexe à Odysseum.

Activités sportives

Ville jeune, ville solaire, Montpellier a de quoi vous faire bouger, que ce soit par des activités de plein air ou avec ses centres de loisirs dernière génération. Pour vous dégourdir les jambes sans trop vous éloigner de la ville, vous trouverez quelques terrains propices à l'exercice physique au zoo de Lunaret, au bois de Montmaur ou encore à l'étang de Méjean au départ de la Maison de la nature à Lattes. Inspirez... respirez !

Adresses utiles

■ ***Maison des sports :*** *200, av. du Père-Soulas.* ☎ *04-67-41-78-00.* Fournit des infos sur tous les sports que l'on peut pratiquer dans l'agglomération. Abrite également le Centre d'évaluation de la condition physique où, sur rendez-vous (☎ 04-67-54-51-02), un médecin vous fera passer des tests pour mesurer votre résistance à l'effort.

■ ***Réseau vert :*** *rens* ☎ *0825-34-00-34.* Une *infoline* qui dépend du comité départemental du tourisme et qui donne des infos sur les balades et randonnées.

■ ***Écologistes de l'Euzière, Maison départementale de l'environnement :*** *au domaine de Restinclières, à Prades-le-Lez.* ☎ *04-99-62-09-40. Gratuit et ouv à ts.* Propose des balades à thème une fois par mois (les samedis buissonniers) avec des sujets aussi divers que les salades sauvages, les champignons, les oiseaux de l'hiver... Aussi des w-e nature pour les botanistes en herbe.

– *La Gazette de Montpellier* publie un supplément annuel (septembre) consacré aux sports ainsi qu'une rubrique hebdomadaire « Oxygène » avec des bons plans de sorties dans la nature.

D'eau, de terre et de glace

■ ***Piscine olympique d'Antigone*** *(plan couleur D2) : 195, av. Jacques-Cartier.* ☎ *04-67-15-63-00. Lun-ven 9h-20h, 20h30-22h ; sam 9h-19h ; dim 9h-13h, 15h-19h. Entrée : 4,80 € ; réduc.* Beau complexe tout en verre et acier avec deux bassins, solarium, gymnase et salle omnisports appartenant à l'agglomération de Montpellier. Il s'agit de la première piscine conçue par l'architecte catalan Ricardo Bofill, avec un bassin olympique de 50 m (dit de Vénus) qui peut être divisé en deux lors des compétitions en plaçant un aileron amovible. Le bassin ludique, ou d'Aphrodite, est doté de bains bouillonnants, d'un toboggan et d'un toit ouvrant lorsque le thermomètre dépasse les 22 °C. La salle de gym se trouve sous ce bassin et abrite même un terrain de jeu en béton où viennent s'entraîner, entre autres, les champions montpelliérains de handball. On allait oublier : prévoir une pièce de 0,50 € pour le vestiaire et un slip de bain pour les garçons, car les boxers ne sont pas admis. Parking souterrain et une allée où garer son deux-roues.

■ ***D'autres piscines municipales également :*** *rue Pitot, av. de Maurin, av. L.-Michel à La Pompignane, etc.*

– ***Parcours sportifs aménagés :*** *ils sont situés dans plusieurs quartiers notamment celui de la Colline, rue Croix-de-Figuerolles ; celui de la Rauze, 419, av. du Dr-Jean-Fourcade, celui du bois de Montmaur et celui du lac des Garrigues, av. de Naples, à La Paillade.*

– **Parcours à vélo :** 136 km de pistes cyclables ont été aménagés suivant l'axe du tramway et longeant le fleuve et les nouveaux quartiers. Elles comprennent une dizaine d'itinéraires et sont repérables par les panneaux directionnels verts ainsi qu'un marquage au sol. On peut, par exemple, rejoindre port Marianne depuis le centre-ville en passant par Antigone et les rives du Lez ou bien continuer vers les plages. Voir aussi la rubrique : « Comment se déplacer en ville ? » pour les modalités de location de vélos *(Vélomagg').*

■ ***Patinoire Végapolis*** *(hors plan couleur par D3) : à l'Odysseum, terminus du tram.* ☎ *04-99-52-26-00.* • *vegapolis.net* • *Ouv tte l'année ; horaires entre 12h et 0h30 avec parfois des plages de repos, variables en fonction des vac scol. Appeler ou consulter le site internet pour plus de détails. Entrée adulte, patins compris : 7,20 € ; enfant : 6,30 €.* Deux pistes, l'une sportive, l'autre ludique et des cours pour débutants ou patineurs confirmés. Sorte de grande disco sur 3 100 m² de glace, murs d'images, tunnel lumineux, toboggan, sono à fond... de quoi se donner quelques frissons et se rêver Candeloro l'espace d'une journée. Les très jeunes adorent, bien sûr.

Pour se mettre au vert

Le parc de Lunaret :** 50, av. d'Agropolis. ☎ 04-99-61-45-50. • zoo.montpellier.fr • ♿ De la gare, tramway direction Mosson, descendre à « Saint-Éloi », puis navette Agropolis-Lavalette. Mai-août, tlj 9h-19h ; hors saison, 9h-18h (17h nov-fin janv). Fermé lun mat de mi-sept à mi-mai (sf vac scol zone A et j. fériés). Entrée gratuite. Possibilité de visites guidées.* Véritable parc méditerranéen de 80 ha, déroulé à flanc de collines dans un beau paysage de garrigues et de pinèdes. Il accueille près de 350 animaux répartis en fonction de leur continent d'origine, à découvrir sur les 11 km de chemins pédestres. Mais attention, ici les animaux ne sont pas considérés comme des bêtes de foire. Sachez par conséquent que la grande taille de leurs enclos ne permet pas toujours de les apercevoir. Tant mieux, la balade gagne en magie, car c'est la chance et le hasard qui vous feront rencontrer lions, ours bruns, rhinocéros, zèbres, autruches, antilopes, guépards, kangourous, mouflons... Le parc œuvre aussi activement pour la préservation des espèces menacées, avec plusieurs spécimens rares : bongo, takin, loup à crinière, loup ibérique, âne de Somalie, tapir, lémuriens... Dépaysement garanti dans ce bel espace de verdure aux portes de la ville, où les berges des étangs et les rivages du Lez sont devenus le lieu de promenade favori des Montpelliérains. Nouveauté 2007 : la grande ***serre amazonienne (2 000 m²), la plus vaste de France. Plus de 500 animaux et 3 500 végétaux sont présentés dans l'atmosphère typique de l'Amazonie, au travers de sept espaces divers. L'occasion de faire un long voyage au fil du fleuve Amazone, de son estuaire à sa source. Un lieu d'études et d'observation scientifique pour comprendre la biodiversité mais aussi et surtout un lieu de découverte ludique, passionnant, pour tous les âges. En face, balade et parcours sportif au bois de Montmaur.

***Le domaine de Grammont :** av. Albert-Einstein, le Millénaire. ☎ 04-67-64-32-90. À l'entrée est de Montpellier. Tlj 5h-23h.* Ce domaine de 90 ha accueille de multiples activités, dont celles du Centre d'art dramatique du théâtre des Treize-Vents et l'espace Grammont de rock, le Zénith. Vaut surtout le détour pour son parc. Cèdres impressionnants (dont un plusieurs fois centenaire). Escalier extérieur à double volée, belles salles romanes au rez-de-chaussée. Un peu à l'extérieur en suivant les flèches, la mare écologique, micro-réserve pour les oiseaux et la flore en perdition.

***Le domaine de Méric :** rue de Ferran. ☎ 04-67-79-00-95. Bus n° 10, arrêt : « Avenue-de-la-Justice-de-Castelnau ». L'été, tlj 8h-21h30 ; jusqu'à 20h au printemps, 18h l'hiver. Entrée gratuite.* Une belle propriété aménagée au XIXᵉ siècle par la famille du peintre Frédéric Bazille, avec orangerie, jardin anglais et voluptueuses essences méditerranéennes...

***Le château de Flaugergues :** 1744, av. Albert-Einstein, le Millénaire. ☎ 04-99-52-66-37. • flaugergues.com • ♿ (en extérieur et au rez-de-chaussée). Bus n° 9 direction Grammont ou Odysseum, arrêt « Evariste Gallois ». En voiture, Montpellier-Est (sortie n° 29), direction le Millénaire, puis Grammont-Le Zénith. Château : juin, juil et sept, tlj sf lun 14h30-19h ; sur rendez-vous le reste de l'année. Pour le parc, les jardins et caveaux : tlj (sf dim et j. fériés oct-mai) 9h-12h30, 14h30-19h. Visite complète (guidée) : 8 € ; 5,50 € pour la visite libre des jardins (billet valable 6 mois) ; réduc. Sur présentation de ce guide, une réduc est accordée pour une entrée payante à plein tarif.* C'est au financier Étienne de Flaugergues que l'on doit la plus ancienne des « folies » montpelliéraines, un petit château fin XVIIᵉ-début XVIIIᵉ siècle harmonieux, dont la sobriété de la façade ocre n'est pas sans rappeler les villas toscanes. À l'intérieur, on s'attardera sur l'exceptionnel escalier aux voûtes à clef pendantes, avant de découvrir le salon, la salle à manger et différentes salles à l'étage, dotées d'un magnifique mobilier d'époque. Voir notamment de précieuses tapisseries flamandes du XVIIe siècle. La terrasse surplombe un beau jardin à la française, mais c'est dans le parc botanique attenant qu'on ira volontiers se perdre le temps d'une balade. Sur 7 ha, ce jardin à l'anglaise romantique dévoile tour à tour une bambouseraie, des palmiers, un séquoia géant ou encore un astucieux jardin des 5 sens... Détour par le chai pour goûter du vin des coteaux de la Méjanelle.

Signalons enfin l'ouverture de l'***Aquarium Mare Nostrum,*** dans la zone de loisirs Odysseum. Ce vaste projet est l'un des plus grands modèles du genre en Europe, avec 24 bassins et 250 à 300 espèces animales différentes, répartis sur 5 000 m². Le site propose la découverte du monde marin et de la Méditerranée en particulier, dans des ambiances lumineuses et sonores reproduisant les différents aspects de la grande bleue. En plus de nombreuses attractions spectaculaires, il offre des activités culturelles et pédagogiques pour sensibiliser toutes les générations aux enjeux écologiques de la protection de la faune aquatique. *Rens et horaires : ☎ 04-67-68-29-76.*

DE MONTPELLIER À LA MER

Un jour, légende antique ou promesse électorale en toc, l'agglomération de Montpellier s'étendra jusqu'à la mer. En attendant, dès les premiers beaux jours, voici quelques lieux où vous risquez de rencontrer pas mal de citadins. Si les bains de mer ne vous tentent pas, allez vous promener autour des étangs, qui s'étendent sur une trentaine de kilomètres au sud de Montpellier : étangs du Méjean, de Mauguio, de l'Arnel, de Vic, de Pierre-Blanche et du Prévost, pour ne citer que les plus proches.

DE MONTPELLIER À PALAVAS

Adieu nostalgie. Le petit train de Palavas n'est plus, demain c'est le tram qui emmènera à la mer une nouvelle génération, qui aura du mal à se reconnaître dans les personnages de Dubout. Quoique... en cherchant bien !

LATTES (34970) 15 600 hab.

Autrefois le port de Montpellier. On trouve encore, çà et là, les fondations de l'antique Lattara, construite au bord du Lez vers 500 av. J.-C. Il ne reste en revanche que l'église Saint-Laurent pour témoigner de l'essor du bourg à l'époque médiévale. Cette petite cité rattrapée aujourd'hui par l'agglomération montpelliéraine joue les Babaorum et s'offre un port Ariane pour défier port Marianne, prévu quelques kilomètres en amont.

Adresses utiles

Office de tourisme de Lattes : *679, av. de Montpellier. ☎ 04-67-22-52-91. • tourisme.fr/office-de-tourisme/lattes.htm • Tlj sf dim en saison ; lun-ven le reste de l'année.*

Maison de la nature : *chemin de l'Étang. ☎ 04-67-22-12-44. Juil-août, 9h-12h, 16h-20h (14h-18h hors saison).*

L'HÉRAULT

Fermé lun et jeu. Isolée au bord du site protégé du Méjean, elle a pour vocation de sensibiliser le grand public à la faune et à la flore des étangs à l'aide d'une petite expo interactive sur la roubine (canal d'irrigation), d'un observatoire braqué sur un nid de cigognes et de deux sentiers en accès libre sinuant entre prés salés et roselières... Bucolique à souhait. Organise aussi des visites guidées à thèmes toute l'année (compter 4 €/personne pour une visite de 2-3h ; jumelles fournies).

Où dormir ? Où manger ?

Campings

▲ ***Camping-caravaning Le Floreal :*** *rue de la Première-Écluse, La Céreirède. ☎ 04-67-92-93-05. • info@camping-le-floreal.com • camping-le-floreal.com •* ♿ Voir le texte et les infos pratiques dans la rubrique « Où dormir ? Campings » à Montpellier.

▲ ***Camping Le Parc :*** *sur la D 172. ☎ 04-67-65-85-67. • camping-le-parc@wanadoo.fr • leparccamping.com •* Voir le texte et les infos pratiques dans la rubrique « Où dormir ? Campings » à Montpellier.

De prix moyens à plus chic

⌂ ***Le Lodge :*** *4, route de Palavas, La Calade. ☎ 04-67-06-10-20. • info@lelodge.fr • lelodge.fr • Ouv tte l'année. Resto tlj sf sam midi et dim hors saison. Doubles avec bains 78-98 € selon saison. Menus 15-24 € et carte. Apéritif maison offert sur présentation de ce guide.* Très club, ce village de bungalows branché est le point de chute idéal de l'estivant complet : le site est stratégiquement situé à mi-chemin des plages et de Montpellier, au pied des boîtes les plus dynamiques du secteur. Les noctambules profiteront des transats de la jolie piscine pour reprendre quelques forces entre deux virées, les autres apprécieront le confort des chambres disséminées dans le jardin. Au resto, honnête cuisine méridionale à prix démocratiques.

⌂ |●| ***Mas de Couran :*** *route de Fréjorgues. ☎ 04-67-65-57-57. • mas.de.couran@free.fr • mas-de-couran.com • À la sortie de Lattes par la D 172, en face du cimetière Saint-Jean. Resto fermé sam midi, dim soir et lun midi hors saison. Doubles avec douche et w-c ou bains 75-85 €. Formule midi en sem 20 €, menus 35-55 € et carte env 35 €. Café offert sur présentation de ce guide.* Dans un parc soigné, une vieille maison de maître pleine de charme, précédée par un bel escalier double environné de massifs et de plantes grimpantes. Chambres cosy de bon ton, confortables et bien tenues. Idéal pour qui voudrait s'offrir un petit séjour chic à mi-chemin de la mer et de la ville. Resto proposant une cuisine traditionnelle de bon aloi : chaud-froid de foie gras aux pommes et raisins marinés à l'armagnac, bourride de baudroie à la sétoise, magret de canard aux figues, etc. Piscine pour garder la ligne.

|●| ***Restaurant de la maison des vins (Le Mas de Saporta) :*** *☎ 04-67-06-88-66. • contact@cuisiniersvignerons.com •* ♿ *Du centre, suivre la direction A 9 pour Montpellier puis les flèches « Mas de Saporta ». Fermé sam midi et dim tte la journée ; sur résa le soir. Menus midi 14,50 €, puis 19-24 €.* Une fois n'est pas coutume, c'est la cuisine qui est ici au service du vin ! Ce restaurant attenant à la chambre de l'agriculture est devenu une petite institution pour œnologues en herbe et épicuriens de toujours. Chaque année, les meilleurs crus locaux y sont sélectionnés pour composer une carte à la fois gustative et représentative. Idéal pour se familiariser avec les vins, de plus en plus intéressants, de plus en plus recherchés, de la région. Divers menus et carte, dans la tradition culinaire méridionale.

À voir

– ***Le musée archéologique de Lattes :*** *390, route de Pérols.* ☎ *04-67-99-77-20. Ouv 10h-12h, 13h30-17h30. Fermé mar et w-e, 1er janv, 1er mai, 14 juil et 25 déc. Entrée : 2,50 € ; réduc ; gratuit pour ts le 1er dim du mois.* Ce musée intéressant et très lisible est implanté sur le site archéologique de l'antique Latarra, port lagunaire occupé du VIe siècle av. J.-C. au IIIe siècle après notre ère. On y découvre le résultat des nombreuses campagnes de fouilles menées d'abord par Henri Prades, puis par les chercheurs du CNRS. L'exposition permanente, élargie à d'autres sites environnants, témoigne de l'activité de la région depuis le Néolithique jusqu'à son âge d'or à l'époque gallo-romaine : monnaies, verres soufflés, objets votifs, bijoux, statues, etc. Au 1er niveau, expositions temporaires toujours passionnantes. Vue imprenable sur le site de fouilles.

PALAVAS-LES-FLOTS (34250) 5 420 hab.

Rendu célèbre au début des congés payés, le village fut immortalisé par le dessinateur Dubout, qui le découvre dans les années 1920. Son fameux petit train, qui amenait à la mer les citadins accablés par la chaleur et dont les dessins éveilleront forcément chez vous souvenirs et sourires complices, n'a certes plus rien à voir avec celui qui circule encore dans les rues en été. C'est un peu la mémoire de Palavas-les-Flots qui, à travers ses coups de crayon « incisifs et caricaturaux », repose dans un fortin (la redoute de Ballestras), sauvé de l'oubli et de la destruction, remonté pierre par pierre, sur un site entouré par les eaux... pour abriter le pittoresque musée Albert-Dubout.

UN PEU D'HISTOIRE

Édifié en 1743 pour protéger la côte, le fortin faisait partie des sept tours de guet autour desquelles s'étaient installées les premières cabanes de jonc des pêcheurs, qui avaient la mer à portée de barque, aux beaux jours, et les étangs, quand le temps était capricieux...
Ainsi naquit le village de Palavas (*palus avis :* « l'oiseau des marais »). La suite est plus anecdotique. Les Clapassiers (gens de Montpellier) s'y rendaient sous le Second Empire à cheval ou en omnibus. Il faudra attendre l'inauguration en fanfare du petit train, en 1872, pour que Palavas prenne vraiment son essor.
Au début du XXe siècle, les bourgeois montpelliérains qui fréquentaient « la plage » appelaient les pêcheurs au teint buriné les *pas lavas* (les « pas lavés », en patois), en vertu de quoi les pêcheurs surnommaient les gens de la ville les *trempa cioul* (traduction tout aussi compréhensible : « trempe cul » !). Le tout faisait partie du folklore local, dans une ambiance de franche gaieté qu'on peut encore imaginer.
Jusque dans les années 1960, les Montpelliérains s'installaient en famille à Palavas, dès le printemps et jusqu'en septembre, louant ce qu'on appelait des « chalets » au bord de la mer. Une tradition qui a perduré avec le développement des résidences secondaires...
Le vieux Palavas, avec ses maisons anciennes au cachet particulier et son port de pêche croquignolet (où les Montpelliérains viennent toujours acheter leur poisson, au retour des bateaux), n'a rien perdu de ses attraits colorés malgré les quelque 80 000 touristes qui passent par là durant la saison. Il suffit donc d'ignorer les innombrables nouvelles constructions (la ville devrait faire un effort environnemental, paraît-il) et de se contenter d'une balade dans les vieilles rues et sur les quais pour se rendre compte que Palavas-les-Flots reste l'une des plus authentiques et des plus sympathiques stations balnéaires de la côte.
Et, petit détail important, tous les parkings sont gratuits.

Adresse et infos utiles

Office de tourisme : *phare de la Méditerranée, pl. de la Méditerranée. ☎ 04-67-07-73-34. • palavaslesflots.com • Tlj sf dim en hiver 10h-13h, 14h-18h ; en juil-août, tlj 10h-20h.* Bonne documentation, bel accueil.

Bus Hérault Transport : *☎ 0825-340-134.* Ligne n° 131 depuis et pour Montpellier.

– **Marchés :** *alimentaire lun tte l'année, parking des Arènes, mixtes mer (rue Saint-Roch) et ven mat (rue Maguelone). Grand marché dim avr-nov, au parking des Arènes, ainsi qu'un marché nocturne (18h-minuit) d'artisanat ven juil-août, esplanade rive droite, à côté du casino.*

– **Marché aux puces, à la brocante et aux fleurs :** *sam mat, à côté des arènes.*

Où dormir ?

Campings

Palavas Camping : *route de Maguelone. ☎ 04-67-68-01-28. • info@palavas-camping.fr • palavas-camping.fr • Dernier camping après le grau de Prévost ; rive droite, avt le parking pour Maguelone. Ouv de mi-mai à mi-sept. Compter 17 € en hte saison l'emplacement pour 2 et une voiture. Loc de mobile homes : 700-900 €/sem.* Camping 4 étoiles doté de 300 emplacements, simple et peu ombragé mais en première ligne sur la plage. Cadre somme toute très agréable. Piscines, bar, laverie et jeux pour les enfants.

Camping des Roquilles : *267 bis, av. Saint-Maurice. ☎ 04-67-68-03-47. • roquilles@wanadoo.fr • camping-les-roquilles.fr • Rive gauche. Ouv de mi-avr à mi-sept. Compter 23,30 € en hte saison pour 2, un emplacement et une voiture. Également une centaine de chalets ou bungalows : env 230-960 €/sem selon confort et saison.* À 50 m de la plage, un immense camping (700 emplacements !) semi-ombragé, avec pas moins de trois piscines, un toboggan aquatique, des terrains de volley et tennis, une épicerie, un resto et un bar. Ambiance familiale et conviviale, malgré le port obligatoire d'un bracelet pour que la direction puisse reconnaître ses ouailles. Un peu la cohue en haute saison.

De prix moyens à plus chic

Hôtel du Midi : *191, av. Saint-Maurice. ☎ 04-67-68-00-53. • hoteldumidi@wanadoo.fr • hotel-palavas.com • Parking à disposition. Congés : fin oct-fin mars. Doubles avec douche et w-c 47-95 € selon saison. ½ pens, obligatoire en août, 48-68 €/pers selon saison. Menus 13,90-35 € et carte env 20 €. 10 % de réduc accordée en basse saison sur présentation de ce guide.* Prix raisonnables, service des plus aimables, chambres refaites à neuf et bien tenues (salles de bains, literie neuve)... Certes, ce n'est pas le grand luxe, mais c'est propre, confortable et, avec de la chance, vous aurez même une chambre avec balcon face à la mer ou avec vue sur la lagune, ce qui n'est pas mal non plus. Bonne surprise côté resto, avec une cuisine saine et abordable.

Hôtel-motel Amérique : *7, av. Frédéric-Fabrèges. ☎ 04-67-68-04-39. • hotel.amerique@wanadoo.fr • hotelamerique.com • Rive droite. Parking clos ou garage payant (5-8 €). Ouv tte l'année. Doubles avec bains 51-78 € selon saison. Apéritif maison offert sur présentation de ce guide.* La maison cumule les fonctions : dans le bâtiment principal, des chambres d'hôtel conventionnelles, bien tenues et sans mauvaise surprise ; dans la partie motel, de l'autre côté de la rue, des chambres agréables lorsqu'elles donnent sur la piscine, qui se distinguent surtout par leur grande taille. C'est peut-être pas l'Amérique, mais si vous cherchez à la fois la piscine, la plage à proximité et l'animation des quais (allez savoir !), vous serez servi.

Les Alizés : *6, bd Joffre. ☎ 04-67-68-01-80. • contact@lesalizeshotel.com • lesalizeshotel.com • Rive gauche. Selon saison, doubles côté phare ou face à la mer 64-99 €. Également des chambres plus petites et donnant sur la ruelle 57-79 €.* Petit hôtel familial très accueillant, à la déco marine attrayante dans les parties communes. Un hôtel entièrement rénové, idéalement placé pour qui veut profiter de l'animation du centre. Les chambres classiques sont climatisées, insonorisées, confortables, dans des tons assez doux qui devraient vous inciter à prolonger votre séjour, si vous ne faites que passer. Également un resto.

Où manger ?

Dans le vieux Palavas

De bon marché à prix moyens

Au 10, place du Marché : *11, rue Saint-Roch. ☎ 04-67-68-57-41. Tlj sf lun-mar hors saison, fermé slt lun midi en saison. Congés : fin nov-fin janv. Menus midi en sem 11,90 €, puis 15,80-25,80 €. Carte env 20 €.* Un vrai moules-frites tenu par un patron d'origine belge tombé amoureux de l'accent et des crus de l'Hérault, d'où une carte de vins régionaux pas mal du tout, commentée avec humour. Atmosphère chaleureuse et terrasse des plus agréable. Le mercredi matin, le marché investit la rue, ce qui présente un charme supplémentaire.

Le Petit Lézard : *63, av. de l'Étang-du-Grec. ☎ 04-67-50-55-55. ♿ Tte l'année, tlj midi et soir. Formule midi en sem 11 € et menu 19 €. Compter 30-35 € à la carte. Digestif maison offert sur présentation de ce guide.* Un bon restaurant pour amateurs de poisson grillé *a la plancha*. Les pêches du jour sont inscrites sur l'ardoise, à savourer accompagnées de légumes grillés à l'huile d'olive. Quant à choisir entre la salle, la véranda ou la terrasse à l'ombre, c'est selon votre humeur, la météo et l'affluence du moment.

Les Flots Bleus : *21, quai Clemenceau. ☎ 04-67-68-01-73. ♿ Ouv tte l'année, tlj midi et soir en été, slt ven-dim et j. fériés le reste de l'année. Menus 10,50 € (sf j. fériés)-29 €. Env 25 € à la carte. Apéritif maison offert sur présentation de ce guide.* Une table très classique et sans mauvaise surprise. De grandes baies vitrées donnent sur le canal et permettent d'assister à l'arrivée des pêcheurs. Aux fourneaux, le patron, fils de pêcheur et ancien pêcheur lui-même, propose une cuisine traditionnelle, généreuse et familiale. Spécialités de macaronade de crustacés, bourride de lotte, gratin de sole et homard... Sinon, ardoise du jour et beaux plateaux de fruits de mer pour les amateurs. Terrasse sur le quai, très agréable en soirée. Également quelques chambres très simples et bon marché (33 € la double).

La Rôtisserie Palavasienne : *5, rue de l'Église. ☎ 04-67-68-52-12. Ouv ts les soirs sf dim en saison, résa obligatoire. Hors saison, tlj midi et soir sf dim soir et lun. Congés : oct. Menu ou repas à la carte 25 €. Apéritif maison offert sur présentation de ce guide.* Un lieu qui s'est fait connaître par le bouche à oreille, la qualité s'alliant au folklore pour donner vie à une table d'hôtes à la mode du pays. Didier Jimenez, Palavasien bon teint, tient cette cantine coquette à la Dubout tout à côté de sa rôtisserie, proposant chaque jour, selon l'envie et le marché, des plats typiques et généreux. Le menu Poët Poët est d'ailleurs à l'image du personnage, aussi traditionnel qu'imprévisible, c'est dire ! Un souvenir de vacances des plus pittoresque.

Restaurant de l'Hôtel du Midi : *191, av. Saint-Maurice. ☎ 04-67-68-00-53.* Voir plus haut la rubrique « Où dormir ? ».

Sur la plage

De prix moyens à plus chic

L'Hippocampe : *1269, av. de l'Évêché-de-Maguelone. ☎ 04-67-68-30-48. ♿ Rive droite ; direction Ancienne cathédrale de Maguelone, au rez-de-chaussée de l'*Hôtel Prévost. *Ouv tte l'année. Fermé le soir dim-mar en basse saison. Menus 18-48 € et carte env 35 €. Café offert sur présentation de ce guide.* En bord de mer, sous les paillotes ou dans la salle moderne joliment relookée et avec vue panoramique, selon la place, la météo ou l'humeur du moment. Bonnes spécialités de poisson et fruits de mer, une cuisine fraîche et soigneusement présentée. Ambiance conviviale, le « maître des lieux » profitant des pauses pendant le service pour prendre sa guitare et pousser la chansonnette. En prime, vous pourrez profiter de la plage privée pour buller tranquillou après le repas.

La Playa : *bd Sarrail. ☎ 04-67-50-63-38. ♿ Rive gauche. Tlj en saison. Service non-stop 9h-22h. Formule 12 € ; salades et plats du jour 10-15 € ; repas à la carte env 20 €. Café offert sur présentation de ce guide.* Une cabane de pêcheur toute de bleu et blanc dans un décor marin, pour se détendre les pieds dans le sable, face à la mer. Portions généreuses pour des spécialités simples et convenables : bricks de saumon et thon, « tartines espagnoles » servies avec des vins de la région. L'ardoise suit le marché et l'inspiration de la cuisinière. Idéal également pour un petit déj servi avec des jus de fruits frais.

Le Zénith Plage : *av. de l'Évêché-de-Maguelone, rond-point du Zénith. 📱 06-09-97-63-65. • info@zenithplage.com • Rive droite. Ouv du 1er mai à mi-sept (service le soir slt juin-août jusqu'à 23h). Compter 25-30 € pour un repas complet.* Une cabane toute simple, où la plage fait office de salle à manger. Très nature ! Cuisine typiquement méditerranéenne avec quelques spécialités plus « gastro ». Plats du marché et vins de la région.

Le Windsurf : *plage de Maguelone. ☎ 04-67-68-01-57. • lewindsurfplage@wanadoo.fr • Rive droite. À gauche du parking en arrivant. Tlj 9h-1h en saison ; service le soir jusqu'à 23h. Compter env 25 € à la carte, beaucoup moins pour un snack.* À l'écart de la foule, cette plage est devenue le rendez-vous des amoureux de plages sauvages, de vagues (spot de windsurf) et de farniente. Ici, dans cette guinguette en bois exotique grande ouverte sur l'extérieur, l'apéritif se prolonge tard dans la soirée. Spécialité de grandes salades et assiettes méditerranéennes, poissons grillés *a la plancha.* Belle carte de cocktails tropicaux ou rosés bien frais. Matelas sur la plage pour la sieste.

Où manger une bonne glace ?

Glacier catalan : *5 et 21, quai Paul-Cunq. ☎ 04-67-68-44-45. Ouv tte l'année sf déc-janv ; 9h-2h du mat en été ; 12h-20h (env) hors saison.* Deux adresses le long du canal, pour déguster en terrasse ou dans les salles climatisées (celle du 21 est plus jolie) d'énormes coupes de glaces artisanales. On peut aussi acheter à emporter des cornets bien croustillants. Très nombreux parfums tous aussi savoureux. Aux beaux jours, prenez votre mal en patience car il y a foule !

À voir

Le phare de la Méditerranée : *pl. de la Méditerranée.* Palavas-les-Flots a reconverti son ancien château d'eau en phare, et l'a doté d'un centre des congrès et de séminaires, de locaux pour l'office de tourisme et d'un restaurant panoramique tournant. De 10h à minuit, on accède au sommet du phare en empruntant un ascenseur *(2 €/pers)*. Du haut de ses 34 m, ce pont-promenade surplombe la ville et offre une vue imprenable sur la région. Audioguides à disposition.

Le musée Albert-Dubout : *dans la redoute de Ballestras. ☎ 04-67-68-56-41 (l'ap-m pdt les horaires d'ouverture). Accessible par une passerelle depuis le parc du Levant ou par la navette-bateau avr-sept, gratuite, depuis l'embarcadère situé quai Paul-Cunq (départ ttes les 45 mn). Juil-août, tlj 10h-12h, 16h-21h ; mars-juin et sept-nov, tlj sf lun 14h-18h (19h avr-juin et sept) ; déc-fév, 14h-18h les w-e et j. fériés, ainsi que vac scol (tlj sf lun). Entrée : 5 € ; réduc ; gratuit jusqu'à 12 ans.* Tels les cloîtres reconstruits pierre par pierre à New York, la petite redoute du XVIIIe siècle a émergé de sa cachette dans l'ancien château d'eau (elle fut ainsi à l'abri des vandales !) et s'est réimplantée sur l'étang. Le musée renferme les œuvres du célèbre dessinateur, revenu à la mode après un long purgatoire. Les expositions tournantes présentent des photographies, des objets personnels de l'artiste et différentes sélections de caricatures hilarantes, dont les plus fameuses concernent bien sûr le petit train de Palavas. Si certains ont été « traumatisés » par ces dessins où l'on voit une héroïne fellinienne étouffer son gringalet de mari entre ses deux énormes seins, d'autres n'en finissent plus de redécouvrir ces images d'un monde disparu, pleines de tendresse et de fous rires cachés. Albert Dubout (1905-1976) adorait croquer la foule en délire tout en s'en tenant lui-même éloigné. Comme dit Wolinski : « Dubout est surtout génial parce qu'il fait rire même les imbéciles. » Prenez le temps de scruter les détails, et allez vous acheter un de ses recueils de dessins, pour supporter les visions de la plage au mois d'août.

Complément obligatoire : ***le musée du Train à vapeur,*** non loin de la redoute (même billet). Il fait revivre l'épopée de la célèbre ligne, qui a relié Montpellier à Palavas entre 1872 et 1968. Autour de la vieille locomotive à vapeur et de sa voiture restaurée, c'est toute une époque qui perdure, à travers des photos jaunies et une collection permanente de dessins aux couleurs éclatantes du cher Dubout. À la sortie des deux musées, une promenade s'impose dans le ***parc du Levant***, aménagé autour d'un petit lac, espace de verdure et de calme bienvenu avant de reprendre la navette-bateau pour le vieux village.

À faire

– ***Le Transcanal Mickey :*** *au bout du canal. Juil-août, 10h-minuit ; hors saison, w-e et vac scol. Compter env 1,20 €.* Un télésiège qui permet de traverser cette « monumentale » (sic) pièce d'eau. Certainement l'une des plus grandes inventions de l'homme depuis le feu, l'avion et le téléphone ! Pas très esthétique mais les enfants adorent !

➢ ***Visite guidée :*** *en juil-août, départs mar et ven à 9h ; en sept, ven à 14h30 ; le reste de l'année, sur résa slt. Infos et résa à l'office de tourisme. Tarif : 5 € ; réduc.* Sur le thème « Une histoire singulière », organisée par l'office de tourisme. Itinéraire commenté sur l'histoire locale, du XVIIIe siècle à nos jours, dans le vieux centre et le parc du Levant.

➢ ***Circuits de découverte :*** topoguides (gratuits) disponibles à l'office de tourisme. « Balades et circuits à pied ou à vélo », avec des circuits autour des étangs de Prévost et du Grec, dans le parc du Levant, à la découverte de la faune et de la flore – en particulier les flamants roses, etc. Également des « circuits de découverte du patrimoine », avec deux itinéraires pédestres, rive gauche, pour découvrir le quartier des pêcheur, ou rive droite, autour du Palavas de la Belle Époque.

➢ ***Découverte du patrimoine lagunaire :*** *programme et infos à l'office de tourisme. Prévoir une participation de 5 € env.*
Une balade de 3h dans un autre monde, secret et discret, en compagnie d'un accompagnateur capable de vous faire découvrir une faune et une flore spécifiques, sur les rivages des étangs palavasiens.

Cet espace naturel, essentiellement lagunaire, est séparé de la mer par un très mince cordon littoral sablonneux. Ces étangs, autrefois exploités par les saliniers et les pêcheurs, sont aujourd'hui le lieu de rencontre et de nidification de nombreux oiseaux, qu'ils soient sédentaires ou migrateurs : huîtrier pie, aigrette garzette, mouette rieuse, flamant rose, avocette, sterne naine... Cette atmosphère salée n'est propice qu'à une végétation spécifique : salicorne, obione, soude, saladelle... Ne pas oublier ses jumelles !

➢ ***Les Portes de la Camargue au fil de l'eau :*** *infos et résa : ☎ 04-67-07-73-34. Départs ts les mer en juil-août. Tarifs : 20 €/pers (matériel, encadrement et assurances inclus) ; forfait famille (à partir de 4 pers) : 15 €/pers.* Une balade de 3h en kayak de mer, organisée par l'office de tourisme et l'association *Palavas Kayak de Mer*. Une belle façon de découvrir la faune et la flore camarguaise sur les canaux palavasiens, puis en suivant le canal du Rhône de Sète jusqu'à l'étang.

Manifestations

– ***Feria de la Mer :*** *début mai.* Marque le début de la saison. Bodegas, animations taurines, danses sévillanes, courses camarguaises, etc.
– ***Festival de musique :*** *la 1re quinzaine de juin. Infos et résas : ☎ 04-67-60-69-92.* Concerts de musique ancienne et baroque à la cathédrale de Villeneuve-lès-Maguelone.
– ***Grand spectacles et concerts aux arènes :*** *tt au long de l'été. Infos : ☎ 04-67-50-39-56.* Également diverses animations en juillet-août, cinéma en plein air, bals musette...
– ***Fête de la Mer :*** *le 2e dim de juil.* Procession de Saint-Pierre, bénédiction des bateaux en mer, tournois de joutes sur le canal, feux d'artifice, bal.
– ***Grand tournoi de joutes :*** *les 21 juin, 14 juil, 15 août et début sept.* Sur le canal.
– ***Feria d'automne :*** *fin sept.* Cette fête née au début du siècle dernier marque la fin de la saison. Bodegas, *abrivados* sur la plage, courses camarguaises et danses sévillanes.

➢ DANS LES ENVIRONS DE PALAVAS-LES-FLOTS

VILLENEUVE-LÈS-MAGUELONE *(34750)*

La cathédrale Saint-Pierre : *en saison, tlj 9h-19h. Entrée libre, mais l'accès au parking situé à 3 km du site est payant : 4 €. Le tarif inclut toutefois le transfert en petit train. Intéressant festival de musique en juin (voir plus haut « Manifestations »).* Au milieu des vignes, sur une île reliée à la terre au XVIIIe siècle, l'ancienne cathédrale Saint-Pierre se dresse fièrement au milieu des pins, des cyprès et des micocouliers, témoin de l'époque lointaine où la chrétienté médiévale édifiait des églises-forteresses. Elle devient siège épiscopal au VIe siècle. Les Wisigoths rendent l'endroit prospère et célèbre. Devenue base mauresque, la ville sera rasée par Charles Martel en 737. Et ce n'est que trois siècles plus tard que la cathédrale sera reconstruite. Tête de pont catholique dans un monde cathare, la cathédrale résistera face à l'hérésie, mais les querelles politiques des souverains auront raison de ce lieu de méditation incomparable. En 1536, l'évêché est transféré à Montpellier. La magistrale unité architecturale de ce grand vaisseau de la chrétienté est frappante, même si l'ensemble évoque davantage une forteresse qu'une église. Portail merveilleux surmonté d'un linteau trop long pour la porte et d'un art très évolué. Il est orné de rosaces et de feuillages d'une perfection totale.
À l'intérieur, nef unique de 28 x 10 m par laquelle on se sent comme écrasé. La tribune était destinée aux chanoines. Çà et là, des dalles funéraires d'anciens évêques (XIVe et XVIIe siècle) et, dans la chapelle du Saint-Sépulcre, mausolée

du cardinal de Canilhac et sarcophage en marbre gris à pilastres cannelés qui serait le tombeau de la Belle Maguelone.

Où manger ?

La Chapelle : *110, rue des Anémones. ☎ 04-67-07-95-80. • el.canigo@orange.fr • ♿ Hors saison, fermé dim soir, lun soir et mar soir ; en hte saison, fermé dim soir et lun. Menus midi en sem 12 €, soir 18 € ; compter 20 € à la carte. Apéritif maison offert sur présentation de ce guide.* Ancienne chapelle du XVIIe siècle avec cheminée et mezzanine, ou patio fleuri bien agréable les jours de canicule. Ambiance méditerranéenne garantie. Les viandes sont grillées au feu de bois et le poisson cuit *a la plancha.* Bonne cave à vins.

DE PALAVAS À LA PETITE CAMARGUE

CARNON-PLAGE (34280)

Sur la D 21 à l'est de Palavas, cette station familiale étale ses 7 km de sable fin entre l'étang de l'Or et la Méditerranée.

Cet « endroit des pierres » fut de tout temps un lieu de pêcherie, avec quelques refuges en bois ici ou là. Au début du XIXe siècle, certains pêcheurs choisissent de vivre sur cette étroite bande de terrain. Beaucoup se lancent dans l'exploitation des bains avec l'ouverture de buvettes, la location de cabines (un sou la journée) et de transats.

Si la guerre vida la ville de ses habitants, la vie reprit de plus belle au départ des Allemands. La ville va alors s'organiser autour d'un nouveau centre avec l'aménagement du port (bateau-passeur entre les deux rives) ; le cinéma de plein air et les guinguettes sur la plage animent les nuits de Carnon.

Le temps a passé, le béton a coulé plus vite que le sable dans le sablier, mais Carnon a conservé ses fidèles. La station est aujourd'hui la base de départ pour les croisières sur le canal du Rhône à Sète.

Adresse et info utiles

Office de tourisme de Mauguio-Carnon : *rue du Levant, dans le centre administratif. ☎ 04-67-50-51-15. • carnontourisme.com • Ouv tte l'année, et tlj en saison.* Un office très dynamique et sympathique. Nombreux ouvrages et dépliants, conseils judicieux.

Bus Hérault Transport : *☎ 0825-340-134 (0,15 €/mn).* Ligne n° 106 depuis et pour Montpellier.

Où dormir ?

Camping

Camping Les Saladelles : *av. Grassion-Cibrand. ☎ 04-67-68-23-71. • camping.saladelle@wanadoo.fr • sivom-etang-or.fr • ♿ Ouv d'avr à mi-sept. Emplacements pour 2 avec voiture et tente 16 € en hte saison. Loc de mobile homes à partir de 172 €/sem.* À 100 m de la plage du Petit-Travers, un grand camping de 380 emplacements, moyennement ombragé mais géré avec professionnalisme.

L'HÉRAULT

De prix moyens à plus chic

Hôtel Hélios : *rue de la Gardiole (sur les marines de Carnon-Ouest).* ☎ *04-67-50-75-50.* • *r.way@wanadoo.fr* • *hotelhelioscarnon.com* • *Fermé de mi-déc à mi-janv. Doubles avec douche et w-c ou bains env 55-70 € selon saison. Hors saison, 10 € de réduc accordée sur présentation de ce guide.* Un nom pas possible, un look béton certain mais des chambres refaites à neuf et un accueil professionnel. Cadre familial et environnement reposant, à deux pas de la plage, mais retiré dans un quartier résidentiel agréable. Également des studios avec kitchenette, idéal pour les séjours prolongés en famille.

La Plage du Gédéon : *159, av. Grassion-Cibrand.* ☎ *04-67-68-10-05.* • *laplagedugedeon@cegetel.net* • *plagedugedeon.com* • *Congés : nov-fév inclus. Doubles avec douche et w-c 39-54 € selon saison. Sur présentation de ce guide, 10 % de réduc accordée sur le prix de la chambre en basse saison.* Petit hôtel sympathique tenu par un couple qui s'est efforcé de rénover les chambres en y ajoutant un peu de couleur. Des chambres tout à fait honnêtes pour le prix, d'autant plus qu'elles sont situées juste au-dessus du bar à vins de la maison. Au cas où vous vous laisseriez aller à tester les crus locaux avec trop de zèle, vous n'avez qu'un étage à monter !

Où manger ? Où boire un verre ?

Près du port

Prix moyens

Le « J » : *8, av. Grassion-Cibrand (rive gauche).* ☎ *04-67-50-34-99. Ouv tte l'année, tlj sf dim, lun soir et mer soir oct-avr, jusqu'à 1h du mat et 2h en été. Formules midi en sem 12,50-14,50 €, menu midi 18 €, soir 22 €.* À midi, on grignote en terrasse sur la plage, mais c'est le soir qu'il faut plutôt venir ici. Déco contemporaine réussie, flirtant à l'occasion avec le kitsch (banquettes léopard du plus bel effet !), musique douce, bougies, encens... Très zen. Cuisine tendance elle aussi, très parfumée et colorée, avec un soupçon d'exotisme. Et si on n'adhère pas, cela reste un excellent point de chute pour boire un verre en profitant de l'ambiance.

Les Sardines Argentées – Poissonnerie du Port : *sur le port.* ☎ *04-67-68-16-43. Ouv avr-oct, tlj midi et soir en hte saison, ts les midi ainsi que ven soir et sam soir le reste du temps. Formules assiettes dégustation 13-15 € et carte env 22 €. Apéritif maison offert sur présentation de ce guide.* Partant du principe que l'on n'est jamais mieux servi que par soi-même, cette authentique poissonnerie propose ses propres produits à déguster en terrasse. Plateaux de coquillages ultra-frais ou *parilladas* du jour, accompagnés d'un petit vin régional. Bon accueil et prix encore sages.

Le Petit Mas : *81, av. Grassion-Cibrand (rive gauche).* ☎ *04-67-50-50-80. En basse saison, tlj midi et soir sf lun-mar et sam midi ; l'été, tlj le soir slt. Congés : 22 déc-15 janv. Menu midi en sem 12 €, menu dégustation 25 € et carte env 27 €. Digestif maison offert sur présentation de ce guide.* Bon pied bon œil, *Le Petit Mas* fait toujours partie des tables préférées des locaux. Un restaurant grill au cadre typique et à l'accueil sympa. Taureau AOC (s'il vous plaît !) roi de la fête, avec, pour qui n'aimerait pas ça, brochette mixte, bourride de lotte, seiche grillée...

Guinguette Chez Mimi : *28, escale port Pérols, 34470 Pérols.* ☎ *04-67-50-55-25. Bus n° 128 ou prendre la direction de Pérols ; après le pont à la sortie de Carnon, descendre à droite : la guinguette est au bord du canal (il est prudent de réserver le soir, les fidèles sont nombreux). Ouv début avr-début oct, tlj sf dim soir et lun. Menus midi en sem 11 € puis 22,50 € ; carte env 15 €. Apéritif maison ou café offert sur pré-*

sentation de ce guide. Un endroit original et chaleureux que cette grande paillote où Mimi, la maîtresse des lieux, prépare dans sa roulotte une petite cuisine familiale sans complication (andouillette, moules farcies, gambas, etc.). Espace jeux pour les enfants. Damier géant pour les grands qui veulent jouer aux dames ou aux échecs, qui se transforme aux heures chaudes en piste de danse.

Sur la plage

Prix moyens

Plage des Lézards : *av. Samuel-Bassaget. ☎ 04-67-50-78-80. Ouv de mi-avr à mi-sept. Service jusqu'à 23h30. Formule midi en sem 13 €, menu 22 € ou compter env 30 € à la carte.* Grande paillote confortable à la déco branchouille soignée, et plage privée très courue pour jouer les lézards, entre ombre et soleil. Restauration méditerranéenne de bonne tenue avec quelques spécialités de poisson réussies. Matelas et serviette de plage pour qui veut prolonger le plaisir, et prendre des forces avant les soirées musicales organisées à l'occasion par l'équipe de la boîte le *Bar Live.*

Palm Ray Plage : *av. Grassion-Cibrand (sortie Petit-Travers). ☎ 04-67-50-38-80. Ouv de mi-avr à mi-sept. Service tlj jusqu'à 23h30. Soirées à thème ven. Formules midi en sem 20 € et carte env 30 €. Café offert sur présentation de ce guide.* Dans la catégorie plage privée « chic et conviviale » où il fait bon aller entretenir et montrer son bronzage, celle-ci joue le jeu et ne prend pas le chaland pour un gogo : belle terrasse toute de bois vêtue, face à la grande bleue, service sympa et décontracté, cuisine de grande brasserie (entrecôte, tartares) aux influences marines (poisson *a la plancha*) sans mauvaise surprise.

À faire

➢ ***Caminav :** base fluviale de Carnon. ☎ 04-67-68-01-90.* Loue des péniches ou des petits bateaux, à la journée ou plus. Bon accueil.

➢ **Balade** des cabanes de Carnon aux dunes du Petit-Travers, recommandée, à pied ou à VTT, le long du chemin de halage, au bord du canal du Rhône à Sète, mais aussi au bord des étangs de Pérols et Mauguio. Après le Petit-Travers, des dunes et une immense plage très fréquentée.

Manifestations

– ***Festival Sable et Sel :** fin avr-début mai.* Les petits sont à la fête avec toutes sortes de spectacles et d'animations ludiques créés pour eux... mais les parents ne cèdent pas pour autant leur place et se font un plaisir de participer ! Familial.
– ***Animations estivales :** juin-sept.* Animations musicales gratuites sur le port.

MAUGUIO (34130) 14 847 hab.

En partant de Carnon, prendre la direction de l'aéroport par la jolie petite route de Vauguières qui passe au milieu des exploitations maraîchères et des marais, où plusieurs manades élèvent les fameux chevaux blancs.

Tout près de l'étang de l'Or, site protégé hébergeant de nombreux oiseaux et une flore particulière, Mauguio est situé en fait en extrême limite de la Petite Camargue, dont il a hérité des traditions.
Petit village charmant en « circulade » autour de sa motte féodale, qui a su préserver son petit côté provençal. Autour de l'an 1000, on y frappait monnaie : le denier melgorien, qui a d'ailleurs laissé son nom aux habitants actuels. Des habitants qui s'enorgueillissent d'une autre histoire, due au fait de la forte proportion de population espagnole qui s'est fixée ici dans l'après-guerre et qui donne à la ville son image la plus festive, trois jours durant, en juin : la *Romeria del encuentro.*
Et puis Mauguio est bien placé sur la route des vins, avec son terroir de la Méjanelle, cru des coteaux du Languedoc, à découvrir au domaine du même nom, à la cave des Vignerons de l'Or, au mas Ministre ou au mas Combet.

Où manger à Mauguio et dans les environs ?

|●| ***Le Jardin :** 24, pl. de la Mairie. ☎ 04-67-29-30-59. Ouv juin-août slt, à partir de 19h (service jusqu'à minuit). Formules 15-20 €, comprenant une tartine, une salade et une brochette. Digestif maison offert sur présentation de ce guide.* Spécialité de *bruschettas,* de salades toutes simples, de brochettes marinées, tajine de la semaine et autres petites choses qui se laissent grignoter sans peine, avec un petit rosé bien frais pour faire bonne mesure. À déguster sous l'olivier, autour de la fontaine ou sous la treille, dans une charmante cour intérieure typique de la région. Ambiance *bodega* les soirs de fête jusqu'à 2h du mat.

|●| ***Ma Maison :** 550, av. du Salaison, à Saint-Aunès (34130). ☎ 04-67-45-05-19. • restaumamaison@free.fr • ♿ À 3 km au nord-ouest de Mauguio par la D 24-E 2. Tlj sf lun (en juil, fermé également sam midi et dim). Formule midi en sem 18 €, menus 28-38 €. Repas à la carte env 35 €. Apéritif maison offert sur présentation de ce guide.* Comme à la maison ? Oui et non. Oui, parce qu'on s'attable carrément dans la maison des proprios, en famille, et non parce que la carte alléchante n'est pas à confier au premier marmiton venu. Le duo terre et mer (filet de poisson du jour et foie gras poêlé) ou le carré d'agneau farci aux olives, accompagné d'une purée truffée et d'une sucette de pomme de terre, méritent assurément un minimum de maîtrise. Et puis ce n'est pas chez soi qu'on se prépare des cafés gourmands, escortés d'un chapelet de minidesserts !

À voir

🔭 ***Le jardin de la Motte féodale :** ☎ 04-67-29-65-35. Ouv tte l'année. Avr-sept inclus (sf sem du 15 août), mar-sam 8h-12h, 15h30-19h ; le reste de l'année, mar-sam 8h-12h, 13h30-17h. Visite libre et gratuite.* Perché, on peut le dire ! Un îlot de verdure au cœur de la vieille ville.

🔭 ***Les berges de l'étang de l'Or :*** sur 5 km, on suit le chemin de la Capoulière (nom du ruisseau que l'on traverse). Chemin pédestre dit du Cabanier.

🔭 ***La Cabane trempée :** 2e cabane rive gauche après le plan Marius-Olive, aux cabanes du Salaison. ☎ 04-67-29-63-21. Ouv slt en mai.* Atelier d'artiste et lieu atypique d'inspirations et d'expositions permanentes.

Manifestations

– ***Les marchés typiques de plein air :** marché aux fleurs dim mat sur la place de la Libération et marchés traditionnels mar et jeu sur la même place, dim sur le boulevard de la Démocratie.*

– ***La Romeria :*** *chaque année, le premier w-e de juin.* Grande fête espagnole, sévillanes, *bodegas, novillada,* corridas.
– ***Fête votive locale :*** *sem du 15 août.* Traditions camarguaises, *abrivados, bandidas, encierros,* etc.

➤ DANS LES ENVIRONS DE MAUGUIO

Le château de la Mogère : *2235, route de Vauguières, 34000 Montpellier. ☎ 04-67-65-72-01. Juin-fin sept, visites tlj 14h30-18h30 ; à partir du 1er oct, slt w-e et j. fériés (l'ap-m). Entrée : 5 € pour tt le domaine ; 2 € pour le jardin slt.* Classé Monument historique, le château, autre « folie » montpelliéraine, est un excellent exemple de ces maisons de plaisance raffinées, érigées entre le XVIe et le XVIIIe siècle pour la haute société. Les héritiers ouvrent au public leurs salons et une chambre, où l'on verra notamment les gypseries caractéristiques de l'époque (moulures en plâtres sur le thème des quatre saisons) et une belle armoire cévenole du XVIIe siècle. Dans le parc à la française, un beau buffet d'eau de style rocaille.

LA GRANDE-MOTTE (34280) 6 500 hab.

Symbole du tourisme de masse, La Grande-Motte ne laisse personne indifférent. Certains jurent ne pouvoir passer leurs vacances ailleurs qu'ici, d'autres fuient cet endroit, archétype de la destruction d'un littoral qui n'avait pas besoin de cela. Toujours est-il que La Grande-Motte répondait à un besoin, au début des années 1960...

UN PEU D'HISTOIRE

En 1958, le gouvernement prit la décision d'aménager les 200 km du littoral du Languedoc-Roussillon. Il fallait absolument fixer le tourisme pour éviter la trop forte migration vers l'Espagne et surtout empêcher un développement anarchique qui aurait été catastrophique, d'autant que cette zone souffrait d'insalubrité depuis toujours. En 1961, l'argent est débloqué, et l'État commence à acheter les terres qui formeront la future station. En 1966, la première pierre est posée...
Dans un premier temps, on entreprit une gigantesque opération de démoustication. Pas question d'éradiquer totalement les insectes, il fallait toutefois réduire leurs nuisances à un niveau supportable.
Une fois ce problème réglé, l'architecte pouvait entrer en scène. Jean Balladur, le cousin de l'autre, se mit au travail. On lui confia « une terre immense et belle en lui demandant de l'éveiller à la vie ». Il établit les plans de la ville balnéaire en se démarquant totalement de l'esthétique fonctionnaliste de l'architecture française. Se lançant dans une recherche sur un nouveau « baroque », il associa des volumes originaux (pyramides...) à une logique de courbes, de triangles et de trapèzes afin de rétablir la primauté de la forme plastique sur les contraintes fonctionnelles.
La démarche de l'architecte s'est articulée autour de trois concepts. Tout d'abord, il conçut La Grande-Motte en pensant au temple de Teotihuacán au Mexique. Ensuite, il lui fallait créer un espace mâle, ordonné et un peu raide (les pyramides du Ponant) et un espace femelle, plus flexible, aux lignes courbes (le Couchant). Enfin, il souhaitait nourrir la ville de symboles spirituels. Balladur dédia donc sa ville au soleil.
En juillet 1968, les premiers touristes s'installent dans la tour Provence, encore inachevée. En 1974, la commune de La Grande-Motte est officiellement créée. Depuis, la ville n'a cessé de bouger, de grandir, de vivre.

RÉFÉRENCE OBLIGÉE

Sur le terrain architectural pur, la vitrine moderniste a certes pris un coup de vieux par endroits, mais la végétation, en l'intégrant dans un écrin vert reposant, et la rénovation systématique des bâtiments donnent une impression plus positive aujourd'hui !
Quant à la clientèle, elle évolue aussi, manifestement : ce n'est pas un hasard si les frères Pourcel ont choisi d'implanter un de leurs restaurants sur la plage du Grand-Travers, à l'entrée de La Grande-Motte. Quoi qu'il arrive, on ne pourra pas enlever à cette ville d'être plus que jamais une sorte de référence obligée en terme d'architecture, sinon d'art de vivre « côté sud ».

Adresses utiles

Office de tourisme : *allée des Parcs (à l'angle avec l'av. de Montpellier).* ☎ *04-67-56-42-00.* • *ot-lagrandemotte.fr* • *Oct-mars, tlj 10h-12h30, 14h-18h ; avr-juin et sept, tlj 10h-12h30, 14h-18h30 ; juil-août, tlj 9h-20h.* À disposition, le parcours des *Voies Vertes,* 7 km de parcours de découverte de la ville et des environs.

Holiday Bikes : *486, av. de Melgueil.* ☎ *04-67-29-14-30.* • *holiday-bikes.com* • Location de vélos, scooters et motos. Prix compétitifs et matériel fiable.

Où dormir ? Où manger ?

Hôtel Azur : *pl. Justin* ☎ *04-67-56-56-00.* • *hotelazur34@aol.com* • *hotelazur.net* • *Parking privé (peu de places) payant. Doubles 90-135 € selon confort et saison. Apéritif maison ou café offert sur présentation de ce guide.* Situation de rêve pour ce petit hôtel intime, le nez dans les haubans et le regard portant loin sur l'horizon marin. Et quitte à bien faire, les chambres classiques de bon confort donnent pour certaines sur un paisible jardinet luxuriant, organisé autour d'une grande piscine. Accueil très pro et avenant.

Hôtel Méditerranée – Restaurant Le Prose : *277, allée du Vaccarès.* ☎ *04-67-56-53-38.* • *hotel-le-mediterranee@wanadoo.fr* • *hotellemediterranee.com* • *Ouv tte l'année. Resto tlj. Doubles 80-130 € selon confort et saison. Au resto, formules midi 15-19 € lun-sam, menus-carte 21-36 € et repas à la carte env 30 €. Sur présentation de ce guide, apéritif maison offert ainsi qu'un petit déj/pers/nuit.* Un incroyable hôtel, véritable bulle de fraîcheur dans cet univers quelque peu angoissant que représente La Grande Motte, aux yeux des non-résidents. Une trentaine de chambres dessinées et décorées par des artistes locaux, qui ont réussi à donner du cachet et de la tendresse à cette bâtisse en béton, au point qu'on s'y sent bien. L'équipe, décontractée, ajoute au plaisir d'un séjour, qui se poursuit autour de la piscine ou en terrasse, côté restaurant. Invitation insolite à se poser, en fait, devant des plats ayant des saveurs méditerranéennes certaines. Pourquoi « le » Prose, nom qui en fait sourire plus d'un ? Au départ, l'important, c'était « la » prose... mais depuis ils se sont assis dessus !

LUNEL

(34400) 25 000 hab.

Trait d'union entre Montpellier et Nîmes, Lunel est une des portes de la Petite Camargue, nourrie du charme des villes du Sud : platanes, arènes et courses camarguaises de renom... Ne pas manquer le marché typique (les jeudi et dimanche).

La fondation de la ville serait due à l'arrivée d'une colonie juive après la prise de Jéricho (sans les trompettes) par l'empereur Vespasien. Aux XIIe et XIIIe siècles, plus sérieusement, la cité abrita une vigoureuse colonie hébraïque qui acquit une grande réputation culturelle. Au XIIe siècle, une grande partie des savoirs aristotéliciens conservés en langue arabe y ont été traduits en hébreu et en langue vernaculaire par les Tibonnides. La kabbale des deux premières époques y fut enseignée, le Talmud, la Torah, le Livre de la Formation commenté, ainsi que la Bible traduite de l'hébreu à l'araméen pour les chrétiens. Ce berceau de la tradition humaniste de la terre occitane donna ses premiers doyens à l'université montpelliéraine et des ouvrages célèbres au monde entier.
Tout s'arrêta en 1306, lorsque Philippe le Bel chassa les Juifs du royaume de France. Mais, l'histoire n'étant qu'un grand recommencement, il vous suffira de vous promener un peu dans la ville pour comprendre pourquoi celle-ci fait beaucoup d'efforts pour se positionner « carrefour des cultures » et entamer un dialogue entre les différentes communautés rassemblées ici.
La politique de réhabilitation du secteur sauvegardé rend peu à peu son âme au vieux Lunel, où les vénérables façades ont retrouvé le port altier de leur prime jeunesse.
Lunel est en fait un couloir permettant de passer de la grande bleue à la garrigue odorante et colorée. Si le Sud de la commune est le territoire des taureaux, chevaux blancs et flamants roses qui font de leur mieux pour retenir ici les amateurs de traditions camarguaises, le Nord est le domaine du vignoble. Un vignoble implanté à flanc de coteaux qui, à force de discipline, a créé des petites merveilles : AOC coteaux du Languedoc Saint-Christol, vin de Pays et vin de cépages rares. En dehors des vins d'appellation, Lunel produit un excellent muscat plein de soleil et de générosité.

Adresse et info utiles

Office de tourisme : *16, cours Gabriel-Péri. ☎ 04-67-71-01-37. • ot-paysdelunel.fr • Juil-août, lun-sam 9h-19h, dim et j. fériés 9h30-12h30 ; hors saison, lun-sam 9h-12h, 14h-18h, dim et j. fériés 9h30-12h30.* Plan de la ville et suggestions d'itinéraires.

– ***Marché :*** *le mat, tlj sf lun, dans les halles couvertes ; également un marché pl. Roger-Damour jeu et dim mat, pas slt alimentaire.*

Où dormir ? Où manger ?

Camping

Camping du Pont de Lunel : *route de Nîmes (N 113). ☎ 04-67-71-10-22. • nb.pontdelunel@wanadoo.fr • campingdupontdelunel.com • Ouv de mi-mars à fin sept. Compter 13,50 € en hte saison pour 2 avec voiture et tente.* Petit camping familial très accueillant, aux emplacements ombragés bien délimités et bien entretenus. Petite buvette sympathique où l'on organise à l'occasion des soirées à thèmes.

De bon marché à prix moyens

Mas Saint-Ange : *629, chemin des Saintes-Maries. ☎ 04-67-83-97-50. • contact@mas-saint-ange.com • mas-st-ange.com • Prendre la route de la mer (la D 61 reliant Lunel à La Grande-Motte) sur 2,5 km, puis à gauche, sur 300 m. Congés : janv. Doubles 55 €, petit déj compris. Table d'hôtes sur résa 18 €, apéro, vin et café compris. Sur présentation de ce guide, 10 % de réduc accordés à partir de 2 nuits (hors juil-août).* En Petite Camargue, dans une grande maison coquette, cinq chambres climatisées, spacieuses et joliment aménagées dans des tons pastel. Ambiance calme, très conviviale. Ajoutez à cela un petit déj gargantuesque, une salle à manger avec cuisine à disposition et plein d'idées de balades. Piscine et tennis à disposition des hôtes. Accueil très prévenant.

Le Petit Fourneau : *39, bd de Strasbourg. ☎ 04-67-83-72-95. Tlj sf dim 12h-17h. Formules 8-9 € et menu 11 €. À la carte, compter 12 €. Apéritif maison offert sur présentation de ce guide.* Sur un boulevard assez redoutable, cette rôtisserie de quartier s'est doublée d'une petite cantine sans chichis qui requinque par son atmosphère accueillante (sourire et musique acoustique des années 1970). Cuisine du Sud simple et relevée, concoctée avec les produits du marché tout proche : excellente gardiane de taureau, daube de poulpe, gratins mais aussi encornets farcis ou... salades repas. Un rapport qualité-prix imbattable, d'autant que dans le cadre du menu le plat principal est servi... à volonté !

L'Auberge des Halles : *26, cours Gabriel-Péri. ☎ 04-67-83-85-80. Dans le centre, en face des halles. Tlj sf dim soir et lun. Congés : vac de fév. Menus 12 € midi en sem, puis 18-26 €. Apéritif maison offert sur présentation de ce guide.* Bonne cuisine traditionnelle et de saison, qui évolue selon l'humeur du marché et du patron. Agréable petite salle bistrot avec ses incontournables nappes à carreaux, à moins que vous ne préfériez les quelques tables en terrasse. Service souriant.

Où dormir dans les environs ?

De prix moyens à plus chic

Chambres d'hôtes Au Soleil : *chez Catherine Maurel, 9, rue Pierre-Brossolette, 34590 Marsillargues. ☎ 04-67-83-90-00. • catherine.maurel@ausoleil.info • ausoleil.info • À 4 km à l'est de Lunel, par la D 34. Ouv tte l'année. Doubles 63 €, petit déj compris ; réduc dès la 2e nuit. Possibilité de table d'hôtes 19 €, apéritif maison et café inclus.* Chiner demande du temps mais surtout un vrai talent dont Catherine ne manque pas. Ses trouvailles lui ont permis de décorer sa belle maison de maître avec un goût très sûr, choisissant tour à tour un style printanier, rustique ou bourgeois pour chacune de ses trois jolies chambres bien confortables. Un charme indéniable, encore accentué par les petits déj servis dans un adorable patio.

Mas de Saint-Félix : *hameau de Saint-Félix, 34400 Saint-Séries. ☎ 04-67-86-05-83. 📱 06-64-86-86-41. À 7 km de Lunel en allant vers Sommières ; 500 m après le village, le mas est à droite au bord de la route. Fermé oct-avr. Doubles 45 €, petit déj 5 €.* Chambres d'hôtes simples, mais spacieuses et confortables, dans ce vaste mas qui servit de relais de poste aux chevaliers de Malte et fut (en son temps) un prieuré. Vieilles pierres avec toutefois de modernes commodités : cuisine équipée à disposition, lave-linge. Petit déj servi dans la jolie cour intérieure. À noter : vous pouvez venir à cheval, votre compagnon sera hébergé.

Les Bougainvillées : *Isabelle Bernigolle, 343, chemin des Combes-Noires, 34400 Villetelle. ☎ 04-67-86-87-00. 📱 06-30-57-02-51. • isa.bernigolle@wanadoo.fr • les-bougains.com • Direction Sommières puis, 2 km après la sortie de Lunel, tourner à droite direction Villetelle (panneaux dans le village). Gîtes abritant des chambres doubles 70 €. 10 % de réduc en hiver sur présentation de ce guide.* Les studios avec mezzanine sont bien équipés et accueillent aisément 4 personnes. Terrasse privative, piscine chauffée couverte, tennis privé et ce n'est pas tout : sauna, hammam et jacuzzi sont des plus appréciables.

À voir

La place Jean-Jaurès : on a apprécié la sculpture de l'héroïque capitaine Ménard (1861-1892), mort au Soudan, représenté ici dans le feu de l'ultime action, revolver au poing... Sur la ***place de la République,*** on ne manquera pas d'admirer la réplique de la statue de la Liberté.

La vieille ville, avec la rue des Caladons, une enfilade de voûtes superbes du début du XIIIe siècle, vestiges de la maison des Templiers.

Les halles couvertes, construites au début du XXe siècle. Elles présentent les caractéristiques des halles Baltard et abritent le marché alimentaire.

La maison médiévale Philippe-Le-Bel, grande maison gothique typique de l'architecture civile des XIII et XIVe siècles.

L'église Notre-Dame-du-Lac, dont le clocher repose sur une ancienne tour de guet. À l'intérieur, très bel orgue d'Aristide Cavaillé-Coll.

Le fonds Médard : *à la bibliothèque municipale. Ouv au public chaque mer ap-m.* Manuscrits et livres rares, dont l'édition rarissime des *Oiseaux* de Buffon ainsi que des incunables, tous premiers livres reliés.

Le parc Jean-Hugo : cadre idéal pour faire une pause et préparer la suite de votre itinéraire. Il vous reste à voir également : le *château des Gaucelm* (seigneurs de Lunel jusqu'au XIIIe siècle), la *tour des prisons*. *Pour les visites guidées, se renseigner auprès de l'office de tourisme.*

➤ DANS LES ENVIRONS DE LUNEL

Le site d'Ambrussum : *34400* ***Villetelle.*** *Accès libre mais se munir au préalable du dépliant distribué par l'office de tourisme, avec une carte du site et des explications très complètes sur les principaux points d'intérêts. Pour les visites guidées, infos auprès de l'office de tourisme de Lunel : ☎ 04-67-71-01-37.* Il s'agit d'un important site archéologique gallo-romain, comprenant les vestiges de l'un de ces oppidums développés principalement pour la voie Domitienne. Ces relais jalonnaient la formidable autoroute antique, qui traversait tout le Languedoc et reliait les Alpes aux Pyrénées, allant de Rome à Cadix. Les fouilles ont permis de protéger l'unique arche d'un pont romain qui en comptait probablement une dizaine, et de dégager les fondations d'un oppidum (quartier haut), d'un quartier bas et d'une longue section pavée (il s'agit de l'artère principale de l'oppidum). Les sillons creusés témoignent du passage répété des charrettes.

➢ ***La route des vins :*** un itinéraire viticole et patrimonial mis en place avec la complicité de nombreux domaines, caves et caveaux, de commune en commune (brochure disponible à l'office de tourisme et remise à jour chaque année). Idéal pour vous guider sur les petites routes de l'arrière-pays, au milieu de la garrigue odorante, à la découverte des AOC coteaux du Languedoc Saint-Christol et Muscat.

LES GARRIGUES MONTPELLIÉRAINES

L'avancée du béton, au nord de Montpellier, a fait reculer la garrigue, sans enlever pour autant son charme à cette vaste étendue de landes à sols pierreux et calcaires, traversée par les affluents de l'Hérault. Du majestueux pic Saint-Loup à la blanche Séranne, qui lui donnent forme et relief, c'est partout le royaume du chêne kermès et des genêts épineux, des cistes, du thym et du romarin. Un milieu en perpétuelle recherche d'équilibre mais d'une grande fragilité, né tout à la fois de l'exploitation outrancière des bois, du pâturage de milliers de moutons et, il faut bien le reconnaître, des facteurs climatiques.

DE MONTPELLIER AU PIC SAINT-LOUP

À quelques dizaines de minutes de Montpellier, quittez les routes à (trop) grande circulation pour prendre les chemins de traverse. Amateurs de patrimoine méconnu, suivez-nous à l'ombre des pierres levées ou dans la fraîcheur des ruelles des villages médiévaux, sur les chemins des verriers ou dans les chais, pour déguster des vins dont les prix sont désormais à la hauteur des paysages qui les ont vu naître.

CASTRIES

(34160)

Le château du XVIe siècle domine la plaine, au nord-est de Montpellier (à 12 km, sur la D 610). En langue d'oc, *castrum* se prononçait « castre ». L'usage a maintenu la prononciation. Le château est actuellement fermé au public jusqu'à l'achèvement des travaux de restauration, en 2008, voire 2009...

Adresse utile

*ℹ **Office de tourisme de Castries – Via Domitia :** 25, rue Sainte-Catherine. ☎ 04-99-74-01-77. • ot-castries.fr • Lun-ven 9h30-12h, 15h-17h (18h en juil-août) ; sam 9h30-12h.*

Où dormir ?

*⛺ **Camping de Fondespierre :** 277, ch. du Pioch-Viala, 34160 Castries. ☎ 04-67-91-20-03. • accueil@campingfondespierre.com • campingfondespierre.com • ♿ Traverser Castries et suivre la route d'Alès (N 110) pdt env 2 km.* Voir le texte et les infos pratiques dans la rubrique « Où dormir ? Campings » à Montpellier.

À voir. À faire

L'aqueduc : sur 7,5 km, Paul Riquet a construit, entre 1670 et 1676, cet aqueduc destiné à alimenter en eau le parc du château (fermé à la visite). Très belle promenade, suivre les arceaux puis les sentiers lorsque la partie souterraine débute. En pleine garrigue, évidemment. Ne pas manquer non plus de faire un petite balade dans le village historique datant de l'an mille, suivant un plan semi-circulaire.

➢ ***La commanderie des Templiers :*** moins connue. Laissez votre voiture à la cave coopérative, à l'entrée du village. Puis continuez l'avenue de la Cadoule. Au carrefour, prenez à gauche la petite route, un petit pont enjambe la Cadoule ; poursuivez votre route et, à 2 km dans une combe, vous découvrez la commanderie, perdue au milieu des vignes. Ça vous a plu ? En continuant un peu, la route monte. Beau point de vue sur l'ensemble et sur Castries, jolie balade.

ASSAS

(34820)

Une bourgade typiquement languedocienne, au milieu des pinèdes et des vignes. Subsistent les deux tours d'enceinte du château féodal, la poterne ainsi que la belle église romane attenante au château.

Sur le site du château fut édifiée une des rares « folies » montpelliéraines encore habitées et visitables. Le château d'Assas prête aujourd'hui son cadre à des tournages de films *(La Belle Noiseuse, Le Retour de Casanova...)* ou des soirées musicales, et son nom à un terroir viticole qui fait toujours honneur à un village qui s'enorgueillissait, au XVIIIe siècle, d'exporter ses vins jusqu'en Suisse. Assas est par ailleurs une des communes les plus septentrionales de l'appellation « Grés de Montpellier ».

Caveau de vente et de dégustation : *285, plan de Sainte-Croix. ☎ 04-67-59-62-55.*

À voir

Le château d'Assas : *1, route de Saint-Vincent. ☎ 04-67-59-62-45. 06-80-93-08-63. Par la D 109 au nord de Castelnau-le-Lez. Visite tte l'année, slt sur rendez-vous. Entrée : 8 €.* Très beau château du XVIIIe siècle, œuvre de l'architecte J.-J. Giral. Il se distingue de ses homologues par ses vestiges d'architecture féodale et médiévale, là où les autres ont essentiellement privilégié les raffinements propres aux résidences secondaires. À l'intérieur, un clavecin exceptionnel du XVIIIe siècle et une petite collection de modèles réduits de machines à vapeur du XIXe siècle, réalisés par des campagnards. Concerts et animations de qualité à l'automne et au printemps. Jardins à la française, à l'ouest, et à l'anglaise, à l'est, comme il se doit. Et si vous êtes intéressés, demandez à visiter la jolie église romaine.

LES MATELLES (34270) 1 450 hab.

À l'est de la D 986, sur la D 112. Superbe petit village aux ruelles pavées pittoresques, frangées de maisons fleuries qui sentent bon la vieille pierre et le vieux bois. Remparts du XVe siècle, clocher fortifié, fenêtres à meneaux et passages couverts sont autant de repères évoquant les grandes heures du passé. On a envie de s'attarder sur la petite place entourée de platanes où a lieu le marché. C'est dans les environs, au pied des collines de pins, que le Lez prend sa source sous forme de résurgence (on peut pique-niquer aux alentours), avant d'aller faire ses caprices, plus loin, en direction de la mer.

Adresse utile

Office de tourisme intercommunal du Pic-Saint-Loup : *le Four à Pain, impasse de la Calade. ☎ 04-99-63-27-64. Juil-août, tlj sf lun 15h-19h ; juin et sept, tlj sf ven-sam 15h-18h.*

Où dormir ? Où manger dans les environs ?

De prix moyens à plus chic

Mas de Perry : *34980 Murles. ☎ 04-67-84-40-89. • masdeperry@wanadoo.fr • masdeperry.com • À env 10 km au sud-ouest des Matelles. Doubles avec douche et w-c 70 €, petit déj compris. Apéritif maison offert sur présentation de ce guide.* À 20 mn à peine du centre de Montpellier, ce domaine vinicole profite déjà d'un environnement superbe : petites routes serpentines, collines aux croupes rebondies et forêts de chênes verts... Dans la maison de maître, quatre chambres de caractère au mobilier de famille et un salon à la disposition des hôtes. Accueil très agréable. Piscine.

Mas de Fournel : *domaine de Saint-Clément, 34980 Saint-Clément-de-Rivière. ☎ 04-67-67-00-85 et 04-67-66-70-80. • masdefournel@wanadoo.fr • masdefournel.com • À 5 km au sud par la D 112 (à droite juste avt d'arriver au village). Tlj, tte l'année. Doubles avec bains 95 €, petit déj 8 €. Appartements 4 à 8 pers 750-950 €/sem en saison. 10 % de réduc accordé hors vac scol sur présentation de ce guide.* C'est d'abord la belle situation du mas qui retient l'attention : au sommet d'une colline environnée de pins, au cœur d'un parc de 15 ha pour se détendre les jambes. Puis l'excellent niveau de confort et la qualité des prestations confirment cette première bonne impression... même si la rénovation, très moderne, a largement bouleversé les quelques vieilles pierres d'origine. Décoration contemporaine et accueil tonique. Piscine.

Le Clos des Oliviers : *53, rue de l'Aven, 34980 Saint-Gély-du-Fesc. ☎ 04-67-84-36-36. • peskine.olivier@wanadoo.fr • En arrivant du centre, au niveau du rond-point juste avt l'Intermarché. Tlj sf dim et lun soir. Formule midi en sem 17 € ; menus 28-38 € et carte env 45 €. Café ou digestif maison offert sur présentation de ce guide.* À 10 mn de Montpellier, dans une belle salle contemporaine ourlée de baies vitrées, la table branchée où les hommes d'affaires se retrouvent à midi devant des assiettes malignes, préparées avec soin et imagination. Le soir, c'est plus jeune : la terrasse, comme la déco, invitent à faire la fête, et la cuisine suit, mêlant les parfums du terroir à des saveurs plus exotiques au gré des saisons. Service et ambiance très agréables.

À voir

Le musée du Pic Saint-Loup : *près du clocher, dans une ancienne demeure restaurée. 1er juin-30 sept, tlj sf mar et ven 15h-18h ; hors saison, ven et dim 14h30-17h30. Entrée : 2 € ; réduc ; gratuit moins de 12 ans.* Créé à la suite d'une donation, ce petit musée permet de prendre conscience de la richesse de la région en sites préhistoriques. Collection de silex et de pointes de flèches, sections variées sur la poterie, mais aussi sur la faune et la flore.

SAINT-MATHIEU-DE-TRÉVIERS (34270) 3 760 hab.

Au pied du pic Saint-Loup, gros bourg sur la D 17 Montpellier-Alès-Mende. C'est là que les choses sérieuses commencent. Il existe au moins cinq ou six itinéraires pour arpenter la légendaire montagne.

Où dormir ? Où manger à Saint-Mathieu et dans les environs ?

De bon marché à prix moyens

L'Auberge du Cèdre : *domaine de Cazeneuve, 34270 Lauret. ☎ 04-67-59-02-02. • welcome@auberge-du-cedre.com • auberge-du-cedre.com • À 8 km au nord de Saint-Mathieu-de-Tréviers. Resto tlj pour les résidents, sinon ouv slt ven soir, sam soir et dim midi. Congés : 18 nov-20 mars. Doubles 36-48 € selon saison, petit déj 8 €. Quatre emplacements de camping 18 € pour 2. Gîte pour 6 pers 840-990 €/sem selon saison. Menus 16 € pour les pensionnaires et 28 € le w-e. Tapas maison offertes sur présentation de ce guide.* Très bel endroit que cet ancien domaine viticole perdu en pleine nature, transformé en maison d'hôtes et gîte avec piscine et resto. Des chambres au confort simple mais correct, des salles de bains et w-c communs bien tenus (suffisamment nombreux pour ne pas avoir à faire la queue) et des salons de lecture douillets. Mais si vous êtes en fonds, choisissez sans hésiter la belle chambre pour quatre donnant sur le jardin, très spacieuse, avec voûte en pierre, lits en alcôve et salle de bains privée. Une adresse irrésistible à l'atmosphère familiale.

Restaurant Le Brice : *hameau les Rives, 34270 Sauteyrargues. ☎ 04-67-55-30-73. • contact@lebrice.fr • ♿ En surplomb de la D 17, juste avt l'embranchement pour Sauteyrargues. Fermé lun tte l'année et dim soir (hors juil-août). Formules midi en sem 8-11 € ; menus 15-22 € et carte env 27 €. Café offert sur présentation de ce guide.* Fabrice Lerose a ouvert à 20 ans son propre restaurant, au pied du pic Saint-Loup, jouant la carte des petits prix et d'un terroir qu'il connaît bien, étant originaire du pays. Avec son père, il propose une carte alléchante, avec de simples et bonnes grillades au feu de bois, des brochettes d'escargots farcis ou une salade de chèvre au miel. Grande salle ou terrasse pour déguster le tout dans un cadre agréable.

De plus chic à beaucoup plus chic

Le Mas de Baumes - Restaurant La Cour : *34190 Ferrières-les-Verreries. ☎ 04-66-80-88-80. • info@oustaldebaumes.com • oustaldebaumes.com • ♿ Prendre la D 107 entre Ferrières et Claret. Resto fermé dim soir et lun en hte saison, également le mar, mer soir et jeu soir en basse saison. Doubles avec douche et w-c 70-98 € selon saison. Menus midi en sem 15 €, puis 25-65 € ; carte env 45 €. Apéritif maison offert sur présentation de ce guide.* Une ancienne verrerie forestière reconvertie en hôtel de charme, isolée dans l'environnement superbe et sauvage du causse de l'Orthus. Sept belles chambres revisitées par un décorateur astucieux, avec chacune son univers bien particulier : Barbara Cartland, Orientale, XVIIIe... Au programme, balades à pied ou à cheval sur le plateau. Ambiance décontractée. Côté restauration, le chef Éric Tapié, parti dix ans au Mexique, est revenu au pays avec une nouvelle famille et des envies de cuisine ensoleillée. Cet admirateur de Michel Bras, qui ne rêve que d'atteindre la perfection dans la simplicité et de faire toujours mieux avec de meilleurs produits, a donné à la cuisine de l'arrière-pays montpelliérain ses lettres de noblesse. Des plats d'allure complexe mais d'une réalisation qui apparaît, dans l'assiette, d'une simplicité déroutante. À savourer dans une belle salle lumineuse, avec plafonds voûtés et murs en vieilles pierres modernisés par un mobilier design. Terrasse sympathique aux beaux jours, dans la cour protégée du vent. Service bon enfant.

Lenny's : *266, plan L.-Cancel, à Saint-Mathieu (attention, déménagement prévu). ☎ 04-67-55-37-97. • restaurant.lennys@wanadoo.fr • ♿ Tlj sf sam midi, dim soir, lun et j. fériés. Congés : 2 sem en sept. Menus 18 € (sf j. fériés), puis 25-60 € ; dégustation 82 €. Repas complet à la carte env 70 €. Vin au verre à partir de 6 €.* L'ancien second de Reine Sammut s'est installé avec sa femme et une courte brigade dans cette petite maison qu'on ne remarque guère en traversant le village, quand on file vers le pic Saint-Loup chercher des vins que vous dégusterez ici en toute tranquillité. Ludovic Dziewulski ne prend pas la vie au sérieux et sa cuisine défrise, éblouit, amuse aussi. En prime, service vraiment sympa. Autout vous avertir : quand vous lirez ces lignes, la maison sera peut-être déjà « transplantée » au cœur de Montpellier car ce chef bouillonnant d'idées se sentait jusqu'alors un peu isolé. Téléphonez, par sécurité.

Randonnées pédestres

➢ À la sortie ouest de Saint-Mathieu, suivre tout simplement le GR 60 balisé en rouge et blanc. Prévoir une gourde. L'ascension, sans réelle difficulté, conduit à l'ermitage et à la croix. Du haut des 658 m, panorama inoubliable sur la plaine, les garrigues et, derrière, les Cévennes.

➢ ***Le château de Montferrand :*** fiché sur un éperon. Laisser sa voiture au nord de Saint-Mathieu, à un carrefour sur la D 1. La randonnée ne présente aucune difficulté, mais prudence, les ruines sont en ruine (c'est le cas de le dire) : éboulis possibles !

➢ ***La montagne de l'Hortus :*** face au Saint-Loup, moins fréquenté. Nombreux sentiers bordant les falaises escarpées. Tout autour de l'Hortus renaissent depuis 1989 les verreries d'art dans la plus pure tradition des ateliers de cette région. Vous pourrez par exemple visiter la verrerie d'art de Claret, où officient de jeunes passionnés de cet art pluricentenaire.

➢ ***Le château de Viviourés :*** entre Saint-Mathieu-de-Tréviers et Saint-Martin-de-Londres, pour la balade superbe jusqu'aux ruines !

DU PIC SAINT-LOUP AUX GORGES DE L'HÉRAULT

De Saint-Martin-de-Londres à Saint-Guilhem-le-Désert, belle balade pouvant se prolonger jusqu'au hameau des Lavagnes, situé au cœur du massif de la Séranne.

SAINT-MARTIN-DE-LONDRES (34380) 1 900 hab.

Joli village avec sa très belle église romane du XIe siècle et son centre ancien. Pourquoi Londres ? Rien à voir avec la capitale anglaise, à moins que l'on ne remonte aux racines pré-indo-européennes (*lun* signifiant « marécage » !). Bon, d'accord, aujourd'hui, surtout à l'approche de l'été, c'est plutôt sec... mais aussi plus frais qu'ailleurs !
Si vous préférez les belles histoires, faites-vous raconter celle de Loup Guiral et Clair.

Adresse utile

ℹ ***Office de tourisme Vallon de Londres – Vallée de la Buèges :*** *sur la place centrale.* ☎ *04-67-55-09-59. Juil-août, tlj ; le reste de l'année, slt le mat mar-sam.* Accueil sympathique et efficace.

Où dormir ? Où manger à Saint-Martin-de-Londres et dans les environs ?

De bon marché à prix moyens

Domaine du Pous : *chez Élisabeth Noualhac, au Pous, 34380 Notre-Dame-de-Londres.* ☎ *04-67-55-01-36.* 📱 *06-11-74-21-41.* • *le.pous@wanadoo.fr* • *À 6 km de Saint-Martin-de-Londres, direction Ganges, tourner à droite direction Ferrières-les-Verreries (attention, tourner au 2e panneau indicateur rencontré depuis Saint-Martin, pas au 1er), puis suivre le fléchage. Ouv tte l'année. Gîte d'étape tt confort (pour 5 pers) 12-16 € la nuitée selon saison ;*

L'HÉRAULT

un gîte grand confort dans la bergerie (6 pers) loué au w-e (200 €) ou à la sem (360-500 € selon saison) et un gîte à la ferme tt confort (jusqu'à 10 pers) loué à la sem (510-770 € selon saison). Doubles avec douche et w-c ou bains 52-62 €, petit déj compris. Apéritif maison offert sur présentation de ce guide. Au milieu des garrigues et des vignes, six chambres confortables à l'ancienne dans une belle demeure de caractère dressée comme une vigie. Dans le salon, d'admirables caryatides, les quatre Saisons, portent inlassablement le plafond depuis le lointain XVIIIe siècle. Ici, on apprécie le calme seulement troublé par le chant des cigales, et l'environnement sauvage. Accueil charmant.

De prix moyens à plus chic

Chambres et table d'hôtes De Ci... De Là ! : *6, route des Cévennes, à Saint-Martin-de-Londres. ☎ 04-67-86-36-83. • info@decidela.fr • decidela.fr • Congés : janv. Doubles avec salle de bains commune ou privée 50-80 € selon saison, petit déj compris. Table d'hôtes sur demande 25 €, apéro et boissons inclus.* On dit souvent que les voyages forment la jeunesse... C'est assez vrai pour ce gentil couple dynamique, qui, après avoir un peu vadrouillé de-ci de-là, est revenu plein d'idées et de bricoles dans les cartons. De quoi décorer leur petite maison de centre-bourg dans un style indéfinissable, hésitant entre le design contemporain, le rétro (on pense à l'amusante chambre Dolce Vita) et le *world*. Salle commune agréable pour buller ou feuilleter un bouquin et courette pour prendre le frais. Piscine.

Auberge de Saugras : *domaine de Saugras, 34380 Argelliers. ☎ 04-67-55-08-71. • auberge.saugras@wanadoo.fr • ♿ (resto slt). De Saint-Martin, aller jusqu'à l'entrée de Viols-le-Fort puis suivre la direction de Vailauquès. Fermé lun midi, mar midi et mer tte la journée en juil-août, fermé mar-mer le reste de l'année. Congés : 10-25 août et 20 déc-20 janv. Doubles avec bains 42-83 €. Formule midi et soir en sem 16 € ; menus 20-50 € et carte. Sur présentation de ce guide, 10 % de réduc accordés sur le prix des chambres nov-mars.* Perdue en pleine garrigue, une auberge typique à ne pas manquer, qui a servi de halte aux pèlerins sur la route de Saint-Jacques-de-Compostelle avant d'attirer les épicuriens. Chambres agréables dans un mas du XIIe siècle, toutes rénovées, climatisées, la moitié avec terrasse, et surtout peu nombreuses pour préserver l'intimité du site (piscine dans le jardin). Côté restauration, grand choix de plats parfumés revisitant le terroir avec amour, et gibier en saison. Du bel ouvrage, servi avec largesse et avec la manière.

À faire

➢ Randonnée au ***ravin des Arcs,*** par le GR 60, au nord. Une petite rivière, le Lamalou, a creusé un beau canyon et une séduisante arche dans le calcaire pour votre plaisir. Tennis et nu-pieds à proscrire.

– Pour les amateurs d'équitation : ***centre équestre Pégase,*** au Mas-de-Londres. *06-64-31-30-98.*

*– **Canoë Kayak :** Canoë Rapido, Alain Nicollet, 34380 Viols-le-Fort. ☎ 04-67-55-75-75. En canoë 2 places, compter 29 € pour le circuit de 5 km (accessible aux familles) et 44 € pour le long circuit de 12 km.*

➢ DANS LES ENVIRONS DE SAINT-MARTIN-DE-LONDRES

➢ ***La vallée de la Buèges :*** vieillie dans son jus, la toute proche vallée de la Buèges est sillonnée de deux sentiers de randonnée pédestre balisés, dont les méan-

Fermé de Toussaint à fév. Entrée : 8,50 € ; 6-14 ans : 5 € ; gratuit jusqu'à 5 ans. Aires de pique-nique et de jeux, parcours botanique. Ce magnifique ensemble de galeries se distingue notamment par l'activité des eaux souterraines qui l'envahissent lors des crues et ne cessent de l'embellir. La visite didactique met d'ailleurs l'accent sur le riche patrimoine géologique de la grotte, très bien expliqué en prélude par une vidéo. Également un film montrant la rivière en crue. Puis les guides entrent dans le vif du sujet, entraînant leurs ouailles dans les entrailles de Clamouse à la rencontre de ses fameuses aragonites, mais aussi de fistuleuses, excentriques et autres buffets d'orgues. Visite émouvante sur fond musical, avec un concerto pour gouttes d'eau et orchestre intitulé « Clamouse cathédrale du temps », qui ravira petits et grands. Prévoir une petite laine car la température y est de 15 °C.

Le pont du Diable : il rejoint la route d'Aniane. Les deux abbayes voisines d'Aniane et de Saint-Guilhem s'entendirent pour faire bâtir au XIe siècle, afin de faciliter le « trafic » des pèlerins, ce qui reste aujourd'hui l'un des plus anciens ponts médiévaux de France.

Les gorges de l'Hérault : balade bienvenue avec possibilité de baignade dans l'eau verte bouillonnant au creux des marmites de géant. Des lieux très fréquentés en été par les Montpelliérains et autres amateurs d'eau fraîche, fuyant les foules du littoral.

Le hameau abandonné de Montcalmès : on y accède par la route de Puechabon puis la ferme de Lavène où, si vous avez faim, vous pourrez acheter du chèvre. Après le trou d'eau de la Lavogne, vous découvrirez les restes du village enfoui sous les broussailles, cheminées, escaliers, caves voûtées. Au-delà, beau point de vue sur Saint-Guilhem.

Le Baume cellier : *à Saint-Guilhem-le-Désert.* Un lieu étonnant, chargé d'histoire. Lampe de poche obligatoire. Après l'ancienne décharge de Saint-Guilhem-le-Désert, laisser son véhicule sur le terre-plein de Malafosse. Le chemin prend à main droite. Suivre alors la courbe de Malafosse par le sentier caladé (dallé de pierres). Au 1er carrefour à gauche, on atteint les ruines de la ferme de l'Arbousier, puis on poursuit sur 300 m, jusqu'au carrefour, à droite. À 10 m environ, une sente très discrète file à droite. La suivre. Descente brutale. L'entrée de la caverne est à 50 m. Cette cavité est d'importance : plus de 200 m ; hauteur maxi : 40 m. Cette grotte a servi de place forte et, au Moyen Âge, de lieu d'isolement pour les malades atteints de peste et de lèpre.

À faire

➢ ***Le Bout-du-Monde ou cirque d'Infernet :*** prendre la rue du Bout-du-Monde et s'engager en direction du cirque. Une belle balade dans les rochers sur les traces des pèlerins. Suivre le GR 653 balisé en rouge et blanc jusqu'au lieu-dit les Fenestrettes (compter 3h aller-retour : voir topoguide *L'Hérault à pied*).

➤ DANS LES ENVIRONS DE SAINT-GUILHEM-LE-DÉSERT

L'abbaye Saint-Benoît d'Aniane : *de juil à mi-sept, tlj 16h-19h.* Belle abbaye reconstruite au XVIIIe siècle sur les vestiges de l'abbaye médiévale fondée en 782 par saint Benoît, rénovateur de l'ordre bénédictin, à l'origine du grand renouveau monastique qui prônait un retour à la rigueur et à une plus grande spiritualité.

DE SAINT-GUILHEM-LE-DÉSERT À SÈTE

GIGNAC (34150)

Une grosse bourgade très animée avec son esplanade ombragée de platanes et ses cafés. Lieu de pèlerinage depuis que la Vierge aurait miraculeusement guéri un petit garçon aveugle, un 8 septembre du XIVe siècle. Un détour par le promontoire pour suivre le chemin de croix constitué de 14 chapelles dominant la plaine. À la sortie du bourg, très beau pont du XVIIIe siècle, long de 174 m, qui enjambe l'Hérault de ses trois arches.

Adresse et info utiles

- ***Office de tourisme intercommunal « Saint-Guilhem-le-Désert et vallée de l'Hérault » :*** *3, parc d'activités de Camalcé. ☎ 04-67-57-58-83. • saintguilhem-valleeherault.fr • En juil-août, lun-sam 9h-12h30, 14h-18h ; hors saison, lun-sam 9h-12h30, 14h-17h30. En juil-août, tlj, visites guidées de nombreux villages de la vallée de l'Hérault.*
- ***Marché traditionnel :*** *sam mat.* Un marché très pittoresque où faire le plein de produits du terroir.

Où dormir ? Où manger ?

Domaine-ferme-auberge de Pélican : *à 3 km au sud de Gignac. ☎ 04-67-57-68-92. • domaine-de-pelican@wanadoo.fr • domainedepelican.fr • À la sortie de Gignac en direction de Montpellier, panneau à droite (ne pas le rater !) peu avt l'embranchement pour l'autoroute. Congés : oct-nov. Résa obligatoire. Compter 10 € l'emplacement pour 2. Chambres d'hôtes (avec table d'hôtes) tte l'année 60-70 €, petit déj compris. Repas 23 €, l'été tlj sf jeu, le reste de l'année, sam soir et dim midi (mais possibilité de table d'hôtes sur demande les autres soirs). Apéritif maison offert sur présentation de ce guide.* Perdu au milieu des 25 ha de vignes du domaine, ce mas caractéristique distille une délicieuse atmosphère éminemment languedocienne. Le charme des vieilles pierres, une cuisine de terroir solide, des chambres agréables ou une pinède au calme pour planter sa tente, tout concourt à en faire une étape de choix... Dégustation et vente de vins du domaine, marché vigneron le lundi en été. Piscine.

AUMELAS (34230)

Les ruines du château d'Aumelas : *à 7 km au sud à l'écart de la D 114.* Dans un site sauvage, dominant la plaine. La vue s'étend jusqu'à la mer.

➢ Jolie route pour rejoindre ***Sète par Villeveyrac*** (D 2), qui traverse le causse d'Aumelas.

COURNONTERRAL (34230)

Petit village plein de charme avec ses remparts du XIVe siècle percés d'une ouverture pour permettre aux habitants d'aller tirer l'eau à la fontaine hors les murs. Voir

la *tour sarrasine,* vestige du château féodal, la pittoresque *rue des Huguenots* et la *rue des Balcons (rue du Docteur-Malabouche),* bordée de maisons traditionnelles de viticulteurs.
Ce sont les ***Pailhasses de Cournonterral*** qui ont fait entrer le village dans la légende. Le bayle Pailhas (l'administrateur de la ville) eut l'idée au XIVe siècle d'habiller les habitants de façon effrayante : le corps recouvert d'un sac de jute piqué de buis et de plumes de dinde, une peau de blaireau sur la tête, leur allure avait de quoi dérouter une armée, en l'occurrence celle constituée par les habitants d'Aumelas, un village voisin.
Depuis ce jour, le mercredi des Cendres, de jeunes Pailhasses se roulent dans la lie de vin et poursuivent les autres avec l'intention de les tacher à leur tour. Si vous avez envie de vous défouler et de rouler à votre tour dans... les paillasses, entrez dans le jeu !

Où dormir dans les environs ?

Chambres d'hôtes L'Iris Bleu : *55, av. de la Gare, 34770 Gigean. ☎ 04-67-78-39-91. • liris.bleu@wanadoo.fr • Dans le village, suivre la direction Montbazin, fléchage bien fait. Ouv tte l'année. Double 55 €. Table d'hôtes le soir sur résa 17 €, boissons incluses.* Une belle maison de maître centenaire, avec jardin et piscine, proposant d'agréables chambres au 1er étage.

VIC-LA-GARDIOLE *(34110)*

Sur une colline dominant l'étang, quelques vestiges de ***remparts. Église des Aresquiers*** en « cul-de-four », du XIIe siècle.

À faire

La plage des Aresquiers : son sable est très apprécié des naturistes.

➢ La route qui passe ensuite par Frontignan-Plage permet de rejoindre Sète par le chemin des pêcheurs.

➢ ***Promenades*** sur le massif ou autour de l'étang pour les flamants roses, les mouettes, les canards sauvages. 50 km de sentiers balisés.

FRONTIGNAN (34110) 21 180 hab.

Célèbre pour son muscat, dont les origines remontent à l'Antiquité. Sa bouteille torsadée évoquerait d'ailleurs le souvenir d'Hercule, qui, voulant extraire la dernière goutte du précieux breuvage, tordit la bouteille de ses divines et puissantes mains.
Importé par les Romains, il eut même droit aux honneurs dans les *Lettres* de Pline le Jeune. Au XVIIe siècle, on affirmait qu'il surpassait toute autre nature de vin en générosité. Thomas Jefferson, futur président des États-Unis, en commandait des caisses entières de Philadelphie. Aujourd'hui, les 800 ha de vignes produisent un peu moins de 20 000 hl par an.
Au XVIe siècle, la cité résiste victorieusement aux protestants. La Réforme n'est pas passée par là. En récompense, Richelieu et Louis XIII font de la cité une amirauté. Le port s'agrandit et, sous Louis XIV, il est le plus grand du Languedoc, sans aucun rival. C'était le bon temps !

Adresses et info utiles

Point Info Tourisme : *3, rue Lucien-Salette. ☎ 04-67-18-50-04. ● tourisme-frontignan.com ● Juil-août, lun-sam 9h-13h, 15h-19h ; avr-juin et sept, lun-sam 9h-12h, 14h-18h (fermé sam ap-m en avr-mai) ; hors saison, lun-ven 9h-12h, 14h-17h30, sam 9h-12h.* Bon accueil. Organise des sorties (gratuites ou payantes en fonction de la balade) à la découverte des anciens salins, de la faune et de la flore, sur le massif de la Gardiole et le littoral, ainsi que la visite des domaines de muscat. Également un atelier-enfants.

Office de tourisme : *Maison du tourisme et de la plaisance, av. des Étangs, Frontignan-Plage. ☎ 04-67-18-31-60. Juil-août, tlj 9h-19h ; avr-juin et sept, lun-sam 9h-12h, 14h-18h (fermé sam ap-m en avr-mai) ; oct-mars, lun-ven 9h-12h.*

– **Marchés :** *jeu et sam mat, en plus du marché couvert qui se tient ts les mat sf lun, en centre-ville. À Frontignan-Plage, marché lun mat en juil-août. Et marché aux puces les 1er et 3e sam du mois, pl. Gabriel-Péri à la Peyrade.*

À voir

L'église de la Conversion-de-Saint-Paul : *entrée libre ; en saison, chaque mer, visite guidée gratuite organisée par l'office de tourisme.* Édifice trapu, massif, imposant et fortifié, construit au XIIe siècle. Portail principal à archivolte et frise de poissons et de bateaux. Normal, le port était important ! Chœur à cinq pans en croisées d'ogives. Mobilier intéressant : fonts baptismaux et retable en bois doré du XVIIe siècle ; christ en croix du XVIe siècle et une statue de saint Paul en bois doré Renaissance.

Le musée de Frontignan : *4 bis, rue Lucien-Salette. ☎ 04-67-18-50-05. Ouv mars-fin nov, tlj sf mar 10h-12h, 14h-18h. Entrée gratuite.* Juste à côté de l'église, il est installé dans l'ancienne chapelle des Pénitents-Blancs. Il retrace l'histoire locale au travers des activités commerciales : la pêche, le sel, les joutes nautiques, les traditions et le vin, évidemment. Toute une vitrine est consacrée au muscat, avec notamment une bouteille (pleine) de 1865. Petite collection de tableaux du XIXe siècle, ainsi qu'une série d'objets retrouvés sur les épaves de deux vaisseaux napoléoniens échoués au large de Frontignan en 1809.

Manifestations

– **Festival international du roman noir :** *5 j. début juin.* Littérature, B.D., cinéma, tous les auteurs de la planète « polar » se retrouvent à Frontignan.
– **Fêtes de Frontignan – Festival du muscat :** *mi-juil.* On célèbre le patrimoine local avec un marché « des goûts et des saveurs », la visite des caves et domaines de Muscat, des joutes nautiques, des bals populaires, etc.
– **Fête de la Mer :** *le dernier dim de juil.* Sorties en mer.
– **À la rencontre des Sud :** *2 sem fin juil-début août.* Rencontres culturelles autour de l'Espagne, l'Italie et le Portugal. C'est l'occasion de goûter de bons produits, de danser le flamenco ou la sévillane, puis de célébrer le lien historique de la ville avec l'Italie, avec un grand banquet convivial.
– **Fête du Port de plaisance :** *le 14 août.* Régates, concours de pêche, marché artisanal, feu d'artifice, etc.

SÈTE ET L'ÉTANG DE THAU

Il y a les huîtres de Marennes, mais il y a aussi les huîtres de Bouzigues, et depuis longtemps, puisque les Romains, toujours eux, les élevaient déjà. Bien

que très construits, les abords de l'étang ne manquent pas de charme et d'attractions diverses : les villages de Bouzigues, Mèze, Marseillan, avec les parcs à huîtres et l'arrivée du canal du Midi... et bien sûr la capitale, Sète. La « petite Venise du Languedoc », dominée par le mont Saint-Clair (182 m !), célébrée par Paul Valéry et Georges Brassens, le copain des copains...

SÈTE

(34200) 40 200 hab.

Elle apparaît comme un mirage. Au loin, cette montagne au bord de la mer ressemble à une île, coincée entre l'étang de Thau et la grande bleue. Singulier, non ? C'est le petit nom de Sète, l'« île singulière ». On parle aussi de « Venise languedocienne », et le fait est que Sète est avant tout une ville ouverte sur la mer. Elle détient le titre de deuxième port de commerce et de premier port de pêche du littoral français méditerranéen, accueillant encore une flottille d'une cinquantaine de chalutiers. On pourrait dire aussi qu'elle détient le titre de ville la plus méditerranéenne de France – avec, peut-être, Marseille. C'est que, en effet, cette ville jeune, née pour ainsi dire du canal du Midi (qui rejoint la mer par l'étang de Thau), s'est surtout peuplée de colonies méditerranéennes, et d'abord italiennes : prenez l'annuaire, vous comprendrez. Ainsi retrouve-t-on, côté maternel, du sang italien chez ces deux monuments sétois, Paul Valéry et Georges Brassens.
À ce sujet – les monuments des arts et de l'esprit, les phares –, Sète, là encore, se distingue. Car la liste est longue des talents nés ici : Brassens et Valéry sans doute, mais aussi Jean Vilar, l'homme de théâtre, et Agnès Varda, qui y tourna son premier film, précurseur de la Nouvelle Vague, durant l'été 1954 : *La Pointe courte,* hommage à ce village de pêcheurs retranché, petit Sète à l'abri de Sète, qui tourne le dos à la Méditerranée. C'est un autre mouvement, à la fois populaire, juvénile et pictural, qui allait bouleverser au début des années 1980 le monde de l'art : la nouvelle « école de Sète » était née, avec Robert Combas, bien sûr, et les frères Di Rosa, peintres et sculpteurs partout reconnus, parlant haut et fort et faisant monter la tension et les prix sur le marché. Beau palmarès !

ÉTAT D'URGENCE

On vient à Sète pour le charme du port et des canaux, du mont Saint-Clair, pour les plages de la Corniche et de Villeroy (promenade piétonne très agréable), pour se régaler (de poisson notamment), pour les musées et les quelques lieux animés le

Adresses utiles

- Office de tourisme
- Gare SNCF
- Gare routière

Où dormir ?

- **10** Auberge de jeunesse
- **11** Le P'tit Mousse
- **13** Hôtel La Conga
- **14** Le Grand Hôtel
- **15** Les Terrasses du Lido
- **16** Hôtel Venezia

Où manger ?

- **15** Les Terrasses du Lido
- **20** Les Demoiselles Dupuy
- **21** Café Social
- **22** Paris Méditerranée
- **23** L'Oranger
- **24** Au Bord du Canal
- **26** The Marcel
- **28** Restaurant La Palangrotte
- **51** L'Amérik Club

Où boire un verre ? Où sortir ?

- **52** Bar de la Marine
- **53** Le Saint-Clair

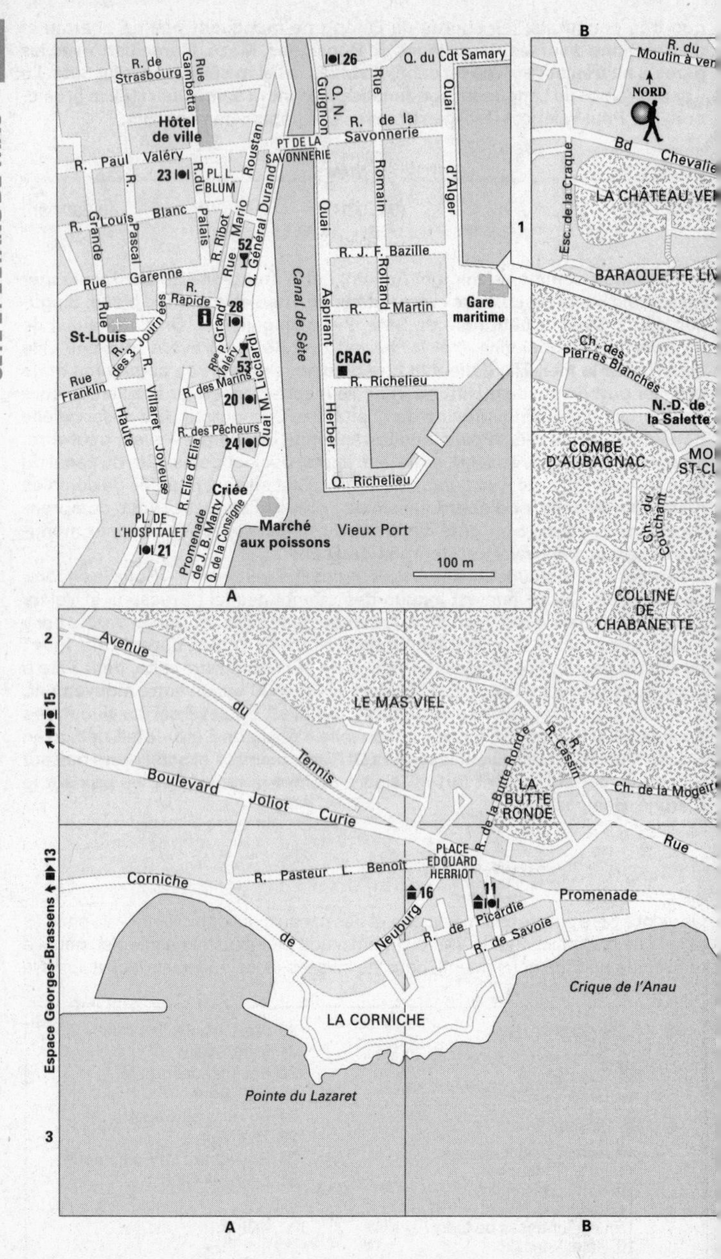
R. de Strasbourg
Rue Gambetta
Hôtel de ville
R. Paul Valéry
23
PL. L. BLUM
R. Louis Blanc
Rue Garenne
St-Louis
Rue Franklin
Rue Haute
R. Villaret Joyeuse
R. des 3 Journées
R. Rapide
28
52
53
20
24
R. des Marins
R. des Pêcheurs
R. Elie d'Elia
Criée
PL. DE L'HOSPITALET
21
Promenade de J. B. Marty
Q. de la Consigne
Marché aux poissons
Vieux Port
Canal de Sète
PT DE LA SAVONNERIE
26
Q. du Cdt Samary
Q. N. Guignon
R. de la Savonnerie
Rue Romain
Quai d'Alger
R. J. F. Bazille
Rolland
R. Martin
Quai Aspirant Herber
CRAC
R. Richelieu
Q. Richelieu
Gare maritime
100 m
A
B
1
2
3
R. du Moulin à vent
NORD
Bd Chevalier
Esc. de la Craque
LA CHÂTEAU VERT
BARAQUETTE LIVE
Ch. des Pierres Blanches
N.-D. de la Salette
COMBE D'AUBAGNAC
MONT ST-CLAIR
Ch. du Couchant
COLLINE DE CHABANETTE
Avenue du Tennis
LE MAS VIEL
R. de la Butte Ronde
R. Cassin
LA BUTTE RONDE
Ch. de la Mogeire
Boulevard Joliot Curie
Rue
PLACE EDOUARD HERRIOT
R. Pasteur L. Benoît
Corniche de Neuburg
16
11
Promenade
R. de Picardie
R. de Savoie
LA CORNICHE
Crique de l'Anau
Pointe du Lazaret
15
Espace Georges-Brassens 13

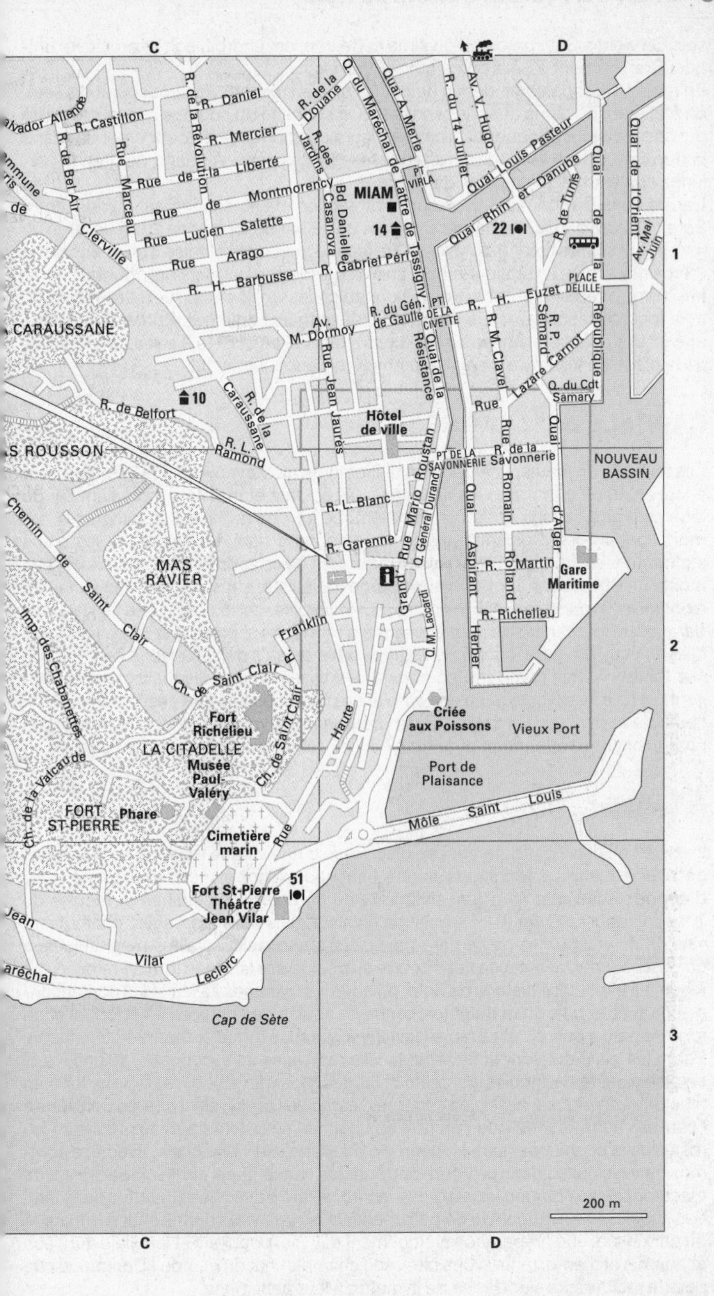
MIAM
Hôtel de ville
CARAUSSANE
MAS RAVIER
LA CITADELLE
Fort Richelieu
Musée Paul-Valéry
FORT ST-PIERRE
Phare
Cimetière marin
Fort St-Pierre Théâtre Jean Vilar
Criée aux Poissons
Vieux Port
Port de Plaisance
NOUVEAU BASSIN
Gare Maritime
PLACE DELILLE
Môle Saint Louis
Cap de Sète
Quai de l'Orient
Quai de la République
Quai Louis Pasteur
Quai Rhin et Danube
Quai de la Résistance
Quai Général Durand
Quai d'Alger
Quai Aspirant Herber
Q. du Maréchal de Lattre de Tassigny
Quai A. Merle
R. de la Révolution
Rue Marceau
Grand' Rue Mario Roustan
Rue Jean Jaurès
Bd Danielle Casanova
R. Gabriel Péri
R. H. Barbusse
R. H. Euzet
Chemin de Saint Clair
Imp. des Chabanettes
Ch. de la Valcaude
Jean Vilar
Leclerc
200 m
C
D
1
2
3

SÈTE

soir. On vient à Sète parce qu'on aime cette ville, cet endroit, son atmosphère unique. Bref, on vient à Sète parce qu'on aime ça.
En revanche, si ça continue, on ne pourra plus en ressortir, les bouchons de Sète, en été, étant devenus quasi légendaires. On souhaite du courage à la municipalité qui osera un jour attaquer de front pêcheurs et commerçants pour créer un grand centre-ville piéton et rendra aux terrasses leur oxygène. À quand de grands parkings aux entrées principales de la ville ?
L'autre dossier urgent est, bien sûr, la protection et l'aménagement du lido, entre Sète et Marseillan, cette bande sableuse de 12 km de long et de 2 km de large au mieux, qui sépare l'étang de la mer. Une façade maritime soumise à un phénomène d'érosion certain, un stationnement anarchique aux beaux jours qui double le nombre d'emplacements autorisés ou raisonnables, les week-ends... Le recul de la route et la requalification générale du site font désormais partie des études prioritaires, une charte ayant été signée en 2003 entre Marseillan et Sète. Le réaménagement de la plage de Villeroy est déjà un premier pas encourageant...

CAPITALE DES JOUTES

Les tournois de joutes, une tradition qui remonte au Moyen Âge. Pour tromper leur ennui avant de partir pour les croisades, les soldats et matelots montaient sur de légères embarcations et se combattaient. Le jour de la Saint-Louis (Louis IX est mort pendant les croisades, on ne vous apprend rien), les rouges et les bleus s'affrontent en tournois singuliers. Le règlement de ce sport est fort complexe : pas moins de 20 articles dont on vous épargnera la liste, sans compter les variantes lyonnaises et parisiennes. En résumé, sur la *tintaine,* sorte d'échelle à l'arrière des barques, le jouteur habillé de blanc, armé d'une lance et protégé d'un pavois (bouclier ou écu), croise le jouteur de l'équipe adverse qu'il doit envoyer à l'eau ; on dit « le tomber ». Pas n'importe comment, avertissements et disqualifications pleuvent. Le tout se déroule dans une ambiance pittoresque au son des fanfares, vieux hautbois et tambours, installés sur les barques. Les villes se rencontrent pour des championnats très sérieux où la troisième mi-temps est copieusement arrosée.

À TABLE !

Il existe une cuisine proprement sétoise, issue d'une longue tradition de bien manger et d'un mélange de cultures unique. Languedocienne et méditerranéenne, riche d'apports italiens et nord-africains, forte de bons produits (huîtres et moules de Thau, picpoul mûri sur le lido, poisson bien sûr mais aussi fromages, charcuterie, vins, fruits et légumes de l'arrière-pays)... Et quelques spécialités magnifiques, à commencer par la fameuse *tielle* (tourte au poulpe et à la sauce tomate relevée) qui résume à elle seule l'histoire de Sète, puisque les *mammas* italiennes la confectionnaient avec la part du matelot (personne ne voulait des poulpes à l'époque) et un fond de pâte à pain qu'elles tapissaient avec la sauce tomate préparée à leur façon.
Parmi les plats qui sont la fierté de la ville : sardines à l'escabèche, seiche « à la sétoise », *piste* de moules ou petits calamars, *poulpita* aux olives noires, loup en gibelotte... Typiques, aussi, les encornets et moules farcis, ainsi que les poissons à l'eau-sel, autre recette que l'on doit aux pêcheurs sur leurs bateaux, utilisant les restes de la pêche pour faire un genre de bouillabaisse « blanche », avec des pommes de terre cuites dans un court-bouillon très relevé. Sans oublier la sacro-sainte *macaronade aux brageoles,* de gros macaronis farcis avec des alouettes sans tête, des saucisses et de l'échine de porc, servis avec une vraie bonne sauce tomate et du parmesan, une préparation typiquement sétoise, populaire et familiale qui a son académie et même, tenez-vous bien, son championnat du monde ! Dommage que peu de restaurants aient l'idée de la mettre à leur petit menu.
Pour les becs sucrés, la pâtisserie *Aprile* a déterré une vieille spécialité sétoise, le *frescati,* qui traduit lui aussi ses origines italiennes. Quant aux fameuses zézettes

de Sète, ces biscuits croustillants à base de vin rosé de pays qui accompagnent aussi bien les glaces que le café, vous les trouvez désormais en vente un peu partout. Elles sont fabriquées à deux pas d'ici, entre Sète et Frontignan.

Adresses et info utiles

Office de tourisme *(plan zoom)* **:** *60, Grand-Rue-Mario-Roustan. ☎ 04-67-74-71-71. ● ot-sete.fr ● Juil-août, tlj 9h30-19h30 ; le reste de l'année, lun-ven 9h30-18h, w-e et j. fériés 10h30-12h30, 14h-17h. Fermé 25 déc et 1er janv.* Propose une visite guidée à la découverte de la criée (super !), une autre du vignoble et des chais de Domaines Listel et une autre d'un mas conchylicole à Marseillan. Également plusieurs balades audioguidées (cf. rubrique « À voir »). Documentation très complète et équipe très efficace. Deux ***annexes*** durant l'été, l'une à l'entrée nord-est de la ville, quai du Mas-Coulet, l'autre du côté des plages, quartier des Quilles.

– ***Le marché*** *(plan zoom)* **:** *ts les mat sous les halles, 7h-13h, mer rue Gambetta et pl. Léon-Blum (lieu du marché aux fleurs), et ven face à la gare.*

Gare routière *(plan D1)* **:** *contacter la société* TOTEM : *agence commerciale au 6, quai de la Résistance. ☎ 04-67-74-18-77.*

Gare SNCF *(hors plan par D1)* **:** *quai du Maréchal-Joffre. ☎ 36-35 (0,34 €/mn). Au bout de l'av. Victor-Hugo.* Un départ ttes les 30 mn env pour Montpellier.

Aéroport : *à Montpellier (compter 30 mn en voiture).*

Sète Croisières *(plan zoom)* **:** *quai du Général-Durand. ☎ 04-67-46-00-46. Tlj fév-fin oct.* Sorties en mer et sur l'étang. Une bonne occasion de découvrir la ville et ses environs autrement, et de mieux comprendre le monde des pêcheurs.

Déferlantes *(plan zoom)* **:** *4, quai de la République. ☎ 04-67-74-82-30.* Très pro : location de vélos adultes et enfants, VTT, tandems...

Où dormir ?

De bon marché à prix moyens

Auberge de jeunesse *(plan C1,* ***10****)* **:** *villa Salis, rue du Général-Revest. ☎ 04-67-53-46-68. ● aubergedesete@caramail.com ● fuaj.fr ● Accueil 8h-23h (8h-12h, 18h-22h hors saison). Congés : de mi-déc à mi-janv. ½ pens obligatoire l'été 25 €, ou nuitée 15,50 €/pers, petit déj compris. Carte des AJ obligatoire.* Perchée à flanc de colline, l'AJ profite d'une très belle vue depuis son jardin arboré dominant le vieux Sète. Les dortoirs basiques (3 à 4 lits, douches et w-c communs) se répartissent entre une villa début XXe siècle et différents bâtiments de plain-pied façon motel. Terrasses agréables et Internet à disposition.

Le P'tit Mousse *(plan B3,* ***11****)* **:** *rue de Provence. ☎ 04-67-53-10-66. Ouv avr-fin sept. Doubles avec douche et w-c 35-42 € ; ½ pens demandée en juil, env 40 €/j./pers. Menus 14-23 € et carte env 20 €.* Cette petite maison de couleur ocre soutenu appartient à la même famille depuis 50 ans ! Un gage de qualité, confirmé par sa situation dans une ruelle calme de la corniche, très près de la mer, et des chambres propres et bien tenues (certaines avec terrasse ou balcon). Au resto, cuisine de la mer très correcte, d'un bon rapport qualité-prix.

Hôtel Venezia *(plan B3,* ***16****)* **:** *Les Jardins de la Mer, la Corniche. ☎ 04-67-51-39-38. ● info@hotel-sete.com ● hotel-sete.com ● Ouv de mi-mars à mi-nov. Doubles avec douche et w-c ou bains 42-53 € selon saison.* Dès l'entrée, la salle guillerette donne le ton : ce petit hôtel convivial est choyé par un jeune homme dynamique, dont le papa n'hésite pas à venir donner un coup de main à l'occasion. Chambres calmes, rénovées pour la plupart, bien équipées, toutes avec TV et terrasse pour prendre le petit déj. Pour chacune d'elle, une place de parking (rare, ici). Très bon accueil. Et la plage est à 50 m !

Hôtel La Conga *(hors plan par A3,* ***13****) : plage de la Corniche. ☎ 04-67-53-02-57. • contact@conga.fr • conga.fr • Congés : de mi-nov à début déc. Doubles 29-49 € selon confort et saison ; ½ pens 17 €/j./pers. Sur présentation de ce guide, 10 % de réduc sur le prix de la chambre à partir de la 2e nuit, hors vac scol.* Établissement moderne idéalement situé face à la plage, aux chambres propres et plutôt agréables. À côté, restaurant *La Table de Jean*, dans un registre traditionnel, toujours apprécié des Sétois.

De plus chic à beaucoup plus chic

Les Terrasses du Lido *(hors plan par A2,* ***15****) : 107, bd Camille-Blanc, rond-point de l'Europe, la Corniche. ☎ 04-67-51-39-60. • contact@lesterrassesdulido.com • lesterrassesdulido.com • Doubles avec bains 69-87 € selon saison, ½ pens 70-82 €/j./pers selon saison, demandée en juil-août.* Malgré un environnement peu convaincant, cet hôtel possède quelques bons arguments : des chambres convenables, une terrasse abritée autour de la petite piscine, la plage à 10 mn et la découverte d'une cuisine gastronomique originale, mélange de classiques sétois et de nouveautés signées Philippe Mouls (voir « Où manger ? »).

Le Grand Hôtel *(plan D1,* ***14****) : 17, quai Maréchal-de-Lattre-de-Tassigny. ☎ 04-67-74-71-77. • info@legrandhotelsete.com • legrandhotelsete.com • Tlj sf sam midi et dim. Congés : 2 sem début janv et tt le mois de juil. Doubles avec douche et w-c ou bains 70-132 €.* Séduisante adresse que ce *Grand Hôtel* bâti dans les années 1880, ayant conservé son charme Louis-Philippe et grand bourgeois. Spacieux, meublé d'époque en partie, il abrite un patio remarquable coiffé d'une verrière à armature métallique, genre Baltard. Mais la maison n'est pas figée dans ses moulures : ses chambres différentes font preuve d'originalité dans la déco, tandis que ses ferronneries modernes et son bar aux allures de néobistrot branché sont bien dans l'esprit du temps. Service impeccable.

Où manger ?

Bon marché

Café Social *(plan zoom,* ***21****) : 35, rue Villaret-Joyeuse. ☎ 04-67-74-54-79. En haut de la place de l'Hospitalet. En basse saison, fermé le midi lun-mar ainsi que mer tte la journée. Congés : du dernier w-e de janv au 1er w-e de mars. Carte de tapas et brochettes à partir de 2 et 3,50 €. CB refusées.* Ce resto des copains, coloré jusque dans la déco, accueille le siège de la *Jeune Lance sétoise*, une des grandes sociétés de joutes locales. Une ambiance de quartier sympathique pour goûter des brochettes simples et bonnes, face à la (bonne) mère de Di Rosa, l'incroyable *Mamma* plantée au milieu de la place de l'Hospitalet. Hors saison, le lieu s'anime avec des expos temporaires et un concert par mois environ. Mais le vrai jour de fête, c'est pour la Saint-Louis, lorsque les équipes font vibrer les murs de leurs chants à l'heure de la 3e mi-temps. Ébouriffant.

Prix moyens

Au Bord du Canal *(plan zoom,* ***24****) : 9, quai Maximin-Licciardi. ☎ 04-67-51-98-39. • stephant.reynaud@neuf.fr • Fermé lun tte l'année ainsi que dim soir hors saison. Formule 15 € ts les midis ou carte env 30 €. Café offert sur présentation de ce guide.* Situé à deux pas de la criée aux poissons, ce resto très apprécié des Sétois ne propose à l'ardoise que des poissons fournis par leur mareyeur attitré, dès l'arrivée des chalutiers. Fraîcheur indiscutable des produits, joliment travaillés et bien présentés. Au menu : encornet persillade, seiche *a la plancha,* tartare de sardines, desserts maison... À déguster sur l'une des deux terrasses ombragées ou dans la salle qui ne manque pas de charme, avec son décor de pierre, de fer et de bois.

Paris Méditerranée *(plan D1, **22**) : 47, rue Pierre-Sémard. ☎ 04-67-74-97-73. Fermé sam midi, dim et lun. Congés : 1 sem en fév et la 1re quinzaine de juil. Formule 21 €, menus 26-40 €.* Si la déco donne gentiment dans le néo-bistrot branché, un brin rétro et enrichie d'expos des copains artistes, la cuisine est éminemment méditerranéenne : plats malins et bien fignolés, évoluant au gré des saisons et de l'inspiration du chef. Poêlée d'encornets à la soubressade, risotto à l'encre et bouillon harissa poutargue, etc. Atmosphère conviviale façon grande famille, assurée par une équipe jeune et souriante.

Les Demoiselles Dupuy *(plan zoom, **20**) : 4, quai Maximin-Licciardi. ☎ 04-67-74-03-46. Ouv tte l'année, tlj sf mer. Menu 18 € et repas à la carte 25 €.* Une adresse plutôt atypique. Gilles Dupuy, architecte de formation et artiste peintre, s'est reconverti dans l'ostréiculture depuis une quinzaine d'années. Excellents plateaux de fruits de mer, encornets ou moules farcis, ragoût de seiche, etc.

L'Oranger *(plan zoom, **23**) : 5, rue Pierre-Brossolette. ☎ 04-67-51-96-12. • rabillouddaniel@free.fr • ♿ Tlj sf lun-mar hors saison (fermé slt les lun et mar midi en saison). Congés : 2 sem en janv. Résa conseillée. Menus 15,50-19,50 € ; carte env 25 €. Café offert sur présentation de ce guide.* Au-dessus de la place du Pouffre, une petite salle coquette tenue par un couple qui connaît son métier. Monsieur, en salle, décontracté et compétent, vous parle du pays, tandis que madame, en cuisine, prépare les tartines de poulpe à l'aïoli, le risotto crémeux ou la bourride de baudroie. Bonne sélection d'apéritifs et vins régionaux.

De prix moyens à beaucoup plus chic

Restaurant La Palangrotte *(plan zoom, **28**) : 1, rampe Paul-Valéry, quai de la Marine. ☎ 04-67-74-80-35. ♿ Fermé lun tte l'année ainsi que dim soir hors saison. Formules 15-24 € servies tlj (sf j. fériés) midi et soir jusqu'à 21h, autre menu 30 € et carte env 40 €. Café offert sur présentation de ce guide.* Bon, à partir de maintenant, rangez le short et les tongs. Cette belle table considérée comme une référence à Sète mérite un p'tit effort vestimentaire. Déco classique contemporaine et cuisine d'aujourd'hui, elle aussi, mais sur des bases très traditionnelles. La mer fournit bien sûr la plupart des beaux produits à la carte. Un petit clafoutis de moules de Bouzigues ou des queues de gambas croustillantes, ça vous dirait ? Bel accueil, beau service, bonne cuisine, le trio gagnant, quoi !

The Marcel *(plan zoom, **26**) : 5, rue Lazare-Carnot. ☎ 04-67-74-20-89. Fermé sam midi et dim. Congés : vac de Noël. Compter 35-40 € à la carte.* Un lieu de rencontre, de culture, de rencontre de cultures, quoi. Dans cette vaste salle cosy où sont exposées des toiles contemporaines, on ne se sent pas du tout compressé, pas davantage pressé, alors on prend le temps de déguster une cuisine de la mer correctement travaillée, sans fausse note, sur fond de jazz ou de classique.

Les Terrasses du Lido *(hors plan par A2, **15**) : rond-point de l'Europe, la Corniche. ☎ 04-67-51-39-60. • contact@lesterrassesdulido.com • Fermé dim soir et lun sf en juil-août. Menus-carte 27-32 €, autre menu 48 € et carte env 35 €.* Excentrée, cette petite salle donnant sur une piscine mérite un détour pour savourer la cuisine de Philippe Mouls, qui ne travaille qu'en fonction des arrivages, réinventant selon l'humeur une cuisine terre-mer parfumée et savoureuse. Service gentil comme tout. Retenez l'adresse et retenez une table.

L'AmériK Club *(plan C3, **51**) : promenade Maréchal-Leclerc. ☎ 04-67-53-02-37. • amerikclub@wanadoo.fr • Face au port, à côté du théâtre de la Mer. Fermé de mi-oct à mars inclus. Menus* *midi en sem 22-37 € ; compter 40 € à la carte. Vins à partir de 5 € au verre.* Bon, d'accord, on ne manque pas d'humour en glissant cette adresse dans le *routard :* la terrasse face à la mer est gigantesque, il y a des bassins pour que les *happy few* grignotent en faisant trempette, et la nuit, en plein été, le lieu tient plus de la salle de spectacle la plus huppée du moment, sous les étoiles, que du bistrot où l'on vient manger des sardines grillées sur le port. MAIS vous êtes chez les Pourcel, les incontournables vedettes du moment, toujours là quand il faut mêler les plaisirs des sens, dans la vie comme dans l'assiette. Goûtez la « méditerranean food », comme ils disent, c'est frais, joyeux, ou partez en direction de la Toscane ou du pays catalan. Une carte maligne, pour aller à la pêche aux nouveautés du jour.

Où boire un verre ? Où sortir ?

🍷 Pendant la journée, de nombreux bars vous accueillent un peu partout, notamment vers les quais. Parmi ceux-ci, notons le ***Bar de la Marine*** *(plan zoom,* ***52****),* apprécié des jeunes locaux, avec ses brochettes pour tenir le coup, entre deux verres (et réciproquement)...

🍷 ***Le Saint-Clair*** *(plan zoom,* ***53****) : 38, quai Maximin-Licciardi, à deux pas du précédent. ☎ 04-67-74-72-37. Tlj en été jusqu'à 2h (fermé lun hors saison sf vac scol).* Au cœur de la Marine, un bistrot cosy avec ses fauteuils clubs et sa terrasse dotée d'un élégant mobilier sur fond de palmiers. Concerts réguliers en saison.

🍷 Sur la route des plages, prenez l'air du temps sur la terrasse décontractée du bar ***La Ola.*** *☎ 04-67-53-07-14. Ouv avr-sept.* Musique latino-jazz, « *world* bouffe » et *world music.* En revanche, les néobobos des plages iront plutôt se montrer à l'***ACD*** voisin (assis, couché, debout, pour les intimes), bistrot chic et cher à la déco soignée.

À voir

➢ Une sélection d'***itinéraires audioguidés*** permettent de découvrir à son rythme le vieux Sète et le cimetière marin, le port, l'étang de Thau et la conchyliculture. Location des audioguides auprès de l'office de tourisme (voir plus haut « Adresses et info utiles »). Prévoir 1h-1h30 et 5 € par appareil. Il existe également un intéressant ***pass musée*** pour la visite des trois principaux musées de la ville (musée Paul-Valéry, espace Georges-Brassens et MIAM). *Tarif : 6 €.*

Les musées

🚶 ***Le musée Paul-Valéry et Traditions sétoises*** *(plan C2) : rue François-Desnoyer. ☎ 04-67-46-20-98. ♿ Derrière le cimetière marin. Ouv 10h-12h, 14h-18h. Fermé mar et j. fériés, sf juil-août. Entrée : 4,60 € en été, sinon 3 € ; réduc ; gratuit pour ts le 1er dim du mois.*

Musée des Beaux-Arts mais aussi musée d'histoire locale préservant la mémoire de la vie quotidienne des Sétois.

– *Au rez-de-chaussée :* une salle est réservée aux joutes nautiques. Présentation de costumes anciens, maquettes, pavois, peintures. Vidéo haute en couleur pour essayer d'en comprendre les règles. Y sont également exposées les collections permanentes d'artistes contemporains sétois et régionaux (quelques œuvres de Di Rosa mais aussi Robert Combas, François Desnoyer, etc.).

– *À l'étage :* sélection de tableaux des XVIIIe et XIXe siècles représentant la ville, doublée d'une petite collection de maquettes de bateaux, tels que les « bateaux bœufs », attelés par paire à un filet. La salle Paul-Valéry s'intéresse plus au dessinateur qu'à l'écrivain. On découvrira donc, aux côtés de manuscrits et d'autographes, de nombreux dessins, pastels, aquarelles et gravures du grand poète. Les autres salles abritent les expositions temporaires.

L'espace Georges-Brassens *(hors plan par A3)* **:** *67, bd Camille-Blanc (face au cimetière Le Py). ☎ 04-67-53-32-77. Ne pas confondre avec la salle du même nom, située en centre-ville. Ouv 10h-12h, 14h-18h (19h juil-août). Fermé lun et j. fériés hors saison. Entrée : 5 € ; réduc.* Un endroit formidable où chaque visite est vécue comme un rendez-vous intime avec Georges Brassens. C'est lui qui nous guide de salle en salle, livrant toutes sortes de confidences par l'intermédiaire d'un casque audio. Ses thèmes majeurs sont évoqués : les femmes, la poésie, le bon Dieu, l'anticonformisme, la mort, la musique et la chanson, et bien sûr l'amitié. Dans chaque section, on découvre des documents méconnus (par exemple, cet article délirant signé Géo Cédille, journaliste libertaire engagé, pas encore Gorille), diaporamas, affiches des premiers spectacles, photos peu diffusées, en écoutant les commentaires de Georges, ses réflexions diverses, son ton tellement pondéré. Il y a aussi une salle vidéo où sont projetés des films genre concert à Bobino ou soirée Jacques Chancel. Alors, grand merci aux initiateurs et fondateurs de cet espace, qui ont su restituer l'essentiel d'une œuvre et la présenter de façon vivante et synthétique, en respectant Georges Brassens, sa pudeur et le sens de son travail.

Le MIAM *(musée international des Arts modestes ; plan D1)* **:** *23, quai de-Lattre-de-Tassigny. ☎ 04-67-18-64-00. • miam.org • Tlj 10h-12h, 14h-18h. Fermé lun et j. fériés sept-juin. Entrée : 5 € ; 1,50 € pour les 10-18 ans ; réduc.* Du dehors, ce drôle de musée ne paie pas de mine. On le confond avec la devanture du bazar voisin, déjà gratinée, avec ses bibelots en plastique. Une fois passée la porte de cette caverne d'Ali Baba remplie des trésors cachés de ces dernières décennies, on n'en finit plus d'avancer au milieu du pâté de maisons, traversant un jardin qui ferait hurler les grands-parents, contenant toutes les « mauvaises » herbes de la garrigue, avant de passer aux choses pas sérieuses. Les caravanes de Di Rosa, pleines de bouddhas clignotants, de Goldoraks, de jouets africains, de petits jésus en plastique, s'éclipsent régulièrement pour laisser la place à des expositions temporaires, toujours surprenantes et de qualité. Au 2ᵉ étage, les vitrines de Belluc sont en revanche fidèles au poste, remplies d'un bric-à-brac délirant constitué d'objets aussi hétéroclites qu'inutiles. Mais ces vieilleries bariolées sont la mémoire d'une génération, les témoins d'un temps que les moins de 20 ans ne pourraient déjà plus comprendre, s'ils ne le découvraient ici, ravis. Un musée bien vivant, pour les vivants, qui met en appétit. Un régal que ce MIAM.

Le CRAC *(centre régional d'Art contemporain ; plan zoom)* **:** *26, quai Aspirant-Herber. ☎ 04-67-74-94-37. En sem 12h30-19h ; w-e 14h-19h ; w-e d'été 15h-20h (hors période d'accrochage et de décrochage). Fermé mar.* L'art contemporain à Sète est présent partout : il stimule les rues et les places, amuse les galeries. Normal de le retrouver dans ce lieu qui montre la diversité des champs de création, d'artistes non seulement régionaux mais aussi français et étrangers, au travers d'échanges fructueux entre musées. Laissez-vous surprendre par cet autre visage de Sète, un des chantiers les plus créatifs de l'art contemporain.

Balade dans la ville

Le mont Saint-Clair *(plan B2)* **:** domine fièrement la ville du haut de ses 182 m. Panorama sur la cité, les étangs, les plages. À pied, commencer l'ascension en partant de l'hôtel de ville, prendre la rue Paul-Valéry puis, presque en face, la rue Ramond, qui se prolonge par la rue Belfort. Ça grimpe, ça fait du bien. Un peu plus haut sur la gauche, le chemin de Biscan-Pas est un escalier de 200 m : il mène au sommet du mont Saint-Clair et à Notre-Dame-de-la-Salette. Vue sur le port. De là, le chemin des Pierres-Blanches conduit au lieu-dit Les Pierres-Blanches, justement (un bon kilomètre), de l'autre côté du mont. Il se prolonge par une impasse ;

au bout, table d'orientation : panorama sur la mer et l'étang. Alentour, vaste secteur de verdure et circuits pédestres.

La chapelle Notre-Dame-de-la-Salette *(plan B1)* **:** au mont Saint-Clair, tout là-haut, cet ancien ermitage construit sur les vestiges d'un fortin reçoit pèlerins et touristes indifféremment. Curieuse chapelle, basse et sombre, dont les murs ont été décorés de fresques par Bringuier, en 1954 : vision très sombre et expressionniste de l'apparition de la Vierge à La Salette, en 1846. Un peu spécial, et peut-être angoissant, mais non dénué d'intérêt. Beau panorama du haut du presbytère voisin (au-dessus du magasin de souvenirs : entrée libre).

Le cimetière marin *(plan C2-3)* **:** *rue François-Desnoyer. Ouv 9h-18h (19h l'été).* Sur le caveau de famille de Paul Valéry (famille Grassi) par ailleurs très sobre, cette inscription : « Ô récompense après une pensée, / Qu'un long regard sur le calme des dieux. » Bel endroit que ce cimetière qui s'étage au bas du flanc sud-est du mont Saint-Clair et domine les flots. À voir, en aval, dans l'autre partie du cimetière, la sépulture somptueuse des époux Paul Goudart, et celle, modeste, des deux courageux pilotes, Richard et Barthélemy, qui ont péri en mer, le 6 janvier 1867, en allant porter secours à un navire américain.

Le cimetière Le Py *(hors plan par A2)* **:** *bd Camille-Blanc. Ouv 9h-18h (19h l'été).* Brassens (1921-1981), à défaut d'un « petit trou moelleux sur la plage de la Corniche » *(Supplique pour être enterré sur la plage de Sète),* repose auprès de ses parents dans ce cimetière plus modeste et populaire que le cimetière marin où sont les notables – dont Paul Valéry, « le bon maître ». Tombe toute simple, très visitée.

La pointe Courte *(hors plan par D1)* **:** dans le prolongement de l'ex-canal Royal, petit port très pittoresque, quadrillé de ruelles et de maisonnettes, et où sèchent les filets et mouillent les barques des Pointus (nom donné aux habitants du quartier) attendant de partir sur l'étang de Thau. Un autre monde, qui entretient sa réputation de vivier à grandes gueules, village quasi autarcique, volontiers méfiant vis-à-vis des étrangers, même si le ***bar du Passage*** *(ouv ts les soirs en sem, midi et soir le w-e),* à l'entrée du quai du Mistral, n'est plus depuis quelques décennies le coupe-gorge qu'on voulait imaginer. C'est même l'endroit où il est de bon ton de se montrer, le temps d'avaler quelques brochettes ou de boire un verre ou deux.

Le môle Saint-Louis *(plan D2)* **:** le port de plaisance, très couru par les amateurs de voiles depuis que Marc Pajot s'y est entraîné.

La criée *(plan zoom)* **:** *à 16h30, quai Maximin-Licciardi.* Les chalutiers débarquent 139 sortes de poisson. Haut en couleur. Désolé, mais on ne peut pas y accéder sauf en été, avec les visites organisées par l'office de tourisme.

La Mamma et le quartier haut *(plan zoom)* **:** la désormais célèbre statue aux formes opulentes, du Sétois Richard Di Rosa, alanguie et mutine sur son coussin de granit, trône sur la place de l'Hospitalet, que vous atteindrez, en soufflant un peu, une fois passé l'office de tourisme, après avoir gravi la rue Rapide (on lui préfère son ancien nom, plus évocateur, de rue Rompe-Cul) et tourné dans la rue des Trois-Journées. Après la décanale (l'église) Saint-Louis, continuez par la rue Villaret-Joyeuse, typique de ce quartier bâti au XVIIe siècle pour abriter les travailleurs du môle. Un quartier resté dans son jus, avec ses petites maisons toutes simples à deux étages, très colorées, avec leur balcon, face à la mer. Arrêtez-vous en fin de journée pour grignoter sur le pouce ou boire un verre au *Café Social,* à l'enseigne de la Jeune Lance sétoise (voir « Où manger ? »). Si vous voulez du typique, vous allez être servi.

À faire

– ***Pêche à la daurade :*** fin septembre-début octobre, les daurades transhument par bancs entiers. Difficile de se faire une petite place le long du canal et plus encore à la « plagette », face à la pointe Courte, à moins d'avoir des relations.

➢ ***Randonnées*** dans les environs, autour de l'étang ou le long de la plage. De préférence le soir en saison. Belle lumière. Super clichés assurés. Contactez l'association *Sète Escapade :* ☎ *04-67-51-26-15.*

Manifestations

– ***Grand pardon de la Saint-Pierre :*** *mi-juil.* Sortie en mer du saint patron des pêcheurs. Procession dans toute la ville, manifestation haute en couleur.
– ***Festivals d'été :*** *théâtre amateur début juin, Jazz à Sète mi-juil, chansons françaises fin juil* (« Quand je pense à Fernande ! »), *Festiv'Africa en juil et Musiques du Monde début août*.
– ***Cette Histoire :*** *fin juil, pdt 4 soirs.* Son et lumière historique, mobilisant plusieurs centaines de figurants pour faire revivre la grande aventure sétoise débutée en 1666.
– ***Tournois de joutes :*** depuis le XVIIe siècle, une institution à Sète, qui culmine le lundi de la Saint-Louis (patron du port de Sète) autour du 25 août, et anime la ville et le Grand Canal pendant tout l'été. Très touristiques mais aussi très authentiques. On ne plaisante pas avec les règles de la *tintaine,* et la traversée de Sète à la nage est une épreuve également disputée pendant ces fêtes. Animations de rues et traditionnelles *pastissades* font que vous ne risquez pas de vous ennuyer.

BOUZIGUES (34140) 1 200 hab.

Capitale languedocienne des coquillages, déjà très appréciés par les Grecs et les Romains, qui n'étaient pas si fous que ça. Pour les amateurs, des photos inoubliables à faire au soleil couchant sur l'étang de Thau, ce « morceau de mer prisonnier des collines », qui couvre quelque 7 500 ha et a une salinité proche de celle de la Méditerranée. Les poissons s'y réfugient pour frayer au printemps et regagnent la mer en automne. C'est le moment préféré des riverains qui viennent pêcher daurades, loups, anguilles, au filet ou à la ligne. Quant aux coquillages, succulents, ils vous seront servis sur un plateau chez un producteur, avec un verre ou deux de picpoul de Pinet. Faites un tour en mer ou au musée, pour mieux comprendre les techniques d'élevage. Et n'oubliez pas qu'en dehors des huîtres il y a aussi les moules et les palourdes, ces « perles de l'étang de Thau » qu'il vous faudra goûter, si vous voulez être bien vu par ces « paysans de la mer » qui ont consacré leur vie à l'étang et à la pêche sous toutes ses formes.
– Dégustation monstre pendant la *fête de l'Huître,* la 1re quinzaine d'août : 25 000 à 30 000 personnes défilent en 2 jours. Venez plutôt à un autre moment, pour apprécier le charme des ruelles du village et la promenade le long de l'étang.

Où dormir ? Où manger ?

Camping

⛺ ***Camping Lou Labech :*** *en bordure du bassin, chemin du stade.* ☎ *04-67-78-30-38.* • *postmaster@lou-labech.fr* • *loulabech.fr* • ♿ *Depuis l'A 9, prendre la sortie 33 en direction de Mèze. Ouv mai-sept. Compter 20 € en hte saison l'emplacement pour 2 avec voiture et tente. Loc de caravanes : env 350 €/sem.* Petit camping sympa comme tout, convivial et tenu par des propriétaires accueillants. À peine 50 emplacements bien délimités et ombragés pour la plupart, et un genre de café où l'on organise régulièrement des soirées dégustations.

Bon marché

On peut se faire ouvrir à tous les coins de rues sa douzaine de coquillages, même pendant les mois sans « r ». Fraîcheur garantie, à priori, mais mieux vaut choisir un bon producteur ne plaisantant pas avec la marchandise !

Chez La Tchèpe : *av. Louis-Tudesq. ☎ 04-67-78-33-19. Au centre du village, face à l'étang. Juil-août, service 9h-21h30 en continu ; hors saison jusqu'à 18h. Tlj sf mer tte l'année et fermé le soir hors saison. Congés : janv. Menu fruits de mer 22 € pour 2, vin compris. Autre suggestion 32 € pour 2 et carte. CB refusées.* Quelques chaises et tables en terrasse, souvent prises d'assaut. Principe de la vente directe « du producteur au consommateur ». Avec le 1er menu, on vous apporte 24 huîtres, 12 moules, un violet, deux tielles chaudes (les fameuses petites tourtes au calamar et à la sauce tomate) et une bouteille de blanc ! On comprend qu'il y ait du monde, d'autant plus que l'accueil est bon et l'atmosphère conviviale.

Prix moyens

Le Saint-Julien : *2, pl. du Port, face au musée. ☎ 04-67-53-27-70. Ouv avr-fin oct, du mar soir au dim soir ; hors saison, du mer midi au dim midi. Formule 14 € et menu 28 € ; carte env 25 €. Digestif maison offert sur présentation de ce guide.* Les coquillages sont bons, c'est la moindre des choses, mais ce qui plaît ici, c'est la qualité des spécialités de poisson, copieuses et savoureuses. Et, quitte à bien faire, ces bonnes choses se dégustent sur une terrasse agréable, sur une placette calme face au port.

Les Jardins de la Mer : *La Catonnière. ☎ 04-67-78-33-23. Tlj sf jeu. Congés : janv. Carte env 30 €.* Joli resto situé au cœur de l'action, dans une exploitation conchylicole au bord de l'étang. Idéal pour déguster une bonne cuisine de la mer, simple et traditionnelle : poisson grillé au cep de vigne, encornets farcis et, bien sûr, de beaux plateaux de fruits de mer (servis pour certains mi-chaud mi-froid, c'est à dire crus et gratinés). À déguster sans modération sur une terrasse séduisante surplombant le rivage.

De plus chic à beaucoup plus chic

La Côte Bleue : *av. Louis-Tudesq. ☎ 04-67-78-30-87. • lacotebleue@free.fr • la-cote-bleue.fr • Resto fermé mer. Congés : fév. Doubles avec bains 60-86 € selon confort. Menu servi midi et soir en sem 28 € ; autres menus 32-43 €. Café offert sur présentation de ce guide.* Hôtel moderne de taille moyenne, assez discret avec ses toitures de tuiles et ses terrasses les pieds dans l'eau, très agréables. Chambres joliment rénovées pour la plupart, calmes et confortables, donnant sur une piscine. Elles disposent d'un balcon à l'étage, d'un parking privé (gratuit) au rez-de-chaussée. Également un restaurant gastronomique réputé pour offrir les meilleurs produits de l'étang, face au mont Saint-Clair. On profite de la vue superbe sur les parcs à huîtres au coucher du soleil... Accueil très cordial.

À La Voile Blanche : *1, av. Louis-Tudescq. ☎ 04-67-78-35-77. • contact@alavoileblanche.com • Sur le port, face aux bassins à huîtres. Resto fermé lun sf juil-août. Congés : 2des quinzaines de janv et de nov. Doubles avec douche et w-c ou bains 65-110 € selon confort et saison. Formule midi en sem 15 € et menu 20 € ; carte env 30 €. Café offert sur présentation de ce guide.* Idéalement situé, un petit hôtel de huit chambres, entièrement restauré, aux couleurs du moment. Du gris, du blanc, des touches de couleurs, de l'humour, aussi. Trois chambres toniques au second étage. Les plus chères bénéficient d'une jolie vue sur Sète depuis leur terrasse. Restaurant-bar à huîtres dans les mêmes tons. Accueil agréable et terrasse sur le port pour le petit déj.

– ***Festival de Thau :*** *14-20 juil. Infos : ☎ 04-67-18-70-83. • festivaldethau.com • Autour de l'étang de Thau, à Mèze (18-20 juil), Frontignan et Marseillan.* Une ambiance festive avec concerts (musiques du monde), ripaille, débats...

➤ DANS LES ENVIRONS DE MÈZE

Le Mourre-Blanc : un véritable village de conchyliculteurs et ostréiculteurs, avec une immense usine à nettoyer et emballer les coquillages. Pas vraiment Venise (on repassera, pour le charme !) mais des centaines de petites cabanes au bord de canaux. À voir tôt le matin, pour rencontrer les travailleurs de l'étang.

MARSEILLAN

(34340) 7 730 hab.

Port très animé, avec l'arrivée des bateaux ayant fait le canal du Midi. Quais en pierre basaltique, maisons en pierre noire du volcan d'Agde. Cette petite cité, qui a développé ses activités autour de la conchyliculture et de la vigne, s'enorgueillit de posséder la plus vieille Marianne de France (1878) !

Adresse et info utiles

Maison de Tourisme : *av. de la Méditerranée, Marseillan-Plage. ☎ 04-67-21-82-43. • marseillan.com • Juil-août, tlj 9h-19h ; avr-juin et sept, tlj 9h-12h, 14h-18h ; hors saison, lun-ven 9h-12h, 13h30-17h.* Un lieu accueillant avec ses vitrines sur la conchyliculture, la viticulture et son espace ornithologique. Des sorties nature sont organisées en juillet-août. Un guide vous apprendra à reconnaître les plants de réglisse, les sansouïres et autres végétaux poussant aux abords du bassin de Thau. Propose également des balades en bateau.

– ***Marché artisanal :*** *ven soir en juil-août.*

Où manger ?

Prix moyens

Le Jardin du Naris : *24, bd Pasteur. ☎ 04-67-77-30-07. Tlj sf lun soir et mar hors saison. Congés : de mi-nov à mi-déc env. Menus 11 € midi en sem, 15,50-35 € et carte env 25 €.* De l'extérieur, on ne devine pas le petit jardin intérieur qui permet de manger sous les arbres et dans les fleurs. L'atmosphère est à la bonne humeur, à l'image d'une cuisine simple et de bon aloi. Huîtres gratinées, œuf poché au foie gras... Bon rapport qualité-prix et excellent accueil. Les crayons sur les tables ne servent pas seulement pour l'addition, mais aussi pour dessiner si vous vous sentez l'âme d'un artiste.

Plus chic

Restaurant Le Château du Port : *9, quai de la Résistance. ☎ 04-67-77-31-67. Sur le port. Ouv début avr-fin oct, tlj sf mer midi. Résa vivement conseillée. Menus 20 (midi en sem)-32 €. Compter 40-45 € à la carte. Café offert sur présentation de ce guide.* Les frères Pourcel sont incontournables sur la côte languedocienne. S'ils ont choisi de planter leurs tentes (de luxe) l'été venu, du côté de La Grande Motte, ils ont eu aussi la bonne idée d'acquérir cette belle et ancienne maison de négociants en vins, idéalement située sur le port. La déco n'a pas changé, la cuisine quant à elle n'a fait qu'évoluer. C'est un registre plus classique et traditionnel qui vous attend ici, mais les sardines à l'escabèche, la rouille de seiche ou la blanquette de lotte ont un parfum et une saveur uniques. De beaux souvenirs en perspective, d'autant plus que la terrasse sur le port devient magique à la tombée de la nuit... Tables en fer forgé et à carreaux, à la bonne franquette, service attentif, une vraie douceur de vivre.

La Table d'Émilie : *8, pl. Couverte. ☎ 04-67-77-63-59. Fermé lun midi et jeu midi en saison, lun et mer tte la journée et dim soir hors saison. Congés : 2de quinzaine de fév. Menu terroir 19 € en sem, puis 4 menus 29-50 € et carte.* Séduisante salle voûtée du XIIe siècle dans une petite maison proche des halles. Jardin-patio en été, à la fois rustique et sophistiqué. À l'image du cadre, la cuisine est à la fois originale et traditionnelle. Bonne adresse gastronomique à l'ancienne.

Où acheter de bons produits dans les environs ?

Domaine de la Fadèze : *route de Mèze. ☎ 04-67-77-26-42. Caveau ouv tlj sf dim et j. fériés.* Rien que la balade pour aller à la rencontre de cette famille de vignerons atypique vaut le déplacement. Georges et Guy Lentheric ont redonné ses lettres de noblesse au terret, le cépage de blanc plusieurs fois séculaire de la région, qui semblait voué à une disparition inéluctable. Comme vous dira le père, « il n'y a rien de mauvais, sous le soleil, sauf les hommes » ! Il faut dire qu'on les a pris pour des fous quand ils se sont mis à arracher de vieilles vignes pour planter ces cépages auxquels personne ne croyait, à l'époque...

Les chocolats de Maître Bouzigues : *Grand-Rue, 34810 Pomérols. ☎ 04-67-77-04-99. À 5 km de Marseillan. Fermé mer et ap-m dim et mar.* Un sacré personnage que le pâtissier de ce petit village, connu comme le loup blanc dans toute la région et au-delà pour ses chocolats à la fine de picpoul de Pinet, et d'autres, encore plus étonnants, comme ceux au safran ou au vinaigre de figure, qu'il faut aller découvrir sur place, dans ce décor hors du temps. Des gens et des produits en or !

À voir. À faire

Les chais de Noilly Prat : *sur le port. ☎ 04-67-77-75-19. • noillyprat.com • Ouv mars-fin nov. Visite guidée de 45 mn, tlj 10h-11h, 14h30-16h30 (18h mai-sept). Départ ttes les 30 mn. Entrée : 3,50 € ; réduc.* Pour découvrir les secrets de fabrication de ce célèbre apéritif né en 1813, balade gourmande de la boutique aux chais, en passant par l'enclos, assez impressionnant, avec ses milliers de fûts vieillissant à ciel ouvert, et l'herboristerie, lieu odorant où un film est projeté.

➢ ***Promenade à pied :*** le long du chemin de halage, de la pointe des Onglous à Agde, près des étangs du Bagnas et de la réserve. Pour le paysage, les oiseaux et le plaisir.

LA BASSE VALLÉE DE L'HÉRAULT

Agde occupe une position unique en France, en étant située au carrefour des eaux douces et salées de la Méditerranée, de l'Hérault et du canal du Midi. Le fleuve, ligne de séparation entre une civilisation de type ibérique à l'ouest et une civilisation influencée par la Grèce à l'est, joua aussi le rôle de frontière lors des guerres de Religion. Il facilita en revanche les échanges commerciaux en amont, permettant aux marchands de se rendre plus facilement aux foires de Pézenas-Montagnac.

AGDE

(34300) 20 300 hab.

Pour le plan d'Agde, se reporter au cahier couleur.

Agde (l'Agathé Tyché des Grecs, pour qui elle était leur « bonne fortune ») vous laissera d'étranges impressions. Quelque chose ici ne colle pas avec les lumières de la côte, les façades dorées de Sète ou de Béziers. Regardez mieux la grosse cathédrale aux allures de forteresse, l'hôtel de ville et sa tour de l'horloge, les hôtels particuliers de style renaissance : à Agde, tout est noir. Comme à Clermont-Ferrand. Nos Méditerranéens n'ont pas eu à aller chercher loin la lave : Agde est assise sur un volcan qui surgit de la mer il y a moins d'un million d'années. Agde, c'est l'autre extrémité de la fissure qui ouvre la France en deux, boutonnée par les volcans du puy de Dôme, du puy de Sancy, du Cantal, de l'Aubrac et de l'îlot de Brescou, au large du Cap-d'Agde.

Difficile de comprendre Agde. Perdez-vous dans ce charmant labyrinthe de ruelles avec des maisons de guingois contrastant avec les quais de l'Hérault, en voie de réhabilitation après des années difficiles. Abandonné par nombre de ses habitants, le centre-ville retrouve couleurs et aspect plus sympathiques, mais à quand de nouvelles tables, de nouveaux lieux où faire la fête ? Ici, plus qu'ailleurs, semble-t-il, il faut donner du temps au temps. La ville est certes très fière d'avoir conservé depuis des siècles le joyau de la cité : l'Éphèbe. Ce jeune homme nu et gracieux symbolise peut-être la multitude de corps exposés au soleil, ceux de ces naturistes venus chaque année en masse au Cap-d'Agde, qui est la plus importante station naturiste d'Europe.

Adresses et info utiles

Office de tourisme *(plan couleur B1) : espace Molière, BP 70049, 34302 Agde Cedex. ☎ 04-67-94-29-68. • agde-herault.com • En été, tlj 9h-19h (10h-13h, 15h-18h dim) ; hors saison, lun-sam 9h-12h, 14h-18h.* Propose en saison des visites guidées du centre historique. De juin à septembre, vente du « pass patrimoine », pour découvrir à prix doux les sites d'Agde et du Cap.

✉ **Poste** *(plan couleur B1) : 1, av. du 8-Mai-1945. ☎ 04-67-01-02-30.*

➤ **Navette de bus :** en saison, ttes les heures pour le Grau-d'Agde et surtout ttes les 30 mn pour le Cap-d'Adge (également des bus hors saison, moins fréquemment), la capitale des boîtes de nuit et du naturisme, un État dans l'État (voir plus loin). En centre-ville.

Où dormir ? Où manger ?

De prix moyens à plus chic

Hôtel des Arcades *(plan couleur A2, **10**) : 16, rue Louis-Bages. ☎ 04-67-94-21-64. Ouv tte l'année. Doubles 38-48 € selon confort.* Recroquevillé dans une courette fleurie, ce petit hôtel vieillot aux allures de pension de famille occupe un ancien couvent. Les nouveaux propriétaires proposent une poignée de chambres simples, en cours de rénovation. Certaines donnent même sur l'Hérault.

Hôtel Le Donjon *(plan couleur B1, **12**) : pl. Jean-Jaurès. ☎ 04-67-94-12-32. • info@hotelledonjon.com • hotelledonjon.com • Garage et parking privé (payants). Congés : fin déc-début janv. Selon saison, doubles 52-64 € avec douche et w-c, 79-82 € avec bains. Le Donjon* se cache sur une place agréable et animée en été, face à la cathédrale Saint-Étienne. Immeuble en vieille pierre aux chambres classiques, confortables et bien tenues. Accueil sympathique. En somme, un bon rapport qualité-prix.

Hôtel-restaurant La Galiote *(plan couleur A1, **14**) : 5, pl. Jean-Jaurès. ☎ 04-67-94-45-58. • chagoort@hotmail.com • lagaliote.fr • Au pied de la cathédrale. Resto ts les soirs en hte saison, sf lun le reste de l'année. Congés : 1re quinzaine de nov. Doubles 55-95 € selon confort et saison. Menu 19,50 € et carte env 25 €.* L'ancienne demeure des évêques d'Agde, en partie du XIIe siècle, renferme une douzaine de chambres toutes différentes, certaines avec mobilier de style et d'autres plus quelconques. Inégal, mais tellement plus sympa que les chaînes hôtelières insipides ! Vue magnifique sur le fleuve et la place, surtout depuis la géniale véranda du resto. On y goûte une cuisine traditionnelle de bon aloi.

La Table de Stéphane *(hors plan couleur par B2, **17**) : 2, rue des Moulins-à-Huile (ZI des Sept-Fonts). ☎ 04-67-26-45-22. • caroline@latabledestephane.com • Fermé sam midi, dim soir (sf en hte saison) et lun. Congés : 1re quinzaine de janv et vac scol de fév. Formule midi en sem 20 € et menus 25-59 €. Carte env 40 €. Apéritif maison offert sur présentation de ce guide.* Ce n'est pas parce que les chefs se sont mis à jouer les modestes en mettant leur prénom à la place de leur nom, en grand, sur la façade, qu'il faut s'y tromper : voilà une des bonnes tables du Languedoc. Et un chef qui s'est vite fait connaître : Stéphane Lavaux. Cuisine au goût du jour d'inspiration méditerranéenne, qui met notamment le poisson à l'honneur et fait bon usage des bons produits de terroir.

À voir

La vieille ville : *à découvrir de préférence avec le circuit de l'office de tourisme, mar et ven en juil-août. Départ des groupes (min 5 pers) de l'office à 10h. Participation : env 5 € ; réduc pour les enfants.* Ou baladez-vous selon votre humeur, un jour de marché, pour prendre l'ambiance. Dépliants avec explications et circuits historiques disponibles à l'office de tourisme.

La cathédrale Saint-Étienne *(plan couleur A1) : quai du Chapitre. 15 juin-15 sept, visite avec montée dans le donjon à la clef proposée par l'office de tourisme (s'inscrire dans un groupe, 7 pers max).* Belle église romane fortifiée du XIIe siècle, édifiée sur l'emplacement d'un temple de Diane. Murs de 2 à 3 m d'épaisseur, taillés dans le basalte du mont Saint-Loup. À l'intérieur, retable monumental.

Le Musée agathois *(plan couleur A2) : 5, rue de la Fraternité. ☎ 04-67-94-82-51. Près des halles. Tlj sf mar 9h-12h, 14h-17h (18h mars-juin ; en principe, l'été, ouv en continu et fermeture plus tardive). Fermé dim mat et hors saison. Entrée : 4,50 € ; réduc.* Difficile d'imaginer la taille du musée en se glissant dans sa petite cour intérieure. Et pourtant, pas moins de 26 salles occupent le bel hôtel particulier de monseigneur Fouquet, frère du célèbre surintendant. Ses collections variées évoquent tout à tour l'histoire de la ville (depuis l'époque antique), les traditions populaires (les joutes, les costumes et coiffes locales, comme le *sarret*), la marine (maquettes, reconstitution d'une cabine de capitaine), la vigne, l'église (collections de chasubles)... et même quelques sujets inattendus comme le mobilier Art nouveau du château Laurent, ou ces belles armures de samouraïs. Autant dire que chacun y trouvera son compte.

Les remparts : *près de la perception.* Remparts grecs, un peu cachés, au bas de la promenade.

À faire

➢ ***Croisières sur le canal du Midi :*** *Les Bateaux du Soleil, 6, rue Chassefières. ☎ 04-67-94-08-79. • bateaux-du-soleil.fr • Résa obligatoire. À partir de 38 € avec* *le repas sur le Capitan (demi-tarif enfants jusqu'à 10 ans).* Deux autres bateaux : le *Santa Maria,* tiré par les chevaux, et la *Gabare,* pour des balades plus courtes, *(10-15 €).* Un peu de monde en été, mais très agréable.

➢ À vélo ou à pied, prendre le ***chemin de halage*** jusqu'à Béziers ou Marseillan.

➢ ***La réserve naturelle du Bagnas :*** *N 112. ☎ 04-67-01-60-23. Rendez-vous à la Maison de la réserve (prendre la N 112 vers Marseillan-Plage, puis à droite avt le 1er rond-point). Visites guidées (payantes et sur résa) avec un animateur et du matériel d'observation.* Une réserve classée de 600 ha.

➢ ***Promenade*** jusqu'au sommet du ***mont Saint-Loup*** (115 m), le dernier volcan émergé de la chaîne des Puys d'Auvergne. En saison : accès à pied obligatoire. Piste-nature « Découverte du volcanisme agathois ». Magnifique panorama sur le golfe au sommet.

➢ DANS LES ENVIRONS D'AGDE

LES RIVES DE L'HÉRAULT : LE GRAU-D'AGDE ET LA TAMARISSIÈRE

Préférer la fin de journée pour explorer à pied ou à vélo les rives de ce fleuve qui serpente jusqu'à la mer. Le port d'Agde et la criée aux poissons marquent l'arrivée au Grau-d'Agde, qui a su conserver son identité de petit village de pêcheurs. Utiliser le service du passeur pour rejoindre la Tamarissière.

Où dormir ? Où manger ?

L'Éphèbe *(hors plan couleur par A2,* ***15****) : 12, quai du Commandant-Méric, Le Grau-d'Agde. ☎ 04-67-21-49-88. • hotel@lephebe.com • lephebe.com • Ouv de mi-mars à mi-nov. Selon saison, doubles avec douche 30-57,50 € et avec douche et w-c ou bains 45-69,50 €.* Cet éphèbe-là n'est plus de la première jeunesse mais sa situation de choix justifie une halte : sur le port et à deux pas de la plage ! Les chambres à l'ancienne mode sont convenables, les rénovées agréables, surtout lorsqu'elles donnent sur l'Hérault et la Méditerranée. Gardez toutefois à l'esprit que l'été, c'est chaque soir que la foule des grands jours défile sur les quais.

Le K'Lamar *(hors plan couleur par A2,* ***16****) : 33, quai Cornu, La Tamarissière (sur la rive droite de l'Hérault). ☎ 04-67-94-05-06. • le.k-lamar@orange.fr • À l'entrée de la Tamarissière, près du quai. Tlj sf mar midi et mer hors saison, lun midi et sam midi en saison. Menus 23-32 €. Compter 35 € à la carte.* La reprise, sur un ton humoristique très « génération lounge » d'une adresse qui faisait les beaux jours, et surtout les beaux soirs, de ce petit paradis perdu tout au bout d'un chemin. Bonne cuisine à l'arrivée, recommandée par les habitués du Cap-d'Agde. On se régale de recettes méditerranéennes de saison bien faites (poisson du jour, produits frais, etc.) en regardant passer les bateaux. Terrasse irrésistible à l'heure de l'apéro.

À voir. À faire

Le fort Brescou : *au large. Sur place, visites guidées organisées par l'office de tourisme en été, tlj 15 juin-15 sept (3 € ; réduc).* Ancienne prison d'État. Moins prestigieux qu'If. Pour s'y rendre, emprunter les bateaux promenades au départ du Grau-d'Agde ou du Cap-d'Agde (voir plus loin).

La chapelle Notre-Dame-du-Grau, le lieu saint originel, restauré par le connétable de Montmorency, et la ***chapelle de l'Agenouillade,*** commémorant dans une pinède un miracle de la Vierge. À l'ombre d'un petit bois de pins et de platanes, c'est devenu un rendez-vous de pétanque. Pittoresque.

➢ ***Croisière sur le canal du Midi jusqu'à l'étang de Thau :*** *Millésime, quai Commandant-Méric, Le Grau-d'Agde. ☎ 04-67-01-71-93. 📱 06-08-46-60-94. Avr-oct. Départ à 14h tlj. Prix : 14 €. Durée : 4h30.* Passage de plusieurs écluses, dont celle d'Agde, très particulière : c'est la seule du parcours à être ronde ! Réussite à la fois architecturale et technique, elle réunit trois niveaux d'eau différents, et permet aux bateaux de tourner sur eux-mêmes pour prendre alors une des trois issues qui mènent l'une vers Toulouse, l'autre vers la cité d'Agde et la mer, la troisième vers l'étang de Thau par le cours de l'Hérault.

LE CAP-D'AGDE

(commune d'Agde)

L'extension balnéaire de l'antique cité d'Agde. On déboule par des périphériques à quatre voies sur la plus grande cité dortoir d'Europe (même si l'on y dort très peu, dans la chaleur des boîtes de nuit). Jadis (il y a plus de 30 ans), derrière les vignes et les marécages, s'étendait la plus belle plage du littoral. Aujourd'hui, avec ses constructions couleur ocre, la station balnéaire annonce bien plus de 100 000 lits.
Les promoteurs ont bâti, un peu à l'écart, une métropole naturiste de nationalité plutôt allemande, au départ, qui s'est ouverte depuis à toute l'Europe du Nord. Là, notable camping de 2 400 emplacements, quadrillé de 20 km d'allées, où s'entassent des milliers d'adeptes. Faut aimer, surtout du 14 juillet au 15 août.
Et pourtant, derrière le béton, la plage noire est toujours là. Tout au bout du Cap, une plage de galets et sable basaltiques se cache en bas de l'une des trois rares falaises de la côte languedocienne (avec Sète et Cap-Leucate). À découvrir de bon matin...

Adresse utile

ℹ ***Office municipal de tourisme :*** *bulle d'accueil, BP 544. ☎ 04-67-01-04-04. • capdagde.com • Ouv tte l'année ; 9h-20h en été (également nocturne sam soir 20h-5h du mat juin-août) ; horaires variables le reste de l'année. Deux annexes, l'une en centre-port (mai-août), l'autre en Grau-d'Agde (de mi-juin à mi-sept).* Sur place, service de réservation d'hébergement de dernière minute.

Où dormir ?

🏠 ***Hôtel Azur :*** *18, av. des Îles-d'Amérique. ☎ 04-67-26-98-22. • contact@hotelazur.com • hotelazur.com • ♿ Doubles 45-90 € selon saison. Digestif maison offert ainsi que 10 % de réduc sur le prix de la chambre (sf juil-sept), sur présentation de ce guide.* Petit hôtel balnéaire moderne, aux chambres propres, fonctionnelles, entièrement rénovées et équipées de l'AC. Les familles nombreuses apprécieront celles qui sont dotées d'une mezzanine. Piscine donnant sur la terrasse à l'arrière du bâtiment, sauna et parking gratuit.

🏠 ***Chambres d'hôtes Villa Lantana :*** *7, impasse de Mercure. ☎ 04-67-26-29-37. • capdagde@villalantana.com • villalantana.com • ♿ Suivre la direction « Maraval » jusqu'à l'avenue Cassiopée ; l'impasse est au bout à droite. Ouv tte l'année. Doubles 99-135 € selon saison, petit déj compris. Apéritif maison offert sur présentation de ce guide.*

On a eu beau se creuser la tête, on n'a rien trouvé à redire sur cette villa contemporaine de rêve. Tout est pensé pour satisfaire petits et grands : une piscine chauffée ourlée d'une terrasse en teck, un tennis, un spa, un boulodrome, une salle de jeux (vidéos, billard), une cabane pour les bambins... On en oublierait presque d'aller à la plage, d'autant plus que les chambres soignées évoquant le language des fleurs (couleurs douces, tableaux d'artistes locaux) incitent au cocooning. Mais le plus touchant, c'est l'accueil chaleureux et pas compliqué des propriétaires. On est comme des coqs en pâte !

Où manger ?

Sur le port

De prix moyens à plus chic

|●| ***Les Copains d'Abord :*** *13, rue de l'Estacade, avant-port. ☎ 04-67-01-26-66. Tlj sf mer hors saison ; en saison, tlj sf midi lun-mer. Congés : de nov à mi-fév. Menus 18-26 € et carte.* Après avoir œuvré dans une célèbre brasserie de Bruxelles, le patron a importé au Cap ses casseroles de moules marinière et frites, avec saumon, gambas et langoustines pour plaire aux copains, d'abord...

|●| ***Le Manhattan :*** *1, rue des Corsaires, dans l'hôtel* Capaô. *☎ 04-67-26-21-54. • contact@capao.com • ♿ Tlj avr-fin sept. Menu servi midi et soir en sem 25 €, autres menus 45-55 € et carte. Apéritif maison offert sur présentation de ce guide.* Vaste salle moderne prolongée par une belle véranda. Une adresse réputée pour ses « coquillages et crustacés », bourride de lotte, rouille de seiche et *parilladas* de poissons. Ambiance quasi sélecte qui tranche un peu sur l'environnement immédiat. Piscine et terrasse.

|●| ***Le Brasero :*** *port Richelieu, rue de la Gabelle. ☎ 04-67-26-24-75. Tlj sf jeu hors saison. Formule plat du jour et dessert 11 €, menu express midi en sem 14 €, puis menus 18-30 € et carte.* Plus de 30 ans de métier, ça assoit la réputation d'un homme et ça fait de la maison une référence dans le coin. L'environnement a certes changé, mais Georges Millares, un ancien boucher, n'a pas bougé d'un poil. Belles cartes de menus solides, qui devraient vous faire voir et humer du pays, côté terre comme côté mer (bourride de baudroie, anchois au citron, magret du périgord...). Du sérieux, quoi !

Sur la plage

|●| Sinon, il y a les ***restos de la plage Richelieu est,*** où vous pouvez tester votre degré d'intégration dans le paysage, comme le ***Tequila Plage,*** un bar-restaurant proposant, en toute logique, poissons grillés et salades, rendez-vous des surfeurs et des sportifs ; ou ***La Plage du Golf,*** un resto à l'image de l'hôtel, où les *Weston* sont plus courantes que les sandales.

À voir

🚶🚶 ***Le musée de l'Éphèbe :*** *mas de la Clape. ☎ 04-67-94-69-60. ♿ Ouv tte l'année (hors exposition), tlj 9h-12h, 14h-18h. Entrée : 4 € ; réduc.* Ce beau musée très bien conçu fait revivre le passé d'Agde en s'appuyant sur de magnifiques collections d'archéologie sous-marine, rassemblées au gré des fouilles ou de découvertes dues au hasard. Un hasard qui fait particulièrement bien les choses : en plus d'une riche collection de vaisselle et d'armement d'époque Louis XIII, de cargaisons entières d'amphores gréco-romaines et d'une formidable mosaïque du Ier siècle en parfait état de conservation (le sujet rare traite de la joute musicale entre Apollon et Marsyas, et de la condamnation du satyre), ce musée est célèbre pour son département de bronzes antiques trouvés *in situ*. Il devient ainsi la principale collection de l'Hexagone dans ce domaine. À voir surtout pour ses trois pièces majeures, réunies dans une muséographie exemplaire autour de l'*Éphèbe* hellénistique remonté en 1964 par Jackie Fanjaud du lit de l'Hérault : splendide ! Il a été rejoint par les deux statues découvertes par Nicolas Figuerolles au large des côtes, représentant, l'une, un enfant en tunique et l'autre, un *Éros* potelé. Mais il serait injuste de ne pas évoquer les autres pièces de la riche collection, comme ce trépied étrusque du Ve siècle av. J.-C., ou cette aile de la Victoire... Grandes expositions temporaires.

À faire

Plongée : *un bon club de plongée au Cap-d'Agde,* Abyss Plongée, *21, pl. du Globe. ☎ 04-67-01-50-54.* • *abyssplonge.com* • Fonds sous-marins très intéressants dans ce secteur. Baptême (à partir de 8 ans), cours et stages tous niveaux. Un must : une épave à 11 m, donc accessible aux débutants. Bonne ambiance.

Le sentier sous-marin : *au pied des falaises de la plage de la Grande-Conque. ☎ 04-67-01-60-23 (résa pour les sorties accompagnées).* En plongée libre ou dans l'eau jusqu'à la taille, un parcours de 300 m balisé, pour découvrir faune, flore et paysages sous-marins. *15 juin-15 sept, 4 sorties/j. (parcours libre possible en juil-août). Compter de 1h30 à 2h. Prix : 10 € par pers, matériel compris. À partir de 8 ans (autorisation parentale obligatoire).*

➢ ***Découverte du fort de Brescou :*** *pour s'y rendre, bateaux de promenade au départ du Cap-d'Agde et du Grau-d'Agde (15 mn de trajet). ☎ 04-67-21-38-72. Compter 7 €/pers selon point de départ ; réduc. Sur place, visite commentée du fort en saison : 3 € ; 1,50 € pour les enfants.* L'intérêt stratégique d'Agde sur la Méditerranée est redécouvert par l'État et surtout par le cardinal de Richelieu au XVIIe siècle. Ce dernier veut faire du site du Cap-d'Agde le grand port qui manque au royaume de France sur le golfe du Lion. Il entreprend même la construction d'une jetée pour relier l'îlot Brescou au continent, chantier interrompu l'année de sa mort... C'est en 1680 que sera construit l'actuel fort, sur les vestiges d'un premier ouvrage défensif détruit pendant les guerres de Religion. Il servira par la suite de prison d'État.

Faites une pause gourmande en revenant auprès de Marie-Louise, au *Ô Kakaô Beach (ouv avr-sept),* sur le mail de Rochelongue (plage). Un maître glacier qui vous fera fondre.

PÉZENAS (34120) 7 800 hab.

Une petite ville au patrimoine étonnamment riche. Colonie de droit latin au temps des Romains, Pézenas jouissait d'un statut tout à fait privilégié qui lui conférait une place de premier plan dans la région. *Piscène* et ses laines étaient réputées. Pline l'Ancien les considérait comme les meilleures de l'Empire. Les invasions barbares devaient bouleverser cet ordre établi, et la ville s'enfonça pour plus de quatre siècles dans une nuit qui semblait ne pas finir.

En 1261, Saint Louis achète la ville, qui devient domaine royal. Un vrai tournant s'opère alors pour Pézenas. Le roi octroie un droit de foire, les états généraux du Languedoc se tiennent ici, des gouverneurs illustres se succèdent :

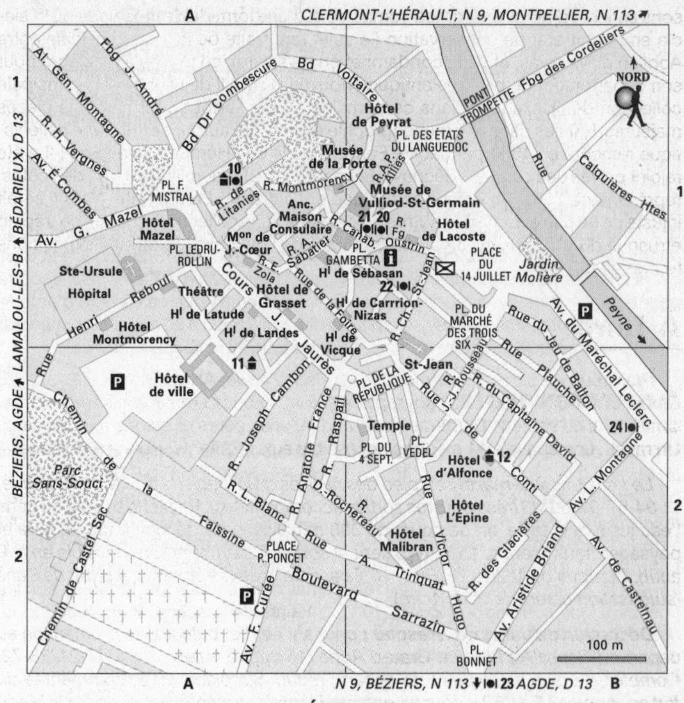

PÉZENAS

Adresses utiles	11 Hôtel de Vigniamont
Office de tourisme de Pézenas Val d'Hérault	12 Hôtel d'Alfonce
Poste	20 La Pomme d'Amour
Où dormir ? Où manger ? Où boire un verre ?	21 La Terrasse
10 Chambres d'hôtes La DorDîne	22 Les Palmiers
	23 Les Marronniers
	24 L'Entre-Pots

ducs de Montmorency, prince de Conti, etc. La cité méritait alors le nom de « Versailles du Languedoc ». Elle arbore à cette époque le visage qu'on lui connaît aujourd'hui. Mais au début du XVIIIe siècle, les années brillantes sont totalement terminées. Toutefois, la vie poursuit son cours, le commerce continue, et les notables n'ont pas délaissé la cité qui a conservé un très beau patrimoine architectural. Un patrimoine particulièrement riche et varié, qui inspire beaucoup d'artisans d'art, qui travaillent désormais à l'année dans la vieille ville, contribuant à la valorisation et l'animation d'un centre historique classé secteur sauvegardé.

Une curiosité à ne pas manquer, chaque année, le Mardi gras et le 1er dimanche de juillet : pour perpétuer la naissance d'un royal poulain, une dizaine de Piscénois, à cheval sur les traditions, promènent leur mascotte, un bel animal en bois, recouvert de tissu bleu nuit, dans toute la ville.

DE MOLIÈRE-LA-POINTURE À BOBY LAPOINTE

Jean-Baptiste Poquelin, rejeté de Paris, partit sur les routes de France en 1645 et arriva à Pézenas en 1650, à 28 ans. Sa troupe se retrouve quelques années plus tard sous la protection du prince de Conti, qui servit de modèle pour *Don Juan.* La tradition veut que *Le Médecin volant* fût créé ici. L'année 1657 marque le départ de Molière et la fin de la protection princière.
L'autre figure de Pézenas, plus proche de nous dans le temps, s'appelle Boby Lapointe. Né en 1922, exactement trois siècles après Molière, il connut un succès fulgurant à Paris. Spécialiste des chansons à texte, il maniait le français avec une dextérité qui lui était toute personnelle. *Aragon et Castille* permit à Bourvil de le remarquer. En 1960, il accéda à la célébrité grâce à François Truffaut qui le fit tourner et chanter dans *Tirez sur le pianiste.* Il y interpréta *Avanie et Framboise,* accompagné par Charles Aznavour au piano. En même temps que sa carrière d'acteur-chanteur, il était mathématicien. Comme Molière, il décida à 50 ans d'aller chercher ailleurs « un endroit où d'être homme d'honneur on ait la liberté ».

Adresses utiles

- ***Office de tourisme de Pézenas Val d'Hérault*** *(plan B1)* ***:*** *1, pl. Gambetta, boutique du barbier Gély. Attention, nouvelle adresse à partir d'avr 2008 : Hôtel de Peyrat, pl. des États-du-Languedoc (plan B1). ☎ 04-67-98-36-40 ou 35-45. Tlj 9h-12h, 14h-18h (17h dim) ; juil-août, non-stop, 9h (10h dim)-19h (22h pdt les nocturnes mer et ven). Vente de billets SNCF en sem.*

- ***Maison des métiers d'art du pays de Pézenas*** *(plan A-B1)* ***:*** *6, pl. Gambetta, dans l'ancienne maison des consuls. ☎ 04-67-98-16-12.* Pour tout savoir sur les métiers d'art et les savoir-faire de la région, ainsi que, c'est normal dans la ville de Molière, sur les métiers de la scène. Expositions toute l'année.

Où dormir ?

Prix moyens

Chambres d'hôtes La DorDîne *(plan A1,* ***10****)* ***:*** *9, rue des Litanies. ☎ 04-67-90-34-81. • info@ladordine.com • ladordine.com • Doubles 40-50 € selon confort, petit déj compris. Table d'hôtes 20 €/pers le soir sur résa.* Mieux vaut ne pas trop abuser du picpoul ou avoir des notions d'alpinisme avant d'aller se coucher ! Car cette sympathique maison ancienne est à sa place dans la vieille ville : tarabiscotée à souhait et traversée par un escalier raide digne d'une tour de guet. Les chambres simples sont bien tenues, mais la vraie bonne surprise est dans l'assiette. Ce couple dynamique a fait ses classes chez les grands et sert un petit déj d'anthologie. Tout est frais et fait maison (pain, brioches, gâteaux...), ce qui laisse présager des dîners servis à la table d'hôtes. Conseils en vins très judicieux, la marotte d'Aurélien.

Beaucoup plus chic

Hôtel de Vigniamont *(plan A2,* ***11****)* ***:*** *5, rue Massillon. ☎ 04-67-35-14-88. • info@hoteldevigniamont.com • hoteldevigniamont.com • Ouv avr-fin oct. Doubles 100-135 € selon confort et saison, petit déj compris.* Parler de confort et d'atmosphère cosy chez les Anglais relève du pléonasme, mais lorsque l'élégance se mêle à la partie, on frôle le sans-faute. Les couleurs, le mobilier et l'atmosphère générale des belles chambres s'accordent harmonieusement à ce charmant hôtel du XVIIe siècle. Enfin, délicate attention, les hôtes offrent le soir un apéro servi sur la délicieuse terrasse perchée sur les toits.

Hôtel d'Alfonce *(plan B2,* ***12****) : 32, rue Conti. ☎ 04-67-90-71-89. • c.aubert@libertysurf.fr • hoteldalfonce.com • Ouv tte l'année. Slt 2 chambres avec bains 100-120 €, petit déj compris.* On ne sait pas si Molière a séjourné ici, mais il y donna la première représentation du *Médecin volant* en 1655. Il faut reconnaître que le cadre est exceptionnel, avec ses colonnes torses monolithes de la première galerie et la superbe façade renaissance à l'italienne de la seconde cour. Les immenses chambres sont à l'inverse plutôt sobres... Petit déj servi sur la très belle loggia en saison.

Où manger ?

De bon marché à prix moyens

La Pomme d'Amour *(plan B1,* ***20****) : 2, rue Albert-Paul-Alliès. ☎ 04-67-98-08-40. Fermé lun soir et mar sf en juil-août. Congés : janv-fév. Plat du jour 8,50 €, menus 11-21,50 € ; carte env 30 €.* Dans le cœur historique, les vieilles pierres de la maison cachent un petit resto sans prétention, où les quelques tables se serrent sous les grosses poutres avant de déborder sur un joli petit bout de terrasse. Cuisine du terroir simple et très correcte et quelques spécialités, comme les moules à la crème et à l'ail ou la salade d'oranges. Excellent rapport qualité-prix et accueil agréable.

La Terrasse *(plan B1,* ***21****) : 2, pl. Gambetta. ☎ 04-67-98-25-11. ♿ Tlj sf lun en hte saison ; tlj sf mer soir et jeu le reste de l'année. Menus midi en sem 13 €, carte env 16 €. Café offert sur présentation de ce guide.* On aime bien cette terrasse conviviale déployée sous les frondaisons. Atmosphère chaleureuse et animée, on peut le dire, car le couple de Lozériens sympathiques qui tient ce resto s'y entend pour accueillir et retenir les clients. On y dévore des « ommelettes » (écrites comme ça sur la carte à cause d'habitués de l'île de Beauté, certainement, qui en redemandaient) dont une au foie gras poêlé. Cuisine du marché généreuse et ensoleillée, qu'ils disaient.

Les Palmiers *(plan B1,* ***22****) : 10 bis, rue Mercière, cour les Palmiers. ☎ 04-67-09-42-56. Avr-fin sept, tlj sf dim. Menu midi en sem 15 €, carte env 30 €.* Déco de néobistrot gentiment bobo, aux tables de bric et de broc disséminées dans la cour intérieure ou sur la galerie supportée par des poutrelles métalliques. Très réussi dans son genre. La carte justifie les tarifs un peu élevés, avec des spécialités de qualité préparées avec de bons produits.

Les Marronniers *(hors plan par B2,* ***23****) : 6, av. de Verdun. ☎ 04-67-90-13-80. ♿ Tlj sf dim-lun. Congés : fêtes de fin d'année. Carte slt, env 25 €. Café offert sur présentation de ce guide.* Un lieu branché dans ce qui fut une belle maison de maître, à l'entrée de Pézenas. Déco et accueil très sympas. Ici, le saucisson sec rencontre des tapas plus sophistiquées et les touristes de passage côtoient le notaire ou les brocanteurs de la ville. Bonne petite cuisine de marché à base de produits espagnols, proposée à l'ardoise (desserts moins convaincants). Ambiance détendue dans la salle façon bistrot ou sous les marronniers de la jolie terrasse.

L'Entre-Pots *(plan B2,* ***24****) : 8, av. Louis-Montagne. ☎ 04-67-90-00-00. • entre-pots@orange.fr • À l'entrée de Pézenas, grand parking le long des quais. Tlj sf dim, lun midi et mar midi. Plat du jour 10 € avec dessert à la carte. Menus midi en sem 20-25 €. Vins à partir de 4 € au verre et 17 € en bouteille.* Pas un gastro de plus mais un resto dans l'air du temps, dans l'assiette comme sur les murs. Un resto zen, à la déco épurée dans les tons beige, taupe et chocolat, où l'on se fait plaisir avec des plats de l'arrière-pays, qui sentent moins la fusion (food) que les herbes de la garrigue. Le lieu ? Un ancien entrepôt à vins, d'où le nom du resto, même si l'on a le sentiment de se retrouver ici « entre potes » ! Coin épicerie à l'entrée, près du bar. Carte des vins volontairement courte, dédiée aux vins de la région (et quels vins pour certains !). Terrasse côté cour, un poil branchée elle aussi.

Où acheter de bons produits ?

***Les Artisans Confituriers :** 2, rue de la Foire. ☎ 04-67-98-24-99. Tlj sf lun hors saison, jusqu'à 19h30.* Vous pouvez aller goûter, les yeux fermés, les confitures d'amour de dame Nadine de Brabandère, elle arrivera toujours à vous piéger et à vous faire prendre pour une confiture de marron ce qui n'est en fait que de la pomme de terre. Étonnant.

***Confiserie Boudet :** chemin de Saint-Christol. ☎ 04-67-98-16-32. • les berlingotsdepezenas.com •* Seule la maison *Boudet* continue aujourd'hui la fabrication artisanale des authentiques **berlingots de Pézenas.** *Visite de la fabrique et dégustation, sur simple demande, de mi-juin à fin sept, lun-ven 9h-11h30 (durée : 30 mn env). Hors saison, slt sur rendez-vous.*

***Maison Alary :** 9, rue Saint-Jean. ☎ 04-67-98-13-12. Fermé lun hors saison.* C'est à une recette anglaise mi-sucre mi-mouton, apportée au milieu du XVIIIe siècle par les cuisiniers indiens de lord Clive, le vice-roi des Indes venu se mettre au vert près de Pézenas, que l'on doit les fameux *petits pâtés* ; à consommer légèrement chauds, en début de repas, avec un blanc sec, genre picpoul de Pinet.

À voir. À faire

– L'office de tourisme de Pézenas (voir « Adresses utiles ») organise des ***visites guidées du centre historique.*** *En juil-août, départ lun-sam à 17h. Prix : 5 €. Également des* ***visites nocturnes théâtralisées*** *avec des comédiens, chaque mar à 20h30.*

***La vieille ville :** se munir du plan vendu à l'office de tourisme de Pézenas (2 €) et suivre le fléchage correspondant, très bien fait.* Ne pas manquer la boutique du barbier Gély, pour le souvenir de Molière, l'hôtel Carrion-Nizas (rue de la Foire), le quartier juif (le ghetto)...

***Le musée de la Porte** (plan A1) **:** L'Échoppe du Menuisier, 5, rue Montmorency. ☎ 04-67-98-35-05. Tlj sf dim mat et lun (horaires fluctuant en fonction de la disponibilité des bénévoles). Gratuit.* À quelques pas de la butte du château, un lieu insolite, dû à l'initiative d'une poignée de bénévoles, plaidant pour la sauvegarde des métiers du bois. Au-delà de l'impressionnante collection de portes (plus de 80), heurtoirs, outils anciens, un espace de discussions et de rencontres.

Les boutiques d'artisans : elles font désormais partie du patrimoine de Pézenas. Nombreuses, variées et parfois intrigantes, comme celle d'***Éric Bourneil** 11, rue Triperie-Vieille ; ☎ 04-67-98-29-97,* tout entière tournée autour de l'arbre. Au moins, vous ne risquez pas de casser les verres de cet étonnant tourneur sur bois. Pendant que vous y êtes, allez faire un tour chez ***Aparté** (rue de la Foire ; ☎ 04-67-98-03-04)*, une librairie d'occasion avec un coin pour prendre le thé.

***L'atelier Flipo :** 7, rue des Orfèvres. ☎ 04-67-98-06-02. • emmanuelflipo.com •* Flippant, le peintre Flipo ? Rassurant, plutôt, et tellement dans l'air du temps que vous ne pouvez pas le manquer !

***Le musée de Vulliod-Saint-Germain** (plan B1) **:** 3, rue A.-P.-Alliès. ☎ 04-67-98-90-59. Hors saison, tlj sf lun 10h-12h, 14h-17h30. En été, tlj sf lun 10h-12h, 15h-19h. Entrée : 2,50 € ; réduc.* Dans un bel hôtel de la vieille ville, petite section lapidaire et reconstitution d'une cuisine languedocienne en sous-sol, salons dans les étages meublés d'époque (du XVe au XVIIIe siècle) et agrémentés de cinq belles tapisseries d'Aubusson et de collections de faïences de Montpellier, de Moustiers et de Delft. Sans oublier bien sûr les souvenirs du passage de Molière.

L'église Saint-Jean** (plan B1-2) **: reconstruite au début du XVIIIe siècle. Contient des boiseries, stalles et tableaux. En face, superbe façade de la maison dite des Commandeurs.

Musée Boby-Lapointe (plan A-B1) : *3, pl. Canabasserie.* ☎ *04-67-21-02-87.* • *bobylapointe.com* • *Ouv tte l'année : oct-mai, ven-dim 15h30-19h ; juin-sept, mar-dim 16h30-20h (également des nocturnes en juil-août).* Fans de la première heure ou curieux bien inspirés iront visiter ce musée insolite, où une poignée d'irréductibles très accueillants présentent photos rares, documents sonores et audiovisuels sur Boby Lapointe. Les purs et durs ne manqueront pas de prendre date pour le prochain festival !

Scénovision Molière : *Hôtel de Peyrat, pl. des États-du-Languedoc. Ouverture en avr 2008.* Parcours-spectacle ludique et interactif illustrant la vie du comédien en 5 actes et en 3 D ! L'hôtel de Peyrat accueillera, dès l'été 2008, le ***Centre d'interprétation de l'architecture et du patrimoine,*** avec une expo permanente sur l'architecture du XVIIe siècle *(mêmes horaires que l'office de tourisme ; accès gratuit).*

Manifestations

– ***Un vigneron invite un photographe :*** *de mi-juin à fin sept.* Une idée séduisante, qui mêle tous les plaisirs des sens... En visitant un domaine, le nez plongé dans le verre à dégustation, on en profite pour découvrir les photographies d'artistes contemporains exposées pour l'occasion.
– ***Les nocturnes :*** *en juil-août, Pézenas joue les noctambules chaque mer et ven soir.* Échoppes d'artisans, boutiques de produits du terroir et lieux d'exposition participent à la grande veillée jusqu'à 23h au moins.
– ***Mirondela dels Arts :*** *juil-août.* Expos, théâtre, concerts.
– ***Festival international de l'image des métiers :*** *le 1er w-e d'oct.*

➤ DANS LES ENVIRONS DE PÉZENAS

Sortir en direction de Montpellier-Lodève. On longe la Grange des Prés, où le prince de Conti tenait cour ouverte et où séjourna Molière. Prendre la N 113 et après le pont sur l'Hérault tourner à droite au panneau Aumes sur la D 161. Petit village qui domine la plaine de l'Hérault. Panorama depuis le Pioch du Télégraphe. Voir aussi le *château de Marennes* du XIIIe siècle (pour les chineurs) et faire un tour au domaine vinicole de *Saint-Martin-de-la-Garrigue* pour ses beaux flacons. Continuer la D 161 jusqu'à Montagnac.

MONTAGNAC (34530)

L'histoire du village est mentionnée dès 938 avec la belle église Notre-Dame (aujourd'hui Saint-André), de style gothique méridional. Il devient ville royale au milieu du XIIIe siècle et domine le commerce languedocien avec de grandes foires nationales jusqu'à la Révolution. Le village se couvre alors de riches hôtels particuliers (XVe-XVIIe siècle), avec de beaux portails, façades et escaliers, encore bien conservés. On trouve aussi quelques maisons vigneronnes (avec le magasin en rez-de-chaussée, où étaient remisés les cuves, le pressoir, etc.), datant du XIXe siècle. À quand la déviation tant attendue ? Les pancartes qui se multiplient (« Tous contre le vacarme routier ») donnent une idée de la lassitude des habitants de ce bourg qui pourra, une fois débarrassé du fléau, redevenir agréable à vivre, même le temps d'un court séjour.

Adresse utile

Office de tourisme : *5, av. Pierre-Azéma.* ☎ *04-67-24-18-55.* • *ville-montagnac.fr* • *Juil-août, tlj 10h-12h, 16h-19h ; le reste de l'année, lun, mer et ven 9h-12h, 14h-18h, ainsi que mar 9h-12h, fermé mar ap-m, jeu et w-e.* Toutes les infos sur les animations culturelles et sportives, ainsi que les sentiers de balades et de randonnées dans les environs de Montagnac. Propose aussi des visites guidées du sentier botanique et du joli village d'Aumes, à 3 km.

Où dormir ?

Camping à la ferme et gîtes : *chez M. et Mme Crebassa, domaine Saint-Martin-du-Pin. ☎ 04-67-24-00-37. • elise_crebassa@yahoo.fr • saint-martin-du-pin.com • ♿ En quittant Montagnac en direction de Mèze, suivre la route à droite à la fin de la 4-voies. Ouv juin-fin sept. Compter 20 € en hte saison pour 2, un emplacement et une voiture. Loc de mobile homes et gîtes : 250-460 €/sem.* Perdu en pleine campagne, un petit camping familial très bien tenu par un couple de vignerons souriants. Une vingtaine d'emplacements agréables profitant d'une vue dégagée sur les environs. Jardin, ping-pong et piscine.

Domaine Savary de Beauregard : *La Vernazobre, à 4 km de Montagnac, sur la N 113 direction Mèze. ☎ 04-67-24-00-12. • christophe.savary34@wanadoo.fr • Ouv tte l'année. Appartements pour 5-6 pers 350-790 €/sem selon saison, possibilité de loc au w-e. Une bouteille de vin du domaine offerte sur présentation de ce guide.* Au bout d'une allée d'oliviers, dans un mas typiquement languedocien, entouré de vignes et suffisamment loin de la route pour laisser le « chant » libre aux cigales. Maison vigneronne oblige, on loge au choix dans l'appartement Chardonnay, au 1er étage de la maison principale, ou dans la maison Grenache avec entrée indépendante. Les deux gîtes sont spacieux et bien équipés, et profitent d'une belle piscine ainsi que d'une terrasse ombragée. En prime, Christophe Savary de Beauregard est tout à fait charmant, et connaît tous les bons plans pour rayonner dans les environs.

L'ABBAYE DE VALMAGNE

Prendre la D 5 à gauche à Montagnac, direction Villeveyrac. Infos : ☎ 04-67-78-06-09 ou 04-67-78-47-32. • valmagne.com • En été, visite guidée tlj 10h-12h, 14h30-18h ; le reste de l'année, tlj 14h30-18h. Entrée : 6,80 € ; réduc. Un mythe pour les admirateurs d'architecture romane et gothique. Éblouissant ensemble que constituent l'église gothique convertie en chai après la Révolution, avec ses foudres impressionnants et sa croix en ceps de vigne (!), un cloître d'un charme fou, avec sa fontaine, et une salle capitulaire d'une grande pureté. L'environnement est magnifique et, surtout, vous pouvez désormais tout savoir sur les jardins médiévaux grâce à celui réalisé avec amour et intelligence aux portes de l'abbaye (accessible d'avril à la Toussaint). On y trouve même une reconstitution de verger-cimetière, un rucher, un jardin de simples (logique) et un cloître végétal. Plusieurs panneaux explicatifs dévoilent tous les secrets de ces plantes méconnues, sans oublier d'aborder l'environnement historique et la vie monastique. Également un conservatoire des cépages. Après ça, on en oublie de parler des vins de la maison. Tant pis, vous n'avez pas besoin de nous pour les acheter...

SAINT-PONS-DE-MAUCHIENS

Prendre la D 5 puis la D 161 à droite jusqu'à Saint-Pons-de-Mauchiens (7 km). Visible à 10 lieues à la ronde, un de ces villages à plan circulaire appelés *circulades* et dont l'origine remonte au Moyen Âge.
À voir : l'*église* du XIe siècle, les remparts et le chemin de ronde du château construit en 1199, résidence des évêques d'Agde, ainsi que la façade de la *maison des Émigrés* des XVIe et XVIIIe siècles.
Dégustation de vins rouges, rosés et blancs, à la cave coopérative de Mauchiens, par n'importe quel temps.

PAULHAN (34230)

Pourquoi les étiquettes des bouteilles de vin sont-elles aussi jolies ? Elles reproduisent l'ermitage de Vareilles. Il est vrai qu'au milieu des vignes, hissé sur un monticule, protégé par un pin et un cyprès, il réjouit l'œil depuis le Xe siècle. Pour le dénicher, prendre la direction d'Adissanet : à gauche, vous apercevrez la butte.
Paulhan est au cœur du ***circuit des Circulades,*** qui devrait voir le jour si les communes du Bas-Languedoc arrivent à se mobiliser pour mettre en valeur ce patrimoine méconnu. Ici, entrer dans un village par un passage entre deux maisons, ou par une porte monumentale, s'engager dans une ruelle fleurie et se retrouver à son point de départ n'a rien d'étonnant. Cette forme curieuse, il aura fallu attendre près de 1 000 ans pour lui donner un nom, et reconnaître leur similitude à tous ces villages suivant le même plan circulaire, autour de l'église ou du château.
– Pour en savoir plus sur les circulades : mairie de Paulhan. ☎ 04-67-25-31-42.
• circulades.com •
Prendre ensuite la D 30 jusqu'à ***Adissan,*** village producteur de clairette, vin blanc AOC qui était naguère à la base du Vermouth. Continuer par la D 174 jusqu'à ***Caux,*** autre petit village médiéval en forme de circulade (ruelles anciennes, église classée). Prendre la D 30 en direction de Roujan.

LE CHÂTEAU-ABBAYE DE CASSAN

À 10 km de Pézenas, direction Roujan (autre circulade répertoriée). ☎ 04-67-24-52-45. • chateau-cassan.com • En été, tlj 10h-19h ; sept, lun-ven 14h-19h, w-e 10h-19h ; oct, ouv slt le w-e 10h-19h. Fermé l'hiver. Entrée : 7 € ; réduc. Une des plus belles abbayes classiques de France (visite libre avec fascicule). Organise de nombreux concerts en saison estivale. Prendre la D 13 pour revenir sur Pézenas.

CASTELNAU-DE-GUERS (34120)

Sur une colline dominant la vallée de l'Hérault, au sud-est de Pézenas, un village médiéval intéressant : vestiges du château féodal, église Saint-Sulpice, maisons des XVIe et XVIIe siècles.

Où dormir ?

Domaine de Piquetalen : *route d'Aumes. 06-07-15-67-61. • cpradelle@wanadoo.fr • piquetalen.com • Sur la D 161 en direction d'Aumes. Selon saison, doubles avec bains 70-100 €, petit déj compris. Gîtes pour 6 pers : 500-1 300 €/sem. Apéritif maison offert sur présentation de ce guide.* Une vieille maison tricentenaire isolée dans un domaine viticole en pleine campagne. Calme et repos assuré. Jardin, piscine, sauna et vue superbe depuis la terrasse. Gîtes soignés avec pierre apparente et parquet, aménagés façon chambres d'hôtes.

VALROS (34290)

Entre Béziers et Pézenas, sur ce chemin d'histoire qu'est la nationale 9, petit arrêt pour amateurs d'insolite et amoureux de l'art de vivre.

Où dormir ?

L'Orangerie : *31, impasse du Portail. ☎ 04-67-09-96-90. • fbesset@yahoo.com • orangerie-france.com • Ouv tte l'année sur résa. Doubles 65-85 € selon*

L'HÉRAULT

confort, petit déj inclus. Possibilité de table d'hôtes 25 €. Apéritif maison offert sur présentation de ce guide. Séduisante maison de maître restaurée avec soin dans le respect du patrimoine (le mur de l'escalier n'est autre que celui de l'ancien rempart !). La déco est à l'avenant, élégante, mêlant des meubles choisis dans un environnement coloré aux tonalités douces. Des chambres douillettes, un salon TV reposant, une salle à manger égayée d'un bon feu de cheminée les jours de frimas, et plein de petits plus comme la chaîne hi-fi dans la suite romantique à souhait ou la piscine-jacuzzi dans le patio. Un vrai cocon ! Accueil dynamique et pas compliqué.

À voir. À faire

Le jardin de Saint-Adrien : *à 4 km de Servian, sur la N 9, à mi-chemin de Pézenas et Béziers. ☎ 04-67-39-24-92. • http://stadrien.paysdepezenas.com • ♿ (partiellement) Visite de Pâques à fin oct, dim et j. fériés 14h-19h. Des « balades sympas » sont organisées de juin à fin sept, ven et mer à 17h. W-e exceptionnel « Pentecôte et patrimoine » (artistes au jardin). Entrée : 5 € ; moins de 12 ans : 2,50 €. Rafraîchissement offert sur présentation de ce guide.* Un jardin hors normes, comme vous l'expliqueront ses créateurs, qui font eux-mêmes la visite. Il leur a fallu 17 ans pour métamorphoser une ancienne décharge, sur les lieux mêmes de l'exploitation d'une carrière datant du Moyen Âge, en un véritable jardin d'Éden. Plusieurs essences magnifiques et différents bassins peuplés de poissons émaillent ce parc de 4 ha, qui accueille certains soirs de mémorables concerts. Vraiment très réussi ! Le jardin a reçu en 2005 le label « Jardin remarquable ». Rafraîchissement offert sur présentation de ce guide.

➢ Pour les amateurs de grands vins du Languedoc, autre halte possible, avant d'arriver à Béziers, au ***domaine de la Baume*** (c'est le chemin suivant, sur la droite). Visite des chais, dégustation de vins. *Boutique ouv lun-sam.*

BÉZIERS ET SES ENVIRONS

La vigne et toujours la vigne. Pour découvrir Béziers sous son meilleur jour, prenez les routes de l'arrière-pays, plutôt que la N 9, depuis Pézenas. La D 13, route des « circulades », commencée dans l'arrière-pays de Pézenas, mène tout droit au Faugérois, un des fleurons du vignoble languedocien grâce à ses AOC. Depuis ses moulins à vent, belle vue sur toute la plaine viticole, vers Béziers et la mer.
Ne vous fiez pas à l'apparente monotonie du paysage. La route des vins permet de découvrir les charmes cachés d'un pays secret.

LA ROUTE DES VINS, DE FAUGÈRES À BÉZIERS

FAUGÈRES *(34600)*

Célèbre pour ses vins, la petite cité l'est également pour ses trois magnifiques moulins à vent en état de marche. Musée de la Vigne et du Vin à Faugères.

Où dormir dans les environs ?

Chambres d'hôtes La Coquillade : *rue du 8-Mai, 34480 Autignac. ☎ 04-67-90-24-05. À 7 km au sud de Faugères. Doubles 54 €, petit déj compris. Possibilité de gîte pour 4-5 pers (210-490 €/sem selon saison). Sur présentation de ce guide, 10 % de réduc hors saison à partir de 4 nuits.* À deux pas de l'église d'un village paisible, une maison à l'ancienne mode dotée de trois chambres avec sanitaires privés. Déco simple privilégiant le carrelage et les lambris, bon confort (machine à café, frigo, TV) et entretien parfait. Christian et Josette ont un long passé de vignerons et sauront vous conseiller de belles excursions. Une adresse chaleureuse et authentique.

À voir

Le Faugérois : un terroir qu'il est grand temps de redécouvrir, car il cache quelques splendeurs. La zone d'appellation contrôlée comprend, outre Faugères, Aigues-Vives, Autignac, Cabrerolles, Castelsec, Caussiniojouls, Fos, Laurens, Lentheric, La Liquière et Roquessels. Prenez le temps de visiter, de suivre les petits chemins, qui plairont aux curieux de la nature, depuis les nombreuses *capitelles*... jusqu'aux vignes en terrasses de schiste.

L'Oustal des Abeilles : *au hameau de Soumartre. ☎ 04-67-23-05-94. En juil-août, tlj sf lun 10h-13h, 16h-20h ; hors saison, mer, sam et dim 10h-12h, 15h-19h. Congés : janv.* Un petit écomusée de l'apiculture. La visite commence par un diaporama, se poursuit par l'observation de la coupe d'une ruche débordant d'activité (vitrée, rassurez-vous !), puis on vous montre un rucher traditionnel fait d'un tronc de châtaignier recouvert de lauzes. Également un petit film de 15 mn détaillant le travail des apiculteurs. La visite se termine comme il se doit par une dégustation de miel. Il n'est pas interdit d'acheter son petit pot.

MAGALAS (34480)

À 22 km au nord de Béziers, par la D 909.

Adresse utile

Office de tourisme intercommunal : *espace vins et campanes. ☎ 04-67-36-67-13. Mai-fin oct, mar-sam 9h-12h, 15h-19h (et lun ap-m juin-fin sept) ; hors saison, mar-sam 9h-12h, 14h-18h.* Centre pédagogique et culturel sur la vigne et l'art campanaire avec le musée Granier. Expositions de peintures, concerts autour du carillon « Jan Dones », composé de 40 cloches.

Où dormir ? Où manger à Magalas et dans les environs ?

Chambres d'hôtes Domaine l'Eskillou : *4, rue de la Distillerie, 34480 Pouzolles. ☎ 04-67-24-60-50. • domaine.eskillou@laposte.net • http://perso.wanadoo.fr/domaine-eskillou • Pas loin du château de Margon (une imposante bâtisse féodale) et de Magalas et son aqueduc romain. Doubles avec douche et w-c ou bains 70 €, petit déj compris. Table d'hôtes 18 €, apéritif et vin compris. 10 % de réduc accordés sur le prix de la chambre en avr (vac de Pâques).* Agréables chambres sans prétention et table d'hôtes dans une ferme modernisée, rafraîchie par une piscine privée. Vous êtes accueilli par des vignerons, et ils s'y entendent ! Chacune des 5 chambres climatisées porte le nom d'un cépage. Spécialités de plats au vin du terroir, à déguster dans une salle à manger rustique avec cheminée.

Ô Bontemps : pl. de l'Église, à Magalas. ☎ 04-67-36-20-82. • contact@o-bontemps.com • Tlj sf dim-lun. Résa obligatoire, succès oblige. Formules 15-20 € le midi autour d'un plat (sf dim et fêtes) ; menus 24-50 €. Une ancienne boucherie devenue un vrai théâtre gourmand, aux couleurs du temps : vert acidulé, mauve, bois clair et pierre de pays. « Balade », « vadrouille », « excursion », les menus, selon votre faim et votre porte-monnaie, vous entraînent à la découverte d'une cuisine joyeuse, équilibrée et folle à la fois, fabuleux mélange de saveurs orchestré par un chef pétillant de vie. Olivier Bontemps ne risque pas de s'endormir dans son assiette, il bouge, invente, sourit et cuisine sans cesse. Un show-froid emballant. Nombreuses tapas pour patienter, après les moules au lard ou tout autre plat apporté d'office dans sa casserole par les joyeux marmitons. Ah, ce thon mariné juste flambé aux herbes de garrigue, devant vous, et partagé ensuite entre les convives par un « metteur en scène culinaire » qui nous donne du « bon temps », en jouant avec les mots et les saveurs tout à la fois ! Sympathique terrasse sur la place. Olivier et son équipe savent accueillir. Un lieu devenu célèbre en quelques mois, d'où les embouteillages dans les rues du village, aux heures des repas.

MURVIEL-LÈS-BÉZIERS (34490)

Au nord-ouest de Béziers, surplombant la vallée de l'Orb, un de ces petits villages en *circulade,* comme on dit par ici. Porches, fenêtres à meneaux, venelles médiévales et surtout une dizaine de pigeonniers, particularité unique dans la région. Église des XIe-XVe siècles (œuvres classées dont une exceptionnelle *Mise au tombeau*) ouverte le matin. À ne pas manquer, entre le 14 juillet et le 15 août : le mois des Petetas ! 150 poupées de chiffon, rembourrées en paille, sont réparties un peu partout dans le village, de la fin des moissons au début des vendanges. Témoignage d'une vie sociale riche en vécu affectif, comme on dit aujourd'hui, où se retrouvent les corps de métier du quotidien, les sportifs, les personnalités...

Adresses et info utiles

***Office intercommunal de tourisme des Pechs :** 10 bis, rue Georges-Durand. ☎ 04-67-32-83-45. • tourisme.pechs@orange.fr • En été, tlj ; hors saison, tlj sf lun-dim.* Visites du centre historique et des caveaux particuliers toute l'année. Nombreuses infos sur les communes environnantes.

***Au Cochon Gourmet :** route de Cazouls. ☎ 04-67-36-32-99. Fermé dim et lun mat.* Une super adresse pour amateurs de charcuterie (vente à la ferme).

– ***Marché :** pl. Parech mar et sam mat.*

Où dormir ? Où manger ?

***Chambres d'hôtes Château de Murviel :** Yves et Florence Cousquer, 1, pl. Clemenceau. ☎ 04-67-32-35-45. • chateaudemurviel@free.fr • murviel.com • Ouv tte l'année. Doubles – à partir de 2 nuits – 75-90 € selon saison, petit déj compris. Supplément pour une seule nuit : 15 €. Apéritif maison offert sur présentation de ce guide.* Une adresse de charme qui tourne rond, mieux vaut donc réserver à l'avance. Très beau château du XVe siècle, perché comme une vigie au sommet de ce village pittoresque. Au fond de la ravissante cour, un escalier conduit aux chambres originales et meublées avec raffinement (baldaquins, ciels de lits et beaux tissus se mêlent harmonieusement à la pierre apparente). Espaces communs tout aussi soignés, agréable jardin intérieur et terrasse où savourer le copieux petit déj ou prendre l'apéro en fin de journée.

🏠 |●| ***Château Saint-Martin-des-Champs :*** *route de Puimisson. ☎ 04-67-32-06-54. • reservation@hotel-chateausaintmartindeschamps.com • hotel-chateau-saintmartindeschamps.com • ♿ Congés : 3 sem en janv. Selon saison, doubles avec douche et w-c ou bains 80-117 €. Menu du jour midi 20 €, soir 25 € ; autres menus 33-45 €. 10 % de réduc sur le prix de la chambre accordés oct-avr, sur présentation de ce guide.* Un beau château classique du XVIIe siècle, isolé en pleine nature. Chambres lumineuses, tout confort, au décor de rêve. Accueil très convivial. Piscine. Resto sur place pour déguster une cuisine gastronomique. La vie aux champs telle qu'on peut la rêver... princière !

MARAUSSAN (34370)

Non loin de l'Orb, ce petit village s'enorgueillit d'avoir reçu la visite de Jaurès, lors de la construction de sa cave coopérative, la plus ancienne de France. Château classé de Perdiguier, un régal pour les yeux ; très beaux chevaux. On ne visite pas. Prenez le temps de fouiner, avant de reprendre la route de Béziers ; au détour d'une vigne se cache un château, une chapelle ou une garrigue...

Où manger ?

|●| ***Parfums de Garrigues :*** *37, rue de l'Ancienne-Poste. ☎ 04-67-90-33-76. Tlj sf mar-mer. Congés : fin août-début sept, fin oct-début nov et 1 sem la 2de quinzaine de fév. Menus 23-55 € ; à la carte, compter 40 €. Digestif maison offert sur présentation de ce guide.* Jean-Luc Santuré reçoit avec plaisir ses fidèles dans une jolie maison de pays, prolongée par une terrasse coquette, disposée dans une cour intérieure paisible. Un lieu où tout le monde se sent bien, idéal pour se concentrer sur sa cuisine ingénieuse et odorante, qui est un véritable tour de force régional, pour le plus grand bonheur des sens. Le tout animé par une équipe passionnée.

BÉZIERS

(34500) 71 400 hab.

La plus belle vue de Béziers est celle que l'on aperçoit en arrivant par la route de Narbonne : la cathédrale Saint-Nazaire, dominant la plaine, vous en met plein les yeux.

Une fois dans les faubourgs, l'image du pont Vieux sous la cathédrale est l'une de ces cartes postales inoubliables. Perchée sur son éperon rocheux au-dessus de l'Orb, la capitale du vin veille jalousement sur d'immenses domaines et des châteaux d'apparat bâtis au XIXe siècle dans le style « manoir anglais », villa à l'italienne, châteaux Renaissance, appelés « pinardiers », heureux souvenirs du temps de la fortune vinicole...

La ville s'étale paresseusement, grignotant un à un quelques pieds de vigne sur son passage. Le cœur de la cité ancienne, avec ses ruelles tortueuses, ses églises et ses hôtels particuliers, se révèle assez séduisant. Le véritable centre, ce sont les allées Paul-Riquet, longues, belles et ombragées. De l'autre côté, les quartiers populaires où l'on peut encore entendre parler espagnol. Béziers, c'est une ville qui vit au rythme du canal du Midi, doucement, tout doucement. Pas grande animation, quoique... le réveil s'annonce, selon certains, qui préfèrent souligner les efforts faits ici et là sur le plan culturel ou touristique. À vous de voir, pour savoir, en suivant notamment une des visites guidées théâtralisées de l'été, sous les étoiles...

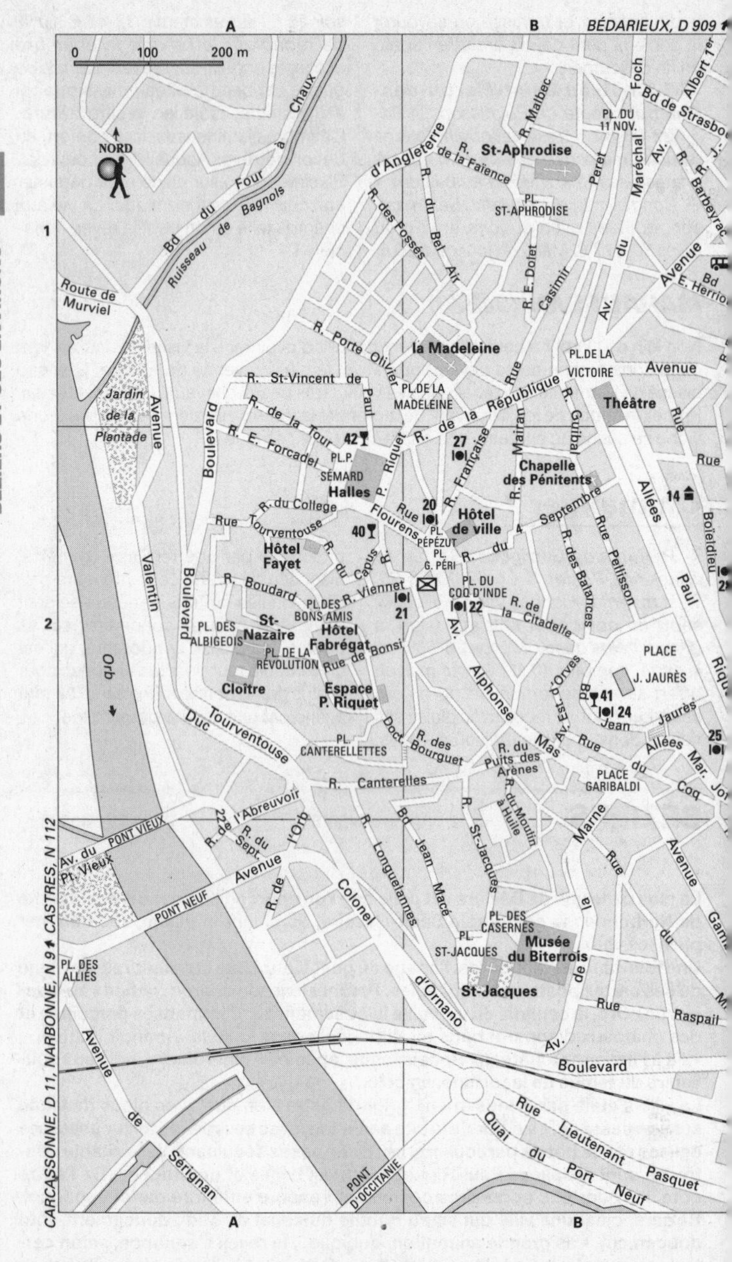
BÉDARIEUX, D 909
CARCASSONNE, D 11, NARBONNE, N 9, CASTRES, N 112
0 100 200 m
NORD
St-Aphrodise
PL. ST-APHRODISE
PL. DU 11 NOV.
Bd du Four à Chaux
Ruisseau de Bagnols
Route de Murviel
R. d'Angleterre
R. de la Faïence
R. Malbec
Bd de Strasbourg
Av. Maréchal Foch
R. des Fossés
R. du Bel Air
R. E. Dolet
Casimir Peret
R. Barbeyrac
Avenue Albert 1er
Bd E. Herriot
R. Porte Olivier
la Madeleine
PL. DE LA MADELEINE
PL. DE LA VICTOIRE
Avenue
Théâtre
R. St-Vincent de Paul
R. de la République
R. de la Tour
R. E. Forcadel
Jardin de la Plantade
Avenue Valentin
Boulevard
42
PL. P. SÉMARD
Halles
R. P. Riquet
27
R. Française
R. Mairan
R. Guibal
Chapelle des Pénitents
Allées Paul Riquet
14
R. du College
Rue Tourventouse
Rue Flourens
20
Hôtel de ville
R. du 4 Septembre
Rue Boïeldieu
40
PL. PÉPÉZUT
PL. G. PÉRI
Hôtel Fayet
R. du Capus
R. Boudard
R. Viennet
21
PL. DU COQ D'INDE
22
R. de la Citadelle
R. des Balances
Rue Pellisson
PL. DES BONS AMIS
PL. DES ALBIGEOIS
St-Nazaire
Hôtel Fabrégat
PL. DE LA RÉVOLUTION
Rue de Bonsi
Av. Alphonse Mas
Bd d'Orves
Av. Est. d'Orves
41
24
PLACE J. JAURÈS
Jean Jaurès
Orb
Cloître
Espace P. Riquet
Duc Tourventouse
R. Doct. Bourguet
R. des Bourguet
PL. CANTERELLETTES
R. du Puits des Arènes
Rue du Coq
Allées Mar. Joffre
25
PLACE GARIBALDI
R. Canterelles
R. de l'Abreuvoir
R. du 22 Sept.
PONT VIEUX
Av. du Pt. Vieux
Avenue de l'Orb
R. de l'Orb
R. Longuelannes
Bd Jean Macé
R. St-Jacques
R. du Moulin à Huile
Rue de la Marne
Avenue Gambetta
Rue du Mu
PONT NEUF
Colonel d'Ornano
PL. DES ALLIÉS
PL. DES CASERNES
PL. ST-JACQUES
Musée du Biterrois
St-Jacques
Rue Raspail
Av.
Boulevard
Avenue de Sérignan
Rue Lieutenant Pasquet
Quai du Port Neuf
PONT D'OCCITANIE
A
B
1
2

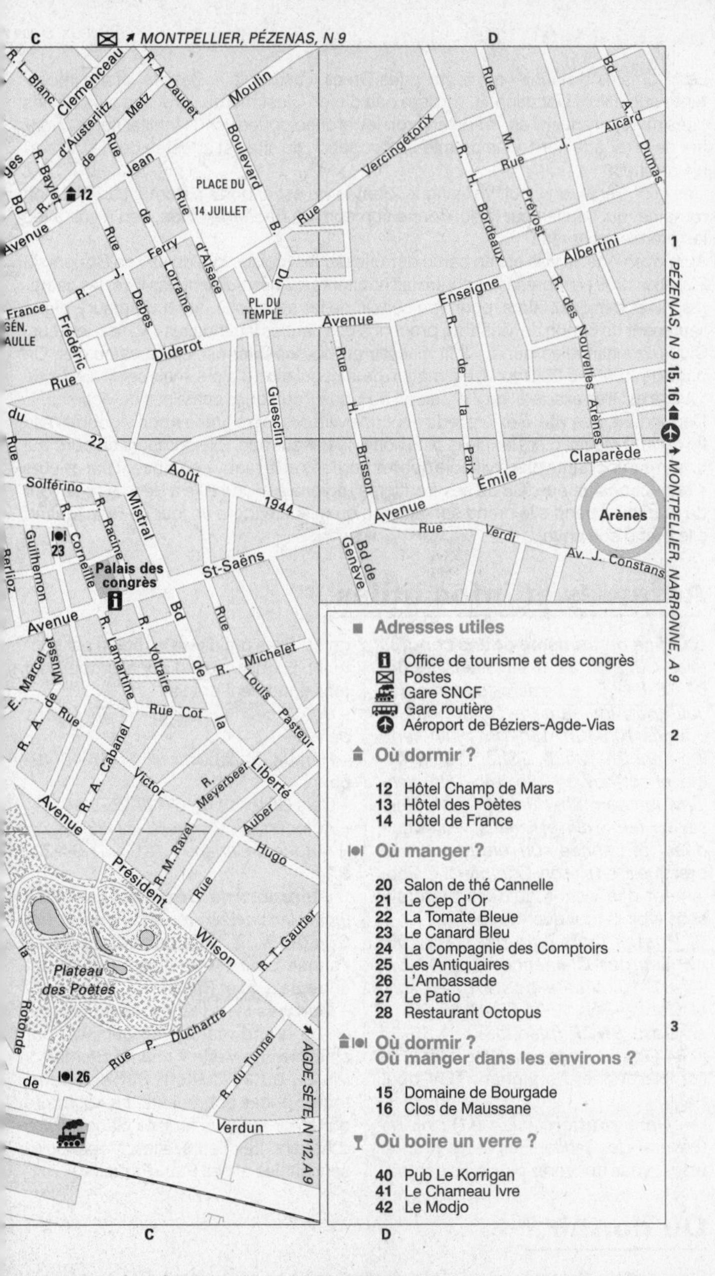
MONTPELLIER, PÉZENAS, N 9
PÉZENAS, N 9 15, 16
MONTPELLIER, NARBONNE, A 9
AGDE, SÈTE, N 112, A 9
PLACE DU 14 JUILLET
PL. DU TEMPLE
Palais des congrès
Arènes
Plateau des Poètes
Avenue Diderot
Avenue du 22 Août 1944
Avenue Émile Claparède
Avenue St-Saëns
Avenue Président Wilson
Rue Verdi
Av. J. Constans
Bd de Genève
Boulevard du Temple
Rue Vercingétorix
Avenue Enseigne Albertini
Rue de Verdun
■ Adresses utiles
Office de tourisme et des congrès
Postes
Gare SNCF
Gare routière
Aéroport de Béziers-Agde-Vias
Où dormir ?
12 Hôtel Champ de Mars
13 Hôtel des Poètes
14 Hôtel de France
Où manger ?
20 Salon de thé Cannelle
21 Le Cep d'Or
22 La Tomate Bleue
23 Le Canard Bleu
24 La Compagnie des Comptoirs
25 Les Antiquaires
26 L'Ambassade
27 Le Patio
28 Restaurant Octopus
Où dormir ? Où manger dans les environs ?
15 Domaine de Bourgade
16 Clos de Maussane
Où boire un verre ?
40 Pub Le Korrigan
41 Le Chameau Ivre
42 Le Modjo

BÉZIERS

UN PEU D'HISTOIRE

Les Romains disaient « oppidum », les Grecs « acropole ». Béziers, étape importante sur la voie Domitienne, ne date pas d'hier. C'est même l'une des plus vieilles cités méditerranéennes, si l'on en croit les archéologues venus fouiller sur le chantier de la rocade nord. Une première occupation du site est attestée dès le VIIe siècle av. J.-C.
Dès le Ier siècle, on y cultive la vigne, dont le vin est exporté à Rome. La 7e Légion romaine, qui passait par là, lui donne son nom de *Baeterra*... Non, rien à voir avec les première bitures !
Au Moyen Âge, la ville est en partie détruite par les croisés lors du sac de Béziers du 22 juillet 1209 en représailles contre les habitants qui ne voulaient pas livrer les cathares, ni les désigner. Alors, pour être certain de les avoir tous, Arnaud Amaury, digne lieutenant de Simon de Montfort, prononça ces paroles légendaires : « Tuez-les tous, Dieu reconnaîtra les siens. » Il fit massacrer tous les Biterrois, cathares ou pas. On parle de 4 000 à 5 000 morts, estimation de la population d'alors, mais on dit aussi que tout ça est très exagéré, qu'il n'y aurait eu « que » quelques centaines de victimes.
Cependant, très vite, Béziers redevient une ville prospère grâce à son vignoble. À la fin du XIXe siècle, c'est la ville la plus riche du Languedoc. Elle demeure aujourd'hui une très importante place viticole que les corridas et le rugby contribuent par ailleurs à faire connaître au-delà de ses frontières régionales. Une ville à découvrir un jour de marché, quand elle prend son accent, ou mieux encore un jour de feria, quand elle prend son envol.

Adresses et infos utiles

Office de tourisme et des congrès *(plan C2) : 29, av. Saint-Saëns. ☎ 04-67-76-84-00. • beziers-tourisme.fr • Juil-août, lun-sam 9h-18h30, dim et j. fériés 10h-13h, 15h-18h ; juin-sept, lun-sam 9h-12h30, 13h30-18h ; fév-mai et oct-nov, 9h-12h, 14h-18h ; déc-janv, lun-sam 9h-12h, 14h-17h. Hors saison, fermé dim et j. fériés. Visites guidées tte l'année sur rendez-vous et presque tlj en saison. Compter 5 €.* Également des visites guidées théâtralisées (voir la rubrique « À voir »).

Postes *(hors plan par C1) : 106, av. Georges-Clemenceau. ☎ 04-67-49-81-10. Vieille poste (plan B2), pl. Gabriel-Péri. ☎ 04-67-49-86-00.*

Gare SNCF *(plan C3) : ☎ 36-35 (0,34 €/mn).* Lignes pour Sète, Montpellier, Narbonne, Perpignan. TGV pour Paris.

Gare routière *(plan B1) : pl. du Général-de-Gaulle.* Sur cette grande place, vous trouverez plusieurs compagnies. Elles ont divisé la région par secteurs. Le mieux est d'appeler pour tout renseignement précis.
– *Bus Occitan : ☎ 04-67-28-36-41 (bus de ville).*
– *Hérault Transport : ☎ 04-67-49-49-65.*
– *Cars GRV : ☎ 04-67-28-25-92.*
– *Autocars Gil : ☎ 04-67-31-53-22.*
– *Autocars Cariane : ☎ 04-67-94-23-87.*

Aéroport de Béziers-Agde-Vias *(hors plan par D2) : route d'Agde. ☎ 04-67-80-99-09.* Vols quotidiens toute l'année pour Paris et, en été, liaison entre Béziers et Bastia.

– **Marchés :** *ven* Béziers se transforme en un grand marché ambulant. Pour s'habiller : le vaste « champ de Mars » (ou pl. du 14-Juillet). Sur ses pourtours : puces et brocante. La nourriture du terroir est plus fournie place David-d'Angers. Les fleurs, elles, s'épanouissent sur les allées Paul-Riquet.

Où dormir ?

C'est certain, le centre-ville de Béziers n'est pas particulièrement gâté côté hôtellerie. Mais vous avez suffisamment de choix, côté vignes, dans l'arrière-pays, ou côté mer, si vous désirez vous offrir un séjour au calme, voire de charme.

De bon marché à prix moyens

🏠 ***Hôtel des Poètes*** *(plan C3,* ***13****) : 80, allées Paul-Riquet. ☎ 04-67-76-38-66. • hoteldespoetes.net • Doubles 55-60 €.* Coup de cœur pour ce petit hôtel à deux pas de la gare et des allées, rénové avec peu de moyens mais beaucoup de goût. Chambres accueillantes, colorées, hors norme. TV écran plat, wi-fi gratuit. Un décor moderne, inattendu pour un 2-étoiles dans cette ville proposant jusqu'alors une hôtellerie décevante. Accueil très chaleureux et bon petit déj. Excellent rapport qualité-prix et situation privilégiée face au parc.. Avec un peu de chance, vous pourrez même trouver une place de stationnement juste devant.

🏠 ***Hôtel Champ de Mars*** *(plan C1,* ***12****) : 17, rue de Metz, près de la pl. du 14-Juillet. ☎ 04-67-28-35-53. • hotel-champdemars@wanadoo.fr • hotel-champdemars.com • Ouv tte l'année. Doubles 37-50 € selon confort et saison.* Dans une rue très calme, un petit immeuble entièrement rénové, à la façade couverte de jardinières de géraniums. Chambres impeccables donnant sur un jardin. Bon rapport qualité-prix.

🏠 ***Hôtel de France*** *(plan B2,* ***14****) : 36, rue Boïeldieu. ☎ 04-67-28-44-71. • accueil@hotel-2-france.com • hotel-2-france.com • Réception fermé dim et j. fériés 13h-18h. Doubles 43-54 € selon saison et confort. Un petit déj offert pour deux consommés sur présentation de ce guide.* Petit hôtel idéalement situé à deux pas du centre, tenu par de sympathiques propriétaires qui lui ont redonné vie et couleurs. Propreté impeccable et confort très honorable. Certaines chambres plus spacieuses et agréablement décorées (voire coquettes !). Accueil tout sourire qui dénote une volonté de bien faire.

Où manger ?

Voir également plus loin nos bonnes adresses, le long du canal du Midi, à la sortie de Béziers.

Bon marché

🍴 ***Salon de thé Cannelle*** *(plan B2,* ***20****) : 11, pl. Gabriel-Péri. ☎ 04-67-28-06-01. Service lun-sam 10h-17h. Congés : 8 j. en fév. Formule 8 € et menu 12 € ; carte env 10 €. Apéritif maison offert sur présentation de ce guide.* Un salon de thé très apprécié pour ses pâtisseries, on s'en doute, mais également très couru à midi pour ses assiettes tout en fraîcheur. Douceur des prix, charme du décor, chaleur de l'accueil, tout y est.

🍴 ***La Tomate Bleue*** *(plan B2,* ***22****) : 23, rue des Anciens-Combattants. ☎ 04-67-62-92-25. • pichot.bernard@9business.fr • Fermé lun midi, dim et j. fériés. Service jusqu'à 23h min. Congés : fin déc-début janv. Menu midi 10,50 € ; compter 18 € à la carte. Digestif maison offert sur présentation de ce guide.* Bar, *vino* et tapas, la trilogie incontournable pour que la fête soit réussie. Mais, en cas de grosse faim, rien ne vaut l'un des plats à l'ardoise évoluant au gré du marché et des saisons.

🍴 ***Le Canard Bleu*** *(plan C2,* ***23****) : 27, rue des Petits-Champs. ☎ 04-67-28-41-18. Ouv lun-sam (et j. fériés) slt le midi. Menus 11-16 €.* Un resto d'allure modeste qui permet de se sustenter à bon prix d'une bien honnête cuisine régionale et familiale, variant au gré des saisons : poulet fermier en cocotte aux poivrons, dos de cabillaud crumble aux noix et fondue de poireaux, brochette d'agneau confiture d'oignons et semoule à la menthe...

🍴 ***Le Cep d'Or*** *(plan A-B2,* ***21****) : 2, impasse de la Notairie. ☎ 04-67-49-28-09. Entre la place des Trois-Six et la cathédrale Saint-Nazaire. Tlj sf dim soir et lun. Formule 12 € et menus 14-19,50 €. Carte env 25-30 €. Apéritif maison offert sur présentation de ce* *guide.* Petit bistrot agréable, apprécié pour ses menus classiques très honnêtes, servis à prix serrés. Petite terrasse pour les beaux jours.

De prix moyens à beaucoup plus chic

Le Patio *(plan B2, **27**) : 21, rue Française. ☎ 04-67-49-09-45. Tlj sf dim-lun et j. fériés. Congés : vac de Pâques, de la Toussaint et de Noël. Menu 25 € et carte env 28 €. Apéritif maison offert sur présentation de ce guide.* Une enseigne plutôt bien trouvée et une cour rafraîchissante au charme fou ont fait beaucoup pour la réputation de ce restaurant spécialisé dans les grillades au feu de bois (sauf pour la carte d'été). Beau mobilier en fer forgé pour un dîner chaleureux autour de l'olivier, dans la cour, ou dans la salle, meublée et aménagée aux couleurs du temps. Cuisine très terre-mer, aux accents méditerranéens.

Restaurant Octopus *(plan B2, **28**) : 12, rue Boïeldieu. ☎ 04-67-49-90-00. Tlj sf dim-lun et j. fériés. Service jusqu'à 21h30. Congés : de mi-août à début sept et fêtes de fin d'année. Formule midi 21 € et soir 29 € ; menus 50 et 70 € et carte env 50 €.* Une des grandes surprises de ce début de siècle. Fabien Lefebvre, jeune chef parti faire ses classes chez les grands, au *Bristol* et au *Clos de la Violette,* a préféré ce petit resto avec vue sur cour, à deux pas des allées Paul-Riquet, à des tables réputées, étoilées et surfacturées. Il joue le juste prix, sur fond de bonne humeur et de couleurs vives ou revivifiées, sur les murs comme dans l'assiette. Les sucettes de cochon crousti-fondantes ont déjà fait courir tous les gastronomes en herbe (ou non) du pays, comme les plats du moment, qui sentent bon la mer et son pays d'adoption (loup de méditerranée, condiment seiche, mangue et coriandre, agneau de l'Aveyron, harissa douce et citron, etc.). La sommelière a de la classe, et ses découvertes sont de vraies bonnes affaires. En prime, patio très accueillant aux beaux jours.

La Compagnie des Comptoirs *(plan B2, **24**) : 15, pl. Jean-Jaurès. ☎ 04-67-36-33-63. • cdc-beziers@orange.fr • Tlj sf dim-lun. Formule 18 € ; carte 40 €. Vin au verre à partir de 5 €.* Installée dans l'ancien *Hôtel du Nord,* cette annexe des frères Pourcel vous invite à une nouvelle découvertes des Suds au sens large. La décoration et la cuisine jouent tout à la fois la théâtralité pour l'une, avec ses velours, ses boiseries, et la simplicité très recherchée pour l'autre. Les Pourcel ont l'art de faire parler (de) la cuisine en proposant à prix corrects tous les plats tendance du moment, du risotto Arborio aux courgettes et girolles, à la tranche de thon poêlée aux légumes et épices, en passant par « la boîte de sardines », millésimée comme il se doit. Un milk-shake, un macaron moelleux à souhait ou un vrai bon clafoutis au dessert, et l'on garde même le sourire au moment de payer, preuve qu'on devient vite accro. À côté, le bar lounge vous attend. Mais bon, personne ne vous oblige...

Les Antiquaires *(plan B2, **25**) : 4, rue Bagatelle. ☎ 04-67-49-31-10. Tlj sf lun, le soir slt (service jusqu'à 23h). Fermé pdt la feria (1 sem en août). Résa recommandée, car peu de couverts et gros succès. Menus 24,50-34 € ; carte 30-35 €.* Un restaurant de poche à l'atmosphère douce et intime. Angelots, pierrots gourmands, affiches de films anciens et vieilles réclames aux murs ; et dans l'assiette beaucoup de plaisir. Plateau de fromages sur la table pour les deux menus. Bons vins à bons prix. Service courtois.

L'Ambassade *(plan C3, **26**) : 22, bd de Verdun. ☎ 04-67-76-06-24. • lambassade-beziers@wanadoo.fr • ♿ Tlj sf dim-lun. Congés : 3 sem à partir de mi-juil. Premier menu 28 €, midi et soir sf w-e et j. fériés, puis menus 39-85 € ; carte env 60 €.* Vaste salle aux couleurs d'aujourd'hui. Patrick Olry propose une carte évolutive, qui respecte les saisons et les produits, bien dans l'air du temps. Sa cuisine vous en met plein la vue, plein le nez mais pas plein la bouche, ce qui est plutôt bon signe. Desserts à la hauteur, c'est-à-dire au sommet. Bravo ! Avec ça, un service en costard croisé noir, pas guindé pour autant, au contraire, et de bons conseils en vins : la super-classe. Bref, à *L'Ambassade,* on a tout aimé, même l'addition.

Où dormir ? Où manger dans les environs ?

🏠 **Domaine de Bourgade** *(hors plan par D2, **15**) : à env 10 km, juste à côté du golf, perdu dans les vignes (suivre la route de Bessan depuis le centre-ville). ☎ 04-67-39-02-34. • info@baronnie-de-bourgade.com • baronnie-de-bourgade.com • Ouv tte l'année. Gîtes pour 4-12 pers 450-4 000 €/sem selon taille du gîte et saison. Doubles 60-120 € selon confort et saison. Sur présentation de ce guide, dégustation gratuite des vins du domaine et visite du caveau.* Après 2 km de piste, on débouche sur cette vaste ferme soigneusement entretenue par un charmant couple de propriétaires. Tandis que Gilles veille sur les vignes, Ruth, architecte d'intérieur, fignole des gîtes confortables et bien équipés, ainsi que des chambres d'hôtes de charme. Tous les logements ont accès à la piscine.

🏠 |●| ***Clos de Maussane*** *(hors plan par D2, **16**) : domaine Monpeyroux, route de Pézenas, 34500 Béziers. ☎ 04-67-39-31-81. • contact@leclosdemaussane.com • leclosdemaussane.com • Congés : 1er-15 mars et 1er-15 nov. Doubles 120-150 €. Menu unique 35 €.* Chambres et table d'hôtes hors norme dans cette ancienne maison des champs entièrement revue et imaginée par des rats de ville qui avaient déjà transformé d'anciennes caves à vin, à Béziers, en un paradis pour *happy few.* Un lieu couru par toute la communauté anglophile du pays, sans parler des amoureux de la table, qui peuvent désormais profiter des chambres à la fois design et décalées de cette jolie maison, et surtout de la piscine, de la terrasse, et de la vue sur une campagne qu'on croirait éternelle, s'il n'y avait pas la circulation sur la quatre-voies, à quelques centaines de mètres. Chambres-appartement tout confort avec TV écran plat, DVD, wi-fi. De l'espace, de l'humour, de la gentillesse. Le soir, ambiance assez magique.

🏠 |●| Voir aussi nos adresses dans la rubrique « Où dormir ? Où manger le long du canal à la sortie de Béziers ? ».

Où boire un verre ?

🍷 Plusieurs ***terrasses*** agréables sur les allées, autour de la place Jean-Jaurès. Rien de bien transcendant, si ce n'est qu'elles ferment tard.

🍷 ***Pub Le Korrigan*** *(plan A2, **40**) : 9, rue Paul-Riquet. ☎ 04-67-28-69-23. Tlj 19h-1h. Fermé pdt les fêtes de fin d'année.* Si vous aviez parié pour un pub irlandais, bravo, vous avez gagné. Comptoir animé et Guinness à la pression de rigueur. Soirées à thèmes tous les mois.

🍷 ***Le Chameau Ivre*** *(plan B2, **41**) : 15, pl. Jean-Jaurès. ☎ 04-67-80-20-20. ♿ Tlj sf dim 9h-21h (minuit lun). Formule 10 € (3 tapas, 1 verre, 1 café) ; vin au verre à partir de 1,50 €.* Un lieu chaleureux qui doit son nom à l'animal totémique de Béziers autant qu'à un délire poétique. Tout à côté de la *Compagnie des Comptoirs,* une boutique qui joue de son charme et de ses prix doux pour retenir, autour d'un verre, et même plusieurs si affinités, une clientèle éclectique mais fort sage au demeurant. Formule sympa pour grignoter sur le pouce (moules en escabèche, crevettes en persillade, jambon de montagne). Le lundi, quand tout est fermé sur Béziers, *medianoche* original.

🍷 ***Le Modjo*** *(plan A2, **42**) : 37, pl. Pierre-Sémard. ☎ 04-67-49-00-12. Jeu-dim 22h-4h.* Un petit bar sympa pour discuter entre amis et festoyer au son de la musique électro. Lumière tamisée, néons et petite terrasse pour se rafraîchir.

À voir

La ville possède de beaux petits musées et une cathédrale merveilleusement située. Mais Béziers demande que l'on ait la fibre architecturale et que l'on aime déambuler le nez en l'air, dans les rues fraîches et sinueuses : balcons, gargouilles et masques incitent à la flânerie. Achetez en passant quelques *riquets de Béziers* pour faire la route : composés de fines couches de nougatine et de praliné, ils ne fondent pas !

– ***Les secrets d'une nuit :*** *visites théâtralisées nocturnes de la ville en juil-août. Entrée : 10 €.* Une troupe de comédiens-musiciens vous entraîne de place en place avec une énergie débordante, à la découverte de l'histoire biterroise et de ses personnages hauts en couleur. Moments d'émotion, entorses humoristiques à la réalité et magie des lieux font tout le charme de cette traversée nocturne du temps et de l'espace.

Les musées

– *Pour la visite des trois musées, on paie un droit d'entrée forfaitaire (3,30 €) dans l'un des musées et ce ticket donne accès aux autres.*

Le musée des Beaux-Arts *(hôtel Fabrégat ; plan A2) : pl. de la Révolution.* ☎ *04-67-28-38-78.* ♿ *(rez-de-chaussée). Juil-août, 10h-18h ; le reste de l'année, 9h-12h, 14h-18h (17h nov-mars). Fermé lun, ainsi que 25 déc, 1er janv, dim de Pâques et 1er mai. Entrée : 2,50 €, qui donne aussi accès à l'hôtel Fayet (ou 3,30 € pour les trois) ; réduc.* Dans la maison du maire Auguste Fabrégat (XIXe siècle), vaste mais tout de même un peu juste pour accueillir les nombreuses œuvres du fonds. Quelques belles toiles des écoles italienne et flamande des XVe et XVIe siècles, et une notable *Vierge à l'Enfant* de Schaffner (fin XVe). La salle consacrée aux XVIIe et XVIIIe siècles présente les œuvres par écoles. Tableaux de Géricault, de Delacroix, ou encore *L'Étang de Ville-d'Avray,* de Corot. À l'entresol, des peintres contemporains régionaux, comme H. Di Rosa, Vincent Bioules ou A. Seguin. Le meilleur reste le fonds Jean-Moulin avec Dufy, Survage, De Chirico ou Soutine, que le grand résistant, natif de Béziers, collectionna en tant que marchand d'art, « couverture » qu'il présentait aux occupants, mais qu'il exerçait véritablement si l'on en juge par cette collection. Il avait lui-même un certain talent, comme en témoignent ses dessins légués au musée par sa sœur (présentés par roulement). Fréquentes expos temporaires. Suite des collections du musée à l'hôtel Fayet.

L'hôtel Fayet *(plan A2) : 9, rue du Capus.* ☎ *04-67-49-04-66.* ♿ *(rez-de-chaussée). Mêmes prix et horaires que le musée des Beaux-Arts.* Il s'agit toujours des collections du musée des Beaux-Arts. Dans un charmant hôtel particulier du XVIIe siècle, agrandi au XIXe siècle par Gustave Fayet, peintre et mécène. De beaux plafonds à la française et essentiellement des œuvres du sculpteur biterrois Injalbert (1845-1933) qui, entre autres, réalisa à Paris les cariatides de la façade des Gobelins. Son style expressif s'impose notamment dans *L'Enfant au Poisson,* une *Ève après le péché,* ou *Et ceci se passait en des temps très anciens,* groupe de nymphes et satyres inspiré de la mythologie grecque. Pour le reste, à l'étage, accrochage serré de toiles hétéroclites et sans grandes signatures, du XIXe siècle ou début XXe, où l'on trouvera quelques bonnes intentions. À signaler : un jardin intérieur très agréable en été, orné de sculptures romantiques.

Le musée du Biterrois *(plan B3) : rampe du 96e, caserne Saint-Jacques.* ☎ *04-67-36-81-61.* ♿ *Mêmes prix et horaires que les musées des Beaux-Arts et Fayet.*
Aménagé sur 3 000 m² dans l'ancienne caserne Saint-Jacques, un espace très aéré, spacieux et clair, intelligemment « mis en scène ». Très complet, il associe aux collections classiques d'histoire et d'archéologie locales d'intéressantes sections d'ethnologie et de sciences naturelles (faune et flore, volcanologie...). On y découvre notamment de belles pièces médiévales, dont un *Saint Aphrodise portant sa tête,* ou une *Vierge catalane en majesté* du XIe siècle, et une collection archéologique très riche, témoignant de l'ancienneté de la présence humaine en

région biterroise. Bien avant les civilisations grecque et romaine (notables sculptures funéraires, bustes et objets votifs), l'homme ici taillait la pierre et chassait le gibier, peut-être bien le mammouth.
À l'occasion de la commémoration des événements viticoles du Midi en 1907, trois salles ont été réaménagées sur le thème *Béziers, capitale du vin, 1850-1940*. Présentation de l'économie liée à la viticulture, de la société biterroise et de la crise de 1907. À voir aussi : les très belles céramiques, de toutes époques, parfaitement conservées.

L'espace Paul-Riquet *(plan A2)* **:** *7, rue Massol. ☎ 04-67-28-44-18. Situé entre la mairie et la cathédrale. Tlj sf lun et j. fériés 10h-12h, 14h-18h. Entrée : 3,50 € ; 1,75 € sur présentation de ce guide ; réduc.* Cette ancienne chapelle des Dominicains accueille des expos temporaires, d'art moderne le plus souvent. Remarquable plafond peint sur bois dans le style espagnol du XVIIe siècle, exécuté par un peintre de l'école Ribera : Catayod.

Les églises

La cathédrale Saint-Nazaire *(plan A2)* **:** *pl. des Albigeois. Sur un promontoire dominant superbement la vallée de l'Orb. Ouv à la visite, en juil-août, tlj 9h-17h30 ; le reste de l'année, tlj 9h-12h, 14h30-17h30.*
De style gothique, elle fut construite sur l'emplacement d'une église romane saccagée en 1209. Façade austère flanquée de deux tours massives, de petites lucarnes, d'une vaste rosace centrale et d'un portail gothique historié. Ce qu'on voit aujourd'hui date pour la majeure partie des XIVe et XVe siècles. À l'intérieur, plusieurs éléments notables très disparates : un chœur qui conserve des petites choses du XIIIe siècle, des fresques du XIVe, un autel baroque en marbre rouge avec colonnes corinthiennes et balustrade, une jolie chaire du début du XIXe avec panneaux de bois sculptés (celui de la façade symbolise le *Sermon sur la montagne*). Enfin, un bel orgue du XVIIe siècle, copieusement décoré, et une crypte (souvent fermée) aux chapiteaux sculptés. Voilà, il y en a pour tous les goûts et pour toutes les époques.
Mais les amateurs de sensations fortes ne rateront pas l'ascension du clocher, *(accessible lun-sam 11h-18h – 13h dim)* : superbe vue plongeante sur les toits de la vieille ville.
– À droite de la façade de la cathédrale, un petit porche donne accès au ***cloître*** gothique *(10h-19h l'été ; sinon, 10h-12h, 14h-17h30),* assez dépouillé. Belle vue sur le flanc de la cathédrale, ses tourelles, son clocheton en fer forgé... Puis un escalier donne accès au ***jardin des Évêques*** d'où l'on embrasse un panorama étonnant sur les toits, le pont Vieux et l'Orb.

La basilique Saint-Aphrodise *(plan B1)* **:** *pl. Saint-Aphrodise. Fermée pour restauration.* L'entrée ne ressemble en rien à une église puisqu'on passe sous le porche d'un immeuble. Ce fut la première cathédrale de Béziers, élevée sur le site d'un cimetière païen où l'on aurait trouvé le corps du saint. Une basilique fut donc édifiée, puis une abbaye bénédictine fut fondée. La nef remonte au Xe siècle tandis que le chœur gothique est du XIVe. À noter surtout, les fonts baptismaux réalisés dans un sarcophage du IIIe siècle, sculpté d'animaux. Rappelons, parce qu'on l'adore, la légende de saint Aphrodise qui serait venu d'Égypte à dos de chameau bien avant les premiers charters. Après sa mort, les Biterrois nourrirent le chameau. De là vient la fête de Saint-Aphrodise, fin avril, durant laquelle on sort un grand chameau et l'on met en scène la décollation du saint. Rien d'aphrodisiaque, là-dedans, désolé !

La chapelle des Pénitents *(plan B2)* **:** *dans la rue du 4-Septembre, face au n° 5 (et à l'angle de la rue Guibal).* Belle chapelle au double portail gothique flamboyant du XVe siècle, encadrée de trois dais vides. C'est en fait tout ce qu'il subsiste d'un ancien couvent des Cordeliers. Lors de sa destruction, la chapelle fut réduite.

Témoin ce vaste trompe-l'œil réalisé au XIXe siècle. Malgré ses proportions bizarres, la chapelle ne manque pas de charme.

***L'église de la Madeleine** (plan B1) :* l'un des plus beaux édifices romans de la ville. Elle abrita une grande partie de la population lors du siège de Béziers mené par Simon de Montfort, en 1209, pour réduire l'hérésie cathare. Mais le 22 juillet de cette année-là, la prise de la ville n'épargna personne : la Madeleine fut incendiée. Quelques heures auparavant, le légat pontifical Arnaud Amaury, abbé de Cîteaux, aurait prononcé les fameuses paroles : « Tuez-les tous, Dieu reconnaîtra les siens ! »

***L'église Saint-Jacques** (plan B3) : pl. Saint-Jacques. Derrière la place des Casernes.* Située sur le flanc de la paisible place Saint-Jacques, où s'affrontent des joueurs de boules à l'ombre de platanes, la modeste église Saint-Jacques est un bel édifice roman, cité déjà en l'an 967, sobre et joliment proportionné. Chevet pentagonal remarquablement décoré. À l'intérieur, belle Vierge en marbre du XVIIIe siècle, et grand tableau sombre, représentant saint Thomas d'Aquin. À l'extérieur, de la place ou derrière l'église, du belvédère, très belle vue sur la vallée de l'Orb.

La vieille ville

***L'amphithéâtre** (plan B2-3) : rue du Moulin-à-Huile. Visite sur rendez-vous avec l'office de tourisme.* Récemment restauré, il date du Ier siècle apr. J.-C. et place Béziers parmi les plus vieilles cités européennes. Ces arènes ellipsoïdales accueillaient les combats de gladiateurs et autres jeux du cirque bien connus des lecteurs d'Astérix. Tout le quartier, aujourd'hui bien fatigué, devrait à son tour faire l'objet d'une rénovation minutieuse.

***Les halles** (plan A2) :* ts les mat sf lun à partir de 6h. De style Baltard. Superbement restaurées. Un marché fort connu ; pour certains, les meilleurs produits de la région. Halte obligatoire pour faire le plein d'authentique avec de « vrais gens », comme on dit à Paris.

***Le théâtre** (plan B1) : tt en haut des allées Paul-Riquet.* Un vrai théâtre à l'italienne, style Louis Philippe. Remarquablement restauré une première fois dans les années 1970, il a retrouvé son lustre d'antan en 2003. Demandez la programmation à l'office de tourisme.

***Les allées Paul-Riquet** (plan B2) :* les *ramblas* locales. Magnifique statue de bronze du grand homme (1604-1680), dont on a simplifié le prénom au fil du temps : ses amis l'appelaient Pierre-Paul et les autres lui donnaient son titre de Baron de Bonrepos. Tout le monde se retrouve à un moment ou à un autre sur les allées. Quand on a un rendez-vous à donner, on le donne là. Dans la journée, on s'y rassemble pour prendre le frais. Le vendredi, marché aux fleurs.

***Le plateau des Poètes** (plan C3) :* très romantique. Vaste jardin aménagé à l'anglaise avec promenades, bassins, bosquets et essences rares. Créé au XIXe siècle par les frères Bülher, à qui l'on doit également le bois de Boulogne à Paris et le parc de la Tête-d'Or à Lyon ! Monument dédié à Jean Moulin. C'est également un « refuge libre pour les oiseaux ». Lieu de paix et de repos, au cœur de la cité. Une réussite.

***L'hôtel de ville** (plan B2) :* belle façade du XVIIIe siècle, due à Rollin ; prolongée par la cour Renaissance de l'hôtel de Ginestet.

***La place Pépézut** (plan B2) :* mystérieuse statue qui se trouvait déjà là en 1348. Un certain Montpézut aurait défendu la ville contre les Anglais, d'où le nom quelque peu modifié.

Les arènes *(plan D2)* **:** datant de la fin du XIXe siècle, elles méritent une visite les jours de spectacle : tauromachiques pour les amateurs, sportifs ou musicaux pour les autres. *Pour ttes infos et résas : ☎ 04-67-76-13-45.*

Le cimetière Vieux *(hors plan par B1)* **:** *situé au nord du centre, à 5 mn de la basilique Saint-Aphrodise, par l'av. du Cimetière-Vieux.* Amateur de balade à travers les vieilles pierres tombales et les visages de pierre sculptés, vous êtes arrivé. Ce cimetière du XIXe siècle possède une statuaire remarquable. Cachées derrière des allées, recouvertes de lierre, on découvre de superbes sculptures signées Injalbert, Magrou, Millau... À vous de les chercher.

Les châteaux des environs

Le château de Saint-Bauzille *(hors plan par D2)* **:** *à 10 mn du centre, sur la route de Bessan. ☎ 04-67-62-26-05. Ouv de Pâques à la Toussaint, théoriquement 14h-18h (appeler). Visite guidée : 6 €.* Un château pinardier, témoin vivant des fastes du Biterrois au XIXe siècle. Celui-ci est intéressant pour la juxtaposition des styles qui s'imbriquent sans briser l'harmonie : quatre façades, quatre architectures ! Mais cette « folie » renferme d'autres curiosités, commentées avec chaleur et émotion par M. Gisclard. Deux cents gravures sur l'œuvre de Molière, présentées dans la bergerie, rappellent que c'est à Béziers que fut créée sa première comédie importante, *Le Dépit amoureux.* Plus surprenant, une centaine d'instruments anciens, dont quatre-vingts pianofortes, font de sa collection fétiche un ensemble unique au monde qui devrait être classé sous peu. Soirées musicales entre amoureux du Baroque, stages de musique.

La faïencerie du château de Raissac *(hors plan par A1)* **:** *à 10 mn du centre, sur la route de Lignan. ☎ 04-67-49-17-60. Tlj sur rendez-vous 14h-18h. Entrée : 4,50 €.* Les anciennes écuries du château abritent tout un monde en trompe l'œil qui ravira les amateurs de barbotines anciennes et les connaisseurs en faïences et porcelaines du XIXe siècle. La propriétaire y expose en outre ses propres créations, et accueille des expositions d'artistes contemporains. Pour ceux qui préfèrent d'autres plaisirs de la table, les chais et le caveau du château sont également ouverts *(lun-sam 9h-13h, 14h-18h).*

Manifestations

– **Fête de Saint-Aphrodise :** *fin avr.* On sort le célèbre chameau symbolisant la monture avec laquelle le saint arriva à Béziers. C'est d'ailleurs toujours l'emblème de la cité. La ville en profite également pour organiser des fêtes médiévales, ***les Caritats.***

– **Les Caritats, fêtes médiévales de Béziers :** *le w-e de l'Ascension.* Célébration de Béziers au Moyen Âge, défilé aux flambeaux de Biterrois costumés, tournois, combat, marché et banquet médiévaux, etc.

– **Les Écluses en fête :** *en juin.* Petits et grands sont invités à fêter le canal du Midi sur le site de Fonséranes (voir ci-dessous). Animations, concours de peinture pour les adultes, de dessin pour les enfants, marché du terroir...

– **Festa d'Oc :** *la 1re quinzaine de juil.* La rencontre de toutes les couleurs de l'Occitanie. La langue d'oc et la musique, la poésie et l'histoire, les courants musicaux et culturels de « tous les Suds » s'y retrouvent.

– **Feria :** *13-17 août.* Quatre jours et quatre nuits en habits de lumière qui vous laisseront un autre souvenir de la ville. Corridas mais aussi défilés de chars, feux d'artifice. Certainement la feria la plus authentique de la région, à vivre absolument. Rues et places se métamorphosent avec les différents villages qui s'y installent. Concerts de la place de la Madeleine.

– ***Les Primeurs d'Oc :*** *vers la fin oct.* Danses folkloriques, dégustation de vins primeurs.
– ***Nadalet :*** en toute logique, la semaine précédant Noël, puisque *Nadalet* signifie « petit Noël » en occitan. Marchés, concerts, expositions...
– ***Rugby :*** pour les routards amateurs d'ovalie, stade de 20 000 places et troisième mi-temps bien arrosée.

➤ DANS LES ENVIRONS DE BÉZIERS

VALRAS-PLAGE (34350)

C'est à 10 km au sud, à l'embouchure de l'Orb. On peut y aller en bus. De plus en plus construit, mais assez jolie promenade en front de mer. Vers Sérignan, très belle plage de sable naturiste.

Adresse utile

Office de tourisme : *pl. René-Cassin. ☎ 04-67-32-36-04. • valras-plage.net • En été, tlj 9h-13h, 14h-19h ; en demi-saison, lun-sam 9h-12h30, 14h-18h, dim 10h-12h, 15h-18h ; hors saison, téléphoner. Également un point info près du poste de secours, tlj en été.*

SÉRIGNAN (34410)

Village viticole à l'embouchure de l'Orb. Nouvel espace *La Cigalière* avec d'étonnantes colonnes de Buren. Route très colorée entre Villeneuse et Sérignan, avec les différentes mazates, anciennes maisons des champs, relookées par ces rats des villes que sont les élèves des Beaux-Arts. Bonne ambiance dans le village le mercredi, jour de marché.

Où dormir ? Où manger ?

Camping

Camping à la ferme : *chez Jean-Luc Abel, domaine de Querelles. ☎ 04-67-32-03-01. • ajeanluc@yahoo.fr • http://querelles.com • À 2 km de Sérignan. Ouv mai-sept. Emplacement pour 2 avec voiture et tente 13,50 € en hte saison.* Ce petit camping très simple de 25 emplacements, recroquevillé sous un bosquet, profite d'un environnement paisible, isolé au milieu des champs de vignes mais à seulement 2 km de la mer.

De prix moyens à plus chic

L'Harmonie : *parking de la Cigalière, chemin de la Barque. ☎ 04-67-32-39-30. • lharmonie@wanadoo.fr • Tlj sf sam midi, mar soir et mer. Congés : vac scol de la Toussaint et hiver (zone A). Menus 18 € le midi en sem, puis 22-50 € ; carte 40 €.* Un lieu vraiment atypique. D'abord, et oui, on ne voit... que le parking, aux couleurs de Buren (170 colonnes lumineuses), destiné avant tout aux soirées à la Cigalière (la salle de spectacles) ou aux visiteurs du Rayonnant (le parc). De l'extérieur, cette ancienne pizzeria n'incite pas aux excès d'enthousiame mais c'est côté terrasse, aux beaux jours, face à l'Orb, ou dans la salle, relookée façon grande maison, que tout se passe. Et surtout dans l'assiette, car Bruno Cappellari, autodidacte des fourneaux, est devenu une référence pour les gourmets, jouant les mélanges détonants d'épices et de saveurs, sur fond de bons produits.

Ma Ferme : *route de Valras. ☎ 04-67-32-26-20. Dans un lotissement à la sortie du village. Hors saison, ouv le midi slt mer et dim, midi et soir jeu-sam. En saison, ouv mar soir-dim soir (en août : ouv slt le soir mar-dim). Congés : 3 sem en fév et à la Toussaint. Formule-carte midi en sem 25 €, menus 32-45 € et carte env 40 €. Apéritif maison offert sur présentation de ce guide.* Qui l'eût cru ? Ces murs d'enceinte peu amènes dissimulent en réalité une maison moderne au sympathique décor hispanisant, avec patio et jet d'eau. Huîtres gratinées au feu de bois délicieuses et bonnes grillades.

À voir

Centre d'art contemporain – musée de Sérignan : *146, av. de la Plage. ☎ 04-67-32-33-05. • ville-serignan.fr • Tlj sf lun et j. fériés 10h-18h. Divers ateliers pour les enfants, se renseigner.* L'étonnante reconversion d'une ancienne propriété viticole devenue caserne de pompier puis musée ouvert sur la ville et sur la vie. Le premier musée d'Art contemporain de l'Hérault, sur près de 2 500 m², en fait. En dehors de grandes expositions comme celle de « l'Art américain au 3e millénaire », qui a créé un petit événement durant l'été 2007, il présente une étonnante collection permanente : paysagisme abstrait, art conceptuel, figuration narrative et autres tendances très actuelles. Quinze années de dons divers, de la part d'artistes aujourd'hui célébrés dans le monde entier, et qui se sont retrouvés autour du berceau, encadrant un certain Daniel Buren ayant choisi d'enserrer la totalité du musée, pour son inauguration fin 2006, en posant des couleurs sur les différentes parties vitrées. Le provisoire a perduré, pour la plus grande joie du public très diversifié, venant découvrir sous le soleil du midi ces œuvres parfois fort sombres, dont la cruauté n'effraie pas les enfants, loin de là.

VENDRES *(34350)*

Jeter un œil au *temple de Vénus* en ruine, et à l'aqueduc romain. Le village, lui, vous accueillera à l'ombre des platanes. Son étang, classé site protégé, est l'occasion d'une belle balade, avec ou sans accompagnement.

LE CANAL DU MIDI, DE BÉZIERS À CAPESTANG

Pour la carte du canal du Midi, se reporter au chapitre « Canal du Midi » dans « Hommes, culture et environnement ».

Il suffit de suivre les rives du canal du Midi, dans l'Hérault, de Marseillan à la sortie de Béziers, pour comprendre l'importance économique prise en quelques années par le tourisme fluvial : de nombreuses sociétés de location de bateaux s'y sont installées, des bateliers se sont reconvertis dans la promenade en péniche. Si vous devez rejoindre l'Aude, c'est un moyen de transport idéal, à compléter par des échappées libres à pied ou à VTT (voir « Le canal du Midi » dans « Languedoc-Roussillon utile »).
Mais si vous êtes en voiture, en partance pour le Minervois ou le parc régional du Haut-Languedoc, faites une pause fraîcheur, le temps de découvrir autrement les abords d'un canal qui sait jouer de ses charmes pour vous retenir.

LES ÉCLUSES DE FONSÉRANNES

Dans les faubourgs de Fonsérannes, à environ 3 km de Béziers, vers l'ouest, au-delà du pont Neuf. Plan de circulation assez hallucinant pour y arriver depuis le centre de Béziers, la ligne droite n'étant pas ici le plus court chemin pour aller d'un point (ni d'un pont !) à un autre. Prendre le bus n° 13 ou le petit train touristique, si vous n'avez pas envie de tourner en rond dans le secteur.
C'est le troisième monument le plus visité du Languedoc, qui bat tous ses records de fréquentation fin mai avec « Les Écluses en fête » (voir plus haut : « Manifestations »). C'est surtout l'ouvrage majeur de cette longue voie navigable qu'est le canal du Midi, œuvre du Biterrois Pierre-Paul de Riquet. Celui-ci, pour faire franchir à son canal une dénivelée de 25 m, a dû concevoir un étonnant escalier d'eau d'une longueur de 312 m : neuf écluses permettent ainsi aux bateaux de monter et descendre... au rythme des bassins qui se vident et se remplissent. Promenade et vue paisible sur la ville. Parallèle aux écluses, vous noterez un système hydraulique sur pneus qui était censé remplacer les écluses. Mais le système n'a jamais bien fonctionné et il fut abandonné. Un véritable petit scandale financier pour la ville !

Où dormir ? Où manger le long du canal, à la sortie de Béziers ?

De bon marché à prix moyens

🍴 ***La Raffinerie :** 14, av. Joseph-Lazare. ☎ 04-67-76-07-12. ♿ Au bord du canal, à la sortie de Béziers, en direction du stade de Sauclières (aussitôt à droite avt le pont). Fermé sam midi, dim et lun. Congés : 2de quinzaine de fév, 15 j. en mai et 1re quinzaine de nov. Formules en sem 21-26 €.* L'ancienne usine de soufre, élément primordial pour le milieu viticole (on est dans l'ancien quartier des négociants en vin), sert de décor à un restaurant tendance qui joue la carte du bistrot contemporain, sur les murs comme dans l'assiette. Terrasse en été, au bord de l'eau, pour goûter une cuisine méditerranéenne forcément... raffinée. Plats inventifs et un pot au chocolat explosif à découvrir en dessert.

🍴 ***Le Café de Plaisance :** 1, quai du Port-Neuf. ☎ 04-67-76-15-90. Hors saison, ouv à midi slt (le soir sur résa à partir de 15 pers) et fermé le w-e. Congés : 1 sem en fév, août et oct. Formule plat du jour 12,90 € et carte env 16 €. Kir offert sur présentation de ce guide.* Un gentil bistrot de quartier au charme suranné, posé benoîtement le long du canal du Midi. Les petites filles de l'ancien propriétaire ont repris l'affaire et proposent une cuisine simple mais de qualité. Menu à l'ardoise, qui change tous les jours : brochettes de volaille, seiches marinées et grillées *a la plancha,* tapenade de légumes... et grillades dans la cheminée en fonction des saisons. Sympa aussi pour les assoiffés qui cherchent une terrasse ombragée en plein été !

Beaucoup plus chic

🏠 🍴 ***Chambres et table d'hôtes La Chamberte :** rue de la Source, 34420 Villeneuve-lès-Béziers. ☎ 04-67-39-84-83. • contact@la-chamberte.com • la-chamberte.com • À la sortie de l'A 9, Béziers-Est. Pas de panneaux indicateurs, slt sur résa. Hors saison, fermé ts les midis, ainsi que dim-lun midi et soir. Congés : 1er-15 mars et 1er-15 nov. Doubles avec douche et w-c 96 €, petit déj inclus. Menu unique 35 €. CB refusées.* Chambres et table d'hôtes hors normes dans une ancienne cave à vin, à 5 mn du canal. Seule la façade extérieure a été conservée. On pousse la porte, en hésitant un peu, et nous voilà dans un autre univers, un rêve d'architecte : déployées autour d'un vaste patio, qui lui-même s'ouvre en terrasse sur un jardin discret, des chambres cosy aux couleurs de la Méditerranée ont pris la place des anciennes cuves. Ici, le béton se fait chaleureux, la convivialité s'invite autour de la cheminée. L'accueil exemplaire, la cuisine colorée réécrite chaque jour, le cadre contemporain, tout incite à « descansar ». Pour couples sans enfants, de préférence, car Bruno aime recevoir à la lueur des chandelles...

L'Appart des Anges – Péniche « Les Anges d'Eux » : *quai du Canal du Midi, 34420 Cers. ☎ 04-67-26-05-57. 06-11-11-05-87. • contact@appartdesanges.com • appartdesanges.com • À 6 km de Béziers. Congés : janv. Doubles 105-120 € selon saison, petit déj compris. Table d'hôtes 20 €. Apéritif maison offert ainsi que 10 % de réduc sur le prix de la chambre en basse saison, sur présentation de ce guide.* Un drôle de bateau aux allures de jonque égarée sur le canal du Midi, avec de drôles d'oiseaux à l'accueil et en cuisine. Il suffit de monter à bord et on oublie tout de suite la ville. Ici, tout est différent. Une péniche retapée avec humour et amour ? Mieux que ça, un repaire d'artistes aimant la vie ! Un lieu plein de couleurs, de chaleur, de produits ramenés des voyages au long cours par Jean-Philippe, sortis du magasin d'antiquités du frère de Christophe ou fabriqués simplement par eux. Cuisine très moderne pour le contraste, chambres douillettes pour s'isoler, et petit bout de piscine adorable pour faire trempette.

COLOMBIERS (34440)

Avant de s'engager dans le tunnel (165 m), les péniches actionnent leur sirène et se dirigent vers Colombiers, dont le petit port sur le canal a été aménagé en demi-cercle, afin de permettre un amarrage plus facile. À noter l'exploit technique dissimulé sous la « montagne du Malpas » : en plus du tunnel du même nom, on y trouve la galerie d'assèchement de l'étang de Montady et le tunnel du chemin de fer creusé au XIXe siècle. Un vrai millefeuille !

Adresse utile

La Maison du Malpas : *route de l'Oppidum (juste avt le site antique). ☎ 04-67-32-88-77. • lemalpas.com • Mai-août, tlj 10h-19h30 ; le reste de l'année, tlj (sf lun nov-fin avr) 10h-18h30 (17h nov-fév). Fermé pdt les vac de Noël.* Un centre touristique et culturel très convivial, à deux pas du premier tunnel souterrain au monde creusé pour la navigation. En saison, visites guidées à thèmes proposées par des conférenciers, tous les jours sauf lundi en hiver. Espace documentaire, multimédia, boutique de produits du terroir, exposition.

Où manger ?

Chez l'Éclusier : *au port. ☎ 04-67-37-14-77. Hors saison, fermé le soir dim-jeu. Menus midi en sem 13,50 €, puis 23,90-38,70 € ; carte env 30 €.* Une bonne étape pour les sorties en famille et une halte stratégique pour les explorateurs du canal du Midi. Il faut reconnaître qu'il joue bien le jeu : ses menus classiques sont d'un bon rapport qualité-prix, sans esbroufe et réguliers, et l'accueil volubile s'avère tout à fait sympathique. Et puis sa terrasse les pieds dans l'eau ne se refuse pas dès les premiers rayons de soleil.

NISSAN-LEZ-ENSÉRUNE (34440)

On y va bien sûr pour le célèbre oppidum, vestiges d'une importante agglomération antique perchée sur une colline dominant toute la région. Mais le village, agréable, mérite une petite visite.

Où dormir ? Où manger ?

Le Plô : 7, av. de la Cave. ☎ 04-67-37-38-21. • patry.c@wanadoo.fr • bed breakfast-nissan.com • Ouv avr-déc inclus. Doubles avec bains 45-85 € selon saison, petit déj 6 €. Apéritif maison offert sur présentation de ce guide. Un intéressant mélange des genres. Si la belle maison de maître est certes ancienne, les chambres spacieuses sont à l'inverse modernes et sobres... ce qui garantit un excellent niveau de confort. Atmosphère douce et relaxante, à l'image du jardin paisible choyé par un couple aux petits soins pour ses hôtes. À l'étage, deux appartements lumineux et bien équipés, avec loggias pour la sieste, impeccables pour les familles.

Hôtel Résidence : 35, av. de la Cave. ☎ 04-67-37-00-63. • contact@hotel-residence.com • hotel-residence.com • Parking ou garage clos (payant). Resto tlj sf midi lun et sam. Congés : fin déc-fin janv. Doubles 59-72 € selon saison ; ½ pens demandée en juil-août 68-74 €/pers. Menus 27-49 € et carte env 35 €. Un verre de muscat offert sur présentation de ce guide. Dans une belle maison provinciale au charme ancien. Pour une nuit ou pour une semaine, c'est une bonne adresse. Ambiance fleurie, reposante et chaleureuse, assurée par l'accueil charmant de la propriétaire. Chambres impeccables et tout confort, qui se distinguent par une déco personnalisée façon bonbonnière (tissus et couleurs agréables). Mais si vous êtes en fonds, choisissez les chambres « grand luxe », au calme dans une annexe voisine : spacieuses, climatisées et dotées de douches à hydro-massage. Jardin fleuri ombragé, piscine, terrasse.

À voir

***L'oppidum d'Ensérune :** sur la route de Narbonne, au niveau du village de Nissan, prendre à droite en direction de la colline d'Ensérune. ☎ 04-67-37-01-23. Sept et avr, tlj sf lun 10h-12h30, 14h-17h ; mai-fin août, tlj 10h-19h ; le reste de l'année, tlj sf lun 9h30-11h30, 14h-16h30. Entrée : 5 €, audioguide compris.* Là, perchés sur cette forteresse naturelle aux flancs escarpés, les vestiges d'une ville préromaine habitée du VIe siècle avant notre ère au Ier siècle apr. J.-C. Les fouilles ont permis de dégager les grandes périodes d'occupation successives, jusqu'à la romanisation de la région, marquée par une évolution de l'architecture et des habitudes. Fondations d'habitations de différentes époques, section bien conservée d'un mur d'enceinte percé d'une poterne, vaste nécropole et, bien sûr, une vue unique sur l'étang asséché de Montady, dont la géométrie parfaite délimite l'ancien plan d'eau. À l'automne, le site se pare de merveilleuses couleurs. À ne pas manquer. Le musée propose un petit film sur l'histoire du site et la vie quotidienne à l'époque romaine, ainsi que d'intéressantes collections sur l'habitat, l'artisanat et les objets découverts dans les tombes. Noter une belle série de vases attiques à figures rouges.

L'étang de Montady : une des plus belles surprises que vous offre le Languedoc. Asséché au XIIIe siècle, cet étang, autrefois source d'approvisionnement en poissons et coquillages, continue de faire rêver la génération « X-Files » qui croit volontiers que les extraterrestres sont passés par là : les immenses parcelles triangulaires, drainées grâce aux canaux qui collectent les eaux en direction du point central, lui donnent sa forme originale de soleil à l'envers, spectacle mouvant et émouvant, changeant de couleur, passant du blanc au rouge et du vert au mauve, en fonction des récoltes (lin, tournesol, colza, tomates)...

POILHES (34310)

Une escale particulièrement corsée pour les bateaux, plus paisible pour ceux qui les regardent passer. Voir les ruines romaines éparpillées dans le village et l'orme de Sully.

CAPESTANG *(34310)*

Joli clocher de 44 m et belles fenêtres ogivales sur la façade du château.
– ***Marché :*** *mer et dim mat.*

Où dormir ? Où manger ?

Chambres et table d'hôtes La Bergerie de l'Étang : *à Montels (34310). ☎ 04-67-93-46-94. • contact@labergeriedeletang.com • labergeriedeletang.com • À 2 km de Capestang, bien indiqué depuis la D 16. Ouv tte l'année. Selon saison, double avec bains 50-78 €, petit déj compris. Duplex (5 pers) 100-160 € la nuit. Repas 30 €, servi le soir sur résa.* À l'écart du village, cette ancienne bergerie luxueusement réaménagée surplombe l'étang et un paysage vierge apaisant, peuplé d'oiseaux sauvages. Accueil familial dans la grande tradition. Chambres cosy de belle taille, climatisées. Piscine. À la table d'hôtes, savoureuse cuisine aux accents méditerranéens, à base de produits du potager ou régionaux.

LE MINERVOIS

Soleil blanc sur terres blanches, les rivières coulent sur lit de craie, et les reflets violets de la brousse le disputent aux vignes. Nous avons déjà abordé cette terre du vin, qui se partage entre Aude et Hérault. Mais nous n'avions pas évoqué la perle de cette région : le site sublime de Minerve, qui rappelle que ces contreforts cévenols portent aussi les stigmates de la guerre albigeoise. Et c'est à Minerve que commence en fait le parc naturel régional du Haut-Languedoc (voir chapitre suivant).

OLONZAC

(34210) 1 600 hab.

La porte d'entrée dans le Minervois, si vous avez suivi le canal du Midi jusqu'à Homps. À 2 km au nord d'Homps et à 10 km au sud de Minerve.

Où dormir ? Où manger ?

Chambres d'hôtes Éloi Merle : *1, av. d'Homps. ☎ 04-68-27-62-02. • eloimerle@wanadoo.fr • eloimerle.com • Ouv tte l'année. Doubles avec douche et w-c ou bains 60 €, petit déj compris. Également un gîte pour 2 : 350-650 €/sem selon saison. Apéritif maison offert sur présentation de ce guide.* Un lieu typiquement anglais, comme ses propriétaires, couple charmant et quelque peu décalé comme il se doit. Glyn et Lynn ont quitté la campagne britannique pour venir vivre au soleil une semi-retraite. Belle maison vigneronne avec façade de pierre finement sculptée, carrelage d'époque, escalier doublement craquant, chambres spacieuses avec parquet, cheminée et stucs... et suffisamment de bibelots et de coussins pour ouvrir une boutique ! Grand jardin *(of course)* agrémenté d'une piscine. Et petit déj anglais pour jouer le jeu jusqu'au bout.

Restaurant du Minervois : *2, rue des Écoles. ☎ 04-68-91-20-73. • contact@belminervois.com • Fermé ven et sam midi tte l'année ; fermé également ts les soirs sf sam hors saison. Menu du jour midi en sem 13 € et menus copieux 21-35 €. Repas à la carte env 40 €.*

Vaste salle quelconque, terrasse dans une cour intérieure... l'endroit ne vaut pas forcément le coup d'œil, mais sûrement le coup de fourchette ! Très bonne cuisine traditionnelle autour des produits du terroir. On se régale déjà avec la terrine maison ou le foie gras confit au muscat, impeccables, avant de passer au filet de canette à la catharoise. Pas vraiment pour les petites faims. Riche carte de vins régionaux à bons prix. Une table solide et méritante (25 ans déjà), idéale avant d'attaquer la montée vers les Hauts-Cantons.

➤ DANS LES ENVIRONS D'OLONZAC

Azillanet (34210) **:** pour son église du XVIIe siècle. À l'intérieur, bel alignement de colonnes.

SIRAN *(34210)*

La capitale des vins du Minervois, à 8 km à l'ouest d'Olonzac et à 10 km au sud-ouest de Minerve. Le château de Siran abrite la *Maison du Minervois (☎ 04-68-27-80-00 ; en sem 8h-12h, 14h-18h – 17h ven).* Dégustations et renseignements touristiques, tout ce qu'on aime, quoi !

Château de Siran – Restaurant La Cigalière : *av. du Château. ☎ 04-68-91-55-98. • contact@chateau-de-siran.com • chateau-de-siran.com • Doubles 75-145 € selon confort et saison. Menus 17,50 € midi en sem, puis 28 et 45 € ; carte env 35 €. Apéritif maison offert sur présentation de ce guide.* Dans une ancienne bastide du bourg entièrement restaurée, une douzaine de chambres classiques au confort indéniable... Appartement en duplex qui intéressera les familles. Restaurant sur place, proposant une cuisine gastronomique à base de produits du terroir et quelques envolées créatives. À déguster en terrasse ou dans l'agréable jardin en été.

À ne pas manquer, également, l'église ***Notre-Dame-de-Centeilles,*** avec de magnifiques fresques du XIVe siècle. Et une ***curiosité*** qui attire petits et grands : la route qui monte et qui descend en même temps, comme on l'explique aux enfants. Une balade optique, au-dessus de Siran, à Lauriole.

MINERVE (34210) 100 hab.

La dernière des grandes « citadelles du vertige ». Sur un éperon rocheux, incroyable presqu'île au confluent du Brian et de la Cesse, qui ont tracé deux larges sillons au cours des millénaires, telle apparaît toujours Minerve, aux yeux des familiers du catharisme. Minerve, un des principaux verrous de la « forteresse hérétique », devenue la vieille cité martyre des bûchers de Simon de Montfort, ce « fou de Dieu » sexagénaire, croisé sanguinaire qui vainquit sans gloire les derniers cathares.

Jouissant de défenses naturelles exceptionnelles, cette cité plantée au cœur d'un plateau aride et solitaire, dans un paysage d'une beauté aussi grandiose que sauvage, était pratiquement inexpugnable lorsque le catharisme se répandit dans le Languedoc à la fin du XIIe siècle. Il fallut donc à Simon de Montfort un siège de plus de sept semaines et la destruction du puits Saint-Rustique, seul point d'eau du village, pour obtenir la capitulation de Guillaume de Minerve, seigneur des lieux, le 22 juillet 1210. Plus de 140 « parfaits » choisirent de se précipiter dans le bûcher plutôt que d'abjurer leur foi et se soumettre à l'autorité de Rome.

Site superbe, donc, mais à découvrir de préférence en dehors du mois d'août, si vous voulez vraiment l'apprécier dans son authenticité.

Adresse et info utiles

Syndicat d'initiative : *9, rue des Martyrs. ☎ 04-68-91-81-43. • minerve-tourisme.com • Ouv tte l'année ; avr-fin sept, tlj 10h-13h, 14h-18h.*

➢ **Circuits** proposés par l'association *Les Capitelles du Minervois. Infos : ☎ 04-68-91-17-17.*

Où dormir ? Où manger à Minerve et dans les environs ?

Campings

Centre naturiste Le Mas de Lignières : *Montcélèbre, à Cesseras (34210). ☎ 04-68-91-24-86. • mas.lignieres@tiscali.fr • chez.com/masdelignieres • À env 5,5 km de Minerve par la D 10. Ouv 1er mai-30 sept. Compter 19 € pour 2 en hte saison avec voiture et tente. Loc de mobile homes 190-420 €/sem.* Complètement paumé dans les garrigues, à l'abri des regards indiscrets derrière ses murs d'enceinte, une oasis de 7 ha pour 50 emplacements seulement. Intime, convivial et bien équipé. Piscine, tennis, ping-pong, épicerie d'appoint, buvette...

Camping Le Vernis : *34210 Azillanet. ☎ 04-68-91-13-22. • http://le-vernis.fr.fm • Entre Azillanet et Aigne, au sud de Minerve. Ouv tte l'année. Emplacement pour 2 avec voiture et tente 15 € en hte saison.* Petit camping pour amateurs de vraie solitude et de garrigue. Emplacements dispersés à flanc de colline, autour d'un petit plan d'eau, et bar tout simple pour profiter du plat unique servi tous les soirs à prix doux. Fort contingent néerlandais.

De prix moyens à plus chic

Relais Chantovent : *17, Grand-Rue. ☎ 04-68-91-14-18. Fax : 04-68-91-81-99. Resto fermé dim soir et lun. Congés : de mi-déc à mi-mars. Doubles avec douche et w-c 45 €. Menus 20-38 € et carte env 35 €.* Une situation de rêve en plein centre du village, suspendu au-dessus du vide. Chambres simples et sans prétention, propres et confortables. Une annexe très bien également, toujours dans le village, avec mobilier plus rustique. Au resto, très bonne cuisine du terroir à base de beaux produits : jambon de la Montagne noire, pélardons rôtis, brouillade d'œufs aux truffes, le tout arrosé des meilleurs minervois. En prime, terrasse formidable surplombant les gorges.

La Table des Troubadours : *1, rue du Porche. ☎ 04-68-91-27-61. Tlj midi et soir juil-août ; tlj slt le midi fév-juin et sept-oct. Congés : nov-janv. Menus 14,50-35 €. Apéritif maison offert sur présentation de ce guide.* Les *Troubadours* jouent la partition de la petite cuisine de bistrot classique, élargie en saison aux crêpes, pizzas et *bruschettas.* On y va surtout pour la vue sur le pont et la vallée de la Cesse, et les grillades toutes simples au feu de bois. Terrasse ombragée très agréable ou salle rustique confortable.

Beaucoup plus chic

La Bastide des Aliberts : *à 1 km de Minerve, sur la gauche de la D 10 en venant d'Olonzac ou Azillanet. ☎ 04-68-91-81-72. • aliberts@wanadoo.fr • aliberts.com • Ouv tte l'année. Doubles avec bains 100 €, petit déj compris ; gîtes pour 2 à 10 pers 600-2 100 € selon capacité et saison. Table d'hôtes sur commande env 25 €.* Cinq logis de prestige aménagés dans une noble bâtisse du XIIe siècle pour ses parties les plus anciennes, perchée sur sa motte comme une vieille forteresse médiévale, belle et tranquille dans son écrin de collines et de vignes. Pas vraiment donné, mais c'est le top : espace, meubles et déco de goût, sanitaires et cuisines impeccables, grand confort partout. Petit jardin privé ou patio, et nature à perte de vue. Piscine superbe, ancrée à son rocher, jacuzzi, sauna... Et, pour parfaire le tableau, l'accueil est parfait.

À voir

L'église Saint-Étienne : visite sur rendez-vous : ☎ 04-68-91-22-92. Entrée (visite du musée comprise) : 1,70 €. Datant du IXe siècle, elle renferme un maître-autel en marbre blanc de 456 apr. J.-C. Il s'agit du plus ancien connu en Europe.

Le Musée municipal : ☎ 04-68-91-22-92. Mars-Toussaint, tlj 10h-18h ; le reste de l'année, sur rendez-vous. Entrée : 1,70 €. Collections archéologique, géologique et paléontologique réunies à la suite de dons. Pierres du néolithique et du chalcolithique, fossiles du Languedoc, bifaces, fragments de céramique. Pas renversant et vraiment vieillot.

Le musée Hurepel : ☎ 04-68-91-12-26. Avr-fin oct, tlj le mat et l'ap-m (tte la journée de mi-juin à fin août). Entrée : env 3 € ; réduc ; gratuit moins de 14 ans. Toute l'épopée cathare racontée par d'habiles reconstitutions peuplées de figurines très expressives. Réalisées par Philippe et Myriam Assié, santonniers de leur état. Vraiment super, et impressionnant.

La candela : datant du XIIIe siècle, reste d'un pan de mur du château vicomtal. Pour faire le tour de Minerve, empunter le sentier qui démarre à la dernière maison du village, à proximité de la *candela* (« chandelle » en occitan), et suivre le balisage jaune. À noter, le sentier peut être glissant par temps de pluie.

Les dolmens : sur le causse. Randonnées par le GR 77.

Manifestation

– *Minerve au cœur de la Pierre : début août.* Visites guidées sur le thème de la géologie et plus largement sur la pierre et son utilisation (dans la restauration des monuments, l'art...), conférences, ateliers (taille du silex), expositions... suivis, bien sûr, par une dégustation des vins régionaux en musique et un dîner festif.

➤ DANS LES ENVIRONS DE MINERVE

LA CAUNETTE (34210)

Petit village fortifié dont il ne reste qu'une porte du XIIIe siècle. À l'entrée du village, église Notre-Dame, du XIe siècle, au milieu du cimetière surplombant la rivière. Bucolique ! Fête de la Bigarrade, le 1er week-end de mars. Marché du terroir, exposition et vente de plants d'agrumes et variétés méditerranéennes oubliées.

Où dormir ? Où manger ?

***Chambres d'hôtes et restaurant Le Picou :** rue de la Poterie. ☎ 04-68-91-21-30. • lepicou.com • Tlj sf mar-mer. Congés : 15 nov-14 fév. Doubles 50-60 € selon saison, petit déj compris. Menu midi en sem 16 €, repas complet à la carte env 25 €. Apéritif maison offert sur présentation de ce guide.* Ancienne poterie restaurée avec soin, qui a su conserver un aspect rustique et chaleureux. Chambres très agréables et tout confort. Côté restaurant, cuisine conviviale méditerranéenne, servie sur la terrasse ombragée aux beaux jours, ou dans une salle à l'ancienne avec une cheminée.

AIGNE (34210)

Joli village au milieu des garrigues du Minervois, surplombant le ruisseau des Agneaux. Sa forme typique en spirale lui a valu son surnom d'Escargot. Boutiques d'artisanat d'art. Voir aussi l'église et sa cloche classée monument historique, ainsi que le sentier d'Émilie qui mène jusqu'au chêne de Saint-Abdon où la légende raconte qu'un moine aurait trouvé son seau rempli d'eau après la sieste ! Depuis, on guette d'autres miracles, en ne dormant que d'un œil...

Où manger ?

Restaurant Lo Cagarol : *pl. de la Fontaine. ☎ 04-68-27-84-22. ♿ Fermé mer-jeu (slt mer en hte saison). Congés : janv. Menus midi en sem 13,50 €, puis 24-44 € et carte env 30 €.* Quand terroir et inventivité font bon ménage, comme dans la cuisine de Christophe Esperou, la clientèle se fidélise et en redemande. Assiettes fraîches et généreuses. Goûtez ici à la cargolade à la moelle ou à un magret aux figues, accompagnés d'un vin du Minervois, comme il se doit. En saison, la terrasse paisible sous les frondaisons est un autre argument de poids.

SAINT-JEAN-DE-MINERVOIS (34210)

De grandes étendues de calcaire blanc sur lesquelles s'accrochent une vigne râblée, des parcelles entourées de murs de cailloux parfois creusés d'une cabane appelée ici *capitelle :* c'est le terroir du muscat de Saint-Jean-de-Minervois, un divin breuvage à déguster bien frais à l'apéritif, avec du roquefort ou au dessert. Classé en appellation d'origine contrôlée depuis 1949. Pour les connaisseurs, rien ne vaut le domaine Barroubio, qu'on se le dise.
Le village est entouré de gorges et, au fond de l'une d'elles, on découvre l'*église de Saint-Jean-Dieuvaille,* bâtie au XIIIe siècle sur les fondations d'un ancien ermitage. Elle est si encaissée entre de hautes falaises qu'on l'a d'ailleurs surnommée Saint-Jean-du-Trou.

RIEUSSEC (34220)

Une petite commune qui, comme son nom l'indique, a connu longtemps des problèmes d'eau. Si la nature est aujourd'hui plus généreuse (belles balades dans les bois), l'habitat reste dispersé. En juillet, les habitants des neuf hameaux se réunissent autour du four communal pour la fête du Pain. Très accueillants, profitez-en.

Où manger ?

Auberge de Sainte Colombe : *col de Sainte-Colombe, route de Saint-Pons. ☎ 04-67-97-16-45. ♿ Hors saison, fermé ts les soirs ainsi que mer tte la journée ; en hte saison, fermé le soir lun et mer. Congés : fin juin et de déc à mi-fév. Menus midi en sem 11,50 €, puis menus 20-29 € et carte env 28 €. Café offert sur présentation de ce guide.* Une auberge typique en vieille pierre du pays, établie depuis 1746 dans un environnement agréable. Plats du terroir bien préparés, cuisine saine élaborée avec de bons produits et atmosphère reposante. Pour gros mangeurs, et non pour ceux qui ont un appétit d'oiseau. Idéal hors saison.

LE PARC NATUREL RÉGIONAL DU HAUT-LANGUEDOC

Sur les derniers contreforts du Massif central, le parc naturel régional du Haut-Languedoc s'étend sur 93 communes également réparties sur deux départements, l'Hérault et le Tarn ; 46 communes, 20 000 habitants (eh oui !) et 120 000 ha pour le premier, 47 communes, 64 000 habitants et 140 000 ha pour le second.
Sa situation à cheval sur la ligne de partage des eaux de l'Atlantique et de la Méditerranée lui donne son originalité, et explique les ambiances très contrastées que vous rencontrerez. Vous allez traverser des forêts aux essences variées et découvrir une flore exceptionnellement riche... Chênes verts, vigne et cerisiers dans les vallées de l'Orb et du Jaur ; hêtres, sapins et landes de bruyère du côté du Somail et de l'Espinouse, sans oublier la plus importante réserve de mouflons d'Europe ! Mais aussi les écrevisses à pattes blanches (non, elles ne jouent pas les touristes en short !), les aigles royaux... Une fabuleuse palette de couleurs et de senteurs, et un fonds patrimonial plutôt riche...
On peut se procurer de la documentation récente dans tous les villages cités pour arpenter le Caroux, l'Espinouse, le Somail ou le Sidobre. Éditée par le parc naturel régional du Haut-Languedoc, une série de plaquettes permet de découvrir les différents territoires, des Avants-Monts du balcon méditerranéen que vous venez de traverser, depuis Minerve, aux monts d'Orb, en passant par le plateau des lacs et le Caroux. Les amateurs de VTT ou d'équitation y trouveront plein de tuyaux, impeccablement répertoriés.

SAINT-PONS-DE-THOMIÈRES (34220) 2 500 hab.

La capitale du parc fleure bon les essences des arbres environnants. Au carrefour des routes du Piémont, de Béziers, de Narbonne et de Mazamet, elle vit comme repliée sur elle-même, blottie dans la vallée du Jaur, aux pieds du Somail et des Avants-Monts. Les jours de marché ou de plein été, elle retrouve une certaine joie de vivre, en attendant le prince charmant qui viendra redonner couleur et atmosphère à ses belles vieilles rues endormies. Les amateurs de traditions et de produits du terroir pourront revenir pour la *fête de la Châtaigne,* en automne, et celle *du Cochon,* en plein cœur de l'hiver. Mais, en été, une pause casse-croûte sera ici la bienvenue. Suivez nos conseils : allez acheter vins et charcutaille à la *charcuterie du Somail,* face à la cathédrale (☎ 04-67-97-13-30). Et prenez du pain chez son voisin. Les endroits pour vous arrêter ensuite, dans le parc, ne manquent pas.

Adresses utiles

ℹ ***Office de tourisme :*** *pl. du Foirail, BP 16.* ☎ *04-67-97-06-65.* • *saint-pons-tourisme.com* • *Dans l'ancienne halle au grain. En juil-août, tlj sf dim.* Bon accueil et nombreuses infos sur les possibilités de randonnées dans la région.

Gare SNCF : ☎ *36-35 (0,34 €/mn).* Ligne Castres-Béziers.

Où dormir ? Où manger ?

Les Bergeries de Pondérach : *à 1 km du centre, en direction de Narbonne.* ☎ *04-67-97-02-57. Fax : 04-67-97-29-75. Nov-fin mars. Doubles*

84-105 €. On a bien du mal à imaginer des troupeaux dans cette belle demeure du XVIIe siècle, organisée autour d'une charmante cour intérieure fleurie. Les chambres sont à l'avenant, personnalisées, d'un confort irréprochable, et toutes prolongées par une terrasse donnant sur la campagne. Une retraite de charme, où ce sont les oiseaux qui font office de réveille-matin ! Piscine et resto traditionnel sur place.

|●| ***La Route du Sel :*** *15, Grand-Rue. ☎ 04-67-97-05-14. Fermé lun hors saison, dim midi en été. Congés : 22-29 déc. Plat du jour 8,50 € et formule midi en sem 13,80 €, menus 19,50-27 € ; à la carte, compter 22 €. Café offert sur présentation de ce guide.* La déco de la jolie salle voûtée ne laisse aucun doute sur les sources d'inspiration de Jérôme. Cet ardent défenseur des produits régionaux, bio de surcroît, prend plaisir à fignoler des menus terroirs exaltés par les saveurs du monde : salade de foie gras et chutney aux fruits sur galette de châtaigne, magret de canard cuit au four sauce au muscat, etc. On apprécie.

À voir. À faire

La cathédrale : elle présente une étonnante juxtaposition de roman et de baroque. La sacristie occupe les deux premières travées de la basilique originelle et abrite le tombeau de l'évêque Percin de Montgaillard. Les marbres du maître-autel (XVIIIe siècle) méritent aussi le coup d'œil. Il faut demander à l'office de tourisme de vous faire visiter l'intérieur pour admirer les orgues de 1772, parmi les plus prestigieuses de France. Le cloître ? Envolé au Louvre, à Toulouse et aux États-Unis ! La façade classique donne sur la placette. Ne pas manquer le marché du mercredi matin. La façade ouest est romane avec de très beaux tympans sculptés.

La Portanelle : la tour Saint-Benoît et la tour de l'Évêché, la tour de la Gascagne et la tour du comte Pons, restes des fortifications.

Près des ruines de ***Saint-Martin-du-Jaur,*** résurgence de la source du Jaur.

Le musée de la Préhistoire : *☎ 04-67-97-22-61. De mi-juin à mi-sept, tlj sf lun 10h-12h, 15h-18h. Entrée : 3 €.* En attendant l'ouverture d'un musée mieux adapté dans le centre-ville, les collections de préhistoire locale se serrent dans deux petites salles assez bien agencées. Les vitrines rassemblent les objets découverts dans les grottes des environs. Voir notamment une collection unique de statues-menhirs, certaines vieilles de 4 500 ans. On les appelle les « déesses muettes », elles n'ont toujours pas livré leur secret.

➢ ***Les balcons du marbre :*** circuit de découverte pour tout apprendre sur l'histoire du marbre du Languedoc, qui orne les maisons et monuments du village. Brochure détaillée et plan disponibles à l'office de tourisme.

➢ ***La grotte de Ponderatz :*** possibilité de safari spéléo (surtout en juil-août) avec initiation et découverte d'un magnifique réseau encore vierge. *Rens et résas auprès de l'office de tourisme : ☎ 04-67-97-06-65.*

➢ DANS LES ENVIRONS DE SAINT-PONS-DE-THOMIÈRES

La grotte de la Devèze : ***34220 Courniou.*** *☎ 04-67-97-03-24. • courniou lesgrottes.com • À 5 km en direction de Castres. Juil-août, visites tlj 10h-18h ; juin et sept, tlj à partir de 12h ; avr-mai, tlj 14h-17h ; le reste de l'année, slt le w-e, l'ap-m. Fermé en janv. Entrée : 7 € (grotte et musée) ; réduc.*

Très connue pour la finesse de ses concrétions, véritables dentelles et fleurs de pierre. La balade entraîne les visiteurs jusqu'à - 35 m, avant de remonter à 25 m au-dessus du niveau du sol. De loin en loin, des aragonites, des fistuleuses et des

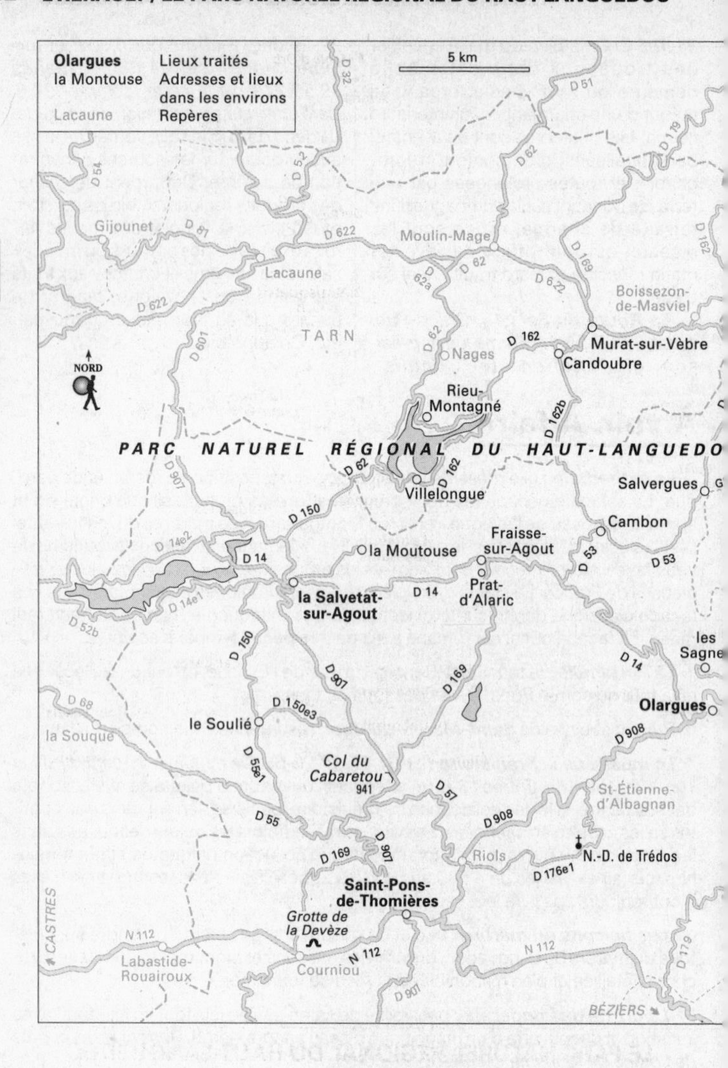

draperies aux formes évocatrices... Captivant. Ce sont les ouvriers travaillant sur la ligne de chemin de fer partant vers Mazamet qui mirent au jour, en 1886, à grand renfort de barre à mine, ce « palais de la Fileuse de verre » qui fera la renommée de Courniou.

Pour parfaire votre culture spéléologique, rendez-vous au musée attenant, où tous les mystères de la formation des cavernes, l'origine des concrétions colorées, la vie des animaux, les techniques des fouilles vous seront dévoilés. Mais Courniou, village de 600 habitants, ne vit pas que sous terre : pistes de VTT et de randonnée pédestre, parcours de pêche sillonnent son territoire. L'été, chaque hameau organise sa fête à tour de rôle.

LE PARC NATUREL RÉGIONAL DU HAUT-LANGUEDOC

La chapelle Notre-Dame-de-Trédos : *au nord-est, à 9 km par la D 908 et la D 576, à 625 m d'altitude.* Vue sur la vallée du Jaur et les plaines de l'Hérault. À l'intérieur du sanctuaire, un bénitier en marbre rouge et une statue polychrome.

QUITTER SAINT-PONS-DE-THOMIÈRES

➢ ***En bus :*** vers le sud et Béziers. Une route passe par les défilés de l'Illouvre (un vrai coupe-gorge) et débouche sur la plaine à Saint-Chinian. On peut poursuivre la route du Piémont par les vallées du Jaur et l'Orb.

LA SALVETAT-SUR-AGOUT (34330) 1 150 hab.

Du col du Cabaretou, à 11 km par la D 907, on arrive à La Salvetat-sur-Agout, station verte de vacances. Cadre enchanteur effectivement, à 700 m d'altitude, où jaillit une source d'eau fameuse, naturellement pétillante et ferrugineuse, la répandue Salvetat (visite plusieurs fois par semaine en été de l'usine d'embouteillage, sur inscription à l'office de tourisme).

Au gré des ruelles étroites et pittoresques, on pourra découvrir cette « sauveté » fondée sur le promontoire rocheux au XIIe siècle par Raymond de Dourgne, alors abbé de Saint-Pons (on vous dit tout, pour vous donner le temps de souffler), qui fut à l'origine du village actuel. Les premiers habitants recevaient une maison et un lopin de terre qu'ils pouvaient exploiter librement, ce qui favorisa le développement de la communauté et nécessita la création d'infrastructures, tel le pont sur la Vèbre. Arrêtez-vous un peu plus loin pour admirer la chapelle Saint-Étienne, chapelle romane du XIIe siècle (visites guidées en saison, sur inscription à l'office de tourisme). Enfin (en faim, devrait-on dire), passez *Chez Cabrol* faire le plein de charcuteries du tonnerre, parmi les meilleures du département. • cabrol-la-salvetat.com •

La Salvetat est au cœur du plateau des lacs. Dans les environs immédiats, la plage des Bouldouïres vous attend pour la baignade et la voile. Beaucoup de touristes en été. Belle promenade autour du lac de la Raviège.

L'HÉRAULT

Adresses utiles

Office de tourisme : *pl. des Archers. ☎ 04-67-97-64-44. • lasalvetatot.com • hautlanguedoc.fr • Ouv tte l'année. En saison, lun-ven 9h-13h, 14h-19h ; sam 10h-12h30, 15h-18h ; et dim mat.* Beaucoup de documents pratiques et gratuits. En saison, visites guidées du village, de l'usine d'embouteillage « Salvetat » et de la chapelle Saint-Étienne sur résa.

Bus vers le sud et Béziers : Hérault Transports *assure une liaison quotidienne lun-sam. Rens : ☎ 04-67-49-49-65 ou 0825-34-01-34.*

Où dormir ? Où manger ?

Hôtel-restaurant La Plage : *au bord du lac de la Raviège. ☎ 04-67-97-69-87. • laplage.lac@wanadoo.fr • pageloisirs.com/hotel-la-plage • ♿ Tlj sf dim soir et lun. Congés : vac scol de fév. Doubles env 42 €. Formule du jour en sem 12 €, menus 17,50-35 € et carte 25-30 €.* Du neuf qui sent déjà le vieux, ici, c'est plutôt bon signe. Car cette auberge tourne rond depuis longtemps : on vient de loin goûter la salade de cochon, ou les délices salvetois à l'œuf frit et à la poitrine salée. Jean-René Pons fait dans la tradition, sa salle à manger rustique aussi. Réservez, c'est plus sûr. Bons vins au verre. L'hôtel est également d'un honorable rapport qualité-prix. Chambres conventionnelles mais confortables, sans autre prétention qu'une vue sympathique sur le lac, au calme le soir.

Chambres et table d'hôtes L'Oustal : *lieu-dit La Moutouse. ☎ 04-67-97-61-63. • magali.moutouse@free.fr • À la poste du village, emprunter la route de gauche pdt 4 km, c'est toujours tt droit. Ouv Pâques-Toussaint. Doubles 45 €, petit déj compris. Table d'hôtes slt le soir 14 €. Apéritif maison offert sur présentation de ce guide.* Isolée dans un environnement superbe, cette petite ferme champêtre est idéale pour se mettre au vert. Chambres mignonnes, très bien tenues, et surtout une bonne cuisine familiale préparée avec les produits de la ferme : charcuterie et pâtisseries maison, lapin fermier... Bref, impossible de mourir de faim. Nombreux sentiers de randonnée (un des chemins de Compostelle passe ici).

Où dormir ? Où manger dans les environs ?

🏠 🍽 ***Ferme-auberge Le Moulin :*** *34330 Le Soulié. ☎ 04-67-97-22-27. Fax : 04-67-97-32-83. Sur la D 150, entre La Salvetat et le col du Cabaretou, à 2 km du Soulié en direction d'Anglès. Ouv sur résa slt. Congés : nov-fin mars. Doubles 40 €, petit déj 5 €. Menus 20-27 €. Café offert sur présentation de ce guide.* À 900 m d'altitude, une ferme-auberge de France profonde, anti-nouvelle cuisine. Charcuterie maison et plats à base de veaux fermiers de la propriété (comme le sauté de veau aux écrevisses ou l'escalope à la crème de cèpes), servis comme il se doit dans une salle en pierres apparentes. Randonnée digestive indispensable, à ski de fond en hiver. Pour ceux qui préfèrent les siestes prolongées, une petite dépendance rustique abrite deux chambres confortables et bien tenues, avec salle de bains commune.

➤ DANS LES ENVIRONS DE LA SALVETAT

Bienvenue dans les Hauts-Cantons, comme on dit par ici. Marqué par son relief accidenté et son altitude de moyenne montagne, ce vaste territoire de vertes prairies et d'immenses forêts est calé sur la ligne de partage des eaux entre Atlantique et Méditerranée, et l'on passe sans s'en rendre compte du Tarn à l'Hérault, et vice versa.

DE LA SALVETAT À LAMALOU-LES-BAINS

Candoubre : un sentier balisé conduit au *dolmen de Castelsec,* une dalle de 2 m supportée par sept rocs. En direction du lac du Laouzas par la D 162, deux menhirs au Pré-du-Roi et à Paumauron.

Rieu-Montagné : pour qui aurait envie de faire de la voile sur le lac. *Base de loisirs de Rieu-Montagné. ☎ 05-63-37-12-29 et 05-63-37-48-60 (en été). • laouzas.com •* Loc de chalets.

Villelongue : au sud du lac, une église gothique en schiste de la « tête aux pieds ».

Murat-sur-Vèbre** (81320) **: petite incursion en territoire tarnais. De La Salvetat, pour les randonneurs, suivre le GR 653. On passe par le hameau de Villelongue avant de longer le lac de Laouzas et la rivière. On traverse ensuite le village de Candoubre, pour arriver à Murat. En voiture, le trajet est également superbe.

À la croix de Mounis (10 km par la D 922 vers Saint-Gervais), monter au ***sommet de l'Espinouse*** par le GR 71. Panorama magnifique jusqu'au belvédère de l'Ourtigas. Attention, réserve nationale de chasse. On peut croiser une faune intéressante, mais il ne faut pas la déranger. En automne, le coin est truffé de champignons... mais également de chasseurs !

🏠 🍽 ***Ferme-auberge Les Falaises d'Orques :*** *Le Fau, 34610 Castanet-le-Haut. ☎ et fax : 04-67-23-60-93. ♿ (au resto). Ouv sur résa slt mars-fin oct. Gîte d'étape 16 € la nuitée en chambres de 4 ou 8 lits, petit déj inclus. Chambres d'hôtes 48 € pour 2, petit déj compris. Repas simples 15 € pour les résidents, plus élaborés 24 €.* Complètement isolée dans un site superbe, relié à la civilisation par une route très sinueuse. Belle maison de caractère au cœur d'une exploitation agricole, d'où vous pourrez rayonner en étoile dans le massif. Chambres confortables, gîte simple et bien tenu. À table, une très bonne cuisine de saison, aussi rustique que la salle à manger dotée d'une cheminée monumentale. Accueil très aimable.

Possibilité de rejoindre directement ***Lamalou-les-Bains*** (voir plus loin) en continuant sur ***Saint-Gervais-sur-Mare*** (voir plus loin « Dans les environs de Bédarieux : les monts d'Orb »). Route pittoresque, on peut le dire.

DE LA SALVETAT À OLARGUES

Fraïsse-sur-Agout *(34330) : à 10 km à l'est de La Salvetat, sur les rives de l'Agout.* Le « village des fleurs » vous accueille dans un cadre coquet, avec son lac et son menhir de Picarel, décoré d'un serpent et d'un œuf. L'été, l'office de tourisme du village organise tous les jeudis une visite guidée gratuite de ***la ferme de Prat-d'Alaric.*** Cet ensemble de maisons de pays restauré par le parc est connu pour son « pailler », une grange caractéristique du Somail longue de 40 m et recouverte de genêts. Un montage audiovisuel intéressant présente les exploitations traditionnelles du pays.
Les amateurs de pêche et de randonnées peuvent dormir au *Campotel* de Fraïsse-sur-Agout. ☎ *04-67-97-63-92. Ouv tte l'année.*

Cambon-et-Salvergues *(34330) : à 4 km au nord de Fraïsse. Fête de la Montagne le dernier w-e de juil. Randos tte l'année.*

L'HÉRAULT

OLARGUES

(34390) 600 hab.

Cette ancienne capitale wisigothe offre une image pittoresque de carte postale, avec son pont en dos d'âne médiéval, dit « pont du Diable », sa tour-clocher du XIIe siècle et ses ruelles pavées émaillées de passages couverts et de demeures anciennes. Côté nourritures terrestres : cerises, truffes ou châtaignes. Côté cœur, c'est aussi l'un des plus beaux villages de France. Olargues est de surcroît un important centre de recherche géologique, qui profite de la richesse exceptionnelle en la matière du Haut-Languedoc.

Adresse utile

Office de tourisme : *av. de la Gare. ☎ 04-67-97-71-26. En saison, tlj 9h-13h, 16h-19h ; hors saison, lun-sam (sf mer) 9h-12h, 14h-17h.*

Où dormir ?

Camping

Camping Le Baous : *chemin du Baous, en bordure du Jaur. ☎ 04-67-97-71-50 ou 70-50. Ouv 1er mai-15 sept. Compter 10 € pour 2 en hte saison.* Un 2-étoiles sans prétention, bénéficiant d'un très joli terrain au bord de la rivière. Une centaine d'emplacements ombragés, au calme.

Où manger dans les environs ?

Restaurant l'Esclop : *route de Saint-Pons, 34390 Prémian. ☎ 04-67-97-18-19. Tlj sf lun. Congés : 3 sem en déc. Menus midi et soir en sem 11-25 € ; carte env 20 €. Apéritif maison offert sur présentation de ce guide.* À l'entrée de Prémian, une petite guinguette sympathique agrippée à la falaise, avec treille pour les beaux jours. Jolie vue sur la vallée et la rivière en contrebas. Petite cuisine familiale et addition légère.

À voir

Le centre multimédia Cébenna : *av. du Champs-des-Horts. ☎ 04-67-97-88-00. • cebenna.org • Juil-août, lun-sam 9h-19h (pause déj sam) ; le reste de l'année, mar-mer et ven 9h-12h, 14h-18h.* Une association vouée à la sauvegarde, à la recherche scientifique et à la découverte du parc naturel régional du Haut-Languedoc. Médiathèque, kaléidoscope géant, auditorium, documentaires régionaux, autant de moyens pour s'informer sur les richesses du parc. Balades guidées, expositions, animations pour les enfants, etc.

À 1 km, le ***prieuré de Saint-Julien*** et son clocher carré au milieu des cerisiers et des cyprès.

Manifestations

– ***Fête de la Cerise :*** *le 1er w-e de juin, à Mons-la-Trivalle.*
– ***Fête médiévale :*** *le 3e w-e de sept, à Olargues.*
– ***Fête du Marron et du Vin nouveau :*** *le w-e de la Toussaint, à Olargues.*

➤ DANS LES ENVIRONS D'OLARGUES

MONS-LA-TRIVALLE (34390)

Il s'agit en réalité de deux petits villages médiévaux accolés, départs des randonnées pour le mont Caroux, gigantesque chaos sculpté par l'eau et le vent depuis des millénaires. À voir, pour se rassurer, la chapelle de la Voulte (XIIe siècle).

Où dormir ? Où manger ?

Camping

Camping de Tarassac Le Clap : *en bordure de l'Orb, juste après le pont suspendu. ☎ 04-67-97-72-64. Ouv tte l'année. Emplacement 10 € pour 2 en hte saison.* Ombragé, au calme. Bar et alimentation d'appoint sur place.

Bon marché

Gîte d'étape du Presbytère : *☎ 04-67-97-77-06. • sudrandos@wanadoo.fr • sudrandos.com • Dans la partie haute du village de Mons. Slt sur résa, tte l'année. Double (1 chambre) avec lavabo 36 €, petit déj compris. Sinon, prévoir 12 € la nuit. Repas servi le soir sur résa 15 € tt compris.* Après avoir gravi la « rue de la condition physique » (ça ne s'invente pas pour un gîte d'étape !), on découvre un délicieux presbytère aménagé en refuge de charme. Belle maison de pierre avec un escalier extérieur reposant sur une arche. À l'intérieur, du bois, de la pierre et une cheminée irrésistible en saison fraîche. Atmosphère à la fois rustique et douillette, renforcée par l'accueil chaleureux des hôtes. Superbe vue sur la vallée.

À voir. À faire

Les gorges d'Héric et le col de l'Ourtigas mènent aux ***sommets du Caroux et de l'Espinouse.*** La randonnée de rêve, variée, sans doute la plus belle du coin pour sa richesse en paysages. On s'arrête pour se baigner dans des vasques d'eau fraîche où écument des torrents cristallins... Passez au *gouffre du Cerisier (infos : ☎ 04-67-97-78-22).*

➢ ***Canoë :** au départ de Tarassac, vers Roquebrun.* Là aussi, nous recommandons la randonnée, superbe, pas trop sportive, très bien encadrée si on le souhaite. Possibilité de pique-niquer sur les berges du côté de Vieussan. On débarque à Roquebrun. Location de canoës au *Moulin de Tarassac* : *Mons-la-Trivalle.* ☎ 04-67-97-74-64. Détail important : ne pas oublier de mettre des chaussures fermées.

ROQUEBRUN (34460)

Joli village traditionnel, surnommé le « Petit Nice » en raison du microclimat insolite dont il bénéficie. À voir notamment au printemps, quand les mimosas et les orangers éclatent de couleurs. Glissez-vous entre les hautes maisons à arcades, descendez, de ruelles pavées de galets en placettes ombragées, jusqu'aux rives rafraîchissantes de l'Orb pour y piquer une tête (plage). Point de vue agréable sur les vignes environnantes.
C'est un véritable ***jardin méditerranéen*** que vous allez découvrir à l'ombre de la tour médiévale dominant ce village. *Infos : CADE, rue de la Tour.* ☎ *04-67-89-55-29.* Un charmant sentier botanique (payant) présente plus de 5 000 plantes de 350 espèces différentes, parmi lesquelles 80 variétés de figuiers de Barbarie, une vingtaine d'agaves et d'aloès, mais aussi des succulentes et ces fameux mimosas qui valent au village de revivre, chaque deuxième dimanche de février, une fête étonnante, aux couleurs du carnaval d'autrefois.

Adresse utile

ℹ ***Office de tourisme intercommunal :** av. des Orangers.* ☎ *04-67-89-79-97.* • *roquebrun.org* • *Ouv tte l'année.* Organise des visites accompagnées du village, sur résa.

Où dormir ? Où manger ?

***Camping Le Nice et Campotel de l'Orb :** rue du Temps-Libre.* ☎ *04-67-89-61-99.* • *camping-campotel@wanadoo.fr* • *campinlenice.com* • *Sur la rive opposée au village. Ouv de mi-mars à mi-nov (loc tte l'année). Compter 8,60 € en hte saison, l'emplacement pour 2 avec voiture et tente. Loc de gîtes et chalets 330-470 €/sem selon saison.* Petit camping 3 étoiles propret, doté d'une trentaine d'emplacements et de gîtes bien équipés, avec cuisine, terrasse, linge, barbecue... Sanitaires impeccables. Pour les actifs, court de tennis, ping-pong, boulodrome, base de canoë-kayak (payant) et jeux pour enfants.

***Chambres et table d'hôtes Les Mimosas :** av. des Orangers.* ☎ *04-67-89-61-36.* • *welcome.lesmimosas@wanadoo.fr* • *lesmimosas.net* • *Congés : nov. Chambres spacieuses 70-85 €, petit déj compris. Table d'hôtes 28 €.* Une belle maison de maître en bordure de l'Hérault, idéalement située au cœur du village. Terrasse verdoyante avec barbecue à disposition. Jolie déco reposante, très propre. Une atmosphère amicale bien agréable, grâce à l'accueil courtois d'un couple de Britanniques passionnés par la région.

Où manger dans les environs ?

***Le Lézard Bleu :** à Vieussan (34390).* ☎ *04-67-97-10-21.* • *manuerik.kat@free.fr* • ♿ *À 6 km au nord de Roquebrun. Fermé lun-mer hors saison. Congés : vac scol de la Toussaint, de Noël et d'hiver. Résa conseillée le soir. Formule du jour 8,50 € en sem et 10 € le w-e, menu du terroir 14 € et carte. Café (issu du commerce équitable) offert sur présentation de ce guide.* Malgré le totem bleu devant la porte, ne cherchez pas de tipi. Ces Indiens-là sont plutôt de la tribu des néobabas sympas à la fibre artistique. Au menu, petite dînette du Sud correcte (pissaladière, poulet aux olives...), tapas et *mezze* du coin (assortiment de charcuterie). Le petit plus, ce sont les nombreux jeux pour les enfants dans le jardin et les terrasses... idéales pour lézarder au soleil !

COLOMBIÈRES-SUR-ORB *(34390)*

Une charmante étape pour découvrir les *gorges sauvages de Madale,* qui offrent une belle possibilité de baignade dans des trous profonds creusés par le torrent, et la voie romaine, pour qui aime savoir où il met les pieds.

Où dormir ? Où manger ?

Château de Colombières : *chez Thérèse Salavin, dans Colombières-le-Haut, près de l'église. ☎ 04-67-95-63-62. • chateaucolomb@orange.fr • gites-de-charme-languedoc.com • ♿ Ouv tte l'année. Doubles 90 €, petit déj inclus. Gîtes de 4-8 pers à partir de 300 € pour 3 nuits min en basse saison ; 650-1 500 €/sem selon capacité et saison. Un petit déj/pers/nuit offert sur présentation de ce guide.* Au pied du massif du Caroux, Thérèse a entièrement réaménagé cinq gîtes tout équipés dans un magnifique château. Le résultat est très réussi : mélange de pierre, de bois et de fer forgé ; on vous recommande tout particulièrement la chambre aménagée dans la tour, qui date du XIVe siècle. Le cadre est idéal pour se reposer en famille... et il y a même une piscine. Sébastien, le fils de Thérèse, est guide professionnel de pêche, et il se fera un plaisir de vous initier aux diverses techniques. Le château est aussi affilié au Mouvement international *Slow Food* et milite pour des produits de qualité... L'occasion de croiser les petits producteurs du coin. Accueil souriant et bilingue.

Chambres et table d'hôtes chez Marie-José Azéma : *à Sévirac (1 km). ☎ 04-67-95-89-80. Ouv tte l'année. Doubles avec douche et w-c 42 €, petit déj compris. Table d'hôtes le soir 16 €.* Au pied du massif du Caroux, maison toute simple au cœur d'une propriété de 4 ha, traversée par un ruisseau (avis aux pêcheurs). Chambres impeccables, en rez-de-chaussée. À table, pain de poisson, omelette aux cèpes, escargots à la provençale, légumes et fruits du domaine... Sans prétention mais à prix doux, apéro, vin et café compris. Accueil chaleureux.

LAMALOU-LES-BAINS (34240) 2 206 hab.

Une station thermale hors du temps, avec ses platanes, son casino et un très kitsch festival d'opérettes l'été. La station fut fréquentée par de nombreuses célébrités. On trouve dans le désordre : Alexandre Dumas fils sans sa *Dame aux camélias,* Alphonse XII d'Espagne, Sully Prudhomme, Alphonse Daudet sans son *Petit Chose,* le sultan du Maroc et André Gide. Tout ce beau monde avait des rhumatismes, des maladies du système nerveux ou des troubles moteurs. Admirer les villas Belle Époque, qui forment un charmant décor d'opérette.

Adresse utile

Office de tourisme : *1, av. Capus. ☎ 04-67-95-70-91. • ot-lamaloulesbains.fr • En saison, lun-sam 9h-12h, 13h30-18h30 (14h-17h sam), dim et j. fériés 10h-12h ; hors saison, lun-sam mat.*

Où dormir ? Où manger ?

De bon marché à prix moyens

Restaurant des Hauts-Cantons : *13, av. Capus. ☎ 04-67-95-22-44. • robsy@tele2.fr • Fermé le soir sf en juil-août. Congés : 15 déc-1er fév. Formule midi 8,50 €, menus 12,50-24 € et carte.* Une petite adresse bien sympathique, connue pour ses bons petits plats régionaux servis avec le sourire. Miniterrasse en retrait de l'avenue aux beaux jours. Foie gras et pâtisseries garantis maison.

Le Grand Café : *16, av. Charcot. ☎ 04-67-95-46-57. Tlj sf lun hors juil-août. Menu midi 12 €, 20,50 € en été. Repas complet à la carte env 25 €. Café offert sur présentation de ce guide.* Un bar de quartier animé, avec banquettes de moleskine et parieurs de courses de chevaux de rigueur, flanqué l'été d'une agréable terrasse sous la tonnelle. Cuisine de femme qui n'en fait qu'à sa tête mais ne se paie pas la vôtre, c'est l'essentiel : écrevisses au whisky, cuisses de grenouilles, carré d'agneau les soirs d'été, etc.

Le Boudoucon : *11, av. Foch. ☎ 04-67-23-18-27. Fermé lun soir et mar hors saison. Formule complète midi en sem 11 € ; compter 20 € à la carte.* Ce resto avec terrasse fait les beaux soirs de Lamalou, surtout quand il y a de l'opérette dans l'air (avis aux amateurs) ou un match de foot ou de rugby de retransmis (avis aux autres « mateurs »). Très bonnes grillades, qu'il s'agisse de la *parillada* de poissons ou de la côte de bœuf. Service décontracté.

De prix moyens à plus chic

Hôtel-restaurant Belleville : *1, av. Charcot. ☎ 04-67-95-57-00. • hotel-belleville@wanadoo.fr • hotelbelleville.com • Tlj, tte l'année. Doubles 34-52 € selon confort et saison. Formule 12,70 € et menu 16,20 € midi et soir en sem, autres menus 21,70-37,50 €. Repas complet à la carte env 27 €. Apéritif maison offert au resto ainsi que 10 % sur les chambres à partir de la 2e nuit (sf août-sept), sur présentation de ce guide.* Vaste maison de caractère dans les mains de la même famille depuis 1900. Beaucoup de chambres donnent sur un jardin, et celles du 3e étage sont spacieuses et climatisées. Belle salle de restaurant avec véranda, où sont servis des menus à base de produits du terroir qui vous mettront l'eau à la bouche. Pour les gens pressés, une assiette du routard est servie dans la brasserie voisine. Au final, une adresse traditionnelle de bonne tenue.

Les Marronniers : *8, av. Capus. ☎ 04-67-95-76-00. • restolesmarronniers@free.fr • Fermé dim soir, lun et mer soir oct-juin. Congés : 3 sem fin janv-début fév. Menus 13-59 € et carte.* Une petite maison qui ne paye pas de mine de prime abord, mais qui abrite la meilleure table de la ville. Bonne cuisine du pays revue par le talent d'un jeune chef, Gilles Aubert, revenu dans l'ancienne villa de ses grands-parents régaler touristes et locaux. Goûtez la roulade de queue de bœuf au foie gras, un régal. Du sérieux, jusque dans le service. Bon vin du mois au verre. Terrasse sous la tonnelle, à l'arrière, mais la petite salle aux tons crème ne manque pas de charme.

Où dormir ? Où manger dans les environs ?

Auberge de Combes : *à Combes (34240). ☎ 04-67-95-66-55. À une dizaine de km à l'ouest de Lamalou-les-Bains. Prendre la D 908 vers Olargues, puis à droite la D 180 vers Combes. Fermé lun tte l'année ainsi que mar hors saison. Congés : janv. Doubles avec bains 60 €. Beaux menus 24-60 €. Apéritif maison offert sur présentation de ce guide.* Un vrai nid d'aigle joliment situé au cœur de Combes, village pittoresque accroché aux contreforts des monts de l'Espinouse. Vue panoramique sur la vallée de l'Orb depuis la terrasse et cuisine régionale dans l'assiette : foie gras cuit aux sarments, écrevisses à la ciboulette, gibier en saison, etc. Accueil très sympathique.

Randonnées

➢ ***Sentiers de randonnée :*** 4 sentiers autour de Lamalou-les-Bains : Notre-Dame-de-Capimont, le roc de Bessède, les orgues de Taussac, Saint-Michel-de-Mercoirol et le pic de la Coquillade. Ce dernier sentier permet notamment de découvrir le château de Mercoirol et l'église Saint-Michel. Boucles de 9 à 12 km ; balisage jaune. Gourde et bonnes chaussures indispensables. Documentation disponible à l'office de tourisme. D'autres sentiers pédestres au départ du village ; se munir d'une carte IGN ou d'un topoguide.

Festival

– ***Festival d'opérettes :*** *fin juil-fin août, au théâtre du Casino.* ☎ *04-67-95-67-35 (en saison) ou 04-67-95-70-91.* Sur la petite place aux platanes, devant le casino, on fait la queue, comme il y a trente ou quarante ans, pour avoir des places pour *Hello Dolly* ou *Les Valses de Vienne.* Cet ensemble architectural construit en 1894 dans le style moderne Belle Époque comprend le casino et un théâtre de 600 places, tendance bonbonnière à l'italienne. Ce petit théâtre incroyable a gardé ses décors en papier et cette atmosphère indéfinissable qui fait son charme aux yeux des habitués. Propose aussi un festival d'hiver et a en projet la création d'un musée.

BÉDARIEUX

(34600) 6 500 hab.

On exploitait autrefois le charbon dans cette petite cité sur l'Orb. Pour sortir de la grisaille, le petit bourg a repeint en rose ses bâtiments, l'église, l'hôtel de ville et l'office de tourisme ! Sur les quais, curieuses maisons étroites tout en hauteur.

Adresses utiles

ℹ ***Maison du tourisme :*** *1, rue de la République.* ☎ *04-67-95-08-79.* ● *bedarieux.fr* ● *Ouv tte l'année. En saison : lun-ven 8h-12h30, 14h-19h, sam 9h-12h30, 15h-18h. Hors saison : lun-jeu 8h-12h, 14h-18h, ven 8h-12h, 14h-17h.* Un accueil des plus agréable.

Gare SNCF : *route de Saint-Pons.* ☎ *36-35 (0,34 €/mn).* Direction Béziers ou les plateaux des Causses par Millau.

Hérault Transport : *route de Clermont.* ☎ *04-67-49-49-65.* Trois à six liaisons/j. avec Montpellier.

Où dormir ? Où manger ?

De bon marché à prix moyens

Campotel des Trois Vallées : *bd Jean-Moulin.* ☎ *04-67-23-30-05.* ● *gites.bedarieux@wanadoo.fr* ● *À la sortie de la ville. Nuitée en gîtes pour 4 pers 48-64 € selon saison. Les prix changent à partir de la 3e nuit.* Le *Campotel* est situé au milieu d'un parc séduisant, dans un secteur calme, ce qui en fait un des plus attractifs du département. Gîtes bien équipés et bien tenus, dotés de terrasses individuelles.

Restaurant La Forge : *22, av. Abbé-Tarroux. ☎ 04-67-95-13-13. Face à la maison du tourisme. Fermé lun tte l'année ainsi que soir mer et dim hors saison. Congés : 3 sem en janv et 2 sem en nov. Menus 16-36 € et carte env 40 €. Café offert sur présentation de ce guide.* Très belle salle voûtée en pierre, qui abrita en son temps... une forge, pardi ! La cheminée trône au milieu de la pièce meublée avec goût dans un style rustique chic. Très bonne cuisine recherchée, notamment la salade gourmande ou l'escalope de foie gras poêlé au vinaigre de framboises. La belle table du canton, réputée à juste titre.

Où dormir ? Où manger dans les environs ?

Chambres et table d'hôtes Les Vignals : *chez M. et Mme Leblond, 34600 Pézènes-les-Mines. ☎ 04-67-95-12-42. • lesvignals34@wanadoo.fr • http://bonadresse.com/languedoc-roussillon/pezenes.htm • À 10 km au sud-est de Bédarieux. Sur la D 908, direction Clermont-l'Hérault, prendre à 10 km à droite vers Levas, puis à gauche direction Pézènes, et suivre le fléchage. Ouv tte l'année. Doubles 47 €, petit déj compris. Table d'hôtes 18 €. Apéritif maison offert sur présentation de ce guide.* Tenue par un jeune couple sympathique, cette bergerie isolée profite d'un emplacement de choix face à la vallée. Accès indépendant aux chambres à la déco assez inattendue mais confortables et impeccables, réparties dans différentes maisonnettes à flanc de colline. Cadre magnifiquement reposant, piscine. Côté table d'hôtes, une cuisine régionale à base de produits du jardin.

À voir

Le viaduc : 37 arches du XIXe siècle. Un sentier au bord de l'Orb, balisé en jaune et vert, y conduit.

Les orgues : il y en a trois dans la ville et pour tous les goûts. Dans l'église Saint-Alexandre, dans l'église Saint-Louis (orgues baroques) et, dans le temple, un vrai joyau.

La Maison des arts : *19, av. Abbé-Tarroux. Entrée : 3 €.* Reconstitution minutieuse de la vie au XIXe siècle (costumes et coiffes d'époque) et un réjouissant musée du train, avec une maquette de Bédarieux et le bureau du chef de gare. Plus sérieux, le musée évoque aussi différents écrivains et leurs œuvres respectives : Alphonse Daudet, Alexandre Dumas (ils faisaient souvent des cures à Lamalou), Émile Zola (pas étonnant car il s'intéressait à la vie des mineurs) et Ferdinand Fabre, l'enfant du pays. Également de belles toiles de Pierre-Auguste Cot et un espace d'art contemporain dévolu aux expositions temporaires. Un musée en phase avec son temps !

Le pic de Tantajo : de là-haut, panorama d'enfer sur le Caroux, l'Espinouse et le littoral. En poursuivant la route, on arrive à Faugères, en plein pays viticole.

Manifestation

– **Journées botaniques :** *en mai.* Fête de la Flore, expos, conférences, découverte.

➤ DANS LES ENVIRONS DE BÉDARIEUX : LES MONTS D'ORB

SAINT-GERVAIS-SUR-MARE *(34610)*

Un petit village très pittoresque avec ses calades (rues pavées) entrecoupées de passages et d'arches. Un haut lieu des châtaigneraies, à la croisée des monts d'Orb, du Caroux et de l'Espinouse. Belle route pour repartir vers le plateau des lacs (voir « La Salvetat »).

Adresse utile

La Maison cévenole – Office de tourisme : *12, rue du Pont. ☎ 04-67-23-68-88. • http://stgervaissurmare.free.fr • Ouv de Pâques à la Toussaint, tlj sf mer 14h-18h (fermé mer) ; juil-août, tlj 10h30-12h30, 14h-19h ; le reste de l'année, sur rendez-vous.* Accueil dynamique. Musée d'art et de traditions populaires, rassemblant de nombreux objets usuels, outils et photos anciennes offertes par les habitants. Organise des visites guidées du village et des sorties culturelles.

Où dormir ? Où manger ?

Camping

Camping Le Clocher de Neyran : *lieu-dit Les Bouissounades. ☎ 04-67-23-64-16. • leclocher.neyran@wanadoo.fr • À 1 km du village en direction de Murat. Ouv tte l'année. Compter 13 € pour 2 en hte saison avec voiture et tente. Loc de mobile homes. Apéritif maison offert sur présentation de ce guide.* Cinquante emplacements agréables, sous les arbres. Bar, resto, piscine. On peut aussi pêcher dans la rivière voisine et faire de l'équitation.

Prix moyens

Chambres d'hôtes chez Camille : *8, pl. du Quai. ☎ 04-67-23-07-22. • bruno.bousquet@free.fr • http://camille.stgervais.free.fr • Résa vivement conseillée. Doubles 48 €, petit déj compris.* Camille, c'est la petite-fille du correspondant local du *Midi libre*. En plus des nouvelles fraîches du canton, ses sympathiques parents proposent 4 chambres spacieuses (25 m^2 environ) et confortables, idéalement situées au cœur du village. Petit déj servi dans la véranda, donnant sur un joli jardin. Calme et repos assurés entre deux escapades.

La Ferme piscicole : *à la sortie du village en direction d'Estréchoux. ☎ 04-67-23-65-48. Service le midi slt. Tlj sf lun-mar tte l'année et fermé jusqu'à ven hors saison. Congés : janv et 1re sem de sept. Menus 16-25 €. Apéritif maison offert sur présentation de ce guide.* À la ferme piscicole, on pêche soi-même sa truite avant de la faire griller sans autre apprêt. Fraîcheur et esprit trappeur garantis ! Menus copieux à partager sous les arbres, en bord de rivière, ou près de la cheminée en hiver.

À voir

Le Domaine de la Pièce : jardin et parc à l'intérieur d'un domaine de 9 ha. Juste à l'entrée du village de Saint-Gervais. On y accède par une ruelle de la cité médiévale. Chaque année, en été, des artistes plasticiens y créent des installations inspirées par le lieu, la nature et le patrimoine : *« Imprévus au Jardin ». ☎ 04-67-23-78-03.*

LA TOUR-SUR-ORB (34260)

La commune la plus étendue du pays d'Orb avec ses 3 000 ha où l'on trouve un des plus grands vergers de cerisiers d'Europe. Une halte bienvenue avant d'attaquer les monts d'Orb.

L'HÉRAULT

Où dormir ?

Chambres d'hôtes de Montbarri : *chez Babette et Roland Bec, domaine de Montbarri. ☎ 04-67-95-09-97. • roland.bec@gmail.com • montbarri.com • Entre Bédarieux et La Tour, prendre à droite sur le pont du Mas-Blanc et faire 3 km. Ouv tte l'année. Nuit en chambre d'hôtes 60 €, petit déj compris. Possibilité de ½ pens 80 €/j./pers.* Une bastide moderne, où il fait bon poser sa selle. Vaste domaine entouré de collines, avec vue panoramique sur les monts du Caroux, la campagne environnante et les petits villages blottis au creux des collines. Confortable et accueillant. Possibilité de louer des chevaux.

À voir. À faire

➢ ***Randonnée avec lamas et ânes de bât :*** *association Balladânes, mas de Riols. ☎ 04-67-23-10-53.* Le trekking dans l'Hérault, façon la plus originale de randonner sur le Caroux.

La cité médiévale de Boussagues *(34260)* **:** ancien village fortifié, connu surtout pour sa maison du Bailli, belle maison seigneuriale Renaissance construite à l'emplacement de l'ancien château. Tout est beau dans ce pittoresque hameau, l'église romane très pure avec sa tour carrée, ses remparts, un superbe balcon en fer forgé délicatement posé sur une voûte, une maison ayant appartenu à la famille de Toulouse-Lautrec. Un vrai petit musée à ciel ouvert.

Le Bousquet d'Orb *(34260) :* au cœur de la communauté de communes des monts d'Orb, qui occupe le périmètre de l'ancien bassin minier de Graissessac. Espace muséographique dédié au passé, « Les Lumières de la Mine » qui présente 150 lampes de mineurs et l'histoire en images du bassin. *Tlj en été sf mar et sur rendez-vous pour les groupes hors saison (rens : ☎ 04-67-23-78-03). Entrée : 3 €.*

LUNAS (34650)

À 2,5 km du Bousquet d'Orb, direction Lodève. Château fort rasé en 1627, pendant la guerre des Cévennes. Ancienne chapelle Saint-Georges. Étonnant village occitan en miniature construit sur des *faïsses* à flanc de colline, tout à l'entrée du village. On ne visite pas, mais on peut admirer, de loin...

Où manger ?

Château de Lunas : *au cœur du village. ☎ 04-67-23-87-99. ♿ Pour y accéder, il suffit de passer le pont, ou plutôt la passerelle privée. Fermé mar-mer hors saison. Congés : de début janv à mi-fév. Menus 19-39 € et carte env 28 €. Apéritif maison offert sur présentation de ce guide.* Un noble château qui abrite un resto très démocratique. Idéal sur la belle terrasse, déployée en surplomb de la rivière. Une des bonnes étapes des « Balades gourmandes » qui associent, dans la Haute Vallée de l'Orb, les plaisirs de la table à ceux de la découverte d'un territoire.

À voir. À faire

➢ ***Avène :*** loin des sentiers battus, une jolie balade tout au nord du département. On y accède par les gorges de l'Orb, très pittoresques. Si l'activité d'Avène fut fondée de tout temps (elle débuta sous l'occupation romaine !) sur l'exploitation des mines de la Rabasse, il semble qu'elle ait trouvé depuis quelques décennies déjà avec son eau utilisée en dermatologie un nouveau filon prometteur. *Infos à l'office de tourisme d'Avène : ☎ 04-67-23-43-38.*

➢ Après Avène, le plan d'eau du *Bouloc* offre de beaux après-midi de baignade et de pêche. Quant au petit village de Ceilhes-et-Rocozels (283 hab.), il est porteur d'un patrimoine historique remarquable (églises classées). Bonne petite auberge de village.

ENTRE SALAGOU ET LARZAC

LE LAC DU SALAGOU

Un lac artificiel étonnant bordé de ruffes, un grès rouge qui compose avec le ciel, l'eau et la végétation un tableau extraordinaire ; le sol est couvert de bombes volcaniques ; il y a fort longtemps (255 millions d'années) les dinosaures peuplaient la vallée. Pour vous en persuader, à Lieude, entre Octon et Salasc, juste après Mérifons, une dalle inclinée porte les empreintes de reptiles fossilisées. Pour tout savoir sur la paléontologie, joindre Simone ou Pierre Ollier : ☎ 04-67-96-08-61.

– ***Sports nautiques :*** *base de plein air du Salagou. ☎ 04-67-96-05-71. • le-salagou.fr •* Canoë, catamaran, planche à voile, caravelle aviron, Optimist... Très couru en été. Propose cours particuliers et stages collectifs.

Où dormir ? Où manger dans les environs ?

Prix moyens

🏠 🍽 ***Auberge campagnarde de la Vallée du Salagou :*** *route du Mas-Canet, 34800 Salasc. ☎ 04-67-88-13-39. • xavier@aubergedusalagou.fr • aubergedusalagou.fr • Suivre les indications à partir de Salasc. Ouv de Pâques à la Toussaint, le soir slt sf mar hors saison. Doubles 48 €, petit déj compris ; ½ pens 40 €/pers. Repas le soir slt 20 €. Réduc de 10 % sur la ½ pens accordée à partir de 3 nuits sur présentation de ce guide.* Petite maison moderne posée au sommet d'une colline, dotée d'une poignée de chambres convenables. Vue superbe sur la vallée depuis la terrasse du restaurant. Cadre champêtre. Cuisine de saison relevée d'herbes de la garrigue et d'épices : terrines, grillades, gibier en saison, supions à la rouille, fromages des producteurs locaux, etc.

🏠 🍽 ***Chambres d'hôtes La Maison du Lac :*** *Nicole et Camille Bernard, Les Vailhés, 34700 Celles. ☎ 04-67-44-16-33. • maisonlac@wanadoo.fr • maisonlac.com • À env 3 km de Celles en direction de Lodève, en bas du hameau. Slt sur résa. En nov et janv-mars, ouv slt à partir de 5 pers. Chambres 56 € pour 2, petit déj compris. Très bonne table d'hôtes 18-23 €. Apéritif maison et café offerts sur présentation de ce guide.* Une ancienne bergerie très bien restaurée, idéalement située au bord du lac. Vue magnifique depuis la terrasse ombragée, où l'on prend ses repas aux beaux jours. Chambres confortables et bien tenues, mais, quitte à choisir, essayez d'obtenir la chambre... du lac (pardi !) : point de vue d'anthologie ! Accueil discret et chaleureux. Multiples activités dans les environs.

🏠 ***Hôtel Navas :*** *Les Hauts-de-Mourèze, 34800 Mourèze. ☎ 04-67-96-04-84. Fax : 04-67-96-25-85. Ouv fin mars-fin oct. Résa conseillée longtemps à l'avance. Doubles avec douche et w-c ou bains 52 €. Un petit déj/chambre/nuit offert sur présentation de ce guide.* Une construction récente ayant su respecter le style régional, dominant le cirque dolomitique de Mourèze et le village. Chambres rustiques impeccables, certaines avec balcon ou terrasse et accès au jardin, toutes avec sanitaires complets. En revanche, pas de TV dans les chambres pour respecter la sérénité de cette petite structure. Avantage aux contemplatifs ! Belle piscine et accueil charmant. Une très bonne adresse.

➤ DANS LES ENVIRONS DU SALAGOU

Mourèze *(34800)* **:** un vieux village qui se confond avec les roches dolomitiques.

➢ **Le cirque de Mourèze :** comme jetées en vrac, des configurations fantastiques ; géants, animaux légendaires ou familiers ; sur 6 ou 7 km de balade (compter une bonne heure), on rencontre un sphinx, une sirène, un démon, une religieuse, une affreuse et gigantesque tête de mort ! Balisage bleu, blanc, rouge. On passe devant le prieuré de Saint-Jean-d'Aureillan puis on monte au col de Portes. Grandiose.

➢ **Le parc des Courtinals :** un sentier botanique ombragé mène jusqu'au belvédère qui offre une vue parfaite sur l'ensemble du cirque *(ouv avr-oct ; entrée : 4 €).* Café avec terrasse. Cher, mais pratique si on ne veut pas marcher longtemps au soleil.

➢ **Randonnées à cheval « Ranch de Mourèze » :** *chez Éric Mauger, route de Salasc, 34800 Mourèze. ☎ 04-67-88-08-96. Ouv pdt vac scol et de Pâques à fin août (sur résa) ; le reste de l'année, sur rendez-vous.* Parfait pour débutants et personnes handicapées.

Le château de Malavielle : 2 km avant Octon, on traverse le village de Malavielle. La piste (balisée en vert) débute 500 m plus loin, sur la droite. À ***Lieude, site paléontologique*** connu pour ses quelque 800 empreintes de pas de reptiles prémammaliens (plus vieux encore que les dinosaures !). Vues plongeantes sur le lac. On dirait presque un « mini-Arizona » avec ses rochers étranges. De Lieude, compter environ 30 mn pour se rendre au château de Malavielle. Pour les visites se renseigner auprès de la maison du tourisme de Bédarieux (voir plus haut).

Celles *(34800)* **:** ce village a été entièrement clôturé par le conseil général pour éviter le vandalisme, car il est presque inhabité depuis plus de 20 ans. Ses habitants avaient été expropriés lors de la mise en eau du barrage qui a donné naissance au lac de Salagou. Mais les flots n'ont jamais recouvert la moindre maison ! Une balade paisible à la rencontre du temps... arrêté. Vue imprenable sur le lac.

CLERMONT-L'HÉRAULT (34800) 8 000 hab.

Pays du vin mais aussi de l'huile d'olive, et capitale du raisin de table.

Adresses utiles

Office de tourisme : *9, rue René-Gosse. ☎ 04-67-96-23-86. Lun-ven 9h-12h, 14h-18h, sam 9h-12h, 14h-17h ; en été, également sam 9h-12h, 14h-17h, dim 10h-12h. Fermé les j. fériés sf 14 juil et 15 août (10h-12h).*

✉ **Poste :** *rue Roger-Salengro. ☎ 04-67-88-42-80.*

Vente de billets de train : *pl. Jean-Jaurès. ☎ 36-35 (0,34 €/mn).* Pas de gare à Clermont-l'Hérault, les plus proches sont celles de Montpellier et de Béziers.

Où dormir dans les environs ?

La Missare : 9, route de Clermont, 34800 Brignac. ☎ 04-67-96-07-67. • la.missare@free.fr • http://la.missare.free.fr • À 3 km à l'est de Clermont-L'Hérault, dans le village. Ouv tte l'année. Doubles 70 €, petit déj compris. La Missare (« le loir », en occitan) est avant tout une très belle propriété familiale. Jean-François Martin a aménagé, côté chais, quatre vastes chambres indépendantes, décorées par ses soins avec un goût très sûr. La maison est tout entière meublée d'objets anciens, descendus des greniers ou dénichés au gré des balades. La fraîcheur est préservée par un luxuriant jardin méditerranéen, on se baigne dans la piscine à l'ombre du pin parasol, on savoure les fruits du figuier. Pour couronner le tout, savoureux petit déj servi dans le jardin ou dans la salle à manger.

Où manger ?

Le Tournesol : 2, allée Salengro. ☎ 04-67-96-99-22. • azemard.christophe@wanadoo.fr • Fermé dim soir et lun hors saison. Menus 15 € midi en sem, puis 19-30 €. À la carte env 35 €. Un joli resto très accueillant où de jeunes serveurs (et serveuses) aimables vous apportent de quoi faire une gentille dînette méridionale. Notamment une bonne assiette de poisson grillé. Piscine et séduisante terrasse avec vue sur « cours ».

À voir. À faire

L'église Saint-Paul : le plus bel édifice gothique de la région. Magnifique avec ses trois nefs, sa rosace et son clocher-tour. À l'intérieur, voûte d'environ 19 m. Piliers octogonaux flanqués de colonnettes.

Le château féodal : édifié au XIIIe siècle par les Guilhem, seigneurs de Clermont. On y arrive par des ruelles étroites, parfois en degrés. Il domine la vallée, protégé par des remparts et un fossé visible au nord. Du donjon carré à deux étages, il reste un vaste escalier droit menant à la salle d'armes. Mais attention, site en ruine : pas de talons hauts !

L'huilerie : *av. Wilson. ☎ 04-67-96-10-36. À visiter tte l'année, tlj sf lun-dim 14h-18h (la boutique, en face, est ouverte tte l'année, tlj sf dim, le mat et l'ap-m). Entrée : 1,50 €.* Exposition d'outillage traditionnel, vidéo sur l'huile d'olive et visite du moulin. Y acheter de l'huile d'olive (la meilleure qui soit) et des *lucques.* Comment, vous ne connaissez pas ? Ce sont des olives vertes allongées, produites uniquement dans la région. Un régal. Vente aussi de produits dérivés de l'huile et de produits régionaux.

Le musée Santons-du-Monde : *av. Wilson. ☎ 04-67-88-78-72. Ouv avr-sept, ainsi qu'en déc, tlj 10h-12h, 14h30-18h30 ; le reste de l'année, tlj 14h30-18h30. Entrée : 5,70 € ; 4,70 € sur présentation de ce guide ; 4-16 ans : 4,20 €.* C'est un collectionneur et décorateur qui a eu la riche idée de présenter au public la diversité du monde passionnant des santons. La visite, très bien ficelée, est organisée par thèmes (pays, régions de France, musique, métiers...) où culture et art populaire font bon ménage. Car si les crèches abondent, comme de juste, les maîtres santonniers se sont plu à composer des scènes de vie parfois très cocasses. La finesse du modelé dote certains personnages d'une incroyable humanité... surtout lorsqu'il s'agit d'automates ! Petits et grands ne resteront pas indifférents à ce voyage au pays merveilleux des santons.

➢ ***Randonnées pédestres*** au départ de Clermont-l'Hérault. Infos auprès de l'office de tourisme.

➢ DANS LES ENVIRONS DE CLERMONT-L'HÉRAULT

***Villeneuvette** (34800) :* ancienne manufacture royale dans un état remarquable. Belle unité classique du XVIIe siècle, abandonnée il y a quarante ans. Logements des ouvriers partiellement habités par des artisans. Un endroit plein de charme, aux bosquets romantiques. Les ouvriers vivaient en communauté selon les règles strictes établies par le patron : se coucher tôt et se lever tôt, fermeture des portes à la tombée de la nuit ! À la sortie, l'église Notre-Dame-du-Peyron vaut le coup d'œil.

Le pic Vissou : *à 4 km de Villeneuvette.* Le point de vue du haut de ses 480 m vaut la grimpette. Autrefois, nos ancêtres les Gallo-Romains avaient choisi d'y habiter. Laissez votre voiture à Cabrières. Si vous avez de la chance, vous verrez peut-être la source intermittente qui ne coule que tous les douze ans et se tarit à la Saint-Jean.

La chapelle Notre-Dame-de-l'Hortus : *à la sortie du village de Ceyras.* Une église romane dans les vignes, trapue avec un porche assez bas. Émouvante.

SAINT-SATURNIN-DE-LUCIAN (34725)

Autour de cette commune, plusieurs villages pour amoureux du vin, de la table et de la vie en général. De l'autre côté de l'A 75, une « vallée dorée » à découvrir, devenue le berceau du renouveau de la viticulture languedocienne.

Où dormir ? Où manger ?

Hôtel du Mimosa : *10, pl. de la Fontaine. ☎ 04-67-88-62-62. • ostalaria.cardabela@wanadoo.fr • hoteldumimosa.blogspot.com • Ouv de mi-mars à début nov. Doubles avec bains 68-95 €.* Ce charmant petit hôtel est le bijou de David Pugh, patron du bar à vin *La Terrasse du Mimosa* et du tout aussi plaisant *Mimosa* à Saint-Guiraud (voir plus loin). Vous retrouverez ici l'accueil chaleureux et l'ambiance très cosy du resto, avec de plus un sens du détail (grands lits, cotons égyptiens...) et un confort digne des meilleures maisons d'hôtes. Adorables chambres doubles, où cheminées anciennes, meuble design et vieilles poutres cohabitent en parfaite harmonie. Petit déj copieux et savoureux à partager à la table d'hôtes. Une maison atypique, à la fois intime et conviviale, nichée au cœur du village.

Au Pressoir : *17, pl. de la Fontaine. ☎ 04-67-88-67-89. • pius.wetzel@wanadoo.fr • Fermé lun tte l'année ; hors saison, fermé également le soir dimmer et sam midi. Congés : de janv à mi-fév. Menus 17,40 € (sf j. fériés) et 26,90 € ; à la carte, compter 30 €. Apéritif maison offert sur présentation de ce guide.* Auberge languedocienne à la déco soignée, qui a eu la riche idée de mettre à sa carte des plats d'autrefois, comme le ragoût d'*escoubilles* au vin rouge du pays. Goûtez également les croquettes fondantes au fromage du Larzac et les profiteroles à la glace maison brousse de brebis... En terrasse comme en salle, près de la cheminée, l'atmosphère n'est jamais triste. Une adresse très conviviale, à l'image des soirées musicales avec concert de jazz ou chanson et présentation du vin d'un domaine.

Où dormir ? Où manger ? Où boire un verre dans les environs ?

De prix moyens à plus chic

🏠 🍽 ***Hôtel-restaurant Le Sanglier :*** *domaine de Cambourras, 34700 Saint-Jean-de-la-Blaquière.* ☎ *04-67-44-70-51.* • *hotreslessangliers@aol.com* • *logassist.fr/sanglier* • *Resto fermé marmer midi tte l'année. Congés : de fin oct à fin mars. Doubles avec bains env 75 €. Intéressante ½ pens à partir de 75 €/pers. Menu 30 € et repas à la carte env 35 €. Apéritif maison offert sur présentation de ce guide.* Bel hôtel au milieu de la garrigue. Dix chambres calmes et confortables, à l'étage. La salle de restaurant est une ancienne bergerie, au cadre rustique et chaleureux. Savoureuse cuisine de terroir servie dans le jardin ou en terrasse à la belle saison. Le sanglier est à l'honneur, vous l'aviez deviné, mais ceux qui préfèrent le poisson ne seront pas déçus. Carte des vins remarquable. Beaucoup de balades dans les environs, à commencer par l'incroyable canyon de terres et roches rouges qui jouxte l'hôtel. Piscine pour se rafraîchir.

🏠 ***L'Ostal del Poeta :*** *Sylvie et Jean-Paul Creissac, 11, rue de l'Église, 34150 Montpeyroux.* ☎ *04-67-96-64-79.* • *creissac@free.fr* • *http://creissac.free.fr* • *Congés : fin oct-début nov. Doubles 55 €, petit déj compris.* À *L'Ostal*, on reste fidèle à la tradition, sous toutes ses formes. Dans cette vieille maison vigneronne bien cachée au cœur du village flotte l'âme du Languedoc : les chambres confortables ont hérité du mobilier de famille, la jolie salle commune est remplie de bouquins sur le pays, les gâteaux du petit déjeuner sont cuisinés par la mamet et les vers du vigneron-poète, maître de céans, sont déclamés en occitan ! Galerie à l'étage pour l'apéro, jardin de curé pour prendre le frais et cuisine à disposition pour se mitonner son frichti.

🏠 **Le Château de Jonquières :** *34725 Jonquières.* ☎ *04-67-96-62-58.* • *contact@chateau-jonquieres.com* • *chateau-jonquieres.com* • *Congés : nov-mars. Doubles avec douche et w-c ou bains 85-90 €, petit déj compris. Une bouteille de vin de la propriété offerte à partir de 2 nuits sur présentation de ce guide.* Nul besoin de chevalière armoriée pour séjourner au château de Jonquières. L'accueil est simple et convivial, si bien qu'on a tôt fait de s'y sentir invité par des amis ! Et ce ne sont pas les belles chambres de caractère qui gâcheront cette première bonne impression. Quant à la demeure, dont la galerie à l'étage surplombe l'escalier double et le petit bassin, elle veille sereinement sur les étendues de vignes qui l'enveloppent. Piscine.

🍽 🍷 ***La Terrasse du Mimosa :*** *23, pl. de l'Horloge, 34150 Montpeyroux.* ☎ *04-67-44-49-80.* • *laterrasse.mimosa@free.fr* • *Ouv tte l'année. Fermé marmer (sf mer soir en juil-août). Menu midi 19 € et carte.* Décidément, le patron du *Mimosa* a le vent (ou vin) en poupe ! Il tient maintenant ce bar à vin et propose une grande sélection de vins proposés au verre ou à emporter, de vraies découvertes. Bon menu du midi et quelques tapas de choix pour garder le cap.

Beaucoup plus chic

🍽 ***Le Mimosa :*** *34725 Saint-Guiraud.* ☎ *04-67-96-67-96.* • *le.mimosa@free.fr* • *Ouv de mi-mars à début nov. Fermé lun tte l'année et à midi sf dim, ainsi que dim soir hors juil-août. Menu unique (six plats) 56 € (avec dégustation de vins : 84 €) ; à la carte, compter 55-90 €.* Un resto original, d'une classe folle, dans une vieille maison pleine de charme, avec vue plongeante sur la garrigue. Il est indispensable de réserver car David Pugh fait son marché le matin avant que sa femme Bridget ne se mette en cuisine. Des artistes vous accueillent ici : musique classique en fond sonore, nids d'hirondelles dans les poutres, jeux de lumière sophistiqués... et assiettes pleines de poésie, de saveurs, qui vous laissent en bouche un vrai goût de bonheur. Faites-leur plaisir, n'y allez pas en baskets et en short, ils en seraient chagrinés.

LODÈVE

(34700) 7 800 hab.

Dans la vallée de la Lergue, dominée par le site grandiose de l'Escalette, une petite ville riche d'un patrimoine historique et préhistorique diversifié. À l'époque romaine, alors que la cité était déjà réputée pour ses carrières argileuses, Néron la désigna pour y faire frapper la monnaie nécessaire à l'entretien des légions. Insigne honneur ! Une balade permet de découvrir au détour d'une rue ponts en dos d'âne et baies du XVe siècle. Vieille ville aux habitations groupées autour de la cathédrale Saint-Fulcran, imposant édifice gothique de 1280. Lodève est également célèbre pour sa manufacture des tapis et... son monument aux morts de 1914-1918, édifié par le sculpteur Paul Dardé (1888-1963) dont on retrouve les œuvres dans plusieurs villages héraultais reconnaissants. Lodève est la seule ville à organiser un festival consacré à la poésie méditerranéenne, en juillet. Pour vous faire voir la vie sous d'autres couleurs, allez faire un tour au *Soleil Bleu,* salon de thé qui propose de bien jolies expositions.

Adresses et info utiles

Office de tourisme du Lodévois : *7, pl. de la République. ☎ 04-67-88-86-44. • lodeve.com • En hte saison (juin-sept), lun-ven 9h30-12h30, 14h30-18h30, sam 9h30-12h30, 15h30-18h30, dim 10h30-12h30, 15h30-18h ; mai et oct, lun-ven 9h30-12h30, 14h30-18h, sam 9h30-12h30, 15h30-18h, dim 10h30-12h30 ; hors saison, lun-ven 9h30-12h30, 14h30-18h, et sam mat.* Vente de billets SNCF et billetterie avion.

Gare routière : *7, pl. de la République, dans les locaux de l'office de tourisme. ☎ 04-67-88-86-44.*

– **Marché paysan :** *mar 16h30-18h30.*

Où dormir ? Où manger ?

De bon marché à plus chic

La Croix Blanche : *6, av. de Fumel. ☎ 04-67-44-10-87. • hotel-croix-blanche@wanadoo.fr • hotelcroixblanche.com • Ouv avr-fin nov. Doubles avec lavabo 36 €, avec douche et w-c ou bains 42-44 €.* On imagine des générations de VRP et d'hommes d'affaires faisant étape ici et appréciant la franche hospitalité caussenarde. Chambres simples sans prétention. Salle à manger où le temps semble s'être arrêté. Décor daté un tantinet bourgeois, un brin rustique.

Hôtel-restaurant de la Paix : *11, bd Montalangue. ☎ 04-67-44-07-46. • hotel-de-la-paix@wanadoo.fr • hoteldela-paix.com • Fermé dim soir et lun 1er oct-1er avr. Congés : 2 dernières sem de nov, en fév et 1re sem de mars. Doubles avec bains 60-69 €. Menus (sf j. fériés) 18-37 € et carte env 30 €.* Une maison tenue par la même famille depuis 1876 ! Beaucoup de sérieux, à l'image des belles chambres colorées et confortables, avec vue sur la montagne et sur la Lergue. Cuisine traditionnelle renommée. Spécialités de la maison à la carte : la truite de Labeil ou la tourte de poireaux. Un régal ! L'été, restauration en terrasse, au bord de la petite piscine.

Le Petit Sommelier : *3, pl. de la République. ☎ 04-67-44-05-39. Tlj sf dim soir et lun tte l'année, ainsi que mer soir hors saison. Menus 16-35 € et carte env 30 €.* Petite adresse sympa, sans prétention, au décor simple de bistrot. Cuisine agréable appréciée des gens du coin. Une bonne option, le foie gras maison, les filets de bœuf aux morilles ou le magret aux pommes... Terrasse sous les platanes.

À voir

La cathédrale Saint-Fulcran : fortifiée, dominée par une tour carrée de 57 m. Un des fleurons du gothique méridional, dédié au célèbre évêque Fulcran (946-1006). La nef est ornée d'un lustre de cristal, cadeau de la reine Victoria à Napoléon III. Sans oublier les orgues des XVIIIe et XIXe siècles, les vitraux de Mauvernay (1856) et la chaire sculptée du XVIIIe.

Le musée de Lodève – hôtel du cardinal de Fleury : *sq. Georges-Auric. ☎ 04-67-88-86-10. Tlj sf lun et certains j. fériés 9h30-12h, 14h-18h. Entrée : 7 € (en été, avec expo temporaire) ; sinon 3,50 € ; réduc.* Cet hôtel particulier des XVIe et XVIIe siècles (bel escalier d'honneur), ayant appartenu au cardinal de Fleury, est réputé aujourd'hui pour ses expositions temporaires de niveau national. Ses collections permanentes de paléontologie, de préhistoire et d'histoire locale présentent toutefois quelques pièces notables, comme ces curieuses pierres discoïdales médiévales utilisées pour marquer l'emplacement des tombes. On s'intéressera encore aux œuvres de Paul Dardé (1888-1963), artiste sculpteur et dessinateur lodévois, avant de se consacrer à un dépôt privé permanent regroupant une quarantaine d'œuvres de renom (Atlan, Braque, Caillebotte, Courbet, Dufy, Vlaminck, Soutine...).

Unique annexe de la **_manufacture de la savonnerie de Paris_** (créée au XVIIe siècle dans une fabrique de savon), l'atelier national de tapis rappelle le riche passé textile de la ville. *Visite sur rendez-vous slt, mar-jeu 13h30-15h30. ☎ 04-67-96-41-34. Entrée : 3,20 € ; réduc ; gratuit moins de 17 ans.*

➤ DANS LES ENVIRONS DE LODÈVE

Lauroux *(34700)* **:** en partant sur le Larzac, faites une escapade vers le hameau de Labeil, sa grotte (avec « safari souterrain » pour les enfants et les ados) et son cirque sauvage. Vous pourrez également chercher les ruines du Roquet d'Escu.

LE CAYLAR EN LARZAC (34520) 390 hab.

Ne pas manquer la virée sur le Larzac jusqu'au *Caylar.* Un village typique du causse, à 750 m d'altitude. Et puis, tant que vous y êtes, la Couvertoirade, commanderie des Templiers, n'est pas loin, on ne vous en dit pas plus... Quant au cirque de Navacelles, il est carrément sur votre route, pour rejoindre Ganges.

Où dormir ? Où manger au Caylar et dans les environs ?

Auberge de Madières-le-Haut : *à Saint-Félix-de-l'Héras (commune du Caylar). ☎ 04-67-44-50-41. Tlj sf lun, sur résa. Doubles à partir de 40 €. Gîte pour 6-12 pers 700-1 050 €/sem. Menus 22-30 €. Café offert sur présentation de ce guide.* Beau domaine de 300 ha. Agneau et cochon de lait à la broche ou gibier en saison, rôtis dans la cheminée monumentale de la magnifique salle voûtée de l'ancienne bergerie. Pas de pierre en revanche pour le logis, on séjourne dans une dépendance moderne au confort irréprochable. La famille Teisserenc vous indiquera les meilleures balades sur ce Larzac où ne poussent que les genévriers et les rochers ruiniformes.

Le Relais des Faïsses : *34520 La Vacquerie. 06-08-28-26-76. • roumanis@club-internet.fr • http://larzac.over-blog.org • À 18 km au sud-est du Caylar et à 10 km au sud du cirque de Navacelles. Ouv tte l'année, de préférence sur résa. Quatre chambres indépendantes 50 € pour 2, petit déj compris. Table d'hôtes le soir 16 € avec la boisson. Apéritif, café ou digestif offert sur présentation de ce guide.* À la sortie du village, un petit pavillon moderne en pleine nature et au calme. Belle vue sur le plateau du Larzac. Apiculteur de métier, Jean-Louis Perez ne se contente pas d'offrir miel et pain d'épice au petit déj, il vous fait aussi visiter ses ruches et vous parle métier.

DANS LES ENVIRONS DU CAYLAR

Le cirque de Navacelles : *laisser la voiture à Saint-Maurice-Navacelles et, par le GR 7, descendre dans le cirque.* Un ancien méandre de la Vis a créé ce site absolument unique, hyper-connu, hyper-touristique, hyper-beau. Pas la peine de prendre des photos, il y en a partout ; contentez-vous d'admirer. On remonte par le même tracé. Compter 7h de marche pour un peu plus de 16 km. Bonnes chaussures indispensables. Pour les paresseux : suivez la route, qui est aussi pleine de charme. Pour les gastronomes, restaurant de la *Baume Auriol* (☎ 04-67-44-78-75), avec vue sur le cirque.

Les gorges de la Vis : suivre la très pittoresque route qui longe les gorges jusqu'à Ganges.

LA HAUTE VALLÉE DE L'HÉRAULT

GANGES (34190) 3 600 hab.

Autrefois capitale de la soie, grâce aux mûriers dans la campagne environnante, Ganges est aujourd'hui une place d'échanges avec les Cévennes, au point qu'on a du mal à l'évoquer sans parler des villages gardois des environs. La ville est à la jonction de la vallée de la Vis et de l'Hérault, où les canoës sillonnent la rivière et où les terrasses retenues par des murets de pierre (les *faïsses*) servent à la culture de l'oignon doux.

Adresse utile

Office de tourisme : *plan de l'Ormeau. ☎ 04-67-73-00-56. Ouv l'été, 9h-19h (9h-12h, 14h-18h hors saison).*

Où dormir ? Où manger dans les environs ?

Camping

Isis en Cévennes : *domaine de Saint-Julien, 30440 Saint-Julien-de-la-Nef. ☎ 04-67-73-80-28. • info@isisencevennes.com • isisencevennes.com • À 6 km de Ganges par la D 999. Ouv Pâques-Toussaint. Resto ouv en sai-*

son. Forfait emplacement 15 € pour 2 en hte saison. Loc de gîtes et mobile homes bien équipés 150-620 €/sem selon saison. Difficile de ne pas faire d'incursions côté Gard quand on est ici. Un camping très agréable et parfaitement organisé, où l'accueil joue un rôle aussi important que le cadre naturel. En bordure de rivière, sous les arbres. Resto et bar (soirées à thèmes) en saison, piscine et vente de délicieuses et originales confitures maison.

Prix moyens

Domaine de Blancardy : *à Moulès-et-Beaucels. ☎ 04-67-73-94-94. • blancardy@blancardy.com • blancardy.com • ♿ À 7 km à l'est de Ganges. Passer le village et tourner à droite (panneau fléché). Fermé mer tte l'année. Doubles avec douche et w-c à partir de 55 €, petit déj compris ; ½ pens à partir de 48 €/pers. Menus à partir de 15 €, carte env 30 €. Café offert sur présentation de ce guide.* Isolé en pleine nature, un ancien mas restauré avec goût, plein de charme et de vie. Belles chambres spacieuses, colorées, confortables, aménagées dans la tour du logis ou dans une ancienne bergerie. Bonne cuisine méditerranéenne, foie gras et confits maison, que l'on savoure à l'ombre d'un petit patio ou en salle. Pour le vin, pas de problème : vous êtes sur un domaine de 24 ha qui produit des vins rouge, blanc et rosé ! Il y a même une très jolie boutique.

La Terrasse chez Dominique : *30440 Saint-Martial. ☎ 04-67-81-33-11. Fax : 04-67-81-33-87. À 15 km de Ganges par la D 20. Resto ouv tlj sf mer hors saison. Doubles 50 €, petit déj 5 €. Formule 13 €, menus 16-29 € et carte.* C'est une petite auberge perdue à flanc de montagne, où il fait bon vivre et manger. Dominique, son truculent propriétaire, ne se fera pas prier pour vous vanter la beauté de sa « Cévenne », comme celle de l'église romane du XIIe siècle, fierté du village. Les quelques chambres sont basiques mais correctes, mais on vient avant tout pour la cuisine qui transcende le terroir dès le menu d'appel. Parmi les spécialités : l'incontournable millefeuille d'oignon doux de Saint-Martial et son sabayon à l'huile d'olive...

L'HÉRAULT

➤ DANS LES ENVIRONS DE GANGES

➢ **Randonnée** par le GR 60, la route de Castanet et de nouveau le GR 60 jusqu'à Pont-d'Hérault. En automne, c'est somptueux. Altitude moyenne : 600 à 700 m. Des châtaigniers, des bruyères, des arbousiers et peut-être des sangliers. Mais surtout, une vue et un air inoubliables.

Cazilhac *(34190) : à 5 km de Ganges.* Château privé prolongé par un canal et cinq norias qui permettaient l'irrigation des jardins potagers. À voir absolument.

Les Norias : *254, av. des Deux-Ponts. ☎ 04-67-73-55-90. • lesnorias@wanadoo.fr • les-norias.fr • ♿ Resto fermé lun-mar (slt mar midi en juil-août). Congés : 1 sem pdt les vac scol de fév et 2e quinzaine de nov. Doubles avec bains 58-62 €. Formule 20-30 € et menus 40-55 €. Apéritif maison offert sur présentation de ce guide.* Une belle adresse pour qui cherche le calme et une très bonne table régionale, valorisant les produits frais du terroir. Cette ancienne filature textile s'ouvre sur un jardin ombragé fort bien entretenu, au bord de l'Hérault. Marc Serres est un chef de cuisine à l'ancienne, respectueux des produits, des sauces et des cuissons. Du beau travail connu et reconnu dans la région. Quant à sa femme, elle saura vous conseiller le vin idéal pour accompagner tout votre repas. Chambres entièrement rénovées, tout confort, très agréables et donnant sur le jardin.

– **L'Étrier des Cévennes :** *le Fesquet. ☎ 04-67-73-98-91.* Beau gîte, beaux chevaux, bel environnement.

***Laroque** (34190) :* petit village fortifié aux belles maisons romanes. Également une ancienne filature désaffectée, bel exemple architectural du XIXe siècle.

Montoulieu** (34190) :* un village et toute une vallée cultivant un certain art de vivre. Arrêtez-vous au ***domaine de la Devèze, bâti sur les fondations d'une ancienne villa romaine. ☎ *04-67-73-70-21.* • *deveze.com* • *Cave ouverte tlj sf dim pdt les vac scol et tlj sf mar et dim le reste de l'année.* Gîtes superbes dans une ancienne magnanerie, camping à la ferme très agréable lui aussi. Les amateurs de fouilles seront aux anges, les amoureux du vin aussi. Idéal pour accompagner le foie gras du ***Mas Neuf*** voisin. Visite de l'élevage et de l'atelier de l'étonnant Guilhem Chafiol. ☎ 04-67-73-30-75.

Envol Nature – Le Mas de Bruyère : *à 1 km du village, direction Saint-Bauzille.* ☎ *04-67-73-36-96.* • *envol.nature@wanadoo.fr* • *envol-nature.com* • *Congés : fév. Doubles ttes simples mais confortables 48-52 €, petit déj inclus. Nuitée en dortoir 23-25 €. Table d'hôtes 11-14 €, 18-27 € les soirs de fêtes. Possibilité de loc à la sem (420 €) et studio pour 4 pers 80 € la nuit. Sur présentation de ce guide, 10 % de réduc accordés janv-fin juin.* Une grande maison moderne dans un environnement agréable, en pleine nature. Cuisine à disposition, terrasse, jardin, piscine et surtout vol biplace au programme de la journée. Le rendez-vous des amateurs de parapente. Initiation et stages de perfectionnement.

SAINT-BAUZILLE-DE-PUTOIS (34190) 1 150 hab.

Étape obligée pour visiter la grotte des Demoiselles, avant de repartir sur Montpellier.

Adresse utile

Office de tourisme : *pont de Sérody.* ☎ *04-67-73-77-95. À l'entrée de Saint-Bauzille en venant de Montpellier. Ouv l'été slt, tlj 9h-13h, 14h-18h.*

Où dormir ? Où manger ?

Auberge de la Filature : *57, rue de l'Agantic.* ☎ *04-67-73-74-18.* • *aubergedelafilature@wanadoo.fr* • *(resto slt). Hors saison, fermé lun-ven midi ; en hte saison, ouv ts les soirs (sf lun) et dim midi. Congés : janv-fév. Gîte d'étape 12 €/nuit/pers. Doubles 35 €. Compter 31 €/pers en ½ pens. Menus 12-18 €. Apéritif maison offert sur présentation de ce guide.* Accueil chaleureux et cadre très agréable : un petit jardin bien agréable et une grande salle voûtée rappelant le passé de la maison. Régalez-vous avec les recettes du terroir de la (charmante) patronne : poulet fermier à la cornouille, canard aux figues, veau broutard mijoté, salade à la tapenade, tarte au fromage de chèvre, etc.

À voir. À faire

La grotte des Demoiselles : ☎ *04-67-73-70-02.* • *demoiselles.fr* • *En juil-août, visites guidées en continu 10h-18h ; avr-juin et sept, ttes les 30 à 60 mn 10h-12h, 13h45-17h30 ; le reste de l'année, téléphoner (visites quotidiennes mais moins nombreuses). Fermeture annuelle 15 j. en janv. Visite guidée : 1h env. Entrée : 8,50 €*

adulte ; réduc enfant ; gratuit moins de 3 ans. Enfin, n'oubliez pas qu'il fait 14 °C à l'intérieur : petite laine de rigueur.
Un jardin méditerranéen et une terrasse panoramique (pour boire un verre, ou avaler une assiette paysanne, le regard perdu sur la vallée), vous accueillent désormais à côté de l'entrée de cette véritable petite merveille du monde souterrain, découverte en 1760. Accès facile par le funiculaire (le premier en Europe), mais l'entrée « naturelle » de la grotte, un peu plus loin, donne une bonne idée des premiers usagers de la grotte (aujourd'hui, seules les chauves-souris peuvent passer à travers les grilles).
Même si l'on n'est pas très sensible aux beautés souterraines, en suivant un parcours aménagé pour entretenir le suspense, on finit par « craquer » devant les draperies géantes formées par les stalagmites et les stalactites, avant même d'aboutir dans la « cathédrale des abîmes » que l'on découvre tout à coup du haut d'un belvédère. Acoustique extraordinaire, qui donne envie de revenir le temps d'un concert ou même d'une messe de minuit, si la tradition se maintient.
Y aller, et pas seulement pour la faune, la flore, ou la promenade et la vue sur les gorges : si votre guide est en forme, c'est un joli voyage dans le temps que vous accomplirez.

➢ ***Descendre les gorges de l'Hérault en canoë-kayak :*** *canoë Le Pont Suspendu. ☎ 04-67-73-11-11. • canoe34.com • Ouv avr-sept.* Balade seul ou accompagnée d'un guide de rivière. Sorties nocturnes tous les soirs en juillet et août, à partir de 4 personnes.

➤ *DANS LES ENVIRONS DE SAINT-BAUZILLE-DE-PUTOIS*

BRISSAC *(34190)*

Sur un éperon en bordure de la Sézanne, aux portes de la vallée de la Buèges. Ne pas manquer la tour du château et l'abîme de Rabanel. Retour direct possible sur Montpellier par la D 986.

Où dormir ? Où manger ?

⛺ ***Domaine d'Anglas :*** *☎ 04-67-73-70-18. • camping.anglas@freesbee.fr • camping-anglas.com • ♿ Ouv de mi-mai à fin août. Compter 16 € en hte saison pour 2 avec voiture et tente.* Camping de charme d'une centaine d'emplacements, sur un domaine viticole en culture biologique, au bord de la rivière. Cadre bucolique très agréable et beaucoup d'espace. Dégustation et visite du vignoble.

🏠 🍽 ***Le Jardin aux Sources :*** *30, av. du Parc. ☎ 04-67-73-31-16. • isaje@club-internet.fr • lejardinauxsources.com • Resto fermé lun tte l'année, ainsi que dim soir et mer midi hors saison. Congés : 3 sem en oct-nov et 3 sem en janv. Résa vivement conseillée. Trois suites de charme 100-135 € selon saison, petit déj inclus. Formule avec 2 plats le midi en sem (sf j. fériés) 19 €, menus 26-64 € ; à la carte, compter 50 €. Digestif maison offert sur présentation de ce guide.* La table la plus créative du Nord de l'Hérault. Jérome Billod-Morel est un chef voyageur qui a su multiplier les sources d'inspiration d'une cuisine qui ne risque pas de s'endormir dans la routine. Chaque assiette est une petite œuvre d'art, qui prend du temps. Gentillesse et savoir-faire sont là pour pallier l'attente, et l'on passe un agréable moment, en terrasse, côté jardin, ou dans la petite salle, ouverte sur la cuisine. Une bien bonne adresse pour amateurs de produits cuisinés avec passion et originalité par un enfant du pays. Avis aux amateurs, le chef a été promu disciple d'Auguste Escoffier et propose des stages de cuisine. Et, pour prolonger le plaisir, les trois chambres d'hôtes, fraîches, spacieuses et soigneusement décorées, ainsi que la piscine d'été avec balnéo vous assurent une étape propice à la détente.

SAINT-JEAN-DE-BUÈGES (34380) 150 hab.

L'un des plus pittoresques villages de cette vallée perdue, au pied de la Séranne. Un espace naturel sauvage, protégé, encore mal connu, niché sur les premiers contreforts du plateau du Larzac. Le village possède son château médiéval, ses falaises, ses vignes, ses oliviers, son bistrot sur la place (le *Bar du Château*) et un troupeau de vaches Aubrac dont la viande – *Puech Séranne* – est réputée bien au-delà des limites de la vallée ! Grimpez jusqu'au château, dont la cour a été aménagée en « jardin des senteurs » (différentes variétés de thym, sauge, romarin...). *Accessible slt en visite guidée : ☎ 04-67-55-09-59.*

Où dormir ? Où manger ?

Camping

⛺ |●| ***Ser'Ane :*** *route de Pégairolles. ☎ 04-67-73-13-26. • info@ser-ane.com • ser-ane.com • À 2 km en direction de Pégairolles. Ouv de mi-mars à mi-nov. Camping à la ferme 14 € pour 2 en hte saison. Table d'hôtes 17,50 €. Possibilité de petit déj et panier pique-nique.* Un petit camping basique aménagé dans une prairie bordant la rivière. Chant des cigales, bruissement du vent dans les ramures, odeur de thym, tout concourt à vous inciter à planter la tente. La table d'hôtes, réservée aux campeurs et aux randonneurs, est un vrai bonheur pour les amateurs de légumes et fruits du jardin, de viande bio et de vin de pays. Cerise sur le gâteau, vos hôtes louent des ânes de bât à la journée, et proposent plusieurs circuits insolites.

Prix moyens

🏠 ***Le Grimpadou :*** *chez M. et Mme Coulet. ☎ 04-67-73-11-34. • legrimpadou@wanadoo.fr • Ouv tte l'année sur résa. Six chambres d'hôtes 48 €, petit déj compris. Sur présentation de ce guide, 10 % de réduc sur le prix de la chambre à partir de 2 nuits, hors juil-août.* Une maison mignonne comme tout, à l'abri des regards indiscrets dans une cour intérieure accessible par un petit passage couvert. Quelques-unes des chambres ont vue sur les toits du vieux village et la campagne. Petit jardin de curé en terrasse. Location de VTT. Pas de table d'hôtes, mais il y a une auberge dans le village.

À voir. À faire

➢ Sentier pédestre à travers la Séranne, à partir des sources de la Buèges. Forte dénivelée ; compter environ 6h de marche (16 km). Le GR 74 rallie le gîte d'étape au Mas d'Aubert. On ne saurait trop vous recommander d'emporter de bonnes chaussures.

➢ Une autre boucle passe par les rives de la Buèges. Au départ de Saint-Jean, en passant par le pont de ***Vareilles,*** possibilité d'aller jusqu'à ***Saint-André*** (belle petite église romane), et retour sur ***Saint-Jean*** par la rive droite.

➢ Une route pittoresque vous permettra de rejoindre ***Arboras*** en passant par ***Pégairolles-de-Buèges***, petit village perché entouré d'oliviers. Joli voyage dans le temps en parcourant les petites ruelles aux maisons traditionnelles. À noter, la route est assez dangereuse (croisements difficiles et virages sans visibilité). Après avoir quitté la D 122, retour progressif à la civilisation en gagnant ***Gignac*** par la D 9. Vous revoilà sur la N 109, prêts à rejoindre le flot des véhicules descendant sur Montpellier.

LE GARD

Si l'on voulait résumer la variété de ses paysages, on dirait : un peu de Méditerranée, un beau morceau de Camargue, beaucoup de garrigue, et un majestueux arrière-plan de montagnes, les Cévennes, qui culminent au mont Aigoual. Ajoutez à cela une kyrielle de petites villes au caractère très marqué (Uzès, Sommières), et de très beaux villages (Castillon-du-Gard, Lussan, Sauve, Montclus...) offerts à la lumière bleu argenté du Languedoc. Trop longtemps réduit à l'image du pont du Gard, l'un des monuments les plus visités de France, le Gard cache bien des trésors inconnus, des gorges secrètes où les rivières émeraude coulent entre des grosses pierres chauffées par le soleil. Carrefour des influences romaines et protestantes, Nîmes, la « grande ville » du département, marque le centre de gravité de ce pays que traverse depuis plus de 2 000 ans la route de l'Europe du Sud, aujourd'hui baptisée autoroute la Languedocienne. Le Gard, c'est le contraire d'un lieu fermé : depuis toujours on y a circulé, on s'y réfugia (les protestants), on s'y embarqua pour les pays d'Orient (Aigues-Mortes), et on y vient aujourd'hui chercher le charme authentique d'une nature modelée sans cesse par l'homme, rude et harmonieuse à la fois.

ABC DU GARD

- ***Superficie :*** 5 853 km^2.
- ***Population :*** 664 971 hab (en 2004).
- ***Préfecture :*** Nîmes.
- ***Sous-préfectures :*** Alès, Le Vigan.
- ***Quelques chiffres :*** le Gard est le principal producteur de pêches et de nectarines de la région (90 900 t en 2007).

Adresses utiles

Comité départemental du tourisme du Gard *(plan couleur Nîmes, C4,* ***2*****) :** *3, rue Cité-Foulc, BP 122, 30007 Nîmes Cedex 4.* ☎ *04-66-36-96-30.* • *tourismegard.com* • Pour toute info sur le département.

Relais départemental des Gîtes de France *(plan couleur Nîmes, C4,* ***2*****) :** *3, rue Cité-Foulc, BP 59, 30007 Nîmes Cedex 4.* ☎ *04-66-27-94-94.* • *gites-de-france-gard.asso.fr* •

NÎMES (30000) 138 000 hab.

Pour le plan de Nîmes, se reporter au cahier couleur.

Drôle de ville que Nîmes. À la fois vieillotte et branchée, traditionnelle et d'avant-garde. Après des décennies de tranquille somnolence, la « Rome

> **JEAN MADE IN NÎMES ?**
>
> *Au XVIIe siècle, les manufactures de Nîmes importaient du coton d'Égypte pour fabriquer la serge, toile tissée en biais, connue pour sa solidité et sa couleur bleu chiné. Elle servait à faire des vêtements pour les bergers, les paysannes et les ouvriers. On exporta cette toile robuste et bon marché dans toute l'Europe ainsi qu'aux États-Unis (depuis le port de Gênes d'où...* jean*). En 1848, à San Francisco, un certain Levi Strauss, confectionneur de génie, eut l'idée de fabriquer des vêtements adaptés à la vie rude des pionniers et des chercheurs d'or, à partir de cette toile de Nîmes. Denim ! La légende du «* jean made from denim *» était née...*

française », habitée en grande partie par des protestants descendus des Cévennes, retrouve chaque année un peu plus de son éclat et de sa splendeur passés. Bien sûr, la Maison carrée est toujours campée sur ses fondations deux fois millénaires mais elle a désormais pour voisin le très moderne Carré d'art. Nîmes n'oublie donc ni ses origines ni son histoire, même si elle a relégué les colonnes de son ancien théâtre à Caissargues, sur une aire d'autoroute supposée emblématique. La ville natale d'Alphonse Daudet où flânait Apollinaire est bien restée une cité du Sud, avec ses ruelles fraîches, ses terrasses de cafés, ses places ombragées et ses hôtels particuliers. Cependant, elle a su remodeler son visage antique en faisant appel à des architectes d'avant-garde (Wilmotte, Nouvel, Foster, Starck...) : une façon de faire des clins d'œil à l'histoire bouillonnante de la cité ! Et de se secouer aussi. En effet, malgré le boom culturel entrepris, la ville apparaît trop souvent, le soir, comme un désert. La faute à l'absence d'étudiants ? Qu'à cela ne tienne, Nîmes est officiellement devenue une ville estudiantine après avoir aménagé en université le fort Vauban, qui n'est rien d'autre que... l'ancienne prison nîmoise !

UN PEU D'HISTOIRE

Près du terrain d'aviation, non loin de la N 86, le menhir de Courbessac (4 000 ans d'âge, 2 m de haut) est le témoin d'un peuplement ancien dans les environs de l'actuelle Nîmes ; bientôt, le mont Cavalier sera occupé par des tribus gauloises auxquelles se mêlent des Celtes et l'histoire est en marche...

La ville romaine : « Colonia Augusta Nemausus »

Avec Autun et Vienne, Nîmes fait partie des cités les plus brillantes de la Gaule romaine. Capitale de la population gauloise des Volques Arécomiques (Arétragiques, ça faisait plutôt moche...) comprise dans le territoire de la province de la Narbonnaise, elle est considérée comme colonie dès l'an 40 av. J.-C. Carrefour et lieu d'échanges, la ville est bien située sur la *via Domitia* (« voie Domitienne »), qui relie Rome à l'Espagne, où l'Empire va chercher ses précieux minerais. Sur cette *via Domitia,* des bornes milliaires balisent la route tous les 1 480 m. Nîmes est alors le passage obligé des marchands et des conquérants qui franchissent le Rhône. C'est aussi le terminus ensoleillé des paysans et des bergers arvernes qui descendent du Massif central via les Cévennes en suivant la route des laitages : fromages et produits laitiers venaient déjà de là-haut... Les Romains pratiquaient le culte de Nemausus, dieu de la Source et génie de la Fontaine, qui a donné son nom à la ville. *Nemausus* est devenu *Nemse* puis *Nismes,* d'où le *Nîmes* actuel. Mais les Celtes l'invoquaient auparavant sous le nom de *Nemeton...* C'est la ville de cœur de l'empereur Auguste : « col nem », c'est-à-dire Colonia Augusta Nemausus. D'où sa richesse monumentale, sa prospérité antique, son rayonnement culturel. Son emblème représente un crocodile attaché à un palmier, souvenir de la conquête de l'Égypte par Rome. Ville coloniale chère à Rome, on l'aménage, on l'embellit, à l'image de la ville mère. On construit une enceinte de 7 km, on édifie la Maison

Lasalle Lieux traités
Monoblet Adresses et lieux dans les environs
Moussac Repères
LOZÈRE
AVEYRON
HÉRAULT
PARC NATIONAL DES CÉVENNES
Villefort
Concoules
Belvédère des Bouzèdes
le Cheyl d'Auja
Génolhac
Florac
St-Privat-de-Vallongue
la Vernarède
Portes
St-Laurent-de-Trèves
Saint-Germain-de-Calberte
la Grand-Combe
l'Hospitalet
Molezon
Pont-Ravagers
N.-D. de Valfrancesque
Lamelouze
Bassurels
Ste-Croix-Vallée-Française
St-Étienne-Vallée-Française
le Martinet
Meyrueis
Cabrillac
St-André-de-Valborgne
Moissac-Vallée-Française
Mialet
St-Sébastien d'Aigrefeuil
Lanuéjols
Abîme de Bramabiau
Mont Aigoual
Grotte de Trabuc
Gorges du Trévézel
Camprieu
Saint-Jean-du-Gard
Générargues
Bambouseraie
Trèves
l'Espérou
Valleraugue
Dourbies
Lasalle
Anduze
Vabres
Arphy
Saint-André-de-Majencoules
Monoblet
Mandagout
Aulas
Bréau-et-Salagosse
le Vigan
Pont-d'Hérault
Sumène
Avèze
Arre
St-Hippolyte-du-Fort
Sauve
Ganges
Quissac
CAUSSE DE BLANDAS
Rogues
Carnas
Lodève
Clermont-l'Hérault
Montpellier
BÉZIERS
N 106
D 996
D 983
D 907
D 986
D 157
D 151
D 48
D 999
D 7
A 75
D 25
D 17
D 39
D 57
D 982
D 906
D 35
D 65
N 109
N 113
N 112
N 300
N 9
A 9
D 908
site inscrit au Patrimoine mondial de l'Unesco

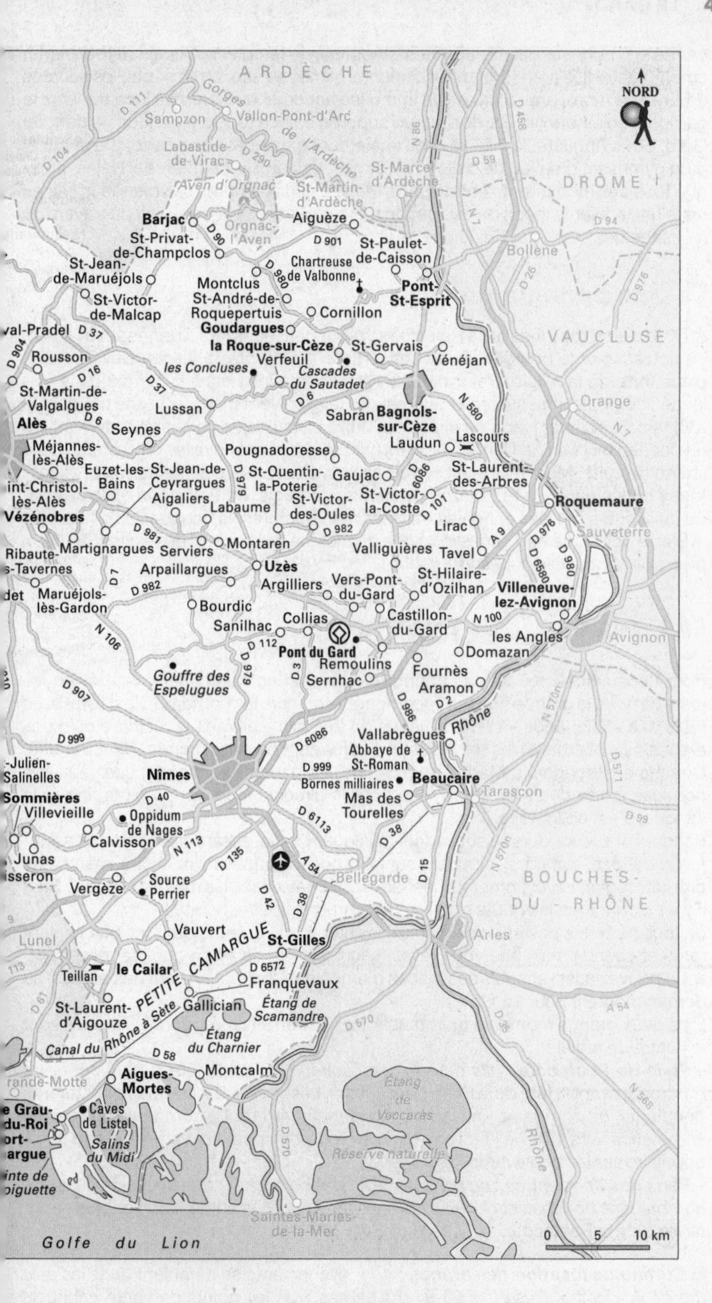
ARDÈCHE
NORD
DRÔME
VAUCLUSE
BOUCHES-DU-RHÔNE
Gorges de l'Ardèche
Sampzon
Vallon-Pont-d'Arc
Labastide-de-Virac
Aven d'Orgnac
Orgnac-l'Aven
St-Marcel-d'Ardèche
St-Martin-d'Ardèche
Aiguèze
Barjac
St-Privat-de-Champclos
St-Jean-de-Maruéjols
St-Victor-de-Malcap
Montclus
St-André-de-Roquepertuis
Chartreuse de Valbonne
St-Paulet-de-Caisson
Pont-St-Esprit
Bollène
Cornillon
Goudargues
la Roque-sur-Cèze
St-Gervais
Vénéjan
Verfeuil
les Concluses
Cascades du Sautadet
Lussan
Sabran
Bagnols-sur-Cèze
Orange
Laudun
Lascours
Alès
Seynes
Pougnadoresse
St-Laurent-des-Arbres
Méjannes-lès-Alès
Euzet-les-Bains
St-Jean-de-Ceyrargues
St-Quentin-la-Poterie
Gaujac
St-Victor-la-Coste
Roquemaure
Vézénobres
Aigaliers
Labaume
St-Victor-des-Oules
Lirac
Sauveterre
Martignargues
Serviers
Montaren
Valliguières
Tavel
Arpaillargues
Uzès
Argilliers
Vers-Pont-du-Gard
St-Hilaire-d'Ozilhan
Villeneuve-lez-Avignon
Maruéjols-lès-Gardon
Bourdic
Castillon-du-Gard
Collias
Sanilhac
Pont du Gard
Remoulins
les Angles
Avignon
Domazan
Gouffre des Espelugues
Sernhac
Fournès
Aramon
Rhône
Vallabrègues
Abbaye de St-Roman
Nîmes
Beaucaire
Bornes milliaires
Tarascon
Mas des Tourelles
Sommières
Villevieille
Oppidum de Nages
Calvisson
Junas
Vergèze
Source Perrier
Bellegarde
Vauvert
Lunel
St-Gilles
Arles
PETITE CAMARGUE
Teillan
le Cailar
Franquevaux
Étang de Scamandre
St-Laurent-d'Aigouze
Gallician
Étang du Charnier
Canal du Rhône à Sète
Aigues-Mortes
Montcalm
Caves de Listel
Salins du Midi
Étang de Vaccarès
Réserve naturelle
Saintes-Maries-de-la-Mer
Golfe du Lion
0 5 10 km

LE GARD

carrée en l'honneur des fils adoptifs d'Auguste, le temple de Diane, un théâtre, un amphithéâtre (les arènes) et, pour alimenter Nîmes en eau, on va capter les sources d'Eure et d'Airan, près d'Uzès. Un immense aqueduc de 50 km de long traverse la garrigue, enjambant le Gardon par un superbe édifice toujours debout : le pont du Gard. Sous Auguste, la ville se dote également d'une basilique civile, d'une curie, d'un gymnase, d'un jeu de balle, d'un cirque, et bien sûr de thermes. Hélas, presque tous ces monuments ont disparu. Mais, 2 000 ans après sa splendeur, Nîmes reste une édifiante leçon de civilisation romaine à qui sait la découvrir au travers du message des pierres et du génie des lieux.

La ville protestante

Au XVIe siècle, les idées de la Réforme se répandent dans les Cévennes et à Nîmes. La noblesse et la bourgeoisie se convertissent au protestantisme. Devenue une place forte de la religion réformée, la ville est entraînée dans la spirale de la violence : combats, massacres et guerres de Religion vont marquer la cité pendant le XVIIe siècle et durer jusqu'au milieu du XVIIIe. La cause de ce chambardement : la révocation de l'édit de Nantes en 1685 par Louis XIV, qui prive les protestants de la liberté de culte. Mais le Grand Siècle à Nîmes, c'est aussi ces nombreux et majestueux hôtels particuliers : Mazel, de Bernis, de Régis, de Balincourt, décorés par de puissantes familles enrichies dans les manufactures, la banque, les affaires. Et le Siècle des lumières y sera synonyme d'industrie de la soie et de textiles, les deux piliers de la nouvelle richesse.

LA FERIA OU NÎMES EN FÊTE

Pour découvrir Nîmes au pas tranquille du rêveur solitaire, mieux vaut éviter les jours de feria, la grande fête qui accompagne toujours les corridas. C'est la folie. La foule des aficionados – certains venus de très loin – envahit le moindre coin des arènes. Les bistrots et les terrasses des cafés sont noirs de monde. Nîmes exulte. Comme en Espagne, à Madrid ou à Séville, les particuliers ouvrent chez eux des *bodegas,* sorte de cafés improvisés pour la circonstance. On y boit le *fino* et la sangria, c'est obligatoire.

Pendant plusieurs jours se succèdent musiques de rue, essentiellement latines (fanfares, bandas, samba...), concerts sur les places, groupes folkloriques, marché de produits régionaux et nombreux lâchers de taureaux dans les rues *(abrivados).* Bref, il y en a pour tous les goûts et, à part les corridas, tout est gratuit.

Si vous ne tenez pas spécialement à assister à une corrida (dont les places sont rares et chères) mais que vous rêvez, secrètement, de voir à quoi ça ressemble, vous pouvez aussi acheter des places d'amphithéâtre (tout en haut des arènes) au dernier moment pour 15 €.

Il y a deux grands moments tauromachiques par an à Nîmes, dont les arènes sont le centre de gravité :

– ***Feria de Pentecôte :*** *elle dure 5 j. (jeu soir-lun).* C'est la fête la plus populaire d'Europe, avant la fête de la Bière de Munich... Les *novilladas* (corridas pour toreros débutants) ou corridas à cheval ont lieu le matin, à 11h. La corrida en elle-même commence vers 18h. Le jeudi soir (ou mercredi soir), pour l'ouverture, grand défilé populaire sur les boulevards *(pégoulade).*

– ***Feria des Vendanges :*** *en principe, le 3e w-e de sept.* À cette occasion aussi, de nombreuses *bodegas* sont ouvertes dans les rues. Plus authentique et plus spontanée qu'à la Pentecôte.

■ ***Bureau de location des arènes :*** *4, rue de la Violette. Résa : ☎ 08-91-70-14-01 (0,30 €/mn) pour les corridas.* ● *arenesdenimes.com* ● Pour les autres événements se déroulant dans les arènes, voir les points de vente habituels (grandes surfaces, etc.).

Conseil

– En période de feria, réservez impérativement longtemps à l'avance votre chambre d'hôtel.

Adresses et info utiles

Office de tourisme *(plan couleur B2,* **1***) : 6, rue Auguste.* ☎ *04-66-58-38-00.* • *ot-nimes.fr* • *L'office est situé à 30 m de la Maison carrée. Pâques-oct, lun-ven 8h30-19h, sam 9h-18h30, dim 10h-18h. Juil-août, lun-ven 9h-19h (20h jeu), sam 9h-18h30, dim et j. fériés 10h-18h. Le reste de l'année, lun-ven 8h30-19h, sam 9h-19h, dim et j. fériés 10h-17h. Fermé à Noël, le Jour de l'an et le 1er mai.* Accueil sympathique et efficace. Documentation en 7 langues (gratuite). Service de change et de réservation d'hôtels à Nîmes et dans le Gard. Et aussi : visites à thème du vieux Nîmes par des guides-conférencières bi- et trilingues le samedi, plus les mardi et jeudi en été. Possibilité de louer des audioguides sur la ville.
– Depuis mai 2006, les arènes, la Maison carrée et la tour Magne connaissent une véritable renaissance (nouvelles visites, animations, films). Le billet « Nîmes Romaine » permet désormais la visite cumulée des 3 monuments pour 9,50 € (réduc). *Rens sur les sites eux-mêmes ou au* ☎ *04-66-21-82-56.* • *nimes-romaine.com* •

Postes : *19, bd Gambetta (plan couleur C1).* ☎ *04-66-36-32-81. Et 1, bd de Bruxelles (plan couleur D3).* ☎ *04-66-76-69-50.*

Aéroport de Nîmes-Arles-Camargue *(hors plan couleur par C4) : à 8 km au sud, 30800 Saint-Gilles.* ☎ *04-66-70-49-49.* Des navettes de bus assurent la liaison entre l'aéroport et Nîmes, avec arrêt au palais de justice.

Air France : ☎ *36-54 (0,34 €/mn).*

Gare SNCF *(plan couleur D4) : bd Sergent-Triaire. Infos voyageurs et résas :* ☎ *36-35 (0,34 €/mn). À 10 mn des arènes à pied.* Point argent *carte Bleue.* La gare routière est accessible par le hall.

Gare routière *(plan couleur D4) : rue Sainte-Félicité.* ☎ *04-66-38-59-43. Derrière la gare SNCF.* Point de départ de toutes les compagnies régionales et internationales. Renseignements et horaires également donnés par l'office de tourisme ou par téléphone.

Médecins de garde : ☎ *04-66-76-11-11.*

Parc Aquatropic : *39, chemin de l'Hostellerie, Ville Active.* ☎ *04-66-38-31-00.* • *vert-marine.com* • *Dans la zone hôtelière, le long du boulevard périphérique, tt près d'un* McDonald's *(ligne D). Tlj 12h-21h en été (11h-20h w-e) ; le reste de l'année, lun-ven 10h-20h (fermé 14h-16h mar et jeu) ; pdt les vac scol, lun-ven 10h-20h (21h mar et jeu), w-e 11h-19h. Tarifs : 5 € adulte ; 1,40 € moins de 8 ans.* Rivière rapide, jacuzzi, jets d'eau et deux bassins extérieurs. Histoire d'oublier les après-midi torrides de Nîmes en été.

Où dormir ?

Camping

Camping du domaine de la Bastide *(hors plan couleur par D4,* **15***) : route de Générac.* ☎ *04-66-62-05-82.* • *immocamp@wanadoo.fr* • *http://camping-nimes.com* • ♿ *À 5 km au sud de Nîmes, à côté du stade de la Bastide (ligne D en bus). Ouv toute l'année, tlj sf dim hors saison. Emplacement pour 2 avec tente et voiture 13,50 € en hte saison. Loc de mobile homes 290-410 €/sem. Réduc de 10 % accordée sur présentation de ce guide.* Vaste camping de près de 240 emplacements, bien équipé et correctement ombragé.

De bon marché à prix moyens

Auberge de jeunesse et camping *(hors plan couleur par A2, **6**) : 257, chemin de l'Auberge-de-Jeunesse. ☎ 04-66-68-03-20. • nimes@fuaj.org • hinimes.com • ♿ À 2 km du centre, sur une des collines qui entourent Nîmes ; fléché à partir du jardin de la Fontaine ; au départ de la gare SNCF, ligne I direction Alès-Villeverte, arrêt « Stade » (minibus de la gare à l'auberge après 19h). Auberge ouv tte l'année, y compris à Noël et au Nouvel An sur résa. Accueil 7h30-1h. En été, réservez ! Nuitée 12,25 € en dortoir (fait aussi camping autour de 6 €). Petit déj 3,60 €.* Excentrée (et si vous êtes à pied ou à vélo, ça grimpe !) mais dans un quartier tranquille, sur un flanc de colline, au cœur d'un vaste arboretum de 80 espèces d'arbres. Dortoirs de 2, 4, ou 6 lits dans le bâtiment principal ou dans des petits modules dans le parc, avec toilettes à l'intérieur ou sur le palier. Clé électronique si vous avez décidé de rentrer à point d'heure. Cuisine à disposition, laverie, local à vélos, location de VTT et de scooters. La personnalité d'Andy est pour beaucoup dans la qualité de cette auberge exceptionnelle.

Résidence Grizot *(plan couleur D2, **9**) : 6, rue Grizot. ☎ 04-66-36-50-00. • residence.grizot@wanadoo.fr • residence-grizot.com • Accueil fermé le w-e. Env 280 € le studio pour 2, pour une sem. Loc à la sem slt.* En plein centre, une résidence composée de 48 studios et appartements meublés, équipés de kitchenette et de salle d'eau (douche et w-c). Pour 1, 2 ou 4 personnes. Services en plus : gardienne, laverie, location de linge et salle informatique. Bon rapport qualité-prix.

Cat Hotel *(plan couleur D2, **5**) : 22, bd Amiral-Courbet. ☎ 04-66-67-22-85. Fax : 04-66-21-57-51. Parking payant. Doubles avec douche et w-c sur palier 30 € ; 40 € avec douche et w-c ou bains. TV satellite. Tarifs plus élevés en période de feria.* Les patrons, des Ch'tis, n'ont pas craint de quitter la froidure et la pluie pour venir ici et se lancer dans l'hôtellerie. Nouveau « pays », nouveau métier, nouvelle vie, et une réussite car ce *Cat Hotel* est sympa comme tout, bien rénové et bon marché. Voyez vous-même : déco propre et coquette, double vitrage et ventilo, ils ont bien fait les choses et n'arnaquent pas le touriste. Bon vent au *Cat Hotel*, et vive le Nord-Pas-de-Calais !

Hôtel de la Mairie *(plan couleur C2-3, **11**) : 11, rue des Greffes. ☎ 04-66-67-65-91. • hotelnimes@orange.fr • En plein centre. Ouv tlj sf dim soir en basse saison. Doubles 27-36 € (avec lavabo) et 45-48 € (avec douche et w-c ou bains). Réduc de 10 % sur le prix de la chambre Toussaint-Pâques.* Bien situé, dans une rue piétonne. Modeste petit hôtel rénové par d'accueillants propriétaires. Intéressant pour les petits budgets, les chambres « single » disposent de lits de 1,20 m de large, on peut donc (en se serrant un peu) y dormir à deux. Également des chambres familiales qui peuvent accueillir jusqu'à 4 personnes. Terrasse. Balcon pour certaines chambres.

Hôtel Terminus-Audrans *(plan couleur D4, **7**) : 23, av. Feuchères. ☎ 04-66-29-20-14. • hotel.terminus.nimes@wanadoo.fr • hotel-terminus-nimes.com • ♿ Juste en face de la gare SNCF. Parking gratuit. Ouv tte l'année. Selon saison, doubles 42-45 € avec douche et w-c, 45-47 € avec bains. Réduc de 5 % sur le prix de la chambre sur présentation de ce guide.* Pas trop le look d'un hôtel de gare : maison pimpante derrière une courette plantée de palmiers. Chambres refaites, insonorisées (il vaut mieux, vu le quartier...) avec TV et l'impression que le client est servi par un personnel à l'écoute. Terrasse. Resto mitoyen dont l'enseigne *(Steak and Sauce)* indique bien ce qu'on y mange.

Hôtel Central *(plan couleur D2, **10**) : 2, pl. du Château. ☎ 04-66-67-27-75. • contact@hotel-central.org • hotel-central.org • Adossé au Grand Temple (protestant). Garage (payant). Ouv tte l'année. Doubles avec douche et w-c ou bains 45-50 € ; compter davantage en période de feria. Réduc de 10 % sur le prix de la chambre sur présentation de ce guide.* Joli petit hôtel 2 étoiles de quartier, récemment rénové, à la déco simple, toute de bleu et blanc. Accueil souriant et aimable et, détail important pour l'été, les chambres sont équipées de ventilateurs. La n° 20, à 2 lits, offre une vue superbe sur les toits, les clochers et les dômes de la cité romaine.

Hôtel Acanthe du Temple *(plan couleur D2, **18**) : 1, rue Charles-Babut. ☎ 04-66-67-54-61. • hotel-du-temple@wanadoo.fr • hotel-temple.com • Garage payant. Congés : fin déc-fin janv. Doubles avec lavabo, douche-w-c ou bains 35-60 €, hors feria. Sur présentation de ce guide, un petit déj/pers/nuit offert (hors feria).* En face de l'*Hôtel Central,* à côté du temple protestant, un petit immeuble ancien fort bien tenu. Accueil cordial.

De prix moyens à plus chic

Hôtel de l'Amphithéâtre *(plan couleur C3, **16**) : 4, rue des Arènes. ☎ 04-66-67-28-51. • hotel-amphitheatre@wanadoo.fr • http://perso.wanadoo.fr/hotel-amphitheatre • À 30 m des arènes. Congés : janv, vac scol de la Toussaint et d'hiver. Selon saison, double avec douche et w-c ou bains 55-70 €.* Un hôtel bien calme, installé dans une grande maison ancienne (XVIIIe siècle).

Royal Hôtel *(plan couleur B2, **12**) : 3, bd Alphonse-Daudet. ☎ 04-66-58-28-27. • rhotel@wanadoo.fr • royalhotel-nimes.com • Ouv tte l'année. Resto fermé dim. Selon saison, doubles 60-80 € avec douche et w-c, 75-90 € avec bains. Compter 12 € à la carte. Un petit déj/pers/nuit offert sur présentation de ce guide.* La plupart des chambres donnent sur la place d'Assas, calme et piétonne, joliment conçue par le plasticien Martial Raysse, qui y a construit une fontaine ésotérique dédiée à Nemausus. Dans l'hôtel, pas mal de comédiens, artistes de passage, assistants de toreros, tous séduits par l'accueil et l'ambiance. Chambres à la déco d'une simplicité très étudiée, dans l'ensemble pleines de charme et gentiment tarifées pour la ville. Au resto, *La Bodeguita,* tapas et spécialités espagnoles *a la plancha.* Chaude ambiance aux beaux jours (les chambres qui donnent de ce côté-là sont donc un brin bruyantes...). Concert deux fois par mois.

Kyriad-Hôtel *(plan couleur D2, **13**) : 10, rue Roussy. ☎ 04-66-76-16-20. • contact@hotel-kyriad-nimes.com • hotel-kyriad-nimes.com • Parking payant (8,50 €). Wi-fi. Doubles avec douche et w-c ou bains 66-77 €. Un petit déj/chambre/nuit offert sur présentation de ce guide.* Dans une rue paisible, une vieille maison nîmoise, joliment rénovée. Un certain charme. Affiches de corrida ou d'opéra aux murs des couloirs. Chambres climatisées, rénovées. Au 4e étage, les nos 41 et 42 ont une petite terrasse avec vue sur les vieux toits de tuile (chambres à 77 €). Au final, une bonne adresse.

De plus chic à beaucoup plus chic

L'Orangerie *(hors plan couleur par A4, **17**) : 755, rue Tour-de-l'Évêque. ☎ 04-66-84-50-57. • hr-orang@wanadoo.fr • orangerie.fr • À 10 mn à pied du centre. Du centre, direction A 9/aéroport puis à gauche la N 86 au rond-point Kurokawa. Parking gratuit. Selon l'orientation, doubles avec douche ou bains 66-86 € en basse saison 79-130 € en hte saison. Menus 17-27 €. Un petit déj/chambre/nuit offert sur présentation de ce guide.* L'environnement (pas très emballant : zone commerciale, ronds-points...) s'oublie dès qu'on pénètre dans le parc. Enveloppés de verdure, une piscine et un bâtiment genre mas, récent, mais qui semble avoir toujours été là. Jolies chambres, d'un bon confort (AC, bains à remous pour certaines) et d'un remarquable rapport qualité-prix pour la ville. Les plus agréables disposent d'une terrasse ou d'un jardinet privé. Six chambres supplémentaires ont été ouvertes. Accueil très pro mais chaleureux. Au resto, salle agréable et cuisine au goût du jour : foie gras mi-cuit aux abricots et figues, carré d'agneau rôti à la menthe, carpaccio de lotte.

Hôtel Imperator Concorde *(plan couleur B2, **14**) : quai de la Fontaine, 15, rue Gaston-Boissier. ☎ 04-66-21-90-*

30. • hotel.imperator@wanadoo.fr • hotel-imperator.com • Ouv tte l'année. Doubles 160-250 € (hors feria !) avec bains, petit déj inclus. Très beau 4-étoiles, même si la façade côté rue ne paie pas trop de mine, ne laissant en rien deviner le superbe jardin – un véritable parc – agrémenté d'une fontaine et d'un bar en terrasse. Impeccable pour un verre ou un thé. Chambres superbes, de grand confort. Hemingway passa dans la n° 310. Ava Gardner logeait dans la n° 312. Notez, dans le hall, le bel ascenseur (classé), installé en 1929 et de marque *Otis*. Fait aussi resto.

Où manger ?

De très bon marché à bon marché

|●| Si vous déboulez de la gare avec l'estomac dans les talons, évitez son snack sans intérêt et filez vers le petit ***kiosque*** à gauche sur le boulevard Feuchères. *Tlj sf sam 7h30-22h30 (0h30 dim).* Avec le sourire (ça devient du luxe), Maïté et Maxime servent en deux temps trois mouvements des sandwichs à des prix défiant toute concurrence. Et si vous êtes vraiment fauché, optez pour le pain-frites et allez le dévorer un peu plus haut, à l'ombre sur l'esplanade.

|●| 🍸 ***Le Mogador Café*** *(plan couleur C3,* ***20****) : 2, pl. du Marché. ☎ 04-66-21-87-90. Ouv ts les midis sf dim et j. fériés. Tartes salées, plat du jour env 9 €. Prix moyen d'un repas complet à la carte : 20 €.* La terrasse ensoleillée, l'ambiance de la place, le service sympa et les prix serrés sont les principaux atouts de ce café-bistrot-salon de thé.

|●| ***El Rinconcito*** *(plan couleur C2,* ***25****) : 7, rue des Marchands (passage du Vieux-Nîmes). ☎ 04-66-76-17-30. Pas facile de débusquer ce repaire chilien. Dans la rue des Marchands, cherchez le passage du Vieux-Nîmes ; le resto se trouve au bout d'une ruelle, dans une cour intérieure délicieusement calme. Fermé dim-lun sf j. fériés. Congés : de fin janv à mi-mars. Menu midi 8,50 €. Compter 16 € à la carte. Apéritif maison offert sur présentation de ce guide.* À l'intérieur, c'est tout petit (il est prudent de réserver sa table... et son plat préféré) et complètement dépaysant. Hector se fera un plaisir de vous parler du Chili, où il retourne régulièrement. À déguster en priorité : les *empanadas*, le gratin de maïs, le *chili con carne* évidemment et l'excellent *gaspacho*. Vins chiliens.

De bon marché à prix moyens

|●| ***Wine Bar Le Cheval Blanc*** *(plan couleur C3,* ***39****) : 1, pl. des Arènes. ☎ 04-66-76-19-59. • winebar@wanadoo.fr • Ouv jusqu'à 23h (minuit le w-e). Fermé midi dim-lun midi. Menu midi 14 € ; autres menus à partir de 18 € et menu terroir servi midi et soir. Un verre de Cartagène offert sur présentation de ce guide.* Situé dans les locaux de l'*Hôtel du Cheval Blanc*, lieu chargé d'histoire dont les magnifiques voûtes bicentenaires ont été préservées. Michel, le patron, a voyagé loin. Son restaurant a quelque chose de plus. Excellent service, souriant et aimable, très bonne cave, cuisine plus fine que la moyenne et suffisamment copieuse, remarquable rapport qualité-prix.

|●| ***La Table d'Auguste*** *(plan couleur D2,* ***29****) : 3, rue Nationale (porte Auguste). ☎ 04-66-67-74-57. Fermé lun et mar midi. Menus 15-26 € et carte. Café offert sur présentation de ce guide.* Enfin un restaurateur qui rend hommage à l'empereur Auguste, sans qui Nîmes n'existerait pas. Toute petite salle bien décorée avec des statuettes romaines sur les tables, service attentionné et surtout cuisine régionale, dont les recettes anciennes sont mises à jour, élaborée avec soin par des Gardois fidèles à leurs traditions.

|●| ***La Datcha*** *(plan couleur B2,* ***30****) : 29, rue du Grand-Couvent. ☎ 04-66-76-04-19. • bbouclier@orange.fr • Tlj sf dim-lun tte l'année. Menus 11-26 € et*

carte. Salle coquette, poutres bleues, lampes en fer forgé suspendues au plafond, cuisine bien faite et intelligente. Bruno et Svetlana proposent quelques plats du Gard mais surtout de la Russie. À l'honneur, saumon fumé, légumes oubliés et pâtisseries maison. Ils choisissent leurs produits au marché couvert et proposent aussi de bons vins. Certaines bouteilles viennent de Géorgie et de Hongrie.

|●| ***L'Ancien Théâtre*** *(plan couleur B2, **23**) : 4, rue Racine. ☎ 04-66-21-30-75. Fermé sam midi, dim et lun. Congés : vac scol de fév et 1re quinzaine d'août. Menus 17-27 € et carte. Café offert sur présentation de ce guide.* On dit qu'à la place du Carré d'art tout proche il y eut un théâtre qui fut incendié par une cantatrice folle de rage de n'y avoir pas été engagée ! Mais rassurez-vous : l'accueil – très attentionné – et la cuisine à base de poisson – mitonnée, personnelle, méditerranéenne – du patron sont beaucoup plus pacifiques ! Menus et carte changent tous les deux mois. Cadre intime et rustique. Une très bonne adresse à prix doux.

|●| ***Le Chapon Fin*** *(plan couleur B3, **24**) : 3, rue du Château-Fadaise. ☎ 04-66-67-34-73. • auchaponfin@cegetel.net • ♿ Sympathique resto juste derrière l'église Saint-Paul, donc à l'écart des foules touristiques. Tlj sf mer midi, sam midi et dim. Menus midi 11-45 €. Compter 30 € à la carte.* Deux salles et une terrasse (sur les toits). Toute simple, toute bonne cuisine méditerranéenne, au gré des saisons. Petits vins en pichet bien choisis. Accueil et service décontractés. À noter, l'arrivée de la clim', bien agréable en été.

|●| ***Nicolas*** *(plan couleur D2, **26**) : 1, rue Poise. ☎ 04-66-67-50-47. • martin-pascal@wanadoo.fr • Dans le vieux Nîmes, à côté du Musée archéologique. Fermé lun et sam midi (sf j. fériés). Congés annuels : 15 j. en juil, autour de Noël et du Jour de l'an. Menus 13-25 € et carte. Café offert sur présentation de ce guide.* Une grande salle aux murs de pierre, arrangée avec goût. Les Nîmois aiment y dîner entre copains. Une honnête cuisine familiale et régionale respectueuse des traditions.

|●| ***Restaurant des Artistes*** *(plan couleur C3, **32**) : 22, rue de l'Étoile. ☎ 04-66-36-78-82. • michel.belcour@wanadoo.fr • Dans une rue parallèle au bd Victor-Hugo, à deux pas de l'agitée place du Marché. Tlj sf lun midi et mer. Congés : de mi-juil à fin août. Formule midi en sem 10 €. Menus 18-35 €. Apéritif maison offert sur présentation de ce guide.* Le chef, Michel Belcour, concocte de bonnes spécialités à tendance méditerranéenne, ou venant du Sud-Ouest si proche, comme son cassoulet aux manchons de canard, ou son foie gras maison, ou encore d'inspiration maritime.

|●| ***Le Vintage Café*** *(plan couleur C3, **34**) : 7, rue de Bernis. ☎ 04-66-21-04-45. Entre les arènes et la Maison carrée. Fermé sam midi, dim et lun. Congés : 15 j. en août. Formules le midi 14,50 et 16 €. Menu-carte 32 €.* Sur une minuscule place plantée d'une fontaine, une salle genre bistrot de toujours (*vintage café* pour les anglophones, donc). L'endroit accueille régulièrement des expos (photos, peintures...). Jolie cuisine du marché, pleine de saveurs et de parfums pour les formules du jour (qui changent effectivement tous les jours) et intéressante sélection de vins du Languedoc servis au verre.

|●| ***San Francisco*** *(plan couleur D3, **22**) : 33, rue Roussy. ☎ 04-66-21-00-80. • patrick.baronetti@orange.fr • Fermé sam et dim midi. Service jusqu'à 23h en sem et minuit le w-e. Formule (salade, plat du jour et verre de vin) midi 12 €, menus 16-35 €. Compter 20 € à la carte. Apéritif maison offert sur présentation de ce guide.* Du bois à profusion, quelques icônes de l'*American way of life* (plaques minéralogiques, crânes de vaches), un patio avec une fontaine glougloutante comme au Mexique. Le cadre est plutôt réussi, l'ambiance à la décontraction, la cuisine de bonne tenue (ce qui n'est pas toujours le cas dans ce genre d'endroit). *Spare ribs, tacos* ou *T-Bone steak* conseillés. Ou, pour revenir en France, tournedos aux morilles.

|●| ***Restaurant Marie-Hélène*** *(hors plan couleur par C4, **33**) : 733, av. du Maréchal-Juin. ☎ 04-66-84-13-02. ♿ À côté de la chambre des métiers, route de Montpellier. Ouv le midi lun-ven, le soir jeu-sam. Fermé dim. Menus 18-31 € et carte. Café offert sur présen-*

tation de ce guide. Ce petit restaurant excentré est une ode à la Provence, partout déclinée avec bonheur : dans les couleurs gaies et chaudes, les bouquets, la mise de table, la cuisine ensoleillée qui joue notamment sur les grillades aux ceps de vigne, cuites à la cheminée sous les yeux des convives.

De prix moyens à beaucoup plus chic

Le Bouchon et L'Assiette *(plan couleur A2,* ***38****) : 5 bis, rue de Sauve. ☎ 04-66-62-02-93. Adresse toute proche du jardin de la Fontaine. Fermé mar-mer. Congés : la 1re quinzaine de janv et de mi-juil à mi-août. Formule midi en sem 17 €, puis menus 27-45 €. Café offert sur présentation de ce guide.* Un des ténors de la gastronomie nîmoise. Et, vrai, les plats qu'on nous a servis dans cette maison rose et bleu avaient la personnalité, la finesse et la saveur de ceux qu'on trouve chez les plus grands. Une cuisine créative de saison, où apparaît, par exemple, régulièrement du foie gras frais à la mangue. Les menus changent tous les 2 mois. La belle salle claire aux pierres et poutres apparentes a été rénovée avec goût, mais le service, jeune et masculin, manque un peu de chaleur.

Le Magister *(plan couleur D2,* ***35****) : 5, rue Nationale. ☎ 04-66-76-11-00. • le.magister@wanadoo.fr • À deux pas de la porte d'Auguste. Ouv tte l'année. Fermé sam midi et dim. Menu midi 20 €, du marché 25 €, puis menus-carte 35-46 €. Apéritif maison offert sur présentation de ce guide.* Depuis plus de 20 ans, une adresse savoureuse qui donne des leçons aux autres sans se prendre trop au sérieux (le *magister* étant celui qui transmet ses connaissances). Derrière une façade rouge bordeaux, dans un décor boisé couleur soleil, un restaurant gastronomique, un vrai. Intérieur rénové, et création d'un salon fumeur. Ce qui signifie un chef, Martial Hocquart, passé chez les plus grands *(Le Ritz, La Tour d'Argent).* Le premier menu, exquis, change tous les deux mois, et donne la tonalité de la maison.

L'Exaequo *(plan couleur B-C3,* ***60****) : 11, rue Bigot. ☎ 04-66-21-71-96. • l.exaequo@wanadoo.fr • Fermé sam midi et dim. Congés : à Noël. Plat du jour midi en sem 15-19 €. Menu 26-75 € et carte blanche 53 €. Apéritif maison offert sur présentation de ce guide.* Du rouge, du blanc, du mauve, un lieu coloré et décontracté, à deux pas des arènes, où tous les âges, tous les tempéraments se retrouvent, autour d'une cuisine fusion dans le meilleur sens du terme. Deux associés, qui jouent la carte des grands sans trop se prendre au sérieux, et ça marche, ça court même, certains soirs. Jean-Philippe Delaforge est passé chez *Savoy* et *Passard,* Valentin Lerch, lui, a fait ses classes au *Crocodile,* à Strasbourg, et au *Cerf,* à Marlenheim. Tiens, juste un plat, comme ça, pour donner le ton : fines feuilles de panga et coco plat, riz rouge de Camargue étuvé, écume de ficoïde glaciale. La carte change ts les 2 mois, mais garde pour base les grands classiques gastronomiques. L'été, la cour intérieure prend des airs de fête, avec l'orchestre qui se glisse derrière les tables en bois. Une fête de tous les sens, sous les palmiers, près des lauriers-roses. Un bar à vin à également au 17 bis, impasse Porte-de-France ; 40 références de vins à prix raisonnables.

Le Lisita *(plan couleur C3,* ***59****) : 2, bd des Arènes et 6, rue des Arènes. ☎ 04-66-67-29-15. Tlj sf dim-lun. Menu midi 35 € ; le soir, menus 54-96 € (menu dégustation).* Une très belle adresse, qui ravira tous les publics. Grande terrasse, sous la marquise, avec vue imprenable sur les arènes, pour se régaler sans façon, côté brasserie, avec une effiloche de brandade de morue ou un filet de taureau et ses légumes oubliés confits. Mais pour pouvoir découvrir la cuisine d'Olivier Douet, au nom prédestiné (il est passé chez Loiseau et Vergé), faites un détour par la rue des Arènes, et découvrez les nouvelles salles : bois, enduits à la chaux, toiles colorées. Une grande table, qui mise sur la qualité des produits pour réinventer, au fil des saisons, de suaves combinaisons, arrosées de vins choisis par Stéphane Debaille, un des meilleurs sommeliers de France.

Où dormir ? Où manger dans les environs ?

Maison d'hôtes chez Régis et Corinne Burckel de Tell : *48, Grand-Rue, 30420 Calvisson. ☎ 04-66-01-23-91. • burckeldetell@hotmail.fr • bed-and-art.com • À côté de la mairie. Congés : janv. Doubles 55-60 € ou suite (3 pers) 70 €, petit déj compris. Table d'hôtes le soir sf w-e sur résa : 20 €, vin compris. Café et vin de pays sélectionné offerts pour un séjour de 3 nuits sur présentation de ce guide.* Rien de particulier dans ce paisible village gardois à mi-chemin entre Nîmes et Sommières, si ce n'est cette très jolie maison d'hôtes. Corinne et Régis – elle, historienne d'art, lui, artiste peintre – ont rénové avec beaucoup de goût cette belle demeure du XVe siècle, en conservant le cachet initial : poutres, vieille pierre, cheminées et sols rustiques. Avec en prime un patio fleuri, une salle à manger voûtée et une terrasse donnant sur les toits du village, pour les repas ou le farniente... en commun ! Attention : la qualité de la prestation attire pas mal de monde, il faut donc réserver.

Où boire un verre ? Où sortir ?

À Nîmes, ville du soleil, des micocouliers et des corridas, les bonnes terrasses sont des salons en plein air où l'on cause tauromachie, foot, littérature ou art moderne. À vous de jouer... Toutefois, force est de constater que, si Nîmes regorge de terrasses et de places animées en journée, la ville est désertée la nuit par la jeunesse locale, qui lui préfère Montpellier ou la côte... Rien de bien fou, donc, si ce n'est lors des Jeudis de Nîmes ou dans ces quelques adresses bien sympathiques :

Nîmes, « comme tout organisme parfaitement constitué, a deux bourses collées l'une contre l'autre, ***la Grande et la Petite Bourse*** », dixit le fameux chroniqueur Jacques Durand. Il veut parler, évidemment, de deux des plus célèbres cafés nîmois, situés à l'angle du boulevard Victor-Hugo et des Arènes *(plan couleur C3,* ***40****)*. Le premier a subi un lifting, et s'est offert du même coup une brasserie assez chic reconnaissable à sa superbe véranda. Le second est toujours incontournable pour qui veut se faire voir du soleil... et des passants ! Terrasses très fréquentées de janvier à décembre, alors, pendant les ferias, on ne vous dit pas !

Haddock-Café *(plan couleur B2,* ***45****) : 13, rue de l'Agau. ☎ 04-66-67-86-57. • haddock-cafe.com • Ouv tlj sf sam midi et dim. Verre de vin à partir de 1,50 € ; plat du jour 8 € ; formule midi 11 € ; menus 15-20 €.* Bar-resto convivial qui organise dans sa grande salle aux couleurs du Sud de multiples soirées à thème : café chantant (1er vendredi du mois), café-impro ou philo, vernissages... Petite restauration style salades, viandes, moules-frites. Un lieu incontournable de la vie culturelle et festive nîmoise.

O'Flaherty's *(plan couleur D2,* ***43****) : 21, bd de l'Amiral-Courbet. ☎ 04-66-67-22-63. Ouv jusqu'à 2h. Restauration (tlj sf dim) jusqu'à 22h30. Ouvre à 17h le w-e. Formules 11-18 €.* Un pub vrai de vrai, *a genuine Irish pub,* comme dirait l'ami John, à la carte de whiskies longue comme le bras et à la déco plutôt réussie. Grosse ambiance le jeudi soir (sauf juillet-août) avec les concerts country, folk irlandais ou pop rock. Honnête cuisine proposant entrecôte gaélique, saumon fumé maison, bœuf à la Guinness... Billard à l'étage. Terrasse.

Café des Beaux-Arts *(plan couleur C2,* ***42****) : pl. aux Herbes. ☎ 04-66-67-97-97. Fermé dim et j. fériés. Congés : 15 j. en fév.* Sur une placette pleine de charme, dans le vieux Nîmes, une terrasse ombragée où l'on sirote l'apéro avec les étudiants de l'école des Beaux-Arts, toute proche. Et l'on est bien assis.

Le Prolé *(plan couleur C3,* ***48****) : 20, rue Jean-Reboul. ☎ 04-66-21-67-23. Fermé dim et j. fériés (sf pdt la feria).* Dans l'immeuble où est né l'écrivain Jean Paulhan (1884). Un bar, un vrai de vrai (quelle enseigne !) à fréquenter quand il prend ses quartiers d'été dans une cour intérieure (entrée par le couloir). Déco réduite à sa plus simple expression, demis pas chers, clientèle plutôt marginale. Concerts de groupes locaux le vendredi en été et ambiance indescriptible pendant les ferias.

🍸 ***Café Olive*** *(plan couleur C3,* ***46****) : 22, bd Victor-Hugo.* ☎ *04-66-67-89-10. Tte l'année, tlj sf dim 9h-1h. Demi 2,80 €, rhums arrangés 3-6 €. Formule midi 11,90 €.* À deux pas des arènes, un bar tendance au mobilier moderne, réchauffé par un mur de pierre et de belles grosses poutres. La mezzanine n'est pas mal non plus avec ses fauteuils bas. Nombreux rhums arrangés (goûtez celui à la banane, fameux !) et quelques quotidiens à dispo pour se tenir au jus. Concerts de temps en temps (mercredi ou jeudi ; programmation variée, appeler). Terrasse sur le boulevard.

🍸 ***Café Napoléon*** *(plan couleur B2,* ***41****) : 46, bd Victor-Hugo.* ☎ *04-66-67-20-23. Wi-fi. Plat du jour 8,50 € et petite restauration.* Une institution de Nîmes avec une salle récente à la décoration taurine... Terrasse.

🍸 ***Les 3 Maures*** *(plan couleur C3,* ***44****) : 10, bd des Arènes.* ☎ *04-66-36-23-23. Ouv jusqu'à 2h.* Un bel endroit, très spacieux, avec terrasse face aux arènes. En frise, impressionnante série de portraits taurins, une cinquantaine de têtes de taureau vues de face ; au mur opposé, des maillots de rugby, de handball... Sympa surtout au moment de la feria.

🍸 ***Café Le Cygne*** *(plan couleur B2,* ***47****) : 46, bd Victor-Hugo.* On le signale car c'est le seul bar-tabac ouvert tard le soir dans le centre.

🍸 Autour du Carré d'art et de la Maison carrée se sont ouverts plein de petits bistrots sympas, bien tenus et aux terrasses largement ensoleillées ou ombragées selon l'heure.

NÎMES ET SES ENVIRONS

À voir

« Nîmes est un fruit un peu mystérieux, plus succulent à mesure qu'on approche le cœur », note Christian Liger dans *Nîmes sans visa.* Mais ce cœur ancien, c'est à pied évidemment qu'il faut le découvrir : écartez toute idée de visiter en voiture le vieux Nîmes. Laissez impérativement votre véhicule à l'hôtel, sous les arbres des avenues ou dans l'un des parkings souterrains. Celui des arènes contient 720 places, celui des halles en compte 625.

🍷🍷🍷 👨‍👧 ***Les arènes*** *(plan couleur C3) :* ☎ *04-66-21-82-56. Ouv tte l'année, tlj sf pdt les ferias de Pentecôte et des vendanges. Janv-fév et nov-déc, 9h30-16h30 ; mars et oct, 9h-18h ; avr-sept, 9h-18h30 (19h juin-août). Entrée : 7,70 € ; réduc.*
L'eau d'abord, le sang ensuite : la « Colonia Augusta Nemausus » était déjà bien alimentée en eau par l'aqueduc du Gard (et son fameux pont) quand on décida de construire cet amphithéâtre, probablement entre 50 et 100 apr. J.-C., destiné essentiellement aux combats de gladiateurs. Bien qu'effritée par les intempéries, la pierre des arènes a bien tenu le choc des siècles. Résultat : près de 2 000 ans après sa naissance, c'est le monument le mieux conservé du monde romain. Inspirée du Colisée de Rome, son architecture est un modèle d'harmonie et d'équilibre. Ce ne sont pas ses dimensions qui sont les plus remarquables. En tournant autour, il vous suffira de lever la tête pour découvrir, du côté du palais de justice, une louve, des oiseaux, un combat de gladiateurs ou des têtes de taureaux. Des 75 amphithéâtres romains toujours debout à travers le monde, celui de Nîmes n'est qu'au 20e rang par la taille : une forme elliptique de 133 m sur 101 m.
À l'intérieur, 24 000 places au total, réparties sur 34 niveaux de gradins. On est frappé surtout par l'ingéniosité de l'architecte romain qui a conçu l'amphithéâtre de telle manière que l'accès aux gradins *(cavea)* soit le plus aisé et le plus rapide possible. Les deux étages d'arches voûtées cachent 5 galeries concentriques, sur plusieurs niveaux, et pas moins de 126 escaliers internes, réseau destiné à éviter les embouteillages de spectateurs à l'entrée comme à la sortie. Des sorties qui s'appellent ici des « vomitoires »... À l'époque romaine, les arènes étaient une immense salle de jeux en plein air, ouverte au peuple comme à l'élite de la ville. Aux premiers rangs, 40 places étaient réservées aux bateliers du Rhône et de la Saône

et 25 à ceux de l'Ardèche et de l'Ouvèze. De sanglants combats de gladiateurs s'y déroulèrent mais aussi des courses de chars, de chevaux, des pantomimes. Les jeux cessèrent à la chute de l'Empire. Au Moyen Âge, on trouvait des habitations, des rues et une sorte de château dans les arènes ! En 1782, il y avait 230 maisons dans l'enceinte.
C'est en 1853 qu'eut lieu la première corrida, un scandale à l'époque. Depuis cette date, les corridas n'ont pas cessé (même si Nîmes a vu seulement neuf saisons tauromachiques entre 1853 et 1891). Dans les années 1990, leur nombre et leur popularité n'ont jamais été aussi importants. Outre les taureaux et les matadors, les arènes accueillent désormais des concerts de rock, de jazz, des cirques, des spectacles de théâtre et d'opéra. Depuis 2006, 3 nouveautés : une visite audioguidée, l'espace Gladiateurs (armes, tenues et démonstration de combat) et l'espace Tauromachie (tenues, films et images autour des corridas).

La Maison carrée *(plan couleur B2)* **:** *☎ 04-66-21-82-56. Ouv tte l'année : janv-fév et nov-déc, 10h-16h30 ; mars et oct, 10h-18h ; avr-sept, 10h-18h30 (20h juin-août). Fermé les 1er janv, 1er mai et 25 déc. Tarif : 4,50 € ; 7-17 ans : 3,60 €.*
Ce n'est ni une maison, ni un carré, mais un magnifique petit temple romain (rectangle de 25 x 12 m) admirablement conservé. Édifié au cœur du forum, entre l'an 3 et l'an 5 apr. J.-C., sous le règne d'Auguste, ce sanctuaire est dédié à Caius et Lucius César, « princes de la Jeunesse » et fils adoptifs d'Auguste. Le monument est inspiré de l'architecture du temple d'Apollon de Rome. Il aurait, en outre, influencé l'architecte de l'église de la Madeleine à Paris, bâtie sous Napoléon Ier.
Aujourd'hui, le temple des « princes de la Jeunesse » accueille les *Héros de Nîmes,* un film en 3D qui permet de replonger dans 2 000 ans d'histoire nîmoise à travers les destins de ses « héros », du gladiateur au torero.

ÇA TOURNE PAS ROND DANS LA MAISON CARRÉE !

Curieusement, dans l'histoire, ce sont souvent les plus beaux monuments qui ont les destinées les plus folles. Après avoir été un temple romain, l'édifice servit d'assemblée aux juges, de bureau aux consuls (1198). Il devint une maison d'habitation, une écurie puis une église gardée par les augustins. La Maison carrée a même abrité des fonctionnaires et des tonnes de paperasse au XIXe siècle. On dit aussi que la duchesse d'Uzès rêvait d'en faire un mausolée pour son mari...

Le Carré d'art *(plan couleur B2,* ***51****)* **:** *pl. de la Maison-Carrée, en face de la Maison carrée. ☎ 04-66-76-35-35. Tlj sf lun 10h-18h.* Né dès 1983 dans l'esprit de Jean Bousquet et de Bob Calle, le Carré d'art, ce palais de verre et de béton conçu par l'architecte anglais Norman Foster, a finalement été inauguré le 8 mai 1993. Ce temple de lumière, nouveau centre d'art contemporain, dont les cinq fines colonnes blanches sont comme une réponse à celles de la Maison carrée, est parfois désigné comme étant le « Beaubourg méditerranéen ». Plus qu'une bibliothèque, c'est en fait une médiathèque proposant à la fois des livres et des revues, des disques, des enregistrements vidéo, avec un service informatique on ne peut plus perfectionné. Le musée d'Art contemporain (voir « Les musées ») y est aussi installé, sur deux niveaux.
Envie de prendre l'air ? Grimpez au 3e étage prendre un café au ***Ciel de Nîmes*** (☎ 04-66-36-71-70), la vue sur la Maison carrée et les toits de l'écusson depuis la terrasse est superbe.

Promenade dans le vieux Nîmes

Des arènes, monter par l'une des ruelles menant à la place du Marché toute proche.

– ***La place du Marché*** *(plan couleur C3)* **:** adorable petite place avec un palmier planté en 1985 et une curieuse fontaine au Crocodile, dessinée par Martial Raysse. Palmier et crocodile figurent dans les armes de Nîmes depuis 1535 et rappellent la conquête de l'Égypte de Cléopâtre par les troupes de César et la bataille d'Actium en 31 av. J.-C. Un logo quasi tropical qui ne jure pas sous le ciel du Gard.
– ***La rue Fresque* :** passer sous l'arcade et emprunter cette ruelle menant à la place de la Calade, toute proche de la Maison carrée. Voir, au n° 6, la cour et l'escalier de l'*hôtel Mazel* (XVIIe siècle).
À votre gauche, la Maison carrée, à votre droite la rue de l'Horloge.
– ***La rue de l'Horloge*** *(plan couleur B-C2)* **:** elle aboutit à la place de l'Horloge, dominée par la tour du même nom, beffroi de 1754.
Continuer, dans le prolongement de la place, vers la rue de l'Aspic.
– ***La rue de l'Aspic*** *(plan couleur C2-3)* **:** une autre vieille rue nîmoise. Voir, au n° 14, l'*hôtel de Fontfroide* (1699) et son bel escalier.
Au bout à gauche, on rejoint l'hôtel de ville.
– ***L'hôtel de ville*** *(plan couleur C3)* **:** essayez d'y entrer pour jeter un coup d'œil à l'intérieur réaménagé par l'architecte-designer Jean-Michel Wilmotte. C'est un mélange réussi de vieilles voûtes et de style high-tech. Accrochés au plafond, dans la cage du grand escalier, quatre crocodiles naturalisés, emblèmes de la ville.
En sortant, après avoir admiré la superbe maison aux sculptures animales qui fait face, on rejoint la Grand-Rue toute proche.
– ***La chapelle des Jésuites*** *(plan couleur C-D2)* **:** à 200 m de la mairie par la rue des Greffes dans la Grand-Rue. Retapée en 1985, elle abrite des expositions ou des concerts. Construite entre 1673 et 1678, sur le modèle de l'église du Gesù à Rome, elle est attenante au collège des jésuites, qui abrite le Musée archéologique et muséum d'Histoire naturelle.
– ***La rue Dorée*** *(plan couleur C2-3)* **:** face à la chapelle des Jésuites. Quelques beaux hôtels particuliers aux nos 3, 4, et surtout 16, l'*hôtel de l'Académie,* du XVIIe siècle. La porte d'entrée est superbe, mais voir ce qu'elle cache est une autre histoire : faufilez-vous discrètement ou attendez les visites organisées par l'office de tourisme ou lors des Journées du patrimoine. Dans la cour intérieure, on voit des sculptures représentant des soldats casqués du Grand Siècle.
Remonter par la rue du Chapitre, à droite, jusqu'à la Grand-Rue.
– ***La rue du Chapitre*** *(plan couleur C2)* **:** au n° 14, l'*hôtel de Régis* (XVIe siècle) et sa superbe façade. À l'intérieur (même refrain...), une cour pavée avec des calades, pavage fait avec des galets de rivière. Il y avait un puits : la pompe est toujours là.
– ***L'école des Beaux-Arts*** *(plan couleur C2,* ***53****)* **:** *10, Grand-Rue.* Installée depuis 1985 dans l'ancien hôtel Rivet. Pavement du hall d'entrée conçu en 1987 par Bernard Pagès.
Traverser la place Belle-Croix toute proche pour trouver, derrière le bureau de poste, la place des Esclafidous.
– ***La place des Esclafidous* :** récemment rénovée. Couleurs chaudes des façades, fontaine, terrasses et restos : bref, un régal de vivre méditerranéen. En revenant sur ses pas on rejoint vite la cathédrale et la place aux Herbes par la rue Saint-Castor.
– ***La place aux Herbes*** *(plan couleur C2)* **:** le cœur du centre ancien. Quelques terrasses de cafés très sympas, des parasols, du soleil et de l'ombre, et bien sûr la silhouette éclatante de lumière de la cathédrale. (Voir plus haut « Où boire un verre ? ».)
– ***La cathédrale Notre-Dame-et-Saint-Castor*** *(plan couleur C2,* ***52****)* **:** *ouv slt pour les offices.* D'époque romane, elle a été détruite et reconstruite plusieurs fois. On remarquera sur la façade, côté place aux Herbes, la longue frise sculptée qui compte parmi les plus beaux exemples de l'art roman en bas Languedoc. La frise représente l'histoire d'Adam et Ève, le sacrifice de Caïn et d'Abel, et le meurtre d'Abel. Noter la dimension donnée aux visages des personnages.

À l'intérieur de la cathédrale, dans la 3e travée, se trouve le tombeau du célèbre cardinal de Bernis (1715-1794). Favori de Mme de Pompadour, poète libertin, il fut ambassadeur de Louis XV à Venise et à Rome, où il est mort ruiné par la Révolution. Remonter la rue du Général-Perrier, très commerçante, et, après les Halles (repensées par le designer Jean-Michel Wilmotte), tourner à droite puis à gauche, pour entrer dans l'îlot Littré.
– ***L'îlot Littré*** *(plan couleur C2)* **:** cet ancien quartier de teinturiers a été brillamment restauré il y a quelques années. Patios, grilles et façades lumineuses et, là encore, nombreux restos et terrasses autour des Halles centrales. En sortant, gagner la place d'Assas qui conduit aux quais de la Fontaine.

Les jardins de la Fontaine, la tour Magne et le Castellum

– ***Les quais de la Fontaine*** *(plan couleur A-B2)* **:** agréable promenade quand il fait chaud. En venant de la Maison carrée à pied, on emprunte ces quais plantés de platanes et d'ormeaux qui forment une belle voûte fraîche le long du canal. Les quais de la Fontaine restent le quartier des riches familles protestantes et des hôtels particuliers, signes de 150 ans d'opulence affairiste.
– ***Les jardins de la Fontaine*** *(plan couleur A2)* **:** *7h30-22h d'avr à mi-sept et 7h30-18h30 le reste de l'année.*
Situés au pied du mont Cavalier, colline inspirée des Nîmois, surmontée par la tour Magne. Voici le premier jardin public de l'histoire de France, aménagé entre 1745 et 1755. Jusqu'à cette date, les jardins servaient d'écrin aux châteaux. Vases et balustrades de pierre, statues de faunes et de nymphes, terrasses et bassins paisibles : c'est le jardin du Siècle des lumières par excellence, marqué par la nostalgie de l'Antiquité. On y voit la fameuse source dédiée à Nemausus, génie des eaux et divinité tutélaire de la cité depuis deux millénaires.
Les Romains y bâtirent, vers 25 av. J.-C., un sanctuaire païen (repris au culte celtique des eaux) où Nemausus côtoyait Vénus, les Nymphes et Hercule ; charmante compagnie, vraiment !
– ***Le temple de Diane*** *(plan couleur A2)* **:** non loin du bassin de la Source, c'est le monument gallo-romain le plus énigmatique de Nîmes. Car on ignore sa fonction primitive. Sauna mystique ? Bibliothèque ? Partiellement détruit, il reste des niches murales, des colonnes et des corniches, ainsi qu'un superbe voûtement d'arcs juxtaposés.
– ***La tour Magne*** *(plan couleur A1)* **:** *au sommet du mont Cavalier. Rens : ☎ 04-66-21-82-56. Entrée : 2,70 € ; réduc.* Une très belle promenade que nous conseillons de faire en fin d'après-midi, à cause de la lumière plus douce. « Je te salue, belle rose, ô tour Magne », écrivit Apollinaire. Plus large à la base qu'à son sommet, dotée d'une longue rampe d'accès et d'un escalier intérieur, la tour octogonale, en pierre, de 32,7 m de haut, fut l'une des tours de défense incluses dans les remparts qui ceinturaient la ville. À votre tour, vous pourrez goûter cette vue sublime qu'on a du sommet. Par beau temps, on aperçoit les Cévennes, le mont Ventoux, les Alpilles et le pic Saint-Loup vers Montpellier. À l'aide d'une table panoramique, on peut même redécouvrir la ville telle qu'elle était à l'époque romaine.
– ***Le Castellum*** *(plan couleur B1)* **:** non loin des jardins de la Fontaine. Modeste vestige du réseau hydraulique romain, c'est ici qu'aboutissait le canal alimentant la ville en eau (et qui passait en amont par le pont du Gard). On reconnaît nettement le système de distribution en étoile. Ce *Castellum* est une construction unique en son genre.

Les musées

Ts les musées nîmois sont ouv 10h-18h, fermés lun et certains j. fériés. Le prix d'entrée est le même pour chacun des musées (quand l'entrée n'est pas gratuite !) :

5 € ; tarif réduit : 3,60 € (étudiants, chômeurs, handicapés, moins de 16 ans). À noter, gratuité de ts les musées les 1er dim de chaque mois ! Et forfait à 9,20 € en vente à l'office de tourisme pour la visite du musée des Beaux-Arts, d'Art contemporain et des Cultures taurines.

Le Musée archéologique et muséum d'Histoire naturelle *(plan couleur D2,* ***54****) **:** 13, bd de l'Amiral-Courbet. ☎ 04-66-76-74-80 et 04-66-76-73-45. Entrée gratuite.*
Dans l'ancien collège des jésuites. À Nîmes, on ne peut pas creuser un trou, ouvrir une tranchée, sans tomber sur des vestiges romains. C'est la raison pour laquelle ce musée contient autant d'objets provenant des tombeaux découverts à Nîmes et dans les environs, souvent le long de la voie Domitienne *(via Domitia)* qui reliait l'Italie à l'Espagne. La présentation toutefois n'est pas des meilleures, manquant de clarté, de mise en valeur. Remarquables statues-menhirs, les plus anciennes sculptures connues du Midi de la France.
À l'étage, on découvre une salle d'ethnographie contenant de nombreux masques, ou autres objets rituels et quotidiens ramenés des ex-colonies françaises et exposés en l'état. Importante collection d'animaux naturalisés (des reptiles aux lémuriens) et exposition sur les martinets (les oiseaux bien sûr).

Le musée du Vieux-Nîmes *(plan couleur C2,* ***58****) **:** pl. aux Herbes. ☎ 04-66-76-73-70. Entrée gratuite.* Dans l'ancien palais épiscopal, ce musée présente le passé de la ville depuis la fin du Moyen Âge. Quatre salles permanentes. Les deux premières salles présentent des salons nîmois d'époque XVIIIe siècle et Empire. La troisième salle, le « Bleu au quotidien », relate trois siècles de production textile nîmoise. La dernière salle est consacrée à l'iconographie de la ville. Dans la deuxième partie du musée (grand salon et salle à manger) sont organisées des expositions temporaires sur les collections.

Le musée des Beaux-Arts *(plan couleur C4,* ***55****) **:** rue Cité-Foulc. ☎ 04-66-67-38-21. • nimes.fr • ♿ À 400 m de la place des Arènes, un peu excentré par rapport à la vieille ville.* Riche collection de tableaux des écoles italienne, nordique et française des XVe et XVIe siècles. À signaler, dans la salle centrale, une grande mosaïque romaine représentant *Les Noces d'Admète.* Une visite bien agréable.

Le musée d'Art contemporain *(plan couleur B2,* ***51****) **:** dans le Carré d'art (voir plus haut). ☎ 04-66-76-35-70. À noter, une bonne initiative : l'entrée est payante (5 €) mais le musée propose des visites guidées sans supplément ; renseignez-vous pour en connaître les horaires.* Les collections sont présentées sur deux niveaux : au 1er, collection permanente ; au 2e, expos temporaires (en fait, ces deux niveaux sont les deuxième et troisième : au premier, il n'y a rien à voir). En fonds permanent, une collection très riche illustre la période des années 1960 à nos jours ; elle s'organise autour de l'art français, de l'identité méditerranéenne et des tendances anglo-saxonnes et germaniques : Claude Viallat, Sigmar Polke ou Gerhard Richter et ses *Abstraktes Bild.* Arman aussi, et César, avec respectivement un portrait-poubelle et une compression de voitures. « Ces poubelles d'Arman et ces tôles de César compressées ensemble prendraient moins de place », commentait une vieille dame pleine de bon sens devant ces œuvres modernes... À vous de juger.

Le musée des Cultures taurines *(plan couleur C3-4,* ***57****) **:** 6, rue Alexandre-Ducros. ☎ 04-66-76-73-70. Ouv fin mai-début nov. Tarif : 5 € adulte.* Il est consacré à la corrida, et aux courses camarguaises : affiches, documents sur les corridas et les toreros à Nîmes et dans la région, objets, costumes.

Quelques visites insolites

Le jardin des Vins du château de la Tuilerie *(hors plan couleur par C4,* ***56****) **:** route de Saint-Gilles. ☎ 04-66-70-07-52. ♿ À 8 km env au sud de Nîmes. Visite mar-sam sf j. fériés 10h-12h, 14h-19h (14h-19h en été).* Visite du caveau et dégustation gratuite sur demande. La plus importante cave particulière du département, productrice de l'AOC Costières de Nîmes et de vins de pays d'Oc et du Gard.

– ***Les marchés du soir ou les Jeudis de Nîmes :*** *18h-22h30, ts les jeu en juil-août.* Pendant l'été, il est possible de flâner en faisant quelques emplettes sur les places les plus importantes de la ville. Producteurs, artisans, artistes et brocanteurs se regroupent selon leur activité et exposent leurs produits. Chaque place a sa spécialité.

Le planétarium du Mont-Duplan *(hors plan couleur par D1)* ***:*** *av. Péladan. ☎ 04-66-67-60-94. Sur une des collines qui entourent Nîmes, sortir du centre direction Uzès. Séances jeune public (4-9 ans) mer 10h (découverte de l'astronomie), tt public mer, sam et dim 15h (voyage dans le système solaire) et ven 20h30 (découverte des constellations sous fond musical). Également des séances thématiques ainsi que des ateliers d'observation du ciel au télescope les 1er et 3e ven du mois (si la météo le permet). Fermé lun et j. fériés. Entrée : 5 € ; tarif réduit (notamment jusqu'à 16 ans) : 3,70 €.* On recrée, dans une salle circulaire, le système solaire et le ciel étoilé, et on vous explique (ralentis à l'appui !) son fonctionnement. Différentes séances pour des niveaux et des publics divers. Renseignez-vous pour savoir quand a lieu celle correspondant le mieux à vos attentes.

Fêtes et manifestations

– ***Ferias :*** lire « La feria ou Nîmes en fête » dans l'introduction de ce chapitre.
– ***Salon de la B.D. :*** *un w-e début mai, dans les jardins de la Fontaine.* En présence de nombreux artistes du 8e art, dédicaces, rencontres, etc., parrainées chaque année par un auteur confirmé (en 2008, c'est Didier Taquin, auteur de *Lanfeust des étoiles*).
– ***Les Jeudis de Nîmes :*** *juil-août.* Animations musicales et marchés dans les rues. Lire « Les marchés du soir » ci-dessus.

➤ DANS LES ENVIRONS DE NÎMES

L'oppidum de Nages : *☎ 04-66-35-05-26 (mairie). À 12,5 km au sud-ouest de Nîmes, sur la route de Sommières. Tlj. Visite gratuite.* À gauche, vous verrez soudain ce gros monticule un peu bizarre dans le paysage assez monotone de la garrigue. C'est l'un des sites archéologiques majeurs de la région. À l'époque des Celtes, puis des Romains, il y avait au sommet de l'oppidum un village sur l'ancienne voie Héracléenne. Aujourd'hui, ce ne sont que des ruines, bien sûr. Elles datent de la première moitié du IIIe siècle av. J.-C. On y accède par le petit village de Nages au sud. Gravir la pente sud de l'oppidum en empruntant un chemin pédestre qui s'appelle l'impasse de l'Oppidum, au nord de Nages : belle promenade. *Musée* lié à la découverte de l'oppidum (entrée gratuite).

Le gouffre des Espelugues : *à env 20 km au nord de Nîmes, en direction d'Alès, puis de Dions.* Traverser le village et monter sur le plateau en suivant le chemin carrossable balisé. Au beau milieu d'un plateau de garrigue s'ouvre un immense entonnoir à la végétation luxuriante. Ce sont les eaux de pluie qui ont creusé le calcaire.

La maison du Boutis : *pl. du Général-de-Gaulle, à* ***Calvisson*** *(30420). ☎ 04-66-01-63-75. Ouv ven-dim (dès jeu mai-fin oct) 14h30-18h. Fermé 15 déc-30 janv et j. fériés. Boutique ouv tte l'année.* Présentation des techniques de piquage de basse Occitanie (pointu, comme domaine !) au travers d'une collection unique de véritables *boutis* issus des trousseaux de nos aïeules. À voir.

QUITTER NÎMES

En train

➢ ***Pour Le Grau-du-Roi :*** TER via Vauvert, le Cailar et Aigues-Mortes, également ***pour Alès et Genolhac.***
➢ ***Pour Marseille et Avignon :*** TER via Tarascon.
➢ ***Pour Paris :*** une dizaine de TGV.

En car

Il est assez facile de circuler dans le Gard au départ de Nîmes. Principales localités desservies dans le département, voire au-delà : *Remoulins (pont du Gard), Collias, Alès, Uzès* et *Saint-Quentin-la-Poterie, Ganges, Le Vigan* ainsi que, dans le Vaucluse, *Avignon,* via *Remoulins* ou *Beaucaire.* Une ligne spéciale également en été pour les *plages* de Camargue, *Le Grau-du-Roi* et *La Grande-Motte* (via *Saint-Laurent d'Aigouze* et *Aigues-Mortes*). Renseignements à la *STDG* à Nîmes *(☎ 04-66-29-27-29)* ou à la gare routière *(☎ 04-66-29-52-00)*. Réduc avec la carte *TransGard* et prix spéciaux sur certaines lignes l'été.
➢ ***Pour Saint-Gilles :*** bus des *TCN (☎ 0820-22-30-30 ; 0,12 €/mn)* ou de la *SDTG (☎ 04-66-29-17-27),* tlj.
➢ ***Pour Anduze et Saint-Jean-du-Gard :*** service assuré par les cars *Fort (☎ 04-66-52-01-45),* lun-sam.
➢ ***Pour Sommières :*** service assuré par la société *Cariane (☎ 04-66-68-93-39)* ou les cars *Coustes (☎ 04-66-80-00-39),* lun-sam.

SOMMIÈRES

(30250) 4 600 hab.

C'est en arrivant de Lunel que la ville, bâtie en escalier au-dessus du Vidourle, un fleuve méchant quand il sort de son lit, s'offre sous son meilleur jour. Et on a tout de suite un coup de cœur pour Sommières. Et on se dit : c'est Uzès il y a 25 ans ! Soit une ville du Midi à l'état brut (pas trop léchée). C'est aussi la mer des toits de tuile, les ruelles pavées, les hauts murs patinés des hôtels particuliers, les petites places... Classée « Loi Malraux » en 2001, elle bénéficie d'un statut qui lui permet de protéger son patrimoine.
Dans les environs, c'est la garrigue et la vigne, paysage latin aux collines ondulées à l'infini, dorées sous le soleil.

UN PEU D'HISTOIRE

L'endroit fut d'abord un lieu de passage important pour les Romains. Au Ier siècle apr. J.-C., la route Nîmes-Lodève y passait et, pour enjamber le fleuve, l'empereur Tibère fit édifier un grand pont de 17 arches. La ville apparaît à son emplacement actuel au Xe siècle, autour d'un château féodal (dont il ne reste plus qu'une grosse tour) construit par la puissante maison des Bermond d'Anduze. Massivement convertie à la religion réformée, place de sûreté protestante pendant la guerre des camisards, la ville a pratiquement été détruite lors des conflits qui ont agité le XVIe siècle. Sommières a longtemps aussi été réputée pour son industrie du cuir et de la laine. Tanneurs, mégissiers, « cuirassiers » ont assuré la prospérité de la ville aux XVIIe et XVIIIe siècles. Plusieurs beaux hôtels particuliers de cette époque en témoignent. On y distillait aussi les essences aromatiques.

SOMMIÈRES VUE PAR LAWRENCE DURRELL

En 1957, l'auteur du *Quatuor d'Alexandrie* écrit à des amis : « C'est une ville médiévale avec une rivière qui coule en son milieu... La vallée est plantée de vignes... Mais de tous côtés il y a des petits villages avec d'énormes maisons paysannes aux portes voûtées, possédant d'immenses écuries. Et ici, au bord de cette rivière (le Vidourle), l'air est bon et sain, meilleur qu'à Chypre. Je dois reconnaître que je n'ai rien vu de plus joli que Sommières. » (*L'Esprit des lieux,* Gallimard). Lawrence Durrell vécut à Sommières la fin de sa vie, jusqu'à sa mort en octobre 1990.

LES VIDOURLADES

Il ne s'agit pas d'une fête traditionnelle (encore qu'un festival voisin ait récemment choisi d'y faire référence !) mais du nom donné aux crues saisonnières du Vidourle. Venu des Cévennes, où il prend sa source et son élan, ce petit fleuve sort alors de son lit et inonde la ville. En octobre 1958, la crue, particulièrement importante, provoqua une inondation dévastatrice. En septembre 2002, la crue du Vidourle a été encore plus destructrice. Le niveau de l'eau est monté jusqu'à 7 m dans le centre-ville, atteignant le 1er et même le 2e étage de certains immeubles.

Adresse utile

Office de tourisme : *5, quai Frédéric-Gaussorgues.* ☎ *04-66-80-99-30. En été, lun-sam 9h-12h30, 14h-19h, dim et j. fériés 10h-12h30, 14h-17h ; le reste de l'année, tlj sf dim 9h-12h30, 14h-18h (sam slt le mat nov-avr).*

Où dormir ?

Prix moyens

Chambres d'hôtes « La Porte du Bourguet » : *chez M. Alain Pioch, 1, rue Antonin-Paris.* ☎ *04-66-80-08-72.* • *piochalain@wanadoo.fr* • *labistoure.fr* • *À l'extrémité nord de la vieille ville, en allant vers la poste. S'adresser à La Bistoure, situé au rez-de-chaussée. Ouv tte l'année. Compter 60 € la nuit (pour 2), petit déj inclus ; 20 € pour un lit d'appoint.* Adossé à la vieille porte, cet immeuble ancien, bordant une ruelle pavée et piétonne, cache cinq chambres de style, hautes de plafond, et meublées à l'ancienne. Pour ceux qui veulent être dans le lacis des ruelles historiques.

Hôtel de l'Estelou : *route d'Aubais.* ☎ *04-66-77-71-08.* • *hoteldelestelou@free.fr* • *http://hoteldelestelou.free.fr* • *À l'entrée de la ville, au sud. Doubles 50-66 € selon saison. Verre de bienvenue offert sur présentation de ce guide.* Dans l'ancienne gare de Sommières. Les chambres lumineuses sont très judicieusement aménagées (du jonc de mer au sol, des portes de salles de bains très gaies). Elles donnent sur le jardin à l'arrière ou sur la cour (calme) devant l'hôtel. D'autres chambres sont installées dans un pavillon près du jardin. Une grande véranda où l'on peut, dans un décor soigné et personnalisé, passer des soirées agréables. Très bon accueil et excellent rapport qualité-prix.

De plus chic à beaucoup plus chic

Chambres d'hôtes chez Colette Labbé, Mas de Fontclaire : *8, av. Émile-Jamais.* ☎ *04-66-77-78-69.* • *masfontclaire@free.fr* • *http://masfontclaire.free.fr* • *À 300 m du centre en direction d'Aubais. Doubles avec douche et w-c ou bains 80 € ou en suite 100 €, petit déj compris. Un apéritif maison offert sur*

LE GARD

présentation de ce guide. Un mas provençal plein d'harmonie, où les chambres donnent toutes sur un beau jardin fleuri. Piscine très bien entretenue. Au petit déj, copieux, excellentes confitures maison. Colette et Jean-Marie savent recevoir, c'est évident.

Hôtel de l'Orange (maison d'hôtes) : *7, rue des Baumes. ☎ 04-66-77-79-94. • hotel.delorange@free.fr • hotel.delorange.free.fr • Selon la saison, double avec bains et TV 80-100 €. Verre de bienvenue offert sur présentation de ce guide.* Une superbe adresse de charme. Très bel hôtel particulier du XVIIe siècle, dominant la ville. On se croirait en Toscane dans un palais patiné par le temps. Un ample escalier au pied duquel coule une source vauclusienne, des jardins suspendus... Cinq chambres d'une élégante sobriété, aménagées de meubles anciens avec goût mais sans ostentation. Pour les journées d'été torrides, une piscine bien agréable sur une terrasse surélevée. Calme et classe. Un endroit qu'on aime vraiment bien. Dommage qu'il y ait si peu de chambres...

Auberge du Pont Romain : *2, rue Émile-Jamais. ☎ 04-66-80-00-58. • aubergedupontromain@wanadoo.fr • aubergedupontromain.com • À 300 m du pont romain, dans un virage à droite, en face de la gendarmerie, en direction d'Aubais (D 12). Resto fermé lun midi. Congés : 15 janv-15 mars. Doubles avec douche ou bains 75-110 € selon saison ; ½ pens 85-130 €/pers. Menus à midi mar-sam sf j. fériés 25 €, sinon 35-56 €. Café et mignardises offerts sur présentation de ce guide.* Cet impressionnant bâtiment fut (entre autres) fabrique de draps de laine puis de tapis, écloserie de vers à soie, distillerie enfin. Façade sévère surmontée (ô Gard insolite !) d'une cheminée d'usine. Surprise, elle cache un jardin ombragé et fleuri et une piscine. Chambres d'un bon rapport qualité-prix, spacieuses mais très (très !) vieille France pour certaines (les autres ont été décorées façon Provence). Cuisine de la région (avec une pointe d'imagination en plus)...

Où manger ?

L'Évasion : *4, rue Paulin-Capmal. ☎ 04-66-77-74-64. Au cœur de la vieille ville. Fermé lun tte la journée, dim soir et jeu soir hors saison. Congés : 3 sem en oct. Menus 11,40-19,50 €. Café offert sur présentation de ce guide.* Bons plats du jour, pâtes et pizzas servis dans la bonne humeur sous de bien vieilles arcades (en salle comme en terrasse).

L'Olivette : *11, rue de l'Abbé-Fabre. ☎ 04-66-80-97-71. Fermé mar en saison ; mar soir et mer hors saison. Congés : janv. Menu 13 € à midi en sem ; autres menus 17-33 €. Dégustation de tapenade maison sur présentation de ce guide.* Accueil naturel et aimable, et jolie salle habillée de pierre et de bois, climatisée (pas réfrigérée !). Cuisine fidèle à son terroir avec, parfois, des saveurs venues d'ailleurs.

Où dormir ? Où manger dans les environs ?

Camping de Boisseron : *domaine de Gajan, 34160 Boisseron. ☎ 04-66-80-94-30. Dans l'Hérault, à 2,5 km au sud de Sommières par la N 110. Ouv avr-sept. En hte saison, compter 17 € l'emplacement pour 2 avec voiture et tente.* Un camping 3 étoiles avec resto. Piscine.

Le Mas des Carnassoles : *rue du Château, 30260 Carnas. ☎ 04-66-77-75-20. 06-12-87-54-65. • masdescarnassoles@wanadoo.fr • http://pagesperso-orange.fr/masdescarnassoles/ • À 12 km au nord de Sommières. Tte l'année. Doubles 70-90 € selon saison. Gîtes pour 2-4 pers 80 €/nuit ou 300 €/sem ; pour 6-7 pers 120 €/nuit ou 500 €/sem. Table d'hôtes 18 € sur résa.* Dans une belle bâtisse, quatre chambres d'hôtes à l'ambiance champêtre. Deux gîtes sympathiques également, le plus petit convenant bien à une famille avec deux enfants. Pièce commune avec lave-linge et sèche-linge. Pour qui languirait la grande bleue, des aquariums d'eau de mer parsèment la maison, l'aquariophilie étant la passion de votre hôte, Alain. Agréable jardin, et balades à faire dans le coin.

Où boire un verre ?

Plutôt que les terrasses situées sur les quais, aux trottoirs étroits et à la circulation dense (surtout en été), on s'assoira à celles plus tranquilles du centre (place des Docteurs-Dax), ou celle, bien agréable, de *L'Esplanade* (vers les arènes, en bordure du Vidourle).

***L'Esplanade :** rue Eugène-Rouche, esplanade des Arènes. ☎ 04-66-80-98-73.* ♿ Une grande terrasse donnant sur le mail où les boulistes se retrouvent, avec au bout les arènes. Beaucoup de locaux le w-e et les jours de courses camarguaises.

À voir. À faire

Il faut bien sûr découvrir la vieille ville à pied, en flânant au gré des ruelles et des quais. Énormément de charme !

Le pont romain : s'il disparaissait un jour, ce serait un drame pour les gens d'ici car il est à l'origine de la ville. Il date de l'empereur Tibère (19-31 apr. J.-C.) et mesure 189 m. Il a conservé sept de ses 17 arches d'origine mais a été restauré au fil des siècles. Son ennemi : les *vidourlades* !

La tour de l'Horloge : après avoir traversé le Vidourle en venant de Montpellier, on aperçoit la tour, construite à l'époque médiévale avec son beffroi et sa cloche, dans le prolongement du pont. Sa rénovation lui a redonné tout son éclat.

Les quais : ombragés par les platanes, on y trouve quelques terrasses de bistrot serrées entre la route et le fleuve. En contrebas, juste au bord du Vidourle, c'est le paradis des boulistes.

La place des Docteurs-Dax : au fait, qui sont ces mystérieux docteurs Dax ? Des Sommiérois célèbres pour avoir localisé pour la première fois le centre cérébral du langage. Curieuse place ! On se trouve en vérité sous les quais, car les maisons sont construites sur des arches destinées à les protéger des crues. On y accède par un petit passage couvert de graffitis, juste à gauche après le porche de la tour de l'Horloge. Les salles des cafés des quais ouvrent par l'arrière sur la place. Endroit calme et agréable. Dans un coin de la place se cache une pierre, dite « de l'inquant » ou « de l'encan », sur laquelle étaient vendus les esclaves, notamment les barbaresques capturés en Méditerranée... Heureusement, de telles pratiques ont disparu du marché très animé le samedi matin. Également un marché artisanal le mercredi soir en été.

La promenade dans les vieilles rues de Sommières : taillée à flanc de colline, la *rue de la Taillade* est bordée de nombreux hôtels particuliers des XVIIe et XVIIIe siècles et de vieilles boutiques avec leurs étals d'origine. Voir la *rue Bombe-Cul* (serait-elle le passage érotique de votre périple sommiérois ?) et ses voûtes très anciennes.

La rue Antonin-Paris : belle rue piétonne et marchande.

La montée des Régordanes : à ne pas louper. On remonte dans le temps. On pourrait y croiser un tanneur du XVIIIe siècle, un soldat du Grand Siècle ou un vieux moine cordelier égaré. La montée des Régordanes grimpe à flanc de coteau jusqu'à la tour du Château. Superbe vue sur la ville et les environs.

La tour Bermond : ouv en été. Entrée : 2 € ; gratuit moins de 12 ans. Vestige du premier château de la ville. Attention à ne pas confondre cette belle ruine imposante avec le château de Villevieille, toujours habité, que l'on aperçoit d'ailleurs du sommet de la tour Bermond. 74 marches pour grimper au sommet. Joli panorama.

Fête et manifestation

– ***Courses camarguaises :*** *d'avr à fin sept, le plus souvent le dim ap-m.* Vraiment sympa.
– ***Fête médiévale :*** *le dernier w-e d'avr.* Fête costumée avec musiciens et tout. Une certaine affluence, et même, dirions-nous, une affluence certaine. Affluons !

➤ DANS LES ENVIRONS DE SOMMIÈRES

VILLEVIEILLE (30250)

Le château de Villevieille : *situé sur une belle colline à 1,5 km de Sommières en direction de Nîmes. ☎ 04-66-80-01-62. • chateau-villevieille.com • Juil-fin sept, tlj 14h-20h ; avr-juin, les w-e et j. fériés 14h-19h ; hors saison, 14h-19h. Visite guidée : 1h. Entrée : 7 € ; réduc.* À voir en fin d'après-midi, quand la façade du château prend des tons ocre. Magnifique bâtisse du XIe siècle. Saint Louis y séjourne en 1270 avant d'embarquer d'Aigues-Mortes pour la 8e croisade. Une aile a été ajoutée à la Renaissance. Et une grande partie de l'édifice, dont la Cour d'honneur, date de Louis XIV. Intérieur remarquablement bien conservé : à la Révolution, Villevieille fut épargné car le maître des lieux était un ami intime de Voltaire, de Mirabeau et de Cambacérès. La visite nous emmène de la salle à manger Louis XIII, aux murs tendus de cuir des Flandres, à la chambre qu'occupa Saint Louis (avec son imposante cheminée médiévale) en passant par les gypseries du XVIIIe siècle du Grand Salon.

Autour du château s'étend une sorte de ***ville haute,*** ensemble de maisons et de jardins cachés derrière leurs murs de pierre et leur végétation méridionale. Depuis 1998, des fouilles ont permis de mettre en évidence l'importance du village, nommé Midrium à l'époque romaine. C'est tout petit et très mignon. Les boulevards de l'Aube et du Couchant ont des noms si poétiques ! Mais ce ne sont que des allées campagnardes... Une petite route fait le tour de ce village loin du bruit et de l'agitation.

SALINELLES (30250)

La chapelle Saint-Julien : sortir de Sommières, direction Salinelles. À 2 km sur la gauche, un chemin mène à la chapelle, au milieu des champs de vigne. Un petit édifice roman, intéressant par la juxtaposition de deux chapelles, des XIe et XIIe siècles, sur une butte avec son cimetière. Prétexte à une belle promenade dans la campagne. Le voûtement de la chapelle est unique au monde. Accueille des expos et des concerts en été. Pour voir l'intérieur hors saison, téléphoner à René Peyrolle (sur rendez-vous) : ☎ 04-66-80-01-95.
– Nombreux ***vieux châteaux*** dans les villages environnants : à *Souvignargues, Junas, Aubais, Lecques.*

JUNAS (30250)

À 6 km à l'est de Sommières.

– ***Les rencontres de la Pierre :*** *début juil, pdt 3 j.* Concours de tailleurs de pierre, de pétanque aussi, soirées *bodega,* aubades, bal et feu d'artifice. Un temps fort pour Junas.
– ***Festival de Jazz :*** *fin juil.* Comme son nom l'indique...
– ***Festival de country :*** *début août.*

LA PETITE CAMARGUE

Gardians, rizières, gitans et flamants roses... Oubliez vos clichés car vous ne verrez rien de tout ça. À moins d'oser franchir les barbelés, de braver les pancartes qui, partout, proclament « Chasse gardée », « Stationnement interdit »... Alors, vous connaîtrez la douceur des mas au crépuscule et les chevauchées sur la lagune... La Petite Camargue s'étend à l'ouest du Petit Rhône et confine à l'étang de Mauguio. Dans le Gard, *Aigues-Mortes* et *Saint-Gilles* en sont les deux pôles ; nous y rattachons *Beaucaire,* bordant le Rhône plus au nord face à Tarascon, qui n'en fait pas réellement partie mais en est une des portes d'entrée principales. Dans le chapitre sur l'Hérault, voir « Lunel ». La Petite Camargue présente sensiblement les mêmes caractéristiques que la Grande Camargue : elle est marécageuse et parsemée d'étangs (Scamandre et Charnier). Il y a 2 000 ans, le delta comptait six Rhône dont un qui longeait les Costières et se jetait dans l'étang de Mauguio. Toute cette région jusqu'à Nîmes et ses alentours voue un culte particulier au taureau. Et cela, depuis la plus haute Antiquité. Des taureaux venus d'Europe centrale se seraient fixés ici, les autres auraient continué vers l'Espagne. Deux races différentes, deux civilisations différentes.

LA BOUVINE

Le taureau camarguais

Il se reconnaît à ses cornes en forme de lyre, le front étroit, les grands yeux vifs et saillants. Si, si, croyez-nous, nous les avons vus de près ! Cornes longues gris foncé à la base, blanc crème au milieu et noirâtres à l'extrémité. L'encolure mince et allongée, les hanches serrées, la cuisse longue, un « minet » comparé à son cousin espagnol, trapu et puissant. Il dépasse rarement 1,30 m et ne pèse pas plus de 400 kg. Toujours en groupe en bordure des marécages, broutant quelque bouquet de saladelle (à ce propos, la saladelle se cueille au printemps ; vous pourrez la conserver un an, très décorative), il fuit à l'approche de l'homme, se cache dans les roseaux ou se réfugie auprès du *simbéu* (« le symbole », un taureau qui porte clochette et qui joue le rôle de rassembleur). C'est un animal rustique qui ne connaît pas l'étable ; en hiver, il prend des allures de minibison avec son poil frisé. Sa constitution le prédispose aux jeux, dont la course camarguaise ou course à la cocarde est le sommet. Tout village digne de ce nom organise des courses. Mais avant d'entrer dans l'arène, le *biou* (le « taureau ») subit quelques épreuves qui sont autant d'occasions de festoyer.
– ***La ferrade ou le marquage des bêtes :*** obligatoire pour la course camarguaise, indispensable pour les reconnaître si elles se fourvoient dans un troupeau voisin. L'opération se déroule selon un rituel précis et dans une ambiance de fête. N'espérez pas assister à d'authentiques ferrades en juillet et août, ce n'est pas la saison, les taureaux participent aux courses. Donc méfiance si l'on vous en propose à cette époque. L'*anouble,* jeune veau de l'an, est isolé. Les invités ont l'honneur d'arrêter l'animal et d'aider à le maintenir, le manadier inscrit alors au fer rouge la marque de sa manade et le numéro de la bête.

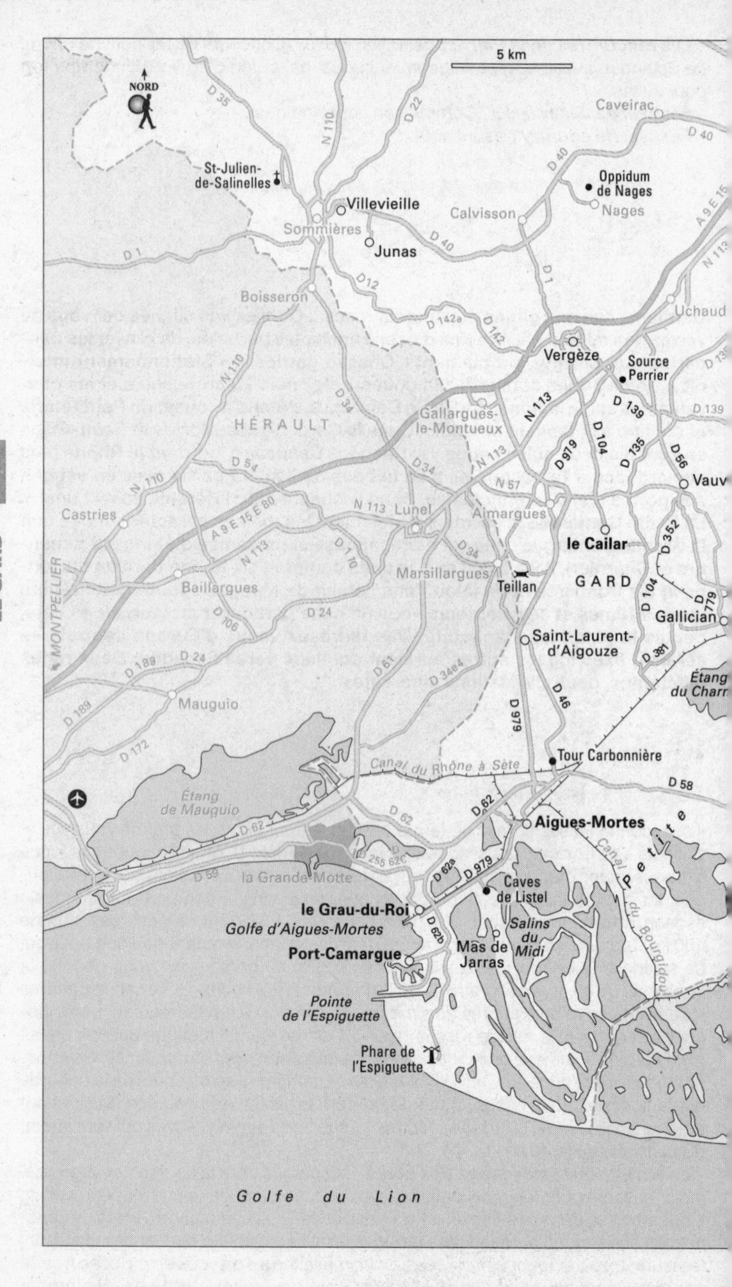
5 km
NORD
St-Julien-de-Salinelles
Villevieille
Sommières
Junas
Calvisson
Caveirac
Oppidum de Nages
Nages
Boisseron
Uchaud
Vergèze
Source Perrier
Gallargues-le-Montueux
HÉRAULT
Castries
Lunel
Aimargues
le Cailar
Vauv
Marsillargues
Teillan
GARD
Baillargues
Gallician
Saint-Laurent-d'Aigouze
Mauguio
Étang du Charr
Tour Carbonnière
Canal du Rhône à Sète
Étang de Mauguio
Aigues-Mortes
la Grande-Motte
Caves de Listel
le Grau-du-Roi
Golfe d'Aigues-Mortes
Salins du Midi
Mas de Jarras
Port-Camargue
Pointe de l'Espiguette
Phare de l'Espiguette
Canal du Bourgidou
Petite
Golfe du Lion
MONTPELLIER

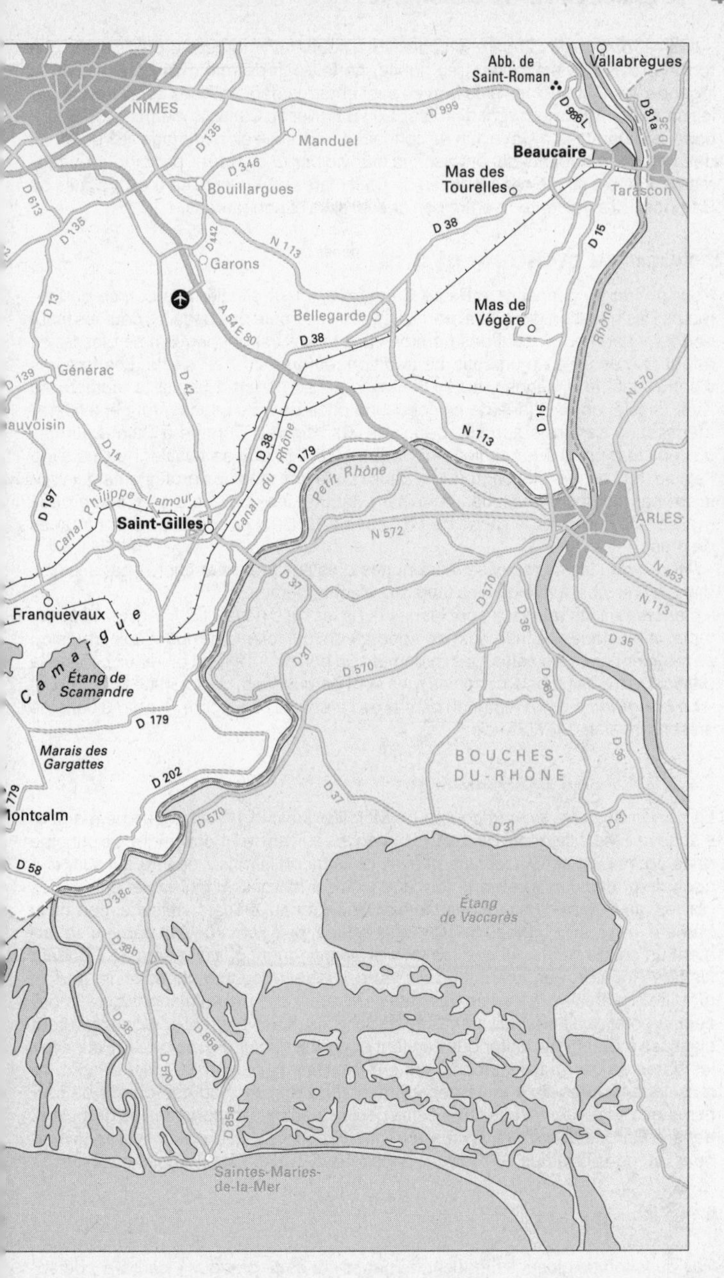

LA PETITE CAMARGUE

– ***Les escoussures :*** l'opération consiste à couper un morceau d'oreille selon une forme précise (le manadier, très habile, ne fait pas de mal à sa bête). Selon la légende, les taureaux les plus braves sont enterrés debout. Vous serez frappé par les monuments qui leur sont dévolus : Lou Sanglier au Cailar, le mémorial de Beaucaire, le monument à Goya. On ne connaît qu'une stèle en hommage aux gardians de la manade Aubanel qui ont sacrifié leur vie *per fe di biou,* « par amour du taureau ». Elle est située dans les prés du Cailar, près du Vistre. Quant au marquis de Baroncelli, il serait enterré entre son cheval sellé et son taureau.

La course proprement dite

Pour prétendre connaître la Petite Camargue, il faut s'initier à la course de taureaux. Pas question de mise à mort ici, le sang ne coule pas dans les courses, sauf parfois – rarement – celui des hommes (les *raseteurs*) qui peuvent se blesser en ratant une esquive ou un saut. La tradition remonte au XVIe siècle. Les fermiers s'ennuyaient le dimanche, après la messe. Ils se mirent à braver le taureau. Au XVIIIe siècle, on eut l'idée de lui coller une cocarde : bleu, blanc, rouge, évidemment (dans sa forme actuelle depuis le XIXe siècle). Comme à Saint-Laurent-d'Aigouze, l'un des hauts lieux de la *Bouvine,* les arènes faisaient corps avec l'église, toril et sacristie confondus. Sans doute une idée des protestants qui voulaient narguer les catholiques en faisant débuter les courses à 11h, heure de la messe ! De nos jours, la vache de 11h... sort à 12h30. Les courses sont entourées de rites :

– ***l'abrivado :*** les taureaux se rendent des prés aux arènes encadrés par des gardians à cheval. Il arrive que les taureaux s'échappent.
– ***L'encierro :*** les taureaux sont lâchés dans les rues de la ville. Imaginez le spectacle, la musique, les taureaux, les spectateurs qui fuient, grimpent aux arbres ou se réfugient dans les cafés, pas forcément un bon plan : ici, les taureaux boivent le pastis. On triche un peu, certaines rues sont barricadées, ce qui limite les risques !
– ***La bandido :*** c'est le retour au bercail de l'arène au *paty* (« pré »), même principe en sens inverse de l'*abrivado.*

Les grandes courses

La saison démarre avec la course de Marsillargues, le 1er dimanche de mars, et s'achève à Marsillargues toujours, le dimanche suivant le 11 novembre. Le principe de la course est simple : il faut enlever, de la façon la plus élégante qui soit, une cocarde et des glands savamment agencés sur le front du taureau et autour des cornes, au moyen d'un crochet. Un *raset* idéal, beau, élégant, efficace, part de la barrière, attaque le taureau de trois quarts face, puis retourne à la barrière en formant un arc de cercle. Allez-y, les royales ne manquent pas de panache. Pendant les fêtes locales, qui durent bien dix jours, il y a une course quotidienne, parfois gratuite en semaine, entourée des rites taurins, concerts et animations qui s'imposent. À noter que certaines arènes (Marsillargues, Saint-Laurent-d'Aigouze...) sont classées monuments historiques en tant que lieux de culture régionale. Pour avoir les dates de ces manifestations, qui ont lieu pour la plupart en juillet et août, se renseigner auprès du comité départemental de tourisme ou des offices de tourisme des sites même. Les fêtes et les courses les plus importantes se déroulent, dans le Gard, à *Beaucaire, Saint-Laurent-d'Aigouze, Vauvert, Sommières, Aimargues,* et, dans l'Hérault, à *Mauguio, Lansargues, Lunel, Marsillargues* et *Pérols.*

LA CORRIDA

Pas question de gloser à longueur de pages sur cette pratique « barbare » défendue par certains comme étant « un art ancestral, partie intégrante de la culture d'une population ». Les Camarguais, d'ailleurs, sont pour beaucoup passionnés de corridas. Une tradition certes, mais toutes les traditions sont-elles bonnes ?

Nous, on n'aime pas, du fait des cruautés infligées aux taureaux et aux chevaux, même si elle peut impressionner et avoir quelque chose de fascinant.
Savez-vous que pour tranquilliser de nombreux toreros, des manipulations frauduleuses sont commises avant la corrida, pour diminuer les capacités d'un bon tiers des taureaux, comme le limage des cornes (l'*afeitado*) qui modifie sa perception de l'espace. Et plus les taureaux sont « arrangés » – métaphore chère au monde taurin –, plus ils tombent. Il en va de l'*afeitado* comme du reste, administration de produits pharmaceutiques (sédatifs par exemple), voire de pesticide et d'insecticide... Une fois dans l'arène, l'animal subit la pique et les harpons qui l'affaiblissent encore davantage, jusqu'à être mis à mort.
Pour ceux qui souhaitent vraiment y assister, voici tout de même quelques repères permettant de suivre une corrida. Attention, on ne vous dit pas : « Il faut y aller, c'est génial ! », on vous informe ! Une corrida est, avant tout, un combat mettant en scène un taureau. Tout commence par un défilé préliminaire, le ***paseo,*** deux hommes à cheval en costume sombre s'avancent vers le président, suivis par les trois matadors et leurs équipes de ***peones*** et de picadors à cheval. Le rituel commence. Il se compose de trois phases appelées ***tercios.*** Le taureau entre dans l'arène. Les *peones* font d'abord courir l'animal pour que le matador étudie son adversaire. Quand il le décide, il exécute quelques passes. La présidence ordonne alors l'entrée des picadors. Le *tercio* de piques commence. Une bonne pique est portée au ***morillo*** (protubérance musculaire en arrière de la nuque). Il s'agit de calmer la fougue initiale du taureau sans pour autant réduire sa puissance et surtout de modifier son port de tête par la lacération du *morillo*. Le taureau doit prendre deux piques. S'il ne les supporte pas, l'éleveur en sera vraiment humilié. Ensuite vient l'épisode des banderilles. Ce sont des bâtonnets de 70 cm de long finis par des harpons. Le torero va les placer par paires toujours sur le *morillo,* un peu en deçà des blessures dues aux piques.
Pour qu'une pose soit réussie, le *banderillero* doit marquer un temps d'arrêt, avoir les pieds joints au moment où il plante les banderilles. La sonnerie des clarines retentit alors. C'est le début du *tercio de muleta.* Le matador se présente devant la présidence avec son épée et la muleta, un bâton de 50 cm avec le fameux tissu rouge. Il s'ensuit une série de passes, des « naturelles », des « statutaires », des « manoletinas »... Ultime phase, l'estocade portée avec l'épée. Pas besoin de faire un dessin, même s'il y a des règles très précises. Le matador dispose d'un quart d'heure pour cette troisième phase.
À la demande du public, il est récompensé par une oreille. La seconde oreille est accordée par le président à sa propre appréciation. Exceptionnellement, on accorde la queue. Qu'on se rassure, le règlement prévoit que si le taureau a été brave et noble, il peut obtenir l'***indulto*** (la grâce). Mais cette pratique reste rarissime. On peut voir des corridas à Nîmes pendant les ferias, à Beaucaire fin juillet, à Saint-Gilles mi-août, au Grau-du-Roi pour la feria de mai ou en été, ou encore à Vauvert ou Vergèze.

Adresses utiles

■ ***Camargue Nature :*** *30600 Montcalm. ☎ 04-66-73-52-30.* Organise des circuits personnalisés à la découverte des paysages, des oiseaux, des taureaux et des chevaux de Camargue, ainsi que des soirées camarguaises pour partager la vie des gardians...
■ ***Safari Camargue :*** Le Gitan, *Safari Nature Camargue, 6, rue des Alliés, 30240 Le Grau-du-Roi. ☎ 04-66-53-04-99.* Une bonne prestation. Découverte en 4h du milieu naturel, des taureaux et chevaux en manade, des flamants, etc., en véhicule tout-terrain et accompagné par de vrais Camarguais, manadiers parfois.
■ ***Location de bateaux : Crown Blue Line Camargue****, 2, quai du Canal, Saint-Gilles. ☎ 04-66-87-22-66. • crownblueline.com • De mi-mars à mi-nov.* Eh oui, le bateau est un moyen de transport bien sympa dans ce secteur, que traverse le canal du Rhône à Sète.

LE GRAU-DU-ROI ET PORT-CAMARGUE

(30240) 5 900 hab.

À l'origine, un petit port de pêche le long du passage naturel entre l'étang et la mer, le *grau* en occitan. D'Henri IV à Napoléon, nombreux sont les souverains qui se sont penchés sur le destin de ce village. De nos jours, station balnéaire hyper-touristique, Le Grau a su conserver au centre un certain charme avec ses chalutiers – 2e port de pêche de la Méditerranée.
La nouvelle station de Port-Camargue intéressera surtout les amateurs de cliquetis de mâts dans le vent. Et ils seront servis : avec 4 860 anneaux, Port-Camargue est l'un des premiers ports de plaisance d'Europe. La promenade à pied, dans cet univers d'immeubles et de canaux, est fastidieuse. Mais un petit tour s'impose sur le quai d'Honneur (non loin de la capitainerie). Les fanas de ketchs, goélettes ou trois-mâts se régaleront. Les plus grosses unités de plaisance de la côte y sont concentrées. Même si, bien souvent, leur port d'attache se nomme Hambourg, Londres ou... Sydney.

Adresses utiles

Office de tourisme : *30, rue Michel-Rédarès. ☎ 04-66-51-67-70. • vacances-en-camargue.com • Tlj sf Noël et Jour de l'an ; oct-fin avr, 9h-12h15, 14h-18h ; mai et sept, 9h-19h ; juin, 9h-20h ; juil-août, 9h-21h.* Accueil polyglotte. Normal, puisque l'office a 4 étoiles...

Annexes de l'office de tourisme : *carrefour 2000, Port-Camargue. Ouv tlj Pâques-sept. Deux autres bureaux au Boucanet, juin-sept, et aux Arènes, juil-août.*

Où dormir ?

Campings

De nombreux campings ombragés au bord de la route qui mène du Grau-du-Roi à la plage du phare de l'Espiguette.

De prix moyens à plus chic

Hôtel Bellevue et d'Angleterre : *9, quai Colbert. ☎ 04-66-51-40-75. Fax : 04-66-51-43-78. Congés : vac de Noël. Doubles avec douche et w-c 54-75 € selon saison. Un petit déj/chambre offert sur présentation de ce guide.* D'assez nombreuses chambres dans cet établissement situé aux premières loges – entendez sur le quai le plus animé du Grau-du-Roi – , plutôt gentilles et bien tenues, toutes équipées de climatisation. Bravo ! Et pas bien chères pour le coin.

Hôtel Le Maray : *quai Christian-Gozioso, nouveau port de pêche. ☎ 04-66-51-12-51. • hotel-lemaray.fr • Congés : fin nov-fin janv. Doubles avec douche et w-c ou bains 49-70 € selon confort et saison. Apéritif maison offert sur présentation de ce guide.* À l'extérieur, l'hôtel est banal, mais les chambres sont toutes impeccables, d'une propreté rare. Les numéros impairs ont vue sur le port de pêche. Très bon confort mais déco un peu terne. Accueil très courtois.

Hôtel de la Plage : *bd du Maréchal-Juin. ☎ 04-66-51-40-22. Fax : 04-66-53-06-60. Juste en face de la plage (heureusement, avec une enseigne pareille !). Doubles 55-80 € avec douche ou bains et w-c, jusqu'à 90 € en hte saison avec vue sur mer.* Chambres pas immenses, mais rénovées, et ici, c'est l'emplacement qui compte. Bon accueil. Également un resto.

Où manger ?

Le Boucanier : *centre commercial du Boucanet, 84, av. de Bernis. ☎ 04-66-51-72-31. Rive droite, à l'écart du centre, vers la plage du boucanier et le... cimetière. Fermé hors saison. Carte env 20 €.* Bar-resto-PMU qu'on s'attendrait plus à trouver en centre-ville qu'à deux pas de la plage. Soirées à thème en juil-août. Cuisine familiale et copieuse. On a apprécié les seiches *a la plancha*.

L'Amarette : *centre commercial Camargue 2000, Port-Camargue. ☎ 04-66-51-47-63. • lamarette2@wanadoo.fr • Congés : de fin nov à mi-janv. Formule 22 €, puis menus 35-60 € et carte. Apéritif maison ou café offert sur présentation de ce guide.* Très, très clean, mais on a aimé la belle vue sur le golfe, la fraîcheur des fruits de mer, la qualité du poisson. Terrasse panoramique.

Où boire un verre ?

Parmi les nombreux bars du quai Colbert, deux nous ont immédiatement séduits :

La Marine : *31, quai Colbert. ☎ 04-66-51-40-33.* Assez chic avec ses fauteuils en osier et coussins bleus, et ses serveurs assortis.

Et, un peu plus loin, le **Grand Café de Paris,** *17, quai Colbert. ☎ 04-66-51-40-01. Ouv jusqu'à 2h. Fermé de début oct à fin mars.* Belle véranda, tables basses, tapas et animations musicales.

À voir. À faire

Seaquarium : *av. du Palais-de-la-Mer. ☎ 04-66-51-57-57. • seaquarium.fr • Rive gauche. Janv-avr et oct-déc, tlj 10h-19h ; mai-juin et sept, 10h-20h ; juil-août, 10h-minuit. Derniers billets 1h avt la fermeture. Entrée : 9,90 € adulte ; 6,90 € enfant ; 8,40 € sur présentation de ce guide.* Vastes aquariums qui accueillent 200 espèces de poissons et invertébrés marins. Spectaculaire, les requins qui passent au-dessus de vos têtes et sous vos pieds (dans un tunnel de verre blindé, ouf !), les mérous géants de l'océan Indien et les poissons rares aux couleurs surprenantes. Parcours enfant. Le grand bassin à phoques et otaries est une autre attraction appréciée des enfants. Nouvel espace muséographique avec des tortues marines et un bassin de requins. Pour finir, voir l'intéressant musée de la Mer qui, lui, retrace la vie du Grau, évoque la pêche en mer... Section d'archéologie sous-marine avec les inévitables amphores.

La pointe de l'Espiguette : superbe site naturel, une immense plage de quelque 11 km bordée de dunes plantées de pins parasols. Une ligne régulière de bus assure la navette entre les campings et la très belle plage de l'Espiguette en saison. Pour les automobilistes, grand parking : sans ombre, payant de mars à fin septembre (5 €, la minute comme la journée !) et (plus ou moins) surveillé dans la journée. À droite du parking, un phare du XIXe siècle, toujours en fonctionnement. On accède à la plage par un sentier à travers les dunes. À noter, la première moitié de la plage est tout public, mais la seconde est réservée aux naturistes. Possibilité de louer des parasols et des matelas sur place. Une petite baraque, l'*Espiguinguette,* vend des sandwichs et des boissons fraîches.

Pour les plus courageux, le ***cordon de dunes*** de la pointe de l'Espiguette offre l'une des promenades les plus surprenantes du coin : des dunes, la mer, des kilomètres de nature vierge de toute construction. Attention, une dune peut en cacher une autre, est-ce un mirage ? Vous n'y serez pas tout seul l'été (le coin commence d'ailleurs à souffrir de sa surfréquentation) mais comme les dunes sont longues d'une bonne dizaine de kilomètres, on sème assez vite les tire-au-flanc, d'ailleurs, une portion de la plage est fréquentée par des naturistes. À l'est, on peut aller jusqu'à la prise d'eau des salines d'Aigues-Mortes, 8 km environ, à l'ouest jusqu'à Port-Camargue, par les campings.

➢ ***Promenades et pêche en mer :*** *Météore II* et *Providence* proposent des virées qui ont toujours leurs adeptes. Un peu trop de monde, bien que les bateaux accueillent de 50 à 150 personnes. Réservation et départ au quai Colbert.

➢ ***Autres promenades :*** *rens à l'office de tourisme (voir « Adresses utiles »).* Un plan vous sera gracieusement donné par les hôtesses.

– ***Équitation :*** *mas de l'Espiguette, route de l'Espiguette. ☎ 04-66-51-51-89. Tlj, tte l'année.* Promenades dans les marais et au bord de la mer, de l'heure à la demi-journée (avec baignade à cheval), selon les niveaux. Propose également des leçons. *L'Écurie des Dunes, également route de l'Espiguette. ☎ 04-66-53-09-28. À 3 km env du Grau-du-Roi, sur la gauche de la route.* Propose en outre des leçons et stages de monte à la gardian. Pour apprendre, entre autres, à trier et mener les taureaux !

Où acheter de bons produits ?

La Maison méditerranéenne des vins et des produits du Gard : *route de l'Espiguette. ☎ 04-66-53-07-52. Ouv tte l'année ; juil-août, tlj 9h30-13h, 14h30-20h ; sept, ferme à 19h ; oct-juin, ferme à 18h30.* Vente de produits régionaux dans un cadre méridional. Un choix énorme (8 000 produits !). Les meilleurs vins et apéritifs du Sud, les plus goûteuses spécialités culinaires du Languedoc et de Provence sont là. Librairie, objets d'art et soie des Cévennes en prime. À noter, les prix sont ceux des producteurs, non majorés.

Fêtes et manifestations

– ***La Vogua Monstra :*** *w-e de l'Ascension.* Fête de la Rame et des Cultures méditerranéennes.
– ***Fête de la Saint-Pierre :*** *le w-e autour du 16 juin.* Célébration de la Saint-Pierre, saint patron des pêcheurs. Procession de sa statue dans les rues de la ville, bénédiction et sortie en mer des bateaux, joutes languedociennes, concours d'*abrivados,* où les taureaux fous se ruent dans la ville et sur le public téméraire, sous la houlette des gardians.
– ***Festival de jazz :*** *juil.* Formations musicales s'expriment et touristes les oient.
– ***Fête locale :*** *1 sem mi-sept.* Avec joutes languedociennes et courses camarguaises.

AIGUES-MORTES

(30220) 8 200 hab.

« Plat désert de mélancolie, frissonnant de solitude »... Aigues-Mortes vue par Barrès ne reflète pas entièrement la réalité, mais force est de reconnaître que ce bout du monde planté entre lagunes, marais et canaux, enfermé entre ses remparts, ne peut que susciter l'admiration du visiteur. Certes, le « frissonnant de solitude » n'est plus franchement d'actualité. Ce modèle d'architecture militaire médiévale destiné à défendre la porte vers l'Orient du royaume de France est devenu un lieu touristique très prisé. Mais la vieille cité a été

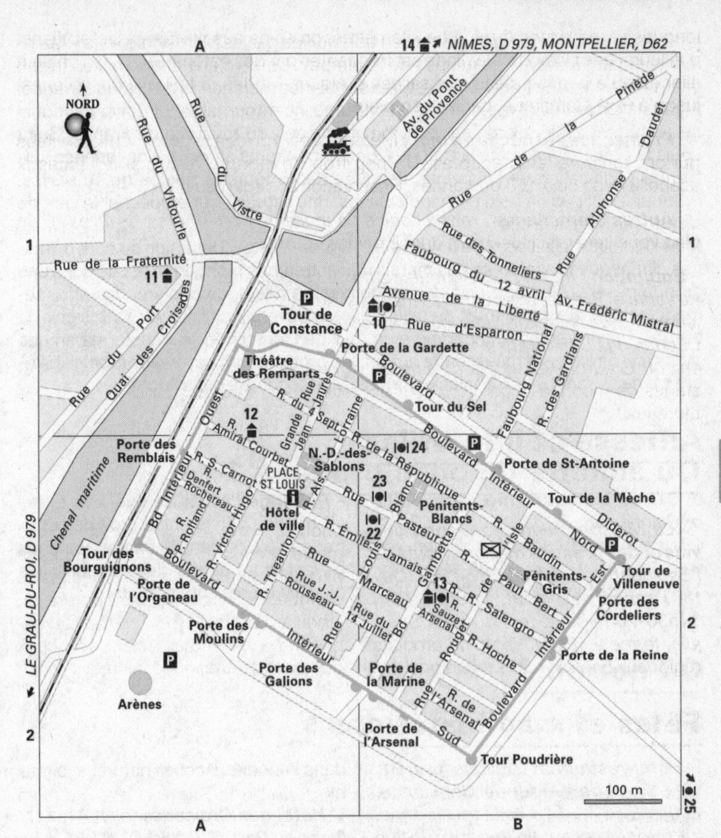

AIGUES-MORTES

■ **Adresses utiles**

- Office de tourisme
- Poste
- Gare SNCF

Où dormir ?

- 10 Hôtel-restaurant L'Escale
- 11 Hôtel des Croisades
- 12 Hôtel Saint-Louis
- 13 Hôtel-restaurant Les Arcades
- 14 Hôtel Canal

Où manger ?

- 10 Restaurant L'Escale
- 13 Restaurant Les Arcades
- 22 Le Galion
- 23 Le Café de Bouzigues
- 24 La Camargue
- 25 L'Aigo Boulido

heureusement largement préservée des errances qui ont défiguré d'autres sites en France. Aigues-Mortes offre une part de rêve, un soupçon d'irréel à quiconque l'approche.

UN PEU D'HISTOIRE

Né de la volonté de Louis IX, le port connut un rapide essor. C'est d'ici que le roi partit pour les croisades alors que le port n'était encore qu'au début de son

aménagement, dominé par une tour en bois édifiée par les Mérovingiens, la « Mafatère », et par l'abbaye des moines de Psalmody. Dotée d'une charte qui en faisait une véritable « zone franche », destinée à attirer les marchands de la Méditerranée, Aigues-Mortes devint rapidement un passage incontournable. Et donc, par souci de protéger la ville, alors seul port méditerranéen du royaume de France, Saint Louis fit construire en hâte la tour de Constance. Après sa mort, vingt années suffirent à l'édification de l'enceinte, flanquée de 15 tours et percée de 10 portes. Pratiquement pas de rues perpendiculaires, une astuce pour empêcher le vent de s'engouffrer dans la cité.
Mais l'histoire n'allait pas être tendre avec Aigues-Mortes. Désertion du port, désastres climatiques, insalubrité des marais mal entretenus plongèrent la ville dans une grande misère. Ajouter à cela des épidémies de peste, de choléra, des affrontements relatifs aux problèmes de religion, la vie devenait difficile. Au XVIIe siècle, le port fut définitivement condamné et la tour de Constance se transforma en une prison où furent enfermées, entre autres, les protestantes cévenoles (dont la célèbre Marie Durand). Au XIXe siècle, Aigues-Mortes tomba dans l'oubli.

Adresse et info utiles

Office de tourisme *(plan A2) : pl. Saint-Louis, BP 32. ☎ 04-66-53-73-00. • ot-aiguesmortes.fr • Lun-ven 9h-12h, 13h-18h, w-e 10h-12h, 14h-18h ; juil-août, lun-ven 9h-20h, w-e 10h-20h.*

– **Parkings :** seuls les riverains et les clients des hôtels ont le droit de pénétrer en voiture dans le centre. Parkings payants tout autour des remparts (les plus excentrés sont gratuits).

Où dormir ?

De bon marché à prix moyens

Hôtel-restaurant L'Escale *(plan B1,* **10***) : 3, av. de la Tour-de-Constance. ☎ 04-66-53-71-14. • hotel.escale@free.fr • http://hotel.escale.free.fr • Situé face à la porte de la Gardette. Congés : de fin nov à mi-janv. Doubles 30 €, avec lavabo, 48 € avec bains et w-c. Menus 10-15 €.* À table et au bar, pas mal d'habitués, prenant le pastis ou déjeunant à bon prix ici plutôt que dans la cité submergée de touristes. Chambres simples mais impeccables et rénovées (celles au-dessus du bar donnent sur un couloir mais sont équipées de la clim'). Quelques chambres plus tranquilles dans l'annexe. Accueil naturel et aimable.

Hôtel des Croisades *(plan A1,* **11***) : 2, rue du Port. ☎ 04-66-53-67-85. • hotel@lescroisades.fr • lescroisades.fr • Wi-fi. Face à la tour de Constance, de l'autre côté du canal. Congés : de mi-nov à mi-déc. Doubles avec douche, w-c ou bains env 59-65 €. Petit déj 8 € ; 4 € en basse saison sur présentation de ce guide.* Chambres climatisées avec, pour certaines, vue sur les remparts et la tour de Constance. Un agréable jardin. Le meilleur rapport qualité-prix de la ville.

De plus chic à beaucoup plus chic

Hôtel Saint-Louis *(plan A1-2,* **12***) : 10, rue de l'Amiral-Courbet. ☎ 04-66-53-72-68. • lesaintlouis.fr • hotel.saintlouis@wanadoo.fr • Dans une petite rue près de la place. Congés : 1er nov-mars inclus. Doubles avec douche 84-96 € ou bains 96-109 € selon saison. Fait aussi resto sf mar, mer et sam midi et ½ pens. Apéritif maison offert sur présentation de ce guide.* Une vieille maison de caractère, classée par les Beaux-Arts, un patio (les chambres n°s 10, 13, 14 et 20 donnent de ce côté-là, calme assuré même en été) et des meubles de goût.

À voir, les w-c en forme de trône.

Hôtel Canal *(hors plan par B1, **14**) : 440, route de Nîmes ☎ 04-66-80-50-04. • jacques-galliut@hotelcanal.fr • hotelcanal.fr • Au pied des remparts, à quelques pas de la tour Constance, le long du canal de Sète au Rhône. Parking gratuit. Congés : 2e sem de janv et 2e sem de fév. Doubles 76-98 € en saison (63-84 € hors saison).* Au cœur de la Petite Camargue, l'*Hôtel Canal* est l'hôtel de charme contemporain d'Aigues-Mortes. Moderne et convivial dans son écrin bucolique, construit dans les années 1950, cet hôtel indépendant composé de 25 chambres a été entièrement restructuré selon un concept contemporain alliant simplicité et liberté. Superbe petit déj-buffet préparé par le chef maison, servi en terrasse d'avril à septembre. Piscine panoramique et terrasses côté canal. Accès Internet, TV écran plat.

Hôtel-restaurant Les Arcades *(plan B2, **13**) : 23, bd Gambetta. ☎ 04-66-53-81-13. • info@les-arcades.fr • les-arcades.fr • Dans la vieille ville mais un peu en retrait du brouhaha central. Resto fermé lun (sf le soir en juil-août), mar midi et jeu midi. Congés : 3 sem en mars et 2 sem en oct. Doubles avec douche et w-c ou bains 103-108 €, petit déj compris. Formule midi en sem 23 € et menus 35-45 € ; compter 40 € à la carte. Apéritif maison offert sur présentation de ce guide.* Voici le « gastro » d'Aigues-Mortes et son hôtel de caractère et de grand charme. Dans cette ancienne et noble bâtisse aux murs épais, des chambres de standing, spacieuses et belles. Petite piscine. Salle élégante, petite terrasse sous les arcades (justement !), protégée des regards, et cuisine classique et régionale parfaitement servie et exécutée : huîtres chaudes, pavé de taureau sauce genièvre, douceur aux trois chocolats... Un établissement somme toute d'un bon rapport qualité-prix. Jouxtant l'hôtel, une boutique de produits régionaux, d'artisanat ou de spécialités culinaires.

Où manger ?

De bon marché à prix moyens

Restaurant L'Escale *(plan B1, **10**) : 3, av. de la Tour-de-Constance. ☎ 04-66-53-71-14.* Voir plus haut la rubrique « Où dormir ? ».

Le Galion *(plan B2, **22**) : 24, rue Pasteur. ☎ 04-66-53-86-41. Fermé lun et mar midi hors saison. Menus 14 € (midi)-23 € et carte. Café ou digestif maison offert sur présentation de ce guide.* Cadre agréable : pierre et poutres apparentes, ainsi qu'une magnifique salle à l'étage. Accueil très sympathique, bonne table et additions fort raisonnables. Viande et poisson cuits sur la pierre, plats de terroir (bœuf à la gardiane) et quelques autres petites choses, comme les seiches à l'armoricaine ou le mille feuille d'aubergines.

Le Café de Bouzigues *(plan B2, **23**) : 7, rue Pasteur ☎ 04-66-53-93-95. • cafedebouzigues@club-internet.fr • ♿ Derrière l'église Notre-Dame-des-Sablons. Fermé janv. Formule midi 14 € ; sinon, menu unique 29,50 €. Carte env 35 €. Coupe de Bouzigues et tapenade maison offertes sur présentation de ce guide.* Un sympathique bistrot proposant une carte aux saveurs et aux couleurs du temps. Déco baroque, rose et rouge, ambiance conviviale. Délicieux patio où il fait bon attendre, voire même passer la nuit (guirlandes lumineuses, fontaine). Cuisine ouverte aux regards, car ici on ne triche ni avec les clients ni avec les produits, ce qui revient souvent au même. Une cuisine créative, savoureuse et aromatique.

De prix moyens à plus chic

La Camargue *(plan B2, **24**) : 19, rue de la République. ☎ 04-66-53-86-88. • brahic.web@wanadoo.fr • ♿ Tlj sf lun hors saison. Congés : nov. Menu 32 € et carte.* Le resto le plus célèbre de la ville, une institution. Ambiance camarguoflamenco dans le jardin-patio. Bien avant les Gipsy, Manitas faisait les beaux jours de ce resto avant de devenir une star internationale. On s'y restaure correctement à des prix un peu élevés, mais l'endroit reste vraiment agréable.

L'Aigo Boulido *(hors plan par B2,* ***25****) : chemin bas de Peccais. 06-13-24-79-31. À 1 km du centre, perdu (mais bien indiqué) dans les marais salants. Ouv avr-fin sept, tlj sf lun. Compter env 30 € à la carte pour un repas complet. CB refusées. Apéritif maison offert sur présentation de ce guide.* Moult spécialités camarguaises : côtes de *toro* grillées à la fleur de sel, aubergines au pistou, petits farcis et autres tartinades... Son ambiance qui se veut branchée, mais pour sûr conviviale, et la déco joyeusement fourre-tout font de ce lieu, qui reste avant tout une bonne table, un endroit encore plus sympa.

Restaurant Les Arcades *(plan B2,* ***13****) : 23, bd Gambetta. ☎ 04-66-53-81-13.* Voir plus haut la rubrique « Où dormir ? ».

Où dormir ? Où manger dans les environs ?

De bon marché à prix moyens

Chambres d'hôtes Les Pierrades : *pl. du Château, 30600 Montcalm. ☎ 04-66-73-52-72. • lespierrades@camargue.fr • Entre Aigues-Mortes et les Saintes-Maries-de-la-Mer. Congés : Noël. Résa conseillée. Doubles 34-45 € selon confort. Réduc de 10 % sur le prix de la chambre hors juil-août.* Dans un hameau au cœur de la Petite Camargue. Petite maison à l'ombre des ruines du château de Montcalm. Chambres chez l'habitant (on doit traverser le salon des propriétaires pour accéder aux chambres). Accueil fort sympathique et moustiquaires aux fenêtres. Piscine.

De prix moyens à plus chic

Hôtel Lou Garbin : *210, av. des Jardins, 30220 Saint-Laurent-d'Aigouze. ☎ 04-66-88-12-74. • contact@lougarbin.com • lougarbin.com • ♿ Sur la droite de la route de Nîmes, à 7 km d'Aigues-Mortes. Fermé de mi-oct à mi-mars. Doubles 60-70 €. Formule plat du jour 14 €. Café offert sur présentation de ce guide.* Une halte agréable entre Aigues-Mortes et Nîmes, dans un village typique de la Petite Camargue. Jolies chambres, à l'ancienne, dans une vieille maison de maître ou plus classiques (mais plus « vacances »), dans des bungalows autour de la piscine. En demi-pension, on pourra goûter à la gardiane de *toro* liée au sang, aux tellines à la garbinette, au gâteau maison. Tennis, boulodrome, barbecue, et des arbustes qui poussent, qui poussent...

Chambres d'hôtes Le Mas Apolline : *route d'Aigues-Mortes, 30600 Montcalm. ☎ 04-66-73-52-20. • masapolline@camargue.fr • masapolline.camargue.fr • Sur la D 179, entre Montcalm et Le Mas des Iscles. Doubles avec douche et w-c 54 €, 60 € avec bains, petit déj compris. Table d'hôtes 28 € (20 € en été).* Dans un mas (vous vous en seriez douté) assez loin de la route pour être tranquille. Trois chambres de plain-pied, mignonnes avec leurs meubles peints. Les enfants adoreront dormir dans les roulottes installées dans le vaste jardin où s'ébattent les volailles. À la table d'hôtes, quelques plats étonnants : blanquette d'oie, rôti de *toro*, et, exceptionnellement, requin au barbecue...

À voir

– ***Visites guidées :*** *en juil-août slt, sur résa. Durée : 1h30. Rens auprès de l'office de tourisme pour les tarifs.* La chapelle des Pénitents-Blancs, celle des Pénitents-

Gris et l'ancienne chapelle des Capucins n'ouvrent leurs portes que dans le cadre des visites guidées organisées par l'office de tourisme (qui englobent aussi le musée d'Archéologie, l'église Notre-Dame-des-Sablons, la place Saint-Louis...).

L'enceinte : *accès au chemin de ronde des remparts par la tour de Constance (plan A1). ☎ 04-66-53-61-55. Ouv sept-avr, tlj 10h-13h, 14h-16h30 (heure de fermeture de la caisse) ; mai-août, 10h-18h30. Fermé certains j. fériés. Entrée : 6,50 € ; réduc ; gratuit moins de 18 ans accompagnés de leurs parents.*
– *Les remparts :* le tour fait exactement 1 634 m, la hauteur est de 11 m, quel en est le volume ? Peu importe, ils sont dans un état remarquable, aussi beaux à l'extérieur qu'à l'intérieur. On peut se balader sur le chemin de ronde.
– *La tour de Constance (plan A1) :* la partie la plus ancienne, la plus pittoresque, la plus connue. Tour principale de l'enceinte à l'origine, elle a ensuite servi de phare et de prison (45 templiers y ont notamment été enfermés au XIVe siècle). Cent quatre-vingt-dix marches à grimper pour accéder à la terrasse ; panorama inoubliable. Clic-clac, le voilà en boîte.
– *La tour des Bourguignons salés (plan A2) :* en 1421, les Bourguignons s'emparent de la ville, chassant les Armagnacs, qui trouvent refuge dans les Cévennes – pour revenir, féroces et revanchards, dix ans plus tard, à la faveur de la nuit ! L'effet de surprise aidant, les Bourguignons sont décimés et saignés pire que des porcs. C'est pourquoi, par mesure d'hygiène, leurs corps sont empilés dans cette tour des remparts, avec entre chaque couche une épaisseur de sel ; et hop, un bonhomme, du gros sel, un bonhomme, du gros sel ! La tour ainsi garnie a pris, fort logiquement, le nom de tour des Bourguignons salés...

L'ancienne chapelle des Capucins *(plan A2) : pl. Saint-Louis.* Abrite des expositions à l'année. Thèmes variés : peinture, sculpture, artisanat.

La chapelle des Pénitents-Gris *(plan B2) :* maître-autel en marbre de Carrare blanc et marbre polychrome, orné d'un impressionnant retable, œuvres d'artistes montpelliérains.

La chapelle des Pénitents-Blancs *(plan B2) :* fresque de Xavier Sigalon.

L'église Notre-Dame-des-Sablons *(plan A2) : ouv en principe 9h-12h, 14h-17h.* De style gothique primitif, elle a remplacé en 1246, à la demande de Saint Louis, l'ancienne église de bois et de roseaux. On est frappé par son extrême dépouillement. Tables d'autels dépourvues de toute décoration, anciennes tables d'ouvriers de ferme. Statue de Saint Louis du XVIIe siècle. Les étonnants vitraux modernes sont l'œuvre du peintre contemporain Claude Viallat.

La place Saint-Louis *(plan A2) :* envahie par une ribambelle de cafés, de restaurants touristiques, et de grandes terrasses noires de monde en été. Notre café préféré est *Le Perroquet,* à l'angle de la rue Pasteur.

Les salins du midi : *☎ 04-66-73-40-24. ♿ Durée : 1h15. Départ des caves du listel. Tarif : 7,20 € ; réduc. Billetterie porte de la Gardette.* Découverte en petit train des salins les plus vieux de la Méditerranée avec leur faune et leur flore.

À faire

➢ ***Petite rando pédestre :*** départ d'Aigues-Mortes. Suivre le chemin de halage vers le nord pendant 7 km environ, jusqu'au pont des Tourradons ; tourner à gauche sur une petite route très discrètement balisée. Tout à coup le paysage change : ce sont les prés du Cailar où paissent les taureaux. Une petite route à ornières coupe les prés. Ne jamais traverser les prés, ne jamais ouvrir une barrière, ne jamais exciter les bêtes, un accident est si vite arrivé. On longe ces prés jusqu'au Vistre, un petit ruisseau qui serpente, puis par le mas de Psalmody et la tour Carbonnière on rejoint les remparts. C'est long, c'est beau, c'est plat, on est routard ou on ne l'est pas !

➢ **_Balade en péniche :_** sur les canaux de la Petite Camargue et le Vidourle. Un bon moyen de découvrir cette microrégion qui ne se livre pas si facilement. *Le Pescalune : M. Griller, 46, rue de la Pinède, BP 76. ☎ 04-66-53-79-47. Circuits de 1h30 ou 2h. Compter 7-9 €.* Au départ du même embarcadère (au pied de la tour de Constance), *Bateau Saint Louis (📱 06-03-91-44-63)* et les péniches *Isles de Stel (📱 06-09-47-52-59)* aux prestations et tarifs similaires.

Fêtes et manifestations

– **_Week-end en herbe :_** *mi-mars.* La ville fête le printemps.
– **_Festival de théâtre :_** *pdt la 2de quinzaine de juil. Rens : ☎ 04-66-53-61-55.* Danse, poésie et autres créations théâtrales.
– **_Les Nuits de sel :_** *début août.* Festival de danse contemporaine.
– **_Fête locale :_** *mi-oct, après les vendanges et la récolte du sel.* À ne manquer sous aucun prétexte. Des arènes hors les murs. Les gradins ? Des castelets de 2 m de large, un par famille ; on tire au sort l'emplacement. Pendant une semaine, le *toro* roi à toutes les sauces : *abrivado, bandido,* courses camarguaises. Peu de touristes, mais tous les habitants et les manadiers des environs. Il faut souligner toutefois que ce genre de fête n'est pas sans danger : si les manadiers ont l'habitude d'esquiver les coups de corne ou de faire le mort quand le *toro* leur passe dessus, le néophyte n'a pas de tels réflexes, et risque gros. Attention donc !
– **_Noël Camarguais :_** *le 1er w-e de déc.*

➢ DANS LES ENVIRONS D'AIGUES-MORTES

Listel : *domaine de Jarras. ☎ 04-66-51-17-00. À 5 km au sud d'Aigues-Mortes, sur la route du Grau-du-Roi, sur la gauche (panneau). En saison, 9h30-12h30, 14h-18h30 ; hors saison, lun-ven 10h-12h, 14h-17h. Entrée : 3 €. Visite guidée (env 45 mn) des chais et dégustation.* Le plus grand vignoble d'Europe (avec près de 2 000 ha) produit un vin très particulier puisque les ceps poussent dans le sable.

Les Salins : *départ des visites du centre-ville d'Aigues-Mortes. ☎ 04-66-73-40-24. Tlj début avr-fin oct. Compter 1h30 ou 2h de visite guidée. Plusieurs départs : en avr-juin et sept-oct, à 10h20 et 14h20 ; juil-août à 9h45, 10h20, 11h20, 14h40, 15h20, 16h15, 16h55, 17h50 et 18h30. Prix : 7,30 € ; 5,30 € pour les enfants ; tarif groupe accordé sur présentation de ce guide.* À la fin du XVIIe siècle, 17 modestes saliniers exploitaient les marais. Dure tâche : leur espérance de vie était de 25 ans. Comme le disait un manadier, « Les femmes pouvaient donc espérer se marier trois fois » ! Après les graves inondations de 1842, les propriétaires des terres se sont associés à un négociant montpelliérain pour fonder, en 1856, la célèbre *Compagnie des Salins du Midi.* L'exploitation que l'on visite ici couvre une superficie totale de 10 800 ha (soit l'équivalent de Paris *intra-muros*). Le site accueille une faune et une flore intéressantes (et quelques bourdonnants moustiques...). Le faible degré hygrométrique de l'air et le fort ensoleillement favorisent la production : 15 000 t

UNE PINCÉE DE SEL POUR RELEVER LE QUOTIDIEN

On récolte le sel dans la région depuis l'Antiquité. Peccius, un ingénieur romain, en aurait organisé la production dès le début de l'ère chrétienne. Les fonctionnaires romains chargés de la régie et de la commercialisation du sel recevaient une partie de leur solde en sel : le salarium, *d'où « salaire » !*

par jour pendant la récolte. Le sel stocké (entre 400 000 et 500 000 t) forme une impressionnante colline (appelée « camelle ») qu'on voit à des kilomètres à la ronde. Non, on ne skie pas sur ces pentes blanches...

Saint-Laurent-d'Aigouze (30220) est à voir, avec son arène accolée à l'église, et ses terrasses de cafés tout autour.

Le château de Teillan : *☎ 04-66-88-02-38. À 4 km au nord de Saint-Laurent-d'Aigouze. 14 juil-29 août, tlj sf lun 15h-19h. Entrée : 3 € pour le parc et le château.* Reconstruit après les guerres de Religion au XVIIe siècle. On visite le château et le parc où l'on voit des stèles romaines. Superbe noria.

LE CAILAR

(30740) 2 300 hab.

Le rond-point par lequel on arrive au village du Cailar est tout un symbole, puisque trois taureaux s'y retrouvent : l'un en sculpture, l'autre en peinture, le troisième en... sépulture. C'est en effet ici que repose à jamais, debout et sous les tridents du gardian, le fameux « Sanglier ». Aucun doute : on entre là dans la « Mecque de la *bouvine* ». Tous les prés environnants sont occupés par les célèbres manades locales, et la fête votive est ici une institution. Le village en lui-même dégage un charme certain : placette ombragée, ruelles circulaires, vestiges des guerres de Religion... Certes, les possibilités d'activités et d'hébergement sont limitées : le Cailar n'est pas une métropole hyper-touristique, mais un vrai village de Petite Camargue qui mérite le détour.

LE GARD

Où dormir ? Où manger au Cailar et dans les environs ?

De bon marché à prix moyens

La Passiflore : *1, rue Neuve, 30310 Vergèze. ☎ 04-66-35-00-00. • hotel.lapassiflore@orange.fr • hotel-lapassiflore.com • À 10 km au nord du Cailar. Ouv tlj, tte l'année. Doubles 46-67 € selon confort et saison. Apéritif maison offert sur présentation de ce guide.* Un hôtel bien discret et qui ne manque pas de charme, celui d'un mas du XVIIIe siècle, bien retapé et confortable, situé dans un de ces villages ensoleillés que rien ne semble devoir déranger.

La Manadière : *4, chemin de Marsillargues, au Caylar. ☎ 04-66-88-02-42. • info@la-manadiere.com • la-manadiere.com • Très bien fléché depuis le centre du bourg. Doubles avec douche et w-c 45-50 €. Pour une sem en pension complète, prévoir 320 €/pers. Au resto, compter 10-15 €. Apéritif maison et café offerts sur présentation de ce guide.* La famille Coste vous accueillera avec beaucoup de gentillesse dans cette belle et grande maison de maître, au calme. On loge aussi dans l'annexe moderne : chambres en rez-de-jardin (avec piscine mais piscine-baquet, genre bassine énorme). Vous pourrez choisir un séjour « simple » et organiser vos visites comme vous le souhaitez, ou préférer un accompagnement pour les visites.

La Broussaillande : *319, rue des Capitaines, 30600 Vauvert. ☎ 04-66-88-74-68. • florealcaballe@hotmail.fr • Tlj sf dim. Congés : vac scol de fév et 15 j. fin août-début sept. Ouv slt sur résa le soir en hiver. Menus à partir de 16 €. Café offert sur présentation de ce guide.* Salle en belle pierre et poutres massives, patio aussi (charmant jardin de curé sous les figuiers) et nappes couleur Provence. Bien bonne cuisine de terroir : trident (fromage local) tiède, poisson pêché par le patron, gardiane de *toro*, etc. Accueil attentionné du patron.

Où acheter de bons produits ?

Boucherie charcuterie Maeva *(anciennement boucherie Pagès)* **:** *15, rue Émile-Zola.* ☎ *04-66-88-01-24.* Une boucherie que tout le monde connaît ici, puisqu'elle est spécialisée dans la viande de taureau camarguais AOC, sous toutes ses formes (daube, terrine, saucisson...). Une viande qui a obtenu l'appellation d'origine contrôlée.

À voir

Le cœur du village : on peut flâner dans les rues Émile-Zola ou Bernard-Lazare, souvenirs d'une municipalité farouchement dreyfusarde. Plus récemment, un peintre a décoré tous les panneaux indicateurs de dessins représentant les commerces et administrations : une chouette initiative, unique en France.

La mairie : *pl. Ledru-Rollin.* Elle vaut le coup d'œil, car elle est installée dans une ancienne caserne destinée à héberger les dragons venus maintenir l'ordre après la révocation de l'édit de Nantes. On distingue encore les écuries et dépendances.

L'église Saint-Étienne : *toute proche.* Construite au Xe siècle, elle fut trois fois détruite, pillée et reconstruite, la dernière fois en 1703. De roman ne subsiste que la façade qui rappelle celle de la cathédrale de Nîmes. L'intérieur est rustique mais chargé d'histoire : Saint Louis vint s'y recueillir à plusieurs reprises, notamment avant le départ de la cinquième croisade.

Les aubades ou empègues : vous aurez sans doute remarqué ces drôles de dessins sur les maisons des villages de Petite Camargue. Autrefois, les jeunes organisateurs de la fête locale passaient de maison en maison récolter quelque argent. Pour remercier les donateurs, l'orchestre jouait une aubade et on dessinait sur leur façade le signe de l'année. Cette tradition s'est perpétuée. Chaque année, un sigle est choisi (une tête de taureau, un événement de la vie locale ou nationale) et marqué au pochoir sur les façades, accompagné du millésime et des lettres VLJ (Vive La Jeunesse). On peut encore trouver des *empègues* posées il y a plus de cent ans ! Partez à leur recherche, c'est passionnant.

Le cercle d'Art contemporain : *9, bd Marquis-de-Baroncelli.* ☎ *04-66-88-07-02. Ouv en saison.* Dans une vieille et belle maison du centre. Intéressantes expos permanentes (sur le taureau de camargue) et temporaires jusque dans le jardin.

➤ DANS LES ENVIRONS DU CAILAR

Au Cailar, nous sommes au cœur de la Petite Camargue. D'autres villages alentour sont bien typiques. Et au hasard des petites routes qui sillonnent le coin se dévoilent des paysages particuliers : étangs, sansouïres (zones humides où pousse la salicorne), roselières ou rizières...

Vauvert *(30600),* qui irrésistiblement fait penser à l'expression fameuse « au diable Vauvert » (il n'est pas certain qu'il y ait un rapport entre cette expression, à l'origine obscure, et le nom du village), est un gentil bourg posé sur une colline dominant à peine la Petite Camargue. La manifestation *Atout-Fil*, qui a lieu chaque année en avril, et réunit stylistes et créateurs de mode. Un moment fort couronné par le défilé-spectacle « étourdissant d'invention », pour reprendre les termes du communiqué de presse. Infos auprès de l'office de tourisme.

Office de tourisme : ☎ *04-66-88-28-52.* • *vauvert.com* • *Tlj sf sam ap-m, dim et lun mat 9h-12h, 14h-18h.*

Les modestes villages de ***Gallician*** *(30600)* et ***Franquevaux*** *(30640),* tournés vers les étangs, sont charmants.
De Gallician à Montcalm, la D 779 puis la D 179, petites routes tranquilles, traversent des paysages typiques de la Petite Camargue : les étangs du Charnier et de Scamandre, le marais des Gargattes dont une partie est cultivée en rizières, de célèbres manades...

Le centre du Scamandre : *route des Iscles, à Gallician (Vauvert). ☎ 04-66-73-52-05. • camarguegardoise.com • En sortant du Cailar, prendre la direction de Vauvert puis, après le village, tourner à droite vers Gallician ; vous allez longer le canal des Capettes, où, en hiver, les sagneurs récoltent les roseaux (sagne) qui serviront de couverture aux toits des maisons d'Europe du Nord ! Le centre se trouve quelques km à gauche, après un petit pont. Ouv mer-sam 9h-18h ; fermé j. fériés. Visite guidée pour les groupes 10-20 pers sur résa.* Créé par le syndicat mixte pour la protection et la gestion de la Camargue gardoise, le centre du Scamandre est ouvert au public depuis 1997. Il offre, au cœur d'une réserve naturelle volontaire, un milieu naturel et humain (roselières, sansouïres, marais, maisons, etc.) qui est vraiment celui des gens du pays. En clair, vous ne verrez ici ni folklore ni boutique de souvenirs. En revanche, vous pourrez découvrir la faune, la flore, la vie des Camarguais à travers une exposition annuelle autour du patrimoine naturel. Vous pourrez surtout parcourir deux sentiers de découverte accessibles avec un livret-guide (3,50 €) sur les milieux : le sentier du Butor étoilé (aller-retour de 2 km au-dessus des marais) et le sentier de la Fromagère (3,6 km), gratuits mais réglementés pour les individuels et les familles. Attention aux moustiques antipathiques les soirs d'été ! On vous l'a dit : la vraie Camargue, elle est ici !

La source Perrier : *Les Bouillens, 30310 Vergèze. ☎ 04-66-87-61-01. Fax : 04-66-87-61-03. ♿ (château et parc). À env 5 km au nord-ouest de Vauvert, et à 18 km de Nîmes, par la N 113 direction Montpellier. Par l'autoroute A 54 ou A 9, sortie Gallargues. Suivre la flèche à gauche au niveau du village de Vergèze. Juil-août, tlj 9h15-19h ; sept-avr, lun-ven (sf oct-fin mars : lun-jeu) 9h30-18h slt sur résa. Fermé les j. fériés sf 14 juil et 15 août. Visite accompagnée ttes les 30 mn (durée : 1h30). Résa très conseillée. Entrée : 6 € ; réduc. Réduc de 10 % sur présentation de ce guide.* C'est ici que jaillit la source des Bouillens, d'où est extraite la fameuse boisson gazeuse. *Perrier* fait visiter ses installations et vous convie à un véritable spectacle industriel. Toute la technicité de *Perrier* défile sous vos yeux, du processus d'embouteillage aux diverses campagnes publicitaires, en passant par la source originelle. Dégustation gratuite. Accès libre au très beau château et au parc, ainsi qu'à la boutique. Allez, on ne peut pas résister au plaisir de l'écrire : *Perrier,* c'est vraiment fou !

SAINT-GILLES (30800) 12 200 hab.

Au cœur du delta du Rhône. À 20 km au sud de Nîmes, et à 16 km d'Arles, au centre d'une vaste plaine quadrillée de canaux et de vergers, de rizières (les seules de France !) et de vignes (on est dans la zone d'AOC des costières-de-nîmes), Saint-Gilles-du-Gard est réputé avant tout pour la beauté de son abbatiale, chef-d'œuvre de l'art roman en Languedoc.
Ville bien située, aux portes de la Camargue des étangs et à quelques kilomètres de la mer. Une bonne étape pour ceux qui veulent sortir des sentiers battus, éviter les foules et rayonner dans l'arrière-pays. Sur les quais du canal du Rhône à Sète, un curieux paysage industriel de cuves géantes : non de gaz ou de pétrole, mais d'alcool. La ville occupe l'emplacement de l'oppidum d'Héraclée, connu dès l'Antiquité.

SAINT GILLES, LE PROTECTEUR DES FAIBLES

À l'origine on trouve, au VIIe siècle, un simple ermitage, fondé par Ægidius (Gilles), anachorète d'origine grecque, toujours accompagné d'une biche qui lui donne son lait... Puis Gilles fonde lui-même le premier monastère. Vers l'an 1000 sa vie est connue dans toute la chrétienté. Un concile se réunit ici en 1042 pour consacrer son tombeau autour duquel les miracles se multiplient.

UN DES QUATRE GRANDS PÈLERINAGES DE LA CHRÉTIENTÉ MÉDIÉVALE

Après Rome, Jérusalem et Saint-Jacques-de-Compostelle, Saint-Gilles-du-Gard, aux XIe et XIIe siècles, est le point de ralliement, le lieu de passage de foules de pèlerins. Ils sillonnent à pied, besace en bandoulière, les chemins de France et d'Europe ; les routards de l'âge roman, en somme ! Certains viennent, parfois de très loin (Belgique, et même Pologne), prier le saint. Ils arrivent harassés, après avoir franchi l'Auvergne et les Cévennes par la voie Régordane, qui aboutit à Saint-Gilles via Alès et Nîmes.
La cité est aussi le passage obligé pour les pèlerins qui se rendent à Saint-Jacques-de-Compostelle au départ d'Arles. Il y a enfin les croisés qui attendent de partir pour Jérusalem. Il faut savoir que Saint-Gilles, port le plus oriental du royaume, était l'un des meilleurs endroits pour s'embarquer vers la Terre sainte. Ça faisait donc beaucoup de monde autour du tombeau ! Il a fallu construire une grande basilique dès 1116, par-dessus la crypte souterraine. C'est cet ensemble qu'on découvre aujourd'hui, orné de ces émouvantes figures du portail d'entrée.

L'ÂGE D'OR : LES XIIe ET XIIIe SIÈCLES

La ville compte alors 7 chapelles promues au rang de paroisses. Moines-soldats, hospitaliers, templiers, banquiers y sont très actifs. Les comtes au pouvoir stimulent le commerce.
Le port importe de nombreuses marchandises d'Orient. Mais la création d'Aigues-Mortes par Saint Louis ruinera lentement cette prospérité médiévale. Et les guerres de Religion affaibliront encore la ville...

Adresses et info utiles

Office de tourisme : *1, pl. Frédéric-Mistral. ☎ 04-66-87-33-75. • ville-saint-gilles.fr • Ouv lun-ven (sf j. fériés) : juil-août, 9h-12h30, 15h-19h ; sept-oct et mars-juin 9h-12h30, 14h-18h ; nov-mars, 8h30-12h, 13h30-17h30.* On y trouve toutes les infos sur la ville et la région.

Piscine : *piscine municipale, route de Nîmes. ☎ 04-66-87-32-50.*

Équitation : Les écuries d'Estagel, *domaine de l'étang d'Estagel, route de Nîmes. ☎ 04-66-01-93-88.* ***Centre équestre de l'Éperon,*** Chemin des Loubes, route de Nîmes également. *☎ 04-66-87-23-01.* ***Équité Association,*** *mas de Vouivre, route de Montpellier. ☎ 04-66-87-12-04.*

– ***Marché :*** *très animé jeu et dim mat, sur l'av. Émile-Cazelles.*

Où dormir ?

Camping

Camping La Chicanette : *rue de la Chicanette. ☎ 04-66-87-28-32. • camping.la.chicanette@libertysurf.fr • campinglachicanette.com • ♿ Pas très loin* *du centre. Ouv avr-oct. Hors saison, fermé 11h-17h. Compter 16 € l'emplacement pour 2 en hte saison. Loc de caravanes et de meublés env 550 €/ sem. Réduc de 10 % sur présentation de ce guide.* Ambiance sympa et familiale. Piscine et pataugeoire.

De bon marché à prix moyens

Hôtel-resto Saint-Gillois : *1, rue Neuve. ☎ 04-66-87-33-69. Fax : 04-66-28-99-67. Juste à côté de la place Gambetta et non loin du port de plaisance, au sud de la ville. Fermé lun et sam midi. Doubles avec douche et w-c 32 €. Petit déj 5,50 € ; ½ pens 58 €/j./pers. Menus 14-25,50 €. Apéritif maison offert sur présentation de ce guide.* Petit hôtel bien situé. Seulement sept chambres, modestes et propres, donnant sur un patio fleuri ou sur une rue calme. Au resto, goûtez le taureau à la façon du chef, les grillades Saint-Gillaise, et les desserts maison...

Chambres d'hôtes Le Mas Plisset : *à 2 km du centre, sur la route de Nîmes, à droite avt le garage* Citroën. *☎ 04-66-87-18-91. • claude.duplissy@free.fr • masdeplisset.camargue.fr • Parking gratuit. Congés : vac de la Toussaint et de Noël. Doubles avec douche et w-c 48-50 €.* M. et Mme Duplissy proposent 4 chambres donnant sur jardin et piscine. Rustique et confortable. Piscine. Attention, produit antimoustiques utile !

De prix moyens à plus chic

Hôtel Le Cours : *10, av. François-Griffeuille. ☎ 04-66-87-31-93. • hotel-le-cours@wanadoo.fr • hotel-le-cours.com • Au sud de la ville, à côté du Saint-Gillois. Parking payant (6 €). Congés : de mi-déc à mi-mars. Doubles 48-72 € selon confort et saison ; ½ pens 43-61 €. Six menus 12,50-34 € et carte. Réduc de 5 % sur la ½ pens sur présentation de ce guide.* Grande maison blanche sous les ombrages des platanes d'une large avenue. Bon accueil. 33 chambres d'une déco sobrement contemporaine. Terrasse. Bonne cuisine de région et de tradition : poêlon de Saint-Jacques à la provençale, terrine maison au foie de volaille, gardiane de *toro,* bar grillé au fenouil, poisson grillé... Excellent rapport qualité-prix. Une bonne adresse à Saint-Gilles.

Hôtel Héraclée : *30, quai du Canal. ☎ 04-66-87-44-10. • contact@hotel-heraclee.com • hotel-heraclee.com • Au port de plaisance, au sud de la ville. Doubles avec douche 55-65 € selon saison. Sur présentation de ce guide, 10 % de réduc hors juil-août.* Sous ce nom de mythe grec se cache un très joli et sympathique hôtel : une maison claire, face au canal du Rhône à Sète où glissent vedettes, coches d'eau et *house-boats...* Dommage qu'il y ait cette silhouette métallique monstrueuse sur l'autre rive... 21 chambres arrangées avec goût. Les nos 208-210 ont vue sur le port de plaisance, les nos 318, 322 et 323 ont une terrasse. De plus, c'est très calme.

Où manger ?

Le Clément IV : *36, quai du Canal. ☎ 04-66-87-00-66. Fermé dim soir et lun tte l'année. Congés : 1 sem au printemps, 1 sem à l'automne et 1 sem en hiver. Menus 10-38 € et carte. Café offert sur présentation de ce guide.* Dans une salle très agréable, décorée de plantes vertes et aux murs en pierre apparente. Cuisine traditionnelle et régionale avec beaucoup de plats de viande.

Où acheter de bons produits ?

On peut acheter des alcools à la **distillerie André** *(chemin Fontaine-Gillienne, ☎ 04-66-87-37-68).* Et voir « comment ça se fait » sur demande.

LE GARD

Flânez sur le quai du Canal pour acheter des produits régionaux au *Caveau des vignerons* ou à la *Ronde des Vins.*

À voir

L'abbatiale Saint-Gilles : *en plein centre. Accès libre et gratuit à l'église haute, tlj. Visite accompagnée (1h30) de la crypte et des vestiges de l'église médiévale avec son célèbre escalier à vis. Vente de billets et infos à l'office de tourisme (voir plus haut). Entrée : 4 € ; 2 € (enfants) ; réduc.*
On est d'abord étonné par sa faible hauteur. Vu de l'extérieur, l'édifice se résume, à part la tour carrée sur la droite, à une longue façade ornée de trois portails. Cette partie s'appelle l'*église haute,* par opposition à l'*église basse,* qui abrite une vaste crypte où se trouve le tombeau de saint Gilles. Rien d'extraordinaire, pensez-vous, et cependant le charme opère : magie des proportions parfaites, des lignes sobres et pures, et l'on comprend soudain qu'on se trouve face à un chef-d'œuvre achevé de l'art roman. De fait, l'abbatiale Saint-Gilles est l'aboutissement et l'apogée de deux siècles d'iconographie romane, et mériterait d'être mieux connue. Enfin, derrière l'abbatiale se tiennent les ruines du chœur roman et la vis de Saint-Gilles, escalier hélicoïdal, presque unique au monde.
L'ensemble, commencé en 1116 et achevé dans le même siècle, a hélas beaucoup souffert des guerres de Religion et des méfaits de la Révolution : de nombreux visages de la façade ont disparu, ce qui rend encore plus poignant cet évangile de pierre.
– *La façade :* les trois portails auraient été sculptés par 5 artistes différents entre 1140 et 1160, soit 20 ans de travail. Le portail nord, à gauche, présente *L'Adoration des mages* au tympan. À droite, le portail sud montre la *Crucifixion* (au tympan toujours). Mais c'est le portail central qui a le plus d'intérêt ; pas le tympan, mais le linteau. Bien qu'abîmé, il est superbe. Noter la manière dont les yeux, les cheveux, et les vêtements plissés des personnages ont été sculptés.
– *La crypte romane :* date de la fin du XIe siècle. Longue salle à trois nefs, de 50 x 25 m, basse et voûtée. On imagine la foule des pèlerins serrés autour du tombeau du saint. La crypte renferme, en son milieu, le sarcophage de Gilles, le doux saint à la biche, qui fut redécouvert en 1865 par un abbé. À remarquer : le plan incliné dit « escalier des Abbés », le puits, et le tombeau de Pierre de Castelnau qui rappelle la croisade contre les Albigeois.
– *Le chœur roman en ruine :* situé derrière l'abbatiale, à l'extérieur. Il donne une idée de la grandeur de l'abbatiale au Moyen Âge. Avant sa démolition en 1622, le chœur formait une abside de cinq chapelles rayonnantes.
– *La vis de Saint-Gilles :* à côté du chœur. C'est tout ce qui reste de cet escalier hélicoïdal du XIIe siècle, admirable pour son architecture. Vu par en dessous, les marches sont invisibles : voilà ce qui est unique dans cet escalier en pierre.

Visite de la vieille ville : *topoguide en vente à l'office de tourisme.* Se garer sur le grand parking gratuit derrière la rue Gambetta, surveillé jour et nuit (excellente initiative au demeurant), et partir à la découverte du cœur de la ville, très intéressant et fort méconnu. On parcourt cinq siècles d'histoire entre les façades romanes (XIIe et XIIIe siècle) et de styles Renaissance et moderne. Ne pas manquer les remparts et la porte des Maréchaux (face à l'office de tourisme), la superbe mairie (XIXe siècle) et le panorama qui va avec, place Jean-Jaurès.

La Maison romane (musée) **:** *située sur une placette qui communique avec la place de l'Abbatiale. ☎ 04-66-87-40-42. En juil-août, tlj sf dim et j. fériés 9h-12h, 15h-19h ; juin et sept, 9h-12h, 14h-18h ; le reste de l'année, jusqu'à 17h. Fermé en janv. Entrée gratuite.* La maison natale du pape Clément IV (enfin, la tradition la définit comme telle...) abrite un musée d'archéologie, d'ornithologie de Camargue et d'ethnographie. La pierre des quatre apôtres (XIIe siècle), et une maquette de l'abbatiale en liège réalisée au XIXe siècle sont des plus impressionnants. La partie ornithologique présente notamment une belle collection de rapaces.

À faire

– ***Promenades en bateau :*** Crown Blue Line, *2, quai du Canal.* ☎ *04-66-87-22-66.* Location de bateaux, pour voguer sur les canaux du delta, au départ du port de plaisance (voir à Aigues-Mortes).

– ***Passer une journée dans une manade :*** en Camargue, une manade est la ferme où l'on élève les taureaux, les *bious.* Se renseigner à l'office de tourisme, qui vous mettra sur la piste du Minotaure...

Fêtes et manifestations

– ***Les Nocturnes de Saint-Gilles :*** *plusieurs concerts classiques en juin-juil.*
– ***Feria de la Pêche et de l'Abricot :*** *la 3e sem d'août.* Avec corridas et *novilladas.*
– ***Fête de la Saint-Gilles :*** *le dernier w-e d'août.* Arrivée des pèlerins puis *abrivados.*

QUITTER SAINT-GILLES

En bus

Gare routière : *6-8, bd de Chanzy.* ☎ *04-66-87-31-32.*
➢ ***Pour Arles et Lunel :*** un bus/j. avec *Les Cars de Camargue.*
➢ ***Pour Nîmes :*** *Les Rapides de Camargue* assurent une dizaine de voyages/j. Informations à la gare routière.

BEAUCAIRE (30300) 14 000 hab.

Voici, aux confins du Languedoc et de la Provence (« entre le roseau et l'olivier », annonce joliment le slogan touristique local), une des villes les plus attachantes du département du Gard. Une vraie ville du Sud, à la fois traditionnelle et cosmopolite, livrant sans artifice ses beautés comme ses défauts, hôtels particuliers superbement rénovés comme maisons délabrées aux porches murés. Un patrimoine architectural plutôt exceptionnel (en provençal, *Beaucaire* signifie « Belles Pierres » !) et qui ne semble donc pas avoir été sorti la veille de sa Cellophane ! Le vieux château monte toujours la garde, les rues étroites bordées de maisons recouvertes de tuiles roses s'étirent nonchalamment, ménageant ici ou là un espace où se nichent d'ado-

GARE AU DRAC

À Beaucaire plane le souvenir du drac, dragon qui hantait les eaux du Rhône. À la recherche d'une nourrice pour sa progéniture, il enleva une jeune lavandière dont une des tâches consistait à enduire le jeune drac de graisse, afin de le rendre invisible aux yeux des hommes. Un soir, la lavandière oublia de se laver les mains. Le lendemain matin, en se frottant les yeux, elle s'aperçut qu'elle pouvait voir le dragon. Au bout de sept années, la lavandière retrouva la liberté et, quelques semaines plus tard, aperçut le drac qui se promenait sur la place de Beaucaire. Fâché d'être reconnu, celui-ci lui creva l'œil coupable d'un coup de griffe et disparut à jamais...

LE GARD

rables placettes, les plaisanciers accostent en plein centre. Beaucaire, franchement, mérite une visite, même si après avoir arpenté Avignon vous êtes pressé de filer vers Arles ou Nîmes. Arriver par Tarascon et traverser le Rhône au coucher du soleil, c'est magique !

UN PEU D'HISTOIRE

Le site est occupé dès l'âge du fer. À l'époque romaine, la ville installée au franchissement du Rhône, sur la célèbre *via Domitia,* s'appelle Ugernum. Mais c'est Louis XI qui, en instituant en 1464 la foire de la Sainte-Madeleine, va permettre à Beaucaire, « capitale française des marchandises », de se faire, au fil des siècles, un nom dans toute l'Europe. La foire de la Sainte-Madeleine fut particulièrement florissante aux XVIIe et XVIIIe siècles (50 000 à 60 000 visiteurs par jour pour une ville qui comptait à l'époque 8 000 habitants). C'est d'ailleurs pendant cette foire, un certain jour de 1793, que fut rédigé le fameux *Souper de Beaucaire,* dialogue inspiré par une conversation avec les négociants sur la situation du pays, et rédigé par un inconnu devenu illustre, Napoléon Bonaparte. La fin des privilèges fiscaux à la fin de l'Empire, le chemin de fer (qui remplaça la diligence immortalisée par Alphonse Daudet) entraîneront le déclin de la Sainte-Madeleine.

Adresse et info utiles

🛈 ***Office de tourisme :*** *24, cours Gambetta, BP 61, 30301 Beaucaire Cedex.* ☎ *04-66-59-26-57.* ● *ot-beaucaire.fr* ● *Sur les quais du port de plaisance. Avr-sept, lun-ven 8h45-12h15, 14h-18h, sam 9h30-12h30, 15h-18h. En juil, ouv aussi dim 10h-12h30 ; oct-mars, lun-ven.* Accueil dynamique, efficace et souriant.

– ***Marchés*** *animés jeu et dim mat, cours Gambetta et pl. Clemenceau (également appelée pl. Neuve, de la Mairie ou même du Marché !).*

Où dormir ? Où manger ?

De bon marché à prix moyens

🏠 🍽 ***Pension de famille Napoléon :*** *4, pl. Frédéric-Mistral.* ☎ *04-66-59-05-17. À l'orée du centre ancien. Resto tlj sf lun ; slt sur résa à midi le w-e. Doubles avec ½ pens 47 €/pers. Tarifs dégressifs. Menus midi 11 €, puis 17-22 €.* Bien située, la maison est mignonne, dans le genre auberge provençale. Les cinq chambres sous les toits (on se fait quelques muscles à grimper l'escalier) sont simples mais bien entretenues. Au resto, honnête cuisine traditionnelle et chaude ambiance le soir.

🍽 ***Le Grand Café – Le Soleil :*** *30, quai du Général-de-Gaulle.* ☎ *04-66-59-28-52. Tlj. Fermé 2 sem autour de Noël et Jour de l'an. Menus 12 € midi (vin compris), puis 16-23 €. Café offert sur présentation de ce guide.* Bonne cantine de quartier, simple et populaire, avec ses habitués au comptoir. Cuisine familiale, sans prétention, à base de produits frais et de poisson. Déco simple et claire.

🍽 ***La Table de Marguerite :*** *mas de la Cassole.* ☎ *04-66-59-17-00.* ♿ *Sur la route de Fourques, suivre direction du Vieux Mas (qui est à 500 m). Congés : janv. Ouv midi mer-dim et soir ven-sam. Menus 16-26 € et carte. Digestif maison offert sur présentation de ce guide.* Tenue par un couple d'agriculteurs des plus accueillant, cette auberge, qui est pour beaucoup la meilleure table du coin pour sa cuisine traditionnelle généreuse et de caractère, à base de produits frais, souffre quelque peu de son isolement (d'où des « jours ouvrables » encore limités). Allez-y sans hésiter, et retournez-y nombreux ! Et si la chaleur vous effraie, une grande salle climatisée vous y attend. Terrasse.

De prix moyens à plus chic

L'Oliveraie : *route de Nîmes, chemin Clapas-de-Cornut. ☎ 04-66-59-16-87. • fvalota@club-internet.fr • oliveraie-hotel.fr • ♿ À l'écart du centre-ville, dans un secteur tranquille. Fait également resto et ½ pens, tlj sf sam midi et dim soir (hors juil-août). Doubles avec douche et w-c 62 €, avec bains 65 €. Apéritif maison offert sur présentation de ce guide.* Bel établissement avec piscine, et louant des chambres dans le bâtiment principal ou des studios avec terrasse...

Le Robinson : *route de Remoulins. ☎ 04-66-59-21-32. • contact@hotel-robinson.fr • hotel-robinson.fr • ♿ Un peu à l'écart de Beaucaire. Congés : fév. Doubles 70-86 € avec douche et w-c ou bains. Menus 15-44 € et carte. Kir offert sur présentation de ce guide.* Fondante et goûteuse, accompagnée de riz local, la gardiane de *toro* est la spécialité de la maison. La grande salle à manger, lumineuse, ouvre sur le grand jardin ombragé. Chambres coquettes, confortables (climatisées, c'est rare). Accueil souriant et ambiance familiale. Une bonne adresse, très au calme. Piscine, tennis.

Hôtel des Doctrinaires : *6, quai du Général-de-Gaulle. ☎ 04-66-59-23-70. • accueil@hoteldoctrinaires.com • hoteldoctrinaires.com • ♿ (resto). À l'angle de la rue Rabelais. Resto tlj sf sam midi. Congés : 2 sem fin déc. Doubles avec douche et w-c ou bains 55 €. Menus 20-44 € et carte.* Bien situé, en plein centre-ville et néanmoins calme. C'est juste derrière une station-service, elle-même cachée derrière de surprenantes arches, que nous avons trouvé la belle cour arborée de cet ancien collège des Doctrinaires, datant du XVIIe siècle. D'emblée, le bâtiment, les escaliers et les vitraux aux fenêtres en imposent, tout comme le patio et les voûtes des salles à manger. Chambres avec bains bouillonnants. Atmosphère un peu compassée cependant. Le restaurant *Saint Roman* se présente comme gastronomique.

L'Ail Heure : *46, pl. du Château (pl. Raymond-VII). ☎ 04-66-59-67-75. ♿ Tlj sf sam midi et dim. Résa souhaitée. Menus 17 € (au déj slt)-37 € et carte.* Chaises et tables en fer forgé, peintures et œuvres d'art sur les murs, cette petite salle décorée avec goût et originalité est à l'image du chef, un homme jovial et très talentueux. Il a travaillé dans de grandes maisons avant de revenir dans sa ville natale. Sa cuisine est proprement exquise, inventive et servie avec attention. Bon rapport qualité-prix. Une adresse en or !

Où dormir dans les environs ?

Chambres d'hôtes Domaine des Clos : *route de Bellegarde. ☎ 04-66-01-14-61. • contact@domaine-des-clos.com • domaine-des-clos.com • À 7 km au sud-ouest de Beaucaire par la D 38. Fermé en janv. Doubles avec douche ou bains 75-95 € selon saison, petit déj compris.* Un mas, un vrai, un beau ! En pleine campagne, il aligne autour de sa vaste cour un pigeonnier, une cave à vin, des écuries... On ne sait laquelle choisir parmi les 7 chambres toutes différentes, toutes charmantes. La jaune, qui se croit encore dans les années 1940 ? Ou plutôt la verte, où les meubles contemporains se marient bien avec la vieille pierre ? La rose, peut-être, évidemment cosy... Accueil très sympa de Sandrine et David, un couple plein d'idées. Grand jardin et piscine. Bon rapport qualité-prix.

Chambres d'hôtes Le Mas de Lafont : *chez Michèle et Philippe Niquet, mas de Lafont, 30300 Beaucaire. ☎ 04-66-59-29-59. 📱 06-26-31-00-38. • masdelafont.com • De Beaucaire, prendre la direction de Bellegarde (D 38). Après 4,5 km, tourner à gauche, un panneau indique le mas. Continuer env 3 km, en suivant les panneaux. Doubles avec bains 80-90 € selon saison.* Parmi les champs d'abricotiers et les vignes, en pleine campagne. Ce très beau mas, tenu par un couple jovial, abrite trois vastes chambres soigneusement aménagées. Vue sur le jardin où se promène un paon. Piscine.

À voir

– Le service ville d'Art et d'Histoire (situé à l'office de tourisme) organise des ***visites guidées*** du centre ancien. ☎ 04-66-59-71-34.

Le château royal : *visite libre des jardins classés dans l'enceinte du château : juil-août, tlj sf mar et j. fériés 10h-19h15 ; hors saison, 10h-17h15 (voire 18h15).* Citadelle puissante pendant le règne de Saint Louis, il domine la ville depuis le XIe siècle, mais a été très remanié depuis, et largement démantelé en 1632. Quelques beaux vestiges du XIIIe siècle toutefois : la tour ronde, la grande tour triangulaire et la chapelle castrale.

Le musée Auguste-Jacquet : *dans les jardins du château. ☎ 04-66-59-90-07. Mêmes horaires que les jardins du château royal avec une coupure entre midi et deux (voir plus haut). Fermé mar et j. fériés. Entrée : 4,40 € ; réduc.* Archéologie, histoire de la foire, traditions et expositions temporaires.

Les aigles de Beaucaire : *château de Beaucaire. ☎ 04-66-59-26-72. • aigles-de-beaucaire.com • Pâques-Toussaint, ouv ts les ap-m sf mer (hors vac scol et j. fériés) ; juil-août, tlj. Démonstrations l'ap-m slt à 15h, 16h, 17h et 18h ; horaires différents le reste de l'année, se renseigner. Entrée : 9 € ; enfants : 6 €.* Un spectacle grandiose de rapaces en vol libre, présenté sur fond musical, dans un cadre médiéval et en costumes gallo-romains. Aigles, vautours, milans, faucons : superbe ballet au-dessus de vos têtes.

La collégiale Notre-Dame-des-Pommiers : *pl. Olivier-Lombard. Programme de visites disponible à l'office de tourisme.* Construite par Franque et Rollin au XVIIIe siècle, de style baroque, sa façade curviligne est ornée de bas-reliefs. Rapportée d'un édifice primitif, très remarquable frise romane courant sur le côté droit et figurant les épisodes de la Passion. Décor intérieur en marbre polychrome et nombreux tableaux de maîtres. Visible pendant les offices.

Les hôtels particuliers : il y en a une flopée à Beaucaire, datant des XVIIe et XVIIIe siècles, période de prospérité de la ville grâce à la foire de la Sainte-Madeleine. Voir notamment ceux de la rue de la République : l'hôtel de Clausonnette au n° 21, avec ces têtes humaines sculptées représentant les saisons, ou son voisin l'hôtel de Margailler, avec deux atlantes costauds encadrant l'entrée.

L'hôtel de ville : *pl. Clemenceau.* Rénové, c'est une merveille (XVIIe siècle).

La place Vieille ou ***place de la République,*** avec ses belles façades et balcons fleuris, ses arcades et terrasses à l'abri des platanes. Et le drac, dragon mythique qui en son temps terrorisait la population, est revenu s'y poser à jamais. Cette sculpture en stuc vert a été réalisée par une artiste staffeur de la région.

Le port de plaisance et ***les quais*** bordés de cafés. On a bien aimé le *Nord au Sud,* tout bleu et jaune. Pour les amateurs, Beaucaire compte aussi une base nautique avec toute activité... nautique !

Fêtes et manifestations

– ***Foire de l'Ascension :*** foire commerciale et brocante monstre occupant les boulevards Gambetta, Joffre et Foch.
– ***Fête du Drac et son festival de rumba :*** *en juin.* W-e *caliente* pour fêter au son de la rumba le drac, dragon mythique de Beaucaire.
– ***Les Beaux Quais du vendredi :*** *le (ven) soir en juil-août.* Artisanat, musiciens et spectacles de rue animent les quais du Port de Plaisance.
– ***Fêtes de la Madeleine :*** *fin juil.* Commémorant l'ancienne foire de la Sainte-Madeleine, elles s'ouvrent par un défilé historique le 21 juillet. Expositions, bode-

gas, concerts, *encierro* (lâcher de taureaux dans la ville), courses libres et corridas. Très très grosse ambiance pour l'une des plus extraordinaires fêtes de la région.
– ***Rencontres équestres méditerranéennes :*** *fin juil.* Le plus grand rassemblement de chevaux ibériques de France.
– ***L'abrivado à l'ancienne :*** *le dernier j. des fêtes de la Madeleine, fin juil.* Défilé de gardians, de chevaux, de charrettes, de vieux vélos, de taureaux... le tout en costumes 1900.
– ***Les Rencontres des métiers d'art :*** *mi-oct.*
– ***Festival de théâtre, les Automnales :*** programmation de théâtre originale et de grande qualité concoctée par des comédiens professionnels.

➤ DANS LES ENVIRONS DE BEAUCAIRE

Le mas gallo-romain des Tourelles : *4294, route de Bellegarde (D 38). ☎ 04-66-59-19-72. • tourelles.com • (prévenir l'accueil pour avoir une aide). À 4 km env de Beaucaire, sur la droite. Juil-août, tlj sf dim mat 10h-12h, 14h-19h ; avr-juin et sept-oct, 14h-18h ; le reste de l'année, sam ap-m slt 14h-18h. Entrée : 4,80 € adulte ; 1,50 € enfant. Vente et dégustation tte l'année, lun-ven 9h-12h, 14h-18h.* On visite la cave gallo-romaine reconstituée (énorme tronc d'arbre de plusieurs tonnes servant à presser les raisins). Sont exposées quelques amphores découvertes par les archéologues sur le domaine, et qui remontent aussi à l'époque romaine. C'était une fabrique d'amphores. On peut déguster quelques vins surprenants, élaborés et élevés selon les méthodes en vigueur il y a 2 000 ans. Comme le *mulsum,* vin miellé que les hommes (les seuls à y avoir droit !) buvaient à l'apéro (ou plutôt au *gustatio*) ou le *turriculae,* vin blanc à l'eau de mer dont le goût évoque quelque peu le vin jaune du Jura, et le *Carenum,* vin doux liquoreux à boire sur un foie gras. Le grand moment ici, c'est le jour des vendanges romaines, le 2e dimanche de septembre. Unique au monde ! Celles-ci se font à l'ancienne. Vêtus de tuniques romaines, les vendangeurs récoltent les raisins à la main et les foulent ensuite de leurs pieds nus, dans un immense fût en bois. Si vous n'êtes pas là pour voir ça, on vous présente un petit film de 10 mn sur ces vendanges. Vous pouvez également accéder au jardin romain et au site archéologique.

L'abbaye troglodytique de Saint-Roman : *à 5 km par la D 999, en direction de Nîmes ; bien indiqué. ☎ 04-66-59-19-72. Oct-mars, ouv les w-e et tlj pdt vac scol 14h-17h ; avr-sept, tlj 10h-18h (18h30 en juil-août). Entrée : 5,50 € ; réduc.* À coup sûr, l'un des monuments les plus étonnants de la région, puisqu'il s'agit d'une abbaye troglodytique – unique en Europe – entièrement creusée dans le roc à partir du Ve siècle. La chapelle, les grandes salles, les cellules, tout a été taillé dans la masse, c'est tout de même un sacré tour de force ! Sur la terrasse supérieure, nécropole à ciel ouvert, et vue fantastique sur la vallée du Rhône.

Le Vieux Mas : *mas de Vegère. ☎ 04-66-59-60-13. De Beaucaire, prendre la direction Fourques par la D 15 ; c'est à env 7 km, fléché sur la droite. 1er avr-30 sept, tlj 10h-18h (19h juil-août) ; 1er oct-31 mars, slt mer, w-e, j. fériés et tlj pdt vac scol 13h30-18h. Fermé en janv. Entrée : 5,50 € ; 4,50 € (tarif groupe) sur présentation de ce guide.* Reconstitution d'un mas provençal du XIXe siècle avec les animaux, les outils... et mise en scène de métiers disparus (maréchal-ferrant, bourrelier, sabotier). Animaux de la ferme également, vivants ! Animations et spectacles dimanche et jours fériés et pendant les vacances ; journées à thème pendant l'année (course aux œufs à Pâques, vendanges traditionnelles en septembre, et maison du Père Noël à... Noël).

Les bornes milliaires : *par la D 999. Après le cimetière, tourner à gauche ; faire 800 m et prendre le chemin de l'Enclos-d'Argent.* Ces « colonnes de César » marquaient, en bordure de la voie Domitienne reliant Rome à l'Espagne, l'emplacement du treizième mille sur les quinze séparant Nîmes de Beaucaire. Il est exceptionnel de les trouver encore en situation.

Vallabrègues (30300) *: à 10 km au nord-est par la D 183.* Un charmant petit village, qui a longtemps vécu de la vannerie.
– *Petit musée municipal de la Vannerie et de l'Artisanat, installé dans un grand café XIXe, rue Carnot. ☎ 04-66-59-48-14. Ouv tte l'année : avr-oct, mer-dim 15h-19h ; nov-mars, mer-dim 14h-18h. Fermé lun-mar et j. fériés (sf 15 août). Entrée : 4 € ; étudiants : 2 € ; gratuit moins de 15 ans.* 250 m^2 d'exposition ; films thématiques.
– *Juste à côté, atelier du vannier Daniel Benibghi.*
– *Grande fête de la Vannerie le 2e w-e d'août.*

– ***À Bellegarde, festival de la Guitare :** le 1er w-e de juil.* Au pied de la tour de la Madone, qui surplombe la vallée du Rhône. Concerts de grande qualité...

L'UZÈGE

L'Uzège désignait par le passé une partie du diocèse d'Uzès. Forte de 193 villages au XVIIIe siècle, cette microrégion au nord-est de Nîmes ne couvre aujourd'hui même pas le canton d'Uzès et n'englobe plus qu'une quinzaine de communes. Petite mais superbe région : de jolis villages nichés dans les collines, des *capitelles* (cabanes de pierres, cousines des bories du Luberon) plantées dans la garrigue et, la perle dans son écrin, la cerise sur le gâteau (liste non exhaustive !) : Uzès.

UZÈS (30700) 8 400 hab.

Pour le plan d'Uzès, se reporter au cahier couleur.

De loin, on aperçoit ces quatre hautes tours médiévales dressées au-dessus des toits de tuile : signes d'un passé glorieux qui lui vaut le titre de « premier duché de France ». Un patrimoine digne d'un décor de cinéma, une beauté envahissante, latine jusqu'au bout des ongles. Uzès est toutefois peut-être un peu trop rénovée à notre goût, l'ambiance y est assez touristique. On ne retrouve pas le côté plus authentique de Sommières.
Places à arcades, hôtels particuliers fiers comme des princes, on songe à ces cités-États de l'Italie médiévale où chaque pierre, chaque pavé, est un début d'histoire... « Pour moi Uzès est plus loin que la Chine », répondit André Malraux à la marquise de Crussol d'Uzès, propriétaire du duché, venue le solliciter pour sauver ce chef-d'œuvre en péril.

BRÈVE HISTOIRE DU « PREMIER DUCHÉ DE FRANCE »

D'abord une situation exceptionnelle : à mi-chemin des Cévennes et de la Méditerranée, entre l'Avignon des papes et les vestiges romains de Nîmes. Avec un entourage pareil, Uzès était comme prédestinée à une certaine grâce.
Le plus ancien témoin de l'histoire d'Uzès était un morceau de vase destiné à servir le vin (Ve siècle av. J.-C.) ; de récentes fouilles ont mis au jour des vestiges grecs qui seraient antérieurs. C'est dire qu'Uzès n'est pas née de la dernière pluie. Plus tard, les Romains captent les sources d'Eure, à 1 km d'Uzès, pour alimenter Nîmes en eau, via l'aqueduc du pont du Gard. Ensuite arrivent les évêques, dotés d'un pouvoir important ; 64 prélats vont se succéder à l'évêché d'Uzès de l'an 419 jusqu'à la

Révolution. À ce pouvoir religieux s'ajoute celui des ducs, dont le duché est le plus ancien subsistant en France.
C'est le roi Charles IX, en 1565, qui érigea la vicomté d'Uzès en duché. Devenu le siècle suivant « premier duché de France » (ce qui signifie que les ducs d'Uzès se plaçaient, dans la noblesse française, au premier rang après les princes du sang, ce qui leur conférait droits et honneurs particuliers), il est aujourd'hui encore détenu par la famille Crussol d'Uzès, dont l'actuel duc est le 17e du nom.
La ville s'est ralliée à la cause protestante vers 1546. La révocation de l'édit de Nantes par Louis XIV (la plus grosse erreur de son règne, fatalement) provoque le départ de cette bourgeoisie active et industrieuse enrichie dans le textile. Le XIXe siècle est synonyme de déclin, l'activité textile ayant été sévèrement touchée par la maladie du mûrier. En 1960, Uzès est un bourg méconnu, ruiné, délaissé. C'est à la suite de l'intervention de la marquise de Crussol d'Uzès (au fait, elle était née Marie-Louise Béziers et son père était un industriel breton de la sardine, d'où le jeu de mots lors de son mariage : « la sardine qui se crut sole ») auprès d'André Malraux, ministre de la Culture à l'époque, que la petite cité fut sauvée du pire. Classée ville d'Art, patiemment restaurée, elle a retrouvé depuis quelques années quelque chose comme la splendeur, tout en gardant sa simplicité provinciale. Le festival des Nuits d'Uzès n'est pas pour rien dans ce renouveau culturel.

Adresses et infos utiles

Office de tourisme *(plan couleur A-B1) : chapelle des Capucins, pl. Albert-Ier, BP 129, 30703 Uzès. ☎ 04-66-22-68-88. • uzes-tourisme.com • Hors saison, lun-ven 9h-12h30, 14h-18h, sam 10h-13h ; juin-sept, lun-ven 9h-18h, w-e 10h-13h, 14h-17h.* Efficace et accueillant. Brochures et documentation sur la ville et le pays d'Uzège. Liste des hôtels et des restaurants. Propose une visite guidée du secteur sauvegardé de la ville. Visites nocturnes également certains soirs d'été (très bien !), avec des comédiens, sous la conduite d'un guide-conférencier, et visite des villages environnants. Contacter l'office de tourisme pour les horaires et tarifs.

✉ **Poste** *(plan couleur A1) : av. de la Libération.*

Location de vélos : Payan, *av. du Général-Vincent. ☎ 04-66-22-13-94.* **Dufetel**, *pont des Charrettes. ☎ 04-66-03-04-05.*

Cybercafé *(plan couleur A1)* **: Cyberuzès**, *3, av. du Général-Vincent. ☎ 04-66-59-69-41. Tlj 10h-20h (14h dim).*

– **Marché des producteurs :** *mer, sur la pl. aux Herbes.* Petit mais sympathique marché.

– **Marché :** *sam mat, dans tt le centre.* Extraordinaire déballage des produits du Languedoc et de la Provence : olives, morues, fleurs séchées, légumes, herbes de la garrigue, miel, et bien d'autres choses encore. Entre décembre et mars, on y trouve de la truffe.

– Et d'autres ***marchés annuels*** (cuir, poterie, laine, marché de Noël...). Se renseigner sur place.

Où dormir ?

Camping

Camping La Paillote : *mas Fran-Val. Quartier de Grézac. ☎ 04-66-22-38-55. • lapaillotte.uzes@wanadoo.fr • À 800 m du centre, derrière le cimetière catholique. Ouv de mi-mars à fin sept. Forfait 18 € pour 2 en hte saison. Loc de chalets et de bungalows 200-540 €/sem. CB refusées.* Seulement une cinquantainte d'emplacements. Piscine.

Prix moyens

Hôtel La Taverne *(plan couleur B1,* ***11****) : 4, rue Xavier-Sigalon. ☎ 04-66-22-13-10. • lataverne.uzes@wanadoo.fr • Dans une petite rue qui*

UZÈS ET SES ENVIRONS

donne sur la place Albert-Ier. Ouv tte l'année. Doubles avec douche ou bains 62-64 € selon saison. Chambre climatisées, tranquilles (surtout sur l'arrière), de bon confort. Toutes sont différentes (certaines ont conservé quelques souvenirs de cette vieille maison : plafond à la française, murs de pierre...). Le patron tient aussi le bon petit resto du même nom, au n° 9 de la même rue (voir « Où manger ? »).

Hôtel Saint-Géniès *(hors plan couleur par A1, **12**) : quartier Saint-Géniès, route de Saint-Ambroix. ☎ 04-66-22-29-99. • contact@hotel-saintgenies.com • hotel-saintgenies.com • À 1,5 km du centre-ville par la route de Saint-Ambroix (fléchage). Parking gratuit. Congés : de mi-nov à début mars. Doubles avec douche ou bains 50-57 € selon période. Réduc de 10 % sur le prix de la chambre pour 2 nuits consécutives, excepté de mi-juil à mi-août, sur présentation de ce guide.* Maison récente installée dans un paisible quartier résidentiel. Une vingtaine de chambres spacieuses, arrangées avec goût. Les nos 9, 10 et 11 sont mansardées et plus intimes. Belle piscine.

De plus chic à beaucoup plus chic

Hôtel d'Entraigues *(plan couleur B1, **13**) : pl. de l'Évêché. ☎ 04-66-22-32-68. • entraigues@leshotelsparticuliers.com • leshotelsparticuliers.com • En face de l'ancien évêché et de la cathédrale Saint-Théodorit. Doubles avec bains à partir de 60 € en basse saison, et jusqu'à 170 € en hte saison ; petit déj (12 €). Menu 21 € ; à la carte, compter env 35 €. Réduc de 10 % sur le prix de la chambre sur présentation de ce guide.* L'adresse chic d'Uzès, aménagée dans un ensemble de maisons de ville des XVe, XVIIe et XVIIIe siècles. Un charme indéniable et une belle tranquillité. Certaines chambres disposent de balcons ou de terrasses. Jolie piscine. Au restaurant, sur la terrasse panoramique ou sous les solides arcades de l'élégante salle à manger, cuisine provençale plutôt inspirée.

Où dormir dans les environs ?

Voir aussi, plus loin, nos adresses dans le chapitre « Les villages de l'Uzège ».

De prix moyens à plus chic

Chambres d'hôtes Les Oliviers de Malaric *: chez M. et Mme Gounelle pont des Charrettes, 30700 Uzès. ☎ 04-66-22-15-24. Fax : 04-66-03-00-69. D'Uzès, prendre la route du pont du Gard (D 981). Au bout de 2 km env, sur la gauche, prendre une petite route (c'est indiqué) et la suivre jusqu'au bout. Fermé de mi-nov à mi-avr. Doubles avec douche et w-c 76 €, petit déj compris.* Un vieux manoir du Gard dans son bosquet d'arbres, parmi des champs de céréales. Les propriétaires sont des agriculteurs qui louent cinq chambres. Notre préférée (au 2e étage) est très spacieuse et donne sur la ferme (la cour et l'allée). Très bon accueil et excellent rapport qualité-prix.

Chambres d'hôtes Ferme de Cruviers *(hors plan couleur par A1) : Cruviers, montée de Larnac, 30700 Uzès. ☎ 04-66-22-10-89. • contact@mas-cruviers.com • mas-cruviers.com • À 6 km au nord d'Uzès par la D 979 (route de Saint-Ambroix). Ouv tte l'année sur résa. Doubles avec douche et w-c 60 €, petit déj compris. Table d'hôtes pour les résidents, le soir et sur résa de préférence, 20 €.* Dans un mas vieux de quatre siècles. Chambres mignonnettes. Petit déj servi aux beaux jours sur la terrasse qui domine la plaine d'Uzès. Piscine. Au menu de la table d'hôtes, cuisine familiale à base de produits fermiers, de légumes et de fruits du jardin : charcuterie maison, canard aux olives, coq à la provençale, gibier en saison.

Beaucoup plus chic

🏨 🍽 ***Château d'Arpaillargues, hôtel Marie d'Agoult :*** *rue du Château, 30700 Arpaillargues-et-Aureillac. ☎ 04-66-22-14-48. • arpaillargues@wanadoo.fr • leshotelsparticuliers.com • À 4 km au sud-ouest d'Uzès par la D 982. Congés : de mi-oct à mars inclus. Doubles avec bains et AC 95-130 € selon saison dans l'aile du château, 155-200 € dans le château. Menus carte autour de 55 €. Réduc de 10 % sur le prix de la chambre sf w-e et j. fériés, sur présentation de ce guide.* Les routards romantiques (et fortunés...) apprécieront l'atmosphère de ce château hanté naguère par Marie d'Agoult, l'égérie de Liszt et la belle-mère de Wagner. Luxe, calme, volupté et piscine merveilleuse.

Où manger ?

Prix moyens

🍽 ***Terroirs*** *(plan couleur A1,* ***25****) : 5, pl. aux Herbes. ☎ 04-66-03-41-90. ♿ Tlj 9h-minuit non-stop en hte saison ; 9h30-18h et fermé dim-lun en basse saison. Compter 10-20 € pour un repas, selon votre appétit.* Sur la plus belle place de la ville, ce restaurant est l'extension culinaire d'un magasin de vins et produits régionaux (huiles, tapenade, herbes, miel). Que des bons produits, à prix sages néanmoins, et sélectionnés avec le plus grand soin. Cuisine du Sud, naturelle et saine : tapas, pistou, pélardon et caviar d'aubergine. Excellent rapport qualité-prix.

🍽 ***Le Renaissance*** *(plan couleur A1,* ***23****) : 6, pl. aux Herbes. ☎ 04-66-03-11-82. • larenaissance.30@wanadoo.fr • Ouv tlj. Fermé le soir hors saison. Menu « terroir » 25 €. Compter env 27 € à la carte pour un repas complet. Apéritif maison ou café offert sur présentation de ce guide.* Bien sûr, les quelques tics « branchouille » en usage dans ce resto à l'immense terrasse avec brumisateurs et au service musclé en rebuteront certains. Pourtant ils auraient tort, car on y propose une cuisine régionale plus qu'honnête, généreuse et raffinée. Tournedos Rossini, tripes à la provençale, foie gras poêlé...

🍽 ***La Taverne*** *(plan couleur B1,* ***21****) : 9, rue Xavier-Sigalon. ☎ 04-66-22-47-08. • lataverne.uzes@wanadoo.fr • Formule midi 17 € sf dim et j. fériés. Menus 24-27 €.* Bonne et sympathique cuisine dans un décor agréable : un jardin dans une courette tranquille (sauf quand les groupes investissent l'endroit). Le patron peut vous parler d'Uzès, qu'il connaît fort bien. Filet de *toro* au velouté d'olives, brandade de Nîmes ou encore une excellente brouillade aux truffes. Également des chambres (voir « Où dormir ? »).

🍽 ***Au Fil de l'Eau*** *(plan couleur A1,* ***22****) : 10, pl. Dampmartin. ☎ 04-66-22-70-08. Fermé mer soir et dim soir, également jeu hors saison. Menus midi 16,50 € et soir 25-37 € ; carte 38-40 €.* Pour un repas où les plats de poisson sont mis en vedette par le chef. De plus, l'endroit n'est pas mal du tout : salle voûtée, claire et fraîche, jardin, petite terrasse sous les arcades de cette jolie place.

Où acheter du bon vin ?

🍇 ***Cave coopérative Les Collines de Bourdic :*** *à Bourdic. ☎ 04-66-81-20-82. À 8 km d'Uzès par la D 982 en direction d'Anduze, puis prendre la D 136 sur la gauche. Tlj sf dim hors saison.* Excellents vins de pays dont un merlot très bon marché pour lequel nous avons un faible. Également un caveau de vente à Saint-Maximin, entre Uzès et Vers-Pont-du-Gard.

À voir

Uzès est l'une des plus belles villes de France. Et si on vous livre ci-dessous quelques-uns des passages obligés du centre ancien, c'est en vous y baladant le nez en l'air que vous découvrirez les charmes et les secrets de la cité.

Le duché *(plan couleur B1) : ☎ 04-66-22-18-96. • uzes.com • 1er juil-15 sept, tlj 10h-12h, 14h-18h30 ; le reste de l'année, 10h-12h, 14h-18h. Entrée et visite guidée (donjon, appartements et caves, avec dégustation) : 13 €/pers – notez qu'on peut visiter la tour Bermonde seule (7 €).*
C'est le nom donné à cet ensemble exceptionnel formé par le château des ducs d'Uzès, la chapelle, le vieux logis et la majestueuse tour Bermonde, qui domine toute la ville. Cette propriété privée appartient toujours à la famille de Crussol d'Uzès. Les fauchés se contenteront de jeter, depuis le portail, un coup d'œil à la cour : à gauche, la tour de la Vicomté (XIVe siècle) et, un peu à droite, la silhouette massive de la tour Bermonde.
– *La façade Renaissance du corps de logis :* un chef-d'œuvre à voir avec la lumière du soir. Elle date de la fin du XVIe siècle. C'est l'un des premiers exemples en France de la superposition des trois ordres classiques : dorique, ionique et corinthien. À côté, la chapelle gothique.
– *La tour Bermonde :* il faut gravir les 135 marches de l'escalier très étroit. Du sommet de ce donjon, on a une très très belle vue sur Uzès et l'Uzège.
– *Les appartements :* le duché étant toujours occupé par la famille Crussol, on ne visite que quelques pièces et salons en enfilade décorés et meublés en style Louis XV et Louis XVI. On y voit surtout des souvenirs de famille (cadeaux, nombreux portraits) qui permettent au guide d'évoquer (rapidement !) l'histoire de la famille Crussol d'Uzès et de ses figures les plus marquantes. Ainsi, cette duchesse d'Uzès, héritière de la fameuse « veuve Clicquot », monarchiste acharnée mais amie de Louise Michel, la « Vierge rouge ». Quelques mots sur sa personnalité : née en 1847, veuve à 31 ans, elle se retrouve à la tête de l'une des plus grandes fortunes de France. On la courtise. C'est un beau parti. Mais elle se lance en politique avec la même passion que lorsqu'elle dirige les chasses à courre (elle tua 2 056 cerfs dans sa vie !). Au général Boulanger qu'elle soutient, elle va donner 3 millions de francs (environ 6 millions d'euros d'aujourd'hui) pour qu'il parvienne à renverser la République. Échec total. Féministe avant la lettre, elle finance le journal *La Française,* milite en faveur du droit de vote des femmes, fonde l'*Automobile-Club des Femmes* et sera la première femme de France à obtenir en 1896 son certificat de capacités, ancêtre du permis de conduire actuel. Un mélange étonnant de conservatisme et de progressisme.

L'hôtel de ville *(plan couleur B1) : en face du porche d'entrée du duché.* Bel édifice du XVIIIe siècle. Dans la cour intérieure, on organise régulièrement des concerts en été. Très bien restauré.

La cathédrale Saint-Théodorit *(plan couleur B1) :* à l'est de la ville, avec l'évêché attenant et la tour Fenestrelle, on a un ensemble vraiment beau, et qui n'a pas changé depuis l'époque où Racine venait y conter fleurette à de charmantes Uzétiennes. On peut tout de même être surpris par la façade du XIXe siècle plaquée sur l'originale, considérée comme trop pauvre. L'intérieur a été très endommagé à la Révolution. Tribune inférieure et rampe en fer forgé ont été ajoutées au moment de la révocation de l'édit de Nantes pour donner des places supplémentaires aux protestants désormais contraints d'assister à la messe. Ne pas manquer l'orgue, une véritable œuvre d'art, construit vers 1660. Double buffet peint et doré de toute beauté. Ses volets ont conservé leurs peintures d'origine : unique en France.

La tour Fenestrelle *(plan couleur B1) :* ne se visite pas, hélas ! Élégant campanile du XIIe siècle connu comme étant l'unique modèle de campanile rond à fenêtres. Malgré sa hauteur (42 m), la tour s'élève avec une légèreté étonnante grâce à ses six étages de fenêtres géminées placées en retrait du bâtiment. À l'intérieur (mais on ne le voit pas), un escalier à vis (incomplet) de Saint-Gilles.

La terrasse et la promenade des Marronniers *(plan couleur B1) :* un endroit romantique en automne. On y voit le *pavillon Racine.* La tradition prétend que le célèbre écrivain y a séjourné ; malheureusement, cet édifice fut construit 25 ans après son passage à Uzès... En 1661, Racine a 22 ans, il vient terminer ses humanités à Uzès. Son oncle maternel, le chanoine Sconin, grand vicaire de l'évêque, voudrait qu'il embrasse... la vie religieuse. Mais les demoiselles d'Uzès lui tournent la tête et, finalement, il embrasse... la littérature. Les colonnes du pavillon ont été ajoutées par le baron de Castille (lire ci-dessous), l'antenne parabolique par l'actuel occupant...

L'ancien évêché *(plan couleur B1)* **:** construit en 1671 à l'emplacement de l'ancienne cathédrale détruite pendant les guerres de Religion. Beau portail en fer forgé du XVIIe siècle. Majestueuse façade classique à 4 niveaux, avec deux imposants *atlantes* encadrant la porte d'entrée. Ne se visite pas, hormis l'aile droite qui abrite le Musée municipal.

Le musée municipal Georges-Borias *(plan couleur B1)* **:** *dans l'ancien évêché. ☎ 04-66-22-40-23. Ouv en nov, déc et fév, tlj sf lun 14h-17h ; mars-juin et sept-oct, 15h-18h ; juil-août, tlj sf lun 10h-12h, 15h-18h. Fermé le 1er nov, à Noël et en janv. Entrée : 2 €.* Préhistoire, histoire, traditions d'Uzès et souvenirs de Charles et d'André Gide.

L'hôtel du baron de Castille *(plan couleur B1)* **:** quand vous êtes sur la petite place devant la cathédrale, regardez à droite cette étrange demeure à colonnes qui semble vouloir se faire oublier dans son petit coin. À vrai dire, c'est l'un des plus prestigieux hôtels particuliers d'Uzès. Le baron de Castille est de ces personnages qu'on pouvait rencontrer sur les routes d'Europe au XIXe siècle. De son vrai nom Gabriel Joseph de Froment d'Argilliers, ce grand voyageur avait été ébloui par la célèbre colonnade du Bernin à Rome. Il avait un goût prononcé pour l'Égypte et la Grèce. Sa première femme est morte de chagrin après la Révolution. Il se remaria avec la princesse de Rohan, de 38 ans plus jeune que lui. La grosse cloche de l'église Saint-Étienne a été surnommée « la Baronne » en son honneur. On aurait pu trouver un symbole moins lourd...

La rue du Docteur-Blanchard *(plan couleur B1)* **:** elle aligne quelques jolis hôtels particuliers comme l'ancien hôtel de la Monnaie où les évêques battaient... monnaie (fenêtres à meneaux).

Le jardin médiéval *(plan couleur B1)* **:** *impasse Port-Royal. ☎ 04-66-22-38-21. Ouv avr-1er nov inclus : lun-ven 14h-18h, w-e et j. fériés 10h30-12h30, 14h-18h ; juil-août, tlj 10h30-12h30, 14h-18h ; ouv slt 14h-17h en oct et le 1er nov. Entrée : 4 € ; gratuit pour les enfants accompagnés.* Au pied des tours du Roi et de l'Évêque, au pied d'une chapelle qui servit naguère de prison (graffitis des prisonniers sur les pierres à l'intérieur), ce petit jardin constitue un îlot de tranquillité au cœur de la ville. Les plantes portent des étiquettes explicatives. Lieu accueillant également des expositions et des spectacles. Boisson rafraîchissante offerte à tout le monde en fin de visite.

L'église Saint-Étienne *(plan couleur A2)* **:** *à 150 m de la pl. aux Herbes.* Reconstruite à la fin du XVIIIe siècle sur l'emplacement de l'église primitive détruite pendant les guerres de Religion, sa façade de style néogrec (ou jésuite) est pour le moins sévère. Mais il suffit qu'un rayon de soleil se montre, et la pierre s'enflamme. À l'intérieur, au fond de l'église, *Le Martyre de saint Étienne,* copie du tableau de Lebrun qui se trouve au Louvre. Dans le chœur, deux tableaux de l'école italienne : l'*Adoration des bergers* et l'*Adoration des mages.*

La place aux Herbes *(plan couleur A1-2)* **:** lieu de rassemblement populaire à l'occasion de victoires, de naissances dans la famille royale, d'épidémies, la place fut de tout temps l'épicentre de la ville. C'est ici qu'on proclama la signature de l'édit de Nantes par Henri IV et sa révocation par Louis XIV. Les protestants durent y abjurer publiquement leur « hérésie ». Au Moyen Âge, on y procédait aux exécutions capitales. Aujourd'hui, tout est plus calme, le marché de la place aux Herbes offre des ravissements plus distrayants que naguère. Les senteurs se répandent, se mélangent et flattent les narines de chacun dans une ambiance effervescente.

D'ailleurs, cette jolie place a servi de toile de fond à des dizaines de films devenus célèbres, dont *Les Amants de Vérone* et *Cyrano de Bergerac* (de Rappeneau, avec Depardieu). L'endroit est superbe. Rien de superflu dans ce décor de vieilles maisons du Moyen Âge rhabillées aux XVIIe et XVIIIe siècles et superbement restaurées. La place, bordée de magnifiques arcades, est construite de manière irrégulière, comme le voulait l'époque. Au nº 2, l'*hôtel d'Aigaliers* avec des pilastres à chapiteaux ioniques. Au nº 5, maison d'angle avec une tourelle sur trompes. Au nº 26, l'*hôtel de la Rochette* avec sa jolie façade du XVIIIe siècle.

La place Dampmartin *(plan couleur A1)* **:** en remontant la rue de la République, au départ de la place aux Herbes. L'*hôtel Dampmartin* possède une belle cage d'escalier. Entrez, il y a une petite cour avec un magasin d'antiquités. Essayez de voir l'escalier, typique de ce genre d'escalier d'honneur dit « escalier d'Uzès », avec des balustrades rampantes et une cage à quatre angles.

Loisirs

– ***Le cinéma d'Uzès :*** *11, rue Xavier-Sigalon, après le resto* La Taverne *(plan couleur B1,* ***21****), sur la gauche*. C'est l'un des derniers cinés de la région à être resté ouvert. Rénové, il abrite trois salles où l'acoustique est excellente. On y croise de temps en temps quelques stars du 7e art possédant des maisons dans le Gard, dont Jean-Louis Trintignant, grand uzèsophile et Uzétien.

Fêtes et manifestations

– ***Journée de la Truffe :*** *le 3e dim de janv, sur la place aux Herbes.* Démonstrations de cavage (quand les chiens ou les cochons cherchent l'or noir), rencontre avec des trufficulteurs. Menus à base de truffes dans les restos de la ville.
– ***Festival de la nouvelle danse :*** *de mi-juin à fin juin. Rens : ☎ 04-66-03-15-39.* Le dernier-né des festivals d'Uzès consacré à la danse contemporaine.
– ***Foire à l'ail :*** *le 24 juin.* Tous les cultivateurs d'ail de l'Uzège viennent en ville vendre leur production. Il y en a des tas gigantesques partout... et de toutes les couleurs. Avez-vous vu ma gousse d'ail violette ?
– ***Festival des musiques du monde, Autres Rivages :*** *juil. • autres-rivages.com • À Uzès et dans les villages environnants.* Des derviches tourneurs aux Tsiganes et au tango argentin, un panorama de toutes les musiques au travers de concerts à des prix abordables.
– ***Festival Nuits musicales d'Uzès :*** *chaque année, pdt la 2de quinzaine de juil. Infos et résas à l'office de tourisme.* Créé en 1970, c'est l'un des moments forts de l'été. Concerts dans la cour du duché et dans la cathédrale Saint-Théodorit. Au fait, pourquoi les « Nuits d'Uzès » ? Parce que le festival commence à la nuit tombée, mais aussi en souvenir de cette belle phrase de Racine à propos de la ville (où il passa des vacances chez son oncle) : « Et mes nuits sont plus belles que vos jours... »
– ***Fête votive :*** *5 j. début août.* Quand les taureaux pointent leurs cornes jusqu'à l'Uzège...

➤ DANS LES ENVIRONS D'UZÈS

Le Haras national : *mas des Tailles, sur la route d'Alès. ☎ 0811-90-21-31. Ouv au public, tlj (sf dim 1er mars-1er juil) 14h-17h ; visites guidées sur rendez-vous, 15 juin-15 sept, mar et jeu.* Le grand Sud-Est de la France ne compte qu'un seul haras national et il est à Uzès, où l'écuyer Lucien Gruss, de la célèbre famille du même nom, est venu s'installer.

Le musée du Bonbon Haribo : *pont des Charrettes. ☎ 04-66-22-74-39. ♿ Juste avt d'entrer dans Uzès, à droite de la route venant de Remoulins. 1er juil-30 août, tlj 10h-19h ; hors saison, tlj sf lun 10h-13h, 14h-18h. Fermé 3 sem en janv. Entrée : 5 € ; 5-15 ans : 3 €.* Sur quatre étages, en vidéo, en exposition ou en reconstitution, on vous explique toute l'histoire de la célèbre marque et la fabrication de tous ces délices qui ont, un jour ou l'autre, bercé notre enfance. Les superbes affiches publicitaires pour la réglisse et les dizaines de contrefaçons, qui sont la rançon du succès, sont aussi à l'honneur. Minichaîne de fabrication en action et atelier de bonbons *Ricqlès* (racheté par *Haribo*). Impossible en tout cas de repartir sans son sachet de bonbons acheté en boutique. C'est le genre de musée qui vous rend tout à coup très, très gourmand !

Le musée 1900 et le musée du Train et du Jouet : *moulin de Chalier, 30700* **Arpaillargues.** *☎ 04-66-22-58-64. • jouetmusee.com • À 3 km à l'ouest d'Uzès, sur la route d'Anduze. Ouv mars-juin et sept-oct, tlj sf lun 10h-12h, 14h-18h30 ; juil-août, tlj sf lun 10h-19h ; le reste de l'année, mer, w-e, j. fériés et tlj pdt les vac scol 10h-12h, 14h-18h. Fermé en janv. Entrée pour un des deux musées : 6 € ; on peut aussi prendre un billet groupé pour les deux musées (10,50 €).*
Le maître des lieux, Gaston Baron, aidé de sa fille et de son gendre, fait partie de ces gens qu'une passion anime et qui, pour elle, soulèveraient des montagnes. Son dada à lui, c'est de retrouver et de ranimer ces merveilleux objets qui révolutionnèrent l'activité humaine, fin XIXe et début XXe siècle. Vaste programme, et pourtant, là est la performance, M. Baron relève le défi.
Son *musée 1900* expose ainsi les ancêtres de la locomotion (du « Grand Bi » au « Tacot de la Marne »), de la communication (incroyable agrandisseur en acajou long de 4 m, vieilles TSF), de la production agricole (monumentale moissonneuse-batteuse en action). Mais impossible de rendre ici la variété et la qualité de cette exposition qui, bien qu'hétéroclite et riche, ne donne pas l'impression de fouillis ou de bric-à-brac. Il aura fallu la boulimie, le savoir-faire et la patience (35 ans de travail, 365 jours par an) de M. Baron pour y arriver.
La féerie se poursuit avec le musée du Jouet, voisin du précédent. Éric Petit, gendre de M. Baron, y anime le fameux réseau ferroviaire Gultand datant de 1923 (le plus ancien d'Europe). On y trouve aussi 2 000 jouets anciens de 1880 à 1965. Par exemple, l'une des plus belles collections d'ours français anciens de 1910 à 1960.

La Bouscarasse : *30700* **Serviers-et-Labaume.** *☎ 04-66-22-50-25. À 8 km sur la route d'Alès. En saison, ouv tlj 10h-19h (20h w-e) ; de fin mai à mi-sept, tlj 10h-19h (en fait, ça dépend un peu du temps qu'il fait !). Entrée : 13 € env (en sem) ; ou 14 € (w-e). Tarifs famille plus avantageux.* Parc aquatique. Des piscines, de l'eau, et des jeux à gogo, pour tous les enfants jusqu'à 12 ans, et pour leurs parents... Un peu de fraîcheur dans la chaleur uzétienne (ou uzégeoise), ça ne peut pas faire de mal.

➢ **Randos pédestres :** *se renseigner auprès de l'office de tourisme d'Uzès (topoguide en vente : « Balades en Uzège-Pont du Gard » et carto guide : « Massif des gorges du Gardon »).* Un nouveau sentier thématique, reliant la vallée d'Eure, près d'Uzès, à Sernhac, permet de découvrir des portions peu connues de l'aqueduc romain d'Uzès à Nîmes.

– **Le spa d'Euzet-les-Bains :** *rue du Temple, 30360* **Euzet-les-Bains.** *☎ 04-66-83-54-89. 📱 06-12-98-19-78. • artsoftouch.com • À 16 km au sud-est d'Alès par la D 981. Massages ou soins sur rendez-vous lun-sam 10h-18h. Compter env 90-130 € selon prestation.* Dans un superbe mas, Clotilde et Ray Swartley ont créé le spa de nos rêves : les soins et massages ont lieu dans une salle voûtée du XVIIIe siècle, les bains aux huiles essentielles dans un jacuzzi installé sur une terrasse, on y trouve également un sauna, un jardin tropical... Bien-être, détente et relaxation sont ici au programme !

QUITTER UZÈS

En bus

- *Départ des bus* sur l'esplanade de l'avenue de la Libération *(plan couleur A2)*. Informations auprès de la compagnie *STD Gard,* à Nîmes. ☎ *04-66-29-27-29*. Attention, peu de bus le dim.
➢ ***Pour Nîmes :*** 3 bus le mat, 5 l'ap-m.
➢ ***Pour le pont du Gard :*** 6 bus/j.
➢ ***Pour Alès :*** 3 bus/j. en hiver, 1 le mat et 2 l'ap-m ; 2 bus slt en été.
➢ ***Pour Avignon :*** 6 bus/j.

LES VILLAGES DE L'UZÈGE

SAINT-VICTOR-DES-OULES (30700)

À 8 km au nord-est d'Uzès, tranquille petit village célèbre pour ses carrières de quartzite et ses rochers de grès aux formes étranges. On y trouve encore des bois fossilisés, en cherchant bien... Belle promenade jusqu'au sommet du Montaigu d'où l'on a une très belle vue sur les Cévennes et l'Uzège.

SAINT-QUENTIN-LA-POTERIE (30700)

À 5 km au nord d'Uzès. Faut-il y voir un clin d'œil de l'histoire ? C'est dans ce village, voué aujourd'hui à la céramique, qu'est né en 1823 Joseph Monier, l'un des inventeurs du béton armé. Mais le béton ici n'a pas supplanté les tuiles ni la terre cuite. À l'époque romaine, on y fabriquait déjà des amphores. Les papes d'Avignon se firent livrer 110 000 carreaux vernis pour orner les salles du palais des Papes. On y fabriquait aussi des pipes au XVIIIe siècle. En 1926, le dernier four de potier disparaissait. Depuis 1983, le village revit sous l'impulsion de la Maison de la terre et d'une vingtaine de céramistes qui vivent, produisent et vendent leurs œuvres sur place.

Adresse utile

■ ***Office culturel – Point information tourisme :*** *15, rue du Docteur-Blanchard (à côté de la place du marché).* ☎ *04-66-22-74-38.* ● *officecultu rel.com* ● *Au centre du village. Juil-août, tlj 9h30-12h30, 14h30-17h30. Le reste de l'année, lun-ven 9h-12h, 14h-17h.* On vous y communiquera la liste des céramistes et l'adresse de leurs ateliers, faciles à trouver. Tous les deux ans, les années paires, le 3e week-end de juillet, l'office culturel organise le Festival européen des arts céramiques : marché de potiers, parcours de découverte, expositions... À cette occasion, les rues sont envahies et ne vivent que pour la céramique. Tout au long de l'année, l'Atelier Terre propose des stages sur le travail de la terre.

Où dormir ? Où manger ?

Camping

Domaine Le Moulin Neuf : ☎ *04-66-22-17-21.* ● *lemoulinneuf@yahoo.fr* ● *le-moulin-neuf.com* ● *Dans la garrigue. Camping ouv avr-fin sept.*

Compter 16,50 € l'emplacement pour 2 en hte saison. Loc des mazets et bungalows (4-5 pers) pour 2 nuits à partir de 80 € ; 240 €/sem. Petite restauration, menu 12 €. Réduc de 10 % sur le prix des mazets sur présentation de ce guide, hors juil-août. Beaucoup d'espace et une grande piscine bien agréable en été. Snack-bar pour grignoter.

De prix moyens à plus chic

Chambres d'hôtes Le Mas du Caroubier : *684, route de Vallabrix. ☎ 04-66-22-12-72. • contact@mas-caroubier.com • mas-caroubier.com • En venant d'Uzès, ne pas rentrer dans Saint-Quentin mais rester sur la D 5. Passer un petit croisement et commencer à compter les passerelles qui enjambent le fossé de droite. Passer sur la 6e passerelle et rouler 100 m sur ce chemin de cailloux. Le mas sera sur la droite (portail vert). Doubles avec douche et w-c ou bains 70-80 €, petit déj compris. Table d'hôtes sur résa 25 €.* Dans une vieille et belle bâtisse rénovée, à la lisière d'un quartier résidentiel et de la garrigue. Chambres bien équipées et calmes. Notre préférée est au 1er étage : c'est la plus grande, avec une salle de bains attenante. Excellent accueil. Piscine dans le jardin. Terrasse. Organise des stages de poterie, d'aquarelle, de cuisine provençale.

Chambres d'hôtes et gîtes Le Mas du Vinigre : *chemin du Vinigre. ☎ 04-66-03-31-83. • contact@masvinigre.com • masvinigre.com • Ouv tte l'année. Doubles env 67 €, petit déj inclus ; gîtes (4-6 pers) 470-780 €/sem selon saison. Fait également table d'hôtes le soir sur demande (20 € tt compris). Réduc de 5 % sur le prix de la chambre sur présentation de ce guide.* Mary Doyelle a eu la bonne – et même l'excellente – idée de concevoir ses hébergements pour les personnes handicapées : ainsi les deux gîtes (2-4 et 4-6 pers) et deux des cinq chambres d'hôtes sont parfaitement équipées pour accueillir des hôtes affectés par différents handicaps (agrément national Tourisme et Handicap). Chambres et salle à manger récemment redécorées. Également un nouveau gîte haut de gamme avec piscine privée, salon bibliothèque et piano. Bon accueil. Que demander de plus ?

Où manger dans les environs ?

Le Fou du Roi : *30330 Pougnadoresse. ☎ 04-66-72-84-32. Dans un petit village à 10 km au nord-est de Saint-Quentin, par la D 5 direction Vallabrix et Bagnols-sur-Cèze ; passer Vallabrix puis, 4 km plus loin, toujours sur la D 5, prendre à gauche : Pougnadoresse est env 1 km plus loin. Fermé 15 janv-15 mars. Fermé mer en juin et sept, et lun en juil-août ; le reste de l'année, ouv ven, sam soir et dim midi. Formule en été 12 €. Menus 20-40 €.* Cuisine du marché agréable faite avec des produits frais et bio. Décor chaleureux, frise provençale, cheminée en forme de chapeau de... fou du roi, bien sûr ! Bon accueil.

À voir

Le musée de la Poterie méditerranéenne : *dans la Maison de la terre. ☎ 04-66-03-65-86. • musee-poterie-mediterranee.com • Ouv tlj sf lun-mar : avr-juin et oct-déc, 14h-18h ; juil-sept, 10h-13h, 15h-19h. Fermé janv- mars. Entrée : 3 € ; réduc ; gratuit jusqu'à 12 ans.* Belle collection de poteries anciennes ou contemporaines, collectées dans l'ensemble du Bassin méditerranéen : des traditionnels plats à couscous dont vous n'avez pas pu vous empêcher de faire l'achat dans les souks du Maroc à de plus surprenants enfumoirs à abeilles de l'Atlas ou pièges à calamars espagnols. Les pièces sont présentées dans un espace lumineux et bien pensé. Incroyable tout ce que l'on peut faire avec un peu de terre et d'eau : d'impressionnantes jarres crétoises à trois anses, des lampes à huile, des pots à miel marocains, etc.

La galerie Terra-Viva : *toujours dans la Maison de la terre. ☎ 04-66-22-48-78. • terraviva.fr • Tlj (sf lun hors saison) 10h-13h, 14h30-18h (19h en été). Fermé janv-mars et la 2de quinzaine de nov. Entrée gratuite.* Exposition-vente d'artistes contemporains qui présentent des pièces uniques de céramique. De superbes objets, bijoux et sculptures.

LUSSAN *(30580)*

À 18 km au nord d'Uzès par la D 979. L'un des plus beaux villages perchés du Gard, et peut-être de cette partie de la France. Superbe et intact. Un nid d'aigle replié sur ses quelques maisons, son château (qui abrite la mairie) et la petite église. Allez-y très tôt le matin, c'est tellement calme qu'on entend les chats passer, on surprend les mémés qui conversent d'une fenêtre à l'autre.

Où dormir ? Où manger ?

Chambres d'hôtes Les Buis de Lussan : *à l'entrée du village, sur le rempart sud, rue de la Ritournelle. ☎ 04-66-72-88-93. • buisdelussan@free.fr • http://buisdelussan.free.fr • Doubles avec douche et w-c 74-76 €, petit déj compris. Table d'hôtes, sur résa, 30 €.* Dans une jolie maison de village du XIIIe siècle. Excellent accueil. Chambres charmantes avec leur déco très provençale. Petit jardin avec jacuzzi, d'où l'on domine la campagne joliment vallonnée alentour. Aux beaux jours, le petit déj comme le dîner se prennent là, sous la tonnelle. Quelques petits plats sympathiques : lapin au romarin, *crépiou* à la brandade, flan de courgettes. Si vous séjournez ici, faites, comme les locaux, le tour des remparts au soleil couchant ; vous verrez, ça remplace avantageusement la télé.

La Petite Auberge de Lussan : *pl. des Marronniers. ☎ 04-66-72-95-53. • contact@auberge-lussan.com • auberge-lussan.com • Parking. Wi-fi. Resto fermé dim soir et lun ; ouv slt le w-e en hiver. Congés : de mi-nov à début déc et 15 j. en janv. Une dizaine de chambres avec lavabo ou douche et w-c 42-57 € selon confort. Repas autour de 30 €.* Au cœur du village, Amélie vous recevra dans une belle maison du XVIe siècle dont elle a repeint les volets d'un bleu lumineux. Dans un cadre chaleureux et accueillant, meubles et objets du passé côtoient quelques œuvres contemporaines et des expos temporaires. Le tout est aménagé avec un goût sûr. Les chambres sont fonctionnelles et bien décorées. Nous avons beaucoup aimé, entre autres, le choix des tissus. La cuisine, à base de produits frais, est servie dans les anciennes caves transformées en salle de restaurant dans des tons clairs. La carte change chaque semaine (3 entrées, 3 plats et 3 desserts au choix). Terrasse. Une auberge que l'on a bien du mal à quitter.

Où dormir ? Où manger dans les environs ?

Chambres d'hôtes Le Mas des Garrigues : *la Lèque, 30580 Lussan. ☎ 04-66-72-91-18. • masdesgarrigues@free.fr • masdesgarrigues.com • À 4 km au nord de Lussan par la D 979. Congés : 3 sem en janv. Doubles avec douche et w-c env 60 €. Également un gîte d'étape de 12 lits 12 € la nuitée. Resto sur résa. Menus 20-24,50 €.* Loin de la pollution et du bruit, la Lèque est un ravissant hameau de vieilles maisons en pierre. Dans ce havre de paix, M. Dollfus restaure avec amour et goût plusieurs maisons. Dans l'une d'elles,

UZÈS ET SES ENVIRONS

vous trouverez 4 chambres personnalisées dotées de beaux meubles et de gravures anciennes. Un charme fou. Possibilité de table d'hôtes à l'auberge, située en face : excellente cuisine familiale et provençale. Piscine et tennis, ferme équestre. Une adresse idéale pour les amoureux des vieilles pierres, de la nature et du sport.

À voir dans les environs de Lussan

À la sortie de Lussan, partez à la découverte des ***Concluses*** dans le canyon de l'Aiguillon. Le passage du portail fait penser aux gorges de Samaria (en Crète), le monde en moins.

LE PONT DU GARD (30210)

« L'âme est jetée dans un long et profond étonnement. C'est à peine si le Colisée, à Rome, m'a plongé dans une rêverie aussi profonde. On n'y trouve aucune apparence de luxe et d'ornement : les Romains faisaient des choses étonnantes, non pour inspirer l'admiration, mais simplement et quand elles étaient utiles. » Stendhal, l'auteur de ces lignes, est venu, a vu et a vécu le pont comme un grand choc. De tout temps, cette majestueuse construction romaine, inscrite au Patrimoine mondial de l'Unesco, a suscité l'admiration. Certes, aujourd'hui, on aura peu de chance de découvrir cette merveille comme le promeneur solitaire en son temps. Il s'agit du cinquième monument le plus visité de France : 1 250 000 touristes s'y pressent chaque année ! On vous recommande de bien choisir l'époque, le jour et l'heure de votre venue. L'idéal : très tôt le matin, ou le soir vers 18h ou 19h. Évitez absolument d'y aller l'après-midi du 15 août, par exemple, on se bouscule sous les arches et sur les rives du Gardon... Bon, maintenant, cette recommandation faite, laissez-vous porter par l'esprit des lieux. La « 8e merveille du monde » a reçu tous les qualificatifs : grand, superbe, noble, rigide, romantique, impérial, émouvant... Et, décidément, cette architecture défie les siècles et les modes... À voir absolument.

UN PEU D'HISTOIRE

Cet aqueduc (qui n'avait rien d'un pont) a été construit par les Romains il y a 2 000 ans environ, sans doute entre 40 et 60 apr. J.-C. Objectif : alimenter la colonie nîmoise, fraîchement urbanisée, en eau potable. Pour cela, les hydrologues romains sont allés jusqu'à Uzès pour capter l'eau des sources d'Eure et de Plantéry, qui existent encore aujourd'hui. Puis on construisit un immense aqueduc de 50 km de long, lequel, souterrain en grande partie, devenait aérien à partir du lieu-dit Bornegre et dont les arches franchissaient les gorges du Gardon : c'est le pont du Gard. La dénivelée entre ces deux villes n'étant que de 12 m, soit 24 cm par kilomètre seulement, cela suppose de savants calculs et beaucoup d'ingéniosité dans la construction.

Pourquoi est-il si bien conservé ?

Après environ 450 ans d'usage plus ou moins intensif, les Nîmois ont fini par capter des sources plus proches de leur ville ; on sait également que l'eau arrivait de moins en moins facilement en raison du calcaire qui obstruait les canalisations. Le pont n'avait plus vraiment sa raison d'être en tant qu'aqueduc. Bien plus tard, au milieu du XVIIIe siècle, on a construit le pont routier qui le borde à la hauteur de la première

ligne d'arches. Il est désormais interdit aux voitures en raison des vibrations qu'elles provoquaient sur sa structure.
À part un vague ciment romain dans les jointures du canal, aucun mortier ne sert à maintenir les pierres les unes contre les autres. Depuis 2 000 ans, le pont est presque intact. Il n'a jamais été pris comme cible par les guerres, ni par les révolutions. On sait toutefois qu'il y avait des fuites dans la canalisation... Seule restauration importante, celle menée sous Napoléon III après la visite de Prosper Mérimée, mais il s'agissait plutôt d'une consolidation de l'édifice. Depuis les inondations de septembre 2002, il est question de consolider les arches du pont et de renforcer ses soubassements. Cela dit, les arches ne s'étaient pas fissurées. Les Romains étaient des ingénieurs prévoyants. Grâce aux « avant-becs », blocs de pierre en forme de pointe, les piliers du pont ont été protégés de la puissance destructrice des flots.

Le nouvel aménagement du site

Aujourd'hui, le site n'est pas plus défiguré qu'il ne l'était en 1920. Aucune construction hideuse à l'horizon ! Et le pont du Gard a désormais, comme la pointe du Raz, autre « Grand Site national », l'aménagement qu'il méritait. Ce projet d'envergure, mûrement réfléchi, a fait table rase des baraques à frites et des stands de souvenirs qui s'y étaient développés de façon anarchique. Les parkings ont été éloignés du site, la route d'accès rendue aux piétons. Et les deux bâtiments, construits de part et d'autre du Gardon (rive droite et rive gauche), sont quasi invisibles depuis le pont : d'une architecture résolument contemporaine (pour que les archéologues du futur ne s'emmêlent pas les crayons), ces deux constructions couleur sable abritent bars, boutiques, restos et des espaces culturels (lire ci-dessous) qui « racontent » le site.

Adresses utiles

ℹ ***Accueil du Pont-du-Gard :*** *400, route du Pont-du-Gard, 30210 Vers-Pont-du-Gard. ☎ 0820-903-330 (0,12 €/mn). • pontdugard.fr •*

ℹ ***Office de tourisme :*** *pl. des Grands-Jours, 30210 Remoulins. ☎ 04-66-37-22-34. • ot-pontdugard.com • En été, tlj 9h-18h ; le reste de l'année, lun-ven 9h-12h30, 14h30-18h. Également une antenne à Aramon (30390) au 186, av. Jean-Moulin. ☎ 04-66-03-13-81.*

La visite du pont du Gard

– ***Parkings payants :*** 5 €/j. Mais accès au pont gratuit et seulement à pied. Encore heureux ! Intéressant de savoir aussi que le parking est « remboursé » si l'on achète le forfait à 12 €.
– ***Durée de la visite :*** compter une bonne heure si vous voulez le traverser paisiblement, puis flâner dans la garrigue, sur la rive opposée.
– ***Le meilleur point de vue :*** de la rive droite aussi bien que de la rive gauche, à condition de suivre le sentier jusqu'au sommet de la butte couverte de garrigue. De là, on peut découvrir ce pont en plongée, légèrement de côté.
– ***Quelques chiffres :*** il mesure 275 m de long à sa partie supérieure et 48,77 m de haut. C'est le plus haut de tous les ponts-aqueducs romains. Chaque étage est différent. Plus on monte, plus les arches sont petites et rapprochées. Certains blocs de pierre des deux ponts inférieurs ont un volume de plus de 2 m^3 et pèsent près de 6 t.
– ***Détails insolites :*** de nombreux compagnons tailleurs de pierre ont laissé des traces de leur passage dans la pierre. Pour eux, le pont était une étape obligatoire dans leur tour de France.

À voir. À faire sur le site

Les espaces culturels : *situés rive gauche. Ouv tte l'année : mai-sept, tlj sf lun mat 9h30-19h ; le reste de l'année, tlj sf lun mat 9h30-17h30. Forfaits journée 12 € (réduc), donnant accès à tous les lieux, incluant le parking et le livret de visite de « mémoires de garrigues ». Également un forfait famille 24 €.*
– ***Mémoires de garrigue :*** *gratuit, livret facultatif 4 €.* Espace muséographique de plein air par lequel on découvre les différentes cultures méditerranéennes et l'évolution du paysage au cours de l'histoire.
– ***Le musée :*** *entrée 7 €.* Une exposition multimédia qui retrace l'histoire de la construction de l'aqueduc, son utilité à l'époque romaine, ainsi que son évolution au Moyen Âge. Projections d'images, effets d'optique, son « spatial »...
– ***Le vaisseau du Gardon :*** *entrée 4 €.* Le Portal. Mi-fiction, mi-documentaire, un film d'une demi-heure qui raconte la rencontre de Nîmes avec Rome au travers de deux personnages contemporains. En scope sur un écran de 45 m² avec son stéréo dolby !
– ***L'espace « ludo » :*** *entrée 5 €.* Parcours de découverte et de jeux pour les 5-12 ans. Si vos chères têtes blondes (ou brunes ou rousses !) veulent se transformer en écolier gallo-romain, en ingénieur essayant d'orienter l'eau dans un aqueduc, en archéologue en herbe...

➤ AUTOUR DU PONT DU GARD

Quelques beaux villages à découvrir, dans les collines ou sur les rives du Gardon.

Valliguières *(30210) : à 9 km au nord de Remoulins, sur la route de Bagnols-sur-Cèze (N 86).* Un joli village un peu perché !

Vers-Pont-du-Gard *(30210) :* village fleuri, pittoresque et joli. Anciens lavoirs où il fait bon s'arrêter le temps de casser la croûte entre deux gorgées de côtes-du-rhône. Carrière de molasse exploitée depuis les Romains (voir celle du nord-ouest). Vestige de voie antique avec profondes ornières dans le roc.

Castillon-du-Gard *(30210) :* l'un des plus beaux villages du Gard, bâti sur une colline au-dessus du vignoble. Le seul de la région d'où l'on aperçoive au loin la silhouette du pont. Ambiance médiévale et cadre préservé. La douceur de l'endroit appelle plutôt à la sérénité, et pourtant il connut des épisodes tumultueux. Village catholique dans un environnement protestant, il fut pris et incendié à plusieurs reprises, en 1570, 1573 et 1626. Voir la ravissante chapelle romane Saint-Caprais, construite au milieu des vignes, en bas du village. Bien restaurée, elle revit grâce à des concerts de musique classique.

Le musée du Vélo et de la Moto : *château de Bosc, à* ***Domazan.*** *☎ 04-66-57-04-27 ou 65-11. (sur un étage). À 8 km de Remoulins en direction d'Avignon, en bordure de la N 100. D'oct à mi-juin (fermé pdt vac de Noël), mer et w-e 14h-17h (j. fériés également et jusqu'à 17h30 de début mars à mi-juin). De mi-juin à mi-sept, tlj 10h-18h30. Entrée : 6 € ; tarif enfant : 4 €.* Dans le cadre d'un château de plaisance du XIXᵉ siècle, avec parc, vignoble et oliveraie, une remarquable collection de deux-roues, de l'authentique draisienne (1820-1825) aux engins de Tony Rominger ou de Chris Boardman (recordman du monde de l'heure). Grand bi, bicyclette acatène (transmission par arbre), formidables bécanes : *Gnôme et Rhône* ou *Indian* de légende, ou encore cet incroyable véloréacteur, mû par trois tuyères et récompensé au concours Lépine 1951. On n'en a pas vu rouler des masses... Une visite intéressante, où l'on apprend qu'un certain Lallement (un Français !) inventa la pédale en 1866. En 2008, le musée fête ses 10 ans ! Renseignez-vous, des manifestations sont prévues.

Saint-Hilaire-d'Ozilhan (30210) : *à 3 km à l'est de Castillon.* Un village bien paisible, plein de charme, adossé à la colline. Superbe chapelle Saint-Étienne appelée la *Clastre,* chapelle rurale, en grande partie détruite, édifiée vers le XIe siècle. On y trouve aussi une cave coopérative extra, où les régionaux viennent s'approvisionner, c'est tout dire.

***Collias** (30210) : à mi-chemin entre Uzès et le pont du Gard.* Collias fut, il y a une trentaine d'années, le carrefour des hippies, comme ils disent encore au village. Au grand dam des habitants, Collias fut même surnommé « Katmandou-sur-Gardon ».

MA QUE CALOR !

Film d'Henri-Georges Clouzot, sorti en 1953, Le Salaire de la peur, *avec Montand et Vanel, situe son action dans une contrée d'Amérique centrale... mais fut tourné à Collias !*

➢ Un bain s'impose dans les petits rapides, puis grimper jusqu'à la chapelle Saint-Véredème enfouie dans la pierre ou encore à l'*ermitage Notre-Dame de Laval,* site occupé depuis la Préhistoire, sanctuaire de source pré-romain et gallo-romain.

***Remoulins** (30210) : à 1,5 km de la rive droite du pont du Gard.* Dans le vieux village, on trouve une vieille église, Notre-Dame-de-Bethléem, ainsi que la tour et la porte des Escaravats, qui appartenaient à l'enceinte fortifiée du XIIe siècle qui protégeait Remoulins.

***Fournès** (30210) : à 3 km de Remoulins,* Fournès se dresse au milieu des Fosses, un terrain en coteaux constitué de sédiments argileux sculptés par les vents et les pluies. Un cadre inattendu à découvrir tout au long d'un circuit balisé de 2h.

***Aramon** (30390) :* village pittoresque du Gard rhodanien qui présente une grande variété de paysages façonnés par le Rhône et le Mistral. On peut y voir un château du XIIIe siècle, qui domine le pays du haut de son donjon, une église du XIIe siècle et des hôtels particuliers des XVIe et XVIIe siècles.

➢ Découvrez aussi les tunnels romains à ***Sernhac*** (30210) ainsi que les lavoirs et les chapelles romanes de la communauté de communes du pont du Gard.

➢ Autre ***balade*** sympa côté pont du Gard, au milieu d'un bois, vers l'Ermitage. Des ermites y vécurent jusqu'au XVIIIe siècle.

➢ ***Balade en kayak :*** descentes faciles jusqu'au pont du Gard ou remontées magnifiques dans les gorges, vers le pont Saint-Nicolas. *Association Kayak vert : ☎ 04-66-22-80-76. Canoë-Collias : ☎ 04-66-22-87-20.* Location à l'heure, à la demi-journée, etc. Remontée en minibus. Parking gratuit.

***Sanilhac** (30700) : à 5 km à l'ouest de Collias.* Village tranquille, associé à son voisin Sagriès, pour ne former qu'une seule et même commune, Sanilhac-Sagriès.

➢ Un sentier part de la place du château et conduit dans les gorges du Gardon.

LE GARD

Où dormir ? Où manger dans le coin ?

Campings

***Camping La Sousta :** av. du Pont-du-Gard, 30210 Remoulins. ☎ 04-66-37-12-80. ● info@lasousta.com ● lasousta.com ● ♿ Wi-fi. Ouv mars-oct. En hte saison, compter 19,50 € pour 2 avec voiture et tente. Loc de mobile homes 284-656 €/sem.* Un 3-étoiles ombragé et proche du pont. Certains emplacements ont vue sur la rivière. Piscine. Resto. Soirées à thème. Location de vélos et de canoës-kayaks.

***Camping international Les Gorges du Gardon :** chemin de la Barque-Vieille (route d'Uzès), 30210 Vers-Pont-du-Gard. ☎ 04-66-22-81-81. ● camping.international@wanadoo.fr ● le-camping-*

international.com • ♿ Ouv de mi-mars à fin oct. Compter 18,50 € en hte saison pour 2. Loc de mobile homes et chalets 250-640 €/sem. Eau chaude et sanitaires nickels. Piscine. Nombreuses activités sportives aux alentours.

Camping Le Barralet : *30210 Collias. ☎ 04-66-22-84-52. • camping-barralet.com • À 5 km à l'ouest du pont du Gard. Ouv de début avr à mi-sept. Compter 17 € l'emplacement pour 2 en hte saison. Loc de mobile homes 180-400 €/sem.* Piscine, plage de rochers plats sur le Gardon, tir à l'arc, kayak, varappe.

De prix moyens à plus chic

Hôtel-restaurant Le Colombier : *24, av. du Pont-du-Gard, 30210 Remoulins. ☎ 04-66-37-05-28. • hotelresto.colombier@free.fr • ♿ Sur la rive droite du pont du Gard. Doubles avec douche ou bains 51 €. Menus 14-26 € et carte.* L'hôtel le plus proche du pont du Gard. Une vingtaine de chambres, dans une maison de caractère. Terrasse, jardin. Bon accueil et cadre charmant dans cet établissement aux prestations convenables.

Chambres d'hôtes La Cantarelle, chez Martine et Pierre Pech : *pl. du Château, 30700 Sanilhac. ☎ 04-66-22-56-50. • cantarelle@wanadoo.fr • cacantarelle.fr • À 5 km à l'ouest de Collias. Ouv tte l'année. Doubles 47-57 € selon saison.* En plein centre du village, dans une maison des XVIIe et XVIIIe siècles joliment retapée, trois chambres décorées différemment, chacune avec son caractère propre. Table d'hôtes (sur résa). Excellent accueil.

L'Arceau : *1, rue de l'Arceau, 30210 Saint-Hilaire-d'Ozilhan. ☎ 04-66-37-34-45. • contact@hotel-arceau.com • hotel-arceau.com • Dans une ruelle du centre et derrière un élégant porche (voilà l'arceau), vieille maison de pierre joliment restaurée. Terrasse. Resto fermé dim soir, lun et mar midi de fin sept à Pâques. Congés : de déc à mi-fév. Doubles avec douche et w-c 55 €, avec bains 81 €. Menus 25-50 €. Café offert sur présentation de ce guide.* Chambres bien tenues. Fine cuisine provençale au resto : flanquée de sot-l'y-laisse, montgolfière de ris d'agneau, homard... Quant à l'accueil, lors de notre passage... peut-être s'agit-il de cette « extrême pudeur » qu'évoque le dépliant...

Chambres d'hôtes La Bastide de Boisset : *impasse des Micocouliers, 30210 Argilliers. ☎ 04-66-22-91-13. • phdecorneillan@yahoo.fr • bastidedeboisset.com • Sur la route d'Uzès ; à l'entrée du village, prendre à gauche, puis c'est fléché. Parking gratuit. Congés : vac scol de Noël. Doubles à partir de 70 €, suites familiales autour de 110 € (petit déj compris). Verre de bienvenue offert sur présentation de ce guide.* Bastide pleine de charme qui cache quatre chambres et deux suites (60 m² !), spacieuses et joliment décorées, chacune différemment. Piscine, spa et jardin avec terrasse. Accueil enjoué. Ne fait en revanche pas table d'hôtes, sauf exception. Bon rapport qualité-prix au regard du cadre et du confort de cette adresse, qui de plus est idéalement située.

Le Clos des Vignes : *pl. du 8-Mai-1945, 30210 Castillon-du-Gard. ☎ 04-66-37-02-26. Fermé lun-mar hors saison. Plat du jour 11 €. Compter 18-35 € pour un repas.* Cuisine régionale et traditionnelle sympa (queue de homard, cassolette de daurade grise, etc.), tout comme l'accueil. Une terrasse à l'intérieur et une à l'extérieur. Étonnant ! Il ne manque que les ceps de vigne au milieu de la salle.

VILLENEUVE-LEZ-AVIGNON (30400) 12 100 hab.

Assise au bord du Rhône, appuyée à des collines, Villeneuve-lez-Avignon a trop longtemps vécu à l'ombre d'Avignon. Pourtant, aujourd'hui, grâce à la

métamorphose de la chartreuse en centre de création ouvert aux artistes, la rive droite a retrouvé une sorte d'autonomie culturelle. Son patrimoine historique est exceptionnel. Autre avantage : les hôtels d'Avignon sont souvent complets en été, surtout pendant le festival. À Villeneuve, ainsi qu'aux Angles, petite commune limitrophe, on trouve encore de la place...

UN PEU D'HISTOIRE

Entre Villeneuve et Avignon, il y a le Rhône, frontière naturelle et historique. À Villeneuve, on était en royaume de France. En Avignon, c'était le domaine des papes et des cardinaux. À l'origine de Villeneuve, la tombe de Casarie, une sainte femme, fille d'un roi wisigoth, morte en 586 apr. J.-C. C'est sur sa tombe que fut érigée l'abbaye Saint-André, que l'on aperçoit aujourd'hui, juchée sur son rocher, et qui donne une allure de forteresse andalouse à ce nid d'aigle du mont Andaon.
Conscient de l'intérêt stratégique de la ville, Philippe le Bel fit édifier un donjon au débouché du pont Saint-Bénezet, et fortifia l'abbaye Saint-André. Au XIVe siècle, après l'installation des papes dans la ville d'en face, Jean le Bon et Philippe VI de Valois en firent le symbole de la puissance royale face au palais des Papes. L'âge d'or de Villeneuve coïncide avec celui de la cité des Papes. De riches cardinaux s'installèrent dans de somptueux palais, les « livrées cardinalices », dont le musée Pierre-de-Luxembourg est un superbe exemple. La chartreuse date du XIVe siècle. Elle est construite autour d'une « livrée cardinalice » ayant appartenu à Étienne Aubert, plus connu sous le nom d'Innocent VI, le pape amoureux de Villeneuve.
Mais la Révolution marquera la fin de cette splendeur liée à la puissance de l'Église, et le retour de la cité à une vie plus modeste dans l'ombre d'Avignon. Aujourd'hui, Villeneuve se distingue à nouveau par ses beaux quartiers sur les hauteurs.

Adresses utiles

■ ***Office de tourisme :*** *1, pl. Charles-David. ☎ 04-90-25-61-33. • villeneuvelezavignon.fr/tourisme • Près d'un grand parking. Juil, lun-ven 10h-19h, w-e 10h-13h, 14h30-19h ; août, tlj 9h-12h30, 14h-18h ; le reste de l'année, mêmes horaires lun-sam.* Accueil dynamique. Organise en juillet-août, les mardi et jeudi à 17h, des visites guidées (payantes) pour individuels, pour comprendre Villeneuve et son « village dans la ville » qu'est la chartreuse. Départ de l'office de tourisme. Durée : 2h. Également d'intéressantes balades nocturnes.

■ ***Service de la culture et du patrimoine :*** *en face de la mairie. ☎ 04-90-27-49-28.*

■ ***Les Taxis Villeneuvois :*** *2, rue de la République. ☎ 04-90-25-88-88. Face à la mairie.*

■ ***Piscine :*** *chemin de la Laune. ☎ 04-32-70-08-56. À proximité du camping, au nord du fort Saint-André.*

Où dormir ?

Camping

▲ ***Camping municipal de la Laune :*** *chemin Saint-Honoré. ☎ 04-90-25-76-06. • campingdelalaune@wanadoo.fr • ♿ Au pied du flanc nord du fort Saint-André. De l'office de tourisme, prendre la nationale direction Sauveterre ; c'est à env 1 km, sur la droite. Le bus no 11 pour Avignon s'arrête en face de l'entrée du camping. Ouv d'avr à mi-oct. Compter 14,30 € pour 2 avec voiture et tente.* Calme et bien ombragé, avec beaucoup d'espace entre les emplacements. Sanitaires impeccables. Petit snack. Piscine municipale toute proche et tennis.

Bon marché

Centre de rencontres internationales du pont d'Avignon YMCA *(CRIPA) : 7 bis, chemin de la Justice. ☎ 04-90-25-46-20. • ymca-avignon@wanadoo.fr • ymca-avignon.com • ♿ Au départ de l'office de tourisme de Villeneuve, prendre la direction Avignon, et à droite au niveau du pont du Royaume (direction Les Angles) ; le chemin de la Justice se trouve 300 m plus loin, sur la gauche ; le foyer est au bout de ce chemin, sur la gauche encore. Congés : 2 sem à Noël. Qu'on soit seul, deux ou trois, la chambre entière est réservée. Pour 2, chambres avec sanitaires sur le palier 23-29 € selon saison ; avec douche et w-c 35-43 € ; ½ pens 28,50-38,50 €/pers (imposée en juil). Menu 12 €.* Perché au sommet d'une colline, un ensemble de bâtiments ressemblant à une clinique (ce qu'ils étaient d'ailleurs). La piscine, le bar et la vue fabuleuse sur la cité des Papes, le Rhône, le mont Ventoux et la tour Philippe-le-Bel en font un foyer fort sympathique, surtout quand tout une jeunesse l'anime. Une ambiance de folie pendant le festival... d'Avignon.

De prix moyens à beaucoup plus chic

Chambres d'hôtes, chez Mme Bruno Eyrier : *15, rue de la Foire. ☎ 04-90-25-44-21. • christiane.cabeza@wanadoo.fr • home-provencal.com • Facile à trouver : entre l'office de tourisme et l'église collégiale, la première rue à gauche. Pratique, le parking dans la cour privée. Avt d'entrer, sonner à « Eyrier ». Ouv tte l'année. Résa conseillée. Doubles avec douche et w-c 70 €.* Dans cette ancienne magnanerie du Grand Siècle, aux allures de maison de maître, un escalier avec une rampe en fer forgé dessert cinq chambres et trois studios, tous aménagés avec goût. On est ici entouré des souvenirs, des trésors et des ancêtres de la famille Eyrier, dont les tableaux ornent les murs de la cage d'escalier. Voici la chambre n° 1 avec son lit à baldaquin, sa cheminée en bois sculpté, son plafond à la française (peinture d'époque).

Chambres d'hôtes et restaurant Les Jardins de la Livrée : *4 bis, rue du Camp-de-Bataille. ☎ 04-90-26-05-05. • la-livree@numericable.fr • la-livree.com • Au cœur de la ville, dans une rue calme. Resto fermé lun et dim soir ; hors saison, fermé ts les soirs sf ven-sam. Congés : vac de fév et de la Toussaint. Chambres ouv tte l'année. Doubles avec douche et w-c 60-90 € selon saison, petit déj compris. Menus 16-23,50 €. Réduc de 10 % sur le prix de la chambre (à partir de 3 nuits), sf juil-août, sur présentation de ce guide.* Maison assez récente aménagée avec caractère, où il fait bon séjourner. Accueil remarquable de gentillesse et d'attention de M. et Mme Grangeon. Chambres joliment décorées et confortables donnant sur la cour intérieure ou sur le jardin où se trouve la piscine entourée de fleurs et d'arbustes. Le restaurant est tenu par le frère de M. Grangeon qui mijote de savoureux petits plats : pieds-paquets maison, terrine de foie gras mi-cuit...

Chambres d'hôtes Les Écuries des Chartreux : *66, rue de la République, lieu-dit Avignon. ☎ 04-90-25-79-93. • ecuries-des-chartreux.com • Dans la rue qui mène à la Chartreuse. Doubles avec bains 75-115 € selon saison.* Trois chambres (pour 2, 3 ou 4 personnes) de caractère et de charme avec kitchenette, salle de bains, TV. Les hôtes profitent du jardin sur lequel ouvrent les fenêtres des chambres. Bon accueil. Bonne adresse pour des séjours prolongés (stages, festival d'Avignon).

Hôtel de l'Atelier : *5, rue de la Foire. ☎ 04-90-25-01-84. • hotel-latelier@libertysurf.fr • hoteldelatelier.com • Parking payant. Congés : janv. Il faut réserver en saison. Selon le confort et la saison, doubles avec douche et w-c ou bains et TV 56-90 €. Réduc de 10 % sur le prix de la chambre en basse saison, sur présentation de ce guide.* Central et dans une maison du XVIe siècle ; 23 chambres meublées à l'ancienne, toutes différentes. Calme et confortable. Il y a un patio fleuri pour le petit déj, une terrasse sur les toits et un salon de thé. Une boutique a récemment ouvert ses portes. Un bon rapport qualité-prix.

Où manger ?

Restaurant Bilel : *26, rue de la République. ☎ 04-90-25-26-52. À 200 m de la place de la Mairie, sur la droite de la rue, en allant vers la sortie nord. Tlj sf mer. Congés : déc. Compter 8-19 € à la carte. Thé à la menthe offert sur présentation de ce guide.* Petit resto-traiteur, tenu par une gentille famille tunisienne. La petite salle climatisée et la terrasse sur rue invitent à s'asseoir. On y sert les spécialités tunisiennes classiques (couscous, tajine) à prix sages. Pour un petit repas léger et économique.

Où dormir ? Où manger dans les environs ?

Le Petit Manoir : *15, av. Jules-Ferry, 30133 Les Angles. ☎ 04-90-25-03-36. • lepetitmanoir@yahoo.fr • hotel-lepetitmanoir.com • Commune limitrophe de Villeneuve, au sud-ouest ; prendre la route de Nîmes, l'hôtel est indiqué sur la gauche. Resto fermé dim-lun en hiver. Congés : de mi-fév à mars. Doubles avec douche et w-c ou bains 45-69 € ; ½ pens à partir de 45 €/pers. Menus 18-45 € ; env 25 € à la carte. Réduc de 10 % sur le prix de la chambre hors juil-août, sur présentation de ce guide.* Le nom de cet hôtel est trompeur car ce n'est pas un manoir. Mais une bâtisse moderne qui ne manque ni de caractère ni de confort : chambres calmes et bien tenues, avec terrasse le plus souvent. Piscine. Le resto, *La Tonnelle,* est une bien bonne table proposant une cuisine traditionnelle régionale.

À voir. À faire

Gratuité des entrées pour les moins de 18 ans, sur tous les monuments de la ville. Un *pass* culturel propose des réductions dans la majorité des monuments et musées de Villeneuve et d'Avignon, à partir du deuxième lieu visité. Il existe enfin un *« passeport »* villeneuvois qui, pour 6,86 € donne accès aux cinq sites suivants.

La chartreuse du Val-de-Bénédiction : *située au cœur de la ville, au pied du versant ouest du mont Andaon qui porte le fort Saint-André. Entrée principale : 58, rue de la République. ☎ 04-90-15-24-24. Oct-mars, tlj 9h30-17h30 ; avr-sept, tlj 9h-18h30. Entrée : 6,50 € ; réduc ; gratuit le 1er dim du mois oct-mai. Différentes formules de visites sont proposées : visite individuelle (45 mn) ; visite commentée sur demande pour les groupes 1 sem à l'avance ; très bonne visite « non-voyants », développée à travers la perception sensorielle des lieux notamment, etc.*
D'Innocent VI, pape d'Avignon, qui le fonda au XIVe siècle, à Pierre Boulez et Patrice Chéreau, qui y donnèrent des spectacles pendant le festival d'Avignon, ce haut lieu est consacré à l'esprit et à la création. Il captive ceux qui viennent s'y ressourcer.
À l'origine, ce fut le plus riche et le plus vaste monastère de chartreux de France : 2,5 ha d'un seul tenant sur la rive droite du Rhône. À la Révolution, les moines durent l'abandonner. Les bâtiments, pour la plupart, furent vendus, les autres tombèrent en ruine. Découvert en 1835 par Mérimée, classé par l'État en 1905, le monument abrite dans ses murs depuis 1991 le CNES (Centre national des écritures du spectacle) qui y organise les *Rencontres d'été* (spectacles, concerts, expos, conférences...), reçoit des salons et des associations. Petit à petit, on restaure la chartreuse tout en l'ouvrant à la création contemporaine et aux visiteurs.
À l'aide de bourses de séjour, des écrivains dont l'écriture s'applique au théâtre, à l'art lyrique, au cinéma peuvent y résider afin de mener à terme leur travail. Ils sont logés individuellement dans les anciennes cellules des moines.

Au cours de la visite, vous verrez le tombeau du pape Innocent VI, le petit et le grand cloître, les cellules des moines où la vie contemplative des chartreux est bien représentée, ainsi que leur *bugade* (la buanderie en français moderne), ou encore la chapelle des fresques peintes par Matteo Giovanneti.

Le fort Saint-André : *au sommet du mont Andaon. ☎ 04-90-25-45-35. Tlj 10h-13h, 14h-17h (18h avr-sept). Fermé certains j. fériés. Entrée des tours jumelles : 5 € ; réduc.* Perché au sommet du mont Andaon, et entouré d'une extraordinaire ceinture de murailles. Construit sur ordre du roi de France Philippe le Bel, entre 1362 et 1368, pour protéger le petit bourg Saint-André qui existait sur le mont Andaon, mais aussi et surtout pour affirmer la puissance du roi face aux terres de la papauté et de l'Empire (romain germanique), de l'autre côté du Rhône. Vue admirable sur Avignon. Dans l'enceinte du fort, juste à côté, on peut visiter les somptueux ***jardins*** à l'italienne ***de l'ancienne abbaye de Saint-André,*** désormais propriété privée. *Ouv tlj sf lun 10h-12h30, 14h-17h (18h en saison). Entrée : 4 €.*

Le musée Pierre-de-Luxembourg : *rue de la République. ☎ 04-90-27-49-66. ♿ À 50 m de la collégiale Notre-Dame. Oct-fin mars, tlj sf lun 10h-12h, 14h-17h ; avr-sept, tlj sf lun 10h-12h30, 14h-18h30. Fermé certains j. fériés. Entrée : 3 € ; réduc.* Outre quelques tableaux provençaux des XVIIe et XVIIIe siècles, le musée abrite plusieurs chefs-d'œuvre : au rez-de-chaussée, *La Vierge en ivoire* (XIVe siècle) taillée dans une seule défense d'éléphant ; et surtout, au 1er étage, *Le Couronnement de la Vierge* (XVe siècle), superbe retable d'Enguerrand Quarton.

La tour Philippe-le-Bel : *av. Gabriel-Péri, sur la route d'Avignon. Mêmes horaires que le musée Pierre-de-Luxembourg. Congés : déc-fin fév. Entrée : 1,80 € ; réduc.* Achevée en 1307, elle servait à surveiller l'entrée du fameux pont Saint-Bénezet. « Sur le pont d'Avignon, on y danse, on y danse... » Très belle vue de la terrasse du dernier étage, accessible par un remarquable escalier à vis. La tour est éclairée le soir. Le rez-de-chaussée de la tour constitue un lieu d'exposition permanente (accès gratuit).

L'église collégiale Notre-Dame : *♿ mêmes horaires de visite que le musée Pierre-de-Luxembourg mais accueil assuré lun et en fév. Accès libre.* Construite en 1320 par le cardinal Arnaud de Via, neveu du pape Jean XXII. On peut y voir une copie de la *Pietà de Villeneuve-lez-Avignon,* dont l'original siège au Louvre. Superbe autel de marbre avec un gisant du Christ de 1745. Le cloître est adossé au flanc nord de la collégiale.

Le parc du Soleil et du Cosmos : *av. Charles-de-Gaulle, Les Angles. ☎ 04-90-25-66-82. • parcducosmos.net • ♿ Mai-sept, visite guidée 15h et planétarium 16h45 ; oct-mars, visite 14h30 ; et planétarium 16h15. Fermé lun, sam et fin déc. En janv, ouv slt mer et w-e. Visite guidée ou planétarium 6,50 €, 4,50 € pour les enfants ; visite et planétarium 11 €, 8 € pour les enfants.* Garrigue de 3 ha aménagée présentant notre système solaire et le cosmos en général (et en particulier !). Aire de pique-nique, glaces et boutique. Rappel : vers le 15 août, Grande Nuit des étoiles !

Manifestation

– ***Villeneuve en Scène :*** *2 sem en juil.* Pour ne pas rester les bras croisés pendant le festival d'Avignon, Villeneuve a créé son propre festival, qui est d'ailleurs différent (mais fait officiellement partie du festival *off*). Dédié jusqu'à il y a peu au théâtre musical, il ouvre désormais ses portes aux compagnies de théâtre itinérantes n'ayant pas trouvé place à Avignon... Une vingtaine de troupes se produit chaque année, en plein air ou en salle (chapelle des Pénitents-Gris, collégiale, plaine de l'abbaye...).

LE GARD

QUITTER VILLENEUVE-LEZ-AVIGNON

➢ **En train :** *rejoindre la gare SNCF d'Avignon.* ☎ *36-35 (0,34 €/mn).* Avignon-Paris en TGV : 2h40.
➢ **En avion :** *aéroport d'Avignon, à 15 km.*
➢ **En bus n° 11 pour Avignon :** *arrêt devant l'église, l'office de tourisme.* Quatre bus/h en moyenne. Durée : 15 mn env.

LA CÔTE DU RHÔNE

Cette côte du Rhône s'étend à l'extrémité nord-est du Gard, là où les champs de vigne, bien exposés au soleil du Midi, occupent les pentes douces de la garrigue qui descendent vers le grand fleuve. Cherchez le Rhône entre Villeneuve-lez-Avignon et Pont-Saint-Esprit, à 40 km au nord à vol d'oiseau ; prenez le pont du Gard comme repère à l'est ; et vous avez là une sorte de triangle des Bermudes dédié au Bacchus rhodanien : le côtes-du-rhône.
Dès le VIe siècle av. J.-C., les Grecs importèrent ici leurs cépages. Les Romains contribuèrent à en faire un vin renommé, et nombreux sont les rois de France qui en ont passé commande à leur table. C'est sur cette rive gardoise qu'est véritablement née l'appellation côtes-du-rhône. Dès le XVIe siècle, les vignerons avaient l'habitude de marquer au fer rouge leurs tonneaux des lettres CDR, avec mention du lieu d'origine. Et les producteurs étaient soumis à un règlement très strict, précurseur des AOC. L'extension de ces pratiques à toute la vallée du Rhône et l'emploi du pluriel « côtes-du-rhône » n'apparaîtront qu'après 1864. Rouge, rosé ou blanc, il est gouleyant, généreux, léger. Les grands crus sont le tavel, dont le petit village est la capitale du premier rosé de France, le lirac, cru aux trois couleurs (rouge, rosé, blanc, qui s'étend sur les communes de Saint-Laurent-des-Arbres, Roquemaure et Saint-Geniès-de-Comolès et, plus au nord, une série d'appellations villages comme les chusclan, laudun et saint-gervais.

ROQUEMAURE *(30150)*

Ce village en bordure du Rhône (mais le Rhône ne se voit pas des rues de celui-ci) possède une intéressante collégiale, où sont conservées les reliques de saint Valentin, patron des amoureux.
En 1314, Clément V, le premier pape d'Avignon, décéda à Roquemaure. Ce fut longtemps le port le plus important de cette partie de la rive droite du Rhône. Les tonneaux de vin s'y embarquaient pour Paris, l'Angleterre ou la Hollande...

Adresse utile

Office de tourisme de la côte du Rhône : *1, cours Bridaine.* ☎ *04-66-90-21-01.* • *ot-roquemaure.com* • *Mar-ven 9h-12h, 14h30-17h30 ; sam mat 10h-12h30.* Pour tout renseignement ou pour une visite guidée de la collégiale *(tlj sf sam ap-m, lun et mar mat).* Bon accueil. Plan de la ville et brochure touristique disponible.

Où dormir ? Où manger ?

Hôtel-restaurant Le Clément V : *route de Nîmes, 6, rue Pierre-Semard.* ☎ *04-66-82-67-58.* • *hotel.clementv@wanadoo.fr* • *hotel-clementv.*

com ● *À l'écart du bourg. Congés : fin déc-fin janv. Doubles avec douche et w-c 55-65 €. Menus (pour les clients de l'hôtel) 18,50-25 €. Sur présentation de ce guide, apéritif maison offert.* Grosse maison dans un quartier résidentiel, dans le style des années 1970. Chambres encore bien conventionnelles mais petit à petit rénovées dans un charmant esprit provençal. Avec balcon côté piscine, mais plus spacieuses et surtout plus calmes sur l'arrière (la voie ferrée n'est pas loin). Au resto, honnête cuisine d'une belle simplicité. Accueil franchement sympathique. Piscine.

À voir

La collégiale : *pour la visite, rens à l'office de tourisme.* Du XIVe siècle et d'architecture gothique provençale. Superbe portail. Dédiée à saint Jean-Baptiste et saint Jean l'Évangéliste, patrons des vignerons et des tonneliers (normal dans le coin), elle abrite (ce qui est déjà plus étonnant) depuis 1868 les reliques de saint Valentin, patron des amoureux. À l'intérieur, remarquable orgue de 1690, autrefois installé dans l'église avignonnaise des Cordeliers et classé Monument historique. C'est sur son clavier qu'a été joué pour la première fois, le 24 décembre 1847, le célèbre *Minuit chrétiens* (dont les paroles sont d'un Roquemaurois), indispensable à toute messe de minuit qui se respecte...

Fêtes

– **La Saint-Valentin :** *le w-e le plus proche du 14 fév.* Reconstitution historique de l'arrivée des reliques du saint en 1868, marché à l'ancienne, festival d'orgues de Barbarie (les Manivelles de l'Amour), concours de la plus belle lettre d'amour, dégustation de la fameuse cuvée Saint-Valentin (AOC) et démonstration des métiers d'antan...
– **Fête de la Taille de la vigne :** *au même moment que les festivités de la Saint-Valentin.* Valentin vient du latin *valere* qui signifie « donner santé et vigueur ». Les viticulteurs du Cru de Lirac célèbrent donc ce jour où ils taillent et redonnent vie à leur vigne en défilant dans des charrettes remplies de sarments.

TAVEL (30126)

L'autoroute la *Languedocienne* passe à 1,5 km de ce paisible village réputé pour son délicieux rosé inscrit sur toutes les cartes des vins de France... et de Navarre. Plus de choses à déguster qu'à voir à Tavel, encore qu'on peut s'offrir une promenade digestive dans les vieilles rues, ou sur la si charmante place de la Fontaine, juste derrière l'église. Chapelle romane du XIIe siècle. Lavoir et jardinets en cours de restauration. Pour la petite histoire, sachez que le tavel était le vin préféré du roi Philippe le Bel. Il manquerait un peu d'âme à la géographie sentimentale de la « douce France » si ce bon vieux rosé disparaissait des tables...

Où dormir ? Où manger ?

Hostellerie du Seigneur : *pl. du Seigneur. ☎ 04-66-50-04-26. Dans le centre du village, sur une petite place qui domine la rue principale. Doubles avec douche et w-c 60 €, petit déj inclus. Hors saison, réduc de 10 % sur le prix de la chambre sur présentation de ce guide.* Maison du XVIIe siècle couverte de vigne vierge (c'était l'ancienne mairie du village). Les chambres (toutes simples mais pas dénuées de charme provençal) donnent sur les vieux toits de tuile de Tavel. Accueil aimable de Juliette et Ange Bodo, les patrons.

La Genestière : *chemin de Cravailleux. ☎ 04-66-50-94-56. • contact@genestiere.com • ♿ À 300 m env au sud de l'église du village, bien indiqué. Fermé lun-mar (sf j. fériés), ainsi que dim soir hors saison. Congés : janv. Menus 15 € midi, puis 29-35 € et carte. Verre de Cartagène offert sur présentation de ce guide.* Une vieille bâtisse gardoise prolongée par un jardin ombragé très agréable aux beaux jours. Ce resto gastronomique pratique des prix raisonnables, compte tenu de la qualité de la cuisine. Le chef propose des plats du Languedoc sans oublier les saveurs provençales. Un très bon signe : le pain est fait sur place.

À voir. À faire

L'académie du Vin et du Goût : *château de Clary, 30150 Roquemaure. ☎ 04-66-33-04-86. Situé plus près de Tavel que de Roquemaure. De l'autoroute A 9, sortie Roquemaure n° 22. L'entrée est située sur la bretelle d'accès de l'autoroute sur la gauche. Accueil tlj sf 25 déc 9h-18h (19h en saison).* Un château du XVIIIe siècle entouré de 190 ha de bois, de champs de vigne et d'olivier. Les propriétaires organisent des stages de dégustation des vins de la vallée du Rhône, des soirées autour des crus des côtes du Rhône et des w-e rencontre « gastronomie et vin ». Possibilité de restauration en table d'hôtes sur résa.

LIRAC *(30126)*

À 2 km au nord de Tavel. Village qui a donné son nom à un cru fameux des côtes-du-rhône.

➢ **La Sainte-Baume :** en venant de Tavel, prendre à gauche au niveau du grand platane. Petite balade (compter un quart d'heure aller depuis le parking) dans un site naturel, merveilleusement boisé jusqu'à une grotte antique. Elle abrite une statuette du XVe siècle de Notre-Dame-de-Consolation qu'on... ne verra pas : le petit ermitage construit à l'entrée est fermé et bien fermé.

GAUJAC *(30330)* : L'OPPIDUM SAINT-VINCENT

À 2 km à l'ouest de Gaujac (accès fléché). Compter une bonne demi-heure de grimpette (ombragée) depuis le parking. Accès libre. Site gallo-romain de première importance sur une colline. Ce fut une forteresse celto-ligure au Ve siècle av. J.-C., puis un centre de marché gallo-grec avant que César n'en fasse à nouveau un important camp fortifié. Le site était occupé jusqu'au Moyen Âge. De nombreux vestiges se distinguent encore au milieu de la végétation : fortifications d'époque romaine, ruines des thermes, etc. Le produit des fouilles est notamment exposé au petit musée archéologique Léon-Allègre de Bagnols-sur-Cèze (voir plus loin dans « Le val de Cèze »).

SAINT-LAURENT-DES-ARBRES *(30126)*

À 3 km au nord de Lirac. La route des vins passe par ce charmant petit village, qui a gardé son caractère médiéval. Propriété des évêques d'Avignon dès le XIIIe siècle, Saint-Laurent est devenu une place forte catholique lors des guerres de Religion.

Adresses utiles

Office de tourisme : *tour Ribas, BP 15. ☎ 04-66-50-10-10. • saintlaurentdesarbres.com • Ouv tte l'année 10h-12h, 15h-18h (17h30 nov-mars).*

Fermé dim mat, mar et mer.
La Maison des vins : *N 580, la Croisette, 30126 Saint-Laurent-des-Arbres.* ☎ *04-66-50-05-50.* • *maison vins.com* • *Tlj, tte l'année.* Vente de côtes-du-rhône (tous !), de charcuterie d'Ardèche et d'autres produits du terroir.

Où manger ?

Le Papet : *2, pl. de la Mairie.* ☎ *04-66-50-34-54.* • *info@lepapet.com* • *Face au rond-point à l'entrée du vieux village. Fermé lun et 2 sem fin oct-début nov. Menus env 14 € midi en sem, puis 20-26 €.* Ici, ambiance un peu chic, mais prix raisonnables. Patronne charmante et prévenante, service impeccable et cuisine sous influence provençale très bien menée. Agréable salle aux murs de pierre.

À voir

L'église et le donjon : *accessibles slt dans le cadre des visites guidées de l'office de tourisme : 3,50 € ; 4-12 ans : 1,50 € ; gratuit moins de 4 ans.* L'église Saint-Laurent, romane, a été fortifiée (et surélevée de 15 m !) par Jacques Duèse, futur Jean XXII. Solides murs de pierre dont le contact, paraît-il, renforce le don de ceux qui peuvent faire passer le feu (lever les brûlures) ! À l'intérieur, coupole de 1150 d'une superbe sobriété, vitraux du XIXe siècle en grisaille. Contigu à l'église, un massif donjon (les murs ont 1,50 m d'épaisseur à la base) construit entre les Xe et XIIe siècles. L'intérieur a été joliment rénové : raides escaliers de bois, tourelles d'angle...

SAINT-VICTOR-LA-COSTE (30290)

À voir ! Certains considèrent ce village, avec Montclus et Lussan, comme l'un des plus ravissants de cette région du Gard. C'est un bourg médiéval dominé par les ruines du château du Castella, d'où l'on a une belle vue sur l'arrière-pays. Tout autour, des vignes, encore des vignes (appellation côtes-du-rhône villages). Au centre du bourg, une église fortifiée flanquée d'une tour-donjon très intéressante.

Où manger ?

L'Industrie : *13, pl. de la Mairie.* ☎ *04-66-50-31-61.* *Ouv tlj à midi et ven soir et sam soir en basse saison ; en hte saison, tlj à midi et le soir mer-dim. Menus à partir de 12 €. Café offert sur présentation de ce guide.* Dans ce site magnifique, sur la place, face aux platanes, le restaurant *L'Industrie,* au cadre rustique, avec sa terrasse ombragée et sa vaste salle, propose des menus de cuisine traditionnelle à base de produits frais. Reçoit volontiers des groupes.

LE VAL DE CÈZE

La Cèze prend sa source au mont Lozère, dans les Cévennes (la haute vallée de la Cèze est traitée dans ce chapitre), et descend de Barjac à Bagnols-sur-Cèze, où elle rejoint bientôt le Rhône. Notre itinéraire en remonte le cours, et l'on découvre un site d'une grande harmonie, une vallée verdoyante, ponctuée de villages de caractère. On y retrouve les senteurs et la magie de la garrigue, les collines lumineuses sous le soleil du Midi.

Beaucoup de touristes néerlandais, belges, allemands apprécient la région. Comme eux, partez à la découverte de cette nature âpre et généreuse : amis randonneurs et kayakistes, vous serez ici dans votre élément. Amis naturistes aussi...

BAGNOLS-SUR-CÈZE

(30200) 18 560 hab.

Bagnols a tout d'une ville de transition, à cheval entre deux régions, Languedoc et Provence, et entre deux cultures... La ville a conservé son caractère mais s'est beaucoup développée en 1956 avec l'installation du centre d'énergie atomique de Marcoule, s'entourant alors de quartiers bien quelconques. Il reste néanmoins un centre intéressant, avec sa cité médiévale fortifiée et ses ruelles animées. Et Bagnols-sur-Cèze constitue un bon point de départ pour visiter la superbe vallée de la Cèze.

UN PEU D'HISTOIRE

À l'origine ville de bains pour les Romains, la cité ne se développa qu'à partir du XIIIe siècle. En lui accordant le droit de « tenir marché », Louis VIII transforma cette bourgade rurale en une place commerciale. En 1613, la première manufacture de soie y fut construite, point de départ d'une période de prospérité qui dura trois siècles. En 1955 survint un grand bouleversement. La construction de l'usine atomique de Marcoule attira beaucoup de monde, et la population fut multipliée par quatre en quelques années. En conséquence, de nouveaux quartiers furent construits un peu à la hâte.

Adresse utile

Office de tourisme : *espace Saint-Gilles, av. Léon-Blum. ☎ 04-66-89-54-61. • tourisme-bagnolssurceze.com • Oct-mai, lun-ven 9h-19h, sam 10h-13h. Juin-sept, lun-sam 9h-18h, dim 10h-13h.* Sérieuse documentation sur Bagnols et sur la vallée de la Cèze.

Où dormir ? Où manger ?

Prix moyens

Hôtel du Bar des Sports : *3, pl. Jean-Jaurès. ☎ 04-66-89-61-68. Fax : 04-66-89-92-97. Doubles avec douche et w-c ou bains 48 €. Garage gratuit le w-e, sf juil-août, sur présentation de ce guide.* En général, quand un *Bar des Sports* se met à louer des chambres, c'est du rafistolage, du camping ou du meublé à la semaine ou au mois (payable à l'avance). Aussi, cher lecteur, quelle surprise de trouver ici des chambres propres et confortables, avec double vitrage, TV et téléphone. Les chambres nos 101-102 et 307-310 sont dotées de terrasse. Bon accueil du patron, et peu de bruit le soir : le bar ne ferme pas trop tard.

Hôtel-restaurant Le Saint-Georges : *210, av. Roger-Salengro. ☎ 04-66-89-53-65. • le-saint-georges@wanadoo.fr • restaurantlesaintgeorges.com • Fermé sam-dim. Congés : fêtes de Noël. Doubles 52 € avec douche et w-c. Formule plat-café en sem 12 € ; autres menus 20-32 €. Apéritif maison offert sur présentation de ce guide.* Hôtel très correct. On aime beaucoup la terrasse entourée de verdure. Au resto, on trouve des produits de la région pour une cuisine traditionnelle.

La Coupole : *1, av. du Général-de-Gaulle. ☎ 04-66-89-30-34. • fabienne lauret@wanadoo.fr • Au bout du bd Théodore-Lacombe. Ouv lun-ven. Congés : de fin juil à mi-août et fêtes de fin d'année. Formule du jour 20 € ;*

autres menus 24-31 €. Café offert sur présentation de ce guide. Un établissement spécialisé en poisson et fruits de mer. Le chef connaît ses classiques : sa crème brûlée, exquise, vaut à elle seule le détour.

À voir

La place Mallet : le véritable centre de la cité depuis le XIIIe siècle. Arcades sous lesquelles s'abritaient les marchands, sol pavé... Quelques belles demeures de style classique, construites au XVIIe siècle : l'hôtel de ville, l'hôtel de Luynes et l'hôtel Mallet, reconnaissable grâce à sa tour engagée à trois pans crénelés.

La tour de l'Horloge : beffroi de l'ancien château (dont il ne reste qu'un pan de mur à l'entrée de la rue Conti), construit par Philippe le Bel au XIVe siècle.

Quelques beaux ***hôtels particuliers*** des XVIIe et XVIIIe siècles dans les rues Rivarol (au n° 1, on voit la maison natale de ce moraliste dilettante et passionné, fervent antirévolutionnaire) et François-Crémieux.

Le musée Albert-André : *19, pl. Mallet. ☎ 04-66-50-50-56. Dans l'hôtel de ville. Tlj sf lun 10h-12h, 14h-18h. Fermé les j. fériés ainsi qu'en fév. Entrée gratuite.* En 1918, le peintre Albert André devient le conservateur du musée. Il rassemble une belle collection d'art contemporain. En 1924, un incendie provoqué, heureusement involontairement, par des... pompiers ravage les collections ; alors, plutôt que de fermer boutique, Albert André demande de l'aide à ses amis peintres afin qu'ils offrent quelques tableaux. Quelques belles pièces comme *La Fenêtre ouverte de Nice,* de Matisse, *Le Portrait d'Adèle Besson,* par Van Dongen, *Le 14 Juillet au Havre,* de Marquet. Deux salles sont consacrées au postimpressionnisme, une à la peinture lyonnaise du XIXe siècle. Dans la salle des dessins, ne pas manquer les Renoir.

Le musée Léon-Alègre : *24, rue Paul-Langevin. ☎ 04-66-89-74-00. Ouv mar, jeu et ven 10h-12h, 14h-18h. Congés : fév. Entrée gratuite.* Importante section archéologique. Nombreux vestiges couvrant les périodes de l'âge du fer à la fin de l'Antiquité romaine. Petite section consacrée à l'histoire de Bagnols.

Fêtes et manifestations

– ***Festival du livre et de la bande dessinée :*** *le 1er w-e de fév.*
– ***Festival de l'humour :*** *en avr.*
– ***Ja'sound Reggae Festival :*** *début août.* Bagnols prend des airs de Kingston-sur-Cèze à l'occasion de ce festival de reggae renommé.
– ***Festival de cor :*** *en juil.* Manifestation gratuite autour du cor de chasse.
– ***Balades nocturnes :*** *en juil-août.* Trois soirées pour découvrir Bagnols-sur-Cèze.
– ***Les mercredis de l'Orgue :*** *en août, à l'église, entrée libre.*
– ***Afrique à Bagnols :*** *début nov.* C'est l'Afrique (en personne) qui fait escale à Bagnols. Cinéma, expos, spectacles, contes, et un grand marché africain.

➤ DANS LES ENVIRONS DE BAGNOLS-SUR-CÈZE

VÉNÉJAN (30200)

À 5 km par la D 148. Le village est dominé par un château du XIVe siècle. Au sommet du plateau, superbe vue sur la vallée du Rhône.

LE GARD

LAUDUN *(30290)*

À 11 km par la D 121. Joli bourg bâti à flanc de colline autour d'une église du XIVe siècle.

Le camp de César : *infos au ☎ 04-66-50-55-79.* L'un des grands sites antiques de la région. On distingue encore bien tous les bâtiments d'une petite ville romaine : remparts, quartiers d'habitations, basiliques, forum... Superbe point de vue.
– ***Fête de la Romanité :*** *courant mai, bisannuelle.* Sur le site du camp de César et à Laudun : marché gallo-romain, reconstitution d'une ferme antique, banquet romain costumé...

SABRAN *(30200)*

À 7 km au sud-ouest de Bagnols par la D 6 puis la D 166. Enserrée dans les ruines du château médiéval, la belle église romane du village mérite vraiment le détour.

SAINT-GERVAIS *(30200)*

À 4 km au nord-ouest par la N 86 puis la D 980. Situé au pied de collines aux escarpements calcaires de 150 m de haut, le village est entouré de vignes. Belle église des XIIe et XIXe siècles.

LA ROQUE-SUR-CÈZE (30200) 200 hab.

Site superbe : sur une petite colline, un cortège de maisons anciennes qui semblent partir à l'assaut d'un château médiéval. Village entièrement piéton, et c'est fort appréciable. Les rues sont étroites, comme le pont du XIIIe siècle qui traverse la Cèze.

Où dormir ?

Chambres d'hôtes La Tonnelle : *au cœur du village. ☎ 04-66-82-79-37. • latonnelle30@aol.com • Doubles avec douche et w-c 75 €, petit déj compris.* Très belle maison en pierre blanche, avec jardin et piscine, entourée de vignes. Six chambres spacieuses et claires, avec tomettes au sol.

➤ *DANS LES ENVIRONS DE LA ROQUE-SUR-CÈZE*

Les cascades du Sautadet : marmites, cascatelles, crevasses taillées par la rivière. Impressionnant et dangereux. La baignade est formellement interdite à cet endroit.

GOUDARGUES (30600) 1 000 hab.

On surnomme cette petite ville « la Venise gardoise ». Rien à voir avec la cité lacustre italienne, mais la source canalisée qui traverse Goudargues peut, en cas de crue, devenir un flot dévastateur comme ce fut le cas en septembre 2002. Ambiance typiquement provençale avec ses platanes, sa fontaine et son église. Goudargues fut fondée autour d'une abbaye bénédictine au IXe siècle. Ce sont les moines qui, les premiers, ont canalisé l'eau de l'étang

qui occupait la place. Ils purent ainsi cultiver les riches terres des environs. Et toute la vie de la cité s'ordonna durant de longs siècles autour de cette abbaye.

Adresse utile

Office de tourisme : *4, route de Pont-Saint-Esprit. ☎ 04-66-82-30-02. • tourisme-ceze-ardeche.com • Juil-août, tlj sf dim ap-m 9h-19h ; le reste de l'année, tlj sf sam ap-m et dim 9h-12h, 14h-18h.*

Où dormir ? Où manger ?

Camping La Grenouille : *☎ 04-66-82-21-36. • camping-la-grenouille@wanadoo.fr • lagrenouille.fr.st • Ouv avr-oct. Forfait 17 € pour 2 en hte saison. Réduc de 5 % sur le prix du séjour sur présentation de ce guide.* Une cinquantaine d'emplacements au bord de la Cèze. Bien équipé (piscine) et très agréable.

La Galantine : *7, pl. de la Mairie. ☎ 04-66-82-22-39. Fax : 04-66-82-96-63. Resto fermé lun soir tte l'année, également mar-jeu et dim soir hors saison. Congés : 2 sem en fév et 1 sem en oct. Doubles avec bains 42 €. Menus 11 € (midi)-22 € et carte. Réduc de 10 % sur le prix de la chambre (hors juil-août) et café offert sur présentation de ce guide.* Cuisine familiale à base de produits frais : charcuterie du pays, rôti de porc aux abricots... On mange en terrasse ou dans la salle, un peu en longueur et proprette. Quelques chambres aussi, simples et bon marché.

À voir

L'église abbatiale : l'une des plus importantes églises romanes de la région. Chœur superbe avec une abside pentagonale. Quelques chapiteaux intéressants.

Face au lavoir, ne pas manquer la ***salle capitulaire*** (XIIe siècle), où se tiennent des expos temporaires en été.

➤ DANS LES ENVIRONS DE GOUDARGUES

CORNILLON (30630)

À 4 km au nord-est de Goudargues. Immanquable depuis la D 980, ce village s'étirant sur un piton rocheux. De là-haut, la vue sur la vallée est superbe, et le village n'a rien à lui envier. Remparts et vestiges d'un château appartenant depuis quatre siècles à la même famille.

Où dormir ? Où manger très chic ?

La Vieille Fontaine : *☎ 04-66-82-20-56. • lavieillefontaine400@orange.fr • lavieillefontaine.net • En mars et oct, resto ouv slt jeu-dim midi ; Pâques-sept, tlj. Congés : nov-mars. Doubles avec bains 105-155 €. Menus 30-55 €.* Une adresse de rêve dans un endroit idyllique. Installées dans les remparts du château, les huit chambres sont de toute beauté : meubles anciens, tissus provençaux aux couleurs chaudes, bon goût et grand confort. Les jardins en terrasses descendent jusqu'à la piscine qui domine la vallée. Au restaurant, une cuisine raffinée : moules farcies à la diable, médaillon de lotte à la crème et aux morilles... Un peu chèrement facturée toutefois.

VERFEUIL (30630)

À 7 km au sud-ouest de Goudargues par la D 23 puis la D 143. Superbe route pour gagner ce mignon village à l'écart des circuits touristiques. Là encore, vieilles maisons de pierre, vestiges d'un château du XIe siècle, beffroi... Dans les environs, petite balade sympa vers Les Concluses (voir, plus haut, le chapitre « Lussan »).

Où manger ?

Auberge des Concluses : *rue de la République. ☎ 04-66-72-90-78. • aubergedesconcluses@orange.fr • ♿ Fermé dim soir et lun. Ouv tlj l'été sf lun midi. Congés : de mi-déc à mi-janv. Menus 20-30,70 € et carte. Café offert sur présentation de ce guide.* Surprenant resto tenu par un couple très sympa et soucieux de proposer une cuisine méditerranéenne inventive et de qualité. Leurs spécialités régalent dès le premier menu : tabesson, caillou (excellente crêpe à la brandade et au jambon...), et de nombreuses autres à découvrir, sur ces vertes terrasses ombragées. Comme le disaient des lecteurs « c'est fin, lorsque l'on connaît, on y revient ».

Où acheter de l'essence de lavandin ?

Domaine de Vilgoutrès : *Vilgoutrès. ☎ 04-66-72-99-29. Depuis Goudargues, prendre la D 23 en direction d'Uzès. Au carrefour avec la D 143, un chemin conduit en 200 m à la ferme.* René Frach fabrique des essences de lavandin, qui servent à tout, et qu'il propose à la vente dans une petite cave voûtée... À vous de nous en dire des nouvelles !

SAINT-ANDRÉ-DE-ROQUEPERTUIS (30630)

À 5 km au nord-ouest de Goudargues. Encore un joli village (il doit y avoir un nid dans le coin !). Les toits de tuile se serrent autour du robuste clocher percé de meurtrières de l'église fortifiée.

Où manger ?

La Frigoulette : *la Rouvière. ☎ 04-66-82-21-26. Passer le pont sur la Cèze direction Le Frigoulet par la petite D 371, puis prendre tt de suite à gauche un petit chemin ; le resto se trouve sur la berge de la Cèze. Tlj de mi-juin à début sept. Fermé le reste de l'année. Pas de menu ; compter 15 € à la carte. Café offert sur présentation de ce guide.* Marre des palaces et des grands restos ? Vive le populo ! Ouais, tous à *La Frigoulette,* par tablées de dix ou quinze (mais de quatre aussi si l'on veut), bien calés sur les chaises en plastoc pour se taper ensemble des grillades et vider de bons gros pichets de vin... Ici se retrouvent de nombreux campeurs des environs, dans une ambiance souriante et décontractée. Baron d'agneau-frites, pieds-paquets, escargots à la provençale, salades, andouillette ou merguez bon marché, ça ne peut pas faire de mal.

MONTCLUS (30630)

À 8 km au nord-ouest de Goudargues par la D 980 en direction de Barjac. Ravissant village lové, telle une coquille d'escargot, dans une boucle de la Cèze. Le tout dominé par le donjon du château en ruine.

BARJAC

(30430) 1 400 hab.

Une petite ville méridionale, bien située, entre gorges de l'Ardèche et gorges de la Cèze. On s'y sent à l'aise, comme dans tous ces villages du Sud où la vie coule des jours tranquilles. Le château du XVIIe siècle, l'église, les vieilles maisons forment un ensemble assez sympathique mais pas exceptionnel. Il fait bon se balader dans les rues à l'ambiance nonchalante. Beaucoup de monde en été. Une bonne étape quand même.

Adresse utile

***Office de tourisme :** pl. Charles-Guynet. ☎ 04-66-24-53-44. • tourisme-barjac-st-privat.com • En plein centre de Barjac. En été, lun-sam 9h-13h, 14h-18h ; hors saison, lun-ven 9h-13h, 14h-17h.*

Où dormir ? Où manger ?

Campings

***Camping à la ferme :** Le Mas Neuf, chez Jean Divol. ☎ 04-66-24-50-79. À 2 km de Barjac, sur la route de Bessas. Ouv mai-oct. Compter 11,50 € l'emplacement pour 2 en hte saison.* Une dizaine d'emplacements pour ce petit camping ombragé et bien aménagé (w-c et douches chaudes).

***Camping La Combe :** mas de Reboul, route des Vans. ☎ 04-66-24-51-21. • camping.lacombe@wanadoo.fr • campinglacombe.com • À 2,5 km de Barjac par la route de Saint-Sauveur-de-Cruzières. Ouv avr-fin sept. Compter 16,50 € pour 2 en hte saison. Loc de caravanes (205-335 €/sem), de bungalows toilés (235-365 €/sem), de mobile homes et de chalets (325-600 €/sem).* Une centaine d'emplacements sur un site bien ombragé. Piscine et tennis.

De prix moyens à plus chic

***Chambres d'hôtes chez Isabelle et Antoine Agapitos – Mas Escombelle :** route de Vallon-Pont-d'Arc. ☎ 04-66-24-54-77. • mas.escombel@wanadoo.fr • ardeche-detente.com • Sur la droite à la sortie de Barjac. Compter 58 € pour 2. Table d'hôtes 20 €.* Dans une vieille magnanerie qui ne paie pas de mine vue de l'extérieur. Dedans, c'est plus sympa. Cinq chambres propres, avec tout le confort (douche et w-c). Dans le jardin, une petite piscine. Mme Agapitos est une hôtesse aimable et souriante, et elle vous offre du thé à toute heure. Salle de remise en forme comprenant hammam, sauna et hydro-massage.

***Les Délices de l'esplanade :** pl. de l'Esplanade. ☎ 04-66-24-89-59. Fermé lun-mar. Congés : oct-fév. Menus 18-38 €.* En terrasse ou dans la salle voûtée, une sympathique petite adresse. Les menus changent régulièrement pour mieux s'accorder avec les saisons. On trouve ainsi des classiques agrémentés de quelques notes originales. Présentation soignée. Le saumon, le magret et le lard sont fumés sur place et tous les desserts faits maison. La carte des vins privilégie les petits propriétaires. Une belle façon de revisiter le terroir. Accueil très aimable de la patronne.

***La Chaise Longue :** Grand-Rue-Jean-Moulin. ☎ 04-66-24-57-01. • lachaise-longue@wanadoo.fr • Fermé mer et ts les midis sf dim. Congés : de mi-oct à fin avr. Formule 25 € juil-août, sinon menus 33-46 €.* Un endroit agréable. Salle voûtée avec des tables joliment dressées ou terrasse (tout aussi voûtée !), pour apprécier une cuisine régionale travaillée avec personnalité. Une adresse qui bénéficie d'une bonne réputation.

Où dormir ? Où manger dans les environs ?

Camping

▲ ***Camping Domaine de la Sablière :*** *30430 Saint-Privat-de-Champclos. ☎ 04-66-24-51-16. • contact@villagesabliere.com • villagesabliere.com • À 3,5 km de Barjac par la D 901, puis suivre les flèches. Ouv de fin mars à mi-oct. Résa souhaitée. En hte saison, compter 30 € l'emplacement pour 2 avec voiture et tente. Loc de mobile home ou petit chalet 155-500 €/sem.* Dans un lieu superbe au bord de la Cèze, 62 ha entièrement réservés aux naturistes. Si vous n'avez ni tente ni caravane, vous pouvez louer un mobile home ou un petit chalet. Au milieu des arbres, le site est vraiment exceptionnel. Deux piscines, dont une couverte et chauffée. À en donner des regrets aux inconditionnels du maillot de bain !

Gîte

⌂ ***Les Gîtes de la Guinguette :*** *4, pl. de la Guinguette, 30430 Saint-Jean-de-Maruéjols. ☎ 04-66-24-44-03. • eric.chante@wanadoo.fr • http://perso.wanadoo.fr/guinguette • À mi-chemin entre Barjac et Alès. La sem en basse saison pour 4-6 pers : 270 € ; hte saison : 500 € ; w-e : 110 €. Produits du terroir offerts en bienvenue.* À l'écart du village, dans un cadre reposant, Éric et Hélène Chante vous accueillent dans leurs nouveaux gîtes bâtis dans une vieille grange entièrement restaurée de leurs mains. Une adresse irrésistible avec terrasse, jardin, barbecue, piscine, et tout le confort moderne. Quel délice quand les senteurs des montagnes cévenoles environnantes se mêlent aux odeurs de la pépinière de la famille située juste en face des deux gîtes.

De prix moyens à beaucoup plus chic

⌂ |●| ***Moulin de Courlas :*** *route de Saint-Sauveur-de-Cruzières, 30430 Saint-Jean-de-Maruéjols. ☎ 04-66-24-21-43. • moulindecourlas.com • Ouv tte l'année. Chambre pour 3 à partir de 55 € et suite pour 4 à partir de 65 €. Repas du soir (apéritif, vin et café compris) 18 € ; repas-enfant (moins de 12 ans) 9 €.* Entre Gard et Ardèche, Marielle Soboul accueille les amoureux de l'authentique dans sa magnifique ferme restaurée au bord d'une petite rivière nommée la Claysse. On a été séduits par la chambre intime et chaleureuse au rez-de-chaussée, et par la suite qui se dessine dans une ambiance venue d'Asie. Piscine privée. Ne manquez pas le repas du soir à l'ombre des vieux platanes, des peupliers et des sureaux. Inoubliable.

⌂ |●| ***Hôtel-restaurant Le Mas du Terme :*** *route de Bagnols-sur-Cèze. ☎ 04-66-24-56-31. • info@masduterme.com • masduterme.com • À 3 km de Barjac, sur la route de Bagnols-sur-Cèze. Resto fermé à midi sf sur résa et dim tte la journée. Congés : nov-mars. Doubles 64-128 € selon confort et saison. Gîte (5 pers) disponible à la sem. Menu 33 €. Sur présentation de ce guide, réduc de 10 % sur le prix des chambres hors juil-août.* Une magnanerie du XVIIIe siècle, au cœur d'une belle nature. Jolie maison, que ses propriétaires ont aménagée avec goût et dans le style du pays, du salon voûté aux chambres (coquettes !), en passant par le patio. Resto pas mal du tout. Menus avec des spécialités bien tournées : escabèche de filets de rougets à la provençale, carré d'agneau farci aux pignons de pin... Piscine bienvenue les jours de grosse chaleur. Une étape agréable.

⌂ |●| ***La Bastide des Senteurs :*** *30500 Saint-Victor-de-Malcap. ☎ 04-66-60-24-45. • subileau@bastide-senteurs.com • bastide-senteurs.com • ♿ Wi-fi.*

De Barjac, route de Saint-Ambroix : Saint-Victor se trouve sur la droite, 3 km avt Saint-Ambroix. Congés : nov-fév inclus. Resto fermé sam midi. Selon saison, doubles avec bains 67-88 €. Menus 17,50-75 € et carte. Dans un joli village du Vivarais cévenol. L'hôtel a pris place dans un ensemble de maisons de pays, rénovées sans ostentation. Jolies chambres à la déco couleur locale (murs de pierre, fer forgé...). Belle piscine à débordement, qui, comme la terrasse du resto, domine la vallée de la Cèze. Au resto qui porte son nom (à tout seigneur, tout honneur !), Frank Subileau propose au gré des saisons une cuisine d'une belle inventivité : rouget à l'ail confit, pigeonneau rôti aux herbes, samousa de gambas... Une belle et bonne adresse.

***Hôtel Le Mas Rivet :** route de Bessas. ☎ 04-66-24-56-11. • lerivet@lerivet.com • lerivet.com • À 3 km du bourg (accès fléché). Congés : de mi-nov à fév. Resto ouv ts les soirs en saison. Doubles avec bains 90 €, petit déj inclus. Menu du jour 20 €. Apéritif maison offert sur présentation de ce guide.* En pleine nature, dans un ancien mas du XVIe siècle. Chambres plaisantes (accros au tabac, attention : elles sont toutes non-fumeurs) sans TV. Jolie piscine. Adresse un brin sportive, avec location de VTT.

PONT-SAINT-ESPRIT (30130) 10 000 hab.

Au confluent de l'Ardèche et du Rhône (une rivière et un grand fleuve), à la jonction de trois régions (Languedoc, Provence et Rhône-Alpes) et quatre départements (Gard, Vaucluse, Drôme, Ardèche), Pont-Saint-Esprit a été appelée « la porte d'or de la Provence » par le poète Frédéric Mistral. C'est par ici que l'on rentrait en Languedoc, et en Provence (dans le sens inverse). Les rois (Philippe le Bel, Saint Louis, Louis XI, François Ier) y firent escale. Selon leur habitude, ils y dormaient après avoir traversé le Rhône.

Cette petite ville connut longtemps une opulence certaine, dont témoignent les églises monumentales ou encore le musée d'Art sacré, installé dans l'un des plus anciens et des plus remarquables bâtiments du département. Cet excellent musée vaut à lui seul le détour. Tout comme le vieux pont. On traverse trop vite et à tort cette petite ville au nom si évocateur.

Adresse et info utiles

***Office de tourisme :** 1, av. Kennedy (résidence Welcome). ☎ 04-66-39-44-45. • ot-pont-saint-esprit.fr • En été, lun-sam 9h-19h, dim 10h-13h. Le reste de l'année, lun-ven 9h-12h, 14h-17h30, sam 10h-12h, fermé sam ap-m et dim.*

*– **Marché :** ts les sam mat sous les platanes de l'allée Frédéric-Mistral.* Un vrai, un beau, un grand marché du Sud. Sur un kilomètre de long, on trouve des éventaires de tous les styles, avec de nombreux produits de la région. Un des plus beaux marchés du Midi après celui de Carpentras.

Où dormir ? Où manger ?

Campings

***Camping à la ferme de Beauchamp :** quartier de Beauchamp, 30130 Pont-Saint-Esprit. ☎ 04-66-39-01-72. • camping-de-beauchamp@wanadoo.fr • membres.lycos/cbeauchamp • Situé à 3,5 km au sud-est de la ville, au 2e rond-point sur la D 994. Ouv mai-fin sept. Forfait 2 pers : 9 € en hte saison.* Dans une ferme bordée de champs de cerisiers, d'abricotiers, de pommiers et de poiriers. Vingt-cinq emplacements ombragés, sanitaires équipés, douches chaudes gratuites, prises d'électricité, machines à laver, téléphone. Vous pourrez saluer Ferdinand (le coq !) et goûter aux produits de la ferme : fruits confitures et vins.

Camping Les Oliviers : *chez Jennita et Teus Glismeijer, chemin de Tête-Grosse, 30130 Saint-Paulet-de-Caisson. ☎ 04-66-82-14-13. • info@camping-lesoliviers.net • camping-lesoliviers.net • Ouv avr-sept. Compter 18 € en hte saison pour 2 avec voiture et tente.* Camping à taille humaine (25 emplacements), ombragé et calme, installé autour d'un mas provençal. Sanitaires modernes, laverie, piscine, jeux pour les enfants. Les hôtes aiment aussi organiser des activités entre campeurs : soirées barbecue, dégustations de vins...

De bon marché à prix moyens

L'Auberge Provençale : *route de Bagnols-sur-Cèze. ☎ 04-66-39-08-79. Resto fermé dim soir hors saison. Congés : le 1er mai et fêtes de Noël. Doubles avec douche ou bains 34 €. Menus 9,50-23 €.* Il faut pousser la porte de cet hôtel-resto de bord de route, dont la façade ne paie pas de mine. Tenue depuis plus de 40 ans par la même famille, *L'Auberge Provençale* reçoit dans la bonne humeur aussi bien les routards que les routiers, les familles et les notables du coin. Deux grandes salles climatisées permettent aux clients de se régaler d'une cuisine franche et copieuse comme on n'en voit plus beaucoup. Le premier menu donne le ton : charcuterie, crudités, plat du jour garni ou truite ou omelette, légumes de saison, plateau de fromages, corbeille de fruits ou glace.

Lou Récati : *6, rue Jean-Jacques. ☎ 04-66-90-73-01. Dans une ruelle perpendiculaire aux allées F.-Mistral, pénétrant dans le centre ancien face à la fontaine au Coq. Fermé dim, j. fériés et mer soir en basse saison. Ouv tlj en été. Menu 12 € le midi ; le soir, menu 21 €. Café offert sur présentation de ce guide. Lou récati :* le mot désigne les îlots d'objets, mobilier ou vêtements qu'on formait précipitamment en cas de crue du Rhône, pour les sauver des eaux... Belle image pour ce restaurant où le jeune chef propose une cuisine bien travaillée. Oui, une vraie cuisine de cuistot, fine et savoureuse. Dans le second menu, des ravioles d'escargots, des aiguillettes de canard (et poêlée d'artichauts et pois gourmands) puis une crème brûlée à la lavande (en vérité, la meilleure qu'on ait jamais mangée !). Cadre propre et sympathique et service itou de madame.

De prix moyens à plus chic

Hôtel Mas de L'Olivier : *138, av. du Général-de-Gaulle. ☎ 04-66-89-12-38. • hotel.mas.olivier@wanadoo.fr • mas-olivier.com • En sortant de la ville, c'est à gauche, à 200 m avt le supermarché* Champion. *Doubles avec bains 55-70 € selon saison. Resto* L'Atelier du Mas *pour un repas env 30 €. Apéritif maison offert sur présentation de ce guide.* En retrait de la route, donc au calme, cette bâtisse basse et moderne (années 1970) abrite des chambres toutes climatisées. Bon rapport qualité-prix. Piscine très appréciable.

Où dormir ? Où manger dans les environs ?

De bon marché à prix moyens

Gîte d'étape et chambres d'hôtes du Pont-d'Ardèche : *au Pont-d'Ardèche, route de Bourg-Saint-Andéol. ☎ 04-66-39-29-80. • pontdardeche@aol.com • pont-dardeche.com • À 3 km au nord de Pont-Saint-Esprit. Doubles avec douche ou bains env 60 €, petit déj compris. Gîte d'étape avec belle cuisine à disposition : 15 € la nuit en dortoir. Table d'hôtes 22 €.* Grande maison environnée de verdure et en bordure de l'Ardèche. Piscine.

LE GARD

Hôtel La Chartreuse de Valbonne : *30130 Saint-Paulet-de-Caisson. ☎ 04-66-90-41-22. • hotellerie@chartreusedevalbonne.com • hostellerie-chartreuse-valbonne.com • Doubles avec douche et w-c 40-45 € selon saison. Petit déj 5 €. Possibilité de se restaurer (menus 15-25 €).* Des chambres tranquilles et nettes, aménagées dans les anciennes cellules de frères de la chartreuse (lire plus bas « Dans les environs de Pont-Saint-Esprit »). Un bon rapport qualité-prix.

Plus chic

Hôtel Le Castelas : *30760 Aiguèze. ☎ 04-66-82-18-76. • hventajol@aol.com • residencelecastelas.com • À 10 km au nord-ouest de Pont-Saint-Esprit par la N 86 direction Montélimar, puis prendre à gauche la D 901. Doubles 70-90 € selon saison ; studios et appartements également. Digestif maison offert sur présentation de ce guide.* Au cœur de ce village en à-pic sur l'Ardèche, *Le Castelas* jouit d'une situation et de qualités remarquables : charme et confort des chambres et des appartements, tous différents (mais tous avec kitchenette) et aménagés dans des murs anciens. On a le choix entre la résidence principale, avec piscine centrale et où des chambres ont vue et terrasse sur les gorges de l'Ardèche, et l'annexe *(Le Castel)*, à deux rues de là, toujours de bon confort et avec là aussi une piscine, petite mais vraiment sympa. Patron courtois et serviable. Une très belle adresse, donc, d'un bon rapport qualité-prix. Petit déj-buffet bon et copieux. Fait aussi resto. Prêt de vélos, conseils sur les randos, descentes en canoë-kayak, etc.

Chambres du Domaine de la Baume : *famille Pons, quartier des Îles, 30130 Pont-Saint-Esprit. ☎ 04-66-33-01-33. • la-baume.com • À moins de 1 km de Pont-Saint-Esprit, le long de la berge du Rhône. Chambres avec bains 75 €. Petit déj 7 €. Appartements (pour 6-7 pers) : 120 €/nuit, env 670 €/sem. Possibilité de prendre les repas à la table d'hôtes (24 € le repas). Apéritif maison offert sur présentation de ce guide.* Une grande maison du XVIIIe siècle, dans son bouquet d'arbres, entourée de champs d'arbres fruitiers. Six grands appartements, bien équipés (douche et w-c) et charmants, et une chambre d'hôtes tout aussi jolie. Adresse intéressante pour un séjour d'une semaine, par exemple.

À voir

Le pont de Saint-Esprit : commencer la visite de la ville par le pont de Saint-Esprit, qui a donné son nom à la ville. Ses habitants s'appellent les Spiripontains. Long de 1 km, il jette audacieusement ses 20 arches en travers du Rhône depuis le XIIIe siècle. Construit entre 1265 et 1309, il a fallu 44 ans de travail pour arriver à le faire tenir debout. Il serait donc le plus vieux pont sur le Rhône encore en activité. Un nouveau pont, plus au sud, a permis de soulager la circulation sur cette unique voie.

La Collégiale (la Citadelle) *: à gauche de la route, juste avt le début du pont (en sortant de la ville).* Là se cache le plus bel élément architectural de Pont-Saint-Esprit, mais il faut le savoir ! On ne devine pas de l'extérieur la collégiale de la citadelle. Il faut grimper sur une terrasse pour découvrir cet étonnant édifice, en contrebas, englobé dans les murs de la citadelle. Plutôt dégradée (la ville a subi de terribles bombardements pendant la Seconde Guerre mondiale), la collégiale conserve pourtant un portail splendide, de style flamboyant.

La maison du Roi : *à droite, adossée à l'entrée du vieux pont (en sortant de la ville, vers le Rhône).* Vieil immeuble patiné par les ans (et en mauvais état) où logèrent autrefois les rois de France.

L'église Saint-Saturnin et le prieuré Saint-Pierre : par le quai Albert-de-Luynes, on gagne la place Saint-Pierre où trônent deux monumentales églises, Saint-Saturnin (du XIIIe siècle, restaurée au XIXe siècle) et Saint-Pierre (transformée en temple). La première possède un portail gothique assez ravagé. Belle vue sur le Rhône depuis la place. Juste en face, la chapelle des Pénitents du XVIIe siècle, aux murs gagnés par la végétation.

Le musée d'Art sacré du Gard : *maison des Chevaliers, 2, rue Saint-Jacques. ☎ 04-66-39-17-61. Tlj sf lun 10h-12h, 14h-18h ; 10h-19h en été. Entrée gratuite.* Superbe bâtiment construit à partir du XIIe siècle, et agrandi jusqu'au XVe, la maison des Chevaliers a été ensuite bien malmenée. Ce n'est qu'en 1988 que le conseil général du Gard l'a rachetée. Entièrement restaurée depuis, on y a retrouvé d'exceptionnels décors médiévaux peints (notamment la salle d'apparat à motifs géométriques du XVe siècle, dits « pointe de diamant »), des charpentes magnifiques (salle de la Cour royale de justice, XIVe siècle), et des plafonds à caissons du plus bel effet... C'est donc dans un cadre rare et beau que ce musée d'art sacré (« art sacré » au sens large : ainsi le blouson de Johnny y trouve-t-il une place) expose ses collections. Il s'agit d'un musée laïque d'art sacré, abordant la religion en termes de culture et non sous l'angle de la catéchèse. Reliques, chasubles cousues d'or, l'ange de Pondichéry et le Christ à l'agonie (à l'entrée, très jolie scène), le retable du Mystère de la chute des Anges... Bornes interactives expliquant le pourquoi du comment des rites et pratiques religieux. Très bien fait, vraiment. Collection de pots à pharmacie également. Un excellent musée.

Le musée Paul-Raymond : *pl. de l'Ancienne-Mairie. ☎ 04-66-39-09-98. Tlj sf lun et sam 10h-12h, 15h-19h (14h-18h hors saison). Congés : fév. Entrée gratuite.* Installé dans l'ancien hôtel de ville. Ce modeste musée expose peintures, dessins, et lithographies de Benn (1905-1989), peintre juif d'origine russe dont Cocteau fit l'éloge. Mais son style, mi-symboliste mi-figuratif, influencé par les mouvements modernes du début du XXe siècle puis marqué par les événements tragiques de la Seconde Guerre mondiale avec de nombreuses références bibliques, a mal vieilli.

DANS LES ENVIRONS DE PONT-SAINT-ESPRIT

Aiguèze (30760) **:** pittoresque village en à-pic sur les gorges de l'Ardèche, à 9 km au nord-ouest de Pont-Saint-Esprit. À voir notamment, l'église restaurée et son joli mobilier baroque, et les petites ruelles médiévales. Et cette plaque : « Dans cette maison a vécu de 1706 à 1776 Honoré Agreful, distillateur, inventeur de l'absinthe, plus connue de nos jours sous le nom de pastis. » Pour aller jusqu'à 70 ans (au moins), cet Honoré ne devait pas en boire beaucoup, de son invention...

La chartreuse de Valbonne : *à 9 km à l'ouest de Pont-Saint-Esprit. ☎ 04-66-90-41-24. Hors saison, tlj 10h-12h30, 13h30-18h. Juil-août, tlj 9h-21h (minuit mer). Visite guidée ttes les heures (1h) : 5 € ; 3 € pour les 6-25 ans.* Fondé en 1203, le monastère est fortifié et ressemble à une véritable petite ville avec ses maisons et son église. L'endroit fut très endommagé par les guerres de Religion. Reconstruite au XVIIe siècle, abandonnée définitivement en 1901, la chartreuse devint un centre de traitement des maladies tropicales en 1926. Aujourd'hui, on y produit un bon côtes-du-rhône (vente et dégustation sur place). Remarquer les voûtes de l'église, le grand cloître, ainsi que les toits aux tuiles vernissées. Tout autour, une forêt de hêtres et de chênes remarquables ; sentier botanique et circuit pédestre.

LES CÉVENNES

Voici une nature à la fois belle et rebelle, farouche et riante. Le pays des irréductibles Camisards et des guerres de Religion, mais aussi la terre où la soie valait de l'or, où les châtaignes servaient de pain quotidien. Voyez ces innombrables hameaux de schiste ou de granit qui constellent ces montagnes impénétrables, du mont Lozère au mont Aigoual. Un univers de liberté et d'indépendance, où l'homme a souvent trouvé refuge. Bergers, pèlerins, protestants persécutés, rebelles, hippies des années 1970, minorités... venaient dans les Cévennes pour oublier la loi et les bruits du monde.
Cette vocation demeure. Mais à l'heure du grand retour à la nature, voici l'une des régions françaises les mieux conservées du point de vue des sites et des paysages.
Les Cévennes sont une réalité géographique. Mais ce pays secret qui ne se révélera qu'à ceux qui prendront le temps de le découvrir est avant tout un état d'esprit, un mythe, presque une religion. Le caractère cévenol imprègne chaque pierre, chaque arbre, chaque chemin, prolongeant une histoire écrite dans le sang.

UN PEU D'HISTOIRE

La guerre des camisards

Aujourd'hui, quand on évoque les « fous de Dieu », on songe volontiers aux intégristes musulmans appelant à la guerre sainte contre l'Occident... Savez-vous que des bergers cévenols prophétisèrent la vengeance divine contre les soldats de Louis XIV à l'orée du Siècle des lumières ? Mais ils se battaient au nom de la liberté de conscience, non pour imposer une tyrannie religieuse...
Commençons par le début. À l'origine de cette « guerre des Camisards », on trouve la décision par Louis XIV de révoquer l'édit de Nantes en 1685, lequel accordait depuis la fin du XVIe siècle la liberté religieuse aux protestants de France. La religion « réformée » s'était très vite répandue dans le Sud de la France, et notamment dans les Cévennes, loin du pouvoir central... Brutale, arbitraire, la révocation de l'édit de Nantes interdit aux protestants le droit de pratiquer leur religion. L'intolérance devient loi puis répression : on brûle les temples, on pourchasse les pasteurs qui doivent abjurer leur foi ou quitter la France dans les 15 jours, les assemblées sont interdites, les parents contraints de faire baptiser leurs enfants dans la religion catholique. Il est suspect de posséder et de lire la Bible. Tout protestant qui n'abjure pas est passible de prison. En outre, on les prive d'état civil. Des bêtes traquées...
Nourris d'Ancien Testament, convaincus d'être inspirés par Dieu et protégés par lui, à l'instar des prophètes hébreux dans le désert, les huguenots des Cévennes refusent de plier l'échine. Le petit peuple de la montagne entre alors en rébellion contre l'absolutisme royal. Des gens du peuple se mettent à prophétiser, appelant à la vengeance divine au nom de leurs frères persécutés pour leur foi. De pacifique, la révolte devient une lutte armée. Menacés dans leur vie, ils se réfugient dans les montagnes où se tiennent des assemblées secrètes, puis partent affronter les dragons du maréchal de Villars. Ils portent des chemises blanches la nuit en signe de reconnaissance, d'où leur nom : « camisards ».
Pendant deux ans – de 1702 à 1704 –, ces « fous de Dieu » tiennent en échec les soldats de Louis XIV. Une guérilla mystique et populaire menée par 2 500 à 3 000 bergers et leurs chefs improvisés, contre 25 000 soldats bien équipés. Le cadre ? Des montagnes et des vallées impénétrables, redoutable labyrinthe relié

par des *drailles* familières aux bergers des Cévennes. On met le genou à terre avant de marcher sur l'ennemi et on entonne le psaume 68, le « psaume de la Bataille ». Deux chefs camisards se distinguent par leur habileté de tacticiens et leur stratégie dans le combat : Roland, originaire du Mas-Soubeyran à Mialet (l'actuel musée du Désert), et un petit boulanger de 23 ans, Jean Cavalier, originaire d'Anduze.
C'est avec ce dernier que le maréchal de Villars sera contraint de négocier, faute d'avoir « pacifié » la région... Cavalier tombe dans le piège de Villars. Il sera exilé avec sa troupe en Angleterre, et meurt en 1740.
La guerre des Camisards s'achève par un compromis qui laisse la porte ouverte à la répression. Tout au long du XVIIIe siècle, les huguenots seront pourchassés pour leur foi, emprisonnés, envoyés aux galères. Les pasteurs seront exécutés. Les enfants enfermés dans des couvents et des écoles catholiques. Parmi les « martyrs de la résistance », Marie Durand fait figure d'héroïne de la liberté de conscience : elle est enfermée 38 ans dans la tour de Constance à Aigues-Mortes. Mais la liste des persécutés est bien longue. Un édit de tolérance sera signé en 1787, autorisant les protestants à avoir un état civil sans passer par l'église catholique.

L'arbre d'or ou l'aventure de la soie des Cévennes

C'est dans la région d'Anduze, au XIIIe siècle, que l'on fait mention pour la première fois de la soie et du mûrier, arbre importé d'Orient par les croisés. Au XVIe siècle, l'agronome Olivier de Serres donne sa première impulsion à cette nouvelle activité : la sériciculture. Mais c'est aux XVIIe et XVIIIe siècles qu'elle va s'étendre à l'ensemble des Cévennes, se substituant progressivement aux châtaigniers détruits par le terrible hiver de 1709. Le XIXe siècle est l'âge d'or de la soie pour les Cévenols, qui en tirent une grande partie de leurs revenus. Les mûriers, appelés « arbres d'or », foisonnent. Dans chaque ferme, il y a une grange pour l'élevage des cocons. Curieuse aventure botanique. Les filatures de soie des Cévennes vendaient leurs tonnes de fil à des manufactures de Nîmes ou de Lyon où l'on tissait des bas, des bonnets et toute sorte de vêtements en vogue à l'époque.

AVANT NEWTON ET LA POMME TOMBÉE DE L'ARBRE...

La tradition de la soie qui puise ses sources dans les Odes de Confucius raconte qu'une princesse chinoise – Dame Xi Ling Shi – aurait découvert le fil de soie vers l'an 3000 av. J.-C. Comment ? En s'amusant avec un cocon sauvage tombé par hasard dans sa tasse de thé, elle en sortit un fil délicat ! Cette découverte bouleversa la civilisation chinoise et assura, près de 50 siècles plus tard, la prospérité des Cévennes.

La concurrence des fils synthétiques, les maladies du ver à soie et l'abandon de la soie dans la tenue vestimentaire des bourgeois du XIXe siècle provoquèrent le déclin de la sériciculture cévenole. La dernière ancienne filature a fermé ses portes en 1965. Reste une formidable aventure économique et humaine, fort bien expliquée au musée des Vallées cévenoles de Saint-Jean-du-Gard et au musée de la Soie de Saint-Hippolyte-du-Fort. Laquelle aventure semble rebondir depuis une vingtaine d'années avec les nouvelles plantations de mûriers et la création de la filature de Grefeuilhe à Monoblet.

Le châtaignier ou l'arbre à pain

Pendant des siècles, les habitants d'ici ont mangé des châtaignes midi et soir, parfois au petit déj. Symbole des Cévennes, rude à l'extérieur, douce à l'intérieur, la châtaigne a engendré un véritable mode de vie original. Le châtaignier était surnommé l'arbre à pain car il assurait la subsistance quotidienne des montagnards. Au XVIe siècle, tous les versants des Cévennes entre 500 et 800 m étaient plantés de ces beaux arbres.

Tout était utilisé dans cet arbre : les feuilles servaient de fourrage aux moutons et aux chèvres, de litière aux porcs. Le bois imputrescible était employé pour fabriquer des charpentes, des tuiles, des planchers, des meubles, des tonneaux, des berceaux, des paniers, des outils... Une fois ramassées, les châtaignes étaient séchées dans la *clède* (petite maison à part), décortiquées avec des *soles* (chaussures à pointes), puis consommées fraîches *(blanchettes),* grillées ou sous forme de soupe, le *bajanat.* Ce mode de subsistance a disparu avec la modernisation.
De nos jours, le châtaignier a régressé au profit du chêne vert et du pin maritime (Cévennes méditerranéennes), du chêne blanc et du hêtre (en altitude).

L'habitat : schiste, granit, calcaire

On est d'abord frappé par la beauté et le caractère de ces hameaux dispersés. Grosses fermes en granit du mont Lozère, hameaux – hauts et sombres – des vallées cévenoles, mas aux toits de tuiles à l'allure souriante sur les flancs méditerranéens : ce sont là les architectures les plus intéressantes de cette partie de la France.
On remarque aussi les petits cimetières à l'ombre des cyprès qui ponctuent la campagne. Les protestants n'avaient pas le droit d'enterrer leurs morts à côté des catholiques. Alors ils les inhumaient « de nuit et sans rassemblement » autour de la ferme.
Le parc des Cévennes a restauré et ouvert à la visite quelques très vieux hameaux à l'architecture traditionnelle. Nous vous les signalons au fil de la balade.

Les Cévennes dans les pas de Stevenson

Ce jeune Écossais moustachu n'avait que 27 ans lorsqu'il décida de traverser les Cévennes. Écrivain encore peu connu (il deviendra célèbre avec *L'Île au trésor* sept ans plus tard), il se posait cependant comme un esthète en matière de randonnées. La randonnée se doit d'être faite en solitaire, elle a pour but d'arrêter la pensée et non de contempler des paysages et elle n'est jamais plus agréable que le soir à l'arrivée « lorsqu'on se retrouve purgé de tout orgueil et de toute étroitesse ». Le point de départ de son voyage solitaire ? Une peine de cœur ! Un amour impossible avec une Américaine, Fanny, mariée et mère de deux enfants, repartie en Californie. Il ne cessera de penser à elle au cours de sa traversée. Rien que de très banal ! Seulement, son périple va se transformer en voyage initiatique.
Stevenson se sent viscéralement attiré par ce coin de France qui connut la souffrance des guerres de Religion avec les assemblées clandestines, les camisards, les prophètes inspirés, etc. À tel point que, dans son récit, il commettra des oublis impardonnables, gommant tout ce qui touche au catholicisme. Pendant 12 jours, Stevenson traverse le Velay, le Gévaudan, le mont Lozère puis le cœur des Cévennes, avant de terminer son périple à Saint-Jean-du-Gard. Chaque jour, il note les détails de cette incroyable aventure. Son récit, *Voyage avec un âne dans les Cévennes,* pétille d'humour et d'intelligence. Le troisième personnage important de la traversée, après Stevenson et les Cévennes, s'appelle Modestine, une ânesse pleine de caractère et de courage.
Plus d'un siècle après ce voyage en solitaire, Stevenson inspire encore de nombreux randonneurs qui effectuent scrupuleusement le même parcours. Un topoguide, très officiel, a été publié : *Le Chemin de Stevenson,* édité par la FFRP et Chamina. Une mine indispensable pour les passionnés. Un rallye Stevenson a même été créé. Chaque année, des marcheurs de toute l'Europe se retrouvent à Saint-Jean-du-Gard. Le fantôme de l'auteur hante toujours cette contrée, qu'il traversa « pour le simple plaisir de voyager » et « non pour atteindre un endroit précis ».

Des hippies aux « néo-Cévenols »

C'était l'époque où l'on criait « Gardarem lou Larzac » sur le causse menacé par l'implantation d'un camp militaire. Les premiers routards partaient pour Katman-

dou chercher le nirvana. D'autres, plus sédentaires, montaient dans les Cévennes élever des chèvres, faire du yoga, lire Lanza del Vasto, Marcuse ou Rousseau. Partisans d'une vie plus simple, animés d'un idéal mi-californien, mi-chinois, ces rebelles pacifiques fondèrent des communautés dans les hameaux les plus reculés des Cévennes. Quant aux paysans du coin, ils restèrent sceptiques, ricanant dès qu'ils parlaient de ces « zippies » décidés à vivre de la terre. Une terre ingrate dont ils avaient découragé leurs propres enfants, les poussant vers le monde meilleur de la grande ville. Pour beaucoup, l'aventure ne dura qu'une brève saison. Quelques irréductibles sont restés. Puis sont arrivés les « néo-Cévenols ». Plus discrets, mieux intégrés dans le tissu économique et social du pays : animateurs, restaurateurs, hôteliers, agriculteurs, fonctionnaires, commerçants...
Les années 1980-1990 ont provoqué un changement de style et de comportement. Il n'y a plus vraiment de marginaux. Même si on ne s'affiche pas écologiste ou vert, la protection de la nature, patrimoine le plus précieux des Cévennes, reste l'idée la mieux partagée par tous ceux qui ont choisi d'y vivre, qu'ils soient cévenols de souche ou « néo ». Autre signe : on ne sourit plus à l'idée d'un Strasbourgeois ou d'un Rennais s'installant à Florac ou au Vigan. « On est en France, que diable ! » nous a dit ce vieux montagnard, enraciné ici depuis la nuit des temps...

QUELQUES BONS LIVRES À EMPORTER

– ***Voyage avec un âne dans les Cévennes,*** de Stevenson (Flammarion, coll « GF » n° 601, 1991).
– ***Voyage avec Stevenson dans les Cévennes,*** de Jean-François Dars (Descartes & Cie, 2006). Un très joli récit de voyage ponctué de belles photos en noir et blanc, où le vélo a remplacé l'âne tout au long de ce sentier mythique.
– ***Les Fous de Dieu,*** de Jean-Pierre Chabrol (Gallimard, 1998). La guerre des Camisards dans la langue du XVIIIe siècle.
– Les romans de Jean Carrière : ***L'Épervier de Maheux*** (Pauvert, 1972) et ***Les Années sauvages*** (Laffont, 1986). L'action se déroule toujours dans les Cévennes.
– André Chamson reste le grand classique cévenol. L'action de la plupart de ses livres se situe autour du Vigan et du mont Aigoual. On peut lire ***Roux le Bandit*** (Grasset, 1925), ***Les Hommes de la route*** (Grasset, 1966), ***Castanet, le camisard de l'Aigoual*** (Ellipses Marketing, 2000).

LE PARC NATIONAL DES CÉVENNES

Le fer de lance de la protection et de la mise en valeur du patrimoine naturel et culturel des Cévennes joue le rôle de garde-fou et de laboratoire à idées. Créé le 2 septembre 1970, le parc intervient sur une zone dite « protégée » qui couvre 52 communes (au total, environ 600 habitants) et s'étend sur plusieurs terroirs différents : le mont Lozère (1 700 m), le mont Aigoual et le Lingas (1 565 m), les hautes vallées des Gardons (vallées Longue, Borgne et Française), la montagne du Bougès (1 421 m) et le causse Méjean, vaste plateau dénudé et superbe.
Il comporte une zone centrale de 91 279 ha entièrement protégée. Cette zone étant habitée, les activités agricoles et forestières y sont autorisées mais contrôlées. La réserve mondiale de la biosphère des Cévennes, définie par l'Unesco en 1985, s'étend sur l'ensemble du parc. De fait, 14 000 ha sont totalement protégés de toute incursion. Cette réglementation permet de conserver intact le patrimoine génétique animal et végétal de la région et le patrimoine architectural, et de procéder à l'entretien des paysages qui avaient tendance à évoluer de manière catastrophique en raison de l'exode rural. Aujourd'hui, ce programme protège et gère 89 espèces de mammifères, 208 espèces d'oiseaux, 17 espèces de reptiles, 18 espèces d'amphibiens et 24 espè-

ces de poissons. Des vautours-fauves, des coqs de bruyère, des castors, des cerfs et des chevreuils ont été réintroduits par ses soins. Le parc, c'est aussi l'autorité scientifique, presque la conscience morale de la région.

Adresses utiles

- ***Bureau d'information du PNC :*** *au château de Florac, en Lozère.* ☎ *04-66-49-53-01.* • *cevennes-parcnational.fr* • Voir plus loin à « Florac ».
- ***Autres points d'information du parc*** *(ouv en été slt)* **:** Saint-Jean-du-Gard, Saint-Germain-de-Calberte, Pont-Ravagers, Saint-Laurent-de-Trèves, Barre-des-Cévennes, Le Vigan, Trèves, Pont-de-Montvert, Mas-Camargues (sur le mont Lozère), Le Collet-de-Dèze, Villefort, Génolhac, La Malène (gorges du Tarn) et au col de Serreyrède (à côté du mont Aigoual).

Sentiers de randonnée

Le parc national des Cévennes est traversé par le sentier de grande randonnée GR 7 (Vosges-Pyrénées), les GR 6 et GR 60 (Rhône-Cévennes), ainsi que le GR 66 (tour de l'Aigoual), le GR 67 (tour des Cévennes), le GR 68 (tour du mont Lozère), et bien sûr le GR 70 (chemin de Stevenson). Des balades vraiment superbes, pour lesquelles de nombreux gîtes d'étape ont été aménagés chez des particuliers avec l'aide du parc.

Mais il existe aussi près de 300 sentiers de petite randonnée : des boucles d'une demi-journée ou d'une journée, toutes balisées par le parc, à différents points des Cévennes. Ces promenades sont rarement difficiles. À notre avis, la marche reste le meilleur moyen de découverte du pays (voir, plus haut, « Les Cévennes sur les pas de Stevenson »).

– ***Renseignements*** sur les sentiers, les topoguides, les gîtes d'étape, au centre d'information du parc à Florac ou dans tous les points d'information ouverts en été dans la région.

LES CÉVENNES GARDOISES

C'est la partie méridionale des Cévennes, une région où l'air chaud est encore là, le ciel bleu méditerranéen, et l'accent bien chantant. Oliviers, châtaigniers et vignes cohabitent dans ces beaux paysages, entre garrigue et montagne, que l'on traverse obligatoirement en venant de Nîmes ou de Montpellier. D'Alès au Vigan, en passant par Anduze et Saint-Hippolyte-du-Fort, c'est ici que l'on aborde le pays des camisards.

ALÈS (30100) 41 000 hab.

Entre garrigues et montagnes, cette porte d'entrée idéale des Cévennes gardoises a tourné la page. On s'attend à trouver des terrils, des chevalements et une ville s'asphyxiant dans la poussière des mines. Mais le terril, aujourd'hui transformé en une verte colline plantée d'arbres, témoigne à lui seul de la reconversion économique d'Alès. Le centre-ville embellit d'une année sur l'autre : plantation d'arbres, réaménagement du Gardon et de ses rives, rénovation des immeubles anciens. L'atout majeur d'Alès : un formidable patri-

moine industriel et une mémoire collective enracinée dans les galeries des mines à l'abandon. Ce qui a été commencé autour de la mine-témoin laisse un espoir quant à l'avenir de cette nouvelle forme de tourisme technique et pourtant si humain...

UN PEU D'HISTOIRE

La ville fut longtemps une place de sûreté protestante. La première église réformée de France y a été fondée en 1560. Puis Alès fut entraînée dans la spirale cévenole des guerres de Religion. Au XVIIIe siècle, le mûrier est l'arbre d'or des Cévennes. Alès vivait essentiellement de l'industrie du drap et de la soie. Mais avec l'avènement de la révolution industrielle, le charbon prit la relève comme pilier de l'économie locale. En effet, le sous-sol autour d'Alès, dans un rayon de 20 à 30 km au nord-ouest, est rempli d'anthracite. Entre 1850 et 1880, cent puits environ vont ouvrir leurs portes aux foules de mineurs, tous des Cévenols descendus de leurs montagnes pour trouver du travail dans la vallée. À son apogée, la production minière a atteint 2 millions de tonnes par an.

Une ancienne ville minière reconvertie

L'activité minière, pilier de la vie économique et sociale, a commencé à péricliter dans les années 1950. On amorçait l'ère du « tout pétrole ». La demande d'anthracite s'effondra, et ce déclin provoqua une grave crise, dont Alès se remet tout juste. Un à un, les puits ont fermé malgré les nombreuses grèves des mineurs. Ces derniers ont dû partir à la retraite ou se reconvertir dans le petit commerce, le tourisme... Au total, entre 1950 et 1980, ce sont grosso modo 25 000 emplois qui ont été supprimés dans l'ensemble du bassin minier d'Alès. Aujourd'hui, Alès n'est plus la « ville noire » d'antan. La nouvelle cité se veut accueillante, éminemment méridionale et touristique. Elle ne parvient pourtant pas à se délivrer totalement d'un passé difficile. Dans les environs proches d'Alès, à La Grand-Combe et à Bessèges, on voit de nombreuses friches industrielles, curieuses carcasses de fer et de brique, éparpillées au fond de la vallée. Un paysage ravagé par la crise, une petite Lorraine à deux pas des garrigues et des grillons... Pas facile de se reconvertir dans cet univers clos sur lui-même, où l'on a été « gueule noire » de père en fils pendant 6 ou 7 générations.

Adresses utiles

Office de tourisme d'Alès en Cévennes : *pl. de la Mairie. ☎ 04-66-52-32-15. • ville-ales.fr • Ouv tte l'année ; hors saison, lun-sam 9h-12h, 13h30-17h30 ; en été, lun-sam 9h-19h, dim et j. fériés 9h30-12h30.* Doc et infos sur le parc national des Cévennes. Visites guidées du centre-ville gratuites le mercredi en juin, du mercredi au jeudi en juillet-août.

Gare SNCF : *pl. Pierre-Sémard. ☎ 36-35 (0,34 €/mn). Dans le nord de la ville.* Service train + vélo.

Gare routière : *15, av. du Général-de-Gaulle. ☎ 04-66-30-24-86. À côté de la gare SNCF.*

Où dormir ?

Camping

Camping La Croix Clémentine : *route de Mende, 30480 Cendras. ☎ 04-66-86-52-69. • clementine@clementine.fr • clementine.fr • ♿ À 4 km au nord d'Alès. Ouv 1er avr-15 sept. Forfait pour 2 pers 22 € en hte saison. Loc de bungalows et de chalets 155-665 €/sem.* Camping 4 étoiles très bien équipé avec des emplacements ombragés et une grande piscine agréable. Restaurant, salle de jeux, tennis... Randonnées pédestres.

Bon marché

Hôtel Durand : *3, bd Anatole-France. ☎ 04-66-86-28-94. • dorel.nowacki@orange.fr • hotel-durand.fr • Ouv tte l'année sf dim et j. fériés 13h-19h. Doubles 35 €. Réduc de 10 % sur le prix de la chambre oct-mars, sur présentation de ce guide.* Tranquille petit hôtel au fort bon rapport qualité-prix. Les chambres ne sont certes pas immenses, mais rénovées. Petite cour intérieure. Accueil jovial, clientèle d'habitués et sympathique ambiance familiale.

De prix moyens à plus chic

Hôtel Orly : *10, rue d'Avéjan. ☎ 04-66-91-30-00. • contact@orly-hotel.com • orly-hotel.com • Doubles 50 €. Réduc de 10 % sur le prix de la chambre sur présentation de ce guide.* Un 2-étoiles très central tenu par un couple de jeunes souriants et pleins d'idées. À encourager vraiment. La façade extérieure date des années 1970, mais tout à l'intérieur a été rénové et arrangé avec goût. Nos chambres préférées : les nos 108 (2 fenêtres), 106 (la plus grande) ou 109 (style zen). Excellent rapport qualité-prix-emplacement.

Hôtel-restaurant Le Riche : *42, pl. Pierre-Sémard. ☎ 04-66-86-00-33. • reception@leriche.fr • leriche.fr • Face à la gare SNCF. Doubles avec bains 55 €. Menus 19-36 € et carte.* Une véritable institution locale. Salle à manger très Belle Époque (mais climatisée !). Les chambres sont plus banalement contemporaines mais de bon confort. Le resto passe pour être l'un des meilleurs de la ville. Cuisine d'un classicisme bon teint mais bien amené et qui sait tirer toute la saveur des produits du coin, des poissons de la Méditerranée au pélardon cévenol.

Le Mas de Rochebelle : *44, chemin Sainte-Marie. ☎ 04-66-30-57-03. • masderochebelle@aol.com • masderochebelle.fr • À 300 m env de la mine-témoin d'Alès, à droite de la route en montant. Doubles 60-80 € env, petit déj inclus. Table d'hôtes 25 €. Réduc de 10 % sur le prix de la chambre hors vac scol, j. fériés et festivités alésiennes, sur présentation de ce guide.* Située à flanc de colline, dominant la ville, cette ancienne maison du directeur de la mine a été reprise par une famille accueillante. Les cinq chambres d'hôtes spacieuses (pour 2, 3 ou 4 personnes), décorées avec le plus grand soin (douche et w-c dans chacune), donnent sur le jardin (piscine). Loue aussi un gîte (équipé) dans un bâtiment appelé le Mazet.

Où manger ?

De bon marché à prix moyens

Le Mandajors : *17, rue Mandajors. ☎ 04-66-52-62-98. • lemandajors@wanadoo.fr • Attention, horaires stricts : 12h-13h30, 19h30-21h. Fermé sam midi, dim et j. fériés. Congés : 1re quinzaine d'août et autour de Noël et du Jour de l'an. Menus 10 € (midi slt)-18 € et carte. Digestif maison offert sur présentation de ce guide.* La déco n'a sûrement guère changé depuis la dernière guerre. La petite salle climatisée est décorée de billets de banque. Tous les matins le patron rapporte ses produits du marché dans son sac à dos. Il concocte une cuisine de « grand-mère » à forte empreinte cévenole.

Le Jardin d'Alès : *92, av. d'Alsace. ☎ 04-66-86-38-82. • resto@lejardindales.fr • Franchement à l'écart du centre, à l'orée d'un quartier un peu « HLMisant ». Fermé dim soir et lun midi. Compter 8 € le midi en sem. Sinon,*

LES CÉVENNES GARDOISES

menus 12,60-27,50 €. Apéritif maison offert sur présentation de ce guide. La terrasse jouxte d'ailleurs un vilain rond-point. Mais la petite salle a été décorée avec pas mal de goût par les deux patrons. Et, bonne idée, la cuisine – raffinée – fait le tour des régions françaises. Au hasard de la carte et de menus qui tournent avec les saisons : pâté en croûte cévenol, magret de canard aux pommes et Calvados, aubergines à la sicilienne... Bon accueil.

Le Coq Hardi : *7, rue Mandajors. ☎ 04-66-52-15-75. Tlj sf lun. Menus 11,50-21 € et carte.* Un coq (en pierre) trône au milieu d'une salle plutôt agréable. On s'y sent bien, et mieux encore après avoir goûté à la cuisine : spécialités cévenoles, tripoux, escargots, poisson, crustacés (la carte change tous les quatre mois).

Bodega Los Gallegos : *7, rue des Hortes. ☎ 04-66-52-04-91. Tlj sf sam midi, dim et lun. Formule midi 7 €. Menu 15 € ; tapas 4 €. Digestif maison offert sur présentation de ce guide.* On ne saurait trop vous conseiller le menu, copieux et assez représentatif du sérieux de l'établissement. À la carte, excellente *zarzuela* (équivalent espagnol de la bouillabaisse), paella, poulpe à l'ail... Bonne ambiance hispanique, que ce soit au comptoir de la salle surchauffée ou sur la grande terrasse à l'étage.

Restaurant Le Riche : *42, pl. Pierre-Sémard. ☎ 04-66-86-00-33.* Voir plus haut la rubrique « Où dormir ? ».

Où dormir ? Où manger dans les environs ?

De bon marché à prix moyens

Voir aussi un peu plus loin nos adresses le long de la route Régordane.

Chambres d'hôtes Le Mas Cauvy : *30380 Saint-Christol-lès-Alès. ☎ 04-66-60-78-24. • maurin.helene@wanadoo.fr • http://fermemascauvy.free.fr • À 3 km d'Alès par la N 110 (direction Montpellier). À gauche au premier carrefour dans Saint-Christol, ensuite c'est fléché. Trois doubles avec douche et w-c 40 €. Camping 12 € pour 2. Sur présentation de ce guide, réduc de 20 % avr-sept sur le camping et 3e nuit en chambre d'hôtes gratuite mai-sept.* La ferme de nos rêves, avec ses poules, ses fleurs, son puits, son joli désordre et... sa piscine. Accueil aimable de Mme Maurin, qui est aussi bonne cuisinière. Chambres bien tenues. Camping à la ferme également. Pour les amoureux d'histoire, n'hésitez pas à interroger Mme Maurin sur la lutte qu'ont livrée les camisards contre les troupes royales en 1702, tout près de sa ferme.

Chambres d'hôtes Mas de Mercouly : *chez Jacqueline et André Landwerlin, 1838, chemin de la Coste, lieu-dit La Vabrille, 30520 Saint-Martin-de-Valgalgues. ☎ 04-66-30-33-17. 06-86-07-49-22. • andre.landwerlin@free.fr • http://masmercouly.free.fr • À 2,5 km au nord d'Alès, par la N 106 (route de la Grand-Combe), prendre à droite, après le Pôle mécanique d'Alès, c'est indiqué. Trois chambres 50-60 € selon confort, et gîte (6-8 pers) : 240 €/sem, 120 € la nuit. ½ pens possible 72 €/pers. Table d'hôtes 25 €.* Adossé à une colline boisée, ce grand mas du XVIIIe siècle, tout en pierre du pays, abrite une chambre de charme (vue sur le jardin) et un studio équipé. Les propriétaires sont très aimables. Lui a fait le pèlerinage à pied de Saint-Jacques-de-Compostelle et, il y a peu, le chemin jusqu'à Rome puis Jérusalem à vélo ! C'est donc un authentique routard médiéval. Grande piscine et salle de billard.

À la Maison, chez Anny et Jean-Yves Guyonnet : *52, chemin des Chênes, hameau de Vermeile, 30380 Saint-Christol-lès-Alès. ☎ 04-66-60-97-02. Quitter Alès par la N 110 en direction de Montpellier, jusqu'à Kitou, ensuite c'est indiqué sur la droite. Fermé dim-lun. Sur résa la veille ou le matin même. Menu-carte 25 €.* Dans une vieille demeure cévenole rénovée avec patience et bon goût par les restaurateurs eux-mêmes et pour cause, ils reçoivent dans leur propre maison. Madame prépare chaque jour un nouveau menu selon le marché et son humeur, qu'elle a fort gourmande. Le tout sous le règne du « fait maison » et en harmonie avec la saison : des produits locaux ou même issus de la cueillette des patrons (mmm !, les cèpes...). C'est bien fait, goûteux et joli à regarder. Service attentif et discret du maître de maison. Terrasse.

Plus chic

Chambres d'hôtes Le Mas de la Cadenède : *chez Nadia et Maxime Turc, Le Plantieiras, 30110 Laval-Pradel. ☎ 04-66-30-78-14. • masdelacadenede@free.fr • masdelacadenede.free.fr • À 10 km env au nord d'Alès. D'Alès, prendre la D 906 vers Génolhac, puis à gauche vers Le Mas-Dieu (situé sur la voie Régordane). Ouv tte l'année. Doubles 70 €, petit déj compris. Possibilité de ½ pens et de pension complète. Apéritif maison offert sur présentation de ce guide.* À flanc de colline, une vieille ferme restaurée parmi les oliviers, les amandiers et les chênes. Cinq chambres pour 2, 3 ou 4 personnes, décorées dans le style Provence, avec douche et w-c et petite terrasse. Piscine dans le jardin.

Sur la route de Bagnols-sur-Cèze

La Farigoulette : *30580 Seynes. ☎ 04-66-83-70-56. • lafarigoulette.com • À 18 km à l'est d'Alès par la D 6. Ouv tlj tte l'année. Doubles 50 € avec douche. Menu 15 €, le midi en sem, puis 18-26 €.* On vient de toute la région pour manger les pâtés, terrines, saucissons, gardianes, civets de porcelet aux châtaignes que préparent la patronne et son équipe, qui tiennent aussi une charcuterie au lieu-dit Le Bourg. Ici, l'appellation « produits maison » est partout, et c'est tant mieux. Les menus à prix doux sont servis dans une salle à manger rustique, en toute simplicité. L'hôtel propose 11 chambres correctes (demander les n°s 4, 6, 10 et 11 avec vue panoramique ou sur la piscine). Jardin. Une adresse de campagne sans chichis, on aime !

À voir

Dans le centre

La cathédrale Saint-Jean : *au cœur de la vieille ville.* Ancienne église romane, la cathédrale, bâtie sur les ruines d'un temple romain, vit partir les premiers croisés alésiens. De l'édifice du Moyen Âge, il ne reste que la façade occidentale cachée en partie par le clocher massif qui y fut accolé au XVe siècle. La nef est gothique, mais le chœur Renaissance, avec ses majestueuses colonnes, a été reconstruit au XVIIIe siècle. À voir, à l'intérieur, le remarquable buffet du grand orgue, classé ; la chaire, de 1727 ; les somptueuses stalles ; la table de communion en marbre, du XVIIIe siècle ; le maître-autel fait d'éléments des XVIIIe et XIXe siècles ; et de beaux tableaux. Le baptistère, classé, est surmonté d'une superbe toile représentant *Le Baptême du Christ*. Remarquer également, dans la chapelle de la Vierge, *L'Assomption* de Nicolas Mignard, peintre du XVIIe siècle.

Le fort Vauban et les jardins du Bosquet : sur la butte de la Roque, ancienne forteresse qui domine la vieille ville. Lors de la prise d'Alès, en 1629, Louis XIII et Richelieu ordonnèrent la démolition du château des Barons. Il fut reconstruit en 1635, mais l'intendant du Languedoc décida la construction d'un fort à Alès, et cela pour trois raisons : le prestige royal de Louis XIV, la sécurité de la garnison royale et une prison pour les protestants. La citadelle fut édifiée en 1688 d'après les ingénieurs de Vauban, incluant une partie du château des Barons. Le fort ne se visite pas, mais on peut facilement accéder aux terrasses (vue sur le « nouvel » Alès...). Les jardins ont été aménagés au XVIIIe siècle.

L'hôtel de ville : belle façade du XVIIIe siècle. Les deux consoles du balcon sont fort belles.

Le musée du Colombier : *rue Jean-Mayodon. ☎ 04-66-86-30-40. Dans le parc du Colombier, au nord de la ville, non loin de la sous-préfecture. Juil-août, ouv tlj 14h-19h ; le reste de l'année, tlj sf lun 14h-18h. Entrée gratuite.* Situé dans un joli petit château du XVIIIe siècle avec son ravissant pigeonnier Louis XIII et son jardin à la française. Collection d'histoire et d'archéologie régionale, peintures du XVIe siècle à nos jours. Voir les deux copies de Bruegel de Velours (*La Terre* et *La Mer*) et le *Triptyque de la Trinité* attribué à Bellegambe.

Le Musée minéralogique de l'école des Mines : *6, av. de Clavières. ☎ 04-66-78-51-69. • ema.fr • 15 juin-15 sept, lun-ven 14h-17h ; le reste de l'année, slt sur rendez-vous. Entrée : 4 € ; réduc.* Riche collection : 1 600 échantillons minéraux, sur une réserve de 10 000, collection de roches et de superbes fossiles. La plupart des mines sont représentées au travers d'échantillons venus du monde entier. Projection de diapositives en relief (1 € supplémentaire).

Un peu à l'écart de la ville

Le musée-bibiothèque Pierre-André-Benoît *(musée PAB)* ***:*** *rue de Brouzen, Rochebelle. ☎ 04-66-86-98-69. ♿ (accès partiel). Rive droite du Gardon (accès fléché depuis le centre-ville). Juil-août, tlj 14h-19h ; le reste de l'année, tlj sf lun 14h-18h. Congés : fév et certains j. fériés. Entrée gratuite.* On doit ce musée, installé dans un élégant petit château du XVIIIe siècle, à Pierre-André Benoît (1921-1993), peintre, imprimeur, sculpteur et poète. Les œuvres d'artistes contemporains qu'il connut et qui, pour certains, furent des amis proches, sont ici exposées. Picabia, Alechinsky, Braque, Survage, Miró, Picasso, entre autres, sont présentés. Dans le parc, des œuvres d'Alechinsky *(La Petite Falaise illustrée)* vous mettent en condition et préparent à la visite des salles, claires et aérées. L'imprimerie et l'édition, passions de PAB, occupent une place importante, et nous découvrons combien ces activités sont artistiques et demandent de savoir-faire et de talent (Rose Adler, Boissonas). Il y a de précieux petits livres tout poétiques qu'on aimerait bien avoir chez soi, pour le seul plaisir des yeux (textes de René Char, André Breton, PAB...). Enfin, si certaines salles sont dédiées aux expos permanentes, d'autres reçoivent des œuvres variées et réservent des surprises : un buste de Camille Claudel, une gouache de Miró...

La mine-témoin d'Alès : *chemin de la Cité-Sainte-Marie, Rochebelle. ☎ 04-66-30-45-15. • mine-temoin.fr • Sur une colline d'où l'on a une vue panoramique sur Alès. Mars-mai et de sept à mi-nov, tlj 9h-12h30, 14h-18h ; juin, tlj 9h-18h ; juil-août, tlj 10h-19h. Le reste de l'année, slt pour les groupes sur résa. Dernier départ : 1h30 avt la fermeture. Entrée : 6,70 € adulte ; 4 € sur présentation de ce guide ; 4 € enfant. Durée de la visite : 1h20.* De loin la première curiosité de la ville. Et sans doute l'un des plus surprenants musées d'archéologie industrielle de France. Fascinant ! Avant de pénétrer dans les galeries souterraines, on doit se coiffer d'un casque. Puis on descend dans un ascenseur « virtuel » dans les entrailles de la terre. Une fois arrivés, les visiteurs découvrent à pied ces 700 m de galeries souterraines creusées entre 1945 et 1968 sous la colline de Montaud. On apprend les différentes méthodes employées dans les « tailles » (chantiers), de 1880 à 1960 : le pic, le marteau-piqueur, le rabot, la haveuse et les machines modernes. Et c'est toute notre ère industrielle qui prend forme dans la pénombre de ces étroits boyaux traversés par des rails et des wagonnets. Vous remarquerez tous les détails qui concernent la sécurité dans les mines : un téléphone antidéflagrant, une cloche

à signaux. On y voit aussi un plan de tir avec les trous forés pour l'insertion des bâtons de dynamite. « C'était un métier très dur, mais les mineurs aimaient conquérir les profondeurs de la Terre », vous expliquera-t-on. Température de 14 à 17 °C dans les galeries.
– Devant le pavillon d'accueil, aire de pique-nique sous les pins à la libre disposition des visiteurs.

***Parc des Camélias :** 2396, chemin des Sports, 30100 Alès. ☎ 04-66-52-66-40. Tlj sf mar. Visite guidée : 5 € adulte ; réduc.* Créé au début du XXe siècle par Jean Ignal, horticulteur et maraîcher à Alès, ce parc comprend près de 200 variétés de camélias, dont les plus anciens sujets ont près de 100 ans. Également des magnolias, des cerisiers à fleurs, des érables japonais...

Fêtes et manifestations

– ***Festival du cinéma itinérance :** en mars.* Thématiques variables, mais programmation toujours judicieuse (notamment par ses rétrospectives).
– ***Feria :** à l'Ascension, pdt 5 j.* Défilé de la *pégoulade* puis corridas, *encierros* et *abrivados*. Chaude ambiance populaire dans les *bodegas* qui envahissent le centre-ville.
– ***Cratère Surfaces :** les premiers j. de juil*. Festival des arts de rue (théâtre, fanfare), dans... les rues d'Alès.
– ***Estiv'Alès :** ts les soirs de juil-août.* Des spectacles gratuits aux quatre coins de la ville.
– ***La Semaine des fous chantants :** fin juil-début août*. Festival consacré à la chanson française.
– ***La fête de la Châtaigne :** le 2e w-e d'oct.*

➤ DANS LES ENVIRONS D'ALÈS

***La ferme aux Abeilles :** route d'Alès, 30340 **Méjannes-lès-Alès.** ☎ 04-66-30-69-78. Situé entre le rond-point de Méjannes-lès-Alès et le village de La Jasse-de-Bernard (côté parc des Expositions). Tlj sf dim mat et lun 10h-12h (10h30 sam), 14h-18h (15h dim en juil-août). Entrée : 2 €.* Intéressera les grands et les petits : tout sur la vie des abeilles et l'apiculture. Une ruche vitrée permet d'observer la colonie sans risques. Film de 30 mn. Vente et dégustation de miels.

***Le château de Rousson :** 30340 **Rousson.** ☎ 04-66-85-60-31. À une dizaine de km au nord d'Alès, en direction de Saint-Ambroix. Visites tlj 14h-19h, juil-août. Sur rendez-vous Pâques-Toussaint pour les groupes de 20 pers min. Entrée : 5 € adulte.* Une élégante bastide d'époque Louis XIII, située au sommet d'une butte qui domine la vallée. Richelieu y séjourna en 1629. À l'intérieur : salons au beau mobilier des XVIIe et XVIIIe siècles.

***Les jardins ethnobotaniques de la Gardie :** ancienne école de Pont-d'Avène, 30340 **Rousson.** ☎ 04-66-85-66-90.* Itinéraire balisé au travers de jardins à thèmes : verger mémoire, espace céréales, rûcher, potager médiéval...

***Le Préhistorama – musée de l'évolution de l'homme :** chemin de Panissière, pont d'Avène, 30340 **Rousson.** ☎ 04-66-85-86-96. • prehistorama.com • ♿ Sur la D 904 entre Alès et Saint-Ambroix. Congés : déc-janv. Fév-mai, tlj 14h-18h ; juin-août, 10h-19h ; sept-nov, 14h-18h. Entrée : 5 € adulte ; 3 € enfant (7-14 ans) ; gratuit moins de 7 ans.* Enfin un musée vraiment insolite, scientifique et humoristique. Fâché avec les musées traditionnels qui ne montrent que des squelettes et des crânes derrière des vitrines, Eirik Granqvist, sympathique Scandinave, a voulu recréer à sa façon l'univers de nos ancêtres il y a 2 millions d'années. Le résultat est surprenant. Ce consultant international est aussi un taxidermiste réputé et un artiste. Dans la pénombre de ce musée, on découvre une série de mannequins préhistoriques, tous fabriqués par lui selon la méthode Gerassimov, du nom de son inventeur. Chaque personnage est réalisé ici en grandeur nature, à partir d'un mélange de résine de polyester et de fibres de verre. Scènes réalistes de la vie quotidienne : *Erectus* mange *Robustus,* femme allaitant sous sa cabane de branchage, *Homo habilis* dépeçant une antilope, enterrement dans une famille. Cro-Magnon n'était pas une brute, on vous l'assure...

La maison du Mineur : *vallée Ricard, 30110* ***La Grand'Combe.*** *☎ 04-66-34-28-93. • paysgrandcombien.fr • À 14 km au nord d'Alès, sur la route de Florac. Tlj sf dim mat et lun. En été, ouv 9h-12h, 14h-18h ; en hiver, 9h30-12h, 14h-17h (18h mars-mai). Entrée : 3,50 €.* Visite guidée (sur commande) fort intéressante pour avoir une idée du quotidien des mineurs.

Le musée du Scribe : *42, rue du Clocher, 30380* ***Saint-Christol-lès-Alès.*** *☎ 04-66-60-88-10. Dans le vieux village, à côté de l'église. Juil-août, tlj 10h-19h ; juin et 1er-15 sept, tlj 14h-19h ; le reste de l'année, slt les w-e 14h30-19h. Congés : janv. Entrée : 4,50 € ; enfant : 3 € ; tarif de groupe sur présentation de ce guide. Ttes les visites se font par audioguide et durent 1h30.* Un musée au thème original : collections d'objets d'écriture (du calame à la plume métallique, en passant par la plume d'oie), porte-plume, encriers ; historique et techniques de fabrication des supports d'écriture (papyrus, parchemin, papiers divers). À l'étage, reconstitution d'une salle de classe de 1920. À la fin de la visite, atelier pratique d'écriture avec tous ces instruments.

QUITTER ALÈS

En bus

➢ ***Pour Anduze :*** avec les cars de la *Coopérative des autocaristes réunis,* 30100 Alès. ☎ 0825-82-63-47 (0,15 €/mn). Env 6 liaisons régulières/j. entre Alès (départ de la gare routière) et Saint-Jean-du-Gard via Anduze. Pas de service dim ni j. fériés. Se renseigner à la gare routière d'Alès. Durée : 30 mn.
➢ ***Pour Saint-Jean-du-Gard :*** même compagnie. Cinq départs/j. en période scol, 2 départs/j. pdt les vac. Durée du voyage : env 55 mn.

En train

➢ ***Pour Nîmes :*** env une douzaine de trains/j., 6h-21h. Durée du trajet : autour de 45 mn.
➢ ***Pour Paris :*** via Nîmes, avec correspondance pour Paris en TGV.

LA ROUTE RÉGORDANE (AU NORD D'ALÈS)

Il s'agit de la départementale 906, entre Langogne et Alès, qui reprend le tracé de la voie Régordane, très ancien itinéraire reliant le Gévaudan au Languedoc. Au Moyen Âge, le chemin était fréquenté par des foules de pèlerins venus du Puy-en-Velay et se rendant à Saint-Gilles-du-Gard, en Camargue, l'un des grands pèlerinages de la chrétienté. Des caravanes de muletiers, les fameux *rigourdiers,* descendaient du Massif central, chargés de fromages, de laitages. Ils remontaient avec des châtaignes, du sel, de la houille et du vin. Cette route était jalonnée d'« hôpitaux » où les voyageurs étaient hébergés et de belles églises romanes (Concoules, Prévenchères...). La place forte de

La Garde-Guérin (voir le chapitre « La Lozère »), la grande rue de Génolhac, le château de Portes sont autant de lieux marqués par ces grandes migrations d'autrefois.

LE CHÂTEAU DE PORTES

Au bord de la voie Régordane (et aujourd'hui de la D 906, juste après le village de Portes en direction d'Alès). ☎ 04-66-54-92-05. • chateau-portes.org • Juil-août, tlj sf lun mat 10h-19h ; sept, tlj sf lun 14h-18h ; mars-fin nov, ts les w-e et j. fériés 14h-18h et pdt les vac scol 14h-18h. Visite libre ou guidée (1h) avec des bénévoles. Entrée : 4,50 € ; réduc.

Cette forteresse, perchée sur une ligne de crêtes, servit naguère de refuge aux pèlerins en route pour Saint-Gilles-du-Gard. Élevée au XIe siècle, sur un plan carré, on lui ajouta à la Renaissance une belle habitation seigneuriale sur trois étages, formant un éperon dirigé à l'est, telle une proue de navire. L'édifice est en cours de restauration. Concerts de musique classique et théâtre de la mi-juillet à la mi-août. Sur le versant qui fait face au château, une des dernières mines à ciel ouvert de la région. La vue sur les vallées est magnifique.

Le petit kiosque en bois au passage du col de Portes, sur le parking du château, pourra vous informer sur les possibilités touristiques du coin, uniquement en juillet et août.

Où dormir ? Où manger dans les environs ?

Hôtel Lou Cante Perdrix : *Le Château, 30530 La Vernarède. ☎ 04-66-61-50-30. • lou.cante.perdrix@wanadoo.fr • canteperdrix.fr • ♿ À 5 km au nord-ouest du château de Portes par la D 906 ; suivre le fléchage depuis La Vernarède. Resto fermé lun-mar ainsi que dim soir hors saison. Congés : janv. Doubles avec douche et w-c ou bains 52-58 €. Menus 18-38 € et carte. Apéritif maison offert sur présentation de ce guide.* Une grande bâtisse du début du XIXe siècle (les ingénieurs des mines y travaillaient autrefois), surplombant une vallée sauvage. C'est un peu le bout du monde et c'est reposant. Quinze chambres bien tenues et spacieuses. Le patron, dévoué, va chercher ses clients à la gare. Piscine. Bar dans l'hôtel.

GÉNOLHAC

(30450) 850 hab.

Gros bourg niché au fond de la vallée de la Gardonnette, au pied du mont Lozère. Balade conseillée dans le centre ancien, qui a conservé toutes les caractéristiques des villages-rues de la voie Régordane : opulentes (comparées aux maisons paysannes des environs) maisons de ville de part et d'autre d'une très longue rue. Au rez-de-chaussée, les vieilles devantures des anciennes échoppes et autres tavernes où s'arrêtaient les voyageurs.

Adresses utiles

Office de tourisme : *à l'Arcean, sous le porche de la Grand-Rue. ☎ 04-66-61-18-32. • cevennes-montlozere.com • Ouv tte l'année. Juil-août, tlj sf dim ap-m 9h30-12h30, 16h-19h ; le reste de l'année, tlj sf dim-lun 10h-12h30, 16h-19h.*

Centre de Documentation sur les Cévennes : 3, Grand-Rue. ☎ 04-66-61-19-97. • cevennes-parcnational.fr •

À l'étage. Ouv lun, mer mat et ven 9h-12h, 13h30-17h30 (mais mieux vaut téléphoner avt). Base de données de plus de 18 000 ouvrages, en consultation libre. Renseignements et écomusée au rez-de-chaussée.

Gare SNCF : *en bas du village. ☎ 36-35 (0,34 €/mn).* Plusieurs trains/j. pour Alès, Nîmes et Paris (eh oui !).

Où dormir ? Où manger ?

Bon marché

Gîte d'étape municipal : *rue Aimé-Crégut. ☎ 04-66-61-10-55. • contact@mairie-genolhac.com • Niché derrière l'office de tourisme. Congés : nov-mars. Compter 10 €/pers.* Gîte de 10 places en plein centre du village.

Hôtel Le Commerce : *46, Grand-Rue. ☎ 04-66-61-11-72. Doubles avec douche et w-c 38 €. Menus 11-26 € env. Café offert sur présentation de ce guide.* Au bord de cette très belle rue aux façades des XVe et XVIIe siècles, une adresse bon marché pour dormir. Nos chambres préférées : les nos 11 et 12 avec vue sur le mont Lozère. On peut y manger aussi pour des prix bien sages. Une bonne étape pour routards.

Hôtel du Chalet : *face à la gare. ☎ 04-66-61-11-08. En bas du bourg. Resto fermé 15 déc-15 janv. Doubles avec lavabo ou douche 35 €. Menus à partir de 14 €.* L'hôtel le moins cher du coin. Spécialités : civet de lapin, truite aux amandes, gigot forestier...

Où dormir ? Où manger dans les environs ?

Chambres d'hôtes et gîte d'étape de Tourèves : *lieu-dit Tourèves, 30450 Génolhac. ☎ et fax : 04-66-61-10-01. À 5 km de Génolhac par la D 362, direction Le Mas-de-la-Barque. Fermé de mi-nov à avr. Quatre chambres doubles avec douche et w-c 38 €. En gîte d'étape, 12 € la nuitée/pers. Apéritif maison offert sur présentation de ce guide. Classé Gîte Panda.* Dans une vieille ferme joliment rénovée, solitaire sur les premières pentes du mont Lozère. Panorama exceptionnel : jusqu'au mont Ventoux les jours de grand beau temps. Deux formules : un sympathique dortoir de 10 lits en trois « cabines », chacune avec douche et w-c ; et quatre agréables chambres d'hôtes. Table d'hôtes également. La cuisine a déjà fait de nombreux heureux. Excellent accueil.

➤ DANS LES ENVIRONS DE GÉNOLHAC

Le belvédère des Bouzèdes : *par la D 362, chouette route de montagne.* À 1 325 m d'altitude. Belle vue sur Génolhac et sa vallée.

Le Mas-de-la-Barque : *en continuant la D 362.* Maison forestière, au cœur de la partie boisée du mont Lozère (résineux, hêtres, sapins). Sentier d'observation (voir le chapitre « Le Pont-de-Montvert »).

CONCOULES (30450) 250 hab.

À quelques kilomètres au nord de Génolhac. Superbe point de vue sur la vallée depuis la petite église romane (XIIe siècle) dotée, comme en Aubrac, d'un clocher à peigne.

Où acheter de bons produits ?

🧺 🍴 ***Ferme-atelier de la Cézarenque :*** *un bâtiment récent au bord de la route Villefort-Génolhac.* ☎ *04-66-61-10-52.* ♿ *Ouv tlj 9h-12h30, 14h-17h30 (19h30 l'été). Fermé lun mat hors saison. Congés : 1re sem de janv. Restauration en juil-août, à base de produits maison mer midi et sam midi sur résa (env 18,50 €).* Visite libre des élevages. Il s'agit d'un magasin de vente de produits naturels, donc sains : charcuterie du pays, volailles, viandes, conserves, ainsi que pâtisseries. Tout est fait artisanalement par un groupe de pensionnaires handicapés dépendant du centre attenant au magasin. Une bonne idée, certainement, de la part de son directeur. C'est bon et les prix sont doux.

➤ DANS LES ENVIRONS DE CONCOULES

LA HAUTE VALLÉE DE LA CÈZE

Au sud-est de Concoules par la D 51 qui suit, jusqu'à Aujac, le cours de la rivière. Vallée encaissée qui semble n'avoir pas bougé depuis des siècles, encore surveillée par de robustes forteresses médiévales. Paysages avec murets et châtaigniers, maisons et clèdes de schiste. Un coin encore intact, peu touristique hors saison.

Le château le Cheylard d'Aujac : *accès fléché depuis Aujac.* ☎ *04-66-61-19-94* 📱 *06-87-34-60-95. • chateau-aujac.com • Juil-août, tlj sf lun 11h-19h ; le reste de l'année, slt dim et j. fériés 14h-18h. Congés : Toussaint-Pâques. Entrée : 5 € ; réduc sur présentation de ce guide. Visite guidée (1h).*
On y grimpe à pied en un petit quart d'heure en se disant que ce château mérite bien son surnom de « vertige blanc d'Aujac » ! Perché sur un éperon rocheux, Cheylard, construit à partir du XIIe siècle, est intéressant à plus d'un titre. C'est d'abord, dans la région, l'un des rares exemples de château médiéval intact. Il n'a subi quasiment aucune modification depuis le XVIe siècle et a échappé aux guerres de Religion comme à la Révolution, du fait de sa curieuse histoire. Les seigneurs de Cheylard ayant vite préféré les fastes de la Cour aux rigueurs des Cévennes, dès le XVIe siècle, le château a été géré comme une métairie par une famille paysanne qui l'a acheté à la Révolution et en est toujours propriétaire !
Depuis 1994, il est ouvert au public pour des visites guidées organisées par l'Entreacte qui se consacre depuis déjà plus de 6 ans à sa restauration. Quatre bâtiments ont été restaurés et le village accueille des artisans en résidence pendant l'été : souffleurs de verre, créateurs de vitraux...

➢ D'***Aujac,*** on peut rejoindre Génolhac par une toute petite route (direction Sénéchas) qui sinue entre les châtaigniers. Au passage du pont sur la Cèze, baignade et guinguette.

LA GARDONNENQUE

La campagne au sud d'Alès, notamment les cantons de Vézénobres, Lédignan et Saint-Chaptes, forme une microrégion particulièrement attachante. Elle a toujours été une transition entre les monts des Cévennes et les garrigues d'Uzès. Ce Piémont cévenol présente des paysages typiquement gardois et méditerranéens : petites collines couvertes de garrigue, plaines fertiles, vignes, oliviers. Le Gardon d'Alès y rejoint le Gardon d'Anduze, et cette confluence a donné naissance au Gardon, rivière qui coule en aval sous les arches du pont du Gard. Le nom du terroir, la Gardonnenque, vient donc de ce mariage de deux rivières dont les crues sont souvent dévastatrices.

Ici, au hasard des routes de campagne, on découvre des maisons paysannes ayant des airs de petits châteaux. Historiquement, c'est le « vivier du protestantisme », selon l'expression de l'historien Alain Gas, un fils du pays.

VÉZÉNOBRES

(30360) 1 500 hab.

À 11 km au sud-est d'Alès par la N 106. Voilà un superbe village, peu connu, que la voie express évite à présent mais que vous ne devez pas éviter ! À découvrir de toute urgence. Il est situé sur l'historique chemin de Régordane, cette voie ancienne qui reliait le Massif central à la vallée du Rhône, et que fréquentaient naguère les pèlerins et les marchands. Étagé à flanc de colline, parmi les oliviers et les figuiers, Vézénobres domine la belle région de la Gardonnenque.

UN PEU D'HISTOIRE

Vézénobres a joué un rôle important durant la deuxième phase des guerres de Religion. Le château seigneurial fut assailli en 1628 et dévasté par les huguenots du duc de Rohan. Jean Cavalier, adolescent, y fit son apprentissage de berger-paysan. Sans doute est-ce dans la garrigue proche qu'il est allé écouter les prédicants et les prophètes. Chef lui-même « inspiré » des camisards à l'âge de 20 ans, il est revenu maintes fois à Vézénobres, y célébrant notamment Noël 1702.

SOUS LE SIGNE DE LA FIGUE

Arbre venu d'Orient, le figuier est l'emblème ancestral de Vézénobres. La culture, la récolte, le séchage sous les « calaberts » (lieux couverts), et la consommation des figues font partie depuis des siècles des habitudes locales. Naguère, près de 400 quintaux de figues sèches étaient vendues chaque année. Après avoir été abandonnée, cette « mémoire oubliée des figues » est en pleine renaissance. Un terrain planté d'un millier de figuiers, représentant une centaine de variétés différentes, sert de « collection nationale » et de champ d'expérimentation. Les arbres proviennent du conservatoire botanique de l'île de Porquerolles. Il est question aussi de créer un laboratoire, et d'associer les grands cuisiniers à ce fruit noble et diététique, afin qu'ils le proposent dans leurs menus, aussi souvent que possible. Depuis qu'elle a été relancée en 1997, la *fête de la Figue* rassemble, le 14 juillet et surtout trois jours à la fin du mois d'octobre, des producteurs du Sud de la France et de nombreux intéressés. Il existe un apéritif à base de figues : le crémeux de figue.

Adresse utile

ℹ ***Office de tourisme :** Les Terrasses du Château.* ☎ *04-66-83-62-02.* • *ot-vezenobres.com* • *En hiver, lun-ven 9h-12h30, 14h-17h30 ; en été, lun-ven 9h-12h30, 14h-19h, w-e 15h30-19h.* Situé dans le bâtiment médiéval de l'hôtel de ville (à proximité du parking, terrasse panoramique). Très bien organisé et accueillant : documentation sur les hébergements (chambres, gîtes), les restaurants, les visites, les monuments, les jardins des environs, les randonnées et les activités sportives. Salles d'exposition.

Où dormir ? Où manger dans les environs ?

Camping

⛺ ***Camping des Vistes :** 30360 Saint-Jean-de-Ceyrargues.* ☎ *04-66-83-29-56.* • *info@lesvistes.com* • *lesvistes.com* • ♿ *Ouv 1er avr-30 sept, ainsi que* *pdt les vac de la Toussaint et de Noël pour les loc. Compter 16 € pour 2 avec voiture et tente. Loc de mini-mobile homes, bungalows et mazets 185-520 €/sem.* Tenu par un couple d'agriculteurs. Agréablement situé sur une petite colline couverte de pins et d'oliviers. Joli panorama sur les Cévennes, piscine. Idéal pour des vacances en famille.

Prix moyens

Chambres d'hôtes du Mas Villaret : *chez Colette et Jean-Claude Villaret, mas Villaret, 30350 Maruéjols-lès-Gardon. ☎ 04-66-83-42-96. • masvillaret@orange.fr • À 8 km env au sud de Vézénobres. Doubles 52 €. Également deux gîtes pour 6 pers.* Un mas familial qui abrite deux chambres avec vue sur le vignoble ou sur les bois environnants. Petit déj savoureux : fruits du verger et confitures maison.

Restaurant-épicerie, chez Corinne et Jean-Luc Alary : *rue Haute, 30350 Maruéjols-lès-Gardon. ☎ 04-66-83-41-44. À 8 km env au sud de Vézénobres. À droite dans la montée principale du vieux village. Ouv mar-dim midi. Congés : sept et fêtes de Noël et Nouvel An. Résa recommandée. Menu 13,80 € en sem à midi ou menu-carte 25 €. Apéritif maison offert sur présentation de ce guide.* Un resto-épicerie, c'est-à-dire une rareté à l'heure de la mondialisation ! Voici une bonne petite adresse qui mérite un détour. Une salle voûtée, une terrasse extérieure avec vue sur la vallée, mais surtout des petits plats locaux soignés, à des prix raisonnables. Accueil jovial.

De plus chic à beaucoup plus chic

Chambres d'hôtes Mas de l'Amandier : *camp Galhan, 30720 Ribaute-les-Tavernes. ☎ 04-66-83-87-06. • mas.amandier@free.fr • ♿ À 1 km env de Ribaute, sur la D 106, en allant vers la D 24. Ouv tte l'année. Doubles avec bains et w-c 85-90 €, petit déj compris. Suite pour 4 pers autour de 121 €. Table d'hôtes 35 €. Apéritif maison offert sur présentation de ce guide.* Dans un paisible coin de campagne, sur une discrète colline face aux Cévennes. Maison bourgeoise du XVIIe siècle, très joliment rénovée (la propriétaire était styliste, ça aide !). Quatre chambres où l'on peut prendre ses aises. Déco sobre mais étudiée : carrelages anciens, draps à monogramme... jusqu'au savon (de Marseille, évidemment) posé à l'angle des amples baignoires... Accueil charmant. Pataugeoire pour les enfants en attendant la piscine. Cuisine d'été.

Chambres d'hôtes du château de Ribaute : *30720 Ribaute-les-Tavernes. ☎ 04-66-83-01-66. • chateau-de-ribaute@wanadoo.fr • À 7 km à l'ouest de Vézénobres par Massanes. Au centre du village de Ribaute. Doubles avec bains 80-110 €. Table d'hôtes pour les résidents 32 €.* Un très élégant château classé en partie comme Monument historique, construit au XIIIe siècle, redécoré et aménagé au XVIIIe. Certains se contenteront de visiter les salons et appartements qui ont conservé leur mobilier d'époque, et ne manqueront pas d'emprunter l'escalier à double révolution. Les autres pourront s'offrir une nuit de rêve dans de somptueuses chambres d'hôtes, aux meubles anciens, et dîner dans la salle à manger d'apparat ou, en été, sous les arcades de la cour d'honneur. Piscine. Parking gratuit.

À voir

La vieille ville : on conseille d'abandonner son véhicule au pied du village (parking de la cité médiévale) puis de grimper vers le centre par des rues qui n'ont pas changé depuis le Moyen Âge. Se balader ensuite au hasard des ruelles pour découvrir cette petite cité de caractère.

– ***La Grande-Rue :*** elle traverse le village en montant. Bordée de bâtisses du XIIIe siècle. Nombreux passages voûtés entre les immeubles, nommés « endrounes ».
– ***La rue des Maisons-Romanes :*** témoigne de la prospérité du village autrefois.
– ***L'église paroissiale :*** av. Docteur-Mourier, en contrebas du village. Elle date de la Contre-Réforme et abrite une belle fresque de cette époque.
– ***Le temple protestant :*** dans la cité haute, tout près de la place de la Mairie. Il daterait de 1793, donc peu après la proclamation par la République de la liberté de culte.
– ***Table d'orientation :*** dix petites minutes de montée pour apprécier un très beau panorama sur les Cévennes.
– ***La collection nationale du Figuier :*** chemin des Mas-des-Routes. En bas du village, sous le parking. Voir plus haut « Sous le signe de la figue ».

DANS LES ENVIRONS DE VÉZÉNOBRES

Balade dans la Gardonnenque, sur les traces des chefs camisards Cavalier et Roland

La région de la moyenne Gardonnenque fut la terre d'élection de la religion protestante, autant et sinon plus que les montagnes des Cévennes. La guerre des Camisards s'est déroulée plus souvent dans la garrigue, et notamment dans le secteur autour de Vézénobres, que dans les montagnes cévenoles. Au XVIIIe siècle, le terme « Cévennes » regroupait en effet un ensemble géographique beaucoup plus vaste qu'aujourd'hui.
Voici un petit itinéraire conçu par Alain Gas, historien et écrivain, qui est aussi un descendant en droite ligne des deux chefs historiques, ***Jean Cavalier*** et ***Roland Laporte.*** Cavalier a accompli ses faits d'armes les plus prestigieux dans ce secteur-là. C'est pourquoi les villages se suivent dans l'ordre chronologique des événements de cette guerre des Camisards. Pour mieux comprendre cette épopée, ne manquez pas de visiter le *musée du Désert* à Mialet, près d'Anduze, entièrement consacré à l'histoire des camisards et huguenots en Cévennes.

Ribaute-les-Tavernes : *à 7 km à l'ouest de Vézénobres.* Village ayant conservé les vestiges du château médiéval des Bermond de Sauve. Le château des Mandajors (XVIIIe siècle) se visite. Il abrite de belles chambres d'hôtes (voir plus haut la rubrique « Où dormir ? Où manger dans les environs ? »). Jean Cavalier est né en 1681 au hameau voisin du mas Roux.

Cardet : *à 7 km au sud de Ribaute-les-Tavernes, sur la rive sud du Gardon d'Anduze.* Au bourg, surprenante architecture urbaine des maisons faites de galets provenant de la rivière.

Martignargues : *à 4 km à l'est de Vézénobres.* Petit village perché dominant la rivière de la Droude. Au lieu-dit le Devès, le 14 mars 1704, Jean Cavalier mit en déroute l'armée royale. Ébranlé, Louis XIV révoqua Montrevel et le remplaça par le talentueux maréchal de Villars, qui devait régler le conflit au cours des mois suivants.

Le moulin à huile du domaine du moulin de Portal : *route de Saint-Césaire-de-Gauzignan, 30360* ***Martignargues.*** *☎ 04-66-83-24-52. Tlj sf dim et j. fériés.* Christophe Paradis ouvre son moulin au public, où il élabore une huile d'olive du pays du Gard. Vente d'huile, de tapenade, de miel, de bois d'olivier.

Euzet-les-Bains : *à 10 km au nord-est de Vézénobres.* Les bois d'Euzet abritaient, du temps de la guerre des Camisards, tout un réseau de grottes secrètes, où Jean Cavalier avait installé son quartier général, son arsenal et son infirmerie. Peu après la bataille de Martignargues, Cavalier fut défait à Nages, près de Nîmes, et poursuivi jusqu'à Euzet. Le 19 avril 1704, son repaire fut dévasté par les troupes du maréchal de Villars. La ville est célèbre pour son ancienne station thermale, longtemps dirigée par le docteur Perrier, créateur de la célèbre boisson à bulles... Les temps changent : il existe maintenant un superbe spa, rue du temple (voir plus haut « Dans les environs d'Uzès »).

➢ ***Randonnée pédestre aux « grottes des Camisards » :*** *documentation disponible à l'office de tourisme de Vézénobres.*

Saint-Jean-de-Ceyrargues : *à 5 km de Vézénobres.* Le 13 mai 1704, Jean Cavalier y prit contact avec les émissaires du maréchal de Villars, afin de négocier avec Louis XIV la fin d'un combat devenu sans issue, et d'obtenir la liberté de culte pour les huguenots. Une trêve s'ensuivit. Cavalier alla même à Versailles. S'estimant trompé, il fuira à l'étranger et finira officier en Angleterre, sans avoir pu rallumer l'insurrection dans les Cévennes. À noter aussi, une charmante église médiévale avec cadran solaire.

Castelnau-Valence : *à env 15 km à l'est de Vézénobres.* Un château caché dans des arbres (ne se visite pas) domine la plaine. Là, l'autre héros de l'épopée camisarde, Pierre Laporte, dit « Roland », rejoignit sa compagne Marthe de Cornelly. Roland trahi, le château fut cerné de nuit et le chef camisard fut abattu lors de sa fuite. Faisant suite au départ de Cavalier, la mort de Roland annonça la fin de la guerre dite « des Camisards ». Sur place, très jolie fontaine à la grenouille, et en direction de Drézéry, énorme éolienne du XIXe siècle rénovée.

Boucoiran (30190) ***:*** *village médiéval à env 7 km au sud de Vézénobres, au bord du Gardon.* L'un des derniers procès en sorcellerie du royaume de France a eu lieu à Boucoiran en 1491. Preuve sans doute du caractère hérétique et rebelle de ce pays ! Le vaste massif boisé situé entre Boucoiran, Saint-Bénézet et Maruéjols fut un refuge pour les huguenots interdits de culte puis pour les rebelles camisards. Le dernier grand combat de la guerre des Camisards s'y est déroulé le 14 octobre 1704. Fuyant du côté du Gardon, les rebelles ont été décimés dans la plaine, entre Ners, Maruéjols et Cassagnoles. En 1816, la « terreur blanche » raviva les animosités. Meurtres et combats eurent à nouveau lieu dans ce secteur.

➢ ***Randonnée pédestre :*** de 7 km, elle traverse le village, la garrigue et longe un canal d'irrigation très romantique... Topoguide à l'office de tourisme de Vézénobres.

ANDUZE ET SA RÉGION

ANDUZE

(30140) 3 050 hab.

À 13 km au sud-ouest d'Alès, Anduze, « porte des Cévennes », est une petite ville médiévale, au fond d'une cluse, qui serre ses toits rouges entre le Gardon (très violent les jours de crue) et les falaises calcaires du plateau de Peyremale. Un site stratégique, en somme. Ici, depuis des siècles, on est en terre protestante. En 1570, Anduze était le quartier général des forces protestantes du Midi. Porte d'entrée de la fameuse vallée des Camisards (voir, dans le chapitre « Les Cévennes », Saint-Jean-du-Gard et le musée du Désert au Mas-Soubeyran), c'est à notre avis un bon coin pour rayonner.

Adresse et info utiles

Office de tourisme : *Plan-de-Brie, BP 6.* ☎ *04-66-61-98-17.* • *ot-anduze.fr* • *Face à la tour de l'Horloge. Hors saison, lun-sam 9h30-12h30, 14h-17h30 ; en saison, lun-sam 9h30-12h30, 14h30-18h30, dim 10h-13h.* On y trouve un petit ouvrage contenant la description de 14 sentiers (balisés) de petite ran-

donnée pédestre autour d'Anduze (4 €).
– **Marchés :** *marché traditionnel : jeu mat, tte l'année. Marché aux puces : dim mat tte l'année. Marché nocturne : mar soir juil-août. Marché de Noël : le 2e dim de déc : artisanat, bons produits et boules de Noël.*

Où dormir ?

Camping

Camping Les Hauts de Labahou : *140, Les Hauts de Labahou, 30140 Anduze. ☎ 04-66-61-77-90. • camping-labahou@wanadoo.fr • anduze-camping.com • À 3 km env au nord d'Anduze, par la route D 907 en direction de Saint-Jean-du-Gard. À gauche de la route, avt l'hôtel* La Porte des Cévennes *(qui est à droite). Ouv Pâques-sept. Compter 12 € en hte saison pour un forfait de 2 pers avec voiture et tente. Un meublé et un mobile home à louer (250-380 €/sem). CB refusées.* C'est un petit camping familial de 25 places, où les tentes sont plantées sur des pentes ombragées par des arbustes. Sanitaires simples et propres.

Bon marché

Gîte d'étape : *11, rue du Luxembourg. ☎ 04-66-61-70-27. À 100 m de la mairie. Ouv tte l'année. Résa recommandée en juil-août. Compter 16 € la nuit en dortoir ; également 2 doubles 42 €. Repas possible : 14 €.* Pour les groupes, formule moins chère. Terrasse.

De prix moyens à plus chic

Chambres d'hôtes, gîte rural et camping à la ferme chez M. et Mme Max Tirfort : *130, chemin du Tanque. ☎ 04-66-60-53-29. Sortir d'Anduze en direction de Nîmes ; à env 2 km, une petite route sur la droite monte vers la ferme des Tirfort, direction Veyrac. Résa conseillée en été. Doubles avec douche et w-c 50 €, petit déj compris.* Une de nos meilleures adresses de chambres d'hôtes et de gîte rural dans le Gard. Chambres d'hôtes aménagées dans une petite maison à part, entourée de vergers et de bois de pins. Le matin, on trouve sur le seuil de sa porte un panier avec le petit déj. Le *gîte rural du Moulin* est très réussi : à l'intérieur, une vieille meule en pierre sur laquelle on prend l'apéro. On peut acheter des légumes et des fruits de la ferme. *Camping à la ferme* également : 25 places sur un terrain bien ombragé avec eau chaude, douches, électricité.

Hôtel La Porte des Cévennes : *route de Saint-Jean-du-Gard. ☎ 04-66-61-99-44. • reception@porte-cevennes.com • porte-cevennes.com • Sur la droite, 3 km après Anduze par la D 907. Resto ouv slt le soir. Congés : de mi-oct à fin mars. Doubles 70-80 € selon confort. Menus 23-30 €.* Cette grande bâtisse de construction assez récente est implantée sur une colline au cœur des Cévennes. Elle dispose de chambres spacieuses, sans charme époustouflant mais propres et confortables. La piscine en revanche l'est, époustouflante : couverte, chauffée, pharaonique (on exagère à peine). Au resto, cuisine traditionnelle. Une adresse fiable, sans mauvaises surprises.

Chambres d'hôtes Domaine Le Ribas : *vallon des Gypières, 30140 Anduze. ☎ 04-66-61-96-92. • leribas3@hotmail.com • domaine-le-ribas.com • D'Anduze, direction la bambouseraie et Générargues. À env 1 km, prendre à droite la route du Ribas et des Gypières. Doubles 61-76 € selon saison, petit déj compris. Suites 122-144 €.* Au cœur d'une propriété de 8 ha, une ancienne magnanerie du XVIIe siècle retapée par un couple de navigateurs. Décoration des chambres réussie, avec vue sur la vallée. Petit déj bio avec pain maison. Piscine et terrasses ombragées.

Où manger ?

La Rocaille : *pl. Couverte. ☎ 04-66-61-73-23. Tlj ; fermé le soir en sem oct-mars. Menus à partir de 6,60 € et carte.* Adresse connue dans tout le département, *La Rocaille* occupe un tiers de la place Couverte (où se trouve la fontaine Pagode), y ayant colonisé trois ou quatre vieilles maisons. Menus à des prix d'avant-guerre (de 1914-1918 !). Bien sûr, c'est plus cantine que haute cuisine...

L'Establet : *1, pl. du 8-Mai. ☎ 04-66-61-64-50. • l.establet@wanadoo.fr • L'été, fermé jeu soir ; avr-juin et sept-nov, fermé mer et dim soir ; déc-mars, fermé le soir sf ven-sam. Menu du jour 11 € ; formule 2 plats 15,50 € et menu 17,50 €. Café offert sur présentation de ce guide.* Un petit resto avec une terrasse extérieure au calme. Tenu par un couple aimable. Sert une bonne cuisine régionale. L'assiette cévenole vaut le détour.

Où dormir ? Où manger dans les environs ?

À Corbès

D'Anduze, suivre la D 907 sur 3,5 km vers Saint-Jean-du-Gard. Puis, à droite, prendre la D 284 qui descend vers ce petit village fait de collines et de vallons truffés d'adresses sympas.

Camping

Camping Cévennes Provence : *à Corbès-Thoiras, 30140 Anduze. ☎ 04-66-61-73-10. • marais@camping-cevennes-provence.fr • camping-cevennes-provence.fr • Wi-fi. Ouv de fin mars à la Toussaint. Forfait 2 pers avec voiture et tente : 19,50 € en hte saison. Une partie de minigolf/j./pers (!) ou 1h de tennis/j./famille offerte sur présentation de ce guide.* Probablement le plus beau camping du Gard et du Languedoc. Dans un site superbe, il occupe une colline entière. Le Gardon au lit de galets coule dans la vallée. Très bon accueil. On plante sa tente sur des terrasses plates aménagées en escalier sur des versants ombragés (120 variétés d'arbres). On y trouve tout : épicerie libre-service, rôtisserie, bar, machines à laver, aire de jeux pour les enfants (ping-pong, tennis). Possibilité de se baigner dans la rivière, de faire des promenades. Sentiers de randonnées dans le camping et autour dans les collines.

Prix moyens

L'Auberge du Temps : *Le Roc-Courbé. ☎ 04-66-61-94-75. L'auberge est en contrebas de la route qui descend vers le Gardon. Resto fermé mer en basse saison. Congés : janv. Doubles env 50 €. Menu 20 €, plat du jour 15 €. Café offert sur présentation de ce guide.* Au fond d'un vallon, un ancien et très beau moulin à eau restauré pierre par pierre. La roue à aubes, restaurée elle aussi, est actionnée par le Gardon Saint-Jean, qui coule au pied de l'auberge. Un moulin placé sous le signe du Temps, plus précieux que l'or. Quelques chambres de bon confort avec douche et vue sur la vallée, calme. Une très bonne adresse, accueillante, qui fait aussi restaurant : cuisine cévenole au goût du terroir, charcuterie maison. Terrasse.

Gîtes Les Jardins de Valaurie : *chez Marianne et Bernard Mesmin, lieu-dit*

L'Orange. ☎ 04-66-61-62-85. • les.jardins.de.valaurie@wanadoo.fr • Passer la rivière (le Gardon), puis à gauche après le pont. C'est indiqué plus loin. Téléphoner avt. Ouv tte l'année. Compter 270-838 €/sem selon saison et nombre de pers. Café offert sur présentation de ce guide. Les Mesmin vivent au milieu des bois dans le creux d'un vallon. Difficile de trouver plus calme. Lui est un ancien charpentier, elle se passionne pour la botanique : accueil d'une exquise gentillesse. Gîtes impeccablement arrangés pour 4 ou 6 personnes avec deux grandes chambres (salle de bains et w-c) et cuisine. Piscine.

Plus chic

Hôtel-restaurant Le Moulin de Corbès : *lieu-dit La Papegerie. ☎ 04-66-61-61-83. Fax : 04-66-61-68-06. Resto fermé lun midi (hors saison) et dim soir tte l'année. Doubles avec douche 70 €, avec bains 80 €, petit déj 10 €. Menus 25-60 € et carte.* D'entrée, le décor est planté. On n'est pas dans n'importe quel boui-boui. La cour bien entretenue, l'escalier qu'on gravit... La salle à manger est agréable. Le chef, ancien de chez Robuchon, est un goûteur d'huile d'olive. Il a vécu à Nyons, un pays d'oliviers. Il sert, au gré des saisons, une cuisine pleine de saveurs subtiles, composée de plats simples avec des produits de qualité.

À Thoiras

Chambres d'hôtes Le Mas de Prades : *☎ 04-66-85-09-00. 📱 06-80-28-51-46. • mas-de-prades@wanadoo.fr • masdeprades.com • À 10 km à l'ouest d'Anduze par la D 907, direction Saint-Jean-du-Gard ; prendre ensuite à gauche la route de Lasalle, la maison se trouve en hauteur, sur la droite de la route (fléchage). Congés : oct et vac de Noël. Selon confort et saison, doubles 75-90 €, petit déj compris. Table d'hôtes 25 €, vin compris.* Une belle maison du XVIIe siècle. Jolies chambres récemment refaites ordonnées autour d'un patio où se prennent les repas. Belle piscine dans un immense jardin.

Route de Générargues

Chambres et restaurant de La Ferme de Cornadel : *route de Générargues. ☎ 04-66-61-79-44. • anfosso@cornadel.fr • cornadel.fr • ♿ À 500 m avt la bambouseraie de Prafrance, sur la droite de la route (panneau). Tlj sf mar. Congés : 2de quinzaine de nov. Doubles 90-120 € selon confort, petit déj compris. Repas 22 € (la sem)-33 €.* Une ancienne cave vinicole restaurée. Chambres joliment décorées, donnant sur le jardin. Cuisine « de femme », aux aromates du jardin. Piscine pour les hôtes. Possibilité d'héberger des cavaliers. À l'automne, séjour pour les amateurs de la cueillette de cèpes.

À Bagard

Chambres d'hôtes La Magnanerie : *909, route du Mas-Miger, lieu-dit de Béthanie. ☎ 04-66-61-60-33. 📱 06-07-10-93-02. • lamagnanerriebagard@wanadoo.fr • la-magnanerie.com • À 6 km env à l'est d'Anduze. D'Anduze, prendre la D 910 vers Alès. À env 1 km avt Bagard, tourner à droite, suivre la route D 332, en direction de Béthanie. Au 1er carrefour, continuer tt droit, c'est 500 m plus loin, à droite de la route (panneau). Chambres 71 €. Repas le soir 24 €. Apéritif maison offert sur présentation de ce guide.* Au milieu des vignes et des prés, cette vieille magnanerie (on y tissait la soie) a été restaurée par Marc et Stéphane, deux amis très sympathiques et attentifs à leurs hôtes. Cinq chambres décorées avec soin, pour 2, 3 ou 4 personnes. Table d'hôtes à la cuisine provençale fine et variée. Belle piscine, cadre calme et ombragé : vraiment une des meilleures adresses du coin.

Sur la route de Saint-Hippolyte-du-Fort

Beaucoup plus chic

Les Demeures du Ranquet : *route de Saint-Hippolyte, lieu-dit Le Ranquet, 30140 Tornac. ☎ 04-66-77-51-63. • contact@ranquet.com • ranquet.com • Resto fermé mar-mer hors saison, le midi lun-mer en été. Congés : 15 nov-Noël. Doubles avec bains et TV satellite 130 € en basse saison, 215 € en hte saison. Menus 20-80 € et carte. Apéritif maison offert sur présentation de ce guide.* Adresse très chic où, pour une fois, vous pourrez garer votre hélicoptère (aire d'atterrissage). Ici, la cuisinière est une artiste, et, en dépit des apparences, vous serez surpris de la relative sagesse des prix. Le nom des menus vous invite à une promenade gustative. Détail insolite : les illustrations de l'addition sont réalisées chaque année par un artiste différent.

À voir. À faire

Peu de curiosités à découvrir à Anduze, il s'agit davantage d'une ambiance, d'une atmosphère à saisir dans cette vieille ville non dénuée de charme et de cachet. En juillet et août, pour 3 €, on peut profiter de visites commentées de la ville le mercredi à 10h, au départ de l'office de tourisme.

La tour de l'Horloge : édifiée en 1320, elle s'élève sur trois niveaux et présente les mêmes caractéristiques architecturales que les remparts d'Aigues-Mortes.

La place Couverte : construite au XVe siècle pour servir de place au marché aux grains, elle demeure très vivante. Les Anduziens y font leurs courses le jeudi matin.

La fontaine Pagode : *sur la place Couverte.* Une curieuse fontaine de style oriental, avec un clocheton au toit de tuiles vernissées. Elle fut construite en 1648 d'après les plans d'un sériciculteur anduzien revenu d'Orient où il était allé chercher des vers à soie.

Le temple protestant : il s'élève à l'emplacement des anciennes casernes. Façade assez austère avec un péristyle de quatre colonnes et un fronton classique. Un des plus grands temples de France. La nef à trois voûtes est vraiment volumineuse. Table de communion en marbre. Très bel orgue de 1848 restauré en 1964 et en 2005 après des inondations. Il faut le faire !

Le musée de la Musique : *4, route d'Alès. ☎ 04-66-61-86-60. • musee-musique.com • Prendre la route d'Alès, c'est à droite juste après le pont. Juil-août, tlj 15h-18h30. Le reste de l'année, ouv tlj pdt les vac scol de Pâques et de la Toussaint, ainsi que dim et j. fériés 14h30-18h. Congés : janv-fév. Entrée : 5 € ; réduc enfant.* Une histoire des instruments de musique, des percussions jusqu'au moderne saxophone. 800 pièces exposées, démonstrations musicales. Instruments du monde entier.

Le train à vapeur des Cévennes : *pl. de la Gare (route de Nîmes). ☎ 04-66-60-59-00. • citev.com • Fonctionne tlj 1er avr-1er nov, sf lun 15 sept-1er nov. Quatre allers-retours/j. Plein tarif : 11 € ; 4-12 ans : 7 € (aller-retour).* Circule d'Anduze à Saint-Jean-du-Gard (avec un arrêt à la bambouseraie). On peut donc embarquer soit à Anduze, soit à Saint-Jean-du-Gard. Une promenade d'une durée de 1h40 en authentique tchou-tchou, avec bruit et vapeur comme si l'on y était, façon *Mystères de l'Ouest*.

Achats

Poterie d'Anduze, Les Enfants de Boisset : *route de Saint-Jean-du-Gard. ☎ 04-66-61-80-86. En été, 9h-12h, 14h-19h (18h hors saison). Fermé le mat dim et j. fériés. Congés : de fin déc à mi-janv. Magasin d'exposition-vente. Visite possible des ateliers lun-ven sf ven ap-m 9h-12h, 14h-17h.* La céramique est la spécialité d'Anduze. Particulièrement les grands vases vernissés de jardin. Louis XIV en commanda aux artisans d'Anduze pour décorer l'orangerie de Versailles. On fabrique ici des vases d'Anduze depuis le XVIIe siècle.

GÉNÉRARGUES

(30140) 650 hab.

À 3,5 km au nord d'Anduze, un village composé de nombreux hameaux dispersés par monts et par vaux. Des collines encaissées couvertes de bois de châtaigniers, des champs cultivés, des rivières de gros galets dans lesquelles on peut se baigner. Les deux principaux sites à visiter sont la bambouseraie et le musée du Désert.

Où dormir ? Où manger à Générargues et dans les environs ?

De bon marché à prix moyens

Camping et Chambres des Plans : *route D 50, 30140 Mialet. ☎ 04-66-85-02-46. • info@camping-les-plans.fr • camping-les-plans.fr • Fermé sept-mai. Double 28-31 € sans baignoire ni TV. Compter 15,50 € l'emplacement de camping pour 2. Fait aussi resto (sf lun en basse saison). Repas 12-25 €.* On y trouve quinze chambres d'hôtel, simples mais impeccables et six studios aménagés dans un mas cévenol, au fond d'une vallée tranquille. Grande terrasse ombragée de platanes, très agréable en été. Possibilité de se baigner dans le Gardon, à une centaine de mètres de là, ou dans la piscine du camping ouverte l'été. Accueil dynamique et aimable.

Auberge L'Églantine : *le vieux village. ☎ 04-66-61-80-06. • michel.disset@wanadoo.fr • Ouv mars-oct. Double avec lavabo 38-41 €, avec douche et w-c 45-49 €. ½ pens imposée pour min 3 j. : 42-47 € pour 2. Menus à partir de 16 € env. Digestif maison offert sur présentation de ce guide.* Cet hôtel-restaurant bien au calme dispose de chambres au-dessus du resto ou à l'annexe, en rez-de-jardin. Vue pour certaines sur la piscine ou sur les collines. Fait aussi restaurant (avec des pâtisseries de différents pays). Bon accueil du patron.

Le Tilleul : *pl. du Village, 30140 Générargues. ☎ 04-66-61-72-32. • leni.chevasson@free.fr • Avr-fin sept, le soir slt. N'ouvre à l'heure du déjeuner que dim et j. fériés. Fermé lun. Congés : oct-mars. Menus 20-30 € et ardoise env 22 €. Apéritif maison offert sur présentation de ce guide.* Dans le bourg, une terrasse ombragée, des plantes grimpantes, une ardoise avec les plats du jour. Vous êtes chez Leni, une femme de caractère (elle lit et ne regarde jamais la TV) et de goût. Elle concocte une fine cuisine, personnalisée et originale, pleine de saveurs subtiles, et toujours avec des produits de qualité. Sel de Guérande, pain aux olives et vinaigre balsamique sont posés sur la table : encore le signe de Leni. Propose également trois chambres d'hôtes.

🍴 **Le Clos du Mûrier :** *route d'Anduze, lieu-dit Montsauve, 30140 Générargues. ☎ 04-66-61-82-28. • leclos11@aliceadsl.com • ♿ Ouv tlj midi et soir de mi-juin à mi-sept. Congés : de mi-nov à fév. Formule midi en sem 7 €, puis menus 12,50-20 €. Café offert sur présentation de ce guide.* Une ancienne maison cévenole avec une jolie treille et une terrasse. Grillades au feu de bois, salades.

Plus chic

🏠 🍴 **Chambres et gîtes Mas Le Brès :** *chez Carole et Michel Bonaventure, Le Brès, 30140 Saint-Sébastien-d'Aigrefeuille. ☎ 04-66-61-76-05. • mas.lebres@wanadoo.fr • maslebres.com • De Générargues, sortir par la D 50, vers Saint-Sébastien-d'Aigrefeuille. À 300 m env, prendre à gauche direction Le Viala. La route étroite monte à flanc de colline. La suivre jusqu'au bout. Ouv tte l'année. Double 65-90 € selon saison. Table d'hôtes à la demande.* Dominant un vaste paysage de bois et de champs à perte de vue, Le Brès est composé de plusieurs maisonnettes en pierre imbriquées les unes dans les autres. Excellent accueil des Bonaventure, un couple très chaleureux avec qui on sympathise vite. Elle travaillait dans le domaine aérien. Lui est toujours musicien. Ils ont aménagé les chambres et les gîtes avec beaucoup de soin et avec tout le confort. Piscine dans le jardin.

À voir

Sur la route d'Anduze

La bambouseraie : *domaine de* **Prafrance,** *situé à 1,5 km au sud de Générargues et à 2 km d'Anduze. ☎ 04-66-61-70-47. • bambouseraie.fr • ♿ Ouv tlj 1er mars-15 nov, à partir de 9h30 (durée de la visite 1h30). Entrée : 7,50 € ; 4,50 € pour les 6-12 ans ; réduc. La visite commentée, facultative et gratuite, grâce à des bornes d'audioguidage (6 langues disponibles) est utile : on comprend mieux les mystères du bambou.*

Ici, dans un domaine de 12 ha, ce sont plus de 200 variétés de bambous qui s'épanouissent sous le soleil du Midi. Parmi celles-ci, on trouve les bambous géants, les plus gros d'Europe. Ces *Phyllostachys pubescens* mesurent entre 20 et 25 m de haut. Leurs tiges atteignent parfois 20 cm de diamètre. On vous apprendra que le bambou est le matériau naturel le plus léger et le plus résistant qui soit. En Asie, il sert à tout : berceau du bébé, fauteuil du mandarin, chapeau conique, case, barque, meubles, lits, etc. Sa fibre est aussi dure que l'acier : une résistance de 3 500 kg/cm^2 ! Curieuse plante, ce n'est qu'une herbe originale et un peu folle ! Certaines jeunes pousses jaillissent de terre et croissent à raison de 1 m par jour quand le temps est favorable.

Cette plantation a été créée en 1856 par Eugène Mazel, commerçant cévenol et grand voyageur. Ce négociant-grainetier, originaire du Gard, hérita d'un négoce d'épices à Marseille avec lequel il fit fortune, ce qui lui permit de réaliser son rêve : créer un jardin extraordinaire, la bambouseraie. Les travaux et l'entretien du domaine le menèrent à la ruine. Aujourd'hui, le domaine appartient à Muriel Nègre. Une grande pépinière a été créée, elle est destinée à la recherche, à la culture et à la vente de pieds de bambous et de diverses espèces exotiques ; son fils Simon en a pris la direction. On visite :

– *Le parc :* accès par une belle allée bordée de séquoias d'Amérique. Nombreuses variétés d'arbres et de plantes : ginkgo biloba (la plus vieille espèce d'arbre du monde), magnolias, camélias, palmiers, tulipiers de Virginie...

– *Le jardin aquatique :* où les carpes Koï du Japon évoluent parmi les papyrus d'Égypte, les lotus et les nénuphars.
– *Le village asiatique :* plusieurs cases du Laos ont été reconstituées dans un pré. Dépaysant.
– *Le labyrinthe végétal :* labyrinthe réalisé avec une variété de bambous moyens et denses. Ce sont de véritables murs, des couloirs où vous vous égarerez à coup sûr.
– *Le vallon du dragon :* espace de 15 000 m² au croisement des cultures orientales et occidentales.
– *La pépinière et les serres :* bambous nains, moyens ou géants à vendre dans des pots de toutes les tailles.
Avant de partir, on vous rappellera aussi que la bambouseraie a servi de cadre aux tournages de plusieurs films : *Le Salaire de la peur, Paul et Virginie, Les héros sont fatigués.* Et que votre visite aura contribué à la sauvegarde d'une espèce animale en voie de disparition dans le monde : il s'agit du panda de Chine. En effet, tous les 15 jours, un camion vient prendre livraison d'un chargement de feuilles de bambou qu'il transporte au zoo de Berlin pour y nourrir le panda, résolument obstiné à ne manger que ça... Y a bon bambou !

Sur la route de Mialet

Le musée du Désert (histoire des huguenots et des camisards en Cévennes) : au Mas-Soubeyran, 30140 ***Mialet.*** *☎ 04-66-85-02-72. • museedudesert.com • À env 4 km de Générargues par la D 50, prendre à droite la D 50A avt d'entrer à Mialet. 1er mars-30 nov, tlj 9h30-12h, 14h-18h ; juil-août, tlj 9h30-19h. Fermé déc-fév. Entrée : 4,50 € ; réduc.*
Créé en 1910 dans la maison natale du chef camisard Pierre Laporte, ce musée appartient à la Société d'histoire du protestantisme français.
Pourquoi le « Désert » ? Ce mot définit une période bien précise pour les protestants : celle qui va de la révocation de l'édit de Nantes par Louis XIV en 1685 (les protestants n'ont plus le droit de pratiquer la nouvelle religion réformée) à l'édit de tolérance signé par Louis XVI en 1787. Pendant un siècle, les huguenots devront s'exiler ou se cacher pour maintenir leur liberté de conscience. Le Désert pour eux signifie : cachettes, lieux sauvages, vallées reculées, grottes et forêts des montagnes cévenoles où les camisards se réfugient pour prier et se protéger des dragons du roi. Le mot a également une forte résonance biblique puisqu'il évoque l'errance et les tribulations du peuple hébreu durant quarante années d'exode dans le désert du Sinaï. C'est toute la mémoire huguenote et protestante qui est présentée dans ce musée, en deux parties : la maison de Roland et le mémorial.

La maison de Roland

Huit salles évoquent différentes périodes.
– *La Réforme* au XVIe siècle et la naissance du protestantisme.
– *La révocation de l'édit de Nantes* par Louis XIV et la répression sanglante qui a suivi : emprisonnements, persécutions, dragonnades, conversions forcées, etc. Dans la salle Brousson, remarquez ce curieux « jeu de l'oye » employé dans les couvents où étaient enfermées de jeunes huguenotes.
– *La guerre des Camisards :* elle est courte (1702-1704) mais impitoyable. Tout a commencé par le meurtre de l'abbé du Chayla au Pont-de-Montvert. Le 24 juillet 1702, Abraham Mazel et Esprit Séguier décident d'assiéger la maison où l'abbé enferme des « nouveaux convertis »...
– *L'église du Désert :* ou la dangereuse existence des clandestins pourchassés pour leur foi. Quelques pièces très révélatrices de l'esprit de résistance des camisards, notamment cette étonnante chaire portative qui, en se repliant, prend l'aspect anodin d'un tonneau à grains ! On peut la voir dans la salle des Assemblées. Les assemblées clandestines se tenaient dans les lieux reculés des montagnes, ce qui explique ces coupes démontables, ces lanternes sourdes, que les pasteurs transportaient au cours de longs circuits nocturnes.

– *La salle des Bibles :* remarquable collection de bibles anciennes, du XVIe au XVIIIe siècle. Noter cette curieuse micro-bible de 1896, fournie avec une loupe.
– *La lente restauration de l'église protestante :* salles Antoine-Court et Paul-Rabaut.
Le mémorial : les Héros de la liberté de conscience
– *La salle des Pasteurs et des Prédicants :* liste infinie de leurs noms et de la date de leurs supplices sur de grandes plaques de marbre.
– *La salle du Refuge :* sorte de chapelle-mémorial avec les noms des pays d'accueil des exilés huguenots : Suisse, Angleterre, Pays-Bas, Saxe, Hambourg, Hesse, Wurtemberg, Genève...
– *La salle des Galériens :* 2 600 protestants condamnés aux galères, dont le fameux Jean Fabre, « galérien pour la foi ».
– *La salle de la Lecture de la Bible :* avec le papy habillé en toile « bleu de Gênes », ancêtre du blue-jean...
– *La salle des Prisonniers et des Prisonnières :* la plus émouvante, où un tableau reconstitue la prison pour femmes de la tour de Constance d'Aigues-Mortes. Marie Durand, enfermée pour sa foi, y passa 38 années de sa vie.
De cette épopée mystique, une leçon de conscience moderne semble se dégager de la pierre. Il s'agit d'une brève inscription gravée sur la margelle d'un puits : « RÉSISTER ». Le mot-clé délivré par le musée du Désert.

La grotte de Trabuc : *à 2 km au-dessus du musée du Désert. ☎ 04-66-85-03-28. Mars-fin juin et sept, visites à 10h30, 11h30, 14h30, 15h30, 16h30 et 17h30 ; juil-août, 10h15, 11h, 11h45, 12h30, 13h15 et 14h30-18h30 ; oct, 14h30, 15h30, 16h30 et 17h30 ; nov, w-e et j. fériés 14h30, 15h30 et 16h30 ; vac scol de fév et de la Toussaint tlj 14h30, 15h30 et 16h30. Fermé le reste de l'année. Entrée : 8 € ; 4 € pour les 5-12 ans.* Après le voyage au cœur de la conscience huguenote, le voyage au centre de la terre. Pour éviter la foule en été, allez-y de préférence le matin ; 1h de visite sous la conduite d'un guide : 1 200 m de parcours. Trabuc a été surnommée par son inventeur, M. Vaucher, « la grotte aux 100 000 soldats » à cause de cette mystérieuse salle souterraine couverte d'une multitude (une armée... d'où les soldats) de concrétions dont l'origine n'est toujours pas établie scientifiquement. Mais tout est énigme et merveille dans ce périple : la salle du Lac de Minuit, les « gours », les aragonites noires, la salle du Gong, le pont du Diable, les cascades Rouges... Prévoyez une petite laine.

SAINT-JEAN-DU-GARD (30270) 2 700 hab.

On est ici dans les basses vallées des Cévennes, au sud-est du massif. On y passe en entrant ou en sortant de la corniche des Cévennes qui mène à Florac. L'influence méditerranéenne se fait déjà bien sentir. Au bord du Gardon, cette « petite capitale du pays camisard », comme on l'a surnommée, très typée et riche en histoire, possède notamment un remarquable musée des arts et traditions populaires, excellente initiation au monde cévenol.
Par ailleurs, plusieurs sentiers de petite randonnée dans l'arrière-pays ainsi qu'un Festival international de la randonnée font désormais de Saint-Jean un endroit où, sans hésiter, il faut poser son sac quelques jours.

Adresses et info utiles

Office de tourisme : *pl. Rabaut-Saint-Étienne. ☎ 04-66-85-32-11. • http://otsi.st.jeandugard.free.fr • Juste à côté de la poste. En juil-août, lun-sam 9h-12h30, 14h30-18h, dim 10h-12h30 ; le reste de l'année, lun-ven 9h-12h, 13h30-17h, sam 10h-12h. Fermé 1 sem pour les fêtes de fin d'année.*
Le Merlet : *route de Nîmes. ☎ 04-*

66-85-18-19. Ouv tte l'année. Une association qui propose randonnées, spéléo, escalade et canyoning dans la région. Groupes seulement.

■ ***Le Brion :** le pont de Burgen, 48330 Saint-Étienne-Vallée-Française. ☎ 04-66-45-75-30. À env 10 km de Saint-Jean-du-Gard par la D 983.* Une association qui organise de sympathiques randonnées : canyoning, randonnées avec un âne sur les traces de Stevenson...

– ***Marchés :** marché très animé mar mat tte l'année ; juil-août, foire à la brocante lun ; mai-sept, marché nocturne jeu ; Pâques-Toussaint, marché paysan sam.*

Où dormir ? Où manger ?

Campings

***Camping et gîtes Le Mas de la Cam :** route de Saint-André-de-Valborgne. ☎ 04-66-85-12-02. camping@masdelacam.fr masdelacam.fr Ouv fin avr-fin sept. Compter 23 € en hte saison pour 2 avec voiture et tente. Loc de gîtes 315-675 €/sem.* Catégorie 3 étoiles, bien équipé, avec piscine. Beau panorama sur les Cévennes. Et le site au bord du Gardon est vraiment sympa.

***Camping à la ferme La Vernède :** Cap-del-Prat. ☎ 04-66-85-33-04. • postmaster@camping-vert.com • camping-vert.com • Ouv avr-sept. En hte saison, compter 13 € l'emplacement pour 2 avec voiture et tente.* Au bord du Gardon également, dans un coin tranquille. Il n'y a qu'une douche chaude mais les sanitaires sont bien tenus. Baignade et pêche possibles.

De bon marché à prix moyens

***Hôtel Les Bellugues :** 13, rue Pelet-de-la-Lozère. ☎ 04-66-85-15-33. • hotelbellugues@wanadoo.fr • hotel-bellugues.com • Attenant au resto du même nom mais propriétaire différent. Parking gratuit. Congés : de mi-nov à fin mars. Doubles 48-54 € selon saison. Réduc de 5 % sur le prix de la chambre (sf hte saison) sur présentation de ce guide.* Ancienne filature de soie reconvertie en hôtel 2 étoiles. En plein centre-ville mais au calme, dans une impasse. Les chambres se trouvent dans un bâtiment à l'arrière donnant sur un jardin verdoyant. Les plus fraîches sont au bout du couloir principal, et donnent sur les arbustes et les buissons de bambous du jardin. Piscine.

***Hôtel L'Oronge :** 103, Grand-Rue. ☎ 04-66-85-30-34. • oronge@wanadoo.fr • loronge.com • En plein centre. Resto fermé mer hors saison. Doubles 40-45 € selon confort. Menus à partir de 16,50 €.* Relais de poste au XVIe siècle sur la route royale de Nîmes à Florac, cette auberge a servi aussi de relais de diligences jusqu'en 1920. C'est ici que Stevenson termina son voyage dans les Cévennes. L'hôtel est d'ailleurs un « relais Stevenson » et accueille avec grand plaisir les marcheurs qui, avec ou sans âne, suivent les traces de l'écrivain. Les chambres (douche et w-c) sont progressivement rénovées. Cuisine servie sur la terrasse en été. Au fait, l'oronge est un champignon : brun clair, il est comestible et recherché ; rouge à pois blancs (c'est la fameuse amanite tue-mouches), il est toxique. Ne vous trompez pas...

***Auberge du Péras :** route d'Anduze, La Bastide. ☎ 04-66-85-35-94. • aubergeduperas@free.fr • aubergeduperas.com • À l'entrée du bourg quand on arrive d'Anduze. Congés : 20 nov-20 mars. Doubles avec bains 40-48 € selon saison ; ½ pens 38 €/pers. Menus à partir de 14 €. Apéritif maison offert sur présentation de ce guide.* Belle maison de pierre : un ancien relais postal du XVIIe siècle, joliment rénové. La déco des chambres date un peu (genre rustique années 1970) mais elles restent confortables. Spécialités du chef : les tripoux et les paupiettes aux picholines.

***La Treille :** 10, rue Olivier-de-Serres. ☎ 04-66-85-38-93. • infoslatreille@aol.*

LES CÉVENNES GARDOISES

com • *Ouv w-e hors saison et tlj sf lun midi juil-août. Congés : déc-mars. Repas 12,50-24 €. Apéritif maison offert sur présentation de ce guide.* Une petite crêperie-restaurant où il fait bon manger sur la terrasse et sous une treille. Menus simples et copieux, à base de produits régionaux. On y mange des crêpes à la farine de châtaigne, un gâteau tiède aux cèpes, etc. Bon accueil. Suffisamment peu courant pour qu'on vous le signale.

À voir. À faire

La tour de l'Horloge : clocher roman du XIIIe siècle, vestige d'un prieuré du XIIe siècle.

Le vieux pont : du XVIIIe siècle.

La Grand-Rue : avec ses belles portes d'hôtels particuliers, comme celles des nos 70 et 80.

La filature dite « Maison Rouge » : *5, rue de l'Industrie.* Construite en 1838, c'est la plus grande et la plus réussie sur le plan architectural des filatures de soie. Elle fut la dernière à fonctionner en France. Elle a fermé ses portes en 1965.

Le musée des Vallées cévenoles : *95, Grand-Rue. ☎ 04-66-85-10-48. • museedescevennes.com • Juil-août, tlj 10h-19h ; avr-oct, tlj 10h-12h30, 14h-19h ; nov-mars, mar et jeu 9h-12h, 14h-18h, dim 14h-17h. Entrée : 4,50 € ; réduc ; 1,50 € supplémentaire avec audioguide ; gratuit moins de 12 ans.* À ne pas rater : c'est une vraie réussite dans le genre arts et traditions populaires. Le musée occupe le rez-de-chaussée (anciennes écuries) d'une auberge-relais d'affinage du XVIIe siècle. Les deux thèmes de ce musée sont la soie et la châtaigne, les deux piliers de la vie rurale des Cévennes jusqu'au XIXe siècle.

Le train à vapeur des Cévennes : voir plus haut « À voir. À faire » à Anduze.

Randonnée

➢ ***Sur les traces de Stevenson :*** *9 km. Compter 3h30 aller et retour sans les arrêts.* Le magnifique panorama du col et du signal de Saint-Pierre couvre une partie des Cévennes. Des ondulations bleutées qui se perdent vers la vallée Française et la vallée Borgne, le mont Lozère et le mont Aigoual. Le Ventoux se dessine à l'horizon, quand le vent a fini de balayer les dernières brumes flottant sur le pays des camisards.

De Saint-Jean-du-Gard, prendre la direction de Saint-André-de-Valborgne par la D 907. Parking au bord du Gardon avant le hameau Pied-de-Côte. Balisage jaune. Attention, de bonnes dénivelées. Réf. : *Les Plus Belles Balades autour de Nîmes,* éd. du Pélican. *Le Chemin de Stevenson,* éd. FFRP. Carte : IGN au 1/25 000, n° 2740 ET.

Au hameau *Pied-de-Côte,* suivre le balisage jaune pour monter de 300 m environ au *Saint-Pierre* (596 m). Prendre la direction de l'*Afféradou* sur la droite. Parmi les châtaigniers et les bruyères, l'itinéraire s'élève, offrant peu à peu de très belles perspectives au-dessus des cyprès et des mûriers. De la magnanerie, le chemin se poursuit par l'ancienne *draille de l'Afféradou,* ou chemin de transhumance. Le sentier tranche le quartz et le schiste du rocher, pour arriver au col sur la *corniche des Cévennes.* Une ancienne borne royale marque ici les limites entre le Gard et la Lozère. À quelques mètres, la table d'orientation du *Signal* indique toutes les vallées cévenoles qui s'étendent du mont Aigoual au Ventoux. Un régal pour les yeux. La descente se fait du col par le *sentier du Cabriérous* balisé de bleu et blanc. Une piste forestière ombragée après le mas d'Euzière et celui du Prat redescend à Pied-de-Côte. Vous comprendrez alors que ce dernier porte bien son nom !

Fêtes et manifestations

– ***Festival de la randonnée en Cévennes :*** *les w-e de l'Ascension et de la Toussaint.*
– ***Journées de printemps – Trucs et astuces du jardinier :*** *le 1er dim de mai.*
– ***Pique-nique paysan :*** *le 13 juil.*
– ***Fête des Théâtres :*** *3 j. début août.*
– ***Le Bio dans tous ses états « Vire-Sourel » :*** *le 3e dim d'août.* Foire aux vins bio, produits du terroir, bio et énergies renouvelables à Saint-Jean-du-Gard.
– ***Journées de l'arbre, de la plante et du fruit :*** *le dernier w-e de nov.* Expositions, ateliers et débats sur des thèmes 100 % naturels.

LASALLE

(30460) 1 050 hab.

Des prairies et des vergers au fond du vallon de la Salendrinque, des versants plantés de châtaigniers, des hameaux de granit éparpillés et de beaux châteaux noyés dans la verdure. Dans les années 1970, cette région retirée a attiré de nombreux partisans du retour à la terre. Le rêve a duré quelques années. Et puis chacun est rentré chez soi, dans la grande ville...
Bourg étiré le long d'une rue de 1,7 km, Lasalle fut très tôt convertie au protestantisme. Les maisons cossues qui bordent cette longiligne grande rue témoignent de l'ancienne prospérité de Lasalle, liée, comme un peu partout dans le coin, à la sériciculture (l'élevage du ver à soie bien sûr !).

Adresses utiles

Office de tourisme intercommunal Cévennes-Garrigue : *83, rue de la Place. ☎ 04-66-85-27-27. • cevennes-garrigue-tourisme.com • Juil-août, tlj sf mer 10h-17h, sam 10h-15h, dim 10h-13h. Le reste de l'année, lun 9h-12h, 14h-16h ; mar-ven 10h-12h, 14h-17h.*

Les poneys du Val d'Émeraude : *route de Colognac. ☎ 04-66-85-41-69. • poneydemeraude.com • À 2 km de Lasalle.* Pour les enfants seulement. Balades à poney, monté ou en calèche.

Où dormir ?

Camping

Camping Le Val de Salendrinque : *Les Plaines. ☎ 04-66-85-24-57. • info@campinglasalendrinque.fr • campinglasalendrinque.fr • À 1 km du bourg par la D 39, direction Saint-Hippolyte. Ouv avr-oct. Emplacement pour 2 pers 14 € en hte saison. Loc de mobile homes 215-1 140 €/sem et de caravanes 130-325 €/sem.* Un camping 2 étoiles bien équipé, bien ombragé et pas très cher. Sanitaires assez spacieux et modernes. Piscine.

Manifestations

– ***Festival du film documentaire :*** *le w-e de l'Ascension.* Films à caractère social.
– ***Fête de la Châtaigne :*** *ts les ans, le 1er nov.*

➤ DANS LES ENVIRONS DE LASALLE

➢ Très jolie route (la D 153) jusqu'à ***Sumène*** (bourgade typiquement cévenole) par les villages de ***Colognac*** – merveilleusement situé sur un replat – et ***Saint-Roman-de-Codières.***

■ ***Centre de tourisme équestre de Vabres :*** *lieu-dit La Garnarie, à Vabres.* ☎ *04-66-85-28-77. À 4,5 km à l'est de Lasalle.* Ce centre, tenu depuis maintenant 25 ans par Bernard Jemma, ami fidèle du *Guide du routard,* organise des promenades à cheval de 1h à 3h, et des randonnées de 1 à 6 jours pour les cavaliers plus confirmés. Au cœur des Cévennes verdoyantes, la propriété de 13 ha abrite aussi 2 *gîtes ruraux* aménagés dans des maisons cévenoles bien équipées. Location à la semaine ou au week-end.

LA VALLÉE BORGNE

Au pied de la corniche des Cévennes, côté sud, cette longue vallée où coule le Gardon de Saint-Jean est une sorte de cul-de-sac grandiose, ponctué de hameaux traditionnels, de petits cimetières huguenots et de vieux châteaux nichés dans les châtaigniers. Une très jolie route au départ de Saint-Jean-du-Gard passe par L'Estréchure et Saumane puis par Saint-André-de-Valborgne, perdu au fond de sa vallée. Pourquoi borgne, au fait ? Peut-être à cause de ce cul-de-sac géographique... Dans tous les cas, ce n'est pas parce que la vallée est dite « borgne » qu'elle vous privera de vos deux yeux : le site est admirable.

SAINT-ANDRÉ-DE-VALBORGNE (30940)

Niché dans la vallée, à 25 km de Saint-Jean-du-Gard, voici encore un beau village ancien avec ses maisons construites sur les quais bordant le Gardon. Église romane du XIIIe siècle et temple protestant d'inspiration Empire qui semble disproportionné par rapport à l'importance du village. Un endroit fort sympa en arrière-saison. Autour de Saint-André-de-Valborgne, plusieurs châteaux : celui des Barbuts (privé), style grosse ferme fortifiée, celui de Nogaret (privé), sur l'ancienne route royale du Pompidou, et le château de Follaquier, sur la route des Vannels (D 907).

Adresse utile

ℹ ***Office de tourisme de la vallée Borgne :*** *les quais.* ☎ *04-66-60-32-11.* • *valleeborgne.org* • *Juil-août, tlj sf lun 9h30-12h30, 16h30-19h, dim 9h30-12h30 ; le reste de l'année, lun-ven 9h-12h (sf en mai-juin mar-sam 9h-12h). Fermé vac scol de Noël.*

À faire

➢ De superbes routes de montagne comme la D 907 qui grimpe jusqu'au *col du Marquairès,* puis redescend par la vallée du Tarnon jusqu'au village des Rousses ; ou la D 10 qui, via les cols de l'Espinas et du Pas (chouette panorama), permet de rejoindre Valleraugue au pied de l'Aigoual.

➢ Pour rejoindre la *corniche des Cévennes,* il faut monter au Pompidou par la D 61, qui offre de superbes échappées sur la vallée Borgne.

ENTRE MONTS ET GARRIGUE

SAINT-HIPPOLYTE-DU-FORT (30170) 3 500 hab.

Au pied des Cévennes méridionales, sur la route de Nîmes au Vigan, Saint-Hippo, comme disent les branchés du coin, n'a rien d'extraordinaire. Mais en été, sous les platanes, on se sent bien pour méditer quelques balades dans ce fabuleux arrière-pays qui s'offre au routard dès la sortie du village. Deux faits marquants caractérisent son histoire : le protestantisme et l'industrie de la soie, la sériciculture.

Adresse utile

i ***Office de tourisme intercommunal Cévennes-Garrigues :** Les Casernes, pl. du 8-Mai-1945. ☎ 04-66-77-91-65. • cevennes-garrigue-tourisme.com • Juil-août, lun-sam 10h-17h, dim 10h-13h. Le reste de l'année, tlj sf w-e 10h-12h, 14h-17h.* Accueil sympa.

Où manger ?

|●| ***Restaurant L'Amourier :** route de Monoblet. ☎ 04-66-77-26-19. • amou rier@free.fr • ♿ Juste à la sortie de la ville. Fermé dim soir et lun. Menus 18-42 € et carte (compter 35 €). Digestif maison offert sur présentation de ce guide.* Dans un cadre élégant, avec terrasse et jardin, *L'Amourier* propose une cuisine agréable : gigot d'agneau rôti au poivre, brochette de pommes et lotte aux épices, etc. Bref, un endroit qui mérite bien de s'appeler restaurant.

Où dormir dans les environs ?

⌂ ***Chambres d'hôtes Le Mas de l'Aubret :** chez Robert Coynel, La Pause, 30170 Monoblet. ☎ 04-66-85-42-19. • nr.coynel@laubret.com • lau bret.com • À 7,5 km au nord de Saint-Hippolyte par la D 133. À l'entrée du village, sur la gauche (petit chemin fléché). Doubles avec douche et w-c 45 €, petit déj compris. Réduc de 10 % sur présentation de ce guide.* Belle et grande maison, tranquille au milieu de la verdure. Chambres claires et spacieuses, à la déco toute de simplicité, mais agréables et d'un beau rapport qualité-prix. Le proprio, marcheur infatigable, connaît tous les sentiers du coin. Cuisine d'été à disposition des hôtes qui voudraient se mitonner des petits plats ou se préparer un pique-nique à l'ombre des lauriers.

À voir. À faire

***L'écomusée de la Soie :** pl. du 8-Mai-1945. ☎ 04-66-77-66-47. • museedela soie.com • 1er avr-9 nov, tlj sf lun 10h-12h30, 14h-18h ; juil-août, journée continue 10h-18h30. Entrée : 4,70 € ; réduc.* Dans une ancienne caserne réaménagée. De l'arbre d'or (le mûrier) aux filatures, du ver à soie au moulinage et au tissage, toute l'histoire de cette belle et noble culture qui fit la prospérité des Cévennes au XIXe siècle. Mais cet écomusée a aussi pour vocation d'être le centre de promotion et de commercialisation de la soie des Cévennes.

Le musée des Sapeurs-Pompiers : *pl. du 8-Mai-1945. ☎ 04-66-77-99-86. • msp30.fr.st • Juste à côté du musée de la Soie. 1er juin-14 sept, tlj sf mar 10h-12h, 14h30-18h30 ; le reste de l'année, slt les w-e 10h-12h, 14h-17h30. Entrée : 4,50 € ; réduc.* Petit musée consacré (vous vous en doutiez) aux soldats du feu : diorama de feux de forêts, collection de véhicules miniatures, une autopompe *Delahaye* de 1937 (grandeur nature, celle-là !), costumes, casques, lances, etc. Et en plus, le musée devrait se doter d'un grand écran prochainement.

➢ **Promenade des cadrans :** une promenade dans le vieux Saint-Hippolyte en passant par les 20 cadrans solaires qu'on y trouve. Le circuit vous est donné à l'office de tourisme.

Manifestations

– **Fête de Saint-Hippolyte :** *le 13 août.*
– **Les Folles du fil :** *le 3e w-e de sept.* Du patchwork, des broderies, de la soie un peu partout, le tout organisé par le musée de la Soie.
– **Forum du livre :** *le 1er w-e de déc.*

SAUVE

(30610) 1 700 hab.

Accroché à une falaise rocheuse qui domine le Vidourle, voici un de nos villages préférés dans le coin. Petite cité prospère au Moyen Âge (la « viguerie » de Sauve englobait Anduze, Alès et Sommières), Sauve cache, au hasard de son dédale de ruelles et de placettes, de vieilles et belles maisons et des hôtels particuliers. Encore oublié du tourisme de masse, le village doit son ambiance un peu bohème à l'importante colonie d'artistes qui s'y est fixée. Ajoutez-y une étonnante spécialité locale (la fourche de micocoulier), quelques surprenantes balades dans les environs et une foule de bonnes adresses pour un si petit village, et vous comprendrez qu'on ne se sauve pas si vite de Sauve.

Adresse utile

Office de tourisme : *pl. René-Isouard. ☎ 04-66-77-57-51. • vallee-vidourle.com • Juil-août, lun-sam 9h-12h30, 15h-18h30, dim 10h-12h30 ; avr-juin et sept-oct, lun-ven 9h-12h, 14h-17h ; nov-mars, lun-ven 10h-12h, 14h-16h. Fermé ap-m mar et ven sf juil-août.* Propose des visites théâtralisées de Sauve, à la chandelle, le mardi à 21h en juillet-août (tarif : 4 €).

Où dormir ? Où manger ?

Prix moyens

Auberge La Pousaranque *(chambres d'hôtes) :* *domaine de l'Evesque. ☎ 04-66-77-51-97. • aubergelapousaranque@free.fr • lapousaranque.com • À 2 km, sur la route de Quissac. Mieux vaut appeler pour vérifier que le resto est bien ouvert. Doubles avec douche et w-c 47-50 €, avec bains 51 €, petit déj compris. Menus 11-15 €. Sur présentation de ce guide, 10 % de réduc sur le prix de la chambre nov-mars.* À l'entrée de cette auberge, le puits à roue *(pousaranque)* et la piscine. Les quatre chambres se trouvent dans la maison de maître. Dans la grande salle de style provençal, on vous servira des menus très copieux et fleurant bon le terroir. Une bien bonne table.

Villa Eugénie : *route de Villeseque. ☎ 04-66-77-05-22. À 1,5 km* *du bourg (accès fléché depuis la D 999). Fermé jeu et oct-avr. Compter 30 € env à la carte. Café offert sur présentation de ce guide.* Idéalement planqué au cœur de la garrigue, ce resto (qui fait un peu maison traditionnelle japonaise) est en plein air. On y mange donc quand il fait beau (ce qui heureusement arrive souvent ici) sur une tranquille terrasse, à l'ombre des chênes. Casse-croûte, tapas dans la journée. Et cuisine méditerranéenne avec de la personnalité le soir.

Le Micocoulier : *3, pl. Jean-Astruc. ☎ 04-66-77-57-61. Ouv tlj sf lun et mar midi. Fermé le midi hors saison sf w-e et j. fériés. Congés : oct-avr. Menus 18-23 € et carte.* Large choix de plats du jour, et bon nombre de mets fort bien maîtrisés sur le thème « des Cévennes à la Méditerranée ». L'ombre du micocoulier rend la terrasse, qui surplombe le Vidourle, vraiment agréable.

Où acheter de bons produits ?

Épicerie chez Fouzia : *28, rue du Pont-Vieux. ☎ 04-66-77-58-83. Au cœur du vieux village.* Une ambiance presque de bistrot de quartier avec ces habitués qui papotent, un verre de thé à la menthe (offert par Fouzia) à la main, un cadre aussi adorable que l'accueil, une belle sélection de produits du monde entier : châtaignes, confitures, miel, épices, huiles essentielles, pain (excellent). Coup de cœur pour cette épicerie pas comme les autres.

Où acheter du vin de pays ?

Domaine du château de Florian : *sur la commune de Logrian-Florian, à 7 km à l'est de Sauve. ☎ 04-66-77-48-22. De Sauve, prendre la D 8 en direction de Logrian-Florian. À 5,5 km, tourner à droite et suivre la D 35 vers Quissac. Un panneau indique Florian sur la gauche.* Une longue allée traverse les champs de vigne jusqu'au château, construit au XVIIIe siècle par le grand-père du fabuliste Jean-Pierre Claris de Florian. Le jeune Florian (Sauve 1755-Sceaux 1794), petit-neveu de Voltaire, passa ses premières années ici. Il est l'auteur de 124 fables, de chansons, de pastorales et de comédies écrites pour le théâtre italien. Au caveau, on peut déguster et acheter les bons vins du domaine (rouges, rosés et blancs), exploité en famille par Louis et Patrick Rico.

À voir. À faire

Le vieux village : c'est à pied qu'il faut flâner dans Sauve. Garez-vous sur la place de la Vabre et traversez le Vidourle par le pont Vieux (XIe siècle). Grimpez ensuite vers le cœur du village, la place Jean-Astruc, bordée par l'église et le temple, presque côte à côte, et les jolies arcades de la Fusterie. Marché le jeudi et le samedi matin. Au bas de la rue de l'Évêché, monumentales fenêtres à meneaux du XVe siècle. Entre la place et la Grande-Rue, presque un dédale de ruelles pittoresques (rues du Four, de la Curaterie) et de volées de marche. En grimpant vers le haut du village et la mer de Rochers par la montée des Capucins (joli pavage de galets), voir l'ancien hôtel de la Monnaie (à l'angle de la rue Caravalesque) et l'élégante maison des comtes de Sauve.

La mer de Rochers : juste au-dessus du village, passé les ruines du Castellas, surgit un étonnant paysage, des roches calcaires déchiquetées hérissant la garrigue. Surprenant chaos rocheux qui ressemble bien à une mer démontée figée dans la pierre pour l'éternité. Au milieu de ce paysage sauvage et superbe, ruines du château de Roquevaire, ancienne (XIIIe siècle) résidence d'été des évêques de Maguelone. Deux circuits balisés permettent de découvrir le site. Renseignements à l'office de tourisme.

Le conservatoire de la fourche : *rue des Boisseliers.* ☎ *04-66-80-54-46.* • *lafourchedesauve.com* • *Téléphoner pour les visites. Visite : 4 € ; enfant : 2,50 €.* Cette coopérative, unique en son genre en Europe, continue à fabriquer des fourches en micocoulier, spécialité de Sauve depuis au moins le XIe siècle. Élevées et taillées dans les rejets de souche d'un arbre qu'on trouve dans la région puisqu'il affectionne les sols rocheux, ces fourches sont encore utilisées dans les haras parce qu'elles sont plus légères et présentent moins de risques de blesser l'animal. Également, depuis peu, un centre d'interprétation sur la garrigue sauvaine.

Fêtes et manifestation

– ***Fête de la Fourche et de la Cerise :*** *fin mai-début juin.* Démonstration de fabrication de fourches, marché de la cerise...
– ***L'Été des 4 jeudi :*** *de mi-juin à mi-août, le jeu soir.* Concerts.
– ***Fleurs et Peintres dans la ville :*** *le jeudi de l'Ascension.* Des peintres s'installent dans les rues du village et peignent... le village. Marché aux fleurs.

LE PAYS VIGANAIS

LE VIGAN (30120) 4 450 hab.

« Ici, c'est la Cévenne méditerranéenne, un coin ensoleillé et sans neige », nous a assuré un jeune du pays. C'est vrai, Le Vigan n'a rien d'une bourgade austère ou ennuyeuse. C'est là le terroir de la fameuse reinette dite « du Vigan », une pomme dorée à souhait ! Versants de montagnes naguère couverts de vignes et d'oliviers, toits de tuile, murmure des fontaines sous les tilleuls, pastis et jeux de boule, accent du Midi.
C'est peut-être l'une des rares villes du Gard où tous les habitants peuvent boire au robinet de l'eau de source à longueur d'année, même en période de sécheresse.
Dans cette ville de tradition huguenote, c'est une surprise de découvrir une statue de Coluche dans le jardin de la Caisse d'épargne ! Bref, au Vigan, il y a quelque chose dans l'air et dans les esprits qui nous a bien plu. Salut les potes !

L'EAU PRÉCIEUSE...

Ici, l'eau est une fête et une légende. On a longtemps, ici, fêté Isis. Mais que vient faire la déesse de l'Égypte ancienne dans ce vallon des Cévennes ? La légende raconte qu'une prêtresse du temple de Diane à Nîmes, nommée Isis, venait herboriser dans les montagnes autour de l'Espérou. Avec ses compagnes, elle y cueillait des plantes sacrées puis descendait se baigner, au pays d'Arisitensis, dans une source qui porte aujourd'hui son nom.

Adresse utile

Office de tourisme des Cévennes méridionales : *à la maison de pays, pl. du Marché, dans le centre.* ☎ *04-67-81-01-72.* • *cevennes-meridionales.com* • *Juil-août, lun-sam 8h30-12h30, 13h30-19h, dim 10h-13h ; le reste de l'année, lun-ven 9h-12h30, 14h-18h, sam 8h30-13h.* Bien documenté. Liste des hôtels, campings, chambres d'hôtes, gîtes et nombreuses possibilités de randonnées (pédestre, équestre et VTT).

Où dormir ?

Camping

Camping Le Val de l'Arre : route du Pont-de-la-Croix. ☎ 04-67-81-02-77. • valdelarre@wanadoo.fr • valdelarre.com • À 2 km du centre. Ouv avr-sept. Compter 16 € en hte saison l'emplacement pour 2 avec voiture et tente. Un camping bien équipé (piscine, animations), ombragé et en bord de rivière.

Bon marché

Hôtel du Commerce : 26, rue des Barris. ☎ 04-67-81-03-28. • sarreboubee.serge@wanadoo.fr • À peine à l'écart du centre du bourg. Doubles 25 € avec lavabo, 35 € avec douche ou bains. Un hôtel tranquille et bon marché, parfait pour rayonner dans le pays viganais. Chambres claires, simples (mais hyper-propres et de bon confort !) et spacieuses. Petit jardin. Une adresse bien cool, tout comme l'accueil.

Où dormir ? Où manger dans les environs ?

Camping

Voir plus loin *Chambres d'hôtes et camping à la ferme.*

De bon marché à prix moyens

Auberge La Borie : 30120 Mandagout. ☎ 04-67-81-06-03. • aubergelaborie@wanadoo.fr • À 10 km du Vigan par la D 170. À 9 km, tourner à droite vers Mandagout ; passer le village, puis continuer vers Saint-André-de-Majencoules. Là, un chemin en pente sur la gauche monte (en 250 m) à l'auberge. Tlj sf mar soir et mer hors saison. Congés : fév. Doubles 31-53 € (avec douche ou bains) ; ½ pens, obligatoire en saison, 37-52 € selon saison. Menus 16-32 €. Apéritif maison offert sur présentation de ce guide. Sur le versant ensoleillé d'une montagne, c'est un vieux mas cévenol, avec piscine et vue époustouflante : une forêt de châtaigniers et de figuiers ondulant sous un ciel bleu à l'infini. Bonne cuisine familiale.

Auberge Cocagne : pl. du Château, 30120 Avèze. ☎ 04-67-81-02-70. • auberge.cocagne@wanadoo.fr • À 2 km au sud du Vigan, en direction de Montdardier. Resto fermé du dim soir au mar midi hors saison. Congés : de mi-déc à mi-janv. Apéritif et café offerts sur présentation de ce guide. Doubles 35 € (lavabo seul)-45 € ; ½ pens 39,50 €/pers. Formule midi 10,50 € et menus à partir de 14 €. La petite auberge de campagne pur jus : une terrasse sous les frondaisons, une maison pimpante malgré ses quatre siècles d'existence, des chambres à l'ancienne mais plutôt confortables. Accueil chaleureux, bribes de jazz ou de *world music* qui sortent de la salle : cette auberge-là a aussi de la personnalité. Comme la cuisine du patron, très méditerranéenne (cuisine du terroir façon grand-mère). Les légumes sont bio, les fromages fermiers, et les vins viennent de producteurs voisins.

Chambres d'hôtes La Baumelle : 30120 Arphy. ☎ 04-67-81-12-69. • labaumelle@tele2.fr • cevennes-hebergement30.com • À 9 km au nord-ouest du Vigan, par la D 48 puis à droite la D 190 ; traverser Aulas puis prendre à gauche (c'est fléché). Doubles avec douche 39-50 € selon saison. Petit déj 4 €. Table d'hôtes : dîner env 15 €. Apéritif maison offert sur présentation de ce

LES CÉVENNES GARDOISES

guide. Jolie maison de pierre, typiquement cévenole, isolée sur un versant ensoleillé. De la verdure, un petit ruisseau : un très chouette coin. Trois grandes chambres indépendantes, à la déco toute simple, de plain-pied sur le jardin, à deux pas de la piscine. Cuisine savoureuse et copieuse à base de produits fermiers (les proprios sont maraîchers plus bas). Accueil très sympa. Deux gîtes sont également proposés par les propriétaires à Aulas, un village à proximité (gîtes des Clapices).

Hôtel-restaurant Le Mas Quayrol : *30120 Aulas. ☎ 04-67-81-12-38. • info@masquayrol.com • masquayrol.com • À 5 km au nord-ouest du Vigan, par la D 48, direction L'Espéroumont Aigoual ; traverser Aulas, prendre ensuite à gauche (c'est fléché) et monter env 1 km. Congés : de mi-déc à fin mars. Resto fermé le midi en basse saison. Doubles avec bains env 53-60 € suivant saison. Menus à partir de 25 €.* Accroché au flanc de la montagne, un ensemble de bâtiments, récents mais dans le style du pays, enfouis dans la verdure. Chambres pas désagréables (surtout celles avec vue : les n°s 104 à 117) et tranquilles. Au resto, salle panoramique, agréable terrasse ombragée et honnête cuisine de région.

Chambres d'hôtes et camping à la ferme : *chez Mme Lamouroux, hameau des Plans, 30120 Bréau-et-Salagosse. ☎ 04-67-81-76-81. • lamourouxaime@orange.fr • À env 4 km à l'ouest du Vigan, en allant vers le village de Bréau-et-Salagosse. Ouv tte l'année. Autour de 10 € l'emplacement d'une tente pour 2. Chambres d'hôtes env 40 €, petit déj compris. Également 2 gîtes pour 4-5 pers 300-450 €/sem. Resto 13 € le soir. Pique-nique sur demande.* Un coin bien ombragé pour les campeurs, et des chambres simples, familiales ; accueil très aimable.

Le Mas de la Fouzette : *30120 Arre. ☎ et fax : 04-67-82-07-49. Sur la route d'Alzon (la D 999). Chambres d'hôtes 45 €, petit déj compris. Gîte d'étape autour de 15 €. Possibilité de forfait randonnées, ½ pens et pension complète.* Transport de personnes et bagages également. Un vrai mas cévenol sur un domaine de 10 ha offrant une très agréable chambre d'hôtes et un gîte d'étape de 8 chambres (dont 6 doubles). Bon confort : cuisine aménagée, four, frigo et congélo, lave-vaisselle. Grande terrasse avec BBQ. La chambre d'hôtes comprend une chambre et un séjour (avec convertible) et coin cuisine. Nombreuses activités proposées : équitation, tennis, natation, pêche et bien sûr randonnées. Super environnement et bon accueil en prime. Que rêver de mieux !

Beaucoup plus chic

Hôtel-château du Rey : *Le Rey, 30570 Pont-d'Hérault. ☎ 04-67-82-40-06. • abeura@club-internet.fr • chateau-du-rey.com • (resto slt). À 4 km au sud du Vigan, route de Ganges. Fermé dim soir et lun. Congés : début oct-1er avr. Doubles avec bains 100 €.* Un très vieux château du XIIIe siècle, avec créneaux et mâchicoulis, au sein d'un parc de 2 ha. Chambres au confort très contemporain, offrant un bon rapport qualité-prix. Fait aussi resto dans l'ancienne bergerie.

À voir

La place du Quai : c'est le centre de l'animation. Belle fontaine du XVIIIe siècle où coule l'eau de la source d'Isis.

Le Musée cévenol : *1, rue des Calquières. ☎ 04-67-81-06-86. 1er avr-31 oct, tlj sf mar 10h-12h, 14h-18h ; nov-mars, slt mer. Entrée : 4,50 € ; 2,30 € moins de 16 ans.* Installé dans une ancienne filature de soie du XVIIIe siècle. Tout ou presque sur les métiers et les traditions populaires des Cévennes. Une foule d'objets et de documents intelligemment présentés. Dans la salle des métiers : artisanats traditionnels, comme la vannerie (remarquez l'impressionnant panier à grains appelé *boudoun* ou bien encore ce fauteuil de châtaignier fabriqué par des gitans, d'où son style très Europe centrale), la poterie, la verrerie, la ferblanterie (chouette série de lanternes), et l'occasion (enfin !) de tout savoir sur la fabrication des boules de pétanque. Intéressante section ethnographique : reconstitution d'un intérieur cévenol du massif de l'Aigoual, dans les années 1950, évocation de la sériciculture (beaux costumes de soie des XVIIIe et XIXe siècles) et des autres cultures traditionnelles du massif. La salle du Temps retrace l'histoire des Cévennes. Une salle, enfin, est consacrée à l'écrivain et académicien André Chamson, qui passa sa jeunesse au Vigan et dont l'œuvre est en partie inspirée des Cévennes.

Les vieux hôtels particuliers : l'hôtel Daudet d'Alzon av. Emmanuel-d'Alzon, le château d'Assas (XVIIIe siècle) récemment rénové et qui abrite la « Maison du livre et de l'écriture », comprenant notamment une médiathèque.

La statue de Coluche : *elle se trouve dans le jardin de la* Caisse d'épargne *(ancien hôtel de Ginestous).* Unique en France, elle a été sculptée par Christian Zénéré, qui l'avait offerte au maire de la petite commune de Provence où Coluche s'est tué. Celui-ci ayant refusé la statue, le maire du Vigan la demanda pour sa ville. C'est ainsi que Coluche s'installa au Vigan, le mec.

Le vieux pont du Vigan : il a été construit au XIIe siècle par les habitants du pays, qui ont eux-mêmes rassemblé les fonds nécessaires à son élaboration. Il relie majestueusement le Causse à la Cévenne grâce à une arche en arc de cercle quasi parfaite.

Fêtes et manifestations

– ***Festival du Vigan :*** *en juil-août.* Depuis 30 ans. Expos d'art plastique et soirées musicales. Concerts classiques au Vigan et dans quelques villages du pays viganais.
– ***Marché des Potiers :*** *dim et lun de Pâques, sur la pl. du Marché.*
– ***Fête de la Pomme et de l'Oignon :*** *le 4e dim d'oct.*

➤ DANS LES ENVIRONS DU VIGAN

LE CAUSSE DE BLANDAS

À une dizaine de kilomètres au sud-ouest du Vigan, par la D 999 direction Millau, puis la D 48 vers Avèze. Passé le joli village perché de Montdardier et son château restauré par Viollet-le-Duc, le causse se dévoile d'un coup. Un large plateau calcaire (10 000 ha) qui s'étend entre les vallées de l'Arre et de la Vis. C'est le plus méridional des causses. De part et d'autre de la rectiligne D 48, ce ne sont plus que vastes étendues d'herbe jaune, légèrement ondulées, où les fermes, trapues, se cachent presque. Comme chez ces voisins (causse Méjean, causse Noir, Larzac), on s'y sent franchement ailleurs. Magique mais hostile (l'eau s'y fait rare) nature. Au sud-ouest, le causse plonge vers le célèbre cirque de Navacelles (voir à « Ganges » dans « L'Hérault »).

LE MONT AIGOUAL ET SA RÉGION

LE MONT AIGOUAL

On peut le considérer comme une sorte de montagne sacrée des Cévennes. Une vue à vous couper le souffle : la Méditerranée au lointain, le mont Ven-

LE MONT AIGOUAL

toux, les Alpes. « Cette coupole d'herbe rase », comme disait André Chamson, dont la tombe se trouve sur l'un des versants de l'Aigoual.
Nous y sommes venus une nuit de septembre : il a fallu s'agripper au bastingage de l'observatoire pour ne pas être happé par les rafales de vent ! On se croyait à la pointe du Raz un jour de tempête. Fichtre ! Quel sommet ! On est à 1 565 m d'altitude, et la Méditerranée n'est qu'à 70 km d'ici. Si vous êtes fan de panoramas, on vous conseille d'ailleurs d'y grimper à l'automne ou en hiver (chaussez les skis !) parce que, en été, la brume noie souvent le littoral.
L'Aigoual, promontoire sublime, boussole des nuages et des eaux : d'un côté, les rivières qui dévalent vers le Bassin méditerranéen ; de l'autre, celles qui vont à l'Atlantique après s'être jetées dans le Tarn puis dans la Garonne. L'Aigoual garde un je-ne-sais-quoi de la magie primitive des hauts lieux.

Comment y aller ?

➢ ***De L'Espérou :*** le village le plus proche du mont Aigoual (ravitaillement, hôtels, restos...). À 9 km au sud. La route du Vigan et celle de Valleraugue y passent.
➢ ***Du Vigan :*** c'est une superbe route qui inspira André Chamson. Comptez une quarantaine de kilomètres du Vigan à l'Aigoual.
➢ ***De Meyrueis :*** une autre possibilité. Il y a en fait deux routes au départ de cette petite ville : la D 986, qui passe par Camprieu et le col de Sereyrède, environ 32 km ; nous préférons la D 18, qu'on rejoint au col de Perjuret, au pied du causse Méjean, environ 26 km.

➢ ***De Valleraugue :*** assez difficile pour les cyclotouristes à cause de la pente accrue de la D 986.

Adresses utiles

■ ***Station météo :*** ☎ *0892-680-230.* Pour s'informer sur le temps.

■ ***Observatoire météo du mont Aigoual :*** *30570 Valleraugue.* ☎ *04-67-82-60-01.* • *aigoual.asso.fr* • *D'ici, on peut attraper les nuages à la main. Visite du musée Météo-France 1er mai-30 sept : mai-juin et sept 10h-13h, 14h-18h ; juil-août, 10h-19h.* Passionnant et gratuit. Accueil vraiment convivial. Images satellite, vidéos et diaporama. Également un musée avec de vieux appareils météo et des objets cévenols.

Où dormir ?

🏠 🍽 ***Gîte d'étape de l'observatoire de l'Aigoual :*** *derrière l'observatoire.* ☎ *04-67-82-62-78. Situé sur le GR 66 (tour de l'Aigoual). Ouv mai-oct. Compter 14 € la nuit. 34 places en chambres de 4 à 10 pers. Fait aussi resto sur résa.*

Que faire là-haut ?

– Respirer à fond.
– Se promener dans une très belle nature.

Sentier de petite randonnée

➢ Balisé par le parc, un circuit de 1 km autour du sommet. Départ de l'observatoire de l'Aigoual. L'intérêt de cette balade est de vous permettre de découvrir les trois flancs d'un même lieu : sud, est et nord. Surnommé le « sentier des Botanistes », ce circuit traverse les pelouses d'altitude, puis pénètre dans l'arboretum de « l'Hort de Dieu » avant de passer sur le versant est, moins desséché que le sud. Enfin, on chemine sur le versant nord, froid et venteux, peuplé de hêtres et de sapins, contrairement au flanc sud planté de pins, de sapins et d'épicéas.

Sentier GR 66 : le tour de l'Aigoual

➢ L'Aigoual est traversé par plusieurs sentiers de grande randonnée : le GR 6 Alpes-Océan, le GR 7 Vosges-Pyrénées. Le GR 66 permet de faire une boucle d'une semaine à pied autour du massif. On part généralement de L'Espérou. On traverse le plateau du Lingas au sud. Par le pic Saint-Guiral, on gagne Dourbies, Meyrueis, puis on remonte à l'est vers Cabrillac, la maison forestière d'Aire-de-Côte. De là, on grimpe au sommet du mont Aigoual et, ensuite, re-descente à L'Espérou par le col de Sereyrède. Environ 79 km au total. Il existe un topoguide sur cette balade. Plusieurs gîtes d'étape jalonnent votre parcours, les deux derniers se trouvant sur le versant lozérien du mont Aigoual :

🏠 🍽 ***Auberge de Dourbies :*** ☎ *04-67-82-70-88.* Voir plus loin « Où dormir ? Où manger ? » à Dourbies.

🏠 ***Gîte de Cabrillac :*** ☎ *04-66-45-62-21. Ouv juil-août. Compter 7 € la nuitée. Plus de rens en contactant l'association rurale Cévennes-Languedoc, Mme Issartel, 30190 Sauzet.* ☎ *04-66-81-62-64.*

🏠 🍽 ***Gîte d'Aire de Côte :*** *aire de Côte, 48400 Bassurels.* ☎ *04-66-44-70-47.* • *gite@aire-de-cote.com* • *aire-de-cote.com* • ♿ *Ouv tte l'année. Nuitée 13 €/pers. Repas unique midi et soir 9-11 €. Café offert sur présentation de ce guide.* 46 places et un petit dortoir pour 4 personnes.

➤ DANS LES ENVIRONS DU MONT AIGOUAL

VALLERAUGUE (30570)

Au fond de la vallée où coule l'Hérault, on trouve des coteaux aux pentes abruptes, aménagés par des générations de Cévenols. *Faïsses* ou *bancels* (terrasses, en patois local), canaux et réserve d'eau, partout on reconnaît la main de l'homme, qui cultive dans ces terres l'oignon doux. La *raïolette,* comme on l'appelle ici, ne ressemble en rien aux autres oignons. Joli bourg construit de part et d'autre de l'Hérault (qui n'est ici qu'un torrent à peine assagi), Valleraugue constitue donc une bonne étape avant d'entreprendre l'ascension de l'Aigoual. La route est sinueuse mais vraiment exceptionnelle. Un sentier, dit « des 4 000-Marches », permet de grimper du village au sommet de l'Aigoual dans les châtaigniers, les landes, les bruyères et les hêtres. On termine dans les conifères. Somptueux ! Il faut quand même compter 4h et plus. 1 227 m de dénivelée. Chaque année, au mois de juin, quelques allumés participent à une course, mais pas en descente. Vive le sport !

Où dormir ? Où manger ?

🍽 ***Restaurant Le Petit Luxembourg :*** *rue du Luxembourg.* ☎ *04-67-82-20-44.* ♿ *Fermé dim soir et lun. Congés : de mi-nov à mi-janv. Formule plat du jour et dessert 12 €. Menus 16,50-42 €. Apéritif maison offert sur présentation de ce guide.* Une de nos bonnes adresses autour de l'Aigoual. Bonnes spécialités (croustillant de truite au roquefort, pané des 4 000 marches...), que l'on déguste sous les voûtes de pierre de la salle du restaurant. Dommage toutefois que l'accueil ne soit pas des plus chaleureux.

🏠 🍽 ***Hôtel-restaurant Les Bruyères :*** *rue André-Chamson.* ☎ *et fax : 04-67-82-20-06. Au centre du village. Congés : oct-Pâques. Doubles avec douche ou bains 46-58 €. Menus 16-30 € et carte. Café et guide des sentiers pédestres de la région offerts sur présentation de ce guide.* Dans une vieille maison (ancien relais de diligences). La déco date un peu mais certaines chambres ont été refaites (les n°s 9, 11, 12, 14, 15, 25, 26). Chambres spacieuses dans l'ensemble. Bel escalier de fer forgé. Accueil franc et direct. Cuisine bien traditionnelle. Terrasse au bord de l'Hérault. Bref, l'hôtel de campagne « ancien-moderne », avec son jardin et sa piscine.

L'ESPÉROU (30570)

À 9 km au sud du mont Aigoual. Pas vraiment un village comme les autres. Mais plutôt une station d'altitude, entourée de forêts profondes et d'alpages, à 1 250 m. Vous noterez le nom qui figure sur une petite plaque bleue posée sur un mur : « carrefour des Hommes de la Route », en hommage à l'un des romans d'André Chamson, publié en 1927 et dont l'action se situe près du col du Minier et dans la région de L'Espérou. Aujourd'hui, les hommes de la route, ce sont les routards en somme... Il n'y a pas un grand choix pour se loger, hélas. Mieux vaut, à notre avis, dormir à Meyrueis, en Lozère.

Manifestation

– ***Fête de la Transhumance :*** *aux alentours du 15 juin.* Le passage par le village de L'Espérou des troupeaux de brebis qui rejoignent les hauts pâturages est l'occasion d'une belle fête. Buvettes, animations, démonstrations du travail du chien de berger, tonte et stands de produits locaux : laine, bien sûr, mais aussi miel, charcuterie ou artisanat.

CAMPRIEU (30750)

Modeste village situé à une quinzaine de kilomètres à l'ouest du mont Aigoual, sur un plateau calcaire bordé par des versants reboisés. L'écrivain Jean Carrière, prix Goncourt 1972 pour *L'Épervier de Maheux,* considère Camprieu comme l'un des plus beaux villages des Cévennes... Ce qui se comprend quand on sait qu'il y habite presque à longueur d'année. Pourtant, on en connaît de bien plus typés que celui-là. Le paysage, en revanche, est superbe aux alentours.

LE BONHEUR EST DANS LE PRÉ !

C'est au bord de la route D 986 que nous avons trouvé le Bonheur. Eh oui ! Il s'agit d'une rivière baptisée ainsi. Elle prend sa source du côté de L'Espérou puis rejoint le Trévézel, lui-même affluent de la Dourbie, qui à son tour se jette dans le Tarn. Le Tarn qui mêle ses eaux à celles de la Garonne, grand fleuve du Sud-Ouest qui finit dans l'Atlantique. Quelle aventure ! Un cours d'eau qui, soit dit en passant, vous permettra de baigner, voire de nager dans le bonheur. Quel luxe !

Le Bonheur a une histoire qui nous a bien plu. Vers l'an mille, un féodal du pays, le baron de Roquefeuil, âme chevaleresque et bienfaitrice, édifia un « hôpital des pauvres » sur la montagne de L'Espérou, terroir déjà surnommé le Bonheur, pour accueillir les voyageurs, les pèlerins, les pauvres colporteurs, les marchands ambulants. Les nuits de brouillard, un homme sonnait une grande cloche de 4 quintaux afin de les guider dans la tourmente. Les loups étaient nombreux à l'époque. Le chemin s'appelait d'ailleurs la draille du Parc-aux-Loups. Des moines hospitaliers y fondèrent ensuite un monastère, connu au XIIe siècle sous le nom de *Boni Hominis,* puis *Bona Aura* (« Bon Accueil »), enfin *Bonahuc* et de là *Bonheur...* Grâce au baron philanthrope, de nombreux « routards » de l'époque furent ainsi sauvés de la neige et du désespoir...

Où dormir ? Où manger ?

L'Auberge du Bonheur : *dans le village même, non loin de l'église. ☎ 04-67-82-60-65. Fax : 04-67-82-65-52. À 1 km de l'abîme de Bramabiau. Congés : 15 j. en oct. Doubles 29-34 € selon confort (avec lavabo ou douche et w-c). Menus à partir de 13 €. Réduc de 10 % sur le prix des chambres, oct-janv et de mi-mars à mi-juin, sur présentation de ce guide.* Un petit hôtel de 16 chambres, qui fait aussi resto. Avec un nom aussi enchanteur, les tarifs aussi sont heureux.

À voir. À faire

L'abîme de Bramabiau : *à env 1 km de Camprieu. ☎ 04-67-82-60-78. Visite guidée d'avr à mi-nov : avr-juin, 10h-18h, juil-août, 9h-19h, oct-nov, 11h-17h. Entrée : 7 € ; réduc.*

Ce n'est pas une grotte mais une résurgence du Bonheur (encore lui) qui réapparaît au grand jour après un périple souterrain de 689 m. Cette grande cascade fait un tel vacarme contre le rocher que les gens d'ici la baptisèrent : « le bœuf qui brame », *brame biou* en patois local. D'où son nom actuel, Bramabiau.

Départ de la visite tous les quarts d'heure à la maison des guides (petit café sympa). À pied, on met 10 mn pour gagner la grande salle au-dessus de la cascade. De nombreuses découvertes préhistoriques et des traces de dinosaures ont donné un intérêt scientifique à l'abîme. Trajet d'environ 1 km en corniche, parfois 25 m au-dessus de la rivière : un véritable canyon souterrain ! Promenade sympa de 50 mn environ.

BALADE ENTRE LE MONT AIGOUAL ET LE CAUSSE

Petit circuit en boucle de Camprieu à L'Espérou, à travers le causse Noir, les montagnes et les forêts du versant occidental du mont Aigoual, les gorges du Trévézel. Superbe variété de paysages. Environ 100 km de magnifiques routes de montagne (comprendre étroites et sinueuses !). De Camprieu, prendre la D 986 pour gagner Lanuéjols, via le col de Montjardin (jolie route).

LANUÉJOLS *(30750)*

À ne pas confondre avec l'autre Lanuéjols, dans la région de Mende. Ce Lanuéjols-ci est un petit village adorablement niché dans un creux du causse Noir.

Où dormir ? Où manger ?

Hôtel-restaurant « Bel Air » : *route du Mont-Aigoual. ☎ 04-67-82-72-78. Fax : 04-67-82-73-42. Tlj sf lun. Congés : nov. Doubles avec douche, w-c et TV 33 €. Menus 11-22 €.* Petit hôtel de village, 2 étoiles, avec des chambres à des prix très sages. Petit resto où l'on se régale rondement : steak de bison ou côtes de daim en saison, magret au vinaigre de framboise...

À voir

Randals Bison *(élevage de bisons d'Amérique) : Les Randals. ☎ 04-67-82-73-74. Pâques-oct, ouv dim, j. fériés et grands ponts ; 1er juin-15 sept, tlj 10h-19h (17h en juin et sept). Entrée : 5,50 € ; enfant : 3,50 €.* D'accord, le paysage s'y prête, mais ici, comme en Auvergne ou dans le Jura, on est toujours surpris de découvrir un troupeau de bisons ! Visite de l'élevage en chariot ou, en juillet et août, démonstration de rassemblement et tri des bisons à cheval (le mercredi à 19h en été). Également trois chambres d'hôtes.

Viande et charcuterie de bison à la ***ferme-auberge.*** *Ouv aux mêmes horaires. Menus 12-26 €.*

➢ Rejoindre Trèves par la superbe ***D 47*** à flanc de montagne.

TRÈVES *(30750)*

Un de nos villages préférés dans cette magnifique région entre Aigoual et causses, à l'écart des foules des gorges du Tarn. En venant de Lanuéjols, la petite route sinue sur le flanc de la montagne, dominant la vallée du Trévézel et les toits (mi-tuile, mi-ardoise) de Trèves. Dans ce bout du monde, on se sent bien. La petite place, le murmure de la fontaine, quelques arbres pour causer, l'épicerie, le café et des ruelles bien calmes autour de l'église.

De Trèves, prendre la D 47 qui monte au col de la Pierre-Plantée. À la sortie du village, dans un virage à gauche, vous verrez une vieille grange à foin réaménagée en petite maison secondaire. En 1973, nous y avions couché sur un tas de paille le temps d'une nuit. Aujourd'hui, la grange s'est embourgeoisée. Autre temps, autres mœurs, à l'image des Cévennes, qui se sont ouvertes au tourisme vert.

LES GORGES DU TRÉVÉZEL

Une petite route étroite traverse en les longeant ces gorges dont le nom rappelle un toponyme breton bien connu, le roc Trévézel. Paysage superbe et possibilité de rejoindre l'arboretum de La Foux par une route encore plus étroite, qui monte jusqu'à la D 986 sur le plateau.

DOURBIES (30750)

Encore un autre bout du monde, au pied de la mystérieuse montagne du Lingas. On est ici en terre catholique. Région de pâturages et de gorges sauvages. Quelques toits de chaume dans les prés rocailleux. De Dourbies, un long sentier balisé par le symbole du parc, le chevreuil, vous permet de découvrir la région au nord de Dourbies. Comptez environ 20 km et 7h de marche sportive. Paysage de sous-bois (chênes et hêtres) et haut plateau granitique.

Où dormir ? Où manger ?

Auberge de Dourbies : *pl. des Trois-Ermites. ☎ 04-67-82-70-88. • aubergededourbies@wanadoo.fr • Ouv l'été en continu ; sur résa pour les groupes hors saison. Doubles 30-35 € selon confort (douche ou douche et w-c). Menu 12 €. Café offert sur présentation de ce guide.* Chambres bon marché, toutes simples. Les nos 9 et 10 disposent d'une petite terrasse. Cuisine régionale et familiale. Spécialités d'écrevisses (sur commande).

➢ De Dourbies, rejoindre ***L'Espérou*** par la D 151 qui suit, peu ou prou, le cours de la Dourbie, en passant par les hameaux de *Laupiès* et *Laupiettes,* terroir des troupeaux de brebis et de bovins (depuis quelques années). Très belle vue sur le versant nord de la montagne du Lingas.

LES CÉVENNES LOZÉRIENNES

Se reporter également plus loin à la carte « La Lozère ».

Cette région sauvage de la Lozère couvre 80 % de la superficie totale du parc national des Cévennes. Tous les chemins mènent à la petite capitale : Florac, ville tranquille et bien agréable au cœur du parc.
À pied, à dos d'âne, en voiture ou à vélo, de nombreux itinéraires permettent de parcourir ces sublimes paysages. Si vous êtes avide d'émotions et de panoramas à couper le souffle, vous pouvez très bien cumuler ces circuits de découverte : chemin de Stevenson, corniche des Cévennes, vallée Longue, vallée Française... Passez par ici, repassez par là. Vous voilà arrivé au cœur même des Cévennes...

Adresses utiles

Bureau d'information du PNC : *au château de Florac. ☎ 04-66-49-53-01. • cevennes-parcnational.fr • Voir détails plus loin à « Florac ».* Renseignements sur les sentiers, les topoguides, les gîtes d'étape, les sites à visiter, etc.

ℹ ***Autres points d'information du parc sur votre chemin*** *(ouv en été slt)* **:** Le Collet-de-Dèze, Saint-Germain-de-Calberte, Pont-Ravagers, Saint-Laurent-de-Trèves, Barre-des-Cévennes, Le Pont-de-Montvert, Mas-Camargues (sur le mont Lozère), Villefort, Génolhac, La Malène (gorges du Tarn) et au col de Serreyrède (à côté du mont Aigoual).

Le chemin de Stevenson, avec ou sans âne

Sur le chemin de Stevenson, long de 220 km et allant de Monastier (Haute-Loire) à Saint-Jean-du-Gard (Gard) via Langogne, Le Bleymard, Pont-de-Montvert et Saint-Germain-de-Calberte en Lozère, on trouve suffisamment de moyens de location et d'hébergement d'ânes pour refaire à l'identique l'itinéraire du fameux écrivain-voyageur (auteur de *L'Île au trésor*). En bonne compagnie, donc, car l'âne, contrairement à l'homme, ne déçoit jamais. Voici, en dehors du gîte du Pont-de-Burgen (voir pages suivantes : Saint-Germain-de-Calberte), une sélection pour en louer sur ce trajet :

■ ***Balad'Ânes :*** *Alain et Élisabeth Mirman, Les Fonts, 48500 Saint-Georges-de-Lévéjac (causse de Sauveterre).* ☎ *04-66-48-81-20.*

■ ***Genti-Âne :*** *Christian Brochier, Castagnols, 48220 Vialas (mont Lozère).* ☎ *04-66-41-04-16.* • *http://anegenti.free.fr* •

■ ***Tramontane :*** *Chantal Guillaume, La Rouvière, 48110 Saint-Martin-de-Lansuscle (vallée Française).* ☎ *04-66-45-92-44.*

Pour le gîte et le couvert, voir nos adresses ou se renseigner auprès des offices de tourisme du Monastier (office intercommunal du Mézenc : ☎ 04-71-08-37-76), du Pont-de-Montvert ou de Florac (adresses aux chapitres correspondants) ; ou contacter l'association *Sur le chemin de R.-L. Stevenson,* mairie, 48220 Le Pont-de-Montvert. ☎ 04-66-45-86-31. • chemin-stevenson.org • L'association organise chaque année dans un lieu différent, le Festival Stevenson. Expos, débats, lectures, concerts, randos... en hommage au plus lozérien des Écossais.

LA VALLÉE FRANÇAISE

Voilà le cœur des Cévennes : la Cévenne des Cévennes que traversa Stevenson, accompagné de Modestine, en octobre 1878. Dans cette région impénétrable, enclavée dans ses montagnes, les paysages sont encore bien préservés. Lignes ondulantes des *serres* (collines, monts) et monde secret des *valats* (vallons). Sur les versants, l'homme a laissé sa marque et les traces de son activité : les *bancels* – terrasses aménagées pour la culture des oignons doux, de la vigne et des mûriers – s'ordonnent encore autour des hameaux de schiste, reliés aux crêtes par des *drailles,* les vieux chemins caillouteux des Cévennes. Les troupeaux de moutons les empruntaient pour monter aux pâturages d'estive afin d'y passer toute la belle saison.

Sur le plan historique, là aussi, beaucoup de témoins de la guerre des Camisards. Quant au nom – vallée Française –, on prétend qu'il remonterait à l'époque où les Wisigoths occupaient le Sud des Cévennes tandis que les Francs se cantonnaient dans leur vallée reculée... Mais ce n'est qu'une hypothèse.

Notre itinéraire de découverte des Cévennes lozériennes commence en fait à la sortie de Saint-Jean-du-Gard où l'on emprunte la route D 983 au nord.

SAINT-ÉTIENNE-VALLÉE-FRANÇAISE (48330)

À 1,5 km avant Saint-Étienne-Vallée-Française, arrêtez-vous au ***Martinet,*** un beau site, au confluent du Gardon de Sainte-Croix et du Gardon de Mialet.

Où dormir ? Où manger ?

Camping et gîte d'étape

Village vacances – restaurant et camping Le Martinet : *à 1,5 km du village, direction Moissac-Vallée-Française. ☎ 04-66-45-74-88. Ouv tte l'année ; camping de mi-juin à mi-sept. Compter 7,20 € pour 2 en hte saison.* Soixante emplacements seulement pour les campeurs et surtout pas mal de « gîtes » modernes, sans charme mais bien tenus et tout équipés. Resto correct sur place et cuisine bon marché style steak-frites, avec tables en terrasse sous les arbres. Tennis (avec prêt de raquette gratuit en été) et proposition de randos accompagnées. Et la rivière toute proche est propice à la baignade.

Gîte pour randonneurs du Pont de Burgen : *chez Mme Donnet-Pigache, Le Pont-de-Burgen, 48330 Saint-Étienne-Vallée-Française. ☎ 04-66-45-75-30. • gites-rando.cevennes@wanadoo.fr • gites-rando.cevennes.com • À 3 km en direction de Saint-Germain-de-Calberte, sur le GR 67A et le GR 70. Attention : ouv slt aux randonneurs pédestres, tlj de mi-mars à début déc. Une vingtaine de places 15 € la nuitée en chambres de 2-6 lits. Possibilité de ½ pens : 33 €/pers. Apéritif ou jus de raisin maison et café offerts sur présentation de ce guide.* Cadre enchanteur, hameau typique, rivière et cultures maraîchères.

Bon marché

Le Ranc des Avelacs, chez Dominique et Luc Geisen-Schmit : *☎ 04-66-45-71-80. • leranc@cevennes.com • lerancdesavelacs.com • À la sortie du village en venant de Saint-Jean-du-Gard, prendre à droite (c'est indiqué) et suivre 3,5 km de piste. Résa conseillée. Doubles 37 €, petit déj compris ; ½ pens 45 €/pers. Également un gîte (5 pers) 300-460 €/sem. Apéritif maison offert sur présentation de ce guide.* Les derniers kilomètres un peu chaotiques sont vite oubliés lorsqu'on découvre le lieu, tenu par deux Belges amoureux de la région : vue imprenable sur la vallée et calme saisissant ! Chambres avec sanitaires privés, petite terrasse et accès indépendant. Pour le dîner, Dominique mélange saveurs régionales et influences plus lointaines. Et pour le petit déj, elle propose un pain d'épice délicieux. Une petite piscine permet de se remettre des balades de la journée.

La ferme du Gallinou : *Nouria et André Artal. ☎ 04-66-45-78-72. • ferme.du.gallinou@wanadoo.fr • causses-cevennes.com/gallinou • Table d'hôtes ven-dim et tlj en juil-août. Résa conseillée. Doubles 40 €. Menu 29 €, sur résa.* Perché en haut d'une colline et accessible par une piste (carrossable) de 3 km. Une belle étape gastronomique. Le chef de cette ferme-auberge propose un menu unique – assez cher, certes – mais digne des meilleurs restos de la région. Volailles élevées sur place, légumes et aromates du potager, foie gras, charcuterie maison... Une cuisine savoureuse travaillée dans le respect des bons produits, avec une touche d'originalité et fort joliment présentée. Apéro maison offert et bons p'tits crus pour accompagner dignement le repas. À déguster dans la jolie salle ou sur la terrasse, en profitant du panorama à couper le souffle... mais pas l'appétit ! Quatre chambres d'hôtes, fraîches et confortables, pour prolonger l'étape. Accueil chaleureux et attentionné. Vente de produits fermiers et artisanaux.

NOTRE-DAME-DE-VALFRANCESQUE

Très belle église du XIe siècle, située 3 km avant d'arriver au village de Sainte-Croix-Vallée-Française, après les ruines du château de Moissac. Aujourd'hui, c'est un temple protestant.

UN COUP D'ÉPÉE DANS L'EAU BÉNITE

La légende voudrait que l'église de Notre-Dame-de-Valfrancesque ait été édifiée en hommage à Roland. Le zélé serviteur et néanmoins neveu de Charlemagne fut vainqueur en ce lieu des Sarrasins. Sa fière Durandal (non, ce n'est pas une ânesse mais bien une épée, ne confondez pas avec Stevenson !) l'y aida, on s'en doute. Plus tard, il devait tomber plus au sud, dans les Pyrénées. Mais c'est une autre histoire...

SAINTE-CROIX-VALLÉE-FRANÇAISE (48110)

Village patiné par le temps, aux maisons de schiste groupées autour d'un château du XVIe siècle, qui abrite l'école. Un coin perdu des Cévennes (302 habitants), qui abrite tout de même un petit camping, divers commerces et un plan d'eau propice à la baignade aux beaux jours. !

Adresse utile

Syndicat d'initiative : *☎ 04-66-44-70-41. À deux pas du resto* L'Oultre. *Ouv mer-sam 16h30-18h30 ; juin et sept-oct, mer-sam 10h-13h (tlj 10h-13h en été).*

Où manger ? Où boire un verre ?

Restaurant L'Oultre : *La Placette. ☎ 04-66-44-70-29. Tlj sf jeu. Menus 17 € ; repas complet à la carte 20 €.* Cadre agréable pour ce resto de cuisine régionale, à déguster dans l'ambiance décontractée d'un décor rustique, près de la cheminée, ou en terrasse, au-dessus du Gardon. Entre le foie gras frais et les desserts maison, on déguste paisiblement quelques bons petits plats à prix sages : cassolette d'escargots et cèpes, ris d'agneau, viandes du pays et légumes du jardin. Une bonne adresse pour ceux qui aiment les produits frais de terroir dits « biologiques ».

Le Café du Globe : *en bordure du Gardon. ☎ 04-66-44-08-37.* À l'intérieur, ambiance typique de vieux café populaire, tout en bois, avec un frigo-armoire (une curiosité). Et surtout, une agréable terrasse ombragée en bordure de la rivière. Une bonne pause pour se désaltérer après la rando ou simplement prendre du bon temps.

PONT-RAVAGERS (48110)

Ne pas manquer d'y visiter le petit musée de pays installé dans une ancienne boutique de forgeron.

MOLEZON (48110)

Entre Barre-des-Cévennes et Sainte-Croix-Vallée-Française. Beau château du Mazel du XVIIe siècle, non loin de la tour du Canourque. Haute de 15 m, celle-ci faisait partie d'un système de défense contre les incursions anglaises au XIVe siècle. À noter, le village se trouve sur le sentier de randonnée de Biasse (boucle de 3h), via la tour du Canourgue et la magnanerie de la Roque.

Où dormir ?

Chambres d'hôtes chez Nathalie Dollfuss : *La Baume, 48110 Molezon.* ☎ *04-66-44-76-99.* • *dollfus@aol.com* • *Sur la D 983 en venant de Sainte-Croix, à la fourche verz Molezon, continuer vers Barre-des-Cévennes et prendre la première à droite. Ensuite, c'est indiqué. Ouv Pâques-Toussaint. Doubles 48 €, ½ pens 82 € pour 2.* Vraiment perdu en pleine nature, avec un paysage à couper le souffle ! Un mas entièrement rénové, sur une petite exploitation agricole, avec des chambres agréables, claires et confortables, au calme, évidemment. Il y a la rivière, les sentiers de promenades au départ de La Baume, et des livres qui vous parlent du pays, aux heures de repos...

SAINT-GERMAIN-DE-CALBERTE (48370) 500 hab.

Stevenson fit escale à Saint-Germain et décrivit dans son carnet de voyage le village « qui s'étage en terrasses sur une pente escarpée parmi les châtaigniers majestueux ».

Au creux d'un vallon bien abrité, ce village cévenol jouit d'un microclimat. Chênes verts, pins maritimes et châtaigniers se côtoient sur les pentes des montagnes de la Vieille-Morte et du mont Mars, deux toponymes qui en disent long sur l'imaginaire de ce pays. Ainsi raconte-t-on qu'une femme (méchante fée ou sorcière, allez savoir !) habitant sur le mont Mars se montrait dure envers les nouveau-nés. Le lieu-dit l'*efont-mort* indique ce qui arriva à son propre enfant. Puis ce fut au tour de son âne de se noyer au passage du gué. D'où le lieu-dit *Négase* (« âne noyé »). Elle finit par planter là une pierre qu'elle avait été condamnée à porter sa vie durant (rien à voir avec un personnage de B.D. célèbre). La *pierre de la Vieille-Morte* est une grande dalle de schiste dressée sur la montagne du même nom. Si de nos jours encore l'hiver se prolonge, ne cherchez pas, c'est elle qui se venge en faisant souffler un air froid.

UN PEU D'HISTOIRE

En 1686, l'abbé du Chayla vint s'installer ici pour reconquérir les Cévennes « impies » et créa un séminaire. Le 24 juillet 1702, l'assassinat de l'abbé mit le feu aux poudres et déclencha la guerre des Camisards. Il est enterré dans « son » église. Durant la Seconde Guerre mondiale, les habitants de Saint-Germain accomplirent un acte des plus héroïques. Toute la population, avec, à sa tête, les patrons de l'Hôtel Martin, le pasteur et l'instituteur, sauva 25 juifs des griffes odieuses des nazis. Quatre de ces héros reçurent de l'État d'Israël la médaille des Justes des Nations, la plus haute distinction accordée par cet État à des personnes ayant sauvé des juifs en Europe pendant l'occupation allemande.

Adresse utile

Office de tourisme de la Vallée Longue et du Calbertois : *pl. de l'Église.* ☎ *04-66-45-93-66 ou 40-71.* • *coeurdescevennes.com* • *Juil-août, 9h30 (10h mar)-18h30, fermé dim et lun ap-m ; hors saison, mar-sam 9h30 (10h mar)-13h.* Vente de topoguides pour la rando, plein de docs et d'infos sur la région. Accueil sympathique.

Où dormir ? Où manger dans les environs ?

Camping

*⛺ **Camping La Garde :** à 1 km du village.* ☎ *04-66-45-94-82.* 📱 *06-61-71-77-44.* ● *campinglagarde@cevennes.com* ● *http://cevennes.com/camping-lagarde* ● ♿ *Ouv 30 juin-1er sept. Emplacement pour 2 avec voiture : 18,50 € juil-août, moitié prix hors saison. Loc de chalets en bois 480 €/sem.* Mignon petit camping d'une vingtaine d'emplacements en espaliers, dans une châtaigneraie. Piscine, buvette et barbecue. Baignade en rivière à 400 m.

Bon marché

🏠 🍴 ***Café-snack Le Récantou :** dans le centre de Saint-Germain-de-Calberte.* ☎ *04-66-45-90-34.* ● *le-recantou@orange.fr* ● *Congés : 15-31 janv. Double 25 €. Formule 12 €, 15 € à la carte ; ½ pens 35 €/pers. Réduc de 10 % sur le prix de la chambre sur présentation de ce guide.* Quelques tables en terrasse pour prendre un café ou un repas simple en profitant du soleil. Snacks, sandwichs et plats du jour. Accueil sympa. Également 4 chambres doubles pour dépanner les randonneurs ou les petits budgets qui souhaitent séjourner au cœur du village.

De bon marché à prix moyens

🏠 🍴 ***Table et chambres d'hôtes du Mas Lou Abeilhs :** Julien et Clotilde Bonnal.* ☎ *04-66-45-94-91.* 📱 *06-60-86-85-49.* ● *bonnal.julien@wanadoo.fr* ● *causses-cevennes.com/mas-abeilhs* ● *À 6 km de Saint-Germain-de-Calberte (dont 500 m de piste). Prendre la direction du Serre de la Cam, puis le Cros. Ensuite, c'est fléché. Congés : nov-mars. Doubles 48 €, petit déj compris. Table d'hôtes 18 €.* Julien et Clotilde Bonnal vous accueillent dans leur petite maison joliment restaurée et décorée avec soin. Tapis de mosaïque à l'entrée des chambres, confortables et très agréables, toutes indépendantes et avec terrasse. L'ensemble surplombe un vallon sauvage et offre une vue dégagée sur les serres et les vallées. L'activité agricole familiale vous permet de goûter toute l'année aux produits du terroir : miel, confitures, pommes, brioches, sans oublier les légumes du jardin à la table d'hôtes. Belle terrasse pour profiter du paysage. Départ de sentiers de petites et grandes randonnées et possibilité de balades à dos d'âne.

🏠 🍴 ***Le gîte de Valès – chambres d'hôtes, gîte rural et gîte d'étape chez Séverine Kieffer :** 48240 Saint-André-de-Lancize.* ☎ *04-66-45-93-20.* ● *anesvales@wanadoo.fr* ● *gite-cevennes.fr* ● *À 11 km de Saint-Germain-de-Calberte. Aller jusqu'à Saint-André-de-Lancize, passer le village et prendre à droite vers Le Valès (c'est indiqué). Résa obligatoire. Doubles 50 € la nuit, petit déj compris. En gîte d'étape, compter 16 €/pers ; ½ pens 45-63 €/pers.* Séverine et Alain ont fort bien rénové cette ferme en pierre du XIIe siècle. Trois chambres à thème joliment décorées, spacieuses et confortables, un gîte rural et un gîte d'étape tout neuf. Séverine cuisine de délicieux mets à base de produits du terroir. Également location d'ânes et de poneys, avec des conseils d'itinéraires. Accueil charmant.

🏠 🍴 ***Gîtes et chambres d'hôtes Lou Pradel :** chez Pol Hostens et Miet Halewyck, Le Pradel.* ☎ *04-66-45-92-46.* ● *lou.pradel@wanadoo.fr* ● *loupradel.com* ● *À Saint-Germain, prendre la D 13 vers Les Ayres et continuer jusqu'à la maison (10 km au total). Congés : déc-fév. Doubles 62 €, petit déj compris. Gîte rural tt confort (6 pers) 495 €/sem en été. Repas sur résa 26 €, apéro et vin compris. Sur présentation de ce guide, 10 % de réduc sur les chambres, hors juil-août.* Environnement superbe pour cette adresse tenue par des Flamands amoureux de la région, qui vous réservent un accueil chaleureux. Trois chambres d'hôtes cosy et bien agréables, à la déco personnalisée (accès indépendant). Salon avec cheminée et bibliothèque. Au dîner, savoureuse cuisine de marché aux produits du terroir et légumes du potager.

Chambres d'hôtes, chez Sabine et Gérard Lamy : *à Vernet, 48370 Saint-Germain-de-Calberte. ☎ 04-66-45-91-94. • gerardsabine.lamy@wanadoo.fr • cevennes.com/vernet.htm • À 10 km au nord de Saint-Germain. Prendre la D 984 direction Florac ou Saint-André-de-Lancize ; à 7 km, suivre le chemin à gauche ; Vernet est à 3 km de là. Congés : 15 nov-15 mars. Quatre doubles avec douche et w-c 50 €, petit déj compris. Possibilité de ½ pens 42,50 €/pers. Table d'hôtes le soir 17,50 €, apéritif, vin et café inclus.* Accueil à la ferme mais dans un bâtiment indépendant. Coin cuisine à disposition le midi ; le soir, Sabine vous accueillera à sa table d'hôtes. Au menu, légumes du jardin, agneau du pays et gâteau à la châtaigne. Accueil agréable.

Hôtel-restaurant Le Petit Calbertois, gîte du Serre de la Can : *à Serre de la Can, 48370 Saint-Germain-de-Calberte. ☎ 04-66-45-93-58. • calbertois@wanadoo.fr • cevennes.com/calbertois.htm • Fermé dim soir et lun hors saison. Congés : de mi-déc à fin fév. Pour les cavaliers, relais-étape de 24 lits, 35 € la nuitée/pers, en ½ pens. Doubles avec douche et w-c 38-44 €. Formule plat du jour en sem 14 €, menus 18 €. Apéritif maison offert sur présentation de ce guide.* Relais équestre et pédestre situé au bord d'une variante du GR 67, à l'ouest du village sur une petite montagne boisée. Belle vue sur les basses Cévennes depuis les chambres nos 2, 7 et 8. Piscine pour se dégourdir les jambes. Bon restaurant pour reprendre des forces et bar très sympa pour trinquer en bonne compagnie.

Le Cauvel en Cévennes : *48110 Saint-Martin-de-Lansuscle. ☎ 04-66-45-92-75. • lecauvel@lecauvel.com • lecauvel.com • En direction de Saint-Germain, sur la D 13, à droite (ouvrez grand les yeux, c'est pas évident !). Se garer sur le premier parking et descendre à pied ; le domaine est sur la gauche. Gîte d'étape de 15 places 13 € la nuitée. Doubles avec bains 60 €, savoureux petit déj inclus ; ½ pens 43-46 €/pers. Apéritif maison et café offerts avec la ½ pens sur présentation de ce guide.* Imaginez-vous après une belle journée de balade, au chaud dans un lit douillet, dans une maison ancienne en lauzes, entièrement restaurée, et avec quel goût ! Cheminées, bibliothèques, vieux fauteuils... Tout y est. Le matin vous prenez le petit déj en famille, avec vos hôtes. Le pain chaud et la confiture sont faits maison. En bref, la vie de château façon cévenole !

Où acheter de bons produits ?

Charcuterie Thérond : *à Saint-Germain. ☎ 04-66-45-90-05.* Fricandeau aux herbes, saucisse sèche, pâtés, terrines, etc. Accueil très sympathique de M. Thérond.

À voir

Le château Saint-Pierre : *sur la route de Pendédis. ☎ 04-66-45-90-30. À 1 km à l'est du village, prendre au pont du Gardon un sentier pédestre qui mène au château. Début juil-début sept, 15h-19h. Entrée : 5 € ; gratuit pour les enfants mineurs.* De cet ancien bastion féodal, il reste une tour-donjon à meurtrières et un logis où la famille Darnas vit depuis 30 ans. Irène, Daniel et leurs enfants restaurent patiemment les lieux. En été, exposition des bijoux créés par Monsieur, orfèvre de son état. Visite du chantier archéologique sur demande.

À faire

➢ **_Randonnées avec un âne :_** _gîte du Pont-de-Burgen._ ☎ _04-66-45-75-30. Loc d'un âne à partir de 80 € pour 2 j. et jusqu'à 200 € la sem :_ un âne convient à une famille de 4 personnes (et réciproquement ?). De nombreux gîtes proposent ce type de service dans la région. Voir plus haut dans l'introduction des Cévennes lozériennes, le chapitre « Le chemin de Stevenson ».

➢ **_Élevage de vers à soie :_** _ouv mar-mer et ven, en été slt. Visite sur résa :_ ☎ _04-66-45-92-82. Compter 5 € ; 3 € pour les enfants._ Une visite « agriculturelle » pour découvrir la naissance de la soie, de l'œuf au papillon, en passant par les bouquets de cocons.

➢ DANS LES ENVIRONS DE SAINT-GERMAIN-DE-CALBERTE

➢ **_Promenade à pied : sentier des rocs de Galta._** Petite randonnée en boucle de 5 km (de 2h30) au départ du Serre de la Can, au-dessus de Saint-Germain. Ce sentier balisé par le parc national des Cévennes vous mène sur la crête entre les deux vallées.

➢ **_La route de Saint-Germain-de-Calberte à Barre-des-Cévennes :_** à faire absolument, les paysages traversés sont superbes. L'avantage, c'est que l'on peut rejoindre ensuite la corniche des Cévennes puis descendre à Florac.

➢ **_Le plan de Fontmort :_** c'est le nom difficilement oubliable de ce col (896 m) situé à 14 km à l'ouest de Saint-Germain-de-Calberte. Un monument commémore l'édit de tolérance (1787) qui autorisa à nouveau la religion protestante en France : geste symbolique deux ans avant la Révolution française. Autour du col, on peut se promener dans la forêt domaniale de Fontmort, peuplée de pins sylvestres, d'épicéas, de hêtres et de bouleaux. On y voit aussi quelques chênes rouges d'Amérique, récemment introduits.

LA VALLÉE LONGUE

Une vallée à découvrir en faisant un circuit en boucle au départ de Saint-Germain-de-Calberte ou en venant du Gard par Alès. Parmi les vallées cévenoles, elle est celle où la mine et les mineurs ont laissé la plus forte empreinte. Un siècle et demi d'histoire racontée au travers de villages qui ont connu des fortunes diverses : Le Collet-de-Dèze, Saint-Michel-de-Dèze, Saint-Privat-de-Vallongue...

Où dormir ? Où manger ?

De bon marché à prix moyens

Gîte et auberge des Ayres : _Les Ayres, 48240 Saint-Privat-de-Vallongue._ ☎ _04-66-45-90-95 (gîte) et 26 (auberge). Pour aller au hameau des Ayres, à 11 km au nord de Saint-Germain, prendre la route qui monte à Saint-André-de-Lancize ; 1,5 km après ce village, tourner à droite en direction du col de Pendédis. Le hameau est à 1,5 km env. Ouv de début avr à mi-nov. Gîte en dortoirs de 4 et 10 pers : 11,20 € la nuitée. Menus 14-23 €._ Dominique Imbert, éleveur de moutons et propriétaire du gîte, connaît les Cévennes sur le bout des doigts. Quant à l'auberge, en face, elle est à l'image de ce hameau typiquement cévenol, perché sur une crête, qui domine un paysage épous-

LES CÉVENNES LOZÉRIENNES

touflant. Mme Larguier y sert un bon petit déj et des repas midi et soir (sur résa). Accueil authentique. Le soir, à l'étape, vous pourrez échanger vos impressions avec les randonneurs qui font le tour des Cévennes par le GR 67.

Chambres d'hôtes et gîte, chez Pierrette Coudert : *Le Lauzas, 48160 Le-Collet-de-Dèze. ☎ 04-66-41-03-88. • lauzas@hotmail.fr • causses-cevennes.com/le-lauzas • À 8 km de la N 106. Doubles avec douche et w-c 56 €, petit déj compris. Nuitée 15 € dans le gîte. Menu unique le soir 23 €, apéritif, vin et café inclus.* Superbe mas cévenol traditionnel, situé dans un magnifique paysage de montagne, au milieu d'une végétation étonnante sillonnée par un petit torrent de montagne. Il abrite un gîte rural pour 6 personnes et d'autres gîtes très sympas, ainsi que des chambres d'hôtes indépendantes. L'accueil est adorable et une grande salle avec bibliothèque, TV et documentation est à la disposition des hôtes. Cuisine délicieuse de terroir, avec les produits de la montagne.

Chambres et table d'hôtes Mas « Lou Prat » : *chez Pascal et Marlène Tourneux, La Devèze, 48160 Le-Collet-de-Dèze. ☎ 04-66-45-46-47. • louprat@wanadoo.fr • louprat.com • Nuitée 56 € pour 2 ; possibilité de ½ pens et de panier pique-nique. Sur présentation de ce guide, digestif maison offert ainsi que 10 % de réduc sur le prix de la chambre (janv-mars et oct-déc).* Coup de cœur pour cette belle adresse en pleine nature. Grande maison cévenole typique du coin, joliment restaurée. Chambres spacieuses (certaines familiales), décorées avec soin et dotées de tout le confort. Atmosphère cosy, poutres, meubles en bois, bonne literie... Terrasse avec tonnelle ombragée, idéale pour se détendre en fin de journée. Nombreuses activités alentour et stages de cuisine. Pour reprendre des forces après la rando, Marlène concocte de délicieux repas à base de produits locaux. Petit déj au diapason, copieux et délicieux. Accueil chaleureux et attentionné. De quoi satisfaire vos envies de nature et de bonne cuisine, dans une ambiance très agréable.

Plus chic

Chambres d'hôtes La Baume : *N 106, 48240 Saint-Privat-de-Vallongue. ☎ 04-66-45-58-89. • contact@labaume-cevennes.com • labaume-cevennes.com • De la RN, prendre à droite en direction du centre de Saint-Privat, ensuite c'est indiqué. Ouv Pâques-Toussaint. Doubles 88 € avec bains, petit déj inclus. Repas 26 € tt compris.* Laissez-vous guider par le charme des lieux, dans cette authentique demeure cévenole du XVIIe siècle, entièrement restaurée et joliment aménagée. Agréable terrasse pour profiter de la vue superbe sur les montagnes. Trois belles chambres avec beaucoup de cachet (vieilles pierres et poutres), dotées de tout le confort. Vastes salons avec cheminée, billard, bibliothèque. L'accueil est souriant et attentionné. Du haut de gamme pour clientèle avisée.

Où trouver de bons produits ?

Le Fruitier des Cévennes : *48160 Saint-Michel-de-Dèze. ☎ 04-66-45-58-37. En face de la mairie (panneau discret). Tlj en hte saison.* Vente de délicieuses confitures de framboises, sans pépins, pâtes de fruits, cynorrhodon, entre autres merveilles sucrées et parfumées.

À voir

Les collections Élie-Cellier : *face à la mairie de Saint-Michel-de-Dèze. ☎ 04-66-45-51-83. Visites mar et ven ap-m pdt vac scol 14h30-18h30 ; sur rendez-vous le reste de l'année.* Une collection qui nous livre la vie quotidienne d'un ancien mineur de fond, et nous permet d'imaginer cette vallée, il y a un siècle, à travers une foule d'objets divers. Dans d'autres vitrines, minéraux, fossiles, roches appartenant au bassin houiller du Gard...

LA CORNICHE DES CÉVENNES

C'est la voie royale que vous choisirez pour entrer dans les Cévennes lozériennes, si vous êtes toujours à Saint-Jean-du-Gard : la corniche des Cévennes reste « LA » voie stratégique aménagée au début du XVIIIe siècle pour les troupes de Louis XIV partant en guerre contre les camisards. Une corniche enchanteresse au-dessus de vallées infinies...
Elle relie par une belle route de crête Saint-Jean-du-Gard à Florac, centre du parc national des Cévennes. À ne pas manquer. En outre, la route est large, bien revêtue, légèrement tortueuse mais sans mauvaises surprises.
On traverse tous les types de paysages : basse vallée, forêt, châtaigneraie et, plus haut, le causse, grand plateau désolé d'une austère beauté qui nous a bien plu. Notre itinéraire commence donc à Saint-Jean-du-Gard et conduit à Florac, bien que la corniche s'arrête grosso modo près de Saint-Laurent-de-Trèves. Au total : 53 km.
Du sommet du col de Saint-Pierre, à environ 9 km de Saint-Jean-du-Gard, vue magnifique, surtout par beau temps. L'endroit avait tellement plu à Stevenson (encore lui, mais on le retrouve partout dans les Cévennes) qu'il décida d'y passer une nuit à la belle étoile.

MOISSAC-VALLÉE-FRANÇAISE (48110)

Où dormir ? Où manger ?

Camping

Camping « La Pélucarié » : *Mme Florence Plantier, route d'Appias, 48110 Moissac-Vallée-Française. ☎ 04-66-45-75-57. • florence.planthierh8@orange.fr • Sur la route entre Saint-Étienne et Moissac (D 983), en pleine campagne. Ouv de mi-avr à mi-sept. Emplacement pour 2 avec voiture : 12,70 € en hte saison.* Petit camping de 33 emplacements ombragés, avec pelouse et branchement électrique. Environnement agréable en bordure du Gardon. Barbecue à disposition, baignade et pêche dans la rivière pour profiter pleinement du site. Accueil sympathique.

Prix moyens

Auberge La Patache : *à Saint-Romans-de-Tousque, 48110 Moissac-Vallée-Française. ☎ 04-66-44-73-76. • lapatache.com • Situé en bordure de la corniche, juste à l'entrée du village, dans un ancien relais de diligence, et quand on dit en bordure, c'est pour vous donner une idée du panorama magnifique qui s'étend jusqu'au mont Lozère... Ouv tlj juil-août ; fermé mer hors saison. Congés : en hiver. Résa conseillée. Doubles impeccables avec douche et w-c ou bains 40-50 €. ½ pens 36-41 €/pers. Menus 13 € (sf dim et j. fériés) et 16-23 €. Plateau de fromages offert dans le premier menu à nos lecteurs qui résident à l'hôtel, sur présentation de ce guide.* Grande salle à manger parfaite pour se retrouver après les randonnées (il faut venir impérativement entre 12h et 13h et 19h30 et 20h30) et savourer les copieuses spécialités du chef. Cuisine traditionnelle copieuse et soignée, à base de produits frais de saison. Le patron est un grand amateur de pêche à la truite et sera ravi de vous donner ses tuyaux !

Où acheter de bons produits ?

***Coopérative de la Fromagerie des Cévennes :** à Moissac. ☎ 04-66-45-72-35. Ouv lun-ven 9h-16h30, le mat slt le w-e.* Tous les fromages de chèvre dont vous pouviez rêver (pélardons, etc.). Faites des provisions de bouche pour le voyage (mais attention à la chaleur !).

LE POMPIDOU (48110)

Avant Chirac, à qui on rendra une petite visite quand on sera du côté de Marvejols (au cœur de la Lozère), et à 12 km de Saint-Roman-de-Tousque, voici Pompidou. Ce lieu fait partie de ces beaux villages du bout du monde où l'histoire semble parfois s'être arrêtée. Le Pompidou, c'est un coin sympa à la frontière des Cévennes schisteuses et du plateau calcaire. À 1 km au nord, un chemin de terre conduit à la charmante petite église Saint-Flour (XIIe siècle). En été, marché paysan tous les vendredis matin.

*Petit **bureau d'informations touristiques,** ouv en été.*

Où dormir ? Où manger ?

***Chambres d'hôtes Le Poulailler des Cévennes :** dans le village, à l'enseigne du « Canard ». ☎ 04-66-60-31-82. • j.m.causse@libertysurf.fr • Congés : de mi-déc à début janv. Chambre env 48 €, repas à partir de 16 €.* Eh oui, vous êtes chez des éleveurs qui se feront un plaisir de vous gaver, si vous avez suffisamment marché pour pouvoir avaler charcuterie, omelette aux cèpes, pintade en sauce, clafoutis... Le bonheur étant dans le pré, demandez la chambre qui donne dessus !

***Auberge du Cheval Blanc :** en face de l'église. ☎ 04-66-60-31-88. • jp@auberge-du-cheval-blanc.fr • auberge-du-cheval-blanc.fr • Fermé mer et dim soir en hiver. Congés : début janv. Nuit 27 €/pers ; ½ pens 39 €. Menu cévenol qui change tlj 14 € (sf w-e). Menus complets 18-22,50 €. Apéritif maison offert sur présentation de ce guide.* Notre coup de cœur dans la région. Un ancien relais de poste qu'il ne faut pas laisser passer. Chambres toutes simples mais au charme désuet, jardin d'été, salle de jeux pour les enfants. Au menu, de copieuses spécialités régionales qui changent en fonction des saisons, toujours à base de produits frais. Pour débuter et clore le repas en beauté, superbes buffets de charcuterie et fromages artisanaux, sans oublier de savoureux desserts maison. Accueil charmant et service diligent. Les repas du dimanche où l'on s'attable gaiement sur la pelouse, à l'ombre des arbres, promettent d'heureux moments... Maisons familiales, on vous aime !

L'HOSPITALET

La *can de l'Hospitalet* est le nom donné à ce haut plateau aux herbes jaunes, parsemé de rochers, creusé d'avens et de cavités souterraines, parcouru de drailles et de chemins bordés de muretins de pierre. Un causse de la même origine que le causse Méjean voisin, mais plus petit.

Curieuse impression : c'est la steppe battue par les vents d'hiver ! Par temps de neige, autrefois, les voyageurs égarés étaient guidés par ces grandes pierres taillées (montjoies) que l'on voit encore de nos jours le long des chemins. À la ferme, on faisait sonner la fameuse « cloche de tourmente », une cloche spéciale pour les jours de brume ou de tempête. Un monde à part. Presque les Grands Causses. Sentier pédestre balisé par le parc.

Où dormir ? Où manger ?

Gîte d'étape et chambres à la ferme de l'Hospitalet : *chez M. Pin, 48400 Florac.* ☎ *04-66-44-01-60.* • *mescevennes.com* • *Ouv de mars à mi-nov. Nuitée en dortoir 8 €, petit déj 5 €. Doubles avec douche et w-c 36 €. Fait aussi table d'hôtes 12 €. Café offert sur présentation de ce guide.* Une vingtaine de places pour les randonneurs, avec douche et coin cuisine. L'accueil est charmant.

BARRE-DES-CÉVENNES (48400)

Bâti sur le versant sud d'un lambeau de causse appelé Castelas, qui barre la vallée Française (d'où son nom), ce beau village abrité du vent du nord est situé à 3 km de la route de la corniche des Cévennes. Son plan général est celui d'un long village-rue, bordé de maisons à l'architecture traditionnelle. Vous remarquerez notamment, dans la rue principale, des demeures des XVIIe et XVIIIe siècles, plus hautes que larges, dotées de petits jardins construits en terrasses. Ne pas manquer l'*église Notre-Dame-de-l'Assomption.* Située au-dessus du village, elle date du XIIe siècle et fut remaniée à l'époque gothique, à la Renaissance et au XIXe siècle. Le mélange est étonnant mais magnifique. Il faut flâner dans ce village et découvrir ses environs immédiats par un sentier d'observation aménagé par le parc national des Cévennes.

Bureau d'information du parc : *en été slt, sur la place de la Loue, à l'entrée du village.*

Où dormir ? Où manger ?

Chambres d'hôtes, chez M. et Mme Boissier : *au lieu-dit Le Mazeldan.* ☎ *04-66-45-07-18.* • *chambresdhotes.boissier@wanadoo.fr* • *À 5 km, dans le hameau du même nom, à l'écart de la D 983 entre Barre-des-Cévennes et Sainte-Croix-Vallée-Française. Doubles 44 €, repas 14 €.* Une ancienne magnanerie avec une vue magnifique sur les Cévennes. Chambres accueillantes, repas copieux et maîtres de maison très agréables. Que demander de plus ?

Gîte d'étape et camping : *chez Jean-Claude Combes, lieu-dit La Croisette.* ☎ *04-66-45-05-28. Fax : 04-66-45-10-32. À la sortie de Barre-des-Cévennes, en direction de Cassagnac. Ouv tte l'année. Emplacement pour 2 avec tente et voiture 10 €. Gîte : 15 € la nuitée en dortoir et 6 € le petit déj. Repas à la ferme 15-18 € (sur résa). Digestif maison offert sur présentation de ce guide.* Accueil dans de petites chambrées de 2, 4 et 6 lits. Une trentaine de places au total. Camping dans un beau site, avec une vue superbe. Très bon accueil.

À voir

La magnanerie de la Roque : ☎ *04-66-45-11-77. Entre Barre-des-Cévennes et Sainte-Croix-Vallée-Française. Ouv slt en juil-août, tlj 10h30-13h, 14h30-18h. Entrée : 3,50 € ; réduc. Possibilité de visite-conférence sur résa.* Dans cette ancienne magnanerie, maquettes, photos, enregistrements sonores vous apprennent tout sur l'histoire et la technique de la sériciculture (l'élevage, pardon, l'éducation du ver à soie, car ces délicates petites bêtes ne s'élèvent pas mais s'éduquent). Une activité essentielle pour les Cévennes du XVIIe siècle jusqu'au début du XXe. Environnement superbe.

SAINT-LAURENT-DE-TRÈVES (48400)

Dans ce minuscule village accroché au rebord du causse, surplombant la vallée du Tarnon, vous avez rendez-vous avec les dinosaures. Superbes paysages alentour.

Un site, classé Monument historique, permet de découvrir une vingtaine d'empreintes laissées dans ce sédiment argileux il y a 190 millions d'années. À cette époque (début du jurassique), des lagunes peu profondes, selon les paléontologues, s'étendaient dans la région. Il s'agit d'empreintes de dinosaures théropodes « à pattes de fauve », carnivores, bipèdes et hauts d'environ 4 m.

FLORAC

(48400) 2 100 hab.

Au pied de la corniche du causse Méjean, la ville occupe le fond d'une vallée encaissée où se rencontrent trois rivières – le Tarn, le Tarnon et la Mimente – et un petit ruisseau, le Vibron, qui jaillit à la source du Pêcher et qui traverse le centre de Florac. C'est aussi le lieu où se rencontrent le granit du mont Lozère, le schiste des Cévennes et le calcaire du Causse, rare réunion géologique. Réputée selon Stevenson (qui y passa en 1878) pour « la beauté de ses femmes et pour avoir été l'une des capitales des Camisards », cette petite sous-préfecture est aujourd'hui le siège du parc national des Cévennes.

LE SIÈGE DU PARC NATIONAL DES CÉVENNES

Depuis 1985, le parc national des Cévennes est classé comme réserve mondiale de la biosphère par l'Unesco. Ce parc, situé à 80 % en Lozère, profite d'une diversité climatique exceptionnelle (climat chaud et sec en été dans la vallée des Gardons, climat froid et humide au mont Lozère). Il abrite sur 91 000 ha plus de 150 espèces d'oiseaux et 1 200 espèces florales et détient à son actif la réintroduction du cerf, du castor, du grand tétras, sans oublier, bien sûr, le fameux vautour fauve.
Enfin, pour ceux qui séjournent plus longtemps et veulent faire de la randonnée, le parc édite une série de *fiches thématiques* très pratiques : gîtes ruraux, gîtes d'étape, sentiers de randonnée, à cheval, canoë-kayak, cyclotourisme, chantiers de jeunes, la faune et la flore, menhirs et dolmens des causses, architecture et paysage, vautour fauve, castor, mouflon, sur les traces des dinosaures, etc. On y trouve tous les topoguides des GR 6, GR 7, GR 66 (tour de l'Aigoual), GR 67 (tour des Cévennes), GR 68 (tour du mont Lozère), GR 70 (chemin de Stevenson). Tous les conseils sur ces randonnées vous y seront donnés.
Parmi tous les outils mis en place par le parc pour vous permettre de découvrir toutes ses richesses, il y a aussi le *Festival Nature.* Chaque été, le PNC organise, sous ce label, balades contées, spectacles, repas chez les agriculteurs, foires et marchés paysans, etc. Demandez la nouvelle brochure. Le parc vous accueille également à la Maison du Mont-Lozère et à la Maison du parc à Génolhac, et ouvre, en été, 14 autres centres d'information dans sa zone d'intervention.
ATTENTION : le parc ne s'occupe pas de la réservation des nuitées dans les gîtes d'étape ni dans les gîtes ruraux.

Adresses et infos utiles

Office de tourisme : *av. Jean-Monestier.* ☎ *04-66-45-01-14.* • *mescevennes.com* • ♿ *Dans la grande rue qui traverse la ville. Tte l'année, lun-sam 9h30-12h, 14h-18h ; en été, dim et j. fériés 10h-13h.* Accueil disponible et efficace. Liste des hôtels, restaurants, campings, chambres d'hôtes, gîtes, ainsi que des loueurs saisonniers. Infos randonnées, loisirs, sports, etc.

Centre d'information du parc national des Cévennes : *en face du château de Florac.* ☎ *04-66-49-53-01.* • *cevennes-parcnational.fr* • *1er oct-Pâques, lun-ven 9h30-12h30, 13h30-17h30 ; Pâques-fin sept, ouv, aussi le* *w-e ; juil-août, tlj 9h30-18h30.* C'est l'épicentre incontournable du parc. Documentation abondante et variée. Essayez de vous procurer la carte IGN au 1/100 000 du parc des Cévennes. Expositions, diaporama, librairie, salle vidéo, tout y est.

■ ***Cévennes Évasion :*** *5, pl. Boyer.* ☎ *04-66-45-18-31.* ● *cevennes-evasion.com* ● *Tte l'année, lun-ven 9h-12h30, 14h-18h ; tlj en juil-août (jusqu'à 19h).* Loue des vélos tout-terrain à la demi-journée ou à la journée. Location également de canoës pour pagayer dans les gorges du Tarn. Organise des randonnées accompagnées, à pied et à VTT ; spéléologie, escalade, canyoning.

■ ***Cévennes Écotourisme :*** *2, rue du Quai.* ☎ *04-66-45-12-44.* ● *cevennes-ecotourisme.com* ● Ce regroupement de professionnels du tourisme (hébergements, guides et animateurs) propose des adresses « proches de la nature » et permettant la découverte de la faune et de la flore du parc.

– ***Marché de produits paysans :*** *dim mat, mai-sept, sur la place à côté de l'office de tourisme.*

– ***Marché :*** *jeu mat, pl. de la Mairie.*

Où dormir ? Où manger ?

Campings

Camping Le Pont du Tarn : *chez Christine Pitat.* ☎ *04-66-45-18-26.* ● *pontdutarn@aol.com* ● *http://lozere.net/pont-du-tarn.htm* ● ♿ *À 2 km du centre-ville, au carrefour de la route d'Ispagnac et du Pont-de-Montvert. Ouv avr-fin sept. Compter 11,55 € en hte saison l'emplacement pour 2 avec voiture et tente. Loc de mobile homes et bungalows 300 €/sem.* Dans un site bien équipé au bord du Tarn, et en partie ombragé : les premiers venus ont les meilleures places. Spacieux, verdoyant et accès direct à la rivière. Piscine et minigolf.

Camping Chantemerle : *La Pontèze, au village de Bédouès.* ☎ *04-66-45-19-66 et 04-95-35-33-94 (hors saison).* ● *chante-merle@wanadoo.fr* ● *http://monsite.wanadoo.fr/camping chantemerle* ● ♿ *À 4 km de Florac, sur la D 998 (route du mont Lozère). Ouv d'avr à mi-sept. En hte saison, compter 11,10 € l'emplacement pour 2 avec voiture et tente.* Cadre champêtre bien agréable pour ce petit camping au bord du Tarn. Emplacements au calme et bien ombragés, dans un joli site. Et pour les balades, le GR passe au milieu du camping !

Gîtes d'étape

Gîte d'étape : *7 bis, rue du Four.* ☎ *04-66-45-23-98.* ● *cis.cevennes@wanadoo.fr* ● *29 lits répartis en trois dortoirs, à 11 € la nuitée (11,35 € de mi-juin à mi-sept).* Bien équipé : sanitaires, chauffage, cuisine, local à vélos, et même un enclos pour les ânes !

Gîte d'étape La Carline – Le Presbytère : *chez Monette et Alain Lagrave, 18, rue du Pêcher.* ☎ *04-66-45-24-54.* ● *lagrave.alain@wanadoo.fr* ● *causses-cevennes.com/lagrave.htm* ● *Ouv avr-Toussaint. Nuitée 18 €/pers, 12 €/pers en gîte ; petit déj 6 €.* Ancien presbytère construit en 1714, il peut accueillir 18 personnes en chambres doubles ou quadruples. Grande salle commune et cuisine équipée pour préparer ses repas, que l'on peut savourer sous la tonnelle ou dans le petit jardin en été. Atmosphère conviviale pour cette sympathique adresse au cœur de Florac.

De prix moyens à plus chic

Restaurant et chambres d'hôtes « Les Tables de la Fontaine » : *31, rue du Thérond.* ☎ *04-66-65-21-73.* ● *tablesfontaine@club.fr* ● *tables-de-la-fontaine.com* ● *Resto ouv tlj sf mer, midi et soir. Congés : Noël.*

Compter 42-52 € pour 2, petit déj inclus. Menus du marché 18-27 €. Apéritif maison offert sur présentation de ce guide. Très belle adresse de charme en plein centre historique, à deux pas de la place de l'Esplanade. Restaurant proposant d'excellents menus à base de produits frais et locaux, que l'on savoure tranquillement dans le jardin et la jolie cour intérieurs. Côté hébergement, 4 belles chambres coquettes et confortables, toutes personnalisées. Copieux petit déj pour bien démarrer la journée et possibilité de panier pique-nique. Pour couronner le tout l'accueil est charmant et attentionné.

***Hôtel des Gorges du Tarn – Restaurant l'Adonis :** 48, rue du Pêcher. ☎ 04-66-45-00-63. • gorges-du-tarn.adonis@wanadoo.fr • hotel-gorgesdutarn.com • Fermé Toussaint-Pâques. Resto fermé mer sf juil-août. Doubles avec douche ou bains 46-50 €. Six menus 17-60 € et carte. Digestif maison offert sur présentation de ce guide.* Si vous cherchez un endroit pour vous poser, un restaurant où vous régaler, choisissez cette maison impeccablement tenue, où l'accueil est aussi sérieux et appréciable que l'assiette, où la qualité des produits et la maîtrise du chef garantissent une étape agréable. Très pro.

Où dormir ? Où manger dans les environs ?

Voir aussi nos adresses sur le mont Lozère (tout de suite après) et le causse Méjean (plus loin, dans la partie « La Lozère »).

Campings

***Camping de la Quillette :** chez M. et Mme Argenson, lieu-dit « lou Mouli » au village de Rousses (48400). ☎ 04-66-44-00-29 (de préférence en soirée hors saison). • argenson.c@wanadoo.fr • À 20 km au sud de Florac, à l'entrée des gorges du Tapoul. Par la N 107 en direction de Saint-Jean-du-Gard (sur 5,5 km) puis, à droite, la D 907 en direction de Meyrueis ; au niveau des Vanels, continuer à gauche en direction de Rousses. Ouv 1er juil-31 août. Forfait emplacement pour deux 9,10 € en hte saison. Café ou jus de fruits offert à l'arrivée sur présentation de ce guide.* Un de nos campings préférés dans cette région. Aire naturelle disposant de 25 emplacements semi-ombragés, dans un site superbe au bord de la rivière Tarnon (où l'on peut se baigner).

***Camping Le Stevenson :** à Cassagnas (48400). ☎ 04-66-45-20-34. • lerelaisdestevenson@wanadoo.fr • ♿ Dans la vallée de la Mimente, en contrebas de la N 106 en direction d'Alès. Congés : janv-fév ; camping ouv de mi-avr à mi-oct. Compter 12 € pour 2 avec voiture et tente. Possibilité de ½ pens.* Un site vraiment agréable et très calme, au bord de la rivière. Emplacements séparés par des haies et pelouse ombragée. Voir aussi l'hôtel et le resto dans la catégorie « Prix moyens ».

De bon marché à prix moyens

***Domaine des Trois Tilleuls :** 48400 Saint-Julien-d'Arpaon (à 8 km de Florac). ☎ 04-66-45-25-54 • info@les3tilleuls.com • les3tilleuls.com • Tte l'année. Chambres d'hôtes 35 €, petit déj compris, ½ pens 50 € pour 2. Gîtes pouvant accueillir 4 pers 130 € (w-e)-450 € (sem) en été. Table d'hôtes 18 € tt compris. Apéritif maison offert sur présentation de ce guide.* Les gîtes et chambres d'hôtes sont répartis sur une propriété dominant la vallée de la Mimente, dont l'histoire remonte au XVIIIe siècle. Environnement très agréable et verdoyant, avec les ruines du château de Saint-Julien juste à côté et une belle terrasse pour profiter de la vue en dînant à la fraîche. La tranquillité est parfaite et les chambres sont simples mais assez cosy. Petit bassin en contrebas pour se baigner, salle de jeux (billard, baby-foot)...

***Le Stevenson :** à Cassagnas (48400). ☎ 04-66-45-20-34. • lerelais* *destevenson@wanadoo.fr • ♿ (resto). Dans la vallée de la Mimente, à 12 km de Florac sur la N 106 en direction d'Alès. Accès par une petite route pentue (1,5 km), sur la gauche. Resto fermé lun et dim soir hors saison. Congés : janv et 1re quinzaine de fév. Chambres 42 € pour 2 ; ½ pens 40 €/pers. Petit déj 5 € et panier repas 7 €. Au resto, menus 11 € en sem et 25 €.* Au bord de la rivière, site calme et confortable. Bâtiment moderne sans grand charme mais propre et bien tenu. C'est en fait l'ancienne gare de Cassagnas. On profite du bar pour se désaltérer ou du resto pour s'offrir un repas familial. C'est aussi une étape sur le chemin de Stevenson, avec possibilité de transport de bagages à l'étape suivante et l'accueil de votre âne moyennant quelques euros (!). Également un coin épicerie et un point poste.

Ferme-auberge de la Borie : *48400 La Salle-Prunet (à 6 km de Florac). ☎ 04-66-45-10-90. • encevennes@wanadoo.fr • encevennes.com • Slt sur résa. Doubles 33-43 € selon saison, petit déj compris. Gîte pour 4 pers 90 € le w-e et 340-420 € la sem. Menu unique 20 €, apéritif et vin compris.* On y arrive par une route sinueuse qui part de la N 106. C'est indiqué. Une ferme authentique, une vraie de vraie, tenue par de sympathiques fermiers bio. Très grande salle à manger où déguster la spécialité de cochon rôti à la broche, dans l'immense cheminée. Jean-Christophe s'active aux fourneaux et concocte une bonne petite cuisine à base de produits de son élevage ou du potager. Les chambres et le gîte sont douillets et meublés à l'ancienne. Diverses activités (payantes, avec repas inclus) sont proposées : traite des chèvres et visite de la fromagerie (pélardon AOC), randonnée avec le berger ou cueillette aux champignons... Bref, une authentique adresse routard.

L'Auberge Cévenole : *48400 La Salle-Prunet. ☎ 04-66-45-11-80. À 2 km de Florac, sur la route d'Alès. Fermé dim soir et lun sf j. fériés et en juil-août. Congés : de mi-nov à début fév. Résa souhaitée. Doubles 33-43 €. Formule midi 12,50 € et menus 19,50-24,50 €.* Une vieille maison en pierre du pays, nichée au fond de la vallée de la Mimente, avec terrasse pour l'été. Au programme, une classique cuisine du terroir qui fait la part belle à la charcuterie du pays et aux champignons... L'auberge ne manque pas de faire le plein chaque dimanche pour les traditionnels repas en famille. Bon accueil.

De prix moyens à plus chic

Hôtel-restaurant La Lozerette : *dans le charmant petit village de Cocurès (48400). ☎ 04-66-45-06-04. • lalozerette@wanadoo.fr • lalozerette.com • ♿ À 6 km de Florac sur la route du mont Lozère (D 998). Parking gratuit. Ouv Pâques-Toussaint. Resto fermé mar (ouv le soir pour les clients de l'hôtel) et mer midi hors saison, le midi mar-mer en hte saison. Doubles avec douche ou bains 51-80 €. Premier menu 18,50 € puis menu 23,50 €. Compter env 30 € à la carte.* Une affaire de famille, mais qui est d'abord et avant tout une affaire de femmes. Eugénie, la grand-mère, y tenait déjà une auberge. Pierrette Agulhon a repris le flambeau. Côté cuisine, des spécialités du pays et de superbes propositions de menus à composer soi-même en choisissant les plats à la carte. Belle carte de vins du Languedoc, la spécialité de Pierrette qui est d'abord sommelière. Imagination, bon goût et saveurs exquises au pouvoir. Côté hébergement, des chambres décorées avec le même raffinement que la salle, où l'on s'aperçoit que la maîtresse de maison a le sens du détail. Petit espace transat pour les clients de l'autre côté de la route. Une adresse coup de cœur, fort bien tenue et à l'accueil charmant.

Où acheter de bons produits ?

L'Atelier du sucre et de la châtaigne : 64, av. Jean-Monestier. ☎ 04-66-45-28-41. *À proximité de l'office de tourisme. Tte l'année, tlj 9h-12h15, 14h-19h (à partir de 15h30 sam et fermé à 17h30 lun), dim 9h-12h30.* Toutes les spécialités à base de farine de châtaigne : pains d'épice au miel de châtaigne, tuiles, biscuits. Et aussi des confitures, plusieurs variétés de miel... Une vingtaine de produits différents en été.

À voir

Le château de Florac : *mêmes horaires que le bureau d'information du parc des Cévennes. Entrée : 3,50 € ; réduc. Visites-conférences 5 €.* Une grosse bâtisse du XVIIe siècle, flanquée de deux tours rondes à toit pointu. Il a été construit sur un emplacement très ancien (XIIIe siècle) appartenant à la baronnie de Florac (Raymond d'Anduze). Tour à tour château féodal, grenier à sel, prison et hôpital militaire au XIXe siècle, colonie de vacances dans les années 1950-1960, il a été acquis par le parc national des Cévennes en 1973, qui l'a restauré pour y aménager une exposition permanente, « passagers du paysage » et des expos temporaires en été.

Le vieux Florac : y flâner à pied au départ du château, de places en ruelles anciennes. Beaucoup de maisons traditionnelles groupées autour du ruisseau du Vibron. Un parcours historique avec une douzaine de panneaux explicatifs a été mis en place avec le concours du parc. Fiche-guide disponible gratuitement à l'office de tourisme.

Manifestations

– **Fête de la Transhumance :** *pdt une journée, début juin.* Grand rassemblement et fête populaire à l'occasion de la montée en estive des troupeaux de moutons venus du Bas-Languedoc vers les pâturages de l'Aigoual. *Infos auprès de l'office de tourisme de Valleraugue : ☎ 04-67-82-25-10.*
– **Festival de la soupe :** *w-e de la Toussaint.* Musiciens, soupes de quartier, spectacles et ambiance des veillées et des saveurs d'antan...

Randonnées

À pied

➢ **Les sentiers de découverte autour de Florac :** 16 sentiers en boucles tout public (1h30-5h) permettent de découvrir la belle nature des environs. Plus de détails dans la collection de topoguides *Autour du parc national des Cévennes,* qui présente une vingtaine de titres à 5 € l'unité.

➢ **Le Chemin de Stevenson** traverse Florac et fait découvrir les charmes de la ville sur les traces de l'écrivain. Topoguide du GR 70 (voir plus haut dans « Les Cévennes lozériennes »).

➢ **Le sentier GR 68 (tour du mont Lozère) :** plus sauvage que le tour de l'Aigoual, cette magnifique balade à pied fait l'objet d'un topoguide à elle toute seule. Vous le trouverez au centre d'information du parc à Florac ou dans les librairies. Le GR 68 passe à 1 km au nord de Florac, au Pont-du-Tarn (camping et gîte). Mieux vaut commencer le tour du mont Lozère ici en raison des facilités d'accès et de ravitaillement. Cette promenade inoubliable est décrite un peu plus loin dans la partie « Le mont Lozère ».

Escalade

➢ Deux voies de 110 m et 200 m surplombent la ville sur le rocher de Rochefort. Autre possibilité : prendre un moniteur pour escalader la *Via Corda* des corniches du causse Méjean... Renseignements auprès de l'office de tourisme.

➤ DANS LES ENVIRONS DE FLORAC

Bédouès (48400) : *à 3 km de Florac, sur la route du Pont-de-Montvert.* On remarque immédiatement le caractère ancien de ce petit village aux maisons de schiste, dominé par l'imposante silhouette de l'église Notre-Dame, collégiale fondée au XIVe siècle par le pape Urbain V.

QUITTER FLORAC

En bus

➢ ***Navette entre Alès et Florac :*** c'est le seul bus régulier. Plusieurs étapes à travers la vallée Longue (Cassagnas, Saint-Julien-d'Arpaon, Le Collet-de-Dèze). Un bus/j. lun-sam (sf j. fériés) ; départ le mat, pl. de l'Ancienne-Gare. Infos auprès des *Cars Reilhes, 52, av. Jean-Monestier (en face de l'office de tourisme).* ☎ *04-66-45-00-18.* *06-60-58-58-10.*

En train

Pas de gare SNCF à Florac. La gare la plus proche est à *Mende,* mais il n'y a pas de liaison pour Florac ; on conseille donc d'aller en bus à la gare d'Alès.

En taxi

■ ***Cars Reilhes & Taxis :*** ☎ *04-66-45-00-18.*
■ ***Cévennes Transports :*** ☎ *04-66-45-02-45.* *06-71-27-65-66.*
■ ***Taxi blancs frères :*** ☎ *04-66-45-00-44.* *06-68-52-03-66.*

LE MONT LOZÈRE

C'est hors saison qu'il faudrait admirer cette grande dame à l'austère beauté, géante de granit endormie sous ses herbages jaunis, usée par des siècles de vent et de pluie. 1 699 m à son sommet ! En hiver, ses flancs sont tout blancs et les rares hameaux habités semblent surnager péniblement au-dessus de cette mer de neige. Venez ici un jour de tempête, quand les rafales de vent font hurler les « clochers de tourmente ». Ce lointain mugissement dans la brume envoûte le voyageur. Mais naguère il servait à guider ses pas et à lui signaler l'existence d'un village proche où il trouverait un refuge pour la nuit. Car la majesté de ces grands espaces infinis du mont Lozère cache aussi ses pièges, ses dangers et ses fantômes. Ainsi ces deux institutrices mortes dans une tempête de neige en regagnant leur poste ou ces deux moines trouvés morts de froid et d'épuisement en janvier 1984 près du hameau des Laubies. Dès le printemps, la montagne change de visage, se couvrant de genêts comme une lointaine Bretagne. Les skieurs de fond oubliés, voici les randonneurs qui se lancent dans le tour du mont Lozère par le GR 68. Les hameaux se dessinent dans le paysage : îlots de vie repliés sous d'épais murs de granit. Et puis soudain des silhouettes dressées jaillissent dans cette immensité vide : un champ de menhirs ! Sur la Cham des Bondons, à plus de 1 000 m d'altitude, il y en a près de 150 éparpillés. C'est le deuxième site mégalithique de France.

UN PEU D'HISTOIRE

Le mont Lozère, grande barre granitique, a toujours marqué une limite entre deux mondes : frontière entre le pays franc et le pays wisigoth au début de l'histoire de

France, entre le royaume de France (au nord) et le comté de Toulouse (au sud), et, depuis la Réforme, frontière spirituelle entre le Gévaudan catholique et la Cévenne protestante. Du XIIe siècle à la Révolution française, le mont Lozère et ses hautes terres étaient sous la juridiction de l'ordre de Malte, issu de la chevalerie médiévale, qui levait des impôts et percevait des droits de passage sur les transhumants. Leur vaste domaine, le cap Francès (5 000 ha), était balisé par de nombreuses bornes et ces rochers gravés d'une croix de Malte que l'on découvre aujourd'hui au hasard de la promenade.

De nos jours, les seules ressources agricoles du massif sont les pâturages d'estive et l'élevage des bovins. Les troupeaux de moutons, hier très nombreux, ne jouent plus le rôle économique d'antan.

ÇA COULE DE SOURCE !

À l'instar de l'Aigoual, son rival méridional, le mont Lozère est le royaume des sources. Une ribambelle de ruisseaux y prennent naissance. Le Tarn est là, non loin du col de Finiels, mais aussi tous les inconnus du mont Lozère aux noms chantants : le Finialette, le Galadet, le Bramon, le Malpertus, le ruisseau de Mère l'Aygue, les ruisseaux de Gourdouse, de Rieumalet. Quant au Lot et à l'Allier, ils prennent leur source en face du mont Lozère, sur les pentes de la montagne du Goulet.

LE TOUR DU MONT LOZÈRE À PIED

Compter 110 km environ et une semaine de marche en suivant toutes les étapes du GR 68 balisé en blanc et rouge. Ce très beau circuit pédestre permet de faire le tour du massif étendu sur plus de 30 km d'est en ouest. Généralement, le voyage commence à Villefort par les pentes du versant nord, Le Bleymard, Bagnols-les-Bains. Puis on passe le col de la Loubière, on traverse les étendues dénudées de La Fage et on descend à Florac par la crête calcaire de l'Eschino d'Ase (quel nom exotique !). De là, le sentier quitte le mont Lozère pour grimper sur le sommet de la montagne du Bougès au sud, d'où l'on découvre l'ensemble du mont Lozère. Par la variante GR 72, on traverse les vieux hameaux de Mas-Camargues, Bellecoste, Mas-de-la-Barque.

Mais rien ne vous empêche de le faire en sens inverse, et de partir de Florac, avec en poche la carte dénichée à la Maison du parc (voir « Florac »).

Où dormir ? Où manger ?

Plusieurs gîtes d'étape (sans parler de ceux déjà cités à Florac) sur le trajet : au col de la Croix de Berthel (environs du Pont-de-Montvert), à Génolhac (dans les Cévennes gardoises), au Bleymard, à Villefort, à Saint-Étienne-du-Valdonnez... Se renseigner au *centre d'information du parc national des Cévennes* et se reporter aux pages correspondantes. Dans tous ces lieux, il est préférable de téléphoner à l'avance.

Sentiers de petite randonnée (en boucles)

Le parc en a balisé sept, qui offrent de belles promenades sur le mont Lozère, à différents endroits.

➢ ***Le col de la Loubière :*** sentier de 8,5 km (3h) ; départ au col de la Loubière.
➢ ***Malavieille :*** sentier de 8 km (3h) ; départ au Mazel du Bleymard.
➢ ***Le pic Finiels :*** sentier de 9 km (3h) ; départ du *chalet du Mont-Lozère* (station de ski).

➢ ***Mallevrière :*** sentier de 7,5 km (3h) ; départ au-dessus de Finiels, près de l'ancienne colonie de vacances.
➢ ***Les Rouvières :*** sentier de 5,2 km (2h) ; départ près de l'*auberge des Bastides,* non loin du col de la croix de Berthel.
➢ ***Gourdouse :*** sentier de 5 km (3h environ) ; départ de Vialas, à 9 km au sud-ouest de Génolhac.
➢ ***Le belvédère des Bouzèdes et Malmontet :*** sentier de 30 km (7h) ; départ de l'ancienne gendarmerie des Bouzèdes, au-dessus de Génolhac ou du col de l'Ancize (Malmontet).

LE PONT-DE-MONTVERT (48220) 280 hab.

Petit bourg en granit qui a beaucoup de charme et de caractère, au creux de la vallée du haut Tarn. À 21 km à l'est de Florac, par une très belle route. On y croise jeunes et vieux randonneurs au départ ou à l'arrivée des divers sentiers alentour. Atmosphère chaleureuse dans ces vieilles baraques aux murs épais comme ceux des forteresses...
Un joli pont d'allure gothique, doté d'une tour à horloge, enjambe le Tarn, qui, à cet endroit-là, ressemble à un gros ruisseau de montagne mais qui cache bien son jeu : en crue, il fait un boucan d'enfer.

ABBÉ DIS DONC, QUELLE HISTOIRE !

C'est au Pont-de-Montvert, le 24 juillet 1702, que fut tué l'abbé du Chayla, archiprêtre des Cévennes et inspecteur des Missions pour la région. Après avoir été un martyr chrétien en Chine, il devint le persécuteur des protestants. Les camisards, menés par Esprit Séguier, prirent d'assaut sa maison, l'incendièrent en récitant des psaumes, capturèrent l'abbé, puis abandonnèrent sur la place publique son cadavre percé de 52 coups de couteau. Les rebelles délivrèrent les prisonniers qu'il avait enfermés et torturés dans sa maison. Cette nuit tragique déclencha la véritable guerre des Camisards dans les Cévennes.

Adresse utile

ℹ ***Office de tourisme :*** *au centre du bourg, rive droite du Tarn.* ☎ *04-66-45-81-94.* • *cevennes-montlozere.com* • *Juil-août, tlj sf dim ap-m ; hors saison, ouvertures variables.* Pour le *Chemin de Stevenson,* infos à l'association Stevenson : ☎ 04-66-45-86-31. • chemin-stevenson.org •

Où dormir ? Où manger ?

Aire naturelle de camping La Barette : *à Finiels.* ☎ *04-66-45-81-82 et 82-16.* • *gite-mt-lozere.com/labarette* • *À 6 km du Pont-de-Montvert. Ouv de mai à mi-sept. Compter 10 € pour 2 en hte saison.* Accueil chaleureux dans ce camping de 25 emplacements en terrasse, herbeux et ombragés, doté d'un vrai confort. Sanitaires impeccables, salle commune avec cheminée et bibliothèque... Une bonne adresse.

La Truite Enchantée : *au bord de la route qui traverse le village.* ☎ *04-66-45-80-03. Resto fermé w-e hors saison. Congés : de mi-déc à début mars. Doubles 28,50 € avec douche (w-c à l'extérieur) ; ½ pens env 35 €/pers. Menus 14,90-26 €. Digestif maison offert sur présentation de ce guide.* Tenue par Corinne et Edgar, cette bonne maison familiale affiche des prix très sages :

chambres spacieuses, claires et propres ; préférer celles donnant sur le Tarn pour la vue, celles donnant sur le jardin pour le calme. Au resto, bonne petite cuisine copieuse et régionale (filet de truite sauce à l'oseille, lapin à la royale, ris d'agneau). Une bonne étape où il vaut mieux réserver.

Où dormir ? Où manger dans les environs ?

Nos adresses préférées se trouvent à quelques kilomètres de là, sur le versant sud (ensoleillé) du mont Lozère. Mais que cela ne vous empêche pas de jeter un œil au circuit qui suit...

De bon marché à plus chic

🏠 🍴 ***Gîte d'étape – Auberge des Bastides :*** *col de la Croix de Berthel, 48220 Saint-Maurice-de-Ventalon. ☎ et fax : 04-66-45-82-80. Resto fermé dim soir et lun soir hors saison. Nuitée en dortoir 12 € et doubles avec lavabo 29-40 €. Menu ouvrier 12 € ; autres menus 16 et 22,50 €. Gîte de 24 places. Kir châtaigne offert sur présentation de ce guide.* Accueille les randonneurs et les cavaliers. Chambres simples mais bien tenues, sanitaires impeccables. Cuisine familiale de terroir pour se requinquer.

🏠 🍴 ***Gîte rural et chambres d'hôtes Le Merlet :*** *au Merlet, 48220 Le Pont-de-Montvert. ☎ 04-66-45-82-92. • cathou@lemerlet.com • lemerlet.com • À 8 km à l'est du Pont-de-Montvert. Prendre d'abord la route de Génolhac ; à 5,5 km, juste avt un pont, tourner à gauche vers Masméjean, puis immédiatement à gauche encore : ce chemin conduit au hameau, 2,5 km plus loin. Ouv tte l'année. Résa conseillée. Chambres d'hôtes en ½ pens 50 €/pers. Quatre gîtes ruraux également (2-5 pers) 300-510 €/sem selon saison. Table d'hôtes 20 €. Apéritif et café offerts sur présentation de ce guide.* Une grosse ferme confortable en granit, accrochée au versant sud du mont Lozère, dans un paysage superbe. Possibilité de prendre les repas en commun et d'acheter des produits fermiers (notamment le jus de pomme maison). Les Galzin organisent aussi des veillées au coin du feu. Un merveilleux bout du monde !

🏠 🍴 ***Chambres d'hôtes Maison Victoire :*** *à Finiels, 48220 Le Pont-de-Montvert. ☎ 04-66-45-84-36. • mario.pantel1@libertysurf.fr • gites-montlozere.com • Cinq chambres spacieuses et nickel 90 € pour 2 en ½ pens. Apéritif maison offert sur présentation de ce guide.* À quelques mètres du GR 70 et presque au sommet du col de Finiels. Environnement très sauvage pour cette grande maison cévenole qui plaira aux amoureux de la nature. Belle salle à manger où sont servis les repas de la table d'hôtes, près de la cheminée et au milieu des meubles fabriqués par Mario, menuisier artiste qui a d'ailleurs d'autres cordes à son arc. Au dîner, bonne cuisine familiale à base de produits maison ou locaux (charcuterie, champignons, tarte à la myrtille...).

🍴 ***Restaurant Chez Dédet :*** *à Masméjean, 48220 Saint-Maurice-de-Ventalon. ☎ 04-66-45-81-51. ♿ À 7 km à l'est du Pont-de-Montvert. Prendre la D 998 direction Saint-Maurice-de-Ventalon, puis tourner à gauche à 5 km, juste avt un pont, direction Masméjean. En saison, ouv midi et soir ; hors saison, fermé ts les soirs (sf sam) et mer. Congés : 15 j. en juin. Résa conseillée, surtout pour le dim. Menus 12 € midi en sem et 18-48 €. Compter 12 € à la carte. CB refusées. Café offert sur présentation de ce guide.* Le resto campagnard vrai de vrai, dans un vieux corps de ferme à grosses poutres, grosses pierres et grande cheminée. Produits de la ferme et du pays et, en saison, sanglier ou lièvre chassés dans le coin. Une adresse authentique, pur terroir et pur porc, aux portions copieuses, avec en prime un gentil service.

À voir

Écomusée du Mont-Lozère : ☎ 04-66-45-80-73. *Avr-mai et oct, tlj 15h-18h, juin et sept, tlj 10h30-12h30, 14h30-18h30 ; le reste de l'année, sam 15h-18h. Entrée : 3,50 € ; réduc.* Tout sur le mont Lozère au travers de l'histoire, la géographie humaine, la nature, les arts et traditions populaires. Documentation du parc national des Cévennes (sentiers de randonnées notamment) et informations sur l'écomusée du Mont-Lozère. Le billet d'entrée de l'écomusée donne droit à la visite sur place et à dix sentiers à thème répartis sur le mont Lozère.

➤ DANS LES ENVIRONS DU PONT-DE-MONTVERT

Demandez plus de détails à la Maison du Mont-Lozère, notamment le chemin exact pour se rendre dans les lieux décrits ci-dessous et pour les horaires. Des visites guidées sont également organisées chaque mercredi en juillet-août.

La ferme de Troubat : *à env 8 km à l'est du Pont-de-Montvert. Visite guidée mer en juil-août.* Bien conservée. On y voit la grange-étable, le four à pain, le moulin, l'aire à battre le grain.

La ferme du Mas-Camargues : *à 8 km env au nord-est du Pont-de-Montvert, par une petite route carrossable. Ouv tlj en été.* Autour, un sentier d'observation permet de mieux comprendre l'environnement du versant sud. Deux parcours possibles (2,7 km ou 3,8 km, au choix).

Le Mas-de-la-Barque : *situé encore plus loin que le Mas-Camargues, au bout du chemin (qu'emprunte aussi le GR 72). On y accède plus facilement de Génolhac ou de Villefort.* Endroit superbe pour casse-croûter ou passer la nuit (voir plus haut « Le tour du mont Lozère à pied »). On est ici dans la partie boisée du mont Lozère (résineux, hêtres, sapins).

Les hameaux de Villeneuve, L'Hôpital et Bellecoste : ils se suivent sur cette petite route vicinale étroite qui mène au Mas-Camargues. Partir du Pont-de-Montvert ; c'est indiqué. Les hameaux sont typiques de l'architecture du pays.

CIRCUIT DE DÉCOUVERTE DU MONT LOZÈRE

À faire en voiture au départ du Pont-de-Montvert. Une magnifique balade sur la montagne des sources. Comptez une journée, en vous arrêtant pour manger en route et en prenant votre temps. Un autre circuit, plus long, passe par Villefort et suit la route Régordane, à vous de voir...

LE COL DE FINIELS

Prenez le temps de respirer, vous êtes à 1 541 m d'altitude. Plusieurs chemins de randonnée vers le sommet de Finiels (1 699 m) ou vers les sources du Tarn (à l'est).

Où dormir ? Où manger ?

Le chalet du Mont-Lozère : *sur le chemin de Stevenson, au Mont Lozère, 48190 Cubières.* ☎ *04-66-48-62-84.* • *chaletdumontlozere.fr* • *(resto). À 7 km du Bleymard. Fermé lun. Chambres à partir de 38 €. Petit déj 6 €. Menu env 13 €.* Hôtel situé sur la ligne de partage des eaux, à 1 420 m d'altitude (le plus haut du département). L'escale de tous les randonneurs de la région dans cette petite station de ski. Chambres sommaires qui siéront aux marcheurs fatigués, certaines avec vue sur la chaîne des Alpes... Repas servis dans une grande salle panoramique.

LE BLEYMARD *(48190)*

La route qui descend, au Mazel, le versant nord du mont Lozère, mène jusqu'à ce village au pied du mont Lozère, où la population agricole vit de l'élevage bovin tandis que le reste de la population vit du tourisme estival et hivernal. Le gros ruisseau qui passe au village, c'est le Lot, qui prend sa source à quelques kilomètres d'ici, dans la montagne du Goulet.

Où dormir ? Où manger au Bleymard et dans les environs ?

De bon marché à prix moyens

Gîte d'Auriac, chez M. et Mme Paris : *à Auriac, 48190 Saint-Julien-du-Tournel. ☎ 04-66-47-64-72. Compter 12,50 € la nuitée.* Dortoirs 2, 4, 6 et 8 lits.

Hôtel-restaurant Bargeton : *pl. de la Fontaine, 48190 Cubières. ☎ 04-66-48-62-54. • hotelrestaurant.bargeton@wanadoo.fr • hotel-bargeton.com • À 4 km à l'est du Bleymard. Dans le village, prendre la rue qui part en face du porche de la jolie petite église romane. Fermé dim soir hors saison. Congés : de mi-nov à début fév. Doubles 32-45 € selon confort. ½ pens, en juil-août, 31-37,50 €/pers. Menus en sem 11 €, puis 28 €.* Petit coup de cœur pour cette adresse légèrement en retrait de la D 901, au cœur d'un charmant village situé au fond d'un vallon, sur le parcours de sentiers de randos. Chambres simples, propres et bon marché. Atmosphère vieille France au resto populaire, des prix tranquilles et une honnête cuisine du terroir : croustillant de pied de porc, foie gras maison, gibier en saison. Accueil sympathique, à l'image des lieux.

Chambres d'hôtes La Combette : *chez Anita et Félix Klein, lieu-dit La Combette, 48190 Le Bleymard. ☎ 04-66-48-61-35. • lacombette@wanadoo.fr • lacombette.com • À 1 km du Bleymard. Doubles 50-55 €, petit déj inclus. Table d'hôtes (sf dim soir) 17,50 €, vin et café compris. Possibilité de ½ pens.* Une maison à l'architecture résolument contemporaine, dans un style réussi. Chambres fraîches, agréables et tout confort. Ici, on vit ouvert sur le monde, même à la table d'hôtes, qui vous fera voyager. Vous n'oublierez pas de sitôt l'accueil charmant des propriétaires, d'origine néerlandaise. Vous vous régalerez de leurs souvenirs d'Afrique et de tous les objets de déco rapportés de voyages. Plein de bons conseils pour rendre votre séjour plaisant, toute la doc et les cartes à disposition pour les randos.

Hôtel-restaurant La Remise : *au croisement de la D 901 et de la D 20, 48190 Le Bleymard. ☎ 04-66-48-65-80. • contact@hotel-laremise.com • hotel-laremise.com • Resto fermé lun soir en basse saison. Congés : de mi-déc à fin janv. Doubles 45 € avec douche et w-c ou bains. Premier menu 13 €, servi en sem, puis menus 17-30 €.* Un ancien relais de diligence avec des chambres bien tenues. Accueil cordial, petit déj très correct et un effort de déco dans la grande salle de resto.

À voir dans les environs

Les hameaux aux « clochers de tourmente » : entre Le Bleymard et Bagnols, à flanc de montagne, on peut découvrir ces « clochers de tourmente » qui servaient autrefois à guider les voyageurs égarés dans la brume : hameaux de *Serviès, Les Sagnes, Auriac* et *Oultet,* tous signalés sur la carte IGN au 1/100 000, n° 354.

Le Mazel : un village qui fut prospère (modestement tout de même !) grâce à ses mines de zinc et de plomb, fermées dans les années 1950. Quelques grosses maisons témoignent de cette époque révolue.

BAGNOLS-LES-BAINS *(48190)*

Vous ne ferez que traverser cette station thermale dont l'eau et ses vertus étaient déjà connues et exploitées au temps des Romains. Petite ville tranquille, encore fréquentée par les curistes de nos jours. Possibilité de faire une demi-journée de remise en forme, si ça vous chante.

Où dormir ? Où manger ?

Les Chemins Francis : *☎ 04-66-47-60-04. • francis.castan1@worldonline.fr • hotel-cheminsfrancis.com • Congés : fin oct-début fév et 10 mars-1er avr. Doubles avec douche et w-c ou bains 49,50-57 € selon saison. Petit déj-buffet 7,80 €. Menus 16-28,50 € et carte. Sur présentation de ce guide, apéritif maison et réduc de 10 % sur les séjours « randonnées accompagnées » (cf. site internet).* Tout a été rénové et aménagé avec goût. Clientèle de curistes, randonneurs et vacanciers. Chambres agréables et bien équipées, rive gauche, au *Modern Hotel* et dans son annexe *Le Moreau,* ou rive droite, à l'*hôtel Le Malmont* (à 150 m). Piscines chauffées, jacuzzi, hammam, balnéothérapie. Cuisine traditionnelle copieusement servie, à déguster derrière la baie vitrée, en bordure du Lot.

Où se remettre en forme ?

Centre thermal : *☎ 04-66-47-60-02. • bagnols-les-bains.com • Début avr-fin oct, lun-sam 9h-12h30, 14h-18h30 (et dim mat de mi-juil à fin août) ; le reste de l'année, lun-sam 14h-18h (18h30 ou 19h selon saison). Soins à partir de 13,15 € et forfaits à partir de 25,90 € la demi-journée.* Fini le temps des cures déprimantes, l'heure est au thermalisme vert. Après la randonnée, que diriez-vous d'une bonne séance de remise en forme ? Piscine active, jacuzzi, hammam, douche au jet, solarium, et une dizaine de massages et de soins esthétiques à la carte.

À voir dans les environs

Le vallon du Villaret : *☎ 04-66-47-63-76. • levallon.fr • Avr-juin, ouv 10h30-18h45 ; juil-août, 10h-18h45 ; sept-oct, 11h-18h. Attention : accès possible jusqu'à 2h avt la fermeture. Compter 9-11 € selon l'heure d'arrivée et la saison ; gratuit pour les enfants de moins d'1 m.* Une balade en boucle de 2 km, entre arbres et rivière, jalonnée de ponts de cordes, chemins de branches, jeux d'eau, toboggan, sculptures musicales et installations savamment concoctées par des artistes contemporains, bref, un espace ludique et sensoriel qui plaira aux enfants comme aux grands. Compter 2-3h le temps de décider vos enfants à repartir. Certains y passent même la journée. À mi-parcours, boutique, auberge et tour du XVIe siècle pour des expos d'art contemporain, et des nouveautés chaque année...

DE BAGNOLS-LES-BAINS À MENDE PAR LA VALLÉE DU HAUT-LOT

➢ Prendre la D 901 puis la N 88 qui longe le Lot. On mesure bien, en arrivant dans le centre de Mende, l'ampleur du changement qui bouleversa le paysage en cent ans. Il y a un siècle, rien n'était vert. La terre était brute, les plateaux dénudés. Conséquence : en période de pluies, l'eau entraînait la terre en bas des collines, provoquant des crues catastrophiques.

Saint-Julien-du-Tournel *(48190)* **:** joli village aux tons de schiste, perché au-dessus du Lot. Depuis la D 901, vue spectaculaire sur les ruines d'un château du XIIe siècle appartenant aux barons de Tournel.

Allenc *(48190)* **:** *accès depuis la D 901 par la D 27.* Village du bout du monde, permettant de découvrir un aspect de l'architecture de la Margeride. Mignonnette église romane à plan en trèfle avec un clocher-peigne à six branches mais seulement deux cloches.

Sainte-Hélène *(48190)* **:** on trouve à côté de ce village, dans les petites gorges de la Gardette, le « ménage des fées ». Remarquables marmites dues à l'érosion du granit par le Lot. Il y a bien longtemps, les lavandières mettaient leur linge sale dans ces cuvettes et le courant lavait le linge tout seul : on disait alors que les fées faisaient le « ménage ».

RETOUR SUR LE CIRCUIT DU MONT LOZÈRE

LE COL DE LA LOUBIÈRE

On est à 1 181 m d'altitude, sur l'ancienne route de Mende au Vivarais. La draille des troupeaux de transhumance vers la Margeride passait par ce col. Aux alentours s'étend la belle et grande forêt de la Loubière, résultat du reboisement mené depuis le début du XXe siècle.

LANUÉJOLS (48000)

Ne pas confondre avec l'autre Lanuéjols, dans le Gard (près de Trèves, sur le causse Noir). Vous êtes ici dans le riche Valdonnez, déjà cher aux Romains. À voir ici, en contrebas de la D 41, un mausolée-temple de cette époque. Surmonté d'un arc en plein cintre avec une frise évoquant l'activité agro-pastorale, c'est un monument remarquable daté de la fin du IIe siècle apr. J.-C., dédié à la mémoire des deux enfants de Lucius Julius Bassianus.
Remarquer aussi la belle église romane du XIIe siècle.
De Lanuéjols, prendre la route qui monte à Saint-Étienne-du-Valdonnez, rejoindre ensuite le col de Montmirat par la N 106 (route Mende-Florac). De là, tourner à gauche par la petite D 35 qui traverse le versant sud-ouest du mont Lozère.

Où dormir ? Où manger dans les environs ?

Auberge du Pré-du-Juge : *sur la N 106, à 5 km du col de Montmirat, sur la commune de Saint-Étienne-du-Valdonnez (48000). ☎ 04-66-48-01-55. (resto). Ouv en hte saison slt. Doubles avec lavabo ou lavabo et w-c 28 € ; ½ pens 41 €/pers. Petit déj 4,50 €. Menus 9,90-19 €.* Est-ce une vieille histoire de pré attribué à un juge ? On n'a pas pu nous l'assurer. En tout cas, les chambres sont simples et charmantes, les repas fleurent bon le terroir, et l'ensemble est une histoire de famille. Le patron, Edmond Paradis, porte bien son nom !

LE HAMEAU DE LA FAGE

Modeste village, sorte de bout du monde battu par les vents, signalé sur la carte IGN n° 354. Quelques maisons seulement, toutes dans l'architecture du pays avec leurs gros murs épais en granit. Là aussi, on trouve un « clocher de tourmente ». Quand on connaît la région en hiver, on comprend bien leur utilité...

Où dormir ? Où manger dans les environs ?

Gîte et chambres d'hôtes de La Fage : *Mme Meyrueix, La Fage, 48000 Saint-Étienne-du-Valdonnez. ☎ 04-66-48-05-36. • ifrance.com/georgesmeyrueix/index.htm • Ouv d'avr à mi-nov. Compter 44 € pour une des deux doubles avec salle de bains, petit déj compris. Table d'hôtes (sf dim soir) 12 €, boissons incluses. Gîte d'étape 9 € la nuitée (voir aussi plus haut « Le tour du mont Lozère à pied »). Un pot de confiture maison offert sur présentation de ce guide.* À noter, Madeleine Meyrueix fait chambre d'hôtes à condition de la prévenir à l'avance. Elle confectionne de délicieux yaourts et des confitures maison. On peut également acheter du lait frais de vache aux heures de la traite, c'est-à-dire tous les soirs, toute l'année. Et déguster les bons produits du terroir en dînant à la table d'hôtes : soupe, légumes du jardin, viande et fromages du pays, etc.

LA CHAM DES BONDONS

Il s'agit bien sûr du célèbre plateau des Bondons, immense paysage désolé dominé par quelques buttes témoins comme ces *puechs,* sortes de mamelons aux formes arrondies par l'érosion.

On imagine ce coin désertique du mont Lozère noyé sous la brume. Au loin le « croaa » des corbeaux, le son des clarines des vaches, quelques rochers de granit, le champ de menhirs qui surgit de nulle part... étrange ambiance celtique. Notre coin préféré sur le mont Lozère. Pas d'arbres, un horizon infini, presque inquiétant. Pour voir le champ de menhirs, il faut laisser la voiture et se diriger à pied dans les prés vers Colobrières, où se tient le plus haut menhir du mont Lozère : un bloc de granit de 3 m de haut, dressé sur une crête et que l'on aperçoit de loin. Encore les Celtes !

METTRE LES PIEDS DANS LE PLATEAU !

Selon la légende, le plateau des Bondons devrait ses monticules terreux à ce brave géant de Gargantua, qui s'arrêta là pour vider ses chaussures, après avoir écrasé moult moutons et avalé d'innombrables truites en voulant se désaltérer ! C'est ainsi, à travers toutes ces légendes qui continuent d'expliquer la pierre, que les hommes par ici ont appris à regarder où ils mettaient les pieds...

Où manger ?

Restaurant chez Eliane Julhan : *☎ 04-66-45-18-53. Tlj sf dim soir. Congés : 1 sem entre Noël et le Jour de l'an. Résa conseillée. Menu express 12 € et copieux menus 16-22 €.* Au hameau des Bondons, c'est le restaurant-bar-tabac qu'on ne peut pas manquer. Charcuterie maison, cuisses de grenouilles, omelette aux cèpes, tête de veau, légumes du jardin... Du simple et du bon.

LE HAMEAU DE RÛNES

Joli hameau à l'architecture traditionnelle sur la toute petite D 35, qui descend vers Le Pont-de-Montvert dans un paysage intact, superbe. Notez que ce n'est qu'en 1996 que furent découvertes ici des inscriptions runiques. Le nom du hameau viendrait donc bien des runes, qui sont, rappelons-le, les caractères des plus anciens alphabets germanique et scandinave.

Où dormir ? Où manger ?

Chambres d'hôtes « Le Rûnel », chez Nils Bjornson-Langen : _au centre du hameau de Rûnes, 48220 Fraissinet-de-Lozère. ☎ 04-66-45-88-79. • lerunel@wanadoo.fr • lozere.net/lerunel • Doubles 51 €, petit déj compris. Table d'hôtes le soir 18 €._ Une ancienne maison bien restaurée et confortablement aménagée (chambres familiales), pour passer une nuit au calme, prendre l'apéro au coin de la cheminée et manger des mets du terroir, cuisinés maison. Accueil adorable.

VIALAS

(48220) 420 hab.

Après Le Pont-de-Montvert, prendre la N 598 vers la croix de Berthel, autrefois carrefour important de routes et de drailles. Pour qui voudrait s'offrir le tour complet du mont Lozère, on ne peut que conseiller un arrêt pour reprendre des forces à Vialas, qui a déjà des allures de village méditerranéen, avant de rejoindre la route Régordane à Génolhac, cette route qui reliait autrefois le Languedoc au Gévaudan, et que nous vous conseillons de suivre jusqu'à Villefort si vous voulez rejoindre directement le nord du parc des Cévennes. À Villefort, vous pouvez revenir vers Le Bleymard et reprendre à votre aise tout ou partie du circuit précédent.

Où dormir ? Où manger ?

Chalet du Commandeur : _Mas de la Barque à Villefort (48800). ☎ et fax : 04-66-46-97-22. Sur le GR 72. Fermé dim soir sauf en juil-août. Congés : 15 nov-15 déc. Logement en ½ pens 31-36 € ; menus 13-15 €._ Un établissement entièrement rénové.

À faire

➢ **_Rando avec un âne :_** _à Castagnols, 48220 Vialas. ☎ 04-66-41-04-16._ Suivre les pancartes en bas du village de Vialas. Le tourisme de pleine nature que _Genti'âne_ contribue à mettre en place depuis une vingtaine d'années est un des moteurs de la revitalisation de toutes ces petites communes des Cévennes. Également gîte d'étape dans une maison avec une cheminée traditionnelle en pierre et bois.

LA LOZÈRE (LE GÉVAUDAN)

Avec 74 000 habitants, soit à peu près 14 habitants au kilomètre carré (de quoi faire rêver n'importe quel citadin !), la Lozère est le département le moins peuplé de France (et le plus haut, avec une altitude moyenne de 1 000 m). Et, à l'époque où l'on prône le calme, la tranquillité et le retour à la nature, la Lozère possède quelques longueurs d'avance sur les autres départements.
Vous avez déjà pu vous en rendre compte si, suivant ce guide et votre inspiration, vous remontez du Sud en direction du centre de la France : vous venez tout juste de traverser les Cévennes, première des quatre célèbres « Terres de Lozère » que le département vous invite à explorer, gigantesque trèfle porte-bonheur, autour de Mende, sa capitale historique. Un bonheur qu'on vous offre ici, à tout point de vue, sur un plateau...
Des Cévennes, au relief accidenté, aux Grands Causses, vastes plateaux aux horizons infinis, ce n'est pas l'espace qui manque. Au nord, c'est l'Aubrac, montagne arrondie, immense terre de transhumance, où l'on peut faire des kilomètres à pied dans la solitude des pâturages et des burons. Et la Margeride, terroir inconnu de la France profonde, succession de forêts et de pâturages jaunis par la sécheresse, de ruisseaux à truites et de villages en granit. Une nature âpre, rude, mais furieusement belle. Pas de bruit inutile, nulle construction superflue. Et quelque chose comme la grandeur dans l'horizon qui n'en finit pas de s'enfuir au loin...
Ses limites correspondent grosso modo à celles de l'ancien Gévaudan, comté de l'Ancien Régime, où sévissait la fameuse Bête (voir « Marvejols »). Le Tarn, le Lot, l'Allier et quelques autres rivières, moins connues, y prennent leur source et parcourent le département en tous sens.
Le mont Lozère et le mont Aigoual font figure de véritables châteaux d'eau pour toute une partie de la France. Et toutes ces vallées, creusées au gré des lits capricieux de ces cours d'eau, cassent l'apparente uniformité des plateaux et transforment la nature en paysage grandiose, à l'image des gorges du Tarn.

ABC DE LA LOZÈRE

- *Superficie :* 5 167 km².
- *Population :* 7 300 hab.
- *Préfecture :* Mende.
- *Sous-préfecture :* Florac.
- *Quelques chiffres :* département le moins peuplé de France, la Lozère compte plus d'ovins (143 000 en 2007) que d'humains ! Soit près de 2 ovins pour un habitant.

Adresses utiles

ℹ ***Comité départemental du tourisme de la Lozère*** *(plan couleur Mende, A2,* ***2****) : 14, bd Henri-Bourillon, BP 4, 48002 Mende Cedex.* ☎ *04-66-*

65-60-00. • *lozere-tourisme.com* • *Tte l'année, lun-ven 8h30-12h, 13h30-17h30 (16h30 ven).* C'est la vitrine du tourisme en Lozère : on y trouve tout. Les listes des logements et des restos, les possibilités de randonnées pédestres, d'équitation, de canoë-kayak, de spéléologie. Efficace et accueillant.

■ ***Relais départemental des Gîtes de France :*** *même adresse que le CDT. Résas :* ☎ *04-66-65-60-00.* • *gites-de-france.fr* •

■ ***Maison de la Lozère à Paris :*** *1 bis, rue Hautefeuille, 75006 Paris.* ☎ *01-43-54-26-64.* • *lozere-a-paris.com* • Ⓜ *Odéon ou Saint-Michel. Lun-sam 9h30-11h30, 12h30-18h30 (18h sam).* Renseignements touristiques, expos, vente de produits lozériens et service de réservation à *Loisirs Accueil* (gîtes ruraux, hôtels, villages de vacances, stages...).

ℹ ***Maison de tourisme de l'aire de la Lozère :*** ☎ *04-66-31-94-06. Juil-août, tlj 9h-19h ; avr-juin et début sept, 9h-18h ; 15 sept-fin mars, 10h-17h.* Si vous arrivez du nord par l'A 75, la première sortie du département (sortie 32) vous met tout de suite dans le bain. En effet, un office de tourisme, annexe du comité départemental de tourisme de Mende, vous y accueille. Toutes infos, documentations, réservations sur le département et une libraire. Vilain parking planté de 100 pseudo-mégalithes, mais, rassurez-vous, la Lozère ce n'est pas ça.

MENDE (48000) 11 800 hab.

Pour le plan de Mende, se reporter au cahier couleur.

Cette préfecture de la Lozère, qui ne fait guère parler d'elle, a le charme des romans du XIXe siècle.

On a bien aimé Mende pour la beauté de son centre ancien, blotti autour de la cathédrale asymétrique, ses maisons patinées par les ans, ses rues pavées, ses toits en écailles de schiste... Située au centre du département, la ville est le point de départ idéal pour toutes les contrées si diverses qui font la richesse de la Lozère : Margeride, Aubrac, gorges du Tarn, Causses et Cévennes.

UN PEU D'HISTOIRE

Au pied du mont Mimat, les sources abondent. C'est là que tout a commencé. Dès le IXe siècle, l'autorité civile et religieuse est transférée à Mende, au carrefour des routes qui relient l'Auvergne au Languedoc et le Rouergue au Vivarais. Ces faits remontent à une charte de 1161 accordée par le roi de France à l'évêque Aldebert, lui conférant la suzeraineté et le pouvoir temporel sur le comté. Au début du XIVe siècle, l'évêque de la ville devient officiellement comte du Gévaudan et conservera les pleins pouvoirs jusqu'à la Révolution. C'est à Urbain V, né du côté du Pont-de-Montvert, que Mende doit sa célébrité. Il fut élu pape de la chrétienté en 1362. Quatre ans après, il décidait d'élever la cathédrale.

Du temps de Louis XIV, de Louis XV et de Louis XVI, on y fabriquait beaucoup de tissus, les « cadis » et les serges.

Adresses et info utiles

ℹ ***Office de tourisme intercommunal Mende – Haute Vallée d'Olt*** *(plan couleur A2,* ***1****) : pl. du Foirail.* ☎ *04-66-94-00-23.* • *ot-mende.fr* • *Juil-août, lun-sam 9h-12h30, 14h-19h ; dim et j. fériés 10h-12h, 14h-16h. Hors saison, lun-ven 9h-12h, 14h-18h ; sam 9h-12h.* Hébergements, mais aussi circuits périur-

Réservez vos vacances
en Lozère

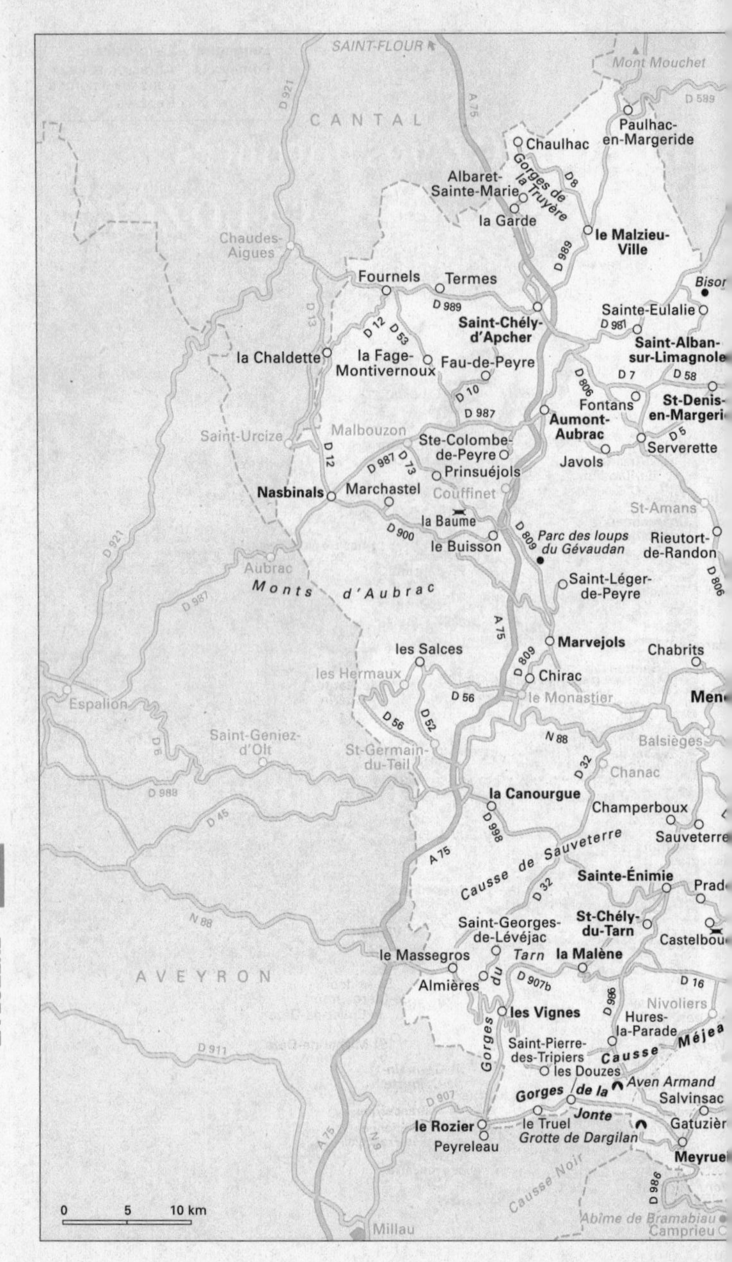
SAINT-FLOUR
Mont Mouchet
CANTAL
Chaulhac
Paulhac-en-Margeride
Gorges de la Truyère
Albaret-Sainte-Marie
la Garde
le Malzieu-Ville
Chaudes-Aigues
Fournels
Termes
Saint-Chély-d'Apcher
Sainte-Eulalie
Saint-Alban-sur-Limagnole
la Chaldette
la Fage-Montivernoux
Fau-de-Peyre
Fontans
St-Denis-en-Margeride
Aumont-Aubrac
Malbouzon
Saint-Urcize
Ste-Colombe-de-Peyre
Javols
Serverette
Prinsuéjols
Nasbinals
Marchastel
Couffinet
St-Amans
la Baume
le Buisson
Parc des loups du Gévaudan
Rieutort-de-Randon
Aubrac
Monts d'Aubrac
Saint-Léger-de-Peyre
Marvejols
Chabrits
les Salces
les Hermaux
Chirac
le Monastier
Espalion
Saint-Geniez-d'Olt
St-Germain-du-Teil
Balsièges
Chanac
la Canourgue
Champerboux
Sauveterre
Causse de Sauveterre
Sainte-Énimie
Saint-Georges-de-Lévéjac
St-Chély-du-Tarn
le Massegros
la Malène
AVEYRON
Almières
Tarn
Gorges du Tarn
les Vignes
Nivoliers
Hures-la-Parade
Saint-Pierre-des-Tripiers
les Douzes
Causse Méjean
Aven Armand
Gorges de la Jonte
Salvinsac
le Truel
le Rozier
Peyreleau
Grotte de Dargilan
Meyrueis
Causse Noir
Abîme de Bramabiau
Camprieu
Millau
0 5 10 km

LA LOZÈRE

Langogne Lieux traités
Pomeyrols Adresses et lieux dans les environs
Saugues Repères
NORD
HAUTE-LOIRE
ARDÈCHE
GARD
Saugues
Laval-Atger
Grandrieu
Pomeyrols
Auroux
Naussac
Langogne
Chastanier
Saint-Jean-la-Fouillouse
Rocles
Saint-Flour-de-Mercoire
Arzenc-de-Randon
le Giraldès
Luc
Châteauneuf-de-Randon
Cheylard-l'Évêque
Abbaye de La Trappe N.-D.-des-Neiges
la Bastide-Puylaurent
Montbel
Belvezet
Chasseradès
Allenc
Sainte-Hélène
Bagnols-les-Bains
le Bleymard
la Garde-Guérin
St-Julien-du-Tournel
le Mazel
Cubières
St-Étienne-du-Valdonnez
Villefort
PARC NATIONAL DES CÉVENNES
Mont Lozère 1699
Col de Finiels 1548
St-André-Capcèze
Finiels
Brésis
les Bondons
Rûnes
Concoules
le Pont-de-Montvert
Masmejan
Génolhac
Cocurès
Bédouès
Vialas
Florac
St-Maurice-de-Ventalon
la Salle-Prunet
St-Julien-d'Arpaon
St-Privat-de-Vallongue
St-Andéol-de-Clerguemort
St-Laurent-de-Trèves
Cassagnas
le Collet-de-Dèze
Portes
Barre-des-Cévennes
St-André-de-Lancize
St-Michel-de-Dèze
St-Martin-de-L.
St-Germain-de-Calberte
Corniche des Cévennes
Molezon
l'Hospitalet
Pont-Ravagers
Fraissinet-de-Fourques
N.-D.-de-Valfrancesque
le Pompidou
Bassurels
Ste-Croix-Vallée-Française
St-Étienne-Vallée-Française
Moissac-Vallée-Française
Alès
Saint-Roman-de-Tousque
Mont Aigoual 1565
St-Jean-du-Gard
N 88
N 102
N 106
D 906
D 988
D 5
D 6
D 71
D 901
D 998
D 35
D 20
D 135
D 907
D 983
D 984
D 9
D 13
D 996
D 18
D 51
D 155
D 104
D 904
D 985
D 34
D 41
D 589
D 585
1181

LA LOZÈRE

bains, topoguide balades, fiches VTT et cyclotourisme. Possibilité de visites de la ville et de la cathédrale (dont une visite nocturne de la ville le mercredi soir en été, certaines avec intermèdes musicaux ou théâtraux).

✉ ***Poste*** *(plan couleur B2) : 6, bd du Soubeyran.* ☎ *04-66-49-44-99.*

Gares SNCF et routière *(hors plan couleur par B1) : un peu à l'extérieur de la ville. Elles sont accessibles par le bus urbain* TUM, *tlj sf dim.*

– ***Marché de Mende :*** *marché avec produits du terroir sam mat et marché vestimentaire mer tte la journée.* Il fait bon flâner sur le marché, même si on n'y trouve plus – comme autrefois – bestiaux, graines... Les nombreuses petites places sont occupées par les vendeurs de produits fermiers, de fromages, de légumes du pays.

Où dormir ? Où manger ?

De bon marché à prix moyens

Le Chaudron *(plan couleur A1, **21**) : 17, rue d'Aigues-Passes.* ☎ *04-66-31-68-97.* • *resto.lechaudron@wanadoo.fr* • *Ouv le midi lun-sam et le soir ven-sam (résa conseillée). Plat du jour 9 €, formules 13 et 17 €.* LE bon resto du centre-ville, très fréquenté pour ses excellentes formules déjeuner. Deux petites salles joliment rénovées, à la déco lumineuse et soignée : belles voûtes de pierre et tableaux contemporains aux murs, longue banquette de cuir rouge ou tables plus intimes. Un cadre moderne et chaleureux à la fois, qui se prête bien à la cuisine du *Chaudron...* Des plats de marché toujours frais et variés, et des recettes qui respectent le goût des bons produits de saison. De quoi contenter tout son monde, et faire rimer petite étape gastronomique avec prix démocratiques !

Le Sanglier *(plan couleur A2, **22**) : 5, av. Foch.* ☎ *04-66-65-12-62. À 5 mn à pied de la cathédrale. Fermé le soir, dim et j. fériés. Congés : se renseigner. Plat du jour et menus 8,50-18 €. Café offert sur présentation de ce guide.* C'est la cantine de Mende, une véritable institution. Potage maison à l'ancienne, aligot, pavé d'Aubrac, confit aux cèpes... Très simple et correct. À la belle saison, on profite du patio ensoleillé.

De prix moyens à plus chic

Hôtel de France *(plan couleur B1, **23**) : 9, bd Lucien-Arnault.* ☎ *04-66-65-00-04.* • *contact@hoteldefrance-mende.com* • *hoteldefrance-mende.com* • *Resto fermé sam midi tte l'année et lun midi en hte saison. Congés : de fin déc à mi-janv. Doubles 60-80 € selon confort ; ½ pens 58-100 €/pers. Menus à partir de 22 € le midi, puis 26-29 € et carte. Apéritif maison offert sur présentation de ce guide.* Un ancien relais de poste restauré avec goût. Chambres d'un excellent confort, très agréables et décorées avec soin, dans un style assez contemporain mêlant vieilles pierres, teintes douces et mobilier de choix. Seules quelques chambres du 2e étage ont conservé leur déco d'origine, avec un certain charme désuet et un confort irréprochable. Côté resto, grande salle lumineuse et terrasse agréable pour profiter des beaux jours. Service stylé, vaisselle soignée et fleurs fraîches sur la table. Un cadre feutré – mais pas guindé – qui sied bien à la cuisine gastronomique concoctée avec talent, à base de produits frais du marché et du terroir lozérien. Belle carte de vins et desserts à faire frétiller vos papilles de plaisir... Le tout d'un très bon rapport qualité-prix. Un sans-faute pour cette adresse à qui l'on promet un bel avenir !

Restaurant Le Mazel *(plan couleur A1, **24**) : 25, rue du Collège.* ☎ *04-66-65-05-33. Dans le centre. Fermé lun soir et mar, et de mi-nov à mi-mars. Menus 15-28 € ; repas à la carte 33 €.* Un des rares immeubles modernes du centre-ville. Déco intérieure sans chichis et service du même style. Jean-Paul Brun prépare une cuisine avisée et savoureuse, avec des produits de qualité. Feuilleté au chèvre chaud, magrets aux mousserons... Un restaurant prisé pour les déjeuners d'affaires à Mende, et sans doute l'un des meilleurs rapports qualité-prix en ville.

Où dormir ? Où manger dans les environs ?

Chambres d'hôtes Lou Rastel : *chez Monique Chaperon, chemin du Rastel, 48000 Badaroux. ☎ 04-66-47-70-04. À 5 km de Mende, par la N 88, direction col de la Tourette. Dans le village, prendre la direction du stade, puis le chemin du Rastel. À la fourche, à gauche. Congés : déc-fév. Trois doubles avec douche et w-c ou bains 52 €, petit déj inclus. Possibilité de dîner à la table d'hôtes pour 17 € avec apéro, café et digestif compris.* Chambres impeccables, récemment aménagées dans cette grande maison typique, en dehors du village. Institutrice retraitée, la propriétaire, d'une grande gentillesse, se mettra en quatre pour accueillir les bons élèves, désireux de mieux comprendre le pays.

La Safranière : *au hameau de Chabrits. ☎ 04-66-49-31-54. À 5 km à l'ouest de Mende. Prendre la direction de Rodez par la N 88, puis la D 42 vers Chabrits. Fermé dim soir et lun. Congés : mars et 1 sem en sept. Pensez à réserver (peu de places). Menu 22 € servi en sem ; beaux menus 25-46 €. Café offert sur présentation de ce guide.* La table gastronomique de Mende et des environs. Dans cette ancienne bâtisse joliment restaurée, à la salle élégante et claire, on savoure une cuisine légère et délicate, finement relevée d'herbes, d'épices et d'aromates parfois exotiques. Une cuisine de saison aux accents méditerranéens, et quelques échappées vers l'Asie...

Où acheter de bons produits ?

Boulangerie-pâtisserie Éric Kermes : *3, rue du Soubeyran. ☎ 04-66-49-09-51. À deux pas de la cathédrale, dans le haut de la vieille ville, sur la place du Griffon. Tlj sf dim.* L'endroit cher aux gourmets qui viennent ici faire le plein de croquants aux amandes ou goûter le sablé amandes et miel.

À voir

Il faut se promener à pied dans le ***centre ancien*** : rue du Soubeyran, rue Notre-Dame, place au Blé, place du Mazel, et place du Griffon qui porte le nom d'une vieille fontaine. Ruelles au charme médiéval, avec de nombreuses maisons à pans de bois, dont certaines ont retrouvé leurs couleurs d'origine. *Un petit circuit explicatif a été mis en place avec, en juil-août, des visites guidées de la ville et de la cathédrale (participation : 4,50 € ; réduc ; se renseigner sur les j. de visite).*

La cathédrale Notre-Dame-et-Saint-Privat *(plan couleur A-B2)* ***:*** *pl. Urbain-V.* Impossible de la rater, elle domine toute la ville de sa superbe. À voir en fin d'après-midi ou au couchant, quand la pierre devient dorée.

C'est Urbain V, pape né en Lozère, qui l'a fait construire à partir de 1368. Elle fut en chantier pendant près de cinq siècles et les travaux furent interrompus par la guerre de Cent Ans (même la foudre s'y est mise en démolissant le grand clocher). La cathédrale ne fut achevée qu'à la fin du XIXe siècle. D'ailleurs, votre sagacité aura noté que les deux flèches sont différentes.

Près du porche d'entrée, remarquez le battant de la cloche géante surnommée « la non-pareille de toute la chrétienté ». Magnifiques stalles en bois à l'intérieur. Voir aussi la crypte souterraine, de style roman : elle abriterait les restes de saint Privat, fondateur de la ville. Dans le chœur, huit tapisseries d'Aubusson illustrant la vie de la Vierge, de la Nativité à son Assomption.

À voir également, une Vierge noire en majesté en bois d'olivier, qui aurait été rapportée d'Orient au XIIe siècle, au cours des croisades. Les calvinistes lui firent subir quelques outrages visibles lors de la prise de Mende en 1579. On remarque les lignes byzantines et ses traits très masculins, presque sévères.
Très belles grandes orgues du milieu du XVIIe siècle, au buffet orné de sculptures Renaissance. Le tout fut sauvé de la destruction pendant la Révolution grâce à l'organiste qui joua une clinquante *Marseillaise*.

***La tour des Pénitents** (plan couleur B2)* **:** seul vestige des fortifications de la ville du Moyen Âge, qui comptaient 24 tours identiques. Cette tour « d'Auriac » devint le clocher de la chapelle des Pénitents-Blancs et fut ainsi sauvée. Merci les Pénitents !

***L'ancienne synagogue** (plan couleur A1)* **:** construite au XIIIe siècle, elle était le « ghetto » de Mende jusqu'à l'expulsion des juifs par l'évêque Guillaume Durand, qui récupéra tous leurs biens, sous le règne de Philippe le Bel. Remarquable porche gothique du XIVe siècle. On ne peut malheureusement plus accéder à la cour intérieure à deux étages qui rappelle un peu les patios espagnols.

***Le pont Notre-Dame** (hors plan couleur par A1)* **:** ne quittez pas Mende sans avoir vu les deux belles arches de ce pont construit au XIIIe siècle, si souvent photographié. Il enjambe le Lot. Vous verrez bien la ville d'ici. Et, au loin, vous apercevrez le mont Mimat (Mende tirant son nom d'un mot celtique : *memate*).

À faire

– ***Centre équestre de Mende :*** *ZAE du Causse d'Auge. ☎ 04-66-49-29-15. Direction Saint-Chély-d'Apcher, à 3 km de Mende.* Poney-club pour les petits, chevaux pour les grands et équitation pour tous.

– ***Base de canoë-kayak :*** *quai Petite-Roubeyrolle. ☎ 04-66-49-25-97.* Perfectionnement ou découverte.

– ***Fenêtres sur fermes :*** d'un élevage de brebis à une ferme productrice de châtaignes, de miel et de fruits, on part à la découverte des fermes de Lozère, guidé par les agriculteurs eux-mêmes. Visites gratuites ou payantes, parfois avec goûter, à réserver au moins 2 jours à l'avance. *Infos auprès de la Chambre d'agriculture : ☎ 04-66-65-62-00. • lozere.chambagri.fr •*

➢ ***Randonnée :*** découverte de la forêt du causse de Mende, à l'heure ou à la demi-journée. Balades en boucle de 1h30 à 4h environ. Infos à l'office de tourisme.

➢ ***Circuits VTT :*** circuits de 10 à 58 km autour de Mende. Itinéraires disponibles à l'office de tourisme. Également des circuits cyclo de 43 à 92 km.

➤ DANS LES ENVIRONS DE MENDE

Le moulin de Langlade : *☎ 04-66-48-02-75. À 5 km au sud de Mende. Ouv jusqu'à 19h.* Pisciculture où l'on peut pêcher sa truite saumonée ou blanche, ou mieux encore, sa truite fario vivant dans les eaux de la source Fontmaure. Pour les moins chanceux, vente de truites fumées ou non, en portions, en terrines ou en filets.

Le mausolée romain de Lanuéjols : *en contrebas de la D 41.* Bel exemple d'architecture funéraire gallo-romaine dédié à la mémoire des deux enfants de Lucius Julius Bassianus, riche Romain dont le nom est passé à la postérité grâce à l'inscription gravée sur le linteau (voir aussi, dans les pages précédentes, le chapitre « Retour sur le circuit du mont Lozère »).

Le causse de Mende : vue panoramique imprenable du mont Mimat. Accessible en voiture, en prenant la direction de l'aérodrome (celui de *La Grande*

Vadrouille !), puis c'est indiqué. Possibilité aussi d'y aller à pied, de la place du Foirail. Compter alors 2h aller et retour. Attention, ça grimpe (et ça descend forcément) ! De là, possibilité de prolonger le plaisir en se rendant aux villages abandonnés du Gerbal (3 km aller et retour) et de la Chaumette (boucle de 6 km). C'est indiqué.

LA ROUTE RÉGORDANE EN LOZÈRE

VILLEFORT

(48800) 620 hab.

Au pied du mont Lozère, sur son flanc oriental, la petite ville, ombragée et fraîche en été, est l'une des portes du parc national des Cévennes et un ancien lieu de passage des pèlerins sur la voie Régordane, qui reliait autrefois le Languedoc au Gévaudan. Ici se croisaient les caravanes descendant du Massif central, chargées de fromages, de laitages, et celles remontant avec le précieux sel, le vin, les châtaignes... Si cette évocation vous met l'eau à la bouche, ça tombe bien, vous allez pouvoir vous restaurer en traversant cette petite ville qui a encore beaucoup de cachet. Toutefois, Villefort n'a conservé qu'une poignée de belles maisons des XIVe et XVe siècles, et quelques édifices du XVIIe. L'architecture de ces demeures à double portail est typiquement régordanienne.

Adresses et info utiles

Office de tourisme : *rue de l'Église. ☎ 04-66-46-87-30. Juil-août, lun-sam 9h30-12h30, 15h-19h ; dim 10h30-13h. Le reste de l'année, lun-ven 9h-12h, 15h-17h30 ; sam 10h-12h.*

Gare SNCF : c'est bon à savoir, la ligne Paris-Nîmes via Clermont-Ferrand passe par Villefort. Tous les trains s'y arrêtent, y compris le *Cévenol. Rens : ☎ 36-35 (0,34 €/mn).*

– **Marché :** *jeu mat.* Flâner entre les étals pour dénicher les spécialités locales.

Où dormir ? Où manger ?

Camping

Camping La Palhère : *route du Mas-de-la-Barque. ☎ et fax : 04-66-46-80-63. En bordure du torrent du même nom, à 5 km de Villefort, sur la route du mont Lozère et du Mas-de-la-Barque. Ouv 1er mai-30 sept. Compter 10,50 € pour 2 en hte saison.* Accueil sympathique et cadre magnifique. Seulement 45 emplacements sur un site ombragé, ensemble très bien tenu et sanitaires impeccables. Piscine.

Bon marché

Gîte de Villefort : *Mme Thomas, Les Sédariès, 48800 Villefort. ☎ 04-66-46-84-33. • sedaries.villefort@wanadoo.fr • sedaries.free.fr • Sur les hauteurs de Villefort (accès à pied par le GR 72). Depuis le centre, suivre « Les Sédariès » (village-vacances). Nuitée 7 € en dortoir de 8 lits (gîte d'étape mai-oct) et 12 € en chambre de 3 lits (relais-étape tte l'année).* Ferme rustique restaurée, simple mais propre et bien tenue ; 28 couchages en tout. Centre équestre (où votre âne peut être pris en charge).

Prix moyens

🏠 🍽 ***Hôtel-restaurant Balme :*** *pl. du Portalet. ☎ 04-66-46-80-14. • hotelbalme@free.fr • hotelbalme.free.fr • En plein centre. Resto fermé dim soir et lun hors saison. Congés : 3e sem d'oct et de mi-nov à mi-fév. Doubles avec douche et w-c ou bains 48-57 €. Menus 21-36 € ; repas à la carte 30 €. Réduc de 10 % accordée sur le prix des chambres (sf juil-août), sur présentation de ce guide.* Une bonne maison patinée par le temps et renommée. L'hôtel fait penser aux vieilles maisons des stations thermales : même confort provincial, même ambiance *british*. Les chambres nos 1, 6 et 9 sont les plus spacieuses, six d'entre elles sont équipées de TV. Excellente cuisine du chef où se mêlent plats du terroir et spécialités d'Extrême-Orient, de Thaïlande notamment, pays que Michel Gomy connaît bien : foie gras chaud pané au pavot, canard au jus de tamarin et pour finir sur une note sucrée, l'assiette cévenole, trois desserts à la châtaigne... Cave superbement garnie.

🏠 🍽 ***Hôtel-restaurant du Lac :*** *route de Langogne, 48800 Villefort. ☎ 04-66-46-81-20. • aubergedulacvillefort@wanadoo.fr • hotel-villefort.com • Quitter Villefort en direction de La Garde-Guérin par la D 906. Au bord du lac, à 1,5 km au nord de la ville. Resto fermé lun soir et mar hors saison. Congés : de mi-déc à mi-fév. Doubles avec douche et w-c ou bains 43-58 €. Menus typiques 16-25 €. Café offert sur présentation de ce guide.* L'hôtel est une maison blanche isolée en contrebas de la route, sur la gauche. On y dort face au lac, on y mange face au lac, et on se baigne dans le lac... Spécialités lozériennes : omelette aux cèpes, truite meunière, blanquette de ma grand-mère, gâteau à la châtaigne. À déguster dans la salle à manger ou sur la terrasse panoramiques. Toutefois l'endroit est très fréquenté en saison. On ne vous promet pas d'être seul et loin du monde !

🏠 🍽 ***Mas de l'Affenadou :*** *chez Nelly Manifacier. ☎ 04-66-49-27-42 (hors saison) et 04-66-46-97-23. • manifacier.nelly@free.fr • gite-lozere.com • Sur la route du Mas-de-la-Barque ; direction gare SNCF depuis le centre de Villefort, puis suivre les panneaux. Congés : de mi-nov à avr. Doubles 45 €, 72 €/pers en ½ pens. Tâble d'hôtes le soir slt 15 €.* Coup de cœur pour la qualité de la rénovation de ce beau mas du XVIe siècle, sur le GR 44/68, en plein cœur des Cévennes. Vaste maison rustique aux chambres cosy et à l'atmosphère chaleureuse. Accueil à l'unisson et bonne cuisine familiale.

Où dormir ? Où manger dans les environs ?

🏠 🍽 ***Chambres et table d'hôtes Au Portaou :*** *Patricia Tholet et Hans-Dieter Röcher, Valcrouzès, 48800 Saint-André-Capcèze. ☎ 04-66-46-20-10. • au-portaou@wanadoo.fr • Depuis Villefort, direction Saint-André-Capcèze puis Vielvic ; et suivre les panneaux (discrets). Chambres 46 €, petit déj inclus, et ½ pens (recommandée !) 78 € pour 2. Dîner 16 € tt compris. Sur présentation de ce guide, réduc de 10 % sur le prix de la ½ pens à partir de 1 sem.* Cadre idyllique pour cette très belle adresse, isolée en pleine nature. Mas cévenol de la fin du XVIIIe siècle, superbement restauré par Martine et Hans, un couple belgo-allemand très accueillant. Deux chambres coquettes, fraîches et confortables (accès indépendant), dont une avec mezzanine, aménagée dans l'ancienne clède (où étaient séchées les châtaignes). Source et plan d'eau pour se rafraîchir, jardin en terrasse et tonnelle ombragée qui invitent à paresser en fin de journée. Délicieux repas et petit déj maison (pas moins de 25 confitures !), concoctés par Martine, et cuisine d'été pour s'offrir un en-cas après la balade. Dans la partie la plus ancienne du mas, gîte agréable et tout confort (4-6 personnes). Une adresse rare et simple à la fois, propice aux séjours prolongés... Possibilité de séjours et stages à thème.

Où acheter de bons produits ?

Les délices de nos fermes : *à l'entrée de Villefort en venant de La Garde-Guérin.* Petite boutique de vente directe de producteurs locaux. Terrines, charcuterie, miel, confitures, etc. De quoi faire un bon pique-nique. Et pour le méchoui, livraison d'agneau fermier une fois par semaine !

Mas de l'Affenadou : *voir plus haut « Où dormir ? Où manger ? ». Ouv d'avr à mi-nov.* Nelly et son mari assurent également la production et la vente de produits fermiers : foie gras, confit...

À voir

La rue de l'Église : très belles maisons avec des façades Renaissance. La mairie date du XVe siècle.

Le pont Saint-Jean : original, avec ses deux arches inégales et son aspect en dos d'âne. Au pied du pont, ancien lavoir pittoresque.

LA GARDE-GUÉRIN (48800)

En remontant vers le nord, juste à côté de Villefort, on découvre ce village semblant surgir de nulle part. De loin, on remarque cette haute tour carrée dressée au-dessus du vide : les gorges du Chassezac. Et puis une poignée de maisons en grosse pierre, refuges d'intellectuels et d'artistes dès la belle saison. L'endroit est superbe. C'est l'un des plus beaux villages de Lozère, sans nul doute. D'ailleurs, il est classé parmi les « plus beaux villages de France ». Mais le revers de la médaille, c'est la foule qui débarque en été. Alors, vous nous avez compris, venez de préférence hors saison. Encore mieux : au cœur de l'hiver, quand la « tourmente » gagne le mont Lozère tout proche.
À noter : la circulation est interdite dans le village. On laisse sa voiture au parking à droite en arrivant.

UN PEU D'HISTOIRE

Ce village n'est pas le fruit du hasard : c'était une étape importante sur la voie Régordane. Peut-être l'une des plus attendues par les pèlerins, venus du Puy-en-Velay et se rendant à Saint-Gilles-du-Gard, en Camargue, mais aussi par les marchands, et tous les voyageurs en général. Une première citadelle, fondée au Xe siècle par les seigneurs de Tournel, servait en effet de base aux puissants seigneurs *pariers,* chargés d'assurer le guidage et la protection des voyageurs. Ils jouaient le rôle de gendarmes, percevant une taxe sur chaque passage. D'où leur fortune et les nombreux ennuis qu'ils connurent par la suite. Jaloux de leur pouvoir, l'évêque de Mende fit démanteler la citadelle de La Garde-Guérin au XIIe siècle afin d'y rétablir sa suzeraineté.

Où dormir ? Où manger ?

Auberge Régordane : *dans la rue piétonne du village médiéval. ☎ 04-66-46-82-88. • pierre.nogier@free.fr • regordane.com • ♿ (resto). Ouv de mi-avr à mi-oct. Doubles 55-66 € ; possibilité de ½ pens. Formule 13 € en sem ; repas à la carte env 30 €.* Un vieux manoir du XVIe siècle aux murs épais. C'est une des bonnes tables de Lozère où l'on vous sert truites, bœuf de l'Aubrac, agneau des causses, dans une jolie salle souvent pleine. L'accueil impeccable de Pierre et Philippe Nogier et le cadre en font une belle étape sur la route Régordane. On peut revenir plusieurs siècles en arrière en s'attablant à la terrasse dans la cour pavée du manoir.

Où dormir ? Où manger dans les environs ?

Gîte La Butinerie : *dans Albespeyres (ne pas rater l'entrée du village). ☎ 04-66-46-06-47. • labutinerie.com • Quitter la D 906 à droite, juste après La Garde-Guérin. ½ pens 35 €/pers. Apéro et café offerts sur présentation de ce guide.* Dans ce gîte tenu par une dame fort sympathique, il y a un âne, un chien, des poules et surtout des départs pour de superbes promenades vers les gorges de Chassezac.

Gîte d'étape et Hôtel-restaurant des Sources : *à Mirandol, 48250 Chasseradès. ☎ 04-66-46-01-14. • info@hotel-des-sources.fr • hotel-des-sources.fr • ♿ (1 chambre). Sur le sentier de Stevenson, à 3 km de Chasseradès et à 10 km de La Bastide, une ancienne grange dont la rénovation a quelque peu transformé la vie du petit village de Mirandol. Resto fermé dim soir hors saison. Congés : déc-janv. Nuitée en gîte 14,50 €. Doubles avec douche et w-c 44 € ; ½ pens 39 €/pers. Sinon menus 13,50 € en sem et 18-26 €. Apéritif maison offert sur présentation de ce guide.* Côté hébergement, un gîte de 16 lits, simple et bien tenu, avec cuisine équipée (possibilité de location au w-e et à la sem) et des chambres d'hôtel plus classiques, la plupart fraîchement rénovées et dotées de sanitaires privés. Et puis il y a la vue sur le jardin, le petit pont et le ruisseau ! Au resto, cuisine traditionnelle de bon aloi : charcuterie maison, grenouilles à la provençale, poulet aux écrevisses, tête de veau...

À voir. À faire

Faire le ***tour du village*** à pied. C'est minuscule.

Le donjon : ultime vestige du château des seigneurs *pariers,* il se dresse (22 m de haut) au bout du village. Superbe vue sur les gorges de Chassezac. Au pied du donjon, soyez à l'écoute des « Confidences du Terroir » : des exposants de toutes sortes viennent animer cette grange, en juillet-août 10h-19h.

L'église romane : *juste au pied de la tour.* D'époque romane, elle renferme de beaux chapiteaux sculptés.

LA BASTIDE-PUYLAURENT (48250) 160 hab.

Tout n'est pas roman et chargé d'une histoire médiévale en Lozère. Même ce département, dont on disait au XIXe siècle dans les salons parisiens qu'il était tellement perdu qu'on ne pouvait y aller sans courir de risque, a connu les effets de la révolution industrielle. La Bastide en est un exemple flagrant. Le village s'est développé grâce à la création de la ligne de chemin de fer Paris-Nîmes.

Où dormir ? Où manger ?

Gîte L'Étoile : *route de Mende. ☎ 04-66-46-05-52. • welcome@etoile.fr • etoile.fr • Ouv de mi-mai à mi-sept. Résa obligatoire. Compter 40 € (dortoir)-48 € (double)/pers en ½ pens (obligatoire). Panier pique-nique 7 €.* Un gîte installé dans un ancien hôtel à la façade rétro, confortable et propre. Hébergement en dortoir ou en chambres d'hôtes. Reçoit essentiellement des randonneurs qui sont tellement heureux d'y déposer le soir un sac devenu bien lourd... Copieux petit déj (pain maison) et repas pantagruélique (arrosé de bières belges). L'accueil sympa, la véranda et le grand jardin en font un vrai lieu de détente.

➤ DANS LES ENVIRONS DE LA BASTIDE-PUYLAURENT

L'abbaye de la Trappe Notre-Dame-des-Neiges : *à 4 km de La Bastide par la D 4.* Imperceptiblement, on se retrouve en Ardèche. Pas d'architecture exceptionnelle, les bâtiments datant du XIXe siècle, mais une sorte de « bout du monde » empreint de sérénité. Pas étonnant que le père Charles de Foucault ait choisi d'y faire une retraite avant de partir dans le Sahara. Pour ceux qui le souhaiteraient, possibilité de rester quelques jours pour tenter l'expérience.

LANGOGNE

(48300) 3 400 hab.

Aux confins de la Margeride, du Velay et du Vivarais, ce gros bourg agricole et commerçant abrite plusieurs hôtels et de nombreux commerces.
Dans la vieille ville, les maisons encerclent la place de l'Église, ce qui lui confère une originalité certaine... à défaut d'un charme réel. À proximité, le lac de Naussac draine de nombreux estivants, profitez-en !

GARGANTUA OU L'APPÉTIT... DE VIVRE !

Selon la légende, Gargantua serait passé par Langogne, où sa joie de vivre aurait consolé tous les habitants. Pour lui rendre hommage, une tête monumentale du géant de Rabelais parcourt la ville lors du corso fleuri de la fête votive (le premier week-end d'août), et ce depuis 1869 !

Adresse utile

Office de tourisme : *15, bd des Capucins.* ☎ *04-66-69-01-38.* • *langogne.com* • *Juil-août, lun-sam 9h-12h, 14h30-18h, dim 10h-12h ; hors saison, lun-sam 9h-12h, 14h-18h.* Brochures sur les hébergements, les sorties, les visites sur Langogne et son canton.

Où dormir ? Où manger ?

De bon marché à prix moyens

Modest-Inn – Chambres d'hôtes chez Philippe Blanc : *2, rue de la Honde.* *06-07-61-55-66.* • *philippe.blanc@gr70.com* • *gr70.com* • *Dans une petite rue donnant sur l'avenue Foch, à 20 m d'une station-service. Ouv de mi-mars à mi-nov. Résa conseillée. Doubles 40 €. Repas d'aligot le soir sur résa 18 € tt compris. Apéritif maison et café offerts sur présentation de ce guide.* Cinq chambres à thème avec sanitaires privés dans cette maison rurale à l'atmosphère décontractée et à l'accueil parfois un peu bourru, qui ne cherche pas à jouer la carte charme (autant vous prévenir). Déco sympa et plein d'attentions pour les hôtes : bibliothèque, billard, vidéothèque et bar-accueil où l'on retrouve les copains du patron.

Villa Les Roches : *chez Christine Cooper.* ☎ *04-66-46-69-53.* • *info@villa-les-roches.com* • *villa-les-roches.com* • *Avr-fin oct. Doubles 50 €, petit* *déj inclus. Table d'hôtes 18 € en avr-mai.* Superbe adresse un peu à l'écart du village. Une grande villa des années 1930, surplombant la rivière. Cinq chambres à thème, coquettes, spacieuses, claires et tout confort. Calme absolu et environnement verdoyant. Belles vérandas Art déco où prendre les petits déj et les repas copieux. Atmosphère cosy à souhait (parquet, meubles chinés) et ambiance *British* à l'image de votre hôtesse, charmante.

***Restaurant Le Boulodrome :** 7, rue du Boulodrome. ☎ 04-66-69-06-49. Situé juste à côté du... boulodrome ! Fermé mar soir et mer soir hors saison. Congés : vac de Noël. Menus 11,50 € le midi slt (sf dim et j. fériés), puis 14,50-20 €. Compter 17 € à la carte.* Cuisine familiale soignée et goûteuse servie dans la bonne humeur. Du traditionnel pur jus : tête de veau ravigote, ris de veau... Une adresse très populaire dans le coin.

Où dormir ? Où manger dans les environs ?

Campings

***Camping en ferme d'accueil :** chez Martine et André Leydier, à Briges, 48600 Auroux. ☎ 04-66-69-21-25. Ouv mai-oct. Compter 7 € en hte saison pour 2 avec voiture et tente.* Toute petite aire naturelle de camping, avec vue sur le lac de Naussac (départ du GR 412, qui rallie Langogne en 2h30). Pelouse et sanitaires impeccables, frigo à disposition. Pas beaucoup d'ombre mais un environnement agréable et des prix très modestes.

***Camping du Pont de Braye :** 48300 Chastanier. ☎ 04-66-69-53-04. Ouv de mi-mai à mi-sept. Emplacements pour 2 avec voiture et tente 12,50 € en hte saison.* Petit camping tranquille de 35 emplacements, dans un site agréable, au bord de la rivière Chapeauroux (très prisée des pêcheurs de truites). Simple, propre et familial.

De bon marché à prix moyens

***Le Refuge du Moure :** chez Agnès et Christian Simonet, 48300 Le Cheylard-l'Évêque. ☎ 04-66-69-03-21. • contact@lozere-gite.com • lozere-gite.com • À 10 km au sud de Langogne, en bordure de la forêt de Mercoire. Avr-Toussaint, fermé midi. Nuitée en dortoir 15 €, chambres d'hôtes 52-60 € selon confort, petit déj inclus. Table d'hôtes le soir 18 €.* Christian a été intendant d'expéditions polaires, équipier dans l'Himalaya, guide de pêche en Alaska, mais aussi cuistot dans une gargote chinoise à New York, dans un resto mexicain à Tijuana, et on en oublie ! Ce qui explique pourquoi les voyageurs de passage sont chaleureusement reçus par ce bourlingueur – et sa gentille femme – dans sa solide maison de granit. Chambres d'hôtes impeccables, soigneusement décorées, vieux parquet, salles de bains nickel, etc. Jolie suite thaïe en duplex (louée à partir de 3 nuits) à découvrir... Environnement sauvage propice aux randos, nombreuses activités proposées. Et de joyeux moments à partager autour de la table unique, à déguster une cuisine venue des quatre coins de la planète. Pour la pause café ou apéro, tables en terrasse face à l'église du hameau. Une belle adresse.

***Le Relais de Palhères :** au hameau de Palhères, 48300 Rocles. ☎ 04-66-69-21-41 ou 55-40 (relais équestre). • infos@relais-palheres.com • relais-palheres.com • Nuitée en dortoir 22 € et doubles 45 €, ½ pens (recommandée) 45 €/pers. Menus 14-19 € sur commande.* Un relais équestre en pleine nature, entouré de forêts et surplombant le lac de Naussac. Logement modeste mais très correct dans des petites maisons en bois qui s'intègrent bien au paysage, tendance « ma cabane au Canada ». Dortoir pour les cavaliers et les randonneurs ou chambres avec sanitaires privés. Au resto, bonne petite cuisine de terroir, servie copieusement. Accueil sympathique.

Chambres d'hôtes Les Genêts d'Or : *chez Michèle Bandon, à Pomeyrols, 48300 Naussac. ☎ 04-66-69-17-47. • lozere-online.com/lesgenets-dor • À 7 km de Langogne, une belle adresse dans ce hameau de Pomeyrols proche du lac de Naussac. Ouv Pâques-Toussaint. Doubles 45 € et triples 52 €, petit déj compris ; 13 € par lit supplémentaire.* Dans les chambres, dotées chacune d'un nom de fleur, belles peintures murales, qui prolongent la surprise ressentie devant la décoration de l'ensemble de la maison.

Où acheter de bons produits ?

Maison Fages : *27, bd Charles-de-Gaulle. ☎ 04-66-69-06-58. Fermé dim (et lun hors saison).* Fricandeaux du Gévaudan, caillettes aux herbes, pâté de cèpes ou aux orties, maôche (spécialité régionale), on trouve de quoi remplir le panier pique-nique chez Mme Fages.

À voir

L'église Saint-Gervais-et-Saint-Protais : encerclée par les vieilles maisons du centre, elle abrite 85 chapiteaux sculptés dans le granit, qui en font la plus belle église de style roman bourguignon du Gévaudan.
À l'intérieur, la première chapelle à droite, située à l'emplacement d'un sanctuaire plus ancien, est dédiée à Notre-Dame de Tout Pouvoir. On y voit une statue en bois recouverte de métal. Ce serait la fondatrice de l'église, Angelmodis, qui l'aurait rapportée de Rome lors d'un voyage au XIe siècle. Peinée que l'église soit sous la protection de saint Gervais et de saint Protais et que la Vierge soit reléguée au second rang, la vicomtesse de Langogne entreprit d'aller voir le pape, qui, pour la consoler, lui donna une statue se trouvant dans un coin d'escalier de son palais. De retour à Langogne, la statue fut reçue avec éclat par la population, qui vénéra spontanément la Vierge. Encore aujourd'hui, elle est célébrée chaque année avec une procession.

Les remparts : il s'agit de cette ceinture d'habitations autour de l'église. Des remparts proprement dits, il reste ces cinq demi-tours, encore habitées.

La halle : avec ses piliers en granit, son toit de lauzes, ce joli bâtiment de 1742 abrite toujours le marché de Langogne.

La filature des Calquières : *23, rue des Calquières. ☎ 04-66-69-25-56. Ouv tte l'année ; se renseigner pour les horaires. Entrée : 6 € adulte ; 4 € enfant.* Ne manquez pas la visite de cet authentique lieu d'histoire, témoignage bien vivant d'une activité autrefois essentielle dans la région. Vous découvrez la richesse d'un patrimoine industriel intact, classé Monument historique, et partagez la pratique d'un ancien métier qui faisait vivre une dizaine d'ouvriers. Actionné par la roue à aubes et la magie de l'eau, un ensemble unique de machines du XIXe siècle transforme devant vos yeux la laine brute en un écheveau prêt à être tricoté. L'espace muséographique vous permet de toucher, de manipuler cardes, métiers à tisser et de tester vos connaissances sur les bornes interactives. Scénographie originale, diaporama et boutique artisanale complètent la visite.

Le train touristique des Gorges de l'Allier : *au départ de Langogne ou de Langeac. ☎ 04-71-77-70-17 (saison) ou 04-66-69-01-38 (hors saison). Deux formules au choix : visite guidée seule (19 € ; réduc) ou journée organisée avec visite de Langogne, de la filature et de la salmoniculture (28 € ; réduc).* Un trajet de 1h45 avec visite commentée par un guide du patrimoine. Aucune route ne passe ici, le train est donc une bonne façon de découvrir ces paysages façonnés par l'eau et les volcans.

DANS LES ENVIRONS DE LANGOGNE

Luc *(48250) : à 12 km au sud par la D 906.* Déjà peuplé à l'époque celtique, *Lucus*, nom qui signifie « Bois sacré » dans la langue de l'époque, fut dédié au dieu Mercure. Au Xe siècle, la forteresse gauloise est remplacée par un château fort, un vrai. En 1380, les trois coseigneurs du coin sortirent vainqueurs d'un combat terrible contre plus de 2 000 Anglais. L'endroit était donc sûr et le château solide. Le site vaut le coup d'œil, et, en attendant que les travaux de l'association restaurant le château permettent une découverte plus approfondie, on peut faire une visite rapide tous les après-midi en juillet-août, 15h-19h.

Saint-Flour-de-Mercoire *(48300) : à 5,5 km au sud par la N 88.* Vieille église romane du Xe siècle. Très beau portail en plein cintre et, à l'intérieur, deux beaux chapiteaux sculptés de têtes naïves.

LA MARGERIDE

Comme l'Aubrac, en moins aride, la Margeride reste l'un de ces no man's land dont la Lozère a le secret. Sur les cartes, on l'appelle les monts de la Margeride : c'est plutôt un long et haut plateau, battu par les vents de l'hiver, parsemé de forêts profondes et ponctué de petits villages, « concentrés » d'humanité au milieu de ces immenses étendues. Soixante kilomètres de long sur une trentaine de large, ce beau terroir, naguère inclus dans le Gévaudan, commence à s'élever vers Saint-Flour dans le Cantal puis s'achève vers Mende et la vallée du Lot, au sud. À l'est, Langogne marque véritablement sa limite et le début du Velay et du Vivarais, autres pays aux noms évocateurs. La partie la plus dépeuplée du massif se situe entre Grandrieu et Châteauneuf-de-Randon, dans ces paysages désolés, certes, mais non dénués de grandeur. Amateurs d'horizons lointains : tous en Margeride ! Amoureux du silence : venez par ici, sur cette terre où quelques bonnes rivières à truites prennent leur source, avant de caracoler entre les muretins de pierre des pâturages à vaches. Paysages dorés par la lumière du soir ou capables de prendre des tonalités plus graves les jours d'orage. On y pratique la cueillette en tout genre : champignons, lichens, myrtilles, narcisses.

CHÂTEAUNEUF-DE-RANDON (48170) 530 hab.

Incontestablement l'un des plus beaux villages de Lozère. Une sorte de nid d'aigle au sommet d'une grosse colline qui domine toute la région. Des échappées et des perspectives lointaines. Et puis, surtout, cette curieuse grande place pavée à l'ancienne, presque disproportionnée par rapport à la taille du village, où l'on ne voit aucune boutique de souvenirs, rien de tapageur dans le décor patiné, authentique. On a bien aimé cette place balayée par les vents et les nuages, avec sa statue de Du Guesclin, et ses petits cafés, qui n'ouvrent plus, pour certains, qu'aux grandes occasions.

Où dormir ? Où manger ?

🏠 🍽 ***Hôtel de la Poste :*** *l'Habitarelle. ☎ 04-66-47-90-05. • contact@hoteldelaposte48.com • hoteldelaposte48.com • ♿ Situé tt à fait au pied de la colline, au carrefour de l'Habitarelle. Resto fermé ven soir, sam midi et dim soir, sf juil-août. Congés : Noël-fin janv, fin juin-début juil et 1re quinzaine de nov. Doubles avec douche ou bains 45,50-48,50 €. Possibilité également de loger dans l'annexe, en face, plus sommaire et moins chère. Plat du jour 8,50 € et menus 15,50-32,50 €. Réduc de 10 % à partir de la 2e nuit (sf juil-août) sur présentation de ce guide.* La plupart des chambres donnent sur la campagne. Elles sont modernes et rigoureusement propres. Mais c'est surtout la salle de restaurant, aménagée dans une ancienne grange, qui mérite le coup d'œil. Le chef concocte une copieuse cuisine dans la tradition lozérienne, rehaussée par une jolie carte des vins. Bon rapport qualité-prix pour le menu terroir, avec entrée, plat, plateau de fromages, dessert et verre de vin ! Service efficace et aimable.

Où dormir ? Où manger dans les environs ?

De bon marché à prix moyens

🏠 🍽 ***Chambres d'hôtes L'Ousta de Baly :*** *chez Jeannette et Daniel Valy, Le Giraldès, 48170 Arzenc-de-Randon. ☎ 04-66-47-93-62. • loustadebaly@yahoo.fr • Congés : janv-mars. En ½ pens slt, 35 €/pers.* Cadre et chambres agréables pour cette adresse au cœur de la Margeride. Vous allez pouvoir vous régaler de spécialités locales à la table d'hôtes des Valy. Si vous n'avez pas encore goûté la *moche*, la *flecque*, la *coupetade*, vous n'y couperez pas !

🏠 🍽 ***La Fustière – Chambres d'hôtes et table paysanne :*** *48170 Arzenc-de-Randon. ☎ 04-66-47-97-72. • la.fustiere@free.fr • la.fustiere.free.fr • À env 1,5 km d'Arzenc-de-Randon, par la D 3. Compter 35 €/pers en ½ pens.* En pleine Margeride. Environnement superbe le long de cette petite départementale à 1 250 m d'altitude, avec un vieux pont de pierre et la rivière qui glougloute juste en bas... Une merveille d'adresse « routard », authentique, chaleureuse et conviviale. Ferme rustique avec salle à manger traditionnelle et vieux cantou. À l'étage, seulement deux chambres (jusqu'à 5 personnes) pour les hôtes, vastes, agréables et tout confort. Accueil adorable des propriétaires et bonne cuisine familiale à base de produits fermiers. C'est aussi un relais équestre, « accueil paysan » et « accueil pêche ». Un coup de cœur dans ce coin sauvage de Lozère, 100 % nature !

🏠 🍽 ***Chambres d'hôtes et gîte, chez Alexis et Françoise Amarger :*** *hameau de Giraldès. ☎ 04-66-47-92-70. • alexis.amarger@libertysurf.fr • vacances-en-lozere.com • À 10 km à l'ouest de Châteauneuf-de-Randon, après Arzenc-de-Randon, sur la D 3. Ouv tte l'année. Doubles avec sanitaires (w-c sur le palier) 40 € ; ½ pens 28,50-35 €/j./pers. En gîte, nuitée 12 €. Sur présentation de ce guide, 10 % de réduc sur le prix de la chambre, sf juil-août.* Une ferme d'élevage (d'aurochs, entre autres) au cœur d'une belle nature, où passe le GR du tour de Margeride. Les propriétaires ont d'ailleurs créé un petit musée sur la Margeride et les aurochs. À table, tout est fait maison.

🏠 🍽 ***Ferme de Saltel :*** *48700 Rieutord-de-Randon. ☎ 04-66-47-38-51. • fermedesaltel@wanadoo.fr • ozere.com/ferme/saltel.html • ♿ Sur la RN 106, au lieu-dit Baraque-de-Saltel ; à la sortie de Rieutord en direction de Mende. De fin mars à mi-nov. Doubles avec douche et w-c ou bains 45-55 € ; ½ pens 45-55 €/j./pers. Menus 13 € midi en sem et 17-36 €. Digestif maison offert sur présentation de ce guide.* Une bonne étape pour un festin où le canard est roi, avec du vrai foie gras maison au menu. Comme dit l'accueillant patron, « gavage du client garanti », ou encore

« client non plumé ». Des plats copieux et goûteux à déguster dans la salle rénovée ou sur les quelques tables en terrasse. On peut aussi loger dans le gîte ou dans de charmantes chambres décorées avec du vieux bois. Un peu proche de la nationale toutefois, même si elle reste peu fréquentée.

À voir

Le cénotaphe de Du Guesclin : *à côté de l'*Hôtel de la Poste, *au carrefour de l'Habitarelle.* Petit monument en granit élevé au XIXe siècle, au bord d'une route bien banale. Le connétable de France, né vers 1320 en Bretagne, est représenté allongé en tenue de chevalier, les pieds posés sur un lion. Une inscription dit : « Ici le 13 juillet 1380 Bertrand Du Guesclin a reçu sur son lit de mort les clefs de Châteauneuf-de-Randon pris aux dernières compagnies. Précurseur de Jeanne d'Arc dans l'œuvre de relèvement national. » En fait, il a littéralement chassé les Anglais hors de France. Dans sa fin, il y a quelque chose de tragi-comique : on dit qu'il est décédé après avoir bu une eau trop froide. Sorte d'hydrocution, en somme.

Le petit musée Du Guesclin : *sur la place du village, dans l'*hôtel Du Guesclin. *Ouv le mat en sem aux mêmes horaires que la mairie et tlj en juil-août 10h-12h, 14h30-18h30. Gratuit.* Évoque la vie du connétable. Pour les fans ou ceux qui veulent se replonger dans cette période de l'histoire de France.

Les ruines de la tour des Anglais : *au nord du bourg.*

L'observatoire, d'où l'on a une superbe vue sur le pays.

➤ DANS LES ENVIRONS DE CHÂTEAUNEUF-DE-RANDON

La ferme de la Toison d'Or : *à Meyrilles, 48170* ***Saint-Jean-de-la-Fouillouse.*** *☎ 04-66-69-53-17. Fléché à partir de la D 988. Ouv de mi-juin au 10 sept ; sur résa en juin et sept. Visite : 5 € ; réduc.* René fait habilement partager sa passion des animaux à laine : chèvres, lapins, moutons, lamas, alpagas et même cochons ! Le tout au beau milieu de la Margeride. Une aire de jeux et un musée ont ouvert et il faut désormais compter 2h de visite sur le circuit.

LA ROUTE DE CHÂTEAUNEUF À SAINT-ALBAN-SUR-LIMAGNOLE

De Châteauneuf-de-Randon vers Saint-Alban, la beauté de cette région va vous toucher. Pour une meilleure approche de la Margeride, nous vous conseillons d'emprunter cette longue route sauvage qui passe par la baraque des Bouviers (1 430 m) et traverse des paysages que l'on ne risque pas d'oublier. À la différence de l'Aubrac, la Margeride est boisée. Mais point de paysages escarpés et torturés par les aléas du temps. On traverse une alternance de forêts profondes, remplies de champignons et très giboyeuses, de prairies où paissent tranquillement les belles vaches aubrac, de landes couvertes de genêts et de fleurs sauvages au printemps, de bruyères, de muretins et de blocs de granit érodés par la pluie et la rigueur des hivers. Des dizaines de kilomètres de bonheur ! Alors profitez-en pendant l'arrière-saison. Un paysage harmonieux où l'on rencontre peu de voitures, avec l'impression de traverser un monde à part.

Où dormir ? Où manger dans les environs ?

Chambres d'hôtes du Mas de Bonnaude : *chez Chantal Schwander, 48600 Laval-Atger. ☎ 04-66-46-46-01. • chantal@bonnaude.fr • bonnaude.*

com • À 5 km au nord-est d'Auroux. Ouv tte l'année sur résa. Doubles 51-84 € selon confort et saison, petit déj compris. Table d'hôtes 20 €. Dans un site isolé mais pas désolé pour autant, vous serez accueilli dans deux authentiques fermes du XVIIe siècle. Belle vue sur la vallée. Pour un séjour de charme, difficile de trouver mieux. Ce petit hameau rénové perdu de la Margeride propose également piscine et tennis à ses hôtes.

SAINT-DENIS-EN-MARGERIDE

Tout petit village isolé au milieu d'un vaste paysage de bois et de prairies, dans le creux d'un vallon. Remarquer le vieux manoir en granit, très imposant, à gauche en sortant du bourg, et la petite église juste en face. Saint-Denis est le point de départ d'un joli sentier de randonnée, le PR Truc de Malbertès, 11 km de balade (3h) à la découverte des trucs, rocs granitiques et croix bordant le chemin (balisage jaune, topoguide P43A *Sur les traces de la bête du Gévaudan*).

Où manger ?

Café-restaurant Le Margeride : *petite maison à droite dans la rue principale du village. ☎ 04-66-47-41-09. Fermé jeu soir et 1re quinzaine de janv. Ouv tlj à midi, le soir slt sur résa. Menu 12,50 €, vin et café compris. Café offert sur présentation de ce guide.* Une de nos bonnes adresses en Margeride. La spécialité de Viviane Bonnet, ce sont les plats à base de pommes de terre (truffade, aligot). En semaine, l'ambiance est celle d'un petit resto ouvrier de campagne. Viviane pourra vous dire quels sont les bons coins de forêt pour ramasser des champignons.

LA BARAQUE DES BOUVIERS

Le col culmine à 1 430 m, dans un beau paysage en plein cœur de la Margeride. Pendant longtemps, ce coin perdu fut oublié du reste de la Lozère. Puis le département a décidé d'en faire une petite station pour les skieurs de fond, qui est d'ailleurs devenue un lieu d'entraînement pour l'équipe de France. Une dizaine de petits chalets en bois, un bureau d'information, des studios à louer : tout ce qu'il faut pour accueillir les amateurs de randonnées à ski... ou à pied. Il y a beaucoup d'autres endroits perdus en Margeride qui s'appellent aussi baraque : baraque de Boislong près de La Villedieu, baraque du Cheval-Mort près d'Estables...

➢ Nombreuses ***randonnées*** à faire dans les environs. Le GR 43 passe ici. Le centre de loisirs (☎ 04-66-47-41-54) en face de la *Baraque des Bouviers* fournit quelques infos et propose la location de VTT en saison. *Infos plus complètes au syndicat d'initiative de Grandrieu : ☎ 04-66-46-34-51. • grandrieu-tourisme.com •*

Où dormir ? Où manger ?

La Baraque des Bouviers *(bar-restaurant) : au sommet du col. ☎ 04-66-47-31-13. ♿ Fermé lun soir et mar. Congés : 20 nov-20 déc. Formule et menus 12-24 €. Café offert sur présentation de ce guide.* Vous verrez une cloche au-dessus de la porte d'entrée de ce bar-restaurant. Autrefois, on la sonnait pour orienter les pèlerins, les routiers, les voyageurs surpris par la « tourmente ». Il faut dire qu'ici les hivers sont particulièrement rudes : 10 à 15 °C au-dessous de zéro. Menus simples, copieux et roboratifs, casse-croûtes et boissons pour faire une simple pause. Tables en terrasse au bord de la route et grande salle de resto. Quelques chambres pour dépanner. Accueil sans chichis.

Gîte d'étape : *au sommet du col,*

juste à côté de La Baraque des Bouviers. ☎ *04-66-48-48-48 (résa) ou 04-66-47-41-54 (infos). Nuitée autour de 13 € en hte saison.* Centre VTT, FFC, centre labellisé France ski de fond, accueil des cavaliers. Fait également point d'infos touristiques en saison.

SAINT-ALBAN-SUR-LIMAGNOLE (48120) 1 600 hab.

Petite ville agréable construite sur le flanc ouest de la Margeride, tout en escaliers et ruelles en pente. Au bord de la rue principale, une belle église romane et, tout en haut du village, dominant la vallée, un château cédé au département au XIXe siècle, à l'origine forteresse médiévale construite sur les ruines d'un antique « castel ». Très jolie route par la vallée du Guitard en venant de Rimeize.

Adresse utile

ℹ ***Office de tourisme :*** *dans le château, en haut du village.* ☎ *04-66-31-57-01. Juil-août, lun-sam 9h-12h30, 13h30-18h30 (17h30 sam). Horaires restreints le reste de l'année.* Documentation sur Saint-Alban et les alentours.

Où dormir ? Où manger à Saint-Alban et dans les environs ?

De bon marché à prix moyens

🏠 🍽 ***Hôtel-restaurant du Centre :*** *32, Grande-Rue, à Saint-Alban-sur-Limagnole.* ☎ *04-66-31-50-04. Fax : 04-66-31-50-76. Resto fermé en hiver. Doubles 25-46 € selon confort et taille. Menus 11 € midi en sem, puis 13-32 € et carte. Café offert sur présentation de ce guide.* Son logo est une coquille Saint-Jacques, pour rappeler que Saint-Alban était autrefois une halte pour les pèlerins sur le chemin de Saint-Jacques-de-Compostelle. Les cloches vous réveilleront d'ailleurs à 7h. Une maison propre et familiale, sans prétention mais très correcte. Resto sur place, bar, tabac, etc.

🏠 🍽 ***L'Oustal de Parent :*** *Les Faux, à Saint-Alban-sur-Limagnole.* ☎ *04-66-31-50-09.* • *oustal-de-parent@wanadoo.fr* • *oustaldeparent.com* • ♿ *Depuis Saint-Alban, prendre la D 987 vers le nord, c'est à 5 km. Ouv fin janv-fin déc. Resto ouv tlj midi et soir. Nuitée en gîte d'étape (jusqu'à 19 pers) 11 €. Doubles 35-55 € selon confort et saison. Menus 10 € (à midi sf dim)-35 €.* Grande maison traditionnelle restaurée. Elle abrite un très bon resto de cuisine traditionnelle, très apprécié des gens du coin. C'est un signe ! Et pour cause, l'accueil y est charmant et l'on s'y régale effectivement de goûteux mets régionaux, servis avec le sourire : saucisse aligot, ris d'agneau et tartes maison. Il est préférable de réserver.

🏠 🍽 ***Chambres et table d'hôtes Les Sapins Verts :*** *chez Marie-Paule et Louis Crueize, à Chazeirollettes, 48700 Fontans.* ☎ *04-66-48-30-23.* • *lessapinsverts.com* • *À 6,5 km de Saint-Alban par la D 4 vers Serverette ; monter ensuite vers le village et suivre les flèches. Doubles avec douche et w-c 52 €, petit déj inclus. Repas le soir (sur résa) 12,50-28 € tt compris.* Une belle adresse perdue dans un paysage typique de la Margeride. Cinq chambres tout confort, chacune personnalisée.

🍽 ***Auberge Les Amarines :*** *Christine et Rolland Gauzy, 48700 Serverette.* ☎ *04-66-48-31-15.* ♿ *À la sortie du village, direction Saint-Chély (RN 106).*

PLANS ET CARTES EN COULEURS

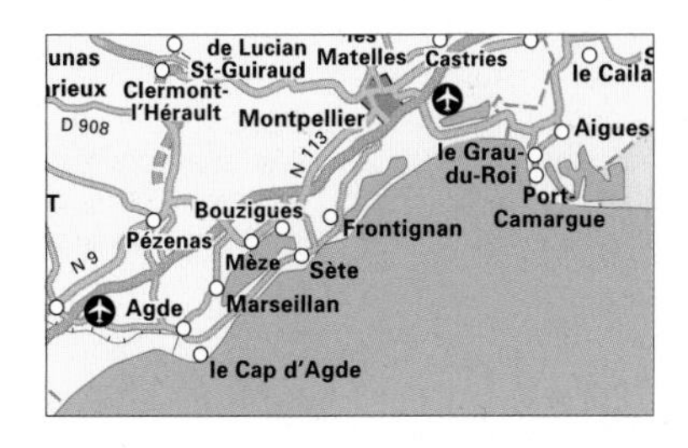

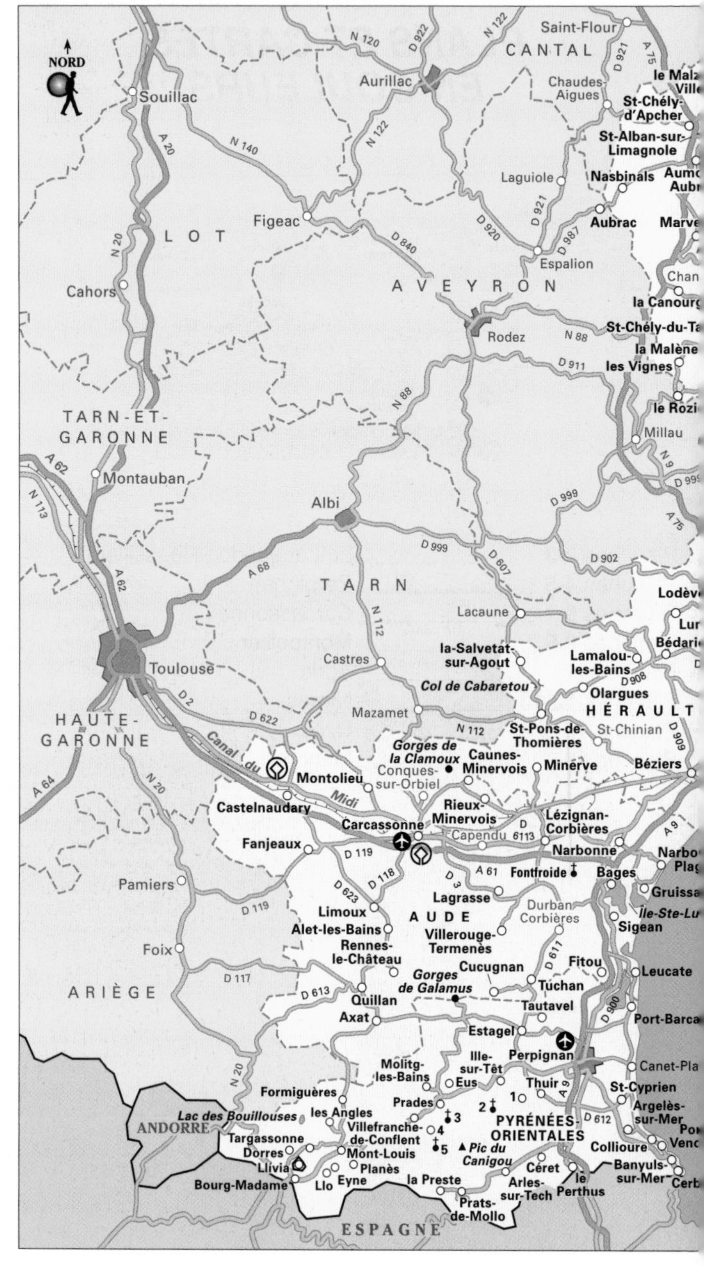
NORD
Saint-Flour
CANTAL
N 120
D 922
N 122
A 75
D 921
Aurillac
Chaudes-Aigues
St-Chély-d'Apcher
St-Alban-sur-Limagnole
Souillac
N 140
A 20
N 122
Laguiole
Nasbinals
Aubrac
Figeac
D 840
D 920
D 921
D 987
Espalion
N 20
L O T
Cahors
A V E Y R O N
Rodez
N 88
St-Chély-du-Tarn
la Malène
les Vignes
D 911
N 88
le Rozier
Millau
TARN-ET-GARONNE
A 62
Montauban
N 113
N 9
D 999
Albi
D 999
A 75
A 68
D 999
D 607
D 902
A 62
T A R N
N 112
Lodève
Lacaune
la-Salvetat-sur-Agout
Lamalou-les-Bains
Toulouse
Castres
Col de Cabaretou
D 908
Olargues
D 2
Mazamet
HÉRAULT
HAUTE-GARONNE
D 622
N 112
St-Pons-de-Thomières
St-Chinian
D 909
Canal du Midi
Gorges de la Clamoux
Caunes-Minervois
Minerve
Béziers
A 64
N 20
Montolieu
Conques-sur-Orbiel
Castelnaudary
Rieux-Minervois
Lézignan-Corbières
Carcassonne
Capendu
D 6113
A 9
Fanjeaux
D 119
Narbonne
D 118
D 3
A 61
Fontfroide
Bages
Pamiers
D 623
Lagrasse
Gruissan
D 119
Limoux
Durban-Corbières
Île-Ste-Lucie
A U D E
Sigean
Alet-les-Bains
Villerouge-Termenès
Foix
Rennes-le-Château
D 611
Fitou
Gorges de Galamus
Cucugnan
Leucate
D 117
Tuchan
ARIÈGE
D 613
Quillan
Tautavel
D 900
Axat
Estagel
Perpignan
Ille-sur-Têt
Molitg-les-Bains
Canet-Plage
N 20
Eus
Thuir
St-Cyprien
Formiguères
Prades
1
A 9
2
Argelès-sur-Mer
Lac des Bouillouses
les Angles
3
Villefranche-de-Conflent
4
PYRÉNÉES-ORIENTALES
D 612
ANDORRE
Targassonne
5
Pic du Canigou
Collioure
Dorres
Mont-Louis
Llívia
Planès
Céret
Banyuls-sur-Mer
Bourg-Madame
Llo
Eyne
la Preste
Arles-sur-Tech
le Perthus
Prats-de-Mollo
ESPAGNE

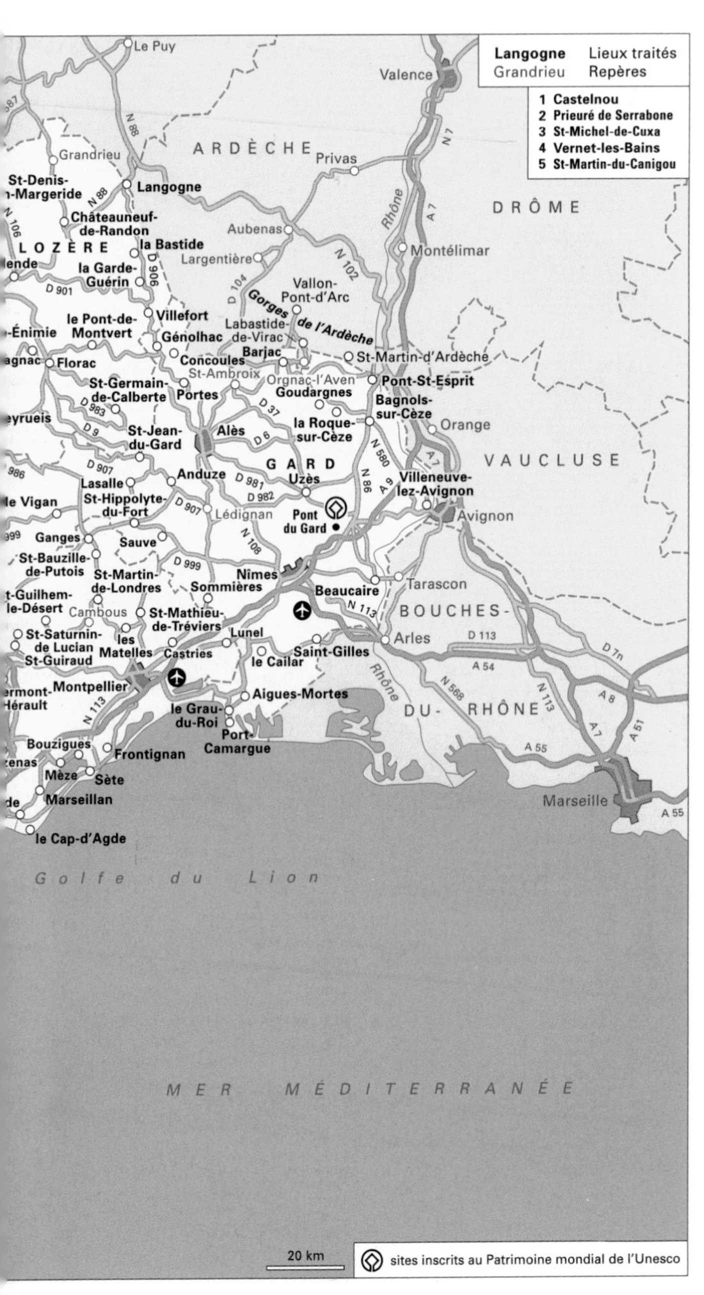

LE LANGUEDOC-ROUSSILLON

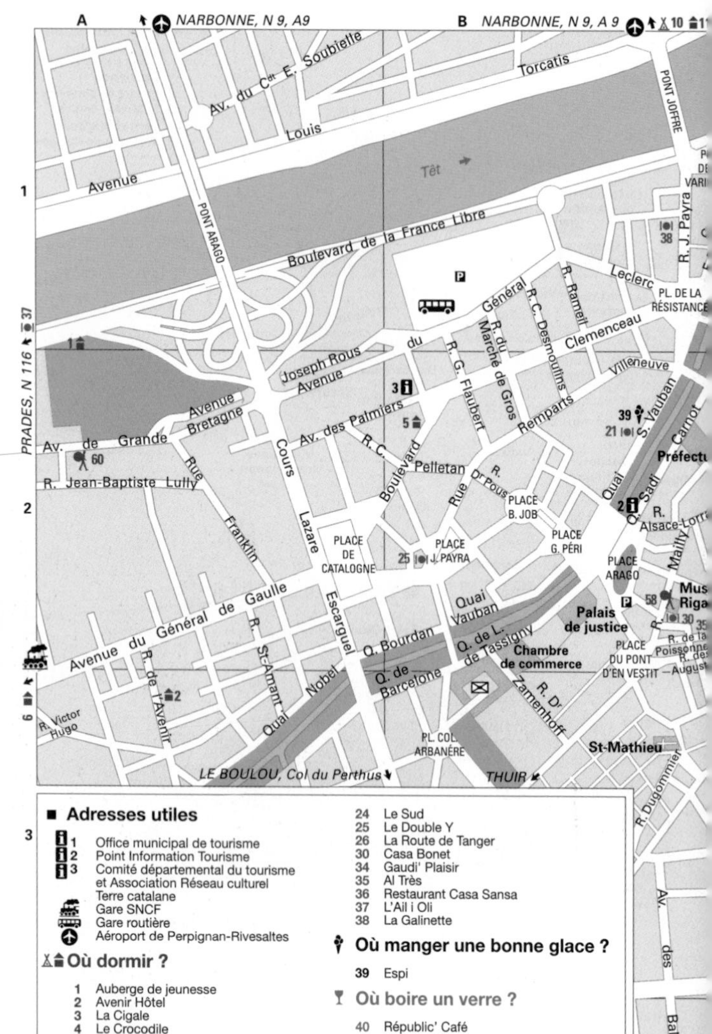
A
NARBONNE, N 9, A9
B
NARBONNE, N 9, A 9
10
11
Av. du Cdt E. Soubielle
Torcatis
Louis
Avenue
PONT JOFFRE
Têt
1
PONT ARAGO
Boulevard de la France Libre
R. J. Payra
38
Leclerc
PL. DE LA RÉSISTANCE
PRADES, N 116
37
1
Général
R. du Marché de Gros
R. C. Desmoulins
R. Rameil
Clemenceau
du
Joseph Rous
Avenue
R. G. Flaubert
Villeneuve
3
Avenue Bretagne
Av. des Palmiers
5
Remparts
39
21
S. Vauban
Carnot
Av. de Grande
60
R. C. Pelletan
Boulevard
R. Jean-Baptiste Lully
Rue
Cours
Rue
R. Dr Pous
PLACE B. JOB
Quai
Sadi
2
R. Alsace-Lorraine
2
Franklin
Lazare
PLACE DE CATALOGNE
PLACE J. PAYRA
25
PLACE G. PÉRI
PLACE ARAGO
Mailly
Avenue du Général de Gaulle
R.
Escarguel
Quai Vauban
Palais de justice
58
30
35
R. St-Amant
Q. Bourdan
Q. de L. de Tassigny
Chambre de commerce
PLACE DU PONT D'EN VESTIT
R. de la Poissonnerie
R. des Augustins
R. de l'Avenir
2
Nobel
Q. de Barcelone
R. Dr Zamenhoff
6
R. Victor Hugo
Quai
PL. COL ARBANÈRE
St-Mathieu
LE BOULOU, Col du Perthus
THUIR
R. Dugommier
Av. des Baléares
3
A
B
9
34

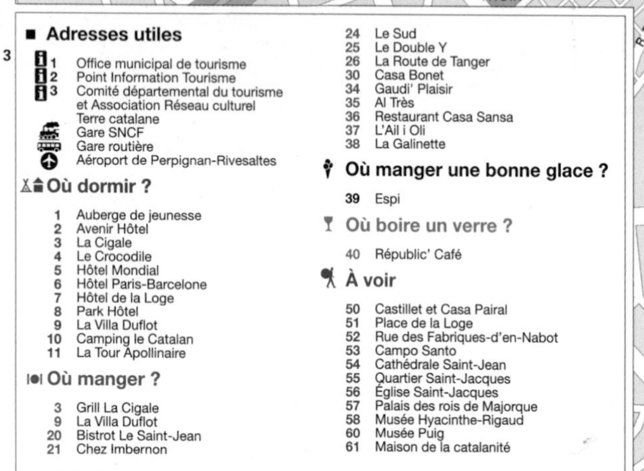
Adresses utiles
1 Office municipal de tourisme
2 Point Information Tourisme
3 Comité départemental du tourisme et Association Réseau culturel Terre catalane
Gare SNCF
Gare routière
Aéroport de Perpignan-Rivesaltes
Où dormir ?
1 Auberge de jeunesse
2 Avenir Hôtel
3 La Cigale
4 Le Crocodile
5 Hôtel Mondial
6 Hôtel Paris-Barcelone
7 Hôtel de la Loge
8 Park Hôtel
9 La Villa Duflot
10 Camping le Catalan
11 La Tour Apollinaire
Où manger ?
3 Grill La Cigale
9 La Villa Duflot
20 Bistrot Le Saint-Jean
21 Chez Imbernon
24 Le Sud
25 Le Double Y
26 La Route de Tanger
30 Casa Bonet
34 Gaudi' Plaisir
35 Al Très
36 Restaurant Casa Sansa
37 L'Ail i Oli
38 La Galinette
Où manger une bonne glace ?
39 Espi
Où boire un verre ?
40 Républic' Café
À voir
50 Castillet et Casa Pairal
51 Place de la Loge
52 Rue des Fabriques-d'en-Nabot
53 Campo Santo
54 Cathédrale Saint-Jean
55 Quartier Saint-Jacques
56 Église Saint-Jacques
57 Palais des rois de Majorque
58 Musée Hyacinthe-Rigaud
60 Musée Puig
61 Maison de la catalanité

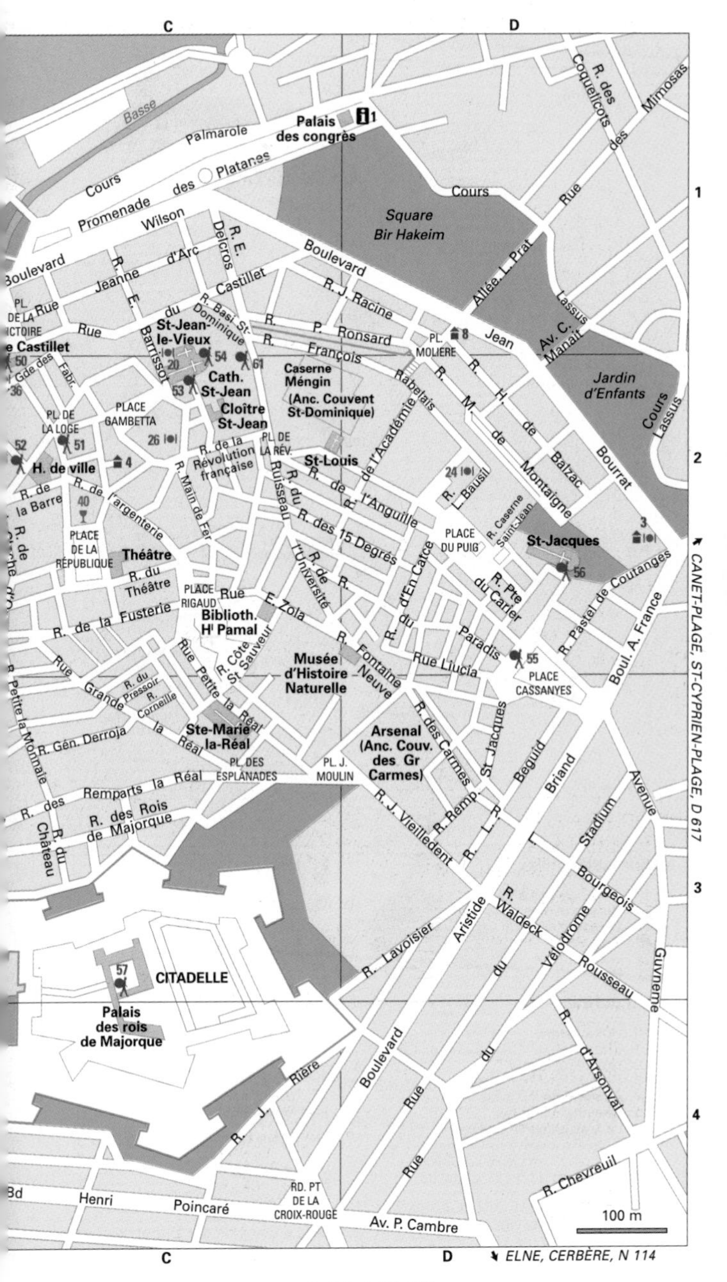

C
D
Palais des congrès
Cours Palmarole
Promenade des Platanes
Square Bir Hakeim
Boulevard Wilson
Boulevard Jean Bourrat
R. Jeanne d'Arc
Castillet
St-Jean-le-Vieux
Cath. St-Jean
Cloître St-Jean
Caserne Méngin (Anc. Couvent St-Dominique)
PLACE GAMBETTA
PL. DE LA LOGE
H. de ville
St-Louis
Jardin d'Enfants
St-Jacques
PLACE DU PUIG
PLACE DE LA RÉPUBLIQUE
Théâtre
PLACE RIGAUD
Biblioth. Hl Pamal
Musée d'Histoire Naturelle
PLACE CASSANYES
Ste-Marie la-Réal
Arsenal (Anc. Couv. des Gr Carmes)
PL. DES ESPLANADES
PL. J. MOULIN
Remparts la Réal
R. des Rois de Majorque
CITADELLE
Palais des rois de Majorque
Bd Henri Poincaré
RD. PT DE LA CROIX-ROUGE
Av. P. Cambre
Boulevard Aristide Briand
R. Waldeck Rousseau
R. Chevreuil
100 m
CANET-PLAGE, ST-CYPRIEN-PLAGE, D 617
ELNE, CERBÈRE, N 114
1
2
3
4

PERPIGNAN

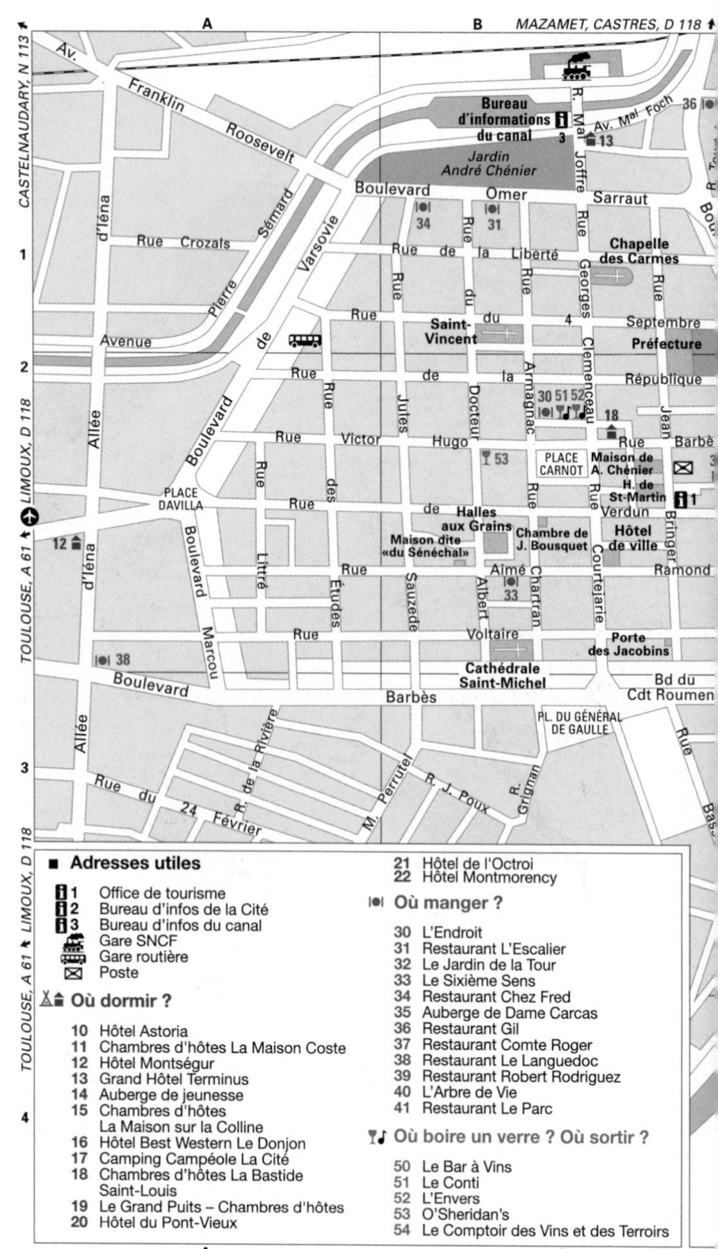

MAZAMET, CASTRES, D 118
CASTELNAUDARY, N 113
TOULOUSE, A 61 LIMOUX, D 118
Av. Franklin Roosevelt
Bureau d'informations du canal
Av. Mal Foch
Jardin André Chénier
Boulevard Omer Sarraut
Rue Crozals
Rue de la Liberté
Chapelle des Carmes
Saint-Vincent
Rue du 4 Septembre
Préfecture
Avenue Pierre Sémard
Boulevard de Varsovie
Rue de la République
Rue Victor Hugo
PLACE CARNOT
Maison de A. Chénier
H. de St-Martin
PLACE DAVILLA
Rue de Verdun
Halles aux Grains
Maison dite «du Sénéchal»
Chambre de J. Bousquet
Hôtel de ville
Rue Aimé Ramond
Rue Voltaire
Porte des Jacobins
Cathédrale Saint-Michel
Boulevard Barbès
Bd du Cdt Roumen
PL. DU GÉNÉRAL DE GAULLE
Allée d'Iéna
Boulevard Marcou
Rue du 24 Février
R. de la Rivière
M. Perrufel
R. J. Poux
R. Grignan
Adresses utiles
1 Office de tourisme
2 Bureau d'infos de la Cité
3 Bureau d'infos du canal
Gare SNCF
Gare routière
Poste
Où dormir ?
10 Hôtel Astoria
11 Chambres d'hôtes La Maison Coste
12 Hôtel Montségur
13 Grand Hôtel Terminus
14 Auberge de jeunesse
15 Chambres d'hôtes La Maison sur la Colline
16 Hôtel Best Western Le Donjon
17 Camping Campéole La Cité
18 Chambres d'hôtes La Bastide Saint-Louis
19 Le Grand Puits – Chambres d'hôtes
20 Hôtel du Pont-Vieux
21 Hôtel de l'Octroi
22 Hôtel Montmorency
Où manger ?
30 L'Endroit
31 Restaurant L'Escalier
32 Le Jardin de la Tour
33 Le Sixième Sens
34 Restaurant Chez Fred
35 Auberge de Dame Carcas
36 Restaurant Gil
37 Restaurant Comte Roger
38 Restaurant Le Languedoc
39 Restaurant Robert Rodriguez
40 L'Arbre de Vie
41 Restaurant Le Parc
Où boire un verre ? Où sortir ?
50 Le Bar à Vins
51 Le Conti
52 L'Envers
53 O'Sheridan's
54 Le Comptoir des Vins et des Terroirs

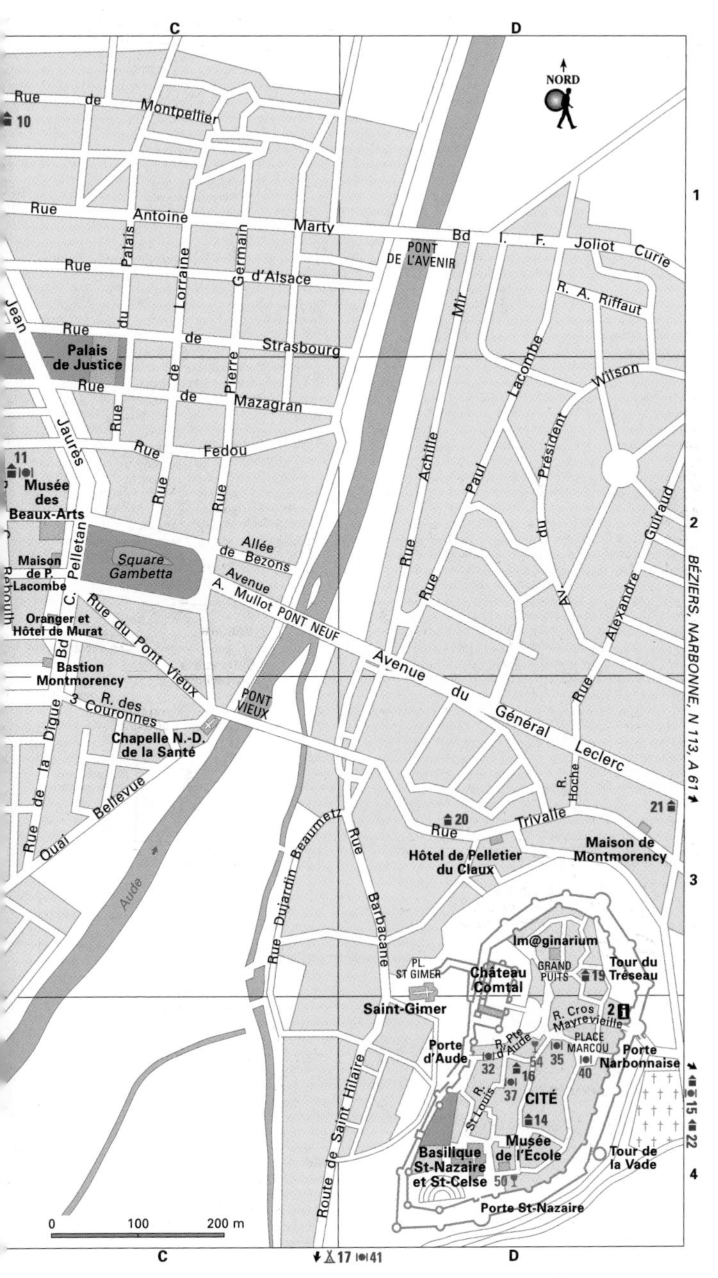

CARCASSONNE

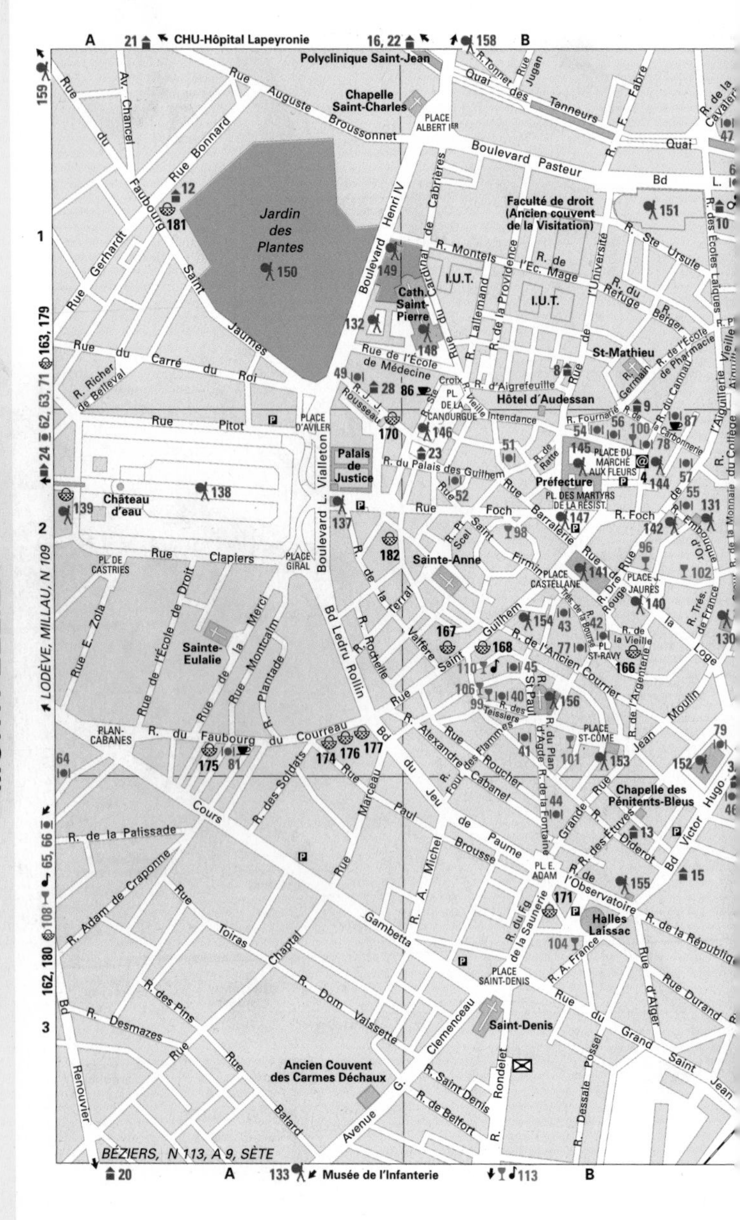

MONTPELLIER

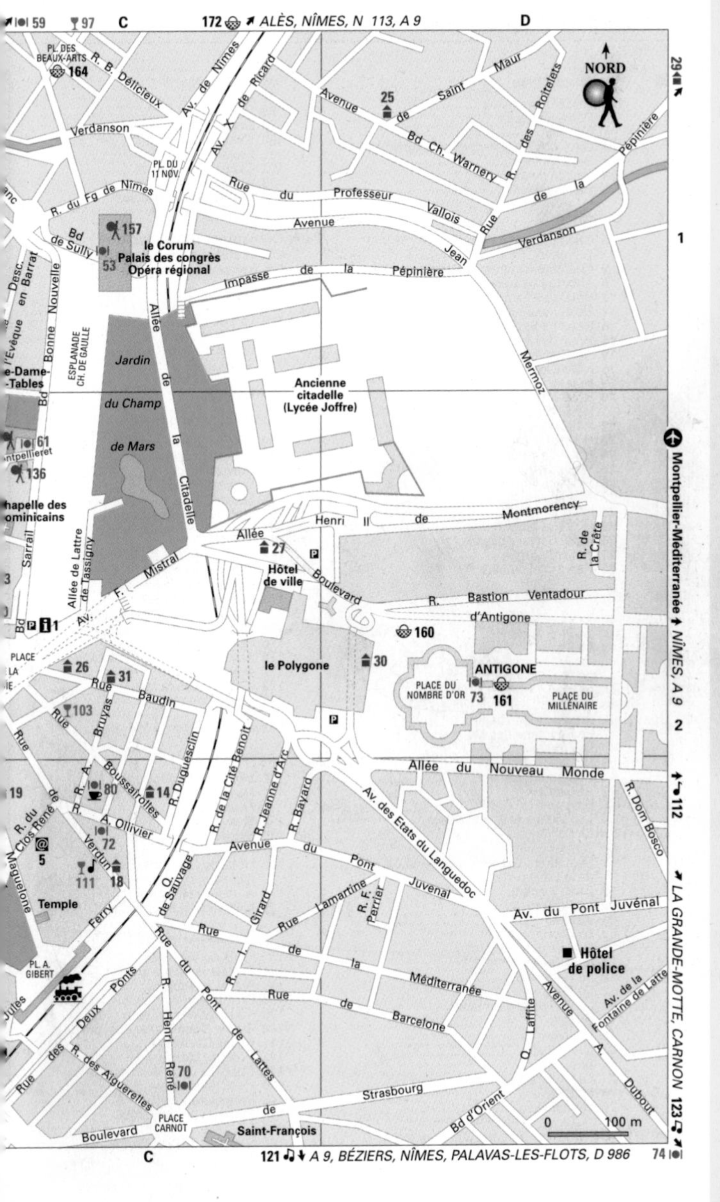

MONTPELLIER

Adresses utiles

1 Office de tourisme
Poste principale
Aéroport
Gare SNCF – Montpellier Saint-Roch
Gare routière
4 Station Internet
5 Hall the Net

Où dormir ?

8 Chambres d'hôtes Famille Michel-Gaunand
9 Chambre d'autres Alexandre Gumbau
10 Auberge de jeunesse
12 Hôtel Les Fauvettes
13 Hôtel des Étuves
14 Hôtel Le Mistral
15 Hôtel des Arts
16 Hôtel Acacias
18 Hôtel Colisée-Verdun
19 Hôtel d'Angleterre
20 Hôtel Les Myrtes
21 Hôtel Acapulco
22 Hôtel du Parc
23 Hôtel du Palais
24 Hôtel des Arceaux
25 Hôtel Ulysse
26 Hôtel de la Comédie
27 Citadines Antigone
28 Hôtel Le Guilhem
29 Hôtel La Maison Blanche
30 Hôtel Sofitel-Antigone
31 Hôtel d'Aragon
32 New Hôtel du Midi

Où manger ?

40 « Chez Doumé »
41 Le Petit Mickey
42 La Place
43 Au Bonheur des Tartes – Au Bonheur du Sud-Ouest
44 L'Écrin d'Anaïs
45 Kinoa
46 Brasserie du Théâtre
47 Le Royaume des Mers
49 La Grange
50 Le Kreisker
51 Restaurant L'Image
52 La Girafe
53 Brasserie du Corum
54 Les Vignes et Bistrot d'Alco
55 La Diligence
56 Tamarillos
57 Restaurant Cellier & Morel – Maison de la Lozère
59 Chez Vincent
60 Le Baloard
61 Insensé
62 La Cigale
63 L'Assiette aux Fromages
64 Mac Khalid
65 Le Repalatin
66 Le Sphinx
70 Le Ban des Gourmands
71 Le Cinq
72 L'Olivier
73 Le Pescator
74 Séquoïa
77 Le Coréziann
78 Le Saleya
79 Welcomedia

Où prendre un thé ? Où grignoter un gâteau ?

80 Carthage Milk
81 Les Doigts d'Or de Fès
86 Le Latitude
87 L'Heure Bleue

Où boire un verre ?

95 Le Café Riche
96 Le Café Joseph
97 Art Café
98 Rebuffy Pub
99 Times Café
100 Café de la Mer
101 Fitzpatrick's
102 Circus Spin Lounge
103 Le Barberousse
104 Bodega Los Caracoles
106 Le Comptoir

Où écouter de la musique ? Où assister à un spectacle ? Où danser ?

60 Le Baloard
108 Bar La Pleine Lune
110 Le Bec de Jazz
111 Le Rockstore
112 Le Zénith Sud
113 JAM
121 La Villa Rouge
123 La Dune

Où acheter de bons produits ?

139 Marché des Arceaux
141 Halles Castellane
160 Halles Jacques-Cœur
161 Marché paysan
162 Marché du quartier des Figuerolles
163 Marché aux puces
164 Marché des Beaux-Arts
166 Pinto
167 Maison régionale des vins
168 Fromagerie Puig
170 Boulangerie Lomonaco
171 Boulangerie Buzon
172 La Maison des pâtes fraîches
174 La Brûlerie du Courreau
175 Sésame
176 Aux Croquants de Montpellier
177 Guy Auzier
179 La Cave des Arceaux
180 La Pêcherie
181 Valgalier
182 Le Vieux four Sainte Anne

Les musées

130 Musée languedocien
131 Musées du Vieux Montpellier et du Fougau
132 Musée Atger
133 Musée de l'Infanterie
134 Musée Fabre
136 Hôtel de Cabrières-Sabatier-d'Espeyran
158 Agropolis Museum
159 Musée de la Pharmacie

À voir

131 Hôtel de Varennes
132 Faculté de Médecine
137 Arc de triomphe
138 Promenade du Peyrou
139 Aqueduc des Arceaux
140 Crypte Notre-Dame-des-Tables
141 Halles Castellane
142 Hôtel de Manse
143 Chapelle des Pénitents-Blancs
144 Hôtel de Mirman
145 Préfecture
146 Place de la Canourgue
147 Le mikvé
148 Cathédrale Saint-Pierre
149 Tour des Pins
150 Jardin des Plantes
151 Ancien couvent des Ursulines
152 Place de la Comédie
153 Hôtel Saint-Côme
154 Hôtel Montcalm
155 Tour de la Babote et sa placette
156 Église Saint-Roch
157 Le Corum

REPORTS DU PLAN DE MONTPELLIER

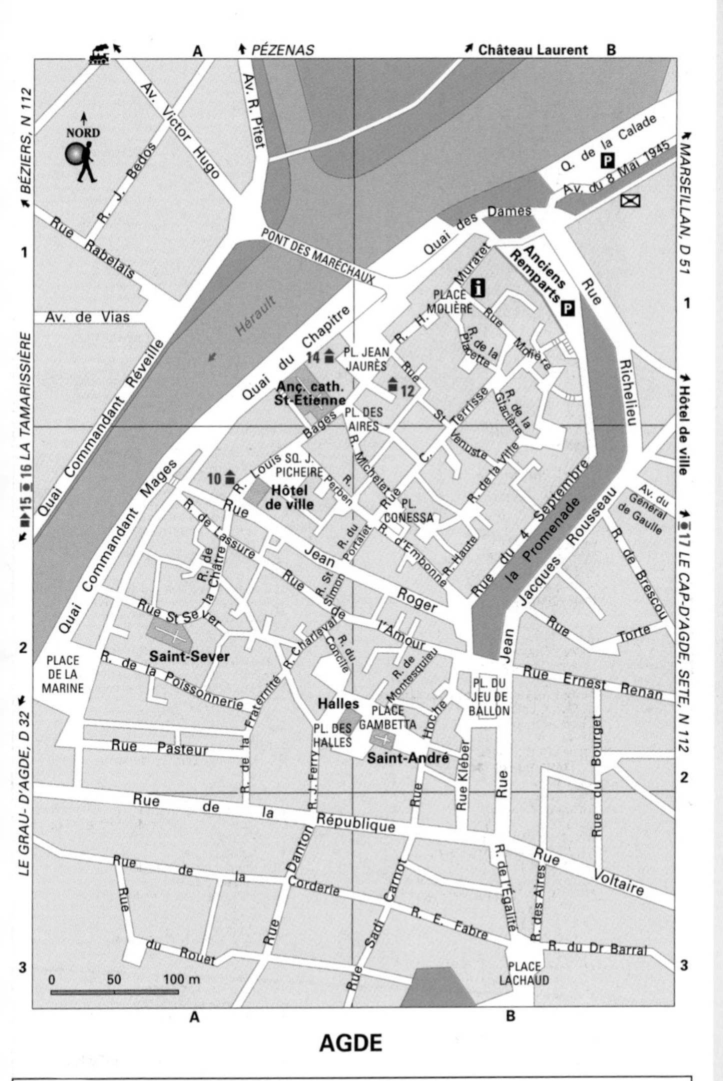

AGDE

■ **Adresses utiles**

- Office de tourisme
- Poste
- Gare SNCF

Où dormir ? Où manger ?

- **10** Hôtel des Arcades
- **12** Hôtel Le Donjon
- **14** Hôtel-restaurant La Galiote
- **15** L'Éphèbe
- **17** La Table de Stéphane

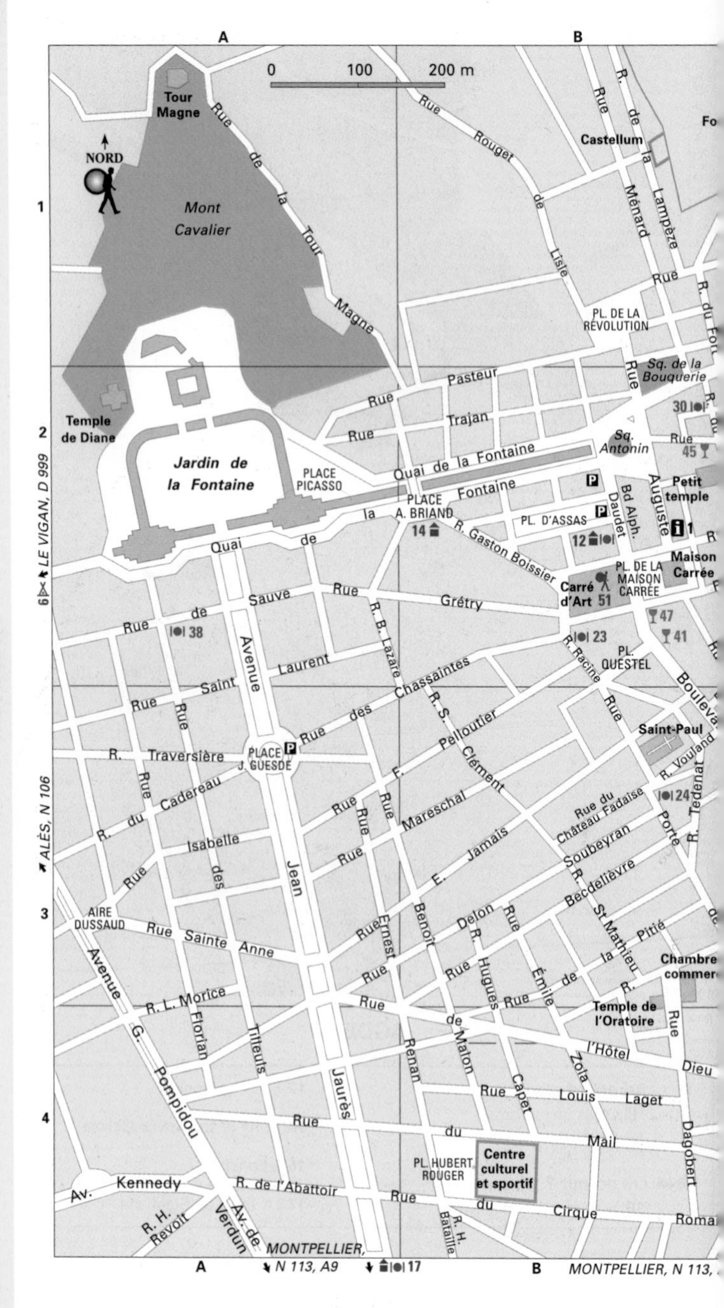

A
B
0 100 200 m
NORD
Tour Magne
Mont Cavalier
Temple de Diane
Jardin de la Fontaine
PLACE PICASSO
Rue de la Tour Magne
Rue Rouget de Lisle
R. de la Lampèze
Rue Ménard
Castellum
PL. DE LA RÉVOLUTION
Sq. de la Bouquerie
Rue Pasteur
Rue Trajan
Quai de la Fontaine
Sq. Antonin
PLACE A. BRIAND
PL. D'ASSAS
Bd Alph. Daudet
Auguste
Petit temple
Maison Carrée
PL. DE LA MAISON CARRÉE
Carré d'Art
R. Gaston Boissier
Rue Grétry
Rue de Sauve
Rue Saint Laurent
R. B. Lazare
Rue des Chassaintes
R. S. Clément
R. F. Pelloutier
R. Racine
PL. QUESTEL
Boulevard
Saint-Paul
R. Vouland
R. Tedenat
Rue du Château Fadaise
Soubeyran
Porte
PLACE J. GUESDE
R. Traversière
R. du Cadereau
Rue Isabelle
Rue des
Avenue Jean Jaurès
Rue Mareschal
E. Jamais
Rue Becdelièvre
R. St Mathieu
Rue de la Pitié
Chambre commer
AIRE DUSSAUD
Rue Sainte Anne
Rue Ernest Renan
Benoit
R. Hugues Capet
Rue Émile Zola
Rue Delon
Temple de l'Oratoire
Rue de l'Hôtel Dieu
R. L. Morice
Florian
Tilleuls
Avenue G. Pompidou
Rue de Maton
Rue Louis Laget
Rue du Mail
Dagobert
PL. HUBERT ROUGER
Centre culturel et sportif
Av. Kennedy
R. de l'Abattoir
Rue du Cirque Romai
R. H. Revoit
Av. de Verdun
R. H. Bataille
MONTPELLIER, N 113, A9
17
MONTPELLIER, N 113,
6 LE VIGAN, D 999
ALÈS, N 106
1
2
3
4
14
12
30
45
38
51
47
41
23
24
Fo
R. du Fort

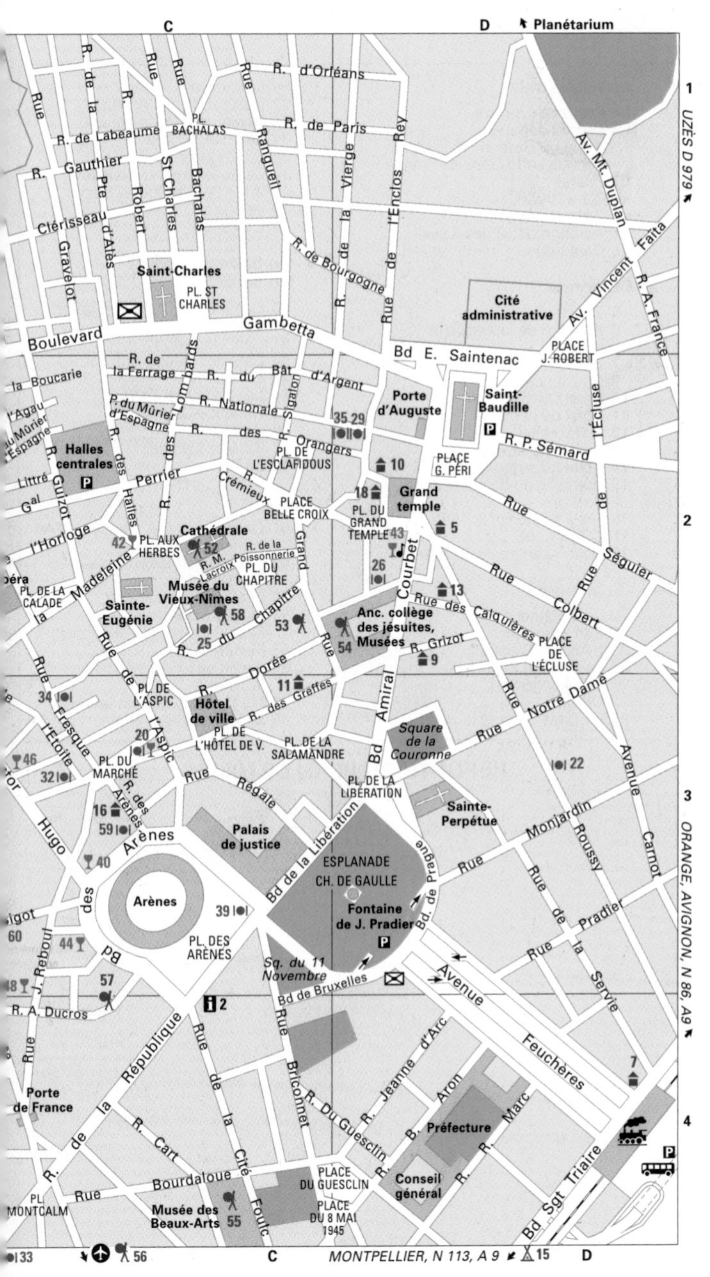
C
D
Planétarium
1
2
3
4
UZÈS D 979
ORANGE, AVIGNON, N 86, A9
MONTPELLIER, N 113, A 9
15
33
56
R. d'Orléans
R. de Paris
R. de Labeaume
PL. BACHALAS
R. Gauthier
Clérisseau
Gravelot
R. Pte d'Alès
Robert
St Charles
Bachalas
Rue Rangueil
R. de la Vierge
Rue de l'Enclos Rey
R. de Bourgogne
Av. Mt. Duplan
Av. Vincent Faïta
R. A. France
Saint-Charles
PL. ST CHARLES
Cité administrative
Boulevard Gambetta
Bd E. Saintenac
PLACE J. ROBERT
R. de la Ferrage
R. du Bât d'Argent
la Boucarie
R. Nationale
R. Sigalon
Porte d'Auguste
Saint-Baudille
P. du Mûrier d'Espagne
R. des Orangers
35 29
R. P. Sémard
l'Écluse
Halles centrales
R. des Halles
PL. DE L'ESCLAFIDOUS
10
PLACE G. PÉRI
Littré
Gal Perrier
R. Guizot
R. des Lombards
R. Crémieux
PLACE BELLE CROIX
18
Grand temple
PL. DU GRAND TEMPLE
43
5
Rue de Séguier
l'Horloge
42
PL. AUX HERBES
Cathédrale
52
R. de la Poissonnerie
R. M. Lacroix
PL. DU CHAPITRE
Grand
26
Courbet
Rue Colbert
Opéra
PL. DE LA CALADE
Madeleine
Musée du Vieux-Nîmes
Sainte-Eugénie
58
25
R. du Chapitre
53
Anc. collège des jésuites, Musées
54
13
Rue des Calquières
R. Grizot
9
PLACE DE L'ÉCLUSE
Rue de la Fresque
Rue de l'Aspic
PL. DE L'ASPIC
R. Dorée
11
R. des Greffes
Bd Amiral
Rue Notre Dame
34
Hôtel de ville
PL. DE L'HÔTEL DE V.
PL. DE LA SALAMANDRE
Square de la Couronne
Avenue Carnot
22
20
46
32
PL. DU MARCHÉ
R. des Arènes
Rue Régale
PL. DE LA LIBÉRATION
Sainte-Perpétue
Rue Monjardin
Roussy
16
59
Arènes
Palais de justice
Bd de la Libération
Hugo
40
ESPLANADE CH. DE GAULLE
Bd. de Prague
Arènes
39
Fontaine de J. Pradier
Rue de Pradier
Rue de la Servie
60
44
Bd des Arènes
PL. DES ARÈNES
Sq. du 11 Novembre
J. Reboul
48
57
Bd de Bruxelles
Avenue Feuchères
R. A. Ducros
2
Rue de la République
Rue de la Cité Foulc
Rue Briçonnet
R. Jeanne d'Arc
7
R. Du Guesclin
B. Aron
Préfecture
R. Marc
Porte de France
R. Cart
PLACE DU GUESCLIN
Conseil général
Bd Sgt Triaire
Bourdaloue
PL. MONTCALM
Rue
Musée des Beaux-Arts
55
PLACE DU 8 MAI 1945

NÎMES

NÎMES

Adresses utiles

- 1 Office de tourisme
- 2 Comité départemental de tourisme du Gard et relais départemental des Gîtes de France
- Postes
- Gare SNCF
- Gare routière
- Aéroport de Nîmes-Arles-Camargue

Où dormir ?

- 5 Cat Hotel
- 6 Auberge de jeunesse et camping
- 7 Hôtel Terminus-Audrans
- 9 Résidence Grizot
- 10 Hôtel Central
- 11 Hôtel de la Mairie
- 12 Royal Hôtel
- 13 Kyriad-Hôtel
- 14 Hôtel Imperator Concorde
- 15 Camping du domaine de la Bastide
- 16 Hôtel de l'Amphithéâtre
- 17 L'Orangerie
- 18 Hôtel Acanthe du Temple

Où manger ?

- 20 Le Mogador Café
- 22 San Francisco
- 23 L'Ancien Théâtre
- 24 Le Chapon Fin
- 25 El Rinconcito
- 26 Nicolas
- 29 La Table d'Auguste
- 30 La Datcha
- 32 Restaurant des Artistes
- 33 Restaurant Marie-Hélène
- 34 Le Vintage Café
- 35 Le Magister
- 38 Le Bouchon et L'Assiette
- 39 Wine Bar Le Cheval Blanc
- 59 Le Lisita
- 60 L'Exaequo

Où boire un verre ? Où sortir ?

- 40 Cafés de la Grande et la Petite Bourse
- 41 Café Napoléon
- 42 Café des Beaux-Arts
- 43 O'Flaherty's
- 44 Les 3 Maures
- 45 Haddock-Café
- 46 Café Olive
- 47 Café Le Cygne
- 48 Le Prolé

À voir

- 51 Carré d'art et musée d'Art contemporain
- 52 Cathédrale Notre-Dame-et-Saint-Castor
- 53 École des Beaux-Arts
- 54 Musée archéologique et Muséum d'Histoire naturelle
- 55 Musée des Beaux-Arts
- 56 Jardin des Vins du Château de la Tuilerie
- 57 Musée des Cultures taurines
- 58 Musée du Vieux-Nîmes

REPORTS DU PLAN DE NÎMES

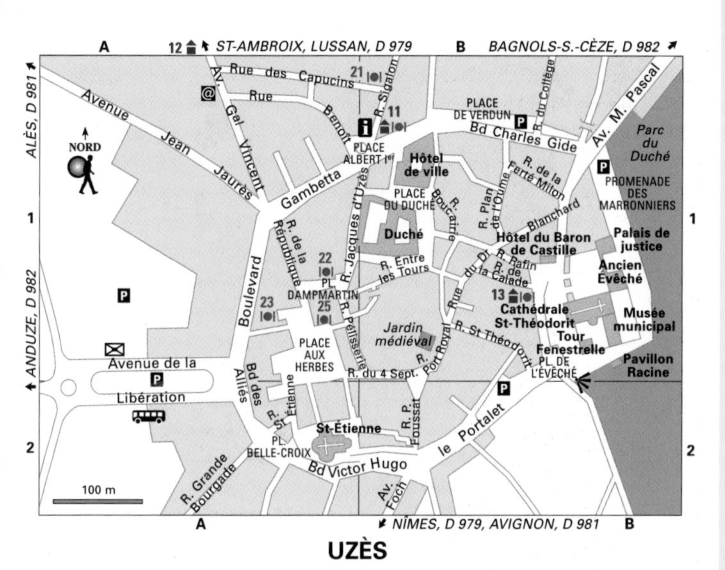

UZÈS

- **Adresses utiles**
  - Office de tourisme
  - Poste
  - Gare routière
  - Cybercafé
- **Où dormir ?**
  - 11 Hôtel La Taverne
  - 12 Hôtel Saint-Géniès
  - 13 Hôtel d'Entraigues
- **Où manger ?**
  - 21 La Taverne
  - 22 Au Fil de l'Eau
  - 23 Le Renaissance
  - 25 Terroirs

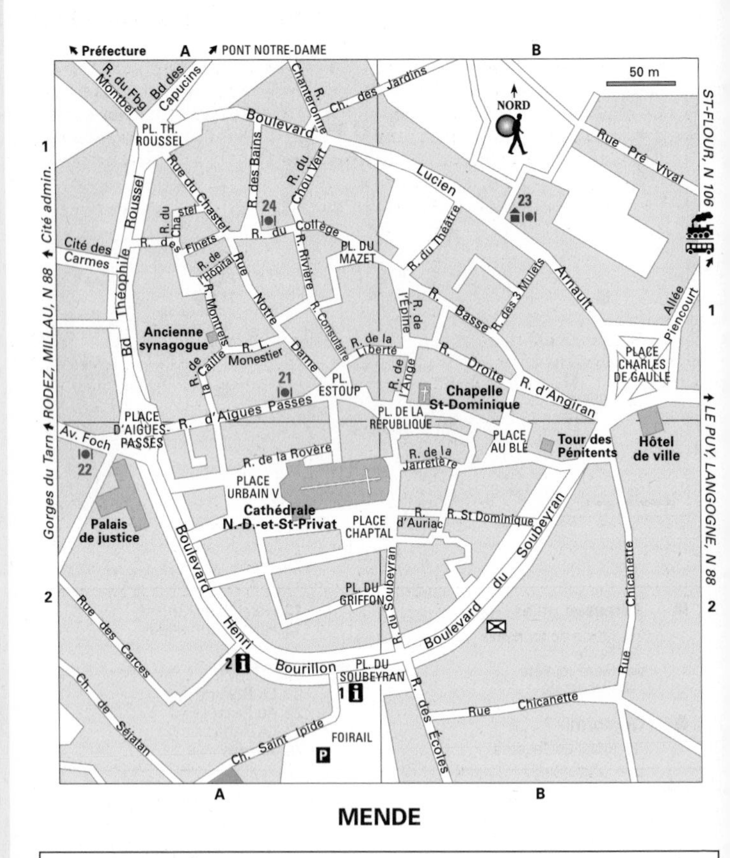

MENDE

■ **Adresses utiles**

- 1 Office de tourisme intercommunal
- 2 Comité départemental de tourisme de la Lozère
- Poste
- Gare SNCF et gare routière

Où dormir ? Où manger ?

- **21** Le Chaudron
- **22** Le Sanglier
- **23** Hôtel de France
- **24** Restaurant Le Mazel

Hors saison, fermé le soir sf ven-sam. Menu-terroir 19 € ; menus-auberge ou gourmet 23 €. Digestif maison offert sur présentation de ce guide. À la sortie de cette ancienne ville fortifiée, construite sur un piton granitique, entre Margeride et Aubrac. Cadre pittoresque et chaleureux, ambiance bon enfant et rustique, prix raisonnables font tout l'intérêt d'un détour par ce restaurant sans prétention. Sans oublier la terrasse au bord de l'eau, évidemment. Cuisine de terroir pur jus : tête de veau ravigote, pied de cochon, brandade de morue à l'ancienne... Une belle étape.

De plus chic à beaucoup chic

Relais Saint-Roch – La Petite Maison : *château de la Chastre, 5, av. de Mende. ☎ 04-66-31-55-48. • rsr@relais-saint-roch.fr • relais-saint-roch.fr • À 400 m du centre. Resto fermé le midi lun-mer, ainsi que lun soir hors saison. Congés : de début nov à mi-avr. Doubles avec bains 98-198 € selon période ; ½ pens 108-158 €/pers. Formule plat + dessert 22 € en sem, menus 28-69 €. Sur présentation de ce guide, flûte de champagne rosé offerte et réduc de 10 % sur la facture (hôtel et resto).* Vaste demeure de granit rose, dont les murs imposants cachent un grand parc de verdure. Cette « petite maison » plaira aux gourmets avec sa cuisine de terroir authentique et généreuse. La spécialité : le bison (d'Amérique, *of course*). Mais aussi la truite fario, l'aligot ou la fricassée de cèpes. Et, pour les amateurs, plus de 350 whiskies à déguster ! L'hôtel est établi dans une belle bâtisse bourgeoise, à la déco assortie à l'ensemble. Chambres douillettes et agréables. Belle piscine et terrasse. Très bon accueil.

➤ *DANS LES ENVIRONS DE SAINT-ALBAN-SUR-LIMAGNOLE*

***Les bisons de la Margeride :** à **Sainte-Eulalie** (48120). ☎ 04-66-31-40-40. • bisoneurope.com • Tte l'année, 10h-17h30 ; en été, 10h-19h. Résa conseillée. Entrée : 12 € (calèche)-14,50 € (traîneau) ; réduc enfant ; réduc accordée sur présentation de ce guide.* Après les loups du Gévaudan, voici les bisons d'Europe, importés du parc de Bialowieza en Pologne, dans un domaine de 200 ha. Un troupeau de bisons vit en semi-liberté sur ce vaste espace forestier que l'on visite en calèche (ou en traîneau quand l'enneigement le permet), avec un guide. La balade vous fera découvrir cet animal sauvage et méconnu dans son habitat naturel.

FUTÉE, LA MAISON DU BISON !

Grâce à la Maison du bison à Sainte-Eulalie, véritable musée du Bonasus, ce représentant vivant de la Préhistoire n'aura plus de secret pour personne. On y apprend notamment que le plus grand mammifère terrestre européen engloutit chaque jour plus de 30 kg de nourriture et peut peser jusqu'à 1 tonne. Il paraît d'ailleurs que Charlemagne le chassait volontiers (!).

Idée rando

➢ ***Sur le chemin des bisons :*** 9 km ; 2h30 aller-retour sans les arrêts, plus 1 km dans les environs de la réserve. Départ de Sainte-Eulalie, à 15 km environ à l'est de Saint-Alban-sur-Limagnole. Parcours facile. Balisage jaune ou blanc et rouge pour les parties communes avec le GR 4 et le GR 43. Réf. : *PR en Margeride et Gévaudan*, éd. Chamina. Cartes IGN au 1/25000, n° 2637 O et E.

LE MALZIEU-VILLE

(48140) 970 hab.

On l'oublie souvent, mais ce village était le terrain de prédilection de la bête du Gévaudan. Pourtant, ses habitants se croyaient bien à l'abri derrière leurs remparts, dont le bourg, bien calé dans un méandre de la Truyère. Agréable balade dans cette ancienne cité médiévale du XIIIe siècle qui conserve quelques beaux monuments, une porte et trois grosses tours, sans compter la tour de l'horloge et l'ancienne prison, et dans les ruelles, de belles portes de granit aux linteaux gravés.

Adresse utile

Office de tourisme : *dans la tour de Bodon, près de la mairie. ☎ 04-66-31-82-73. • gevaudan.com • Ouv tte l'année.* Propose des visites guidées du village sur demande.

Où dormir ?

Camping municipal de la Truyère : *☎ 04-66-31-76-55. Au bord de la rivière, à la sortie du Malzieu en direction de Saint-Chély-d'Apcher. Ouv en juil-août. Compter env 7,50 € pour 2 en hte saison.* Petit camping agréable et tranquille, à deux pas du centre historique. Emplacements ombragés et ensemble bien tenu.

Où dormir ? Où manger dans les environs ?

De bon marché à prix moyens

Auberge Le Bon Accueil : *48140 Paulhac-en-Margeride. ☎ 04-66-31-73-46. À 14 km du Malzieu, sur la D 989 en direction du Puy. Congés : 2de quinzaine de déc. Nuitée en dortoir 9 €. Doubles avec lavabo 26,50 € ; petit déj 3,50 €. Menu 11 € et, sur commande, 20 € avec chou farci, aligot, truffade. Café offert sur présentation de ce guide.* À 1 160 m d'altitude, l'auberge bien nommée vous propose un repas tout simple à base d'omelette aux cèpes et de charcuterie maison. Également un dortoir de 19 places pour les marcheurs et de confortables chambres d'hôtes dans une bonne vieille ferme traditionnelle.

La Maison d'Élisa : *sur la D 8, à Chaulhac (48140). ☎ 04-66-31-93-32. À 15 km au nord-ouest du Malzieu. Prendre la D 47 direction Lorcières sur 10 km, puis à gauche vers Chaulhac. Fermé soir lun-jeu. Congés : fin déc-fin janv. Menus 14-25 € et carte. Café offert sur présentation de ce guide.* Vous tomberez sous le charme de ce village perdu, un hameau fleuri avec cette jolie *Maison d'Élisa* au centre ! Les propriétaires ont quitté leur région lilloise pour s'installer ici, entre rivières et bois, au soleil du Midi. Ils tiennent cette auberge discrète et pleine de douceur où l'on trouve un premier menu très honnête et bien préparé. Sur commande, truffade et super aligot.

De prix moyens à beaucoup plus chic

Hôtel Brunel – Le Rocher Blanc : *à La Garde (48200). ☎ 04-66-31-90-09. • hotel@lerocherblanc.com • lerocherblanc.com • ♿ (resto). À 10 km au nord-ouest du Malzieu et 1 km de la sortie 32 de l'A 75. Congés : début janv-*

LA LOZÈRE

mars. Doubles 51-96 € selon confort et saison. Menus 20-47 € et carte. Apéritif maison offert sur présentation de ce guide. Accueil chaleureux dans cet établissement fort bien tenu, avec piscine et tennis. Chambres propres, assez spacieuses et calmes. On est à 3 km du plus petit musée de France, à Albaret-Sainte-Marie.

Best Western Château d'Orfeuillette : *à La Garde (48200). ☎ 04-66-42-65-65. • orfeuillette48@aol.com • chateauorfeuillette.com • Resto fermé dim soir et lun. Doubles 85-185 € selon confort. Menus 32-42 € et carte. Réduc de 10 % accordée sur le prix de la chambre, sur présentation de ce guide.* Du grand standing. Au cœur d'un parc de 12 ha, une demeure du XIXe siècle, entièrement rénovée, qui en fait aujourd'hui un lieu de séjour de rêve, avec piscine extérieure, grandes et belles chambres, et salle de restaurant jouant la carte classique tout en se teintant de modernisme, dans les murs comme dans l'assiette.

Où acheter de belles poteries ?

Poteries Agnès Farges : *rue des Pénitents. ☎ 04-66-31-36-03. Fermé dim et j. fériés.* Plus bleu que les bleus de ses bols, vous ne trouverez pas... Mais il y a des couleurs pour tous les goûts : très jolis vases, objets de déco, entonnoirs à confitures, etc. Large choix de qualité et à prix raisonnables.

➤ DANS LES ENVIRONS DU MALZIEU-VILLE

Le musée d'Albaret-Sainte-Marie *(48200) : entrée gratuite (ouv tte la journée, mais mieux vaut se renseigner au ☎ 04-66-31-92-83).* Ce charmant village peut bien s'honorer de posséder le plus petit musée de France (livre *Guinness des Records* à l'appui). Dans l'ancien four banal, 3 x 5 m, un bric-à-brac local de manuscrits, maquettes, livres et documents. Consultation possible de quelques minces dossiers (sur la bête du Gévaudan, par exemple). Photo d'un « vieux couple de paysans vivant chichement de leur lopin de terre : leurs valeurs morales et leur dignité imposent le respect ». Étonnant, non ? Enfin, cet autre bon mot, comme pour justifier un si petit musée : « Il n'est pas de modeste réalisation qui n'ait une certaine grandeur. » Et modeste, avec ça !

Les gorges de la Truyère : méconnues mais très belles. On ne peut malheureusement pas vraiment les longer, en voiture en tout cas. À pied ou à VTT, on peut emprunter les divers sentiers de balades autour du Malzieu (regroupées dans un topoguide de randonnées), qui permettent d'approcher les gorges sur quelques kilomètres. Encaissement spectaculaire de la Porte-des-Fées. Se renseigner à l'office de tourisme du Malzieu.

ENTRE MARGERIDE ET AUBRAC

Grosso modo, la N 9 de Marvejols à Saint-Flour sert de frontière entre ces deux terroirs si différents. Climat, paysages, traditions et même les hommes changent. Alors, pour marquer la transition et s'initier à la découverte de l'Aubrac, on peut faire étape à Saint-Chély-d'Apcher ou à Aumont-Aubrac, avant de se lancer sur les petites routes environnantes. Les adresses gourmandes ne manquant pas ici, nous vous les indiquons ci-après, ce qui ne dispense pas les randonneurs, partis pour le tour de l'Aubrac (voir chapitre suivant) de s'y intéresser...

SAINT-CHÉLY-D'APCHER

(48200) 4 300 hab.

Paysage industriel insolite en arrivant. Comme si, d'un seul coup, la civilisation avait surgi de nulle part. La ville s'est développée depuis le début du XXe siècle autour d'une forte activité métallurgique. En témoigne le musée de la Métallurgie, ouvert en été essentiellement (renseignements auprès de l'office de tourisme) et animé par des retraités, ayant à cœur de faire revivre le passé. On aime aussi le bourg pour son marché populaire, ses délicieux fromages et ses excellentes charcuteries. Même si la ville ne possède pas le charme des petits villages voisins de l'Aubrac, et ne mérite pas de s'y attarder.

Adresse et info utiles

Office de tourisme : *pl. du 19-Mars-1962. ☎ 04-66-31-03-67. • ot-saintchelydapcher.com • Lun-sam 10h-12h, 15h-18h.* Demander Mme Rosanna Robert pour tout renseignement particulier concernant le musée de la Métallurgie (entrée : 4 €) et celui des Papillons (entrée : 2 €).

– ***Marché de petits producteurs :*** *jeu mat, dans le centre.* Miel, fromages, charcuterie issus des productions locales.

Où dormir ? Où manger ?

Hôtel-restaurant Le Lion d'Or : *132, rue Théophile-Roussel. ☎ 04-66-31-00-14. Resto tlj sf dim soir. Congés : Noël. Doubles 38 €. Menus 15-36 €.* Établissement familial en plein centre-ville, simple et bien tenu. Une quinzaine de chambres au confort modeste mais propres et toutes dotées de salle de bains. Plusieurs menus très honnêtes au resto, servis dans la grande salle à manger rustique. Accueil bien aimable. Une valeur sûre à la clientèle fidèle et une bonne étape si vous souhaitez loger une nuit à Saint-Chély.

Où acheter de bons produits ?

Panier pique-nique : Éric Pradal, au 49 de la rue Théophile-Roussel (la rue principale), produit et vend d'excellentes spécialités régionales et produits maison, style fricandeaux aux orties, saucisse de pomme de terre au chou, saucissons secs... Un peu plus loin, son confrère ***Vianney Teissandier,*** au n° 91 de la même rue, propose aussi de très bonnes salaisons, notamment de superbes jambons crus. Pour le pain, toujours dans la même rue, au n° 36, chez ***Jean-Michel Rouzaire,*** vous aurez le choix. ***Le Marché Barraban,*** rue de la Chicane (route du Malzieu). Le cadre moderne, à l'écart du centre-ville, rappelle davantage un petit supermarché, mais le détour vaut la peine pour faire quelques achats à la ***Maison du fromage,*** incontournable. Jean Teissedre est le dernier crémier-fromager de haute Lozère. Goûtez au *bourrut* de la Margeride, le fromage blanc du pays, et aux petits chèvres fermiers, etc. Il s'est associé à un boucher et à un primeur pour y vendre des produits de très grande qualité.

➤ DANS LES ENVIRONS : LA ROUTE DES THERMES

De Saint-Chély, prendre la D 989 vers l'ouest jusqu'à Fournels, puis bifurquer vers le sud par la D 12, en direction de Chauchailles. Une jolie petite route vous mènera aux portes du Cantal, s'arrêtant, côté Lozère, dans une délicieuse station isolée en pleine nature : La Chaldette ! De quoi reprendre des forces après une journée passée à parcourir à pied cette terre de pâturages et de burons, parsemée de hameaux de granit, dans une nature âpre et étrangement belle.

Où dormir ? Où manger ?

Entre Saint-Chély et La Chaldette

De bon marché à prix moyens

🏠 🍽 ***Gîte de Fournels :*** *relais communal, 48310 Fournels. Appeler « Tintin » Saint-Chély :* ☎ *04-66-31-60-84 ; ou la mairie de Fournels :* ☎ *04-66-31-60-15. Ouv de mi-mars à mi-nov. Nuitée 8,70 €. Repas 12 €.*

🏠 🍽 ***Auberge du Verdy :*** *à Termes (48310).* ☎ *04-66-31-60-97.* ♿ *À 10 km de Saint-Chély-d'Apcher par la D 989, en direction de Chaudes-Aigues. Congés : de mi-déc au 1er avr. Doubles avec salle de bains 40-43 €. Menus 11 € (en sem)-23 € ; repas à la carte 25 €. Apéritif maison offert sur présentation de ce guide.* Impossible de rater cette auberge... à condition d'emprunter cette petite route un peu perdue mais follement belle ! Des chambres propres et claires et une cuisine du terroir très correcte. Assiette de cèpes du pays, tête de veau vinaigrette, ris d'agneau...

🏠 🍽 ***Chambres et table d'hôtes, chez Marie-Christine Alili :*** *Boutans-Bas, 48310 Chauchailles.* ☎ *et fax : 04-66-31-61-12. À 24 km à l'ouest de Saint-Chély. Prendre la D 989 direction Chaudes-Aigues, passer Fournels et 5 km plus loin, avt Saint-Juéry, tourner à gauche direction Boutans (ou Boutans-Bas). Juin-sept. Doubles 29 €/pers, petit déj compris. Le soir, table d'hôtes 18 €. Apéritif maison et café offerts sur présentation de ce guide.* Environnement très agréable pour ce superbe corps de ferme en vieilles pierres et toit de lauze. Une ferme authentique où vous mangerez de l'oie de l'élevage familial dans une vaste pièce typique, avec cheminée et vaisselier énormes et longue table de bois assurant des repas conviviaux. Côté hébergement, chambres rustiques et fonctionnelles.

🏠 🍽 ***Chambres d'hôtes La Narce, chez M. Alain Chalvet :*** *à Termes (48310).* ☎ *04-66-31-64-12. • lanarce@orange.fr • À 10 km de Saint-Chély-d'Apcher vers Fournels. Un peu à l'écart du village. Quatre doubles avec douche et w-c ou bains 47 €, petit déj inclus. Également un gîte de 10 places, tt confort, 310 € les 2 nuits et 800-1 208 €/sem selon saison. Table d'hôtes (sur demande et sf w-e) 15 € tt compris. Apéro et café offerts sur présentation de ce guide.* Bien situé et bien tenu, dans une ancienne ferme devenue une halte privilégiée pour les cavaliers.

À La Chaldette

🏠 Possibilité d'hébergement au ***gîte d'étape*** de La Chaldette. ☎ *04-66-31-61-04. Ouv début mai-fin sept. Nuitée 10 €. Dortoir de 17 places. Possibilité de ½ pens.*

🏠 🍽 ***La Vallée du Bès, chez Janine Osty :*** *à La Chaldette, 48310 Brion.* ☎ *04-66-31-61-06.* ♿ *(une chambre slt). Tte l'année. Doubles 36 € ; 52 €/pers en ½ pens. Menu unique 11,80 €. Apéritif maison offert sur présentation de ce guide.* Janine Osty connaît les lieux comme sa poche et accueille les visiteurs dans sa belle maison natale. La décoration a un peu vieilli mais l'accueil est agréable et la cuisine simple et copieuse. Avec, en bonus, des recettes de cuisine et des astuces pour les réussir et quelques tables en terrasse, bien agréable aux beaux jours. Une bonne petite adresse routard.

Où acheter de bons produits ?

Les Abeilles du Cantou : *chez Gisèle Ponsonnailles, à Termes, à 10 km par la D 989, direction Chaudes-Aigues. ☎ 04-66-31-68-51. Tlj en juil-août ; le reste de l'année, ouverture plus restreinte.* Apéritif au miel, sablés au miel, pots de miel, ainsi que de nombreux produits de Lozère fabriqués par les agriculteurs du pays.

À faire

– ***Centre thermal La Chaldette :*** *48130 Brion. ☎ 04-66-31-68-00. • lachaldette.com • Ouv de début fév à mi-nov. Forfaits demi-journée 45-70 €, mais aussi des forfaits détente avec hébergement à la résidence, 370-560 € selon saison.* C'est un des centres les moins angoissants pour cures thermales et remise en forme que l'on puisse conseiller aux non-spécialistes du genre. Pas d'enfermement pour les soins mais une vue imprenable sur la rivière du Bès, les arbres, la verdure. Et un calme, une sérénité qui donne le ton de la cure de jouvence qui vous attend. Si vous avez des problèmes ORL ou des troubles de l'appareil digestif, c'est là qu'il faut venir, les propriétés de l'eau riche en minéraux qui sort ici à 35 °C étant reconnues depuis belle lurette.

AUMONT-AUBRAC (48130) 1 050 hab.

Ne pas confondre avec Aubrac, dans l'Aveyron. Rien de particulier à voir dans ce chef-lieu de canton, hormis le chœur roman de l'église datant des XIe et XIIIe siècles et les chapelles latérales gothiques. Mais pour les amoureux de la bonne cuisine, les raisons de s'arrêter ne manquent pas...

Où dormir ? Où manger ?

De bon marché à prix moyens

Gîte d'Aumont-Aubrac : *chez Vincent Boussuge, La Ferme du Barry, 9, rue du Barry. ☎ 04-66-42-90-25. • vboussuge@wanadoo.fr • ferme-du-barry.com • Sur la route de Javols. Congés : de début nov à mi-mars. Nuitée 13 € ; ½ pens 32 €. Repas du soir 14 €.* Gîte d'étape de six chambres, aménagé dans une ancienne ferme, belle maison rénovée à l'atmosphère conviviale. Côté cuisine, de bons plats traditionnels, avec pour spécialité, l'aligot. De quoi se requinquer après une journée de rando.

Hôtel-restaurant Le Relais de Peyre : *9, route du Languedoc. ☎ 04-66-42-85-88. • hotel.relaisdepeyre@wanadoo.fr • lerelaisdepeyre.com • ♿ Congés : de mi-déc à mi-janv. Doubles 37 € ; ½ pens 35-38 €/pers. Menus 12,50-30 € et carte.* Établissement familial, à la déco toute simple et à l'accueil agréable.

De prix moyens à plus chic

Chez Camillou – restaurant Cyril Attrazic : *10, route du Languedoc. ☎ 04-66-42-86-14. • cyrilattrazic@wanadoo.fr • hotel-camillou.com • Resto fermé dim soir et lun sf juil-août. Congés : de mi-nov à mi-déc et de mi-janv à mi-fév. Doubles 52,50-68 €. Formule brasserie en sem 18 € et menus 32-75 €. Café offert sur présentation de ce guide.* L'essentiel n'est pas dans les chambres, certes bien équipées mais sans grand charme, ni dans la piscine en forme de cœur, ni même dans le décor un poil impressionnant du restaurant, mais dans la cuisine réalisée par Cyril Attrazic, une merveille de justesse, de saveurs, d'équilibre et d'inventivité. Suivez vos envies et les conseils de madame, laissez-vous aller au plaisir de la découverte d'un futur grand, vous ne le regretterez pas. Magnifiques desserts également. Service très souriant.

Grand Hôtel Prouhèze : *2, route du Languedoc. ☎ 04-66-42-80-07. • resa@prouheze.com • prouheze.com • ♿ Deux restos :* Le Compostelle *(ouv tlj) et* Le Prouhèze *(fermé mar-mer ; slt le midi en juil-août). Congés : nov, fêtes de fin d'année et 2de quinzaine de janv (resto slt). Doubles avec bains 50-90 € selon taille. Menus 18-27 € au* Compostelle. *Sinon, au* Prouhèze, *le resto gastronomique de l'hôtel, menus-carte 48-62 €.* Pierre Roudgé propose une cuisine gastronomique de haut niveau. À déguster dans le cadre reposant d'une vaste salle éclatante de couleurs, dans l'hôtel même. À moins que vous ne craquiez pour le bistrot de campagne *Le Compostelle,* tout à côté, avec son décor et ses plats réconfortants. Côté hébergement, des chambres coquettes et confortables, toutes différentes.

Où dormir ? Où manger dans les environs ?

De bon marché à prix moyens

Hôtel Le Régimbal : *lieu-dit Le Regimbal, 48130 Javols. ☎ 04-66-42-89-87. • info@hotel-le-regimbal.com • hotel-le-regimbal.com • ♿ Fermé en hiver. Doubles avec douche et w-c 49 € ; ½ pens 48 €/pers. Menus 12,50-20 € et carte.* Dominant ce qui fut l'ancienne capitale gallo-romaine du Gévaudan pendant huit siècles, l'hôtel est doté de huit chambres impeccables, modernes et de bon confort, où l'on dort du sommeil du juste. Toutes donnent sur le village de Javols et les collines qui l'entourent, un site exceptionnel où sont entreprises d'importantes fouilles archéologiques. Vous êtes ici en territoire « gabale », du nom de la peuplade gauloise qui aurait implanté là son chef-lieu. Au resto, bonne cuisine du terroir servie dans la salle à manger, près de la cheminée en granit, ou dans la véranda. Accueil très cordial.

Chambres d'hôtes Le Chaudoudoux : *chez Annie et Georges Pauc, à Lasfonds, 48130 Sainte-Colombe-de-Peyre. ☎ 04-66-42-93-39. À 10 km d'Aumont-Aubrac. Descendre la N 9 vers le sud, prendre à droite vers Sainte-Colombe-de-Peyre, suivre ensuite la direction de Fournels, puis à gauche direction Lasfonds, après Hermabessière. La maison est la dernière du village à droite. Congés : 1 sem en sept. Doubles 50 €, bon petit déj inclus. Café (ou autre boisson) offert sur présentation de ce guide.* Très belle fermette traditionnelle aux murs en granit et aux toits de lauzes. Chambres d'hôtes cosy et impeccables, superbe salle commune aux vieilles poutres et grande cheminée. Atmosphère chaleureuse, conviviale, et accueil exemplaire.

Auberge du Moulinet : *moulin Laurence, 48100 Le Buisson. ☎ 04-66-32-17-40. À 10 km d'Aumont-Aubrac. Fermé slt Noël-Jour de l'an. Menu ouvrier midi en sem 12 €, autres menus 16-20 € ; repas à la carte (salades, steak-frites, etc.) env 12 €.* Petite adresse populaire face au lac du Moulinet (voir « À faire dans le coin »), idéale pour une pause déjeuner avant ou après la baignade. Au menu, une honnête cuisine familiale servie dans une grande salle tout en bois, assez agréable (quelques tables près des fenêtres donnant sur le lac). Accueil discret et aimable du sympathique patron. Une authentique adresse routard.

De prix moyens à plus chic

L'Ousta Bas : *au lieu-dit Couffinet, 48130 Sainte-Colombe-de-Peyre. ☎ 04-66-42-87-44. • oustabas.free.fr • ♿ À 13 km au sud d'Aumont-Aubrac,* *sur la N 9, 2 km après le col des Issartès. Menus 19-43 € ; carte env 30 €. Un verre de Marquisette offert sur présentation de ce guide.* C'est une grosse maison aux murs très épais. À l'intérieur, poutres anciennes, cheminée et tables coquettes. Cuisine du pays (nous sommes sur la terre de Peyre, entre Aubrac et Margeride) à des prix abordables : pouteille, boudin aux pommes, brioche aux morilles, truite aux mousserons, paupiette de chou aux écrevisses... Très bon accueil.

À faire dans le coin

– ***Le lac du Moulinet :** à 10 km d'Aumont-Aubrac. Accès par la N 9 vers le sud, puis direction Sainte-Colombe-de-Peyre ; suivre ensuite la direction Fournels et à gauche, direction La Védrinelle – lac du Moulinet.* Dans un environnement pittoresque de forêts et de prairies, un endroit propice à la pêche à la truite, ou encore à la baignade et aux sports nautiques en été. Un petit sentier de randonnée permet de faire le tour du lac en 2h30, et l'*Auberge du Moulinet* (voir « Où dormir ? Où manger dans les environs ? ») dispense boissons, glaces et repas complets pour reprendre des forces.

L'AUBRAC

D'autres routards éberlués devant les grands espaces doivent s'écrier : le Sahara ! La Californie ! Nous, on s'exclame : l'Aubrac ! Car pour la première fois, dans le Sud de la France, nous avons eu la très étrange impression d'être arrivés dans un bout du monde. Dans cette montagne dénudée, austère mais terriblement belle, les sommets atteignent 1 300 à 1 400 m. C'est un univers de dômes arrondis, de monts chauves couverts de prairies, de landes, de bruyères, où le vent souffle parfois violemment car il n'a aucun obstacle à heurter.

Des ruisseaux à truites courent dans cette immensité vide où l'horizon n'a jamais été aussi vaste et lointain. Rien pour arrêter le regard, sinon la silhouette humble de ces burons couverts de lauzes ou ces clochers-peignes qui semblent vouloir coiffer les cheveux du ciel tellement ils s'en approchent. Bref, de quoi devenir mystique, randonneur céleste, vagabond inspiré. Car ça souffle en Aubrac ! Mais la chaleur et la vie se réfugient dans les maisons aux murs héroïques, à l'image de ses habitants, ouverts, chaleureux, qui affrontent vaillamment les rudes mois d'hiver.

Ici, pas de réserve naturelle et pourtant « plus naturel que moi tu meurs ». Il y a 1 300 espèces de plantes sur les monts chauves, les lacs sont des merveilles pour les amateurs de pêche et le domaine skiable s'étend sur 150 km en hiver. Mais point de parc officiel ici, comme dans les Cévennes, chacun se débrouille comme il peut pour sauver cette terre ancestrale de l'oubli. Un bout du monde, donc, mais qui a été parmi les premiers à conquérir Paris à l'époque des bougnats, des loufiats, des porteurs d'eau et des limonadiers. L'Aubracois va facilement vers la capitale où il a souvent un cousin, patron de brasserie. Il aime son pays et le fait savoir. À vous de tomber sous le charme de ce pays à la nature sauvage et austère...

LA FÊTE DE LA TRANSHUMANCE

Chaque année autour du 25 mai, quand la campagne est en fleurs, les troupeaux de vaches (race aubrac croisée avec des charolaises) sortent de leurs étables après

un long hiver rigoureux. Les bêtes montent sur les dômes de l'Aubrac où elles passeront l'été dans les hauts pâturages. C'est la transhumance, qui dure en général une quinzaine de jours. Mais un dimanche est consacré à cette fête haute en couleur, vestige d'un mode de vie ancestral. Les vaches portent des sonnailles autour du cou. On leur accroche des fanions et des drapeaux tricolores ; des bouquets de fleurs, des branches de genévrier, des rameaux de houx, au-dessus des cornes. Ainsi parées, les bêtes cheminent sur les routes et les chemins jusqu'à Aubrac, où elles sont rassemblées dans un enclos. Puis un jury agricole décerne un prix au plus beau troupeau. C'est une grosse clarine. Dans les burons et les auberges du pays, on célèbre l'événement en préparant des kilos d'aligot dans une ambiance chaleureuse. Le reste des troupeaux est transporté à bord de camions. Ça va plus vite.
Pour ceux qui recherchent du vrai, du vécu, la transhumance, la vraie, a lieu avant et après les dates annoncées à grand renfort de publicité, loin des fêtes touristiques. On peut alors admirer le travail des bergers et découvrir des gens chaleureux et sincères, passionnés par leur métier.

LES BURONS DE L'AUBRAC

Appelé *mazuc* en Aveyron voisin, le buron abrite deux ou trois pièces exiguës : une où les bergers dorment, une autre où l'on fabrique la fourme ou la tomme (fromage de lait de vache), une troisième pour stocker les fromages. Dans les années 1930, il y en avait encore 300 dans la montagne, parsemant ces immensités dénudées tels des petits repaires de pierre noyés sous la neige de l'hiver. Aujourd'hui, il n'en reste que quelques-uns en activité, pour les touristes avant tout. Toutefois, depuis quelques années, la communauté de Jérusalem a entrepris un programme de réhabilitation des burons. Elle signe un contrat avec les propriétaires et restaure les habitats. En échange, elle les utilise 15 jours par an comme lieu de méditation. On la comprend. Une initiative qui a permis de sauver une vingtaine de burons.

LE TOUR DE L'AUBRAC À PIED

Une superbe randonnée à faire en une dizaine de jours. On commence souvent le tour à partir d'Aumont-Aubrac mais il existe des variantes, et le GR 65 vous permet de rejoindre le GR du tour de l'Aubrac en de multiples endroits. On vous conseille de ne pas manquer la partie entre Trémouloux et Saint-Laurent-de-Muret, qui vaut largement le détour !
Il y a plusieurs petits hôtels et gîtes d'étape sur l'itinéraire : à Nasbinals, Fau-de-Peyre, Termes, Fournels, Prinsuéjols, Aumont-Aubrac ; pour la liste complète des gîtes et leur localisation exacte, se renseigner à l'office de tourisme de Saint-Chély-d'Apcher (voir plus haut).

LE GR 65 OU CHEMIN DE SAINT-JACQUES-DE-COMPOSTELLE

« Le séjour de l'horreur et des vastes solitudes », ce verset biblique ornait naguère le fronton d'entrée de l'hospice d'Aubrac où des milliers de pèlerins du Moyen Âge (XIIIe-XIVe siècle), venus du Puy ou de Vézelay, faisaient escale avant de repartir vers Conques et Saint-Jacques-de-Compostelle (Espagne).
De fait, la traversée de ce désert d'altitude, à l'époque, avait quelque chose d'une aventure terrible. Le marcheur devait affronter toutes sortes de périls : les brumes et les tempêtes hivernales, les bandits de grand chemin (appelés alors les routiers ; depuis ce temps, ils sont devenus sympas), les loups (l'Aubrac était alors couvert

de forêts), la faim, la soif, la solitude. Des moines-soldats étaient chargés d'assurer la protection des pèlerins en cours de route. Les chemins rocailleux montaient à l'assaut de la montagne. Ils passaient par Fournels, Saint-Urcize, Laguiole ou par la « haute route » : Fau-de-Peyre, Malbouzon, Nasbinals, Aubrac, puis redescendaient vers des cieux plus cléments jusqu'à Espalion.
Aujourd'hui, le GR 65 reprend en partie ce très vieux chemin médiéval, sans doute l'une des meilleures façons de découvrir ce pays. Se munir évidemment du topoguide adéquat avant de partir.

NASBINALS

(48260) 500 hab.

À peine une ville, un gros et sympathique village : de robustes maisons aux murs de granit et de basalte, une belle église romane au clocher octogonal et des échappées formidables sur l'Aubrac. À Nasbinals, on croise autant de marcheurs, de skieurs de fond en hiver, de chevaux et de troupeaux que de pêcheurs euphoriques, de rêveurs inspirés, de naturalistes heureux. C'est là le secret de ce bout du monde.

Adresses et infos utiles

Office de tourisme : *à la maison Charrier, au village. ☎ 04-66-32-55-73. • http://ot.nasbinals.free.fr • Tte l'année, lun-sam 9h-12h30, 14h-18h. Juil-août, également dim et j. fériés 10h-12h, 14h-17h.* Doc régionale, départementale et cantonale. Informations sur la pêche, le VTT, les randonnées équestres et pédestres, le ski de fond...

Vous pouvez demander Gonzalo Díaz, à ***Rand'Aubrac*** (06-07-08-66-04). Insistez car il est souvent par monts et par vaux. Très sympa et très compétent, il vous parlera des randonnées accompagnées sur des thèmes : faune, flore, tourbières, brame du cerf...

– ***Au village :*** allez chercher fougasses et chaussons aux pruneaux chez Chassang-Brunel, et préparez de quoi casse-croûter à la charcuterie Souchon. Y a de la saucisse dans l'air, des fritons de travers...

Où dormir ? Où manger ?

Camping

Camping municipal : *route de Saint-Urcize. ☎ 04-66-32-51-87. Fax : 04-66-32-50-01. Hors saison, s'adresser à la mairie : ☎ 04-66-32-50-17. À 900 m du village. Ouv de mi-mai à fin sept. Compter 6 € l'emplacement avec voiture et tente en hte saison.* Calme, protégé du vent, le site manque pourtant un peu d'ombre. Sanitaires bien tenus et eau chaude.

Gîtes

Gîte communal : *à 30 m de l'office de tourisme. ☎ 04-66-32-59-47. Fermé nov-mars. Compter 7,50-9 € la nuitée.* Impeccable, confort et propreté nickel.

Centre et gîte équestre Les Monts d'Aubrac : *route de Saint-Urcize. ☎ 04-66-32-50-65. • gerard.moinet@free.fr • equitation-aubrac-lozere.fr • Ouv tte l'année. Vingt lits en gîte d'étape 32 €/pers en ½ pens (obligatoire) ; doubles avec douche et w-c 32 €. Apéritif maison offert sur présentation de ce guide ainsi qu'une réduc de 10 % pour la 1re heure d'équitation.* Simple, propre et bien tenu. Repas sur place.

Gîtes d'étape : il y en a deux autres au village. Contacter l'office de tourisme pour information.

De prix moyens à plus chic

🏠 🍽 ***Lô d'ici – gîte d'étape, chambres d'hôtes et tartinerie :*** *dans le village. ☎ 04-66-32-92-69. • lodici@wanadoo.fr • lodici-aubrac.com • ♿ Nuitée 21-25 € pour les pèlerins et chambres 60-90 €. Compter env 11 € le repas complet. Apéritif maison offert sur présentation de ce guide.* Oh la belle adresse que voici ! Un véritable havre de paix et de bon goût créé par Laurence Rieutord, charmante fille du pays qui a ouvert cette superbe adresse dans son village natal. Déco contemporaine très réussie, structure et matériaux anciens de la vieille grange alliés au métal et aux meubles modernes, lumière et couleurs douces en camaïeu de bleu, vert, ocre, etc. À l'étage, 4 chambres sublimes en duplex (pour 2 à 6 personnes), excellente literie et couette douillette propices à la rêverie, comme les phrases de poètes lozériens qui ornent les murs. Toutes sont décorées soigneusement et inspirées de la nature et de l'Aubrac (*Lô vive, Lô rizon, Lô dyssee* – sur le chemin de Saint-Jacques). Côté cuisine, vous pourrez déguster de copieuses tartines salées et sucrées, des salades, crêpes et autres gourmandises préparées à base de bons produits locaux. Autour des tables, les étagères sont remplies de produits en vente, saucisson, miel, confitures, mais aussi objets et œuvres d'artisans de la région. Chaises longues pour buller dans le jardin... Et un accueil tout en douceur, à l'image des lieux. Un coup de cœur, vous l'aurez compris !

🏠 🍽 ***Hôtel-restaurant La Route d'Argent :*** *dans le village. ☎ 04-66-32-50-03. • contact@bastide-nasbinals.com • nasbinals.com/hotelroutedargent.htm • ♿ (resto). Pas difficile à trouver, c'est la grande maison derrière l'église et au centre du village. Ouv tte l'année. Doubles 42,50-47 € avec douche et w-c selon saison. Menus 15 € en sem, et 20-25 €.* En Aubrac, le resto est une institution et c'est souvent l'affluence. La cuisine est robuste et des plus copieuse : truffade, aligot, chou farci, ris d'agneau aux cèpes... Tout ça dans une ambiance villageoise, chaleureuse et familiale. Les chambres présentent en revanche peu d'intérêt, mais pourront dépanner.

Où dormir ? Où manger dans les environs ?

🏠 🍽 ***Le Relais de l'Aubrac :*** *pont de Gournier, 48260 Recoules-d'Aubrac. ☎ 04-66-32-52-06. • relais-aubrac@wanadoo.fr • relais-aubrac.com • À 3,5 km du village par la D 12. Resto fermé jeu soir et dim soir. Congés : de début mars à mi-nov. Doubles 49-61 € selon confort et saison. Menus 14 € (plat unique avec aligot)-38 €. Apéritif maison offert sur présentation de ce guide.* Une belle maison en granit de l'Aubrac, tenue par une famille qui a le sens de l'accueil. Jolie salle avec une grande cheminée, malheureusement plutôt sonore. Chambres simples et chaleureuses, certaines récemment rénovées. Cuisine solide composée de plats du terroir : tripoux maison, aligot (le chef a gagné plusieurs concours), gigot d'agneau, civet de biche aux cèpes...

🏠 🍽 ***Les Chemins de l'Aubrac :*** *à Usanges, 48100 Prinsuéjols. ☎ 04-66-32-34-29. • cheminsaubrac@wanadoo.fr • lescheminsdelaubrac.com • Sur la route du château de la Baume, proche de plusieurs GR. Ouv tte l'année. Fermé sam midi et dim soir (sf le gîte). Nuitée en gîte d'étape 20 €/pers, possibilité de ½ pens et panier pique-nique 40 €/pers. Menu 13 € et menu gîte 20 €. Sur présentation de ce guide, apéritif maison offert et réduc de 5 % pour un séjour de plus de 4 nuitées.* Grande maison en vieilles pierres entièrement retapée. Gîte d'étape de 40 places réparties en chambres de 2 à 4 lits. Déco sommaire mais propreté nickel et confort très correct. Grande salle à manger rustique pour prendre un repas roboratif et se requinquer dans une atmosphère populaire : viande d'Aubrac, saucisse-aligot, etc. Accueil sans chichis pour cette adresse simple et familiale.

Où manger l'aligot dans un buron ?

|●| **Le Buron de Born :** *famille Bastide. ☎ 04-66-32-52-20. • contact@bastide-nabisnals.com • ♿ Accès par la route des Salces (D 52). Ouv avr-oct. Menus 20-25 €.* Environnement superbe et sauvage, au cœur des plateaux de l'Aubrac, face au petit lac de Born. Les randonneurs et les gourmands seront ravis de faire étape dans ce buron authentique, pour y déguster aligot, truffade et excellentes viandes grillées (entrecôte extra !). Atmosphère bien conviviale dans la salle à manger traditionnelle. Cuisine rustique d'un très bon rapport qualité-prix et accueil fort sympathique. Et si le vent ne souffle pas trop fort, quelques tables en terrasse permettent de profiter du panorama. L'adresse ne manque pas de fidèles dans le coin, notamment à l'occasion des soirées accordéon.

|●| **Le Buron du Ché :** *le Cher, chez Christian et Arlette Bessière, entre Nasbinals et Malbouzon. ☎ 04-66-32-55-72. ♿ Ouv tlj midi et soir Pâques-Toussaint ; ts les midis en fév-mars et nov-déc. Fermé en janv. Résa obligatoire. Six menus 25-36 € et carte. Café offert sur présentation de ce guide.* Une savoureuse cuisine de terroir concoctée avec les meilleurs produits du pays et soigneusement présentée. Viandes locales et aligot au feu de bois. À déguster dans la petite salle à manger rustique et chaleureuse ou dans la nouvelle salle, vaste et assez moderne, dotée d'une véranda avec vue panoramique sur l'Aubrac.

À faire

– ***Centre équestre des Monts-d'Aubrac :*** *chez Gérard Moisset, route de Saint-Urcize. ☎ 04-66-32-50-65. Ouv tte l'année.* Stages, randonnées accompagnées sur les monts d'Aubrac. Possibilité de gîte avec demi-pension obligatoire.

LES VIEUX VILLAGES DE L'AUBRAC

À pied ou en voiture, peu importe, il faut partir à la découverte de ce monde inconnu et de ces beaux villages où les pierres, comme les gens, ont des histoires à raconter. Voici quelques-uns de nos coups de cœur en Aubrac.

MARCHASTEL (48260)

À 7 km à l'est de Nasbinals, à l'écart de la route de Marvejols. Un discret petit village du bout du monde, adossé à une sorte de grosse butte d'où l'on a une superbe vue sur le pays. Peu de méfaits commis par le modernisme tapageur. Ouf ! Remarquez au centre du village ce curieux « travail » avec ces quatre piliers de granit, qui servait à ferrer les chevaux. Très belles maisons en pierre volcanique aux toits de schiste et de lauzes, donnant un bel aperçu de l'architecture de l'Aubrac. Marchastel est souvent cité comme l'un des plus beaux villages de Lozère.

Où dormir ? Où manger ?

⌂ |●| ***Chambres d'hôtes, chez Jeannine Boyer :*** *☎ 04-66-32-53-79. Compter 47-49 € pour 2, petit déj inclus. Repas savoureux 16,50 €, vin compris. Café offert sur présentation de ce guide.* Au centre du village. Belle maison agrémentée d'un joli jardin. Jeannine dispose de cinq chambres aménagées dans l'ancienne grange de la maison de famille, agréables et confortables. Idéal pour assister à la transhumance ou pour séjourner au printemps, quand la nature environnante est un véritable enchantement. Accueil cordial et attentionné.

Gîtes du Château de Marchastel : *chez Odile et Éric Malherbe. ☎ 04-66-32-59-50. • aubrac@aubrac2000.com • aubrac2000.com • Trois gîtes (4-6 pers) 283-460 €/sem selon saison. Tarifs w-e 2 à 3 nuits, se renseigner.* Des routards qui se sont faits châtelains, ayant décidé il y a quelques années de rénover une ruine de 500 m². Gîtes à découvrir donc sans penser pour autant mener la vie de château. Mais vous allez être agréablement surpris, car tout est fait pour vous faire aimer l'Aubrac : confort et propreté impeccables, cadre très agréable et la vue sur le plateau, si belle... Il y a aussi une piscine et des VTT à votre disposition, un mur d'escalade pour vous entraîner, etc.

PRINSUÉJOLS *(48100)*

Entre Malbouzon et le château de la Baume, à l'est du massif. Minuscule village avec quelques familles, une mairie de poupée et une église romane du XIIe siècle coiffée par un clocher-peigne (sans jeu de mots !). Le château, construit en 1630, est surnommé « le Versailles du Gévaudan ». Tours carrées, chemin de ronde à mâchicoulis, escalier à balustres... un surnom mérité !

À voir dans les environs

Le château de la Baume : *☎ 04-66-32-51-59. • chateaudelabaume.net • Proche d'Usanges et de Marchastel également. En saison, tlj 10h-12h, 14h-18h ; hors saison, ouv slt sur rendez-vous l'ap-m et fermé mar. Entrée : 5,50 €. Visite guidée : 40 mn.* Très belle route dans une campagne intacte. Horizons immenses avec quelques bois. Et puis soudain surgit cette grande demeure en granit : « le Versailles du Gévaudan ». Construit au Grand Siècle, il abrite de très belles pièces avec du mobilier XVIIIe et notamment des boiseries et décors peints remarquables. Salle réservée à Las Cases qui fut l'oreille de Napoléon en exil.

FAU-DE-PEYRE *(48200)*

Encore un village perdu, entre bois et prairies, à 8 km à l'ouest d'Aumont-Aubrac. Église Saint-Martin du XIIIe siècle avec une remarquable abside à sept pans en cul-de-four.

Où dormir ? Où manger ?

Gîte d'étape : *chez Mme Estevenon, au village. ☎ 04-66-31-11-10. 18 lits, 10 € la nuitée.* Dans une belle grange restaurée, à côté de la ferme. Grande cheminée et hauts plafonds dans la pièce commune, à l'atmosphère conviviale. Lits simples au rez-de-chaussée ou sur la mezzanine. Douches, coin cuisine, confort et propreté. Accueil très sympathique.

Hôtel-restaurant del Faôu : *au centre du village. ☎ 04-66-31-11-00. • hotel.delfaou@wanadoo.fr • Resto fermé dim soir, sf en juil-août. Congés : de mi-déc à mi-janv. Doubles avec douche et w-c ou bains 44 €. Menus 13-35 € et carte.* Cuisine familiale et très copieuse, à des prix défiant toute concurrence. Une valeur sûre dans ce bout du monde, où l'on se bouscule littéralement pour goûter les (vraies) cuisses de grenouilles, la truite au lard ou les *manouls* (tripes et ventre d'agneau en paquets). Accueil spontané et chaleureux. À proximité, un bâtiment récent abrite des chambres impeccables, avec tout le confort. Une cure assurée de bien-être.

LA FAGE-MONTIVERNOUX (48310)

Au nord de l'Aubrac, à 8 km de Fournels par la D 53. Petite église avec un clocher-mur à trois baies au pied du puy de Montivernoux (1 289 m).

LES SALCES (48100)

On est ici en plein pays des Boraldes, ces versants ravinés et creusés par une douzaine de rivières au sud de l'Aubrac. Le village, à une vingtaine de kilomètres de Nasbinals, apparaît soudain au terme d'une longue traversée d'un plateau désertique où paissent tranquillement les troupeaux de vaches aubrac, qui ajoutent une belle touche de couleur. Le GR 60 passe à côté. Toute la D 52 est à faire, en prenant le temps de découvrir les nombreux ***lacs*** d'altitude : Salhens, Saint-Andéol, Souveyrols, Born, Bonnecombe.

Où dormir ? Où manger dans les environs ?

Hôtel-restaurant Le Radal du Trébatut : *à 2 km au sud des Salces, en descendant vers Le Monastier. ☎ 04-66-32-61-71. • auberge-du-radal@wanadoo.fr • hotel-du-trebatut.com • ♿ Congés : de mi-nov à Noël. Doubles 35-40 € (½ pens 35 €/j./pers). Menus 12-20 € et carte. Apéritif maison offert sur présentation de ce guide.* Des bâtiments modernes sans charme, mais un cadre et une vue agréables sur le pays. *Radal* est la traduction en patois de « feu de joie ». À vous d'en déduire la signification de *Trébatut*. Cuisine régionale au resto : aligot, tête de veau... Bon accueil.

Le Relais des Lacs : *à Bonnecombe, 48100 Les Salces. ☎ 04-66-32-61-78. • pignols@relais-des-lacs.fr • ♿ Ouv tlj en juil-août ; fermé lun en mai-juin et sept. Congés : déc. Menu unique midi et soir 12 €.* Au milieu du plateau, cadre idyllique entouré de prés et de landes. Un restaurant sans ostentation, qui fait en même temps café-bar. Sa spécialité : l'aligot, excellent, mais vous pouvez vous contenter d'un généreux casse-croûte.

MARVEJOLS (48100) 5 500 hab.

Une petite ville de caractère, au centre agréable, bien située aux portes de l'Aubrac et de la Margeride. Ici, vous êtes en plein Gévaudan, le pays de la bête qui ensanglanta la région et défraya la chronique de l'Ancien Régime, même si – pour la p'tite histoire – la bête n'a jamais sévi dans le village proprement dit de Marvejols.
Et surtout, ne dites pas que vous êtes en Auvergne. Elle commence à 50 km d'ici, au nord. Marvejols est génétiquement languedocienne, avec son accent du Midi, même si rien dans l'architecture et dans les paysages ne rappelle le Sud.

LA SINISTRE HISTOIRE DE LA BÊTE DU GÉVAUDAN

A-t-elle vraiment existé ou non ? Était-ce un énorme loup plus féroce que les autres ? Un monstre crochu et velu échappé d'un cirque ? Un gros chien anormalement méchant ? Un funeste tueur en série ? On n'a jamais su le fin mot de cette histoire. Même aujourd'hui, on continue à se battre contre son fantôme. Après avoir fait couler le sang, la bébête fait toujours couler de l'encre et hante les imaginations.

Que s'est-il passé au juste ? Pendant trois ans, entre 1764 et 1767, la province du Gévaudan fut terrorisée par une « bête farouche », inconnue et mystérieuse, un « animal redoutable » qui s'attaquait surtout aux enfants (68 victimes) et aux femmes (25 victimes), moins souvent aux hommes (6 victimes).
Pour capturer ce quadrupède sanguinaire, le roi Louis XV envoya le capitaine Duhamel et ses 57 dragons. Toute la contrée fut ratissée mais la terreur continua ; 140 paroisses furent alors mobilisées, de Langogne à Saint-Chély-d'Apcher. Afin de combattre ce « fléau envoyé par Dieu pour punir les Gévaudanais de leurs mœurs relâchées », l'évêque de Mende ordonna, comme au temps des grandes calamités, des prières dans toutes les églises. Le diable n'était pas très loin. Février 1765 : échec de la première campagne. Le roi dépêcha un autre louvetier, Denneval, qui avait 1 200 loups à son palmarès... Échec à nouveau. La bête continuait à tuer. Excédé, Louis XV expédia son chef des chasses royales, Antoine de Beauterne. Le meilleur fusil du royaume, disait-on. Quelques semaines de battues en Gévaudan et il revint victorieux à Versailles où il présenta un gros loup sombre tué par ses soins. Pour le récompenser, le roi lui versa une somme de 10 000 livres. Une petite fortune. Mais, sur le terrain, le carnage n'avait pas cessé... Alors les gens du cru redoublèrent d'acharnement. Et le 17 juin 1767, un dénommé Jean Chastel tire sur la bête avec des balles bénites... C'était un loup.
« Foutaises que toutes ces histoires », hurlait Gérard Ménatory, « avocat » des loups en son parc du Gévaudan à Sainte-Lucie. « Comment se fait-il que cette prétendue bête n'ait jamais tué un seul mouton ? Jamais un loup n'attaque l'homme. Il le craint. » Alors ? Seule explication que l'on murmure par ici : ce serait l'œuvre d'un maniaque sexuel, véritable *serial killer*. Un détraqué particulièrement agressif, style *M. le Maudit*. Ce qui semble bien probable... si l'on s'en réfère au dernier film en date : *Le Pacte des loups*, qui revient sur les différentes hypothèses envisagées en donnant une vision de la bête et des hommes de l'époque qui n'a pas fini de faire parler d'elle...

Adresse et infos utiles

Maison de tourisme : *dans la porte du Soubeyran.* ☎ *04-66-32-02-14.* • *ville-marvejols.fr* • *En été, lun-sam 9h-12h, 14h-19h (18h sam), dim 10h-12h, 16h-18h ; hors saison, mar-sam 9h-12h, 14h30-18h (17h30 sam), fermé dim-lun et j. fériés.*
– ***Marché traditionnel :*** *ts les sam mat, sur la pl. Henri-IV.*
– ***Marché aux ovins :*** *1er et 3e lun de chaque mois.* Grand rassemblement des ovins d'Aubrac. Marvejols est un point de ravitaillement agricole. Depuis 1991, la viande de génisse est élevée au rang des appellations sous le nom de « fleur d'Aubrac ». Fameux.

Où dormir ? Où manger ?

Camping municipal Europe : *au Coulagnet.* ☎ *04-66-32-03-69. Fax : 04-66-32-43-56.* *Ouv de mi-mai à mi-sept. Compter 7,50 € pour 2.* Très confortable. Accès direct à la rivière.

Chambres d'hôtes au château de Carrière : *21, av. Pierre-Sémard.* ☎ *04-66-32-47-05.* • *domainedecarriere.com* • *Du centre, prendre la direction de la clinique du Gévaudan et du VVF. Laisser la clinique à droite, le domaine est un peu plus loin sur la gauche, juste à la sortie de Mavejols. Ouv Pâques-Toussaint. À partir de 100 € pour 2. Menus 18-32 €.* Chambres de prestige aménagées à l'intérieur d'un château des XVIIe (partie centrale) et XIXe siècles (pour ce qui concerne les deux tours), récemment restauré. *L'Auberge,* située dans une dépendance en bordure du parc, vous accueillera pour les repas (de préférence sur résa). Belle déco, belle carte. Tables en terrasse aux beaux jours, dans un environnement calme et verdoyant.

Où dormir ? Où manger dans les environs ?

Le Val d'Enfer : *à Pont-Crueize, 48100 Saint-Léger-de-Peyre. ☎ 04-66-32-20-51. À 8 km au nord de Marvejols. Prendre la N 9 direction Aumont-Aubrac, puis à droite à 2 km. Resto ouv tlj sf dim soir. Congés : vac de Noël. Doubles 35-40 €. Menus 12-16 € et carte. Apéritif maison offert sur présentation de ce guide.* Torrent, verdure et tranquillité assurée. Au *Val d'Enfer,* quelques chambres très simples avec douche et w-c à l'étage. L'adresse est surtout prisée pour sa cuisine franche et copieuse. Pas bien compliquée mais pas désagréable.

La Baraque du Plô : *chez Ginette Beaufils, 48100 Antrenas. ☎ 04-66-32-12-07. ♿ À 8 km au nord de Marvejols, sur la D 900 en direction de Nasbinals. Service midi slt. Menu unique 13 €. Café offert sur présentation de ce guide.* Mme Beaufils, surnommée à juste titre la « reine des tripoux », est depuis plus de trente ans aux fourneaux de ce petit resto ouvrier bien sympa. Bonne cuisine familiale et copieuse.

À voir. À faire

Les portes fortifiées de la ville : la porte de Chanelles, avec ses mâchicoulis, ses deux grosses tours rondes coiffées d'une toiture en lauzes, est située dans le sud de la ville. On trouve sa réplique dans le nord : c'est la porte du Soubeyran, à côté de la statue d'Henri IV, le reconstructeur de la cité. Ces portes fortifiées renferment des habitations depuis très longtemps : voilà pourquoi elles sont si bien conservées. La tour du Soubeyran accueille un *musée d'Archéologie lozérienne.* On peut aussi monter au sommet de cette tour pour avoir une belle vue sur la ville.

L'église Notre-Dame-de-la-Carce : l'édifice primitif fut construit au XIVe siècle par Guillaume Durand (l'évêque de Mende, pas le journaliste !). L'église fut anéantie lors des guerres de Religion qui mirent la région à feu et à sang. Reconstruite au XVIIe siècle, elle conserve la statue vénérée de Notre-Dame de la Carce qui fait l'objet de nombreux pèlerinages.

Sur la **place Girou,** menhir de Poujoulet en hommage au docteur Prunières, éminent préhistorien du XIXe siècle. C'est ici que s'élevait le temple détruit à la révocation de l'édit de Nantes. Plus loin, sur la **place des Cordeliers,** statue moderne de la bête du Gévaudan.

La bibliothèque et son jardin : baladez-vous dans ce petit parc qui entoure une vieille bâtisse du XVIIe siècle. Classé aux Jardins de France.

➢ **Sentiers de petite randonnée :** plusieurs belles promenades à pied et itinéraires VTT dans les environs immédiats de la ville, dans une campagne vallonnée et variée : le Regourdel, Antrenas, le Grenier-Valadou, le plateau de Rouby, la vallée du Coulagnet. Informations sur les itinéraires à la maison de tourisme.

Fêtes et manifestations

– **Salon de la fleur et du jardinage :** *un dim autour du 8 mai.*
– **Les Journées occitanes :** *le 1er w-e de juil.* Pour voir revivre l'agriculture et les traditions anciennes. Animations (vieux tracteurs, dentellière, etc.) et expos dans la ville.
– **Festival pluriculturel Marvejols en Scène :** *pdt 4 j. la dernière sem de juil.* Théâtre et concerts en soirée, animations et spectacles de rue dans la journée, la scène, quoi !
– **Fête votive :** *pdt 5 j. autour du 15 août.* Fête foraine, feux d'artifice...

DANS LES ENVIRONS DE MARVEJOLS

Chirac (48100) : qu'on se rassure, l'ex-président n'a pas baptisé un village de France à sa gloire ! Il n'est même jamais venu ici. À voir tout de même, une belle église romaine, Saint-Romain, construite au XIIe siècle. On remarque le portail en plein cintre et la belle abside en cul-de-four.

QU'EST-CE QUE C'EST QUE CES TRUCS ?

Petite piqûre de rappel pour ceux qui n'auraient pas suivi : un « truc » est une sorte de grosse colline herbue et rocheuse qui se dresse soudain dans le paysage. Il y en a trois dans les environs de Marvejols : le truc du Midi (1 019 m), le truc de Grèzes (1 012 m) et le truc de Saint-Bonnet-de-Chirac (934 m). Pourquoi des « trucs » ? Parce que les trucs sont des énigmes géologiques, on ne sait ni pourquoi ni comment ils sont apparus. Alors, ce sont des trucs !

Les Loups du Gévaudan : *parc animalier situé au village de* **Sainte-Lucie.** *☎ 04-66-32-09-22. • loupsdugevaudan.com • À 9 km env au nord de Marvejols. Prendre la D 809 en direction d'Aumont-Aubrac ; à 6,5 km, tourner à droite et continuer jusqu'au bout du chemin. En été, tlj 10h-19h ; en hiver, 10h-17h. Congés : janv. Entrée : 7 € ; réduc. Visite guidée facultative ttes les 75 mn env (comprise dans le tarif).*
Le paysage est superbe. On est à 1 100 m d'altitude. Au loin, les monts de la Margeride et de l'Aubrac. Bar à l'accueil et boutique axée sur le thème du loup. *Maison du Loup* (petit musée) au-dessous du bâtiment.
Sur une trentaine d'hectares, des enclos arborés où vivent environ 120 loups, de quatre sous-espèces : du Canada, de Sibérie, de Pologne et de Mongolie. Ils sont nourris tous les 2 jours (lundi, mercredi et vendredi, 16h-17h ; un peu avant dans le parc d'observation à proximité).
Le fondateur des lieux, Gérard Ménatory, avait décidé en 1985 de réhabiliter le loup auprès de l'opinion. Aujourd'hui, l'équipe zootechnique a pris le relais, et s'occupe jour après jour de l'espace de protection et de reproduction de cet animal à la terrible réputation. Ils sont en tout cas aussi impressionnants que magnifiques, ces loups, notamment en hiver, où leur fourrure augmente leur volume. Durant la visite, on apprend que ces animaux sont d'une grande sociabilité, qu'on a grand tort d'en faire des monstres, etc., et, finalement, on a bien envie de relire nos vieux classiques. Sacré chaperon rouge, va !

QUITTER MARVEJOLS

Gare SNCF : *à 1,5 km au sud de la ville. Rens : ☎ 36-35 (0,34 €/mn).*
➢ **Pour Mende :** 3 trains/j.
➢ **Pour Paris :** 2 liaisons (train ou car)/j. Compter 7-8h de voyage (on traverse toute l'Auvergne et le centre de la France).

LE CAUSSE DE SAUVETERRE

Un des quatre grands causses de cette région avec le Méjean, le causse Noir et celui du Larzac. Large plateau peuplé essentiellement de brebis, le regard n'est arrêté que par quelques légers reliefs, quelques haies ou murets de pierre sèche. Le causse de Sauveterre, bordé au nord par le Lot et à l'est par le Tarn, présente des paysages moins dénudés qu'ailleurs, notamment dans la partie sud-ouest, entre La Canourgue et Saint-Rome-de-Dolan. Un véritable

paradis pour les amoureux d'espaces vierges, de balades dans les vastes horizons. À découvrir à pied par le GR 6 ou le GR 60 ou, mieux, à cheval.

LA CANOURGUE

(48500) 1 900 hab.

Une jolie petite ville nichée au creux d'un vallon et traversée d'un réseau de canaux qui lui donne une certaine originalité après l'aridité du causse. La cité fut bâtie autour d'un monastère édifié au VIIe siècle. Dans le centre, plusieurs vieilles maisons Renaissance à encorbellement, avec des fenêtres à meneaux surplombant l'Urugne où fonctionnaient autrefois les tanneries et les mégisseries. Un charme désuet émane de ce gros village, bonne étape entre le causse et l'Aubrac, très animé en été. La *pouteille,* spécialité locale traditionnelle (marinade de bœuf, pieds de porc, pommes de terre et sauce relevée, à accompagner d'un bon cahors), possède aussi sa confrérie.

Adresse utile

Office de tourisme intercommunal : *rue de la ville. ☎ 04-66-32-83-67. • la-canourgue.com • Juil-août, lun-sam 9h-12h30, 14h30-19h, dim 10h-12h30 ; le reste de l'année, lun-sam 9h-12h, 14h-18h.* Très dynamique et accueillant. Toutes les infos sur le patrimoine historique, culturel et naturel, les circuits touristiques ainsi que les nombreuses activités alentour.

Où dormir ? Où manger ?

Camping

Camping Le Val d'Urugne : *route des Gorges-du-Tarn (direction Sainte-Énimie). ☎ 04-66-32-84-00. • lozereleisure@wanadoo.fr • lozereleisure.com • Ouv de mi-avr à fin oct. Compter 13 € pour 2 en hte saison. Loc de chalets et tentes équipées 250-650 €/sem.* Une cinquantaine d'emplacements, pour planter sa tente dans un environnement très arboré, au bord de l'Urugne. Confort 3 étoiles, sanitaires nickel, restaurant, piscine, golf, etc. Un très bon rapport qualité-prix.

De bon marché à prix moyens

Hôtel Le Portalou : *pl. du Portalou. ☎ 04-66-32-83-55. • hotelleportalou@wanadoo.fr • hotelleportalou.com • Dans le centre, en retrait de la rue principale. Congés : 2de quinzaine de nov. Doubles avec douche ou bains 39-50 € selon saison. Formule 10 € et menus 11-20 €. Café offert sur présentation de ce guide.* Extérieurement, une grande maison bourgeoise du XIXe siècle. À l'intérieur, des chambres spacieuses et calmes, surtout celles donnant sur le beau jardin. Agréable terrasse sous la glycine. Confitures maison au petit déj, restauration rapide et simple. En prime, le patron propose des petites excursions à la demande, selon la saison, et des séjours à thème. Un hôtel des plus sympa et le mieux situé du centre-ville.

Hôtel La Citadelle : *av. des Gorges-du-Tarn. ☎ 04-66-32-80-11. Resto fermé dim soir hors saison. Congés : fév. Doubles 32-40 € selon confort. Formule midi en sem 11 € et menus 14-23 €.* Petit hôtel 1 étoile sans chichis, dans une vieille maison en plein centre. Chambres modernes et simples, sans charme particulier. Resto et bar populaires, accueil souriant. Plus qu'animé les soirs de match de foot.

Où dormir ? Où manger dans les environs ?

Gîte d'étape et de séjour : *à La Capelle, 48500 La Canourgue. ☎ 04-66-94-06-38. • lachazelle@yahoo.fr • lachazelle.com • Ouv tte l'année. Résa obligatoire. Compter 15 €/pers.* Au joli hameau de La Capelle, avec sa petite église et ses maisons aux toits de lauze. Environnement très agréable pour ce gîte de 27 places réparties en 7 chambres (2 à 7 personnes), aménagé dans une ancienne bergerie entièrement retapée. Confort et propreté impeccables, salle commune et cuisine à dispo, barbecue, terrasse et tutti quanti ! Pour compléter le tableau, les champs à perte de vue et un calme olympien...

Ferme de la Vialette : *chez Jean et Anne-Marie Fages, 48500 La Canourgue. ☎ 04-66-32-83-00. • contact@gite-sauveterre.com • gite-sauveterre.com • Situé à côté du village de La Capelle, sur la D 998, à 9 km de La Canourgue et à 7 km de Laval-du-Tarn. Ouv tte l'année. Doubles avec douche et w-c ou bains 56 €, petit déj inclus. Table d'hôtes 15,50 €, apéro, vin et café compris. Compter 44 €/pers en ½ pens. Également deux gîtes (5 pers) à louer à la sem.* Vieille ferme du XIVe siècle magnifiquement retapée, qui a gardé tout son charme rustique. Ancienne maison de maître qui abrite cinq chambres d'hôtes charmantes et confortables. À table, ambiance rando et copieuse cuisine du pays. Profitez des forêts environnantes qui s'étendent à perte de vue pour vous balader à pied ou à vélo.

À voir. À faire

L'église Saint-Martin : les moines édifièrent ici un petit monastère au VIIe siècle, autour duquel le bourg fut construit. Au début du XIe siècle, les bénédictins, à qui l'on avait confié le monastère, construisirent une belle église dans le plus pur style roman. Tout cela nous serait parvenu intact, sans compter la guerre entre protestants et catholiques, entre autres. Malgré ça, l'ensemble est plutôt harmonieux : chapelles gothiques, grande fenêtre Renaissance...
De plus, le quartier est bien agréable. Le ***parcours-découverte*** de l'histoire du village, au départ de l'office de tourisme, permet d'explorer toutes ses ruelles pittoresques et ses passages voûtés. On sent une quiétude et une certaine douceur de vivre.

La chapelle Saint-Frézal : du XIe siècle. Restaurée par la confrérie de la Pouteille et du Manouls. *Infos : ☎ 04-66-32-80-10.*

Le sabot de Malepeyre : curieux rocher de 30 m de haut, imitant – semble-t-il – la forme d'un sabot. On le voit au bord de la D 46 en direction du causse.

➢ ***Nombreuses randonnées pédestres :*** circuits et cartes d'orientation en vente à l'office de tourisme.

Manifestations

– ***Foire aux célibataires :*** *chaque année, le w-e de Pâques. Infos auprès de l'association Cupidon : ☎ 04-66-32-82-30. • foire-aux-celibataires.com •* Des centaines, des milliers de célibataires accourus de partout pour trouver chaussure à leur pied. Stands, bal, animations diverses... Le bonheur assuré !
– ***Festival du roman policier « La Canourgue Noire » :*** *le 1er w-e d'août.* Rencontre avec les auteurs, dédicaces, débats, lectures publiques...
– ***Foire à la brocante et à l'artisanat :*** *le 2e dim d'août.* Très populaire dans la région. C'est le moment de faire des achats !
– ***Fête de la confrérie de la Pouteille et du Manouls :*** *le dim qui suit le 15 août. Infos : ☎ 04-66-32-40-21.* Avec la participation des confréries de toute la région.

➤ *DANS LES ENVIRONS DE LA CANOURGUE*

Le Villard : joli petit village médiéval, surplombant la vallée du Lot. Accès à pied uniquement pour les visiteurs (se garer dans la côte, 100 m plus bas). Il abrite les ruines d'un château des XIVe et XVe siècles, son vieux logis et les fondations du donjon. Courte balade bien agréable à la découverte des belles maisons retapées et possibilité de visiter l'atelier d'un peintre.

Sauveterre : un vieux village typique du causse de Sauveterre, près de la route qui relie Sainte-Énimie à Balsièges dans la vallée du Lot.

Champerboux : *à 2,5 km de Sauveterre.* Un autre vieux village isolé sur le causse, dans une région où l'on a retrouvé plusieurs dolmens et un tumulus. Encore un coup des Celtes !

LES GORGES DU TARN

L'un des sites les plus spectaculaires de France, certainement, mais aussi l'un des plus fréquentés par les touristes en été. Il n'empêche que la beauté et la magie des lieux n'ont pas vraiment changé, malgré les foules. Après y être allé, on ne regrette jamais d'avoir eu cette idée. C'est un grand classique, d'accord. À vous de le relire avec des yeux neufs, en sortant des sentiers battus.
On peut vous recommander notamment un survol en ULM. Plus abordable : louer un canoë-kayak et se laisser porter par le courant. À notre avis, le meilleur moyen de découvrir le site est la marche évidemment. Pour les marcheurs, justement, le sentier rive gauche permet de longer les gorges plaisamment.

DEUX MOTS SUR LE TARN ET SES FAMEUSES GORGES

Jusqu'à Florac, tout va à peu près bien pour lui. Il a pris sa source au sommet du mont Lozère – ô bonne mère des eaux –, à 1 575 m d'altitude, et coule comme une petite rivière de montagne, entouré de versants raisonnables.
Passé le bon village d'Ispagnac, le ton change. Le Tarn affronte les causses. Adieu le granit du mont Lozère et les schistes des Cévennes ! Voilà le royaume du calcaire, roche tendre parmi les plus tendres. Sur 53 km, entre Ispagnac et Le Rozier, la jeune rivière impétueuse peut sculpter le paysage à sa guise. Elle creuse un profond couloir et coule au pied de falaises hautes de 400 à 500 m. À certains endroits, le défilé se resserre comme dans le passage des Détroits, entre La Malène et Les Vignes, peut-être la plus belle partie des gorges.
Ailleurs, le Tarn décrit des méandres, amorce des virages vertigineux, comme au cirque de Pougnadoires, près de Saint-Chély, ou mieux, au cirque des Baumes. Le mot « cirque » convient bien au Tarn. C'est une rivière spectacle. Tel ce point Sublime ou ce roc des Hourtous, où se nichent les aigles. C'est aussi une rivière limpide qui cache ses secrets : on ne les voit pas au premier coup d'œil, mais près de 40 résurgences souterraines venues du causse Méjean et du causse de Sauveterre se jettent dans les eaux du Tarn, sous forme de cascades. Et puis les gorges ne sont pas que pierre et eau : on découvre des hectares de forêts giboyeuses, magnifiques, avec des hameaux sans accès comme celui de la Croze, témoin d'une vie paysanne ancestrale qui avait pu s'enraciner même au fond des gorges.
De puissants seigneurs, plus ou moins misanthropes, avaient élu domicile sur ces rives pittoresques : la vallée est ponctuée de plusieurs châteaux imposants, cer-

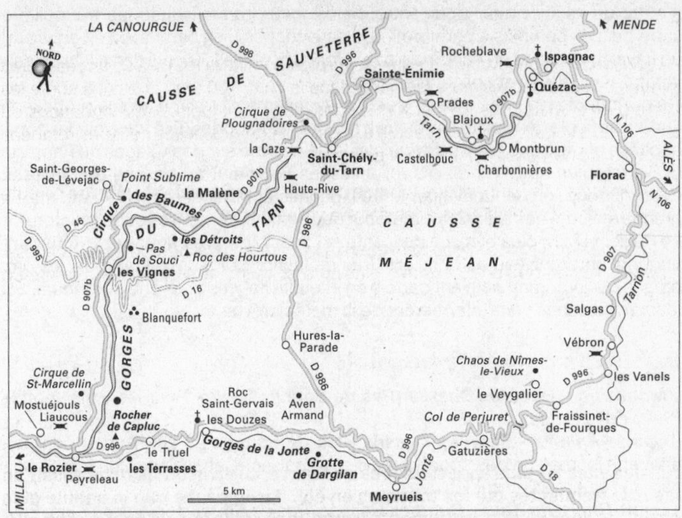

LES GORGES DU TARN ET DE LA JONTE

tains en ruine, d'autres rénovés en château-hôtel. Rocheblave, Charbonnières, Castelbouc, La Caze, La Malène... autant de nids d'aigle imprenables dans cette vallée d'orgueil.
Enfin, vous pouvez descendre le Tarn jusqu'au bout, c'est-à-dire Albi, Montauban et Moissac, où il mêle ses eaux à celles de la Garonne. Si le niveau de l'eau le permet, les kayakistes pourront faire l'ensemble de ce beau périple...

Quelques petits conseils utiles

– Choisissez bien votre époque pour y aller. On vous l'a déjà dit : en juillet et août, les gorges, même déployées, affichent complet. Et mieux vaut s'informer du niveau de l'eau pour profiter pleinement de la descente.
– Mieux vaut toujours confirmer votre heure d'arrivée à l'hôtel avant de venir y poser les bagages en fin de journée. Quant à la réservation, elle est évidemment indispensable, en saison. Demandez bien si la demi-pension est de rigueur ou pas.
– On trouve de quoi se loger sur le causse Méjean ou sur le causse de Sauveterre. À notre avis, la meilleure des solutions consiste à trouver une chambre dans un rayon de 15 à 20 km autour du Tarn. On vous en signale. Autre possibilité : les multiples chambres d'hôtes et gîtes d'étape tout le long du lit du Tarn.
– Randonneurs, renseignez-vous sur les sentiers auprès des offices de tourisme locaux. Il y a de très belles balades à faire au départ de La Malène ou du Rozier.
– Kayakistes, sachez-le, les crues du Tarn sont réputées pour leur violence, notamment aux équinoxes d'automne et de printemps. Il vaut mieux se méfier de son humeur.

La descente des gorges du Tarn en canoë-kayak

Moins populaire que celle de l'Ardèche mais tout aussi belle, la descente des gorges du Tarn est une expérience exceptionnelle, accessible à presque tout le monde.

Il suffit de savoir nager pour entreprendre cette rando aquatique tranquille et superbe. Les bambins à partir de 7 ans peuvent très bien partir avec un adulte sur un kayak biplace ou un canoë biplace, proposés par les loueurs (les gilets de sauvetage sont fournis et obligatoires).
Ce qui caractérise cette rivière, c'est l'environnement sublime qu'elle propose, et surtout sa faible dénivelée qui l'ouvre à tous les non-sportifs. Elle traverse des zones habitées et offre des points de vue pleins de charme sur des villages ou hameaux de vénérables maisons de pierre, dressées fièrement au-dessus des falaises. Grosso modo, on peut naviguer entre Ispagnac et Millau (environ 70 km), mais la grande majorité des touristes circule sur des portions comprises entre Montbrun et Le Rozier (47 km plus bas). La descente est possible entre Pâques et la Toussaint, en fonction du niveau de la rivière. Pas de lâcher EDF sur le Tarn mais les gros orages de l'automne peuvent parfois en interdire l'accès pour quelques jours. Les loueurs de canoë vous informeront de la météo prévue.

Quelques parcours possibles

– ***Montbrun – Baumes Basses (Pas de Souci) :*** 33 km. Pour les vrais sportifs. Prévoir deux jours.
– ***Sainte-Énimie – Baumes Basses (Pas de Souci) :*** 23 km. Parfait pour une chouette journée un peu sportive mais pas épuisante, et qui laisse du temps pour nager et se prélasser sur les rives.
– ***Saint-Chély-du-Tarn – Baumes Basses (Pas de Souci) :*** compter 17 km. Environ 4h de navigation. Un beau parcours là aussi. Constitue un bon compromis pour ceux qui ne disposent que d'une grosse demi-journée.
– ***La Malène – Baumes Basses (Pas de Souci) :*** environ 9 km (compter 2h tranquillou). Une descente pépère, qui permet de passer par « Les Détroits ».
Pour ceux qui ont la journée, on vous conseille le parcours de 23 km. Les moins sportifs et les familles accompagnées de jeunes enfants se contenteront de celui de 9 km.

Où louer un canoë ou un kayak ?

On trouve des loueurs dans tous les gros villages baignés par le Tarn, entre Montbrun et La Malène, mais la plupart sont réunis à Sainte-Énimie et à La Malène. Peu importe votre site de départ, tous les loueurs viennent vous chercher à votre point d'arrivée pour vous ramener à votre véhicule. En saison, pensez à réserver votre location. Toutes les coordonnées sont disponibles auprès des offices de tourisme de Sainte-Énimie ou de La Malène. Voici deux adresses parmi la vingtaine qui existe.

■ ***À Sainte-Énimie : Canoë Paradan.*** *Sur le bord de la route en sortant du village sur la route de Florac.* ☎ *04-66-48-56-90.* • *canoeparadan.com* • Bon accueil.

■ ***À La Malène : Canoë 2000.*** ☎ *04-66-48-57-71.* • *canoe2000.fr* •

Petits conseils pour la descente

Sans difficultés particulières, la descente des gorges nécessite tout de même de respecter certaines règles de sécurité ou de simple bon sens.
– Savoir nager et toujours porter le gilet de sauvetage (fourni par le loueur).
– Prévoir de l'eau en quantité suffisante (risque de déshydratation rapide pour les enfants, surtout en été).
– Prévoir chapeau et lunettes de soleil, des chaussures pour aller dans l'eau et un casse-croûte pour le pique-nique si vous faites la descente à la journée. Contre le soleil, couvrir les parties du corps exposées et éviter les crèmes solaires, qui polluent l'eau (sauf pour les bras des gamins !).
– Le bidon étanche fourni par le loueur permet de ranger tous les objets qui craignent l'eau (appareil photo, caméra, nourriture...).

– Demander au loueur les points d'arrêts possibles sur le parcours pour faire des pauses et gérer au mieux sa descente. Il n'y a rien de pire que d'avoir à ramer comme un fou dans les derniers kilomètres pour attraper la navette.
– Attention : le téléphone portable ne passe pas du tout dans les gorges.

Quelques beaux points de vue sur le parcours

Environ 2h après ***Sainte-Énimie,*** sur la rive gauche, on découvre l'adorable village de ***Saint-Chély-du-Tarn,*** avec sa belle cascade moussue. L'eau glacée qui tombe fait paraître le Tarn presque chaud en comparaison. Vision d'un romantisme total. Un peu plus loin, sur la droite, le beau ***château de la Caze,*** du XVe siècle. En poursuivant, de nouveau sur la gauche, on parvient à ***Hauterives,*** accessible seulement en bateau (pas de route). Puis retour à la civilisation à ***La Malène,*** point de départ du circuit de 9 km. On peut même s'y arrêter pour prendre un verre au café juste au-dessus du pont. Ensuite viennent ***Les Détroits,*** là où la rivière se resserre le plus. C'est la partie la plus typique des gorges, la plus encaissée, mais aussi la plus fréquentée. Impression saisissante. Beaucoup de gens se contentent de cette portion. C'est un peu dommage.

ISPAGNAC (48320) 750 hab.

À une dizaine de kilomètres de Florac, un joli village au début de la vallée du Tarn. Les gorges commencent véritablement après Ispagnac, au hameau de Molines. Le coin est très sympathique au printemps. En été, il y a beaucoup de monde. Mais on s'y loge plus facilement qu'à Sainte-Énimie. Belle petite église romane au village.

Adresse et info utiles

Office de tourisme : *au Pavillon du tourisme. ☎ 04-66-44-20-89. • ispagnac.com • Juil-août, lun-sam 9h-12h30, 15h-19h, dim 10h-12h ; le reste de l'année, lun-ven 9h-12h, 14h-17h.* L'office organise des balades à thème, des cueillettes...
– ***Marché :*** *tte l'année, mar et sam.* Il propose notamment fruits à la chair juteuse et légumes goûteux de cette petite région connue pour son microclimat sous le doux vocable du « verger de la Lozère ».

Où dormir ? Où manger ?

Campings

Camping L'Aiguebelle : *☎ 04-66-44-20-26. Ouv Pâques-fin sept. Compter 12 € l'emplacement pour 2 en hte saison.* Au bord du Tarn évidemment, comme la plupart des autres campings, juste à l'extérieur du village, en direction de Florac. Confort 3 étoiles. Fait aussi snack-pizzeria. Piscine.

Le Pré Morjal : *route des Campings, lieu-dit Le Pré-Morjal. ☎ 04-66-44-23-77. • contact@lepremorjal.fr • lepremorjal.fr • À l'entrée de la ville en venant de Sainte-Énimie. Ouv 1er avr-31 oct. En hte saison, compter 13 € l'emplacement pour 2. Loc également de bons bungalows tte l'année sur résa : 320-450 €/sem.* Camping municipal bien équipé. Piscine.

Bon marché

Au Galeton : *9, pl. Jules-Laget. ☎ 04-66-44-24-75.* *Pizzeria sur la jolie place d'Ispagnac. Tlj juin-sept ; le w-e slt le reste de l'année. Compter*

12-20 € pour un repas complet. Apéritif maison offert sur présentation de ce guide. Large choix de pizzas.

Où acheter de bons produits ?

***Charcuterie Molines :** sur la Grand-Rue.* ☎ *04-66-44-20-54.* Fricandeau aux herbes, saucisse d'herbe (blettes)...

D'ISPAGNAC À SAINTE-ÉNIMIE

QUÉZAC (48320)

On accède au village par un très beau pont gothique du XIVe siècle à cinq arches, qui enjambe majestueusement la rivière. Imposante église construite à la même époque. Village à la longue et étroite rue médiévale qui a retrouvé une nouvelle vitalité grâce à (l'argent de) la fameuse eau à qui il a donné son nom (visite de l'usine sur résa).

Où dormir ?

***La Maison de Marius :** chez Dany Méjean, 8, rue Pontet.* ☎ *04-66-44-25-05. • dany.mejean@wanadoo.fr • maisondemarius.info • Trois chambres d'hôtes 50-60 € et deux suites 65-75 €. Menu unique 25 € boissons incluses. Sur présentation de ce guide, 10 % de réduc à partir de 5 j. en hte saison.* Chambres confortables à la décoration coquette et très fleurie. Petit déj copieux et savoureux. Côté table d'hôtes, une cuisine familiale de saison, à base de légumes et fruits du jardin.

À voir dans le coin

***Usine d'embouteillage de l'eau Quézac :** sur la D 907 bis.* ☎ *04-66-45-47-15. Se renseigner pour les j. et périodes de visite. Résa obligatoire. Visite : 3 € ; gratuit moins de 12 ans.* Pour connaître le procédé d'extraction de la fameuse eau et, si vous le désirez, découvrir le village (sentier de découverte avec panneaux explicatifs, etc.). L'ancien bâtiment de captage (1901-1931) est ouvert au public et on peut le visiter gratuitement.

UNE HISTOIRE À DORMIR DE BOUC !

Accroché au flanc du causse, le château de Charbonnières, à Castelbouc, est à l'origine d'une croustillante histoire. Lecture interdite aux chastes yeux ! Raymond de Castelbouc, seigneur du coin, n'était pas parti aux croisades avec les autres. Du coup, il se retrouva être le seul homme dans toute la région. Et ce qui devait arriver arriva. À force de vouloir contenter toutes les femmes, il périt dans les bras de l'une d'elles. Le rêve, diront certains. Et lorsque son âme s'envola, on vit planer un bouc monstrueux sur le château. Tous les rapprochements sont permis... Et, du coup, on appela l'endroit le château du bouc !

PRADES

Beau château des XIe et XIVe siècles chargé de défendre le monastère de Sainte-Énimie.

SAINTE-ÉNIMIE

(48210) 500 hab.

Voici ce qu'en disait déjà l'écrivain Jacques Lacarrière en 1973, lors de sa traversée à pied de la France : « C'est un village touristique regorgeant d'hôtels toujours pleins en été, toujours clos dès la morte saison. Novembre à Sainte-Énimie, c'est un novembre chez les loirs, les marmottes, chez les animaux hibernants. » Aujourd'hui, plus possible de dormir sous l'arche du vieux pont, les canoës-kayaks ont tout envahi. Reste un site fabuleux à voir en mai ou en septembre. Au printemps, la faune et la flore sont extraordinaires. En revanche, côté gastronomie, on n'a rien trouvé d'exceptionnel.

LA LÉGENDE D'ÉNIMIE JOLIE...

Énimie était une jeune princesse d'une beauté rare. Ses prétendants ne parvenaient pas à obtenir ses faveurs car la belle avait voué sa vie à Dieu. Or, le roi, son père, voulait la marier richement. Ne pouvant s'opposer à la volonté de ses parents, elle demanda au ciel de l'enlaidir pour dégoûter son futur époux. Réussi, le vœu : une lèpre terrible envahit son corps superbe. Nul remède ne vint à bout de la maladie, et pour cause. Après quelques mois, la souffrance étant trop intense, la jeune fille pria à nouveau pour qu'on apaise ses douleurs. Alors un ange l'envoya se baigner dans la fontaine de Burle. Un voyage long et fatigant, mais la baignade fut miraculeuse. Tout le monde s'en retourna au château. Mais dès le causse passé, la maladie réapparut. Demi-tour, re-baignade et re-guérison. Deuxième tentative de départ, même scénario. Dieu appelait Énimie ici. Elle évangélisa cette région mécréante, construisit un couvent de religieuses et finit par vivre solitaire dans la montagne.

Adresse et info utiles

Office de tourisme : *dans l'immeuble de la mairie. ☎ 04-66-48-53-44. • gorgesdutarn.net • Près de la poste. En été, lun-sam 9h30-13h, 14h-18h30, dim mat 9h-12h30. Pâques-oct, lun-sam 9h-12h30, 14h-18h ; hors saison, lun-ven 9h-12h30, 14h-17h30.* Liste des campings, des hôtels, des chambres d'hôtes. Activités sportives, touristiques, etc. Plan de visite du village disponible.

– ***Marché :*** *jeu soir en juil-août.*

Où dormir ? Où manger ?

Camping

Camping Les Fayards : *☎ 04-66-48-57-36. • info@camping-les-fayards.com • camping-les-fayards.com • À l'entrée de la ville en venant de La Malène. Avr-fin sept. Emplacement 16 € pour 2 en hte saison. Loc de mobile homes et bungalows 180-490 €/sem.* Assez ombragé, très calme et au bord du Tarn. Plage privée avec accès à la rivière.

Prix moyens

Auberge du Moulin : *dans le centre. ☎ 04-66-48-53-08. Fax : 04-66-48-58-16. Congés : de mi-nov à fin mars. Resto fermé dim soir et lun midi sf juil-août et j. fériés. Doubles avec douche ou bains 55-65 € selon saison. Formule plat du jour et dessert 12,50 € ; menus 17-35 € et carte.* Vieille maison imposante en pierre du pays. Chambres offrant un confort moderne standardisé. Les n°s 5, 6, 7 et 8 donnent sur le Tarn ou le jardin. Resto correct proposant une classique cuisine de terroir, même si la salle rustique est un peu tristounette. Aux beaux jours, on profite de la belle terrasse. Un bon rapport qualité-prix.

Hôtel Burlatis : *rue de la Combe.* *☎ 04-66-48-52-30. Fax : 04-66-48-45-72. Au centre du village, direction Florac. Congés : déc-fév. Doubles avec douche et w-c ou bains 40-52 €.* Dans une solide bâtisse en pierres du pays, un hôtel spacieux et bien tenu, aux chambres assez grandes et confortables. Accueil agréable.

Où acheter de bons produits ?

Les Confidences du Terroir : *☎ 04-66-48-51-18. Début juin-début sept, tlj 10h30-12h30, 14h-19h.* Une boutique sympathique et pratique, qui vend les produits d'artisans lozériens.

À voir

L'église : du XIVe siècle. À l'intérieur, statues de bois et de pierre du XVe siècle, ainsi qu'une céramique récente illustrant la vie de la sainte locale.

L'ancienne abbaye : il n'en reste que trois salles. L'entrée, la crypte et la salle capitulaire.

La source de la Burle : *derrière l'office de tourisme.* Il suffit d'y croire, et peut-être un nouveau miracle s'accomplira-t-il ! Un chemin part d'ici pour rejoindre l'ermitage. Sainte Énimie vécut à cet endroit. Les bâtiments datent du XVe siècle. Très beau panorama sur les gorges. Compter 1h30 aller-retour.

➤ DANS LES ENVIRONS DE SAINTE-ÉNIMIE

Utopix : *à 10 mn du village, sur le causse de Sauveterre. ☎ 04-66-48-59-07. Ouv tlj 9h-20h, mais mieux vaut téléphoner avt. Entrée : 6 € ; réduc.* Une curiosité, c'est rien de le dire. Il s'agit d'une sorte de parc de loisirs artisanal, entourant une maison qui tient elle-même de l'œuvre d'art, un peu dans l'esprit du palais du Facteur Cheval. M. Pillet s'est attelé à cette étrange construction à partir de 1979, qui est depuis exploitée par sa famille. Comme dit si gentiment sa femme, « la maison était destinée à notre usage personnel, mais comme tout le monde voulait la visiter, c'est devenu en 1993 un site touristique, très apprécié en Lozère et même plus loin ».

La ferme de Boissets : *rens auprès de l'office de tourisme pour les visites.* À 975 m d'altitude, c'est tout un hameau traditionnel caussenard que le département a voulu faire revivre à travers un parcours de visite et des maisons à thème (maison de la terre, du mouton, du blé, de la flore et de la faune, etc.). Chaque maison a sa propre scénographie.

SAINT-CHÉLY-DU-TARN (48210) 510 hab.

À 4 km au sud de Sainte-Énimie, un ravissant vieux village au pied des hautes falaises calcaires. On traverse un petit pont avant d'arriver dans ce bourg bien préservé avec son église romane, son four à pain, et une série de maisons en pierres du pays, formant un bel ensemble en bordure du Tarn. À voir, là aussi, quand il n'y a pas trop de monde.

Où dormir ? Où manger chic ?

Château de la Caze : *route des gorges du Tarn, en direction de La Malène (48210 Sainte-Énimie). ☎ 04-66-48-51-01. • chateau.de.la.caze@wanadoo.fr • chateaudelacaze.com • Resto fermé jeu midi tte l'année, mer midi hors saison et mer soir en oct. Congés : début nov-fin mars. Doubles ou suite 112-276 € selon période. Menus-carte 39-44 € et menus gastronomiques 60-82 €.* Construit au XVe siècle, le château a conservé tout son lustre d'antan. Environnement verdoyant au cœur des gorges, entouré de falaises et au bord du Tarn. Chambres somptueuses qui s'ouvrent sur la vallée, certaines sur la terrasse et la grande piscine. Cuisine fine et recherchée, que l'on déguste dans la superbe salle. Une des meilleures tables des environs. Accueil et service impeccables.

➤ DANS LES ENVIRONS DE SAINT-CHÉLY-DU-TARN

Le cirque de Saint-Chély : au pied du causse Méjean, un des plus spectaculaires du Tarn ; en forme d'amphithéâtre. Falaises impressionnantes et paysage grandiose, mais on n'y est pas tout seul en saison.

Le cirque de Pougnadoires : *très proche du précédent.* Le village de Pougnadoires est composé de maisons encastrées dans les anfractuosités de la roche. Il s'adosse à ces gigantesques rochers dont les hautes murailles, percées de cavernes aux teintes rougeâtres, forment le cirque.

LA MALÈNE

(48210) 150 hab.

L'idéal est d'y arriver par la très sinueuse route qui descend du causse Méjean vers le fond des gorges. Vue sublime garantie ! La Malène, c'est un village envahi en été mais tellement sympa en automne qu'on y reviendrait au printemps pour imaginer ces vieux toits de lauzes couverts de neige en hiver.

Adresse utile

Office de tourisme : *sur le pont qui enjambe le Tarn. ☎ 04-66-48-50-77. Juil-août, lun-ven 9h30-12h30, 13h30-18h.*

Où dormir à La Malène et dans les environs ?

Campings et gîtes d'étape

Entre La Malène et Les Vignes, vous avez le choix, mais pas forcément la place de vos rêves, surtout en plein été.

Camping municipal de La Malène : *près de l'ancien presbytère, en aval de la route en direction des Vignes (et de Millau). ☎ 04-66-48-58-55. Fax : 04-66-48-58-51. Ouv avr-fin sept. Emplacement 11 € pour 2 en hte saison.* Simple mais assez ombragé et au bord du Tarn, entouré de falaises.

Voir aussi nos adresses plus bas, dans la rubrique « Où dormir ? » aux Vignes.

Gîte d'étape communal de La Malène : *dans l'ancien presbytère de La Malène. S'adresser au camping (voir plus haut) : ☎ 04-66-48-58-55. • la-malene-mairie@wanadoo.fr. • Ouv tte* *l'année. Nuitée env 11 €.* Gîte de 20 places. Beau bâtiment surplombant la route, avec vue imprenable sur les falaises en face. Douches, petite cuisine. Il faut apporter son sac de couchage.

Gîte d'étape de Hauterives : *chez Emmanuelle Bompois et Jean-Dominique Bodard, 48210 Sainte-Énimie. ☎ 04-66-48-45-99. • hauterives@wanadoo.fr • http://perso.wanadoo.fr/gite.etape.hauterives • Voici un gîte qui se mérite : il n'est pas accessible en voiture mais à pied, donc, en 45 mn depuis La Malène (1h30 de Saint-Chély), par un sentier pédestre sur la rive gauche du Tarn. Tlj de mi-avr à mi-oct. Nuitée 18 €/pers ; petit déj 6 €. Possibilité de dîner 14 € et ½ pens 38 €. Café ou infusion offert sur présentation de ce guide.* Situé sur la rive gauche du Tarn, à 3 km de La Malène vers Sainte-Énimie, le hameau est constitué de bâtisses en pierre, datant du XVIIIe siècle. Les propriétaires proposent trois chambres rénovées et décorées avec goût. Au petit déj, yaourts maison et jus d'orange frais, et au dîner cuisine familiale à base de produits de saison. À déguster dans la salle à manger voûtée, près du poêle à bois, ou en terrasse, avec vue sur la rivière. Une halte bien appréciable.

Prix moyens

Chambres d'hôtes, chez Myriam et Christophe Brun : *« L'Ayre », 48210 La Malène. ☎ 04-66-48-55-95. • brun@chambres-gorgesdutarn.com • chambres-gorgesdutarn.com • Ouv tte l'année. Proposent une chambre double 44 € et une chambre familiale 74 €, petit déj compris.* Adossée à la falaise, cette vieille maison de pierre dispose notamment d'une chambre mansardée avec sanitaires privés, qui fait le bonheur de ses locataires. Vue sur les gorges et petit coin détente dans le jardin fleuri. Christophe, batelier sur le Tarn, saura vous faire partager son amour et sa connaissance du pays.

Chambres d'hôtes Le Pigeonnier : *chez Michel Fages, 48210 La Malène. ☎ 04-66-48-57-51. Tte l'année. Doubles 42 €, petit déj inclus. Possibilité d'hébergement en gîte (4 pers) 217-430 €/sem. Café offert sur présentation de ce guide.* Un ensemble agréable, calme et fleuri qui ne vous mène pas en bateau, et une chambre avec terrasse qu'on s'arrache. Le propriétaire, lui aussi batelier, pourra vous parler de son activité.

À voir

Le roc des Hourtous : pour s'y rendre en voiture, il faut d'abord monter sur le causse Méjean (dont on vous parle plus loin), prendre la mesure de l'immensité qui vous entoure, puis continuer sur la D 16. On peut laisser la voiture au petit parking pour continuer à pied sur le dernier kilomètre. Les plus courageux emprunteront le **sentier pédestre** au départ de La Malène (PR indiqué à droite, après le pont en direction de Meyrueis). Une sacrée grimpette qui vous mènera au belvédère en 3h de marche. Accès à 0,50 €, en passant par la salle d'un petit resto-bar-boutique de souvenirs (!). Enfin, vous voilà sur ce belvédère très haut perché, d'où l'on a une vue grandiose sur les gorges du Tarn... Autant le savoir, si vous voulez pique-niquer sur place, une participation de 1 € vous sera demandée pour la table.

Toujours sur le plateau, à env 1 km du roc des Hourtous. Un petit sentier pédestre en sous-bois mène au panorama du **roc de la Serre.** Histoire d'admirer le village de La Malène et les méandres du Tarn vus du ciel... Table d'orientation et accès gratuit.

Il y a aussi **le point Sublime** (forcément sublime !) d'où l'on domine les mêmes gorges avec des frissons... *Accès à 12 km de La Malène, par la D 43 en direction de La Canourgue.*

À faire

La descente du Tarn en barque : *les* Bateliers de La Malène *organisent ce genre de promenade plusieurs fois/j. Pâques-Toussaint. Résa le jour même slt au : ☎ 04-66-48-51-10.* Une descente tranquille de 1h environ, sur une barque manœuvrée par un gars du pays qui vous fait le commentaire sur les gorges. En route, on découvre des coins sympas comme le goulot des Détroits où vivent castors et aigles, ou le vieux hameau de *La Croze,* auquel on accède uniquement en barque. Le propriétaire, un riche industriel, a même installé un grand câble qui enjambe la vallée pour acheminer vivres et bagages. Le terminus de la promenade est au *cirque des Baumes,* un amphithéâtre naturel d'où jaillissent rocs, falaises, aiguilles et bouquets d'arbres. Une voiture ou une camionnette vous ramènera à votre point de départ, c'est-à-dire à La Malène. Un seul inconvénient : le prix assez élevé (19 € par personne) et la nécessité de se regrouper pour descendre en barque (4-5 personnes maximum). En été, venez de préférence le matin.

LES VIGNES

(48210) 120 hab.

À la sortie des gorges proprement dites, le village est bâti au fond de la vallée, à l'endroit où elle s'élargit. Comme son nom l'indique, les paysans étaient aussi vignerons.

Adresse utile

Office de tourisme : *au village. ☎ 04-66-48-80-90. • gorgesdutarn-sauveterre.com • Juil-août, tlj sf ven 9h30-12h, 15h-19h. Fermé le reste de l'année. Vous pouvez vous rendre hors saison à l'office de tourisme de Massegros. ☎ 04-66-48-88-08. Ouv tte l'année lun, mer-jeu et sam mat.*

Où dormir ? Où manger ?

Campings

Camping Beldoire : *48210 Les Vignes. ☎ 04-66-48-82-79. • camping-beldoire@wanadoo.fr • camping-beldoire.com • À env 1 km des Vignes, sur la route en direction de Sainte-Énimie. Ouv 20 avr-15 sept. Compter 16,30 € en hte saison pour 2 avec voiture et tente. Loc de bungalows 210-360 €/sem.* Emplacements ombragés sur un site arboré, le long du Tarn (les plus tranquilles) ou en amont de la route (D 907), à côté du snack et de la piscine. Nombreux services en été : épicerie, animations, location de canoë-kayak, etc. Bon accueil.

Camping La Blaquière : *48210 Les Vignes. ☎ 04-66-48-54-93. • campingblaquiere@wanadoo.fr • campingblaquiere.fr • Sur la D 907. Ouv de mai à mi-sept. Compter 13 € pour 2 en hte saison avec voiture et tente. Loc de mobile homes 375-500 €/sem.* Au bord du Tarn, dans un site ombragé, superbe paysage au pied des falaises, entre le cirque des Baumes et Les Détroits. Accueil sympathique et atmosphère familiale. Jeux pour enfants, ping-pong, diverses activités au départ du camping, randonnées, VTT, baignade.

Voir aussi nos adresses plus haut, dans la rubrique « Où dormir à La Malène et dans les environs ? ».

De bon marché à prix moyens

Hôtel-restaurant du Gévaudan : *juste en face du pont sur le Tarn. ☎ 04-66-48-81-55. • hrgevaumaj@wanadoo.fr • http://lesvigneslegevaudan.*

free.fr • *Resto fermé dim (sf fév). Congés : 1re quinzaine de juil. Doubles 31,80-38,50 € selon confort. Menus 14-26,50 € et carte. Apéritif maison offert sur présentation de ce guide.* Salle de resto rustique pas désagréable et sympathique terrasse surplombant la route. Honnête cuisine régionale et familiale, pavé d'Aubrac, gigot d'agneau, civet de porcelet et aligot... Choix de salades à la carte et menus complets d'un bon rapport qualité-prix. On apprécie les produits frais et copieusement servis, le service et l'accueil très aimables. Pour dépanner les touristes de passage, quelques chambres modestes à l'étage. C'est avant tout une bonne étape pour déjeuner sur la route vers Sainte-Énimie ou l'Aveyron (Millau est à seulement 30 km).

Où dormir ? Où manger dans les environs ?

Bon marché

🏠 🍴 ***Hôtel-restaurant Malaval :*** *48500 Saint-Georges-de-Lévéjac.* ☎ *04-66-48-81-07.* • *http://cardoule.com/malaval/index.php* • *Sur le causse de Sauveterre. Des Vignes, monter par la D 995, direction Le Massegros, et tourner à droite à 5 km ; après les lacets, Saint-Georges-de-Levejac est à 6 km. Congés : 20 j. en oct et 22 déc-5 janv. Doubles 35 €. Menus à partir de 9 €.* Petit hôtel bien sympathique situé dans un charmant village, garantissant le calme absolu et permettant de nombreuses balades dans les environs, jusqu'au point Sublime, par exemple : vue époustouflante sur le cirque des Baumes et la vallée du Tarn. Des chambres très simples avec douche et w-c (certaines ont vue sur les belles toitures du hameau), et une cuisine traditionnelle et familiale caussarde.

🏠 🍴 ***Hôtel-restaurant Poujol :*** *pl. de la Mairie, 48500 Le Massegros.* ☎ *04-66-48-80-07.* • *hotelpoujol.com* • ♿ *Sur le causse de Sauveterre. À 12 km au nord-ouest des Vignes par la D 995. Ouv tlj, tte l'année. Doubles 30 € avec douche et w-c. Menu du jour 11 € ; autres menus 16-22 €.* Une affaire assez connue sur le causse et dans la vallée, dans la famille depuis 4 générations. Hôtellerie assez récente, bien tenue et bon marché. Au resto, cuisine populaire « à l'ancienne », pas compliquée sans doute mais là encore à prix démocratiques. Accueil affable.

🏠 🍴 ***Gîte Les Fleurines :*** *chez Nathalie Chaytan et Bernard Camborde, Almières, 48500 Saint-Rome-de-Dolan.* ☎ *04-66-48-81-01.* • *lesfleurines@yahoo.fr* • *lesfleurines.fr* • ♿ *En montant sur le Sauveterre depuis Les Vignes par la D 995, prendre la D 46 sur la droite avt Saint-Rome-de-Dolan et continuer sur 2 km. Ouv de mi-mars à mi-nov. Nuitée en dortoir 12 €/pers ; doubles avec douche et w-c 32 €. Petit déj 6 € et dîner 17 €, vin et café compris (possibilité de ½ pens).* Une ferme traditionnelle caussenarde du XVIIIe siècle, restaurée dans les règles de l'art. Nombreux corps de logis, étable, aire de battage, four, et une magnifique bergerie voûtée sur 40 mètres, le tout perché en bordure du causse. Vue sublime sur les gorges du Tarn qui vaut tous les panoramas. Mais attendez de voir l'intérieur : un superbe dortoir sous voûte de pierre en ogive et des petites chambres charmantes, joliment décorées, toutes avec accès indépendant et salle de bains. Ajoutez à cela un accueil parfait... comment résister ?

LE ROZIER

(48150) 150 hab.

Petit village construit à la confluence de la Jonte et du Tarn. On est à la limite de la Lozère et de l'Aveyron où se trouve Peyreleau, juste en face. Une jolie église romane et une enfilade de vieilles maisons bordant la rue principale. C'est surtout un bon point de départ pour faire des balades à pied sur le causse Méjean qui domine le carrefour des deux vallées.

Adresses utiles

Office de tourisme : *sur la route principale, en direction du « belvédère des vautours » et de Meyrueis. ☎ 05-65-62-60-89. • officedetourisme-gorgesdutarn.com • En hte saison, ouv tlj 9h-12h, 16h-19h, dim slt le mat ; hors saison, mar-sam 9h30-11h30.*

Maison des guides sportifs : *dans le village. ☎ 05-65-62-63-54. • guidestarnjonte.com • Ouv en été 10h-13h, 16h-19h (mais venir après 18h pour rencontrer les guides).* Propose du canyoning, de l'escalade, de la spéléologie... Pour découvrir les Grands Causses différemment.

Où dormir ?

Camping

Camping municipal de Brouillet : *☎ 05-65-62-63-98. • contact@campinglerozier.com • http://camping-lerozier.com • Ouv début avr-fin sept. Résa conseillée en juil-août. Compter 12 € en hte saison pour 2 avec voiture et tente. Loc de mobile homes 260-450 €/sem.* Ombragé, en bord de rivière. Bien équipé, avec piscine, et les prix sont raisonnables.

Prix moyens

Chambres d'hôtes « La Pause », chez Francis Espinasse : *route de Capluc. ☎ 05-65-62-63-06. • hebergement-gorgesdutarn.com • Doubles avec douche et w-c 45 €, petit déj compris.* Six chambres dans une maison de caractère tout en pierre, avec piscine et grande terrasse dominant le village de Peyreleau. Ce sont les atouts majeurs de cette adresse. Et si on a un peu de chance, on prend son petit déj sur la terrasse avec le superbe panorama en toile de fond et les vautours qui tournoient au-dessus du causse Méjean...

Hôtel Doussière : *sur la place principale. ☎ 05-65-62-60-25. • galtier.christine@libertysurf.fr • hotel-doussiere.com • Congés : 11 nov-Pâques. Doubles 44-59 € selon confort et saison. Petit déj copieux 8 €.* Une maison récente et bien tenue. Jolie vue sur la rivière de la plupart des chambres, qu'elles soient dans le bâtiment principal ou dans l'annexe, sur l'autre rive, à Peyreleau. Agréable terrasse avec transats et hamac au-dessus de la Jonte.

➤ DANS LES ENVIRONS DU ROZIER

➢ ***Randonnée pédestre :*** belle promenade (assez difficile) sur la corniche du causse Méjean au départ du village : le rocher de Capluc (45 mn), le pont des Arcs (1h15), le bastion de Cinglegros (2h30). Pour y monter, on emprunte le GR 67. Au sommet, vue superbe sur les gorges de la Jonte.

***Peyreleau** (12720) :* joli village classé en bordure de la Jonte, qui s'étage en hauteur sur les pentes d'une butte couronnée par une tour crénelée. C'est tout ce qui reste d'un ancien château fort. Visite guidée une fois par semaine en saison (renseignements à l'office de tourisme).

LES GORGES DE LA JONTE

Moins connues que celles du Tarn, mais tout aussi belles, voire plus sauvages, au pied de falaises très encaissées et à la végétation dense... La Jonte prend sa source dans le massif des Cévennes, sur le flanc nord du mont Aigoual, « vraie mère des eaux » de cette partie de la France. Puis elle creuse son chemin dans les calcaires, formant une sorte de canyon impressionnant entre Meyrueis et Le Rozier, soit un peu plus de 20 km, avant de rejoindre le Tarn. Arrêtez-vous à l'*hôtel-restaurant de la Jonte* ou au *café-restaurant Chez Armand* (peu de places pour se garer car le canyon est avare en espace) : vue magnifique sur les gorges. Au départ du Rozier, les gorges vous conduiront jusqu'à Meyrueis.

LES DOUZES (48150)

À 12 km de Meyrueis, d'où son nom. Ce hameau est dominé par le rocher Saint-Gervais qui porte une petite chapelle romane.

Hôtel-restaurant de la Jonte : *Les Douzes (48150 Meyrueis). ☎ 05-65-62-60-52. Fax : 05-65-62-61-62. Resto fermé lun. Congés : de mi-nov à début mars. Doubles avec douche ou bains 35-38 € ; ½ pens 40 €/pers. Menus 12-21 € et carte. Digestif maison offert sur présentation de ce guide.* Au bord de la route, une grande maison de pays appréciée pour sa bonne cuisine et son accueil familial. Même si la déco a un peu vieilli, nous vous conseillons la salle des ouvriers et des voyageurs de commerce, car c'est là qu'on sert la meilleure cuisine à prix sympathiques. Pour profiter des beaux jours, l'annexe offre une terrasse avec vue sur les gorges de la Jonte. « Piscinette » en prime.

Café-restaurant Chez Armand : *hameau de La Caze. ☎ 05-65-62-61-74. À 2 km après Les Douzes. Service à midi slt. Menu unique 14 €.* Site superbe et isolé : une petite maison blanche toute simple avec une terrasse ombragée qui domine les gorges de la Jonte. Cuisine familiale : truite au lard, daube, sauté de mouton. On peut y prendre simplement un verre. Avec un peu de chance, vous apercevrez dans le ciel l'un des vautours peuplant le parc sur le causse Méjean.

LE TRUEL (48150)

Petit village au bord des gorges. La route qui monte à ***Saint-Pierre-des-Tripiers*** est superbe.

Le Belvédère des Vautours : *à 4 km du Rozier sur la route de Meyrueis. ☎ 05-65-62-69-69. • vautours-lozere.com • Ouv tlj 10h-18h en été, jusqu'à 17h de fin mars à début nov (16h avt le 4 avr). Dernière visite 1h avt la fermeture. Entrée : 6,50 € ; 3 € moins de 12 ans.* Réintroduits en 1981 à partir de volières au-dessus des gorges de la Jonte, les ***vautours fauves*** sont aujourd'hui 500 à voler sur les Grands Causses. Grâce à la Ligue de protection des oiseaux (LPO), à la Communauté de communes de la vallée de la Jonte et au parc national des Cévennes, un espace muséographique a été créé sur le site, avec terrasse équipée de longues-vues pour observer au mieux ces charmants charognards, principalement des vautours fauves, mais aussi quelques vautours moines et percnoptères. Expo permanente sur le travail de réintroduction de l'espèce, son mode de vie, etc. Vous pouvez aussi observer les vautours « en direct » grâce à des caméras installées dans la nature et téléguidées depuis la salle de projection vidéo, le tout commenté par un animateur ornithologue. Le dispositif permet de participer à la vie des rapaces (et à leur festin !), version « loft » animalier ! La LPO organise par ailleurs des sorties nature en été, à la découverte des vautours *in situ* (se renseigner au *Belvédère*).

LE CAUSSE MÉJEAN

Une sorte de désert d'altitude : 33 000 ha d'une vaste steppe d'herbe à l'infini, légèrement ondulée et parsemée de hameaux aux toits de lauzes, de *clapas*

(pierres entassées ici et là, par l'homme, cet entasseur) et de *caselles,* sorte d'abris pour les moutons et les bergers.
C'est le plus haut de tous les causses (environ 1 000 m), sans doute le plus beau. Très peu peuplé (1,4 hab. au km²), il donne souvent l'impression d'être seul au monde. Traversé par des drailles, des sentiers de randonnée (GR 6 et GR 60) et quelques routes secondaires, le causse Méjean offre des paysages qui rappellent les steppes d'Asie centrale, les plaines d'altitude du Mexique, les collines arides d'Anatolie, et parfois même certains horizons de l'Ouest américain. Il est plus dénudé à l'est qu'à l'ouest, en raison des grands bois de pins sylvestres qui y sont plantés.
Seuls endroits cultivables : des dépressions circulaires nommées *sotchs* ou *dolines,* qui ponctuent le paysage de loin en loin. L'homme des causses a toujours dû cohabiter avec son voisin des gorges pour troquer le lait des brebis contre l'eau des sources et pour transformer son blé en farine...
La principale curiosité du causse Méjean, c'est l'aven Armand (200 000 visiteurs par an) et, bien sûr, les paysages grandioses qui le composent. Plusieurs dolmens et menhirs éparpillés témoignent d'un habitat préhistorique remontant au IVe millénaire av. J.-C., notamment au col de la Pierre-Plate, à Combe-Lébrouse et au Mas Saint-Chély.

Où dormir ? Où manger ?

Gîtes d'étape pour randonneurs

Gîte d'étape de Hyelzas : *chez Claude Pratlong, hameau de Hyelzas, 48150 Hures-la-Parade. ☎ 04-66-45-66-56. • claude.pratlong@orange.fr • Situé sur le GR 6 Alpes-Océan, du Rhône à l'Aigoual. Ouv tte l'année sur résa. Nuitée 9-10 €.* Peut accueillir jusqu'à 25 personnes. Ravitaillement possible. Douches et coin cuisine à disposition.

Auberge de La Viale *(hors GR) : chez Sandrine Dides, La Viale, 48150 Saint-Pierre-des-Tripiers. ☎ 04-66-48-82-39. Ouv avr-fin oct. Gîte d'étape 10 € la nuitée. Chambres d'hôtes à la ferme 50 € pour 2, petit déj 5 €. Dîner 15 €.*

Hôtel-restaurant

Auberge du Chanet : *au hameau de Nivoliers, 48150 Hures-la-Parade. ☎ 04-66-45-65-12. • aubergeduchanet@orange.fr • cevennes.com/chanet.html • ♿ Dans la partie est de causse Méjean, en allant vers Florac. Congés : 15 nov-1er avr. Doubles avec douche et w-c 46 €. Dispose également d'un gîte d'étape de 33 lits, 12 € la nuitée. ½ pens 34-46 €/pers. Menus 14-27 € et carte.* Grosse maison de pays balayée par les vents, dans un hameau traditionnel en plein causse, loin de tout. À l'intérieur, dans une salle voûtée en pierre, on vous propose une bonne petite cuisine d'inspiration locale, fine et inventive : *tian* de légumes confits et fromage blanc au bleu des Causses, sauté d'agneau façon tajine, fine tranche de veau avec jambon de montagne et brique de brebis en millefeuille... Dommage que les portions ne soient pas toujours très généreuses.

Chambres d'hôtes et ferme-auberge

Le Choucas : *chez Danielle et Michel Gal, La Volpilière, 48150 Saint-Pierre-des-Tripiers. ☎ 04-66-45-64-28. Par la D 63 vers Saint-Pierre-des-Tripiers, puis direction La Volpilière. Ouv avr-fin sept. Trois doubles 53 €, petit déj compris ; ½ pens 85 € pour 2. Repas le soir 16 €, vin compris. Sur présentation de ce guide, réduc de 5 % pour la ½ pens à partir de 3 nuits.* Jolie maison sur le causse Méjean et belle vue sur le mont Aigoual. Accueil très chaleureux.

Bons produits du terroir servis à la table d'hôtes, charcuterie locale, agneau du causse, desserts maison...

Gîte et chambres d'hôtes chez Martine Turc : *L'Hom, 48400 Fraissinet-de-Fourques. ☎ 04-66-45-66-14. • ferme-de-lhom.com • L'Hom de la situation : on est à deux pas du site de Nîmes-le-Vieux avec ses célèbres rochers ruiniformes. Nuitée en dortoir 11,50 €. Doubles avec salle de bains 45 €, petit déj inclus ; 70 € pour 2 en ½ pens. Menu unique 13,50 €. Sur présentation de ce guide, réduc de 10 % pour un séjour en chambre en ½ pens pour 2.*. Un dortoir et deux chambres dans une maison traditionnelle, avec vente de produits et cuisine également dans la grande tradition.

Chambre d'hôtes chez Denis Gal : *Le Buffre, 48150 Hures-la-Parade. ☎ 04-66-45-61-84. Ouv Pâques-Toussaint. Doubles 47 €. Menu unique le soir sur résa 11 €. Café offert sur présentation de ce guide.* Dans ce village si typique du Causse, un corps de bâtiment en pierre ayant appartenu à la famille de cet éleveur de brebis qui vous fera visiter son exploitation. Dans l'ancienne grange du XIIe siècle, un escalier fleuri, puis un porche voûté donnent accès à l'unique chambre d'hôte de la ferme, spacieuse et coquette, avec TV et sanitaires privés.

Ferme-auberge, chez Rémi Baret : *Les Hérans, 48150 Hures-la-Parade. ☎ 04-66-45-64-42. Dans un hameau isolé sur le causse Méjean, à 1 km au sud de l'aven Armand par une petite route en cul-de-sac. Ouv avr-oct, slt le midi et sur résa (au moins 24h à l'avance). Menus 11-24 € et carte.* Mme Baret règne sur les fourneaux, et sa fille assure le service, dans la petite salle meublée de tables individuelles en bois d'ormeau. Au plafond, des poutres en châtaignier. Chez les Baret, on aime les choses naturelles, à l'image de leur sourire de bienvenue. Comme ces délicieux produits de la ferme, préparés selon de vieilles recettes caussenardes : tourte au roquefort, soupe paysanne, charcuterie et viande du pays...

À voir

L'aven Armand : *☎ 04-66-45-61-31. • aven-armand.com • Ouv tlj de mi-mars à mi-nov. Juil-août, 9h30-18h15 (dernière visite) ; hors saison, pause déjeuner et fermeture à 17h. Congés : de mi-nov à mi-mars. Entrée : 8,50 € adulte ; 5,90 € enfant. Possibilité de billet jumelé avec le site de Montpellier-le-Vieux (Aveyron). Beaucoup de visiteurs entre mi-juil et mi-août : prévoir min 20 mn d'attente entre l'achat du billet et l'accès au funiculaire ! Un départ ttes les 20 mn pour 50 passagers.* Une des merveilles du monde souterrain. Découvert en 1897 par Louis Armand, serrurier au Rozier, et Édouard-Alfred Martel, l'aven fut ouvert au public en 1927. Le funiculaire descend un long tunnel de 208 m qui débouche au pied du puits vertical emprunté jadis par les explorateurs. Pour les intrépides, la descente en rappel est également possible par le puits naturel (50 € sur résa en été). La visite dure environ 45 mn ; elle se fait à pied, en compagnie d'un guide professionnel. La température interne du gouffre ne dépasse pas 12 °C. Prévoir un vêtement chaud. Sorti du funiculaire, on découvre alors cette immense salle (60 x 100 m, haute de 40 m) dont le sol est formé par un éboulis de pierre. Les eaux de pluie se sont infiltrées dans la croûte calcaire de la surface puis ont dessiné cette « forêt vierge » de concrétions aux formes fantastiques. Une mise en lumière dévoile ses 400 stalagmites, et notamment la plus grande connue à ce jour dans le monde (30 m !). Dans ce décor étrange, on peut voir autant de monstres pétrifiés, de fruits et légumes ciselés, de palmiers surréalistes que de pâtisseries débordantes de crème... À vous de chercher votre bonheur dans ce rêve ténébreux : la salle pourrait loger Notre-Dame de Paris ! Tout un monde clos, crépusculaire et intemporel, où les siècles se comptent au goutte-à-goutte...

La ferme caussenarde d'autrefois : *au hameau de* ***Hyelzas,*** *48150 Hures-la-Parade. ☎ 04-66-45-65-25. • ferme-caussenarde.com • Au bout de la petite route qui continue à l'ouest après l'aven Armand (à 3 km). Pâques-Toussaint, tlj*

10h-12h, 14h-18h ; juil-août, 10h-19h. Entrée : 5,20 € ; 2,15 € pour les enfants. Compter 1h de visite. Réduc de 10 % sur présentation de ce guide.
Une vieille maison traditionnelle, en pierre et dalles de calcaire, située dans un hameau isolé. À l'intérieur de la ferme, on a reconstitué la vie quotidienne d'un paysan du causse autrefois. Exposition de photographies anciennes, extrait du film *Lou Mèijo* qui évoque ces temps révolus, et village miniature animé présentant l'architecture locale.
Au hameau, on trouve aussi un *gîte d'étape* sur le GR 6 (voir plus haut), la boulangerie Pacaud, qui vend son fameux pain cuit au feu de bois, et l'incontournable *Fromagerie Le Fédou* (☎ 04-66-45-66-74) avec tous les produits fermiers à déguster et à emporter sur l'aire de pique-nique voisine : diverses sortes de fromages de brebis et les charcuteries du causse. Vue superbe sur la vallée de la Jonte et le causse Noir, au-delà des gorges.

Les vieux hameaux traditionnels : ils sont éparpillés sur le causse et ils arrêtent le regard, sortes de repères dans cet horizon sans fin. Il faut voir *Hyelzas,* mais aussi **_Drigas_** (gîte d'étape à la *Cabane de l'Adrech* : ☎ 04-66-45-67-94), **_La Volpilière_** (sur la route de Saint-Pierre-des-Tripiers) et **_Les Bastides,_** sur la petite D 63 qui descend de La Parade jusqu'aux gorges de la Jonte. Plus isolée encore, la *ferme de Fretma,* dans la partie est du causse, dans l'orbite du parc national des Cévennes. Pour trouver **_Fretma,_** munissez-vous de la carte IGN 354 et partez à l'aventure à pied...

Le chaos de Nîmes-le-Vieux : dans la désolation de la steppe d'herbes jaunes surgit cet étrange amas de pierres calcaires, rappelant une cité en ruine. Rien à voir avec le vieux Nîmes, évidemment ! L'endroit est superbe : l'érosion a sculpté des blocs aux contours déchiquetés, que l'on découvre à pied en suivant un chemin balisé. Le chaos est accessible par le col de Perjuret, d'où l'on suit une petite route jusqu'aux hameaux de l'Hon et de Veygalier. On y laisse la voiture pour continuer à pied. Les randonneurs peuvent également emprunter un chemin de l'Hon à Gally.
On trouve à l'Hon et au Veygalier une ferme-auberge avec des produits du terroir. Au hameau de *Gally,* accessible par la route, il y a une grande ferme caussenarde exploitée par un couple très sympathique, qui élève 600 brebis sur 300 ha de terre, cultive du seigle, de l'orge et de l'avoine. La partie de l'Hon à Gally, plus petite et moins connue que celle autour de Veygalier, a l'avantage d'appartenir à la ferme et d'être gratuite d'accès. Au fil de la promenade, on y trouve des pins d'Autriche, seule variété de pins adaptée aux rigueurs climatiques du causse. On y découvre aussi une plante rare : la saxifrage des Cévennes.

Les chevaux de Przewalski : *au centre expérimental d'élevage, au Villaret, 48150* **_Hures-la-Parade._** *☎ 04-66-45-64-43. • takh.org • À 10 km à l'est de l'aven Armand, sur la D 63 en direction de Florac. Accueil gratuit tlj sf sam en juil-août.* On peut y admirer, sur environ 400 ha, un troupeau d'une quarantaine de ces chevaux roux et trapus en semi-liberté.

À CHEVAL ENTRE LE CAUSSE MÉJEAN ET LA MONGOLIE

Du nom de l'aventurier russe qui les a découverts en Mongolie, les chevaux de Przewalski sont les derniers chevaux sauvages du monde. L'association TAKH (nom mongol de ce cheval) réentraîne depuis 1993 ce cheval à la vie sauvage sur le causse Méjean, en vue d'une réintroduction en Mongolie.

MEYRUEIS

(48150) 1107 hab.

Au carrefour de trois vallées, Meyrueis est traversé par les eaux de la Jonte, du Bétuzon et de la Brèze. Son nom signifie d'ailleurs « au milieu des ruis-

seaux ». Ce qui donne un côté montagnard, frais et dispo, à ce gros village sympathique malheureusement devenu un peu trop touristique à notre goût. Le site est malgré tout exceptionnel. Deux mondes s'entrechoquent : les Cévennes, pays du schiste et de la châtaigne, et les causses, univers du calcaire et de la steppe infinie. On a la plus belle vue sur la ville et le site depuis la D 986 qui monte vers l'aven Armand et le causse Méjean.
Détail important : les gens d'ici ont l'accent du Midi. Ils se sentent bien languedociens et plus proches de Montpellier que de l'Auvergne.

UN PEU D'HISTOIRE

Frontière entre causses et Cévennes, Meyrueis marque aussi la limite entre les terres protestantes et le bastion catholique du causse. Le bourg s'est développé autour de la petite église Saint-Pierre, datant de l'an 1000. Ville commerçante et dynamique, elle doit sa prospérité aux filatures de laine et de coton (XVIIe et XVIIIe siècle) mais surtout à la fabrication de chapeaux en feutre, activité déjà développée au XVe siècle. Le début du XIXe siècle marque le déclin de la ville. Le renouveau de Meyrueis date de 1888, année de la création du premier syndicat d'initiative de Lozère. Avec la proximité des gorges du Tarn, aujourd'hui, la première activité est bien sûr le tourisme.

Adresse utile

ℹ ***Office de tourisme :*** *dans la vieille tour de l'Horloge, au bord de la Jonte. ☎ 04-66-45-60-33. • meyrueis-office-tourisme.com • En été, ouv tlj 9h-12h, 15h-19h ; Pâques-Toussaint, 9h30-12h, 15h-18h. Fermé le w-e hors saison.* Personnel efficace et dynamique. Infos sur les hébergements, notamment les chambres d'hôtes dans un rayon de 30 km autour de la ville. Possibilité de visite guidée de Meyrueis (deux fois par semaine) avec Philippe Chambon.

Où dormir ? Où manger ?

Presque tous les hôtels de Meyrueis ont leur restaurant, souvent correct et pas trop cher. En saison ou pour les grands week-ends, il est préférable de réserver sa chambre, parfois quelques jours à l'avance.

Camping

⛺ ***Camping Le Pré de Charlet :*** *route de Florac. ☎ 04-66-45-63-65. • contact@camping-lepredecharlet.com • camping-lepredecharlet.com • ♿ Situé à 800 m du centre de Meyrueis, sur la route de Florac. Ouv de mi-avr à mi-oct. Résa vivement recommandée en été. Compter 12 € pour 2 en hte saison. Loc de mobile homes et de caravanes 190-450 €/sem.* Dans un très beau site au bord de la Jonte : bien ombragé, fleuri, très propre. Accueil aimable.

De bon marché à prix moyens

🏠 ***Hôtel Les Sapins :*** *2, rue de Mgr-Henry-Marret. ☎ 04-66-45-60-40. Ouv mai-sept. Doubles 30-39 € selon confort, petit déj 5 €. Pas de resto. Jardin et garage clos pour les deux-roues.*

🏠 ***Chambres d'hôtes, chez Rémy et Elzie Martin :*** *8, rue Claude-Nogues. ☎ 04-66-45-62-20. Trois doubles avec*

TV, lavabo et douche (w-c sur le palier) 20-30 € selon saison. Petit déj 4 € (miel des ruches du fiston, confitures maison...). Petite maison toute simple et sans grand charme. Une modeste adresse à signaler pour ses tarifs très sages, et l'accueil authentique des Martin.

🍴 ***Le Jardin des Glaces :*** *av. E.-A.-Martel. ☎ 04-66-45-43-75. Sur la route de l'aven Armand, à la sortie du village. Tlj mai-sept. Menus 14-29 € ; compter 18 € à la carte. Apéritif maison offert sur présentation de ce guide.* Ici, on vous prévient d'entrée, on « tire l'aligot », ce qui devrait vous inciter à accourir pour déguster cette purée fromagère parfumée à l'ail doux, préparée selon la tradition et à la force du poignet ! En prime, savoureux « agneau de parcours », fondant à souhait. Pour les jours de grande chaleur, on peut passer directement à la coupe de glace. Plus de quarante au choix ! Ambiance paisible, service dans la petite salle fraîche ou mieux, dans le jardin. Une bonne petite adresse.

🏠 🍴 ***Hôtel-restaurant Le Sully :*** *28, pl. Sully. ☎ 04-66-45-68-38. • therese.gaillard245@orange.fr • hotellesully.com • ♿ Doubles avec bains 31-42 € selon confort et saison. Menus 10,50-17 € et carte. Apéritif maison offert sur présentation de ce guide.* Hôtel accueillant tenu par un couple dynamique. Les chambres de l'annexe Renaissance, entièrement rénovées, sont confortables et bien tenues. Toutes sont spacieuses et au calme, certaines donnant sur la petite terrasse intérieure. Au resto, une modeste cuisine de terroir servie copieusement et sans chichis, notamment de bons plats de viande et aligot. L'ambiance conviviale et les tables en terrasse le long de la Jonte en font une bonne halte.

🏠 🍴 ***Hôtel Family :*** *quai de la Barrière. ☎ 04-66-45-60-02. • hotel.family@wanadoo.fr • hotel-family.com • ♿ (resto). Congés : début nov-Rameaux. Doubles 39-49 € selon confort et saison. Menus 12,50 € (midi en sem)-32 €.* Une grande maison qui borde le torrent du village. Chambres fonctionnelles mais bien tenues et fraîchement rénovées. Au restaurant, prix raisonnables pour une cuisine du terroir sans surprises. Il y a aussi une piscine et un jardin en face de l'hôtel, accessibles par un petit pont en bois. Accueil aimable.

De prix moyens à beaucoup plus chic

🏠 🍴 ***Hôtel du Mont Aigoual :*** *34, quai de la Barrière. ☎ 04-66-45-65-61. • hotelmontaigoual@free.fr • hotel-mont-aigoual.com • Ouv fin mars-début nov. Resto fermé mar midi sf juil-août. Doubles avec bains 55-75 € (remise de 10 % avr-oct) ; ½ pens, demandée juil-août, 55-62 €/pers. Menus 20-40 €.* La maison cache bien son jeu de prime abord. La belle piscine derrière l'hôtel, le grand jardin d'agrément, les chambres confortables, spacieuses, calmes, rassurent tout de suite. L'accueil courtois n'altère en rien cette impression. Côté resto, cuisine toujours réussie préparée par Daniel Lagrange avec des produits et des recettes du terroir : foie gras poêlé à la crème de lentilles, fondant de volaille et jus truffé, carré d'agneau rôti... Un bon rapport qualité-prix et l'une des meilleures tables du coin.

🏠 🍴 ***Château d'Ayres :*** *Les Ayres. ☎ 04-66-45-60-10. • chateau-d-ayres@wanadoo.fr • chateau-d-ayres.com • À 1 km du bourg en suivant le fléchage. Congés : 3 janv-15 fév. Doubles avec bains 96-160 € selon saison ; petit déj 14 €. Menus 23 € midi et 31-47 € ; ½ pens, demandée en juil-août, 83-132 €/j./pers. Apéritif maison offert sur présentation de ce guide.* Monastère fortifié du XIIe siècle, résidence seigneuriale ensuite et maintenant très bel hôtel de luxe, le château a reçu des hôtes aussi prestigieux que Blanche de Castille ou le général de Gaulle (non, pas en même temps !). L'endroit a quelque chose de féerique... Si vous êtes en voyage de noces, voilà l'adresse qu'il vous faut. Piscine et tennis dans le parc, billard. Bonne cuisine qui revisite le terroir avec légèreté. L'accueil est à la hauteur des lieux. Rien à redire !

Où dormir ? Où manger dans les environs ?

Campings

Camping La Cascade : *chez Marie-Hélène Causse, 48150 Salvinsac. ☎ 04-66-45-45-45. • contact@camping-la-cascade.com • camping-la-cascade.com • À 2 km env de Meyrueis, sur la route de Florac. Ouv avr-fin oct. Compter 13,50 € l'emplacement pour 2 en hte saison avec voiture et tente. Loc de chalets à partir de 235 €/sem. Café offert sur présentation de ce guide.* Encore un site superbe, près de la Jonte. Peu d'ombre toutefois, mais les sanitaires sont impeccables, et l'accueil est agréable. Vente de produits fermiers. On peut aussi se baigner dans la rivière.

Camping Le Pré des Amarines : *à Gatuzières. ☎ 04-66-45-61-65. Dans un hameau situé à 5 km env de Meyrueis, route de Florac, avt la montée vers le col de Perjuret. Ouv slt en juil-août. Compter 13 € pour 2 avec véhicule et tente. Tarifs dégressifs selon la durée du séjour.* Beau site au bord de la Jonte près de la ferme des Gely. Simple comme tout mais sympa.

Chambres d'hôtes

Gîte d'étape et camping à la ferme de Marjoab : *chez Mme Libourel, lieu-dit Marjoab, 48150 Meyrueis. ☎ 04-66-45-64-18 ou 53-59. À 8 km au sud de Meyrueis : suivre la D 986 en direction du Vigan ; en haut de la côte, prendre à droite la D 47 en direction de Lanuéjols, on est sur le plateau ; à moins de 1 km après le carrefour, vous verrez le chemin bordé d'arbres qui mène à Marjoab. Gîte d'étape de 18 places (douche et coin cuisine) 9,30 €/pers ; camping de 25 emplacements 12,20 €.* C'est une grande ferme sur le rebord du causse Noir, posée là au milieu de nulle part, dans un très beau site, que traverse le GR 6 Alpes-Océan.

Chambres d'hôtes « La Mosaïque » : *chez Muriel Trescarte, 48150 Gatuzières. ☎ 04-66-45-64-10. • tresjlm@aol.com • Dans un village méconnu à 5 km de Meyrueis, au pied de l'Aigoual et du causse Méjean. Doubles 50 €.* Une halte au calme, dans un décor de mosaïque. Un petit nid douillet à proximité des grands sites à visiter. Les chambres sont dans une maison indépendante, dotée de tout le confort. Accueil charmant.

Chambres d'hôtes chez Alain Buonamini : *à Jontanels, sur la commune de Gatuzières (48150). ☎ 04-66-45-67-37. Doubles avec bains 50 €. Repas 20 €, quart de vin compris. Café offert sur présentation de ce guide.* Un petit coin de paradis au bout du monde, ou presque. Deux chambres confortables, bien agréables, dans ce paisible hameau en bordure de la Jonte. Coin salon, cuisine, jardin, terrasse pour prendre le temps de vivre et possibilité de belles balades en forêt, à pied ou à VTT.

À voir

Les maisons anciennes : dans le centre, notamment la maison du Viguier, datant du XVIe siècle.

➢ ***Promenade*** le long du ruisseau du Bétuzon, avec les maisons serrées comme sur le quai d'un port.

Le temple protestant : de plan octogonal, date de 1804.

La chapelle Notre-Dame-du-Rocher : de 1876. Elle domine tout du haut de son rocher. Construite à l'emplacement de l'ancien château des comtes de Meyrueis, elle sert aujourd'hui de refuge aux randonneurs sur la route de Dargilan.

Le château de Roquedols : *à 2 km au sud de Meyrueis, sur la route du mont Aigoual.* Fin XVe-début XVIe siècle. Cette grande et belle demeure est l'une des mieux conservées de Lozère (visite extérieure uniquement).

À faire

– ***Vélo tout-terrain :*** la descente du mont Aigoual par des sentiers balisés, à l'aube. On y monte en bus au lever du soleil. *Rens à l'office de tourisme.*

– ***Escalade, spéléologie, canyoning, canoë-kayak :*** *infos à l'office de tourisme.*

➤ DANS LES ENVIRONS DE MEYRUEIS

La grotte de Dargilan : *à 8 km à l'ouest de Meyrueis, par une petite route qui grimpe sur le causse Noir à la sortie de la ville. ☎ 04-66-45-60-20. • grotte-dargilan.com • Ouv Pâques-Toussaint : en juil-août, tlj 10h-18h30, le reste du temps, tlj 10h-17h30 (16h30 en oct). Entrée : 8,30 € adulte ; 6-18 ans : 5,70 € ; réduc de 1 € par adulte et 0,50 € par enfant sur présentation de ce guide.* Surnommée aussi la grotte Rose à cause de la couleur particulière de ses cristallisations. Découverte en 1880 par un berger, explorée en 1888 par Martel, le pionnier de la spéléologie française, aménagée en 1890, Dargilan présente l'ancien lit d'une rivière souterraine et un ensemble fantastique de concrétions, stalagmites en grandes orgues, et de salles aussi étranges que spectaculaires. La visite y est sympa ! Attention, 10 °C dans les grottes. Sortie superbe sur les gorges de la Jonte.

La ferme de Jontanels : *à partir de Meyrueis, prendre la D 996 en direction de Florac puis la D 19 sur la droite, après 11 km. ☎ 04-66-45-63-71. On peut assister à la fabrication du fromage tlj vers 11h et à la traite des chèvres à partir de 17h30 (sf nov-fév) ; des goûters sont organisés juin-sept. Rens et inscription : ☎ 04-66-45-63-92.* Dans ce petit hameau niché dans une vallée du bout du monde, on trouve, outre de belles chambres d'hôtes (voir plus haut), une ferme produisant fromages (tomes pur chèvre, mi-chèvre ou vache) et charcuterie (saucissons, pâtés, etc.). Accueil très sympathique.

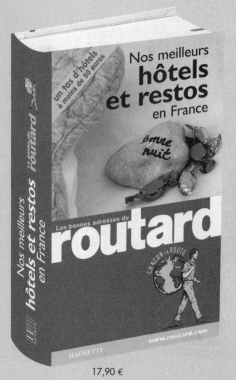

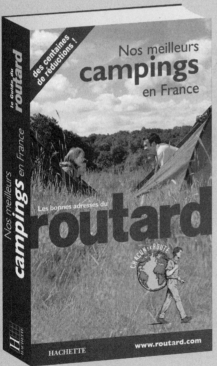

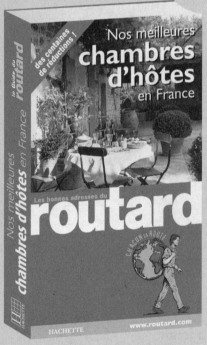

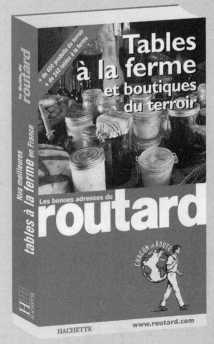

INDEX GÉNÉRAL

A

B

C

D

E

F

G

H

I-J

L

M

N

O

P

Q-R

S

INDEX GÉNÉRAL

T

U-V

OÙ TROUVER LES CARTES ET LES PLANS ?

Les **Routards** parlent aux **Routards**

Faites-nous part de vos expériences, de vos découvertes, de vos tuyaux. Indiquez-nous les renseignements périmés. Aidez-nous à remettre l'ouvrage à jour. Faites profiter les autres de vos adresses nouvelles, combines géniales... On adresse un exemplaire gratuit de la prochaine édition à ceux qui nous envoient les lettres les meilleures, pour la qualité et la pertinence des informations. Quelques conseils cependant :

– Envoyez-nous votre courrier le plus tôt possible afin que l'on puisse insérer vos tuyaux sur la prochaine édition.
– N'oubliez pas de préciser l'ouvrage que vous désirez recevoir.
– Vérifiez que vos remarques concernent l'édition en cours et notez les pages du guide concernées par vos observations.
– Quand vous indiquez des hôtels ou des restaurants, pensez à signaler leur adresse précise et, pour les grandes villes, les moyens de transport pour y aller. Si vous le pouvez, joignez la carte de visite de l'hôtel ou du resto décrit.
– N'écrivez si possible que d'un côté de la lettre (et non recto verso).
– Bien sûr, on s'arrache moins les yeux sur les lettres dactylographiées ou correctement écrites !

En tout état de cause, merci pour vos nombreuses lettres.

Les Routards parlent aux Routards :
122, rue du Moulin des Prés, 75013 Paris

e-mail : guide@routard.com
Internet : www.routard.com

Le Trophée du voyage humanitaire ROUTARD.COM s'associe à VOYAGES-SNCF.COM

Parce que le *Guide du routard* défend certaines valeurs : Droits de l'homme, solidarité, respect des autres, des cultures et de l'environnement, il s'associe, pour la prochaine édition du Trophée du voyage humanitaire routard.com, aux Trophées du tourisme responsable, initiés par Voyages-sncf.com.
Le Trophée du voyage humanitaire routard.com doit manifester une réelle ambition d'aide aux populations défavorisées, en France ou à l'étranger. Ce projet peut concerner les domaines culturel, artisanal, agricole, écologique et pédagogique, en favorisant la solidarité entre les hommes.
Renseignements et inscriptions sur • www.routard.com • et • www.voyages-sncf.com •

Routard Assistance 2008

Routard Assistance et Routard Assistance Famille, c'est l'Assurance Voyage Intégrale sans franchise que nous avons négociée avec les meilleures compagnies, Assistance complète avec rapatriement médical illimité. Dépenses de santé et frais d'hôpital pris en charge directement sans franchise jusqu'à 300 000 € + caution + défense pénale + responsabilité civile + tous risques bagages et photos. Assurance personnelle accidents : 75 000 €. Très complet ! Le tarif à la semaine vous donne une grande souplesse. Tableau des garanties et bulletin d'inscription à la fin de chaque *Guide du routard* étranger. Pour les départs en famille (4 à 7 personnes), demandez-nous le bulletin d'inscription famille. Pour les longs séjours, un nouveau contrat *Plan Marco Polo « spécial famille »* à partir de 4 personnes. Enfin pour ceux qui partent en voyage « éclair » de 3 à 8 jours visiter une ville d'Europe, vous trouverez dans les Guides Villes un bulletin d'inscription avec des garanties allégées et un tarif « light ». Pour les villes hors Europe, nous vous recommandons Routard Assistance ou Routard Assistance Famille, mieux adaptés. Si votre départ est très proche, vous pouvez vous assurer par fax : 01-42-80-41-57, en indiquant le numéro de votre carte de paiement. Pour en savoir plus : ☎ 01-44-63-51-00 ; ou, encore mieux, sur notre site : • www.routard.com •

Photocomposé par MCP - Groupe Jouve
Imprimé en Italie par Legoprint
Dépôt légal : février 2008
Collection n° 15 - Édition n° 01
24-4215-0
I.S.B.N. 978-2-01-244215-3